EL IMPERIO DEL BRASIL
Y EL RIO DE LA PLATA

A Juan Guillermo Peroni

Efraím Cardozo

Premio "Alberdi-Sarmiento" 1961

EL IMPERIO DEL BRASIL Y EL RIO DE LA PLATA

Antecedentes y estallido de la Guerra del Paraguay

LIBRERIA DEL PLATA

BUENOS AIRES

1961

Queda hecho el depósito
que previene la ley 11.723.

Printed in Argentina   —   Impreso en la Argentina

ADVERTENCIA

Este libro prosigue la serie iniciada con "Vísperas de la Guerra del Paraguay" (Buenos Aires, El Ateneo, 1954). No es propiamente su continuación, como que el relato arranca de mucho más atrás, en el tiempo y en el espacio, de donde terminó aquella inicial reconstrucción de los hechos que condujeron a la guerra entre el Paraguay y la Triple Alianza. Y este nuevo volumen no es sólo la crónica documentada, como lo fue el primero, sino también un examen de los orígenes remotos de la tragedia que ensangrentó al continente sudamericano desde 1864 hasta 1870. Su tema principal es la irrupción, en abril de 1864, del Imperio del Brasil, con todo su poderío diplomático, naval y militar, en la ensangrentada escena uruguaya, donde blancos y colorados dirimían supremacías desde un año antes, y las derivaciones que esa intervención tuvo en las relaciones entre el Paraguay y el Brasil, hasta llegar a la ruptura de las hostilidades, en noviembre de 1864. Pero previamente debimos historiar la vieja rivalidad hispano-lusitana, las seculares aspiraciones del Portugal, heredadas por el Brasil, de traer sus fronteras o su hegemonía hasta el Río de la Plata, y las distintas reacciones de los países amenazados, sin cuyo cabal conocimiento es imposible la comprensión de los sucesos, tal como ellos se desarrollaron desde el envío de la Misión Saraiva al Uruguay hasta el apresamiento del Marquez de Olinda *en las aguas del Paraguay, pólvora y chispa que generaron la espantosa conflagración. En cierto modo, en la secuencia de los hechos, el relato de "Vísperas" puede quedar inserto dentro de este segundo volumen, de carácter más extenso, por cuya razón algunos de sus capítulos no son sino extractos y otros ampliación de los de aquél. Este nuevo libro, dentro de la serie comenzada, puede subsistir independiente y su lectura no requiere forzosamente la del anterior. Le seguirá un tercer volumen, donde se historiará la ruptura con la República Argentina y la formación de la Triple Alianza, que requerirá, a su vez, una retrospección del problema fundamental de la posición del Paraguay en el Río de la Plata y de sus relaciones con la antigua capital del Virreinato.*

Corresponde otra aclaración. Aunque el lector discierna en la raíz más honda de los sucesos que historiamos —la secular malquerencia hispanolusitana— antagonismos graves de orden material: apetencias de tierras, ambiciones de riquezas, rivalidades raciales, tal como ellos son expuestos en los primeros capítulos; y aunque las cuestiones de límites y de navegación, nacidas con la independencia, y las revividas incompatibilidades étnicas, parecen empujar a los acontecimientos en sus etapas finales, en realidad desencadenan la conflagración, largamente incubada, motivaciones enteramente subjetivas o abstractas que muy poco o nada tienen que ver con las seculares controversias. No la geografía, ni la economía, ni la raza dictan en 1864 y 1865 las decisiones supremas e irrevocables, sino pasiones, sentimientos e ideales, grandes o pequeños, de carácter social o individual: amor fanático a la independencia o a la grandeza nacional, adhesión a doctrinas, o instituciones o banderías políticas, ansias de poder y dominación, sueños de gloria, cuidado de la honra, orgullo, vanidad, rencor, envidia, celos, suspicacias, cálculos, complejos de inferioridad o de superioridad, frustraciones, obsesiones persecutorias o genocidas, que acucian a los pueblos o a los hombres y los arrojan a la apocalíptica vorágine.

Al paso de nuestro análisis, fruto de largas y pacientes investigaciones en los archivos y de buceos razonados en la mentalidad de los responsables, no surgió evidencia alguna de que un ciego encadenamiento de hechos, movidos por fuerzas ineluctables, ajenas a la voluntad humana, llevara inexorablemente a la catástrofe. Los adeptos de la geopolítica, del racismo o del materialismo histórico, no encontrarán, por cierto, en estas páginas, pruebas que abonen sus dogmáticos asertos. Si los acontecimientos no encajan dentro de los rígidos esquemas de los fatalistas de la historia, es porque nuestra tarea se ha desarrollado libremente, sin ataduras a prejuicios o preconceptos. Ella nos ha llevado a la conclusión de que los hacedores de esta historia de muerte, heroísmo, dolores, ruinas y glorias, fueron únicamente los pueblos y los hombres, sus ideales, sus pasiones y sus sentimientos. La condición social y humana, antes que la geografía, la raza o la economía, impulsaron hacia las decisiones supremas o paralizaron las manos que podían apagar el incendio. Si hubo alguna Fatalidad, fue al estilo griego, en que los dioses que desencadenaban los males sobre los hombres eran tan hombres como sus víctimas.

Nada de esto ocurriría nuevamente en la América de nuestros días. Los hechos relatados pertenecen a épocas y mentalidades definitivamente superadas. El expansionismo del Brasil imperial ha dado paso al americanismo fraternal del Brasil republicano, adalid de la cooperación entre los pueblos. Nada quedan de sueños virreinales en Buenos Aires, hoy centro de nobles irradiaciones de cultura y de amistad continental. Ya no internacionalizan sus querellas blancos y colorados, que se han dado las manos para convertir al Uruguay en una avanzada democrática del mundo y en un oasis de paz. Y aunque desde hace algún tiempo hay quienes proyectan con fuerza sobre el Paraguay la sombra de López, lo hacen sólo para apañar absurdas dictaduras: el pueblo paraguayo sigue fiel a las tradiciones democráticas y pacifistas de los comuneros y de Mayo.

Hemos procurado mantener la objetividad del relato, aunque a veces la furia de los temporales conjurados por el recuerdo, hizo estremecer nuestra pluma y aun sumergirnos en el mar embravecido de las pretéritas pasiones. En estos casos nos hemos dejado arrastrar deliberadamente por la tormenta para tratar de obtener una revivencia más fiel del ambiente en que se desató la tragedia. Además, ello nos permitió sobrellevar mejor otras tormentas, de nuestros días, desencadenadas sobre el pueblo paraguayo. El trabajo de compulsa de los archivos de la Argentina, Brasil y Uruguay, y la redacción de los primeros capítulos, lo emprendimos en nuestro largo y arduo ostracismo de 1940 a 1949. Vueltos al Paraguay, proseguimos la investigación en el archivo de Asunción, y nuevamente desterrados, terminamos y publicamos el primer volumen en Buenos Aires en 1954. Cuando pudimos regresar a la patria, reanudamos la búsqueda documental, para luego, en 1956, otra vez obligados a refugiarnos en Buenos Aires, iniciar la redacción de este segundo volumen. La continuamos en Asunción, en una obstinada y azarosa tentativa de retorno a la tierra natal, para terminarla ahora, durante nuestro octavo exilio, en la generosa tierra uruguaya, escenario, en 1863 y 1864, de los principales sucesos referidos en esta obra.

Nuestros agradecimientos a todas aquellas personas que nos ayudaron en la larga tarea preparatoria de estos volúmenes y que nos dieron consejos, sugestiones y señalaron errores u omisiones, especialmente a los señores Dr. Justo Pastor Benítez, coronel Arturo Bray, Dr. Julio César Chaves, Dr. Carlos R. Pastore, Dr. R. Antonio Ramos, Dr. H. Sánchez Quell, Dr. J. Guillermo Peroni, Dr. Alejandro Marín Iglesias, D. Juan Bautista Gill Aguinaga, D. Benjamín Velilla, D. José Antonio Pérez Echeguren y en particular a D. Walter Alexander de Azevedo, cuya reciente desaparición nunca será suficientemente lamentada por los cultores de la historia del Río de la Plata.

Montevideo, 23 de junio de 1960.

CAPÍTULO I

EL BRASIL Y EL RIO DE LA PLATA

1. El descubrimiento de América por España fue una frustración para el Portugal que creía ser suya esa empresa, preparada por sus monarcas y navegantes mucho antes de emprenderla Cristóbal Colón por mandato de los Reyes Católicos [1]. La demarcación del tratado de Tordesillas, al atribuir a los portugueses tan sólo un pequeño sector del continente recién descubierto, agudizó la amarga sensación de injusticia en el alma de ese pueblo de marinos y aventureros, cuyas audacias habían pasmado al mundo. Las ansias de grandeza y de poderío, de nuevas tierras y mares, y de enormes riquezas, que movieron a las naves lusitanas, antes del descubrimiento del Nuevo Mundo, a través del Africa, del Atlántico y del Océano Indico, más allá de las Indias y de la China, hasta la extremidad de la península de Malaca, no podían detenerse ante las débiles vallas de una frontera trazada caligráficamente sobre un frágil papel. El Brasil no debía quedar prisionero dentro de esa cárcel de tinta. El mapa real tenía que conformarse con la imaginación y con las ambiciones antes que con los derechos. Había que romper en mil pedazos la línea de Tordesillas y rehacer la conformación brasilera al compás de la voluntad de expansión ilimitada que animaba a monarcas, navegantes y diplomáticos del Portugal. Y para el efecto, a la fuerza española había que oponer la inteligencia, la habilidad y la astucia. La diplomacia lusitana debía reivindicarse de su derrota

[1] JAIME CORTESAO, *Los Portugueses*, en "Historia de América y de los pueblos americanos" dirigida por Antonio Ballesteros y Beretta, Barcelona, t. III.

en Tordesillas, borrando del mapa la "monstruosa iniquidad" de
su absurda repartición de las tierras. Y entre las que estaban detrás
de la marca castellana, ninguna despertaba tanto las apetencias
lusitanas como las regiones que, hechizadas de misterios y ornadas
de leyendas, recibieron el sugestivo nombre del río de la Plata que
las bañaba. El Plata fue señalado como objetivo principal de los esfuerzos del Portugal para rehacer el mapa político de la América
del Sud.

Poco se podía alegar contra la letra expresa del Tratado, libremente pactado, sin coerciones ni engaños. Sin embargo, a los diplomáticos portugueses sobraron argumentos para invalidar en el terreno
de los hechos una frontera que solamente en una hora de extravío
pudieron aceptar. Primeramente alegaron el derecho que otorga la
primacía: Cristóbal de Haro y Nuno Manuel habrían precedido a
Juan Díaz de Solís en el descubrimiento del Río de la Plata, pero
sus alegatos fueron desechados. Se propusieron entonces, derechamente, ocupar esas tierras antes que los españoles. "La Corona portuguesa —dice el historiador brasilero Rocha Pombo—, aunque
convencida de que tales regiones quedaban al occidente del meri-
diano de Tordesillas, no por eso se dispuso a renunciar a las ventajas
de hacer en aquella parte, por la conquista, las posesiones de que
no tenía derecho, como luego fue la regla victoriosa de toda su
política en relación al patrimonio de España" (²).

A ese objetivo de conquista y apoderamiento, aun en violación
expresa del texto de los tratados, obedeció la gran expedición
comandada por Martín Alfonso de Sousa, que mandó explorar el
Paraná a fines de 1531. Aunque se postergó la ocupación de las
tierras, esa exploración denotó, al decir de otro escritor brasilero,
"el anhelo del Portugal, desde aquel tiempo, por extender su colonia
americana hasta su límite natural, que es el río de la Plata" (³).

Para ganar de manos a los portugueses y convencida de que los
tratados no les detendrían en su marcha hacia el sur, la corona
española envió en 1535 la poderosa armada de Don Pedro de Men-
doza. La fundación de Buenos Aires en la boca del río y de Asunción
en el centro del continente, frustró de momento el plan portugués.
Ya no fue posible alegar los derechos de la ocupación y los del
descubrimiento eran sumamente discutibles, pero la inventiva de
la diplomacia lusitana comenzó a mostrar su fertilidad. Surgió la
teoría de los límites naturales. El Río de la Plata era el límite
natural del Brasil. Todas las tierras situadas al oriente del río y
de su principal afluente, el río Paraguay, eran, en consecuencia,

(²) J. F. Francisco da Rocha Pombo, *Historia do Brasil*, Río de Janeiro,
1905, t. VI, pág. 113.
(³) Basilio Magalhaes, *Expansao geographica do Brasil colonial*, Sao Paulo,
1935, pág. 26.

posesión natural y necesaria del Brasil. Pero destruida Buenos Aires
en 1541, el cuidado de la soberanía española quedó a cargo de Asunción, centro de una vigorosa expansión colonizadora que tendió a
hacer efectivos los derechos españoles hasta la línea de Tordesillas.
Cuando en 1580 volvió a ser fundada Buenos Aires en la boca del
río, se le hizo aún más difícil al Portugal llevar a la práctica sus
pretensiones de conquista. Ese mismo año se unieron ambas coronas
y el problema dejó de preocupar ya que todas las tierras quedaron
bajo el dominio del monarca español.

El Portugal, provincia española, ya no debía ambicionar el Río
de la Plata. Pero para su bien, y para mal de los españoles, en torno
del pequeño colegio de Sao Paulo de Piritinga, surgió una genera-
ción de hombres extraordinarios, dotados de estupenda energía, que
suplieron con creces la obligada inacción de la política lusitana.
Eran los "mamelucos", mezcla de portugueses, tupíes y negros. Les
espoleaba una prodigiosa sed de aventuras. No se sentían atados por
ningún lazo ni escrúpulo. En busca de tierras nuevas, de esclavos,
oro y piedras preciosas, sus *bandeiras* convergieron sobre las flore-
cientes ciudades y reducciones paraguayas del Guayrá y del Itatín.
No les apetecían las tierras y no encontraron metales ni diamantes,
pero destruyeron implacablemente, en pocos años, y hasta sus raíces,
todas las señales de la ocupación española, en las vastas extensiones
linderas con la línea de Tordesillas. Cuando en 1640 el Portugal re-
cobró su independencia, las devastaciones estaban en su punto más
alto.

Aunque no reconocían el dominio portugués y no perseguían
fin político, los *bandeirantes* vinieron a servir admirablemente las
finalidades del gobierno de Lisboa, al obligar al retroceso en masa
de las posesiones paraguayas, hasta entonces vivo antemural del
dominio español, y al crear un desierto inhabitable y fácil de conquistar donde antes se levantaban ciudades y misiones. En vista del
éxito de las primeras depredaciones, Antonio de Vieira propuso en
1648 que desde Sao Paulo se emprendiera derechamente la conquista
del Río de la Plata, cuyas ciudades los *bandeirantes* encontraron
indefensas [4]. Pero autorizados los padres jesuitas a armar a los
indios guaraníes, y bajo el mando de gobernadores y obispos de
Asunción, los paraguayos infligieron memorables derrotas a las
bandas paulistas. Aquella amenaza se alejó, si bien los españoles ya
no volvieron a ocupar las tierras asoladas por los *bandeirantes* como
por un huracán de fuego.

2. Ya restaurada su plena soberanía e independencia, el Portugal volvió a poner su vista en el Río de la Plata. No estaba muerta,

---

[4] PEDRO CALMON, Historia de la civilización brasileña, Buenos Aires 1937,
pág. 101.

ni mucho menos, la vieja codicia. En 1680 fundó la Colonia del Sacramento, sobre la margen oriental del río de la Plata, como plaza de escala para la conquista del resto del Río de la Plata y del Paraguay. "El carácter de propósito preconcebido, de plano político maduradamente determinado, que nunca dejó de presentar la penetración luso-brasilera al sud de los límites que determinara Alejandro VI —dice un autor brasilero—, acentuóse con el establecimiento, en 1680, en frente de Buenos Aires y del otro lado del delta, de la famosa Colonia del Santísimo Sacramento" (5).

Consciente el Río de la Plata, del peligro que representaba la presencia portuguesa en la Banda Oriental, reaccionó casi instantáneamente. Sin esperar instrucciones de la Corona, y con un ejército de 3.000 indios paraguayos, ávidos de venganza al cabo de tantos horrores sufridos en manos de los *bandeirantes,* el gobernador de Buenos Aires, José Garro, desalojó a los invasores ese mismo año de 1680. Pero el Portugal sabía cómo ganar las batallas que perdía en el campo militar. En 1681 se firmó en Lisboa un tratado por el cual España se comprometió no sólo a devolver la Colonia del Sacramento sino a castigar al gobernador de Buenos Aires, todo lo cual fue cumplido con estupor y decepción inenarrables. Poco después, en 1701, el rey de España cedió al de Portugal el dominio de la margen septentrional del río de la Plata. La diplomacia lusitana siempre vencía.

La hora del desquite de las armas españolas llegó cuando en 1705, so pretexto de la guerra declarada entre las metrópolis, otra expedición hispano-guaraní, al mando del capitán García Ros, volvió a expulsar a los portugueses de la Colonia del Sacramento. Pero nuevamente la diplomacia dejó sin efecto la victoria de las armas: por el tratado de Utrech, de 1715, Colonia retornó al dominio portugués. Los diplomáticos lusitanos eran mejores que los diplomáticos españoles y, desde luego, mucho más que los soldados portugueses y brasileros. De éstos eran las derrotas, pero de aquéllos todas las victorias.

3. Así se puso nuevamente de resalto cuando las dos metrópolis negociaron en 1750 la demarcación de sus linderos. Ya nadie recordó siquiera la línea de Tordesillas. Colonia fue la gran carta de triunfo con la cual, sobre el tapete de sigilosas negociaciones, el genial diplomático Alejandro de Guzmao, brasilero natural de Santos, triplicó de un solo golpe las posesiones portuguesas en América. A cambio de esa posición española, Guzmao ganó para el Portugal las misiones orientales, y la admisión del principio del *uti possidetis* como título de dominio. Debidamente interpretado éste

(5) Julio de Mesquita Filho. Ensaos Sul - americanos. Sao Paulo, 1956, pág. 36.

último no hubiera irrogado perjuicio al dominio español, pero Guzmao hizo valer, como señales de posesión, no la ocupación efectiva inexistente, sino las entradas depredatorias de los *bandeirantes* durante el siglo XVII, que "en sus correrías destruían sin reconstruir las aldeas jesuíticas, del Parapanema al sur, y allí no dejaron otro rastro de su paso que las ruinas, identificadas cien años después" ([6]). Y no paró en ello la habilidad de Guzmao. Como los *bandeirantes* no registraron derroteros ni marca de sus travesías, para reconstruirlas mandó fabricar un mapa, llamado de las Cortes, que sirvió de base para el tratado de 1750 y donde su mano trazó a capricho las supuestas líneas del *uti possidetis,* adentrándolas profundamente en el corazón de todas y cada una de las provincias españolas. ¡De un solo trazo caligráfico y en un minuto, Alejandro de Guzmao conquistó tanto como hubieran conquistado cien ejércitos en cien años!

La obra maestra de la falsificación cartográfica fue aceptada sin pestañeos. A todo se avinieron los diplomáticos españoles con tal de recuperar la Colonia del Sacramento. Tanta era la importancia que asignaban al dominio del río de la Plata. Pero en la mente del Portugal no estaba pagar el nimio precio de sus incruentas y asombrosas conquistas. Al par de ponerse apresuradamente a la obra difícil de ocupar en efectividad sus extraordinarias adquisiciones, y de lograr que la misma España le ayudara a someter a los indios guaraníes de las misiones orientales que no se avinieron al señorío de sus odiados enemigos, se plantó firmemente en Colonia, que no fue restituida.

Para el Río de la Plata, Colonia se convirtió en una obsesión. Una nueva guerra entre las metrópolis, dio ocasión a que en 1762 fuerzas comandadas por el gobernador de Buenos Aires, Pedro de Cevallos, e integradas, como de costumbre en gran parte, por guaraníes de las misiones paraguayas, recobraran, por tercera vez, la Colonia del Sacramento. Y por tercera vez se produjo lo que ya parecía una tradición. La diplomacia anuló los resultados de las armas: el tratado de París de 1763 devolvió una vez más aquella plaza a los portugueses. Débil en la guerra, fuerte en la discusión, el Portugal fue servido en este período de graves derrotas militares y grandes victorias diplomáticas, por estadistas visionarios, inescrupulosos, audaces y de excepcionales aptitudes políticas. Luis da Cunha soñaba con la creación de un imperio cuya capital sería Río de Janeiro, Alejandro de Guzmao trazó los límites de ese Imperio, y el marqués de Pombal consolidó definitivamente las adquisiciones alcanzadas en torno de las mesas palatinas, todos fieles al

([6]) PEDRO CALMÓN, Opus it. p. 101.

ideal de engrandecimiento y expansión que espoleó al Brasil portugués desde su nacimiento en la historia.

Hacia 1776 la Corona española despertó sobresaltada de su pesado letargo. Creó el Virreinato del Río de la Plata y organizó una expedición, la más grande enviada hasta entonces a América, bajo el mando del general Don Pedro de Cevallos, con la misión de desalojar a los portugueses de sus usurpaciones, si no de todas, por lo menos de aquellas más recientes. Con gran empuje Cevallos emprendió la campaña, recuperando Santa Catalina y la Colonia del Sacramento. Fue vano tanto alarde de heroicidad. Una vez más, la diplomacia paralizó los brazos de la victoria. El 11 de junio de 1777 se pactó la suspensión de las hostilidades cuando nada impedía que Cevallos llevara hasta el final la empresa reivindicatoria. El 1º de octubre de 1777 se firmó el tratado de San Ildefonso, que reprodujo casi textualmente la línea demarcatoria de 1750, dejando a salvo únicamente las misiones orientales. Siempre con el señuelo de la restitución de la Colonia del Sacramento —que a la fecha estaba en poder de los españoles— el marqués de Pombal obtuvo la consagración y la homologación de las otras enormes adquisiciones que Alejandro de Guzmao obtuviera en 1750. Nuevamente la diplomacia lusitana demostró su invencible superioridad sobre la castellana y ganó sobre el papel las batallas que perdía en el terreno. Pero por lo menos Colonia del Sacramento quedó esta vez bajo el pabellón castellano.

La demarcación de las fronteras pactadas en 1777 demostró que los portugueses no se habían hartado con sus cuantiosas adquisiciones. Los comisarios se encontraron con profundas penetraciones portuguesas o con dificultades geográficas por la imprecisión de los linderos señalados, muchos de ellos existentes sólo en el famoso mapa de las Cortes y que daban lugar a nuevas e inesperadas reivindicaciones. La colonización de la Banda Oriental en torno de Montevideo y la vigorización militar del virreinato recién creado impidieron que se repitieran tentativas de avance hasta el río de la Plata, pero éste continuó siendo la meta de las aspiraciones brasileras.

A fin de suplir la imposible acción militar, la corona portuguesa instruyó en 1797 al gobernador de Sao Paulo para asolar con tropas irregulares las estancias de los españoles del Paraguay, Uruguay, Corrientes, etc., "renovando las memorias de las devastaciones que hicieron los mestizos de San Pablo y de Piritinga, cuando entraron en los límites españoles del siglo pasado, y que aún ahora ellos conservan el recuerdo con terror", según rezaron las instrucciones [7].

(7) JOAO PANDIA CALOGERAS, A politica exterior do Imperio, Río de Janeiro, 1927, t. I, p. 272.

En la parte del Paraguay la tarea estuvo a cargo de los temibles *guaycurues* a quienes al cabo de dos siglos de lucha los paraguayos habían expulsado del Chaco y que desde entonces se convirtieron en auxiliares de los portugueses de Matto Grosso para asolar las posesiones paraguayas.

Apenas puesto en marcha este plan, se le presentó al Portugal la oportunidad de dar un zarpazo más directo y positivo, cuando en 1801 las dos metrópolis se declararon la guerra. Los portugueses, por primera vez victoriosos en el campo de batalla, se apoderaron de las misiones orientales y de parte de Río Grande do Sul, al norte del Quarehim. También rechazaron una tentativa del gobernador del Paraguay de recuperar las posiciones usurpadas en las cabeceras del Chaco. Pero no pudieron poner sus plantas en la Banda Oriental.

La instalación del Rey Don Juan VI y su corte en Río de Janeiro, en una de las marejadas de las guerras napoleónicas, dio otro formidable impulso a la tradicional política portuguesa, desde ese momento convertida en política brasilera, y teniendo siempre en vista al Río de la Plata, entonces en plena ebullición revolucionaria. Para los manejos de la diplomacia brasilera se prestó con gusto la princesa Carlota Joaquina, esposa de Juan VI y hermana del rey de España, Fernando VII. A título de preservar los derechos de su hermano, cautivo de Napoleón, pretendió que se le reconociera soberanía sobre los dominios americanos, aparentemente vacantes. Encontró partidarios entre los gestores de la emancipación de Buenos Aires, quienes, sin embargo, pronto se desengañaron de su falacia y se abstuvieron de recurrir a su ayuda, para dar el 25 de mayo de 1810 el golpe contra el poder español.

4. La revolución de Buenos Aires originó problemas graves que pronto la hábil diplomacia brasilera supo plantear en el terreno más favorable para sus tradicionales ambiciones. Buenos Aires independiente enunció claramente su propósito de conservar bajo su dominio a todos los pueblos que constituían el antiguo virreinato. El Brasil decidió, desde el primer momento, apelar a los recursos de la astucia y aún de la fuerza, no sólo para malograr ese plan sino también para alzarse si no con todo, con parte principal de las ruinas del imperio español en el Río de la Plata. La forma como Buenos Aires articuló su posición ayudó grandemente al Brasil en sus designios. El virreinato había sido una creación adventicia. Las provincias que lo constituyeron habían llevado una vida autonómica y fueron colocadas bajo único mando atendiendo sólo a razones estratégicas. La preeminencia de Buenos Aires, como sede del virrey, fue meramente accidental. Los treinta años de virreinato no dieron tiempo para soldar los endebles ligamentos que unían a la capital con los pueblos del interior. Con todo, éstos propusieron, primero por intermedio del Paraguay y luego por la voz de Artigas,

jefe de la Banda Oriental, la preservación de la comunidad virreinal, mediante una confederación de iguales, en que Buenos Aires,
sin ningún privilegio, fuera nada más que una provincia más. Pero
Buenos Aires rechazó enérgicamente este plan, y alegando la necesidad de unidad de mando para la lucha contra España, no quiso
saber de ninguna organización que no se fundara en su predominio
unitario y centralizador, resistido con fiereza por las provincias.

El Brasil estimuló cuanto pudo esta pugna entre federales y
unitarios, y no perdió ocasión de echar más leña a la hoguera, sin
cuidarse de dar coherencia a su política. Así, en tanto alentaba al
Paraguay en su voluntad de resistencia, apoyó a Buenos Aires en
su lucha contra Artigas que quería tanto la autonomía de la
Banda Oriental como la federación del Río de la Plata, equivalente a la reconstrucción del virreinato. En 1811 un ejército brasilero invadió el Uruguay so pretexto de poner fin a la anarquía
revolucionaria. Por un momento, Buenos Aires y Artigas se unieron
para enfrentar al secular invasor, pero tan pronto la antigua capital
advirtió que el jefe de los orientales era capaz de reconstruir el virreinato bajo su dirección y a inspiración de las ideas federales, se
rompió la alianza. En 1812 fue firmado un armisticio, a espaldas
de Artigas, y las tropas brasileras regresaron a Río Grande, no sin
antes hacerse reconocer por Buenos Aires el derecho a futuras intervenciones. Estipuló el artículo II del convenio de tregua:

S.M.F. declara nuevamente que su presente o futura ocupación de puntos
militares en la margen oriental del río de la Plata, en persecución de Artigas,
no tiene otro objeto sino su propia seguridad y conservación; y que de semejantes actos no pretende deducir ningún derecho de dominio, posesión perpétua
y mucho menos conquista [8].

El Brasil hizo buen uso de este derecho. Alegando su propia
conservación y seguridad y protestando su ninguna intención de
conquista, envió en 1816 un ejército al mando del general Carlos
Federico Lecor que ocupó la Banda Oriental, ante la pasividad de
Buenos Aires que prefería los brasileros a Artigas, proclamado Protector de los Pueblos Libres y en guerra contra las pretensiones hegemónicas, antifederales y unitarias de la antigua capital del Virreinato. Artigas luchó solo contra España, el Brasil y Buenos Aires,
en larga y porfiada guerra que solo terminó cuando en 1820 buscó
asilo en el Paraguay con la vana esperanza de arrastrar al dictador
Francia a favor de su causa. Pero Francia ya no le dejó salir.

Eliminado Artigas, el Brasil, olvidó las promesas con que había
adormecido los recelos de Buenos Aires y proclamó la anexión de
la Banda Oriental, que el 31 de julio de 1821 incorporó al Reino
Brasilero con el nombre de Provincia Cisplatina. El 7 de setiembre

(8)   PEREIRA PINTO, t. I., p. 110.

de 1822 Don Pedro rompió todo lazo de sujeción a Portugal y se
ciñó la corona de Emperador. El Uruguay, preciada presa, fulgu-
raba como una provincia del flamante Imperio. La astucia aunada
a la fuerza, la explotación de las pasiones políticas y de la anarquía,
y la defección de Buenos Aires y del Paraguay de su histórico papel
de diques de la penetración portuguesa en el Río de la Plata, permitieron este resonante triunfo de la política del Brasil. El nuevo
imperio se inauguraba con una clara conciencia de sus aspiraciones,
en consonancia con las más antiguas tradiciones del Portugal y con
un poder de ejecución superior al de la antigua metrópoli.

El viejo sueño lusitano parecía, al fin, convertirse en realidad.
Había un imperio y el río de la Plata era su límite en el sud. Buenos Aires, roída por la anarquía y en lucha contra las provincias, al
principio no atinó a reaccionar. Pero luego con sus auspicios treinta y tres patriotas orientales se levantaron en armas contra el Brasil
y el 25 de agosto de 1825 la revolución triunfante proclamó el fin
de la Provincia Cisplatina. Como al mismo tiempo, resolvió la incorporación del Uruguay a las Provincias Unidas del Río de la
Plata, el Imperio contestó con la declaración de guerra a Buenos
Aires. La suerte de las armas le fue desfavorable en Ytuzaingó y
Juncal. El Brasil tuvo que abandonar la Banda Oriental.

Una vez más, la diplomacia estuvo a punto de trastrocar la
derrota en victoria. El comisionado argentino Manuel J. García
firmó en Río de Janeiro el 24 de mayo de 1827 un tratado de reconocimiento de la dominación brasilera en la provincia de Montevideo. Buenos Aires prefería el Brasil a la anarquía pero los pueblos
del interior se sublevaron contra el tratado y provocaron la caída
de Rivadavia. La guerra iba a continuar si no fuera la enérgica intervención de Inglaterra que la puso fin. La convención del 27 de
agosto de 1828 resolvió salomónicamente el viejo pleito: la Banda
Oriental no sería ni del Brasil ni de la Argentina, sino de los orientales, al fin dueños de sus destinos. Así nació la República Oriental
del Uruguay "como un algodón entre dos cristales", según la expresión de Lord Ponsonby, a cuya mediación se debió el arreglo.
Ambos contendores reconocieron la independencia oriental y se
comprometieron a garantizarla hasta el ajuste del tratado definitivo.

Pero el Imperio del Brasil no estaba preparado para renunciar
definitivamente a su viejo ideal. Apenas transcurridos dos años de
la firma del tratado de 1828 destacó a Europa a uno de sus principales diplomáticos, el marqués de Santo Amaro, para propiciar la
resurrección de la Provincia Cisplatina. Rezaron sus instrucciones:

En cuanto al nuevo Estado Oriental, o Provincia Cisplatina, que no hace
parte del territorio argentino, que estuvo incorporado al Brasil y que no puede
existir independiente de otro Estado, V.E. tratará oportunamente y con franqueza la necesidad de incorporarlo otra vez al Imperio. Es el único lado vul-

nerable del Brasil. Es difícil sino imposible reprimir las hostilidades recíprocas y evitar la mutua impunidad de los habitantes malhechores de una y otra frontera. Es el límite natural del Imperio. Es el medio más eficaz de remover ulteriores motivos de discordia entre el Brasil y los estados del sur [9].

La independencia oriental se había convertido en un interés europeo. Inglaterra, artífice del tratado de 1828, resolvió sostenerla de cualquier modo. Las pretensiones brasileras fueron desahuciadas. Se produjo entonces un cambio en la formulación de la política brasilera frente a la banda Oriental. Insistir en llevar los límites del Imperio hasta el río de la Plata, podía entrañar la guerra general en que las provincias argentinas sin duda no estarían solas. Al Brasil no le convenía reanudar la guerra. Había que eliminar sus motivos. Hasta entonces en el Brasil, como en su antecesor el Portugal, se veía al enemigo natural del Río de la Plata, por codicia de sus aguas y de sus tierras. Era llegada la hora de variar de postura. Las fronteras políticas no podían ser modificadas, según la letra de los tratados. Había que admitirlas. Pero si era difícil, sino imposible, al Brasil hacer tremolar su bandera como soberano en las orillas del río de la Plata, que su presencia se hiciera notar de otro modo, ya no como conquistador sino como campeón de causas nobles y simpáticas a los pueblos. En vez de territorios, ganar prestigio e influencia. Que el Brasil ya no fuera visto como el enemigo secular de las nacionalidades hispanoamericanas, sino como el amigo y protector de los pueblos débiles. Subsanar la frustración de la provincia Cisplatina con el retorno al Río de la Plata en andas de una gran política fue el programa trazado por los estadistas brasileros cuando comprobaron que el tratado de 1828 difícilmente podía ser revisto.

5. El Imperio se dispuso a hacerse presente, ya no con la fuerza de las armas sino en nombre de elevadas doctrinas, de las cuales, por extraña y feliz paradoja, la principal de todas significaba una rectificación de seculares tendencias. Aunque, en la intimidad, los estadistas continuaran sosteniendo, como el Regente Padre Feijóo, "que los límites naturales del Brasil eran, al sud el Plata, Paraná y Paraguay, y que el Brasil haría esfuerzos para conseguirlos; que no era sino cuestión de tiempo" [10], ese ideal fue repudiado públicamente. En forma oficial, el Brasil rechazó con horror la vieja imputación de que abrigaba designios de conquista. Y contrariamente, se irguió ante el mundo como inflexible campeón de la independencia, tanto del Estado Oriental como de la República del Paraguay, amenazados por las ambiciones hegemónicas de Buenos Aires, cuyo sueño era la reconstrucción del antiguo virreinato. Tal fue el dogma fundamental de la nueva política externa del Imperio.

[9] PEREIRA PINTO, t. III, p. 57.
[10] *El Semanario*, Asunción, mayo 5, 1855.

La conocida pretensión del gobernador de Buenos Aires, Juan Manuel de Rosas, de restaurar el virreinato del Río de la Plata, mediante la reincorporación del Paraguay, en que grandemente se empeñó, y la instalación de un gobierno adicto en la Banda Oriental, dio al Imperio la gran plataforma desde donde lanzar esta nueva doctrina de su política exterior. Ese mismo año de 1844 el Brasil reconoció la independencia del Paraguay y envió a Europa al vizconde Abrantes para exponer los nuevos puntos de vista del Imperio:

El gobierno imperial juzga que es su deber, y deber que no puede prescindir, mantener la independencia e integridad del Estado Oriental del Uruguay y contribuir para que la República del Paraguay continúe siendo libre e independiente. Juzga también que, siendo la independencia de esas dos repúblicas de interés general, es forzoso adoptar medidas que tengan por objeto contener al gobierno de Buenos Aires dentro de los límites marcados por el derecho de gentes y hacer frustráneos sus proyectos ambiciosos (11).

Según las expresiones de Abrantes, el mantenimiento de la independencia del Estado Oriental y de la República del Paraguay, representaba un vital interés brasilero. Era "la condición o garantía necesaria para el equilibrio entre el Brasil y la Confederación Argentina", pues la anexión de los dos países, daría a ésta, "además del orgullo de conquistadora, un aumento de territorio y de fuerzas tales que aquel equilibrio dejaría de existir". Amparado en la doctrina del equilibrio, basamento del orden europeo desde la paz de Westfalia, el Imperio anunció internacionalmente que no permitiría la absorción del Uruguay y del Paraguay por la Confederación Argentina.

Sin embargo, el Imperio no movió una paja para contener a Rosas en tanto éste era puesto a raya por la intervención anglofrancesa, la resistencia heroica de Montevideo, la insurrección crónica de las provincias argentinas y la decisión del Paraguay de defender su autonomía con o sin ayuda extraña. Pero Inglaterra y Francia se batieron en retirada, quedaron sometidos Entre Ríos y Corrientes, y el Paraguay, dando un gran paso atrás y desilusionado de la ninguna ayuda militar brasilera, se allanó en 1849 a un acuerdo con Rosas. Sólo entonces el Brasil consideró que había que aniquilar el poder del gobernador de Buenos Aires. A éso se dispuso provocando la coalición con Urquiza y el gobierno de Montevideo que, después de derrotar a Oribe pasó el río Uruguay y el 3 de febrero de 1852 puso fin a la dominación de Rosas en los campos de Caseros, todo esto a título de salvar la independencia oriental.

La nueva política dio magníficos frutos. Un ejército brasilero volvió a plantar sus tiendas en el Río de la Plata, ya no como con-

(11) Memorándum de noviembre 9, 1844, *Comercio del Plata*, Montevideo, julio 23, 1846.

quistador, sino como libertador, y a instancias de los pueblos. Ytuzaingó estaba vengado. Las banderas de Caseros fueron a enriquecer
el museo de los trofeos gloriosos del Brasil.

El artífice de este triunfo magnífico fue el gran estadista Paulino José Soarez de Sousa, hecho luego Vizconde del Uruguay, quien
entendió servir primordialmente los intereses del Imperio: alejar
el peligro mortal que entrañaba el engrandecimiento de la Confederación Argentina, impedir que el equilibrio de Sud América se
rompiera, por la absorción del Uruguay y del Paraguay, en perjuicio
del Brasil y alegando siempre, ante el mundo, nobles razones de
celosa defensa de la independencia de dos pueblos pequeños.
Pero Paulino no ocultó en el Senado las verdaderas causas del esfuerzo bélico del Brasil. Dijo allí:

> Suponga el noble senador, hablo siempre en hipótesis, que el gobierno de
> Buenos Aires se apoderara de la Banda Oriental; suponga que se apoderara
> del Paraguay; la Confederación, a pesar del estado de debilidad en que le juzga
> el noble senador, puede poner un ejército de 20 a 30.000 hombres; puede sacar
> de las provincias de Buenos Aires, Corrientes, Córdoba y Entre Ríos, principal-
> mente de ahí, 20 ó 30.000 hombres, y una excelente caballería de Entre Ríos,
> como no hay mejor. Aprovechándose también del Paraguay, podría sacar de
> ahí unos 20.000 buenos soldados, robustos, obedientes y sobrios. Esto en países
> acostumbrados a la guerra, que no tienen los hábitos pacíficos que nosotros
> tenemos.
> Absorbidas las repúblicas del Paraguay y Uruguay que cubren nuestras fron-
> teras, a la Confederación Argentina quedarían abiertas nuestras provincias de
> Matto Grosso y Río Grande del Sur.
> ¿Quedaríamos así muy seguros?
> ¿Y quién nos dice que no se nos vendría a exigir la ejecución de los tra-
> tados de 1777?
> Aquellos tratados nos arrancarían una extensa e importantísima parte de
> la provincia de Río Grande del Sur, de la cual actualmente estamos en pose-
> sión; por ellos perderíamos una parte importante de la provincia de Matto
> Grosso, que comprende su capital, quedando la provincia y la navegación de
> sus ríos completamente abiertas.
> ¿Dejaríamos nosotros, se dejarían las poblaciones de estas provincias, tra-
> tándose de ese modo las cuestiones de límites, separar, para ir a pertenecer a
> una nación con origen, lengua y hábitos completamente diferentes?
> ¿Semejantes cuestiones de límites que aún no están resueltas, no harían
> inevitable la guerra con un vecino que, absorbiendo nacionalidades que hemos
> reconocido, habría aumentado extraordinariamente su poder y adquirido pro-
> porciones gigantescas? (12).

En nombre de generosas doctrinas el Brasil recogía positivos
beneficios de su cruzada contra Rosas. Pero con ser muchas las ventajas señaladas por Paulino en su famoso discurso, no fueron las
únicas obtenidas en Caseros por las armas imperiales. La derrota
no sólo impidió a Rosas cumplir su sueño de reconstrucción del
virreinato y el peligroso acrecentamiento del poder argentino en
perjuicio de la seguridad futura del Brasil. También aparejó el

(12) ANNAES, SENADO, 1851, sesión de mayo 26.

triunfo del principio de la libertad de navegación, en beneficio del Brasil tanto o más que de los países liberados. Pero el Imperio no propugnó la consagración de esa doctrina en aras del derecho internacional. La libre navegación no estaba inscripta en su derecho público, cerrado como tenía el Amazonas, con fuertes candados, al tránsito mundial. En el Río de la Plata recabó el reconocimiento del derecho fluvial, atendiendo principalmente a conveniencias propias, estratégicas, políticas y económicas de importancia vital para el Imperio. Extensas provincias brasileras, sobre todo Matto Grosso, dependían enteramente para su comunicación con el mundo y aún con Río de Janeiro, de los ríos sobre cuyo curso inferior y salida al mar, Rosas había levantado las altas murallas derribadas con los cañonazos de Caseros. La libertad de navegación era para estos ríos, no para el Amazonas.

6.   Ni aquellas ni estas ventajas fueron consideradas suficientes para garantizar la seguridad futura del Imperio. Desaparecido Rosas de la escena, temió que surgieran otros directores de Buenos Aires con el mismo pensamiento de reconstrucción del Virreinato. Para impedirlo no había otro camino que asegurar fuertemente la hegemonía brasilera sobre el Estado Oriental, que era, al final de cuentas, el verdadero objetivo de tanto despliegue de fuerzas y doctrinas en Río de Janeiro. El ministro oriental en Río de Janeiro, Andrés Lamas, accedió a todas las condiciones impuestas por el Brasil para dar base legal sólida e inamovible al predominio imperial en el Uruguay. Así nacieron los famosos tratados del 12 de octubre de 1851. Fueron el reverso de la brillante medalla, donde el Brasil marcó a fuego el cuño de sus antiguas y renacidas tendencias. Gracias a la habilidad de su diplomacia, el triunfal regreso al Río de la Plata significó también la reanudación de la marcha interrumpida en Ytuzaingó. La Provincia Cisplatina resucitaba por la vía de tratados internacionales inteligentemente concebidos para que encajaran dentro de la convención de 1828. Su razón alegada era la sustentación de la independencia oriental. En realidad tendían a transformar al Estado Oriental en una sucursal del Imperio.

La alianza temporaria para abatir a Rosas se convirtió en alianza perpetua a fin de "sustentar la independencia de los dos estados contra cualquiera dominación extranjera". Pero el Brasil se constituía en el cuidador de "la paz interior y de los hábitos constitucionales" del Uruguay, sin que a este país se le reconociera análoga potestad en el Imperio. Además solamente el Estado Oriental se comprometía "a tomar medidas eficaces para restablecer y conservar a todos los habitantes en el pleno goce de las garantías que les conceden los artículos de la Constitución". Y entre esas medidas eficaces estaba el auxilio de las fuerzas de mar y tierra del Imperio a disposición del gobierno oriental. Quedaba así consagrado legal-

mente el derecho de la intervención militar. Aunque aparentemente
lo era en beneficio del Estado Oriental, no se establecía la reciprocidad, y estatuidos como uno de los medios para garantizar el orden
y el goce de los derechos cívicos, estas cláusulas del tratado de alianza invistieron al Imperio de la calidad de árbitro de la vida interna
del país.

La situación de dependencia resaltó aun más en el tratado de
subsidios. El Uruguay debía correr con los gastos que irrogaran las
intervenciones. Además reconoció los ocasionados por la guerra a
Rosas, aceptó un nuevo empréstito y un subsidio mensual, todo a
elevado interés y afectando al cumplimiento de las obligaciones las
rentas totales del Estado, con derecho del Imperio a fiscalizar la
liquidación de la deuda nacional. De este modo, la intervención militar y política se complementaba con la intervención administrativa
y financiera. Otros tratados fueron firmados por Lamas en la misma
fecha, siempre al dictado de los negociadores brasileros, sobre límites, navegación, extradición, etc. y en todos ellos el Imperio plantó
las señales de su señorío.

Los tratados de 1851 fueron recibidos hostilmente en Montevideo. Previendo la resistencia de la Asamblea de Notables, que hacía las veces de cuerpo legislativo, el gobierno la disolvió y el presidente Suárez hizo por sí la ratificación. "Esa resistencia había sido
harto justificada —dice el historiador Pivel Devoto. Los tratados cer-
cenaban territorialmente a la República, legalizaban la intervención
brasileña, la privaban de las aguas limítrofes, la obligaban a enri-
quécer la industria saladeril riograndense y le imponían la cooperación en el mantenimiento de la esclavitud, contraria a su moral y a
sus instituciones" (¹³). El gobierno constitucional que surgió después de Caseros, procuró la revisión de los tratados, pero el Imperio amenazó con la guerra y tuvo el apoyo de Urquiza, interesado en
ganar la ayuda brasilera para enfrentar a Buenos Aires que se le
había insurreccionado. Sólo se consiguió una leve modificación del
trazado de fronteras.

Lamas consintió cuanto le impuso el Brasil porque creyó que
todo precio era pequeño por el gran servicio de salvar a su patria
de las garras de Rosas. "Se le acusó —dice Ariosto D. González—
de que no había sabido resistir a las seducciones de la diplomacia
brasileña y hacer triunfar el interés de su país, como si el representante de una República que sufre una guerra de ocho años y
no encuentra camino de salvación, estuviese en situación de imponer condiciones, marcar normas y exigir reciprocidad. Entre el

(¹³) J. E. PIVEL DEVOTO, *Uruguay Independiente*, t. XXI, de "Historia de
América", Editorial Salvat, Barcelona, 1949, p. 517.

Imperio y Rosas —dilema fatal—, optó por el Imperio" ([14]). Además, depositaba ilimitada fe y confianza en la honradez del Brasil, de su emperador y de sus hombres públicos. No temía por la independencia uruguaya, porque, según creía, todas las opiniones brasileñas estaban contra la anexión. Dijo en su manifiesto de 1855:

> No conozco un solo estadista brasilero que no repela con horror la idea de la incorporación del Estado Oriental al Imperio del Brasil. Todos ellos comprenden bien la imposibilidad de refundir dos nacionalidades tan distintas. Todos ellos comprenden las dificultades internas y las dificultades externas que traería la incorporación ([15]).

Lamas quería para su país, como norte principal de la política exterior e interior, la alianza y el acuerdo con el Brasil. Esperaba que la tutoría de una nación tan rica, pacífica y poderosa, preservara al Estado Oriental de los males de la anarquía, de las facciones y del caudillismo que la desaparición de Rosas haría recrudecer. Bajo ese amparo poderoso, el Uruguay podía emprender la tarea de la organización de sus instituciones y de su economía, quebrantadas por tantos años de anarquía y despotismo. Estas fueron también las razones con que el vizconde del Uruguay defendió los tratados de 1851 en el parlamento brasilero, cuando el diputado Souza Franco le acusó enérgicamente de haberlo arrancado por coacción y de haber obtenido, también por la violencia, su ratificación. Dijo entonces Paulino que evitar o suprimir la anarquía oriental era un supremo interés para el Imperio:

> La ocupación de 1817 no era un remedio, ni en tales circunstancias podía serlo. Tampoco lo fue la incorporación, ni lo podía ser; sería peor que el mal. ¿Cuál era, por tanto, el remedio? ¿Qué política convenía adoptar? La de cooperar a la pacificación de aquel Estado, ayudar al restablecimiento y la consolidación en él de un gobierno legal; colaborar en la obra de su regeneración, reorganizar su hacienda, consolidar el orden y la independencia, y destruir con algunos años de paz, la influencia de los caudillos. Cortábamos el mal de raíz. Esta fue la política de los tratados del 12 de octubre ([16]).

Ya no era la doctrina del equilibrio la motivación de la política imperial en el Uruguay. No cabía invocarla cuando que el Brasil tenía puesto sobre la República Oriental su pesado puño militar, político y económico, sin el contrapeso de la Confederación Argentina, fuertemente debilitada por la secesión de Buenos Aires. Tampoco correspondía alegar la independencia oriental que los tratados de 1851 habían convertido en un fantasma. Ahora la razón era otra: la pacificación, la consolidación de las instituciones, la

---

([14]) ARIOSTO D. GONZÁLEZ. *El Manifiesto de Lamas en 1855*, Montevideo, 1937, p. 17.
([15]) ARIOSTO D. GONZÁLEZ, opus cit. p. 19.
([16]) NABUCO, *La guerra*, p. 15.

extirpación del caudillismo, la regeneración política de un país que no sabía vivir en paz. Pero esta tarea de alta y quimérica pedagogía internacional no era sino la sublimación de los ancestrales impulsos que le llevaban al Brasil a hacerse presente en las orillas del río de la Plata si no como soberano, como aliado, como protector, o bajo cualquier pretexto. La pacificación no fue alcanzada. Las luchas civiles continuaron ensangrentando periódicamente los campos uruguayos. El caudillaje, en vez de desaparecer, cobró mayor impulso, pues era en su seno donde el Imperio encontraba mejores amigos y más dóciles instrumentos. La presencia brasilera ni siquiera sirvió para morigerar las costumbres políticas. Estaba ocupado el Uruguay por un ejército imperial cuando se produjo la hecatombe de Quinteros, hecho sin precedentes en la historia rioplatense.

7.   Fue así cómo, no una sino varias veces, la bandera brasilera volvió a tremolar en la Banda Oriental llamada por los propios uruguayos, blancos o colorados, que aunque les repugnara y se sintieran doloridos por esta servidumbre, recurrían a ella antes que lo hicieran y lo lograran sus adversarios internos. El Brasil ofrecía una solución tan fácil y expeditiva para los problemas políticos, que los partidos se disputaban la intervención militar, ora alternada, ora simultáneamente, "ofreciéndonos —dice Nabuco— toda suerte de ocasiones de hacer del Estado Oriental una dependencia política del Imperio" ([17]). Y lo fue de hecho, no sólo por la fuerza de los tratados, sino también por el juego de las circunstancias. La legación brasilera se convirtió en el poder efectivo en un país empobrecido y dislacerado por la anarquía. Las angustias financieras hacían depender a la administración casi enteramente del subsidio brasilero, y la carta de triunfo con que jugaban las facciones políticas eran las tropas del Imperio, siempre listas para acudir en protección de la independencia, del orden público o de la independencia, invocadas alternativamente por quienes no confiaban en sus solas fuerzas para imponerse en las enconadas y casi siempre sangrientas luchas intestinas. El Brasil reinaba sobre la desgracia nacional.

Espantado de su propia obra y aunque sin renunciar a los fundamentos de la política que le había llevado a atar su patria al carro imperial, Andrés Lamas quiso en 1856, obtener la modificación de los tratados de 1851, siquiera para que en ellos cupieran compensaciones económicas. Acusado de ingrato por el ministro de relaciones exteriores José María da Silva Paranhos, el desahogo de Lamas fue amargo. No trepidó en proclamar el fracaso de la política imperial, en cuanto ella se ligaba a caudillos como el general Venancio Flores, a quien el Brasil sostuvo contra viento y marea en la crisis de 1855. Le escribió:

([17])   NABUCO, *La guerra*, p. 13.

En la franqueza con que, de hombre a hombre, vamos ya hablando de este negocio, no puedo ocultar a V.E. que desde que se malogró, como debía malograrse, como desde el primer día se pronosticó que se malograría, la política que se ligaba al general Flores, esto es al caudillaje, falseando la base principal de la alianza que era la extinción del caudillaje, del caudillaje como esencialmente contrario a todo orden legal y pacífico, veo reproducirse, bajo diferentes formas y en todas ocasiones, aquella acusación; y me ha parecido y me parece que, leal y francamente dicho, ella tiene por objeto bien calculado hacer odiosos a los Orientales todos, cubriendo con su odiosidad el poco acierto de los medios empleados y buscando justificar el abandono de la política que, por difícil y enojosa que sea en su ejecución, es, sin embargo la única que, mientras no se mude nuestra colocación geográfica, puede conducirnos a fines benéfica y recíprocamente fecundos.

...Y colocarse el Brasil en esa posición, después de todo lo ocurrido, cuando los amigos de la alianza, luchamos con tantas aprensiones, con tantas acusaciones... Colocarse el Brasil en esa posición respecto a un vecino débil, debilitado, me figuro que aparecería, a todos los ojos, no solo como un error sino como un abuso de fuerza y de fortuna; y este abuso sería, además, un peligro legado al porvenir, un desmentido actual al pensamiento alto de esa política de 1851; a ese pensamiento que yo sé y diré siempre que era generoso, desinteresado, magnánimo, digno del destino de este Imperio que la naturaleza fundió en el molde de los grandes Imperios, y al que, prodigando sus dones, dio por Jefe un D. Pedro II dotado como para dominar por su inteligencia y por su espíritu elevado las mezquindades humanas que pueden achicar y contrariar la obra de la Providencia (18).

Tanta fe en la magnanimidad de Don Pedro II fue de pobres efectos. Aunque Lamas se encargó de repetir, una y varias veces: "amo tanto a este Brasil, casi segunda patria para mi familia", y aunque anunció que al repelerle "tan agriamente, tan injustamente", estaban repeliendo al último amigo que les quedaba en el Río de la Plata (19), los estadistas imperiales se comidieron a conceder algunas franquicias comerciales, por el tratado del 4 de septiembre de 1857, pero sólo al precio de nuevas ventajas territoriales. Estas no fueron aceptadas en el Uruguay, donde la opinión había sido enfervorizada por la prédica de Juan Carlos Gómez. Las concesiones económicas caducaron. Las cosas quedaron como antes. Y para peor, en una nueva crisis política, la expedición armada del general Cesáreo Díaz, iniciada en diciembre de 1857 y trágicamente epilogada en Quinteros, nuevamente el gobierno oriental imploró la ayuda militar y financiera del Brasil, y por intermedio precisamente de Lamas, a que con premura se prestó el Imperio, sobre todo desde que se adujo que los rebeldes tenían como programa la anulación de los tratados de 1851. Hubo entonces un apretamiento de coyundas. Los tratados habían sido negociados por el gobierno de la De-

(18) De Lamas a Paranhos, Río de Janeiro, octubre 22, 1856, *repr.* por ARIOSTO D. GONZÁLEZ, en *Estudio Preliminar, de* ANDRÉS LAMAS, *Escritos*, Montevideo, 1952, t. II, p. 56.

(19) De Lamas al vizconde del Uruguay, Río de Janeiro, noviembre 3, 1856, en ARIOSTO D. GONZÁLEZ, cit. p. 64.

fensa; sus sucesores después de Caseros, los blancos, los habían aceptado muy a regañadientes. La ratificación legislativa había recogido una platónica pero modesta expresión de deseos de que las le-
sivas condiciones se modificaran en el futuro. Los diplomáticos brasileros coaccionaron en la difícil ocasión para que, de una vez por
todas, se desahuciaran las veleidades revisionistas. Sólo así se prestaría la ayuda solicitada. ¡En la solicitud oficial de ayuda militar y
pecuniaria quedó constancia de que el Uruguay veía en los tratados de 1851 la mejor garantía de su independencia nacional!

En realidad, pese a renunciamientos y contradicciones, en
lo más profundo del alma oriental se mantenían íntegras las viejas
virtudes que habían llevado a José de Artigas a desafiar, a un mismo
tiempo, a Buenos Aires, a España y al Portugal. En medio de tantas
calamidades rutilaba poderoso el ideal de independencia y de libertad, sin que, en ningún momento, el Imperio lograra formar un
partido favorable a la resurrección de la Provincia Cisplatina. Contrariamente, las constantes apelaciones a la ayuda brasilera eran a
título de defender la autonomía de la República, que siempre se
creía en peligro por los apetitos de Buenos Aires. Además, los orientales se habían acostumbrado a sortear los peligros de las intervenciones extranjeras a que estaban avezados desde tanto tiempo atrás.
Cada una de las humillaciones a que les sometía la política imperial era un motivo más para afirmar el profundo nacionalismo que
subyacía debajo de la aparente mediatización de la soberanía nacional. Los éxitos del Brasil eran en la superficie. En lo hondo el
ser oriental se ascendraba su amor a la independencia y su adver-
sión a la dominación extraña.

8.   Si en la República Oriental la actuación del Brasil se ba-
samentaba sólidamente en los tratados, en la República Argentina
no necesitó de semejante respaldo. Desgarrada en dos porciones an-
tagónicas poco después de Caseros, contempló impotente el avasallamiento oriental, y no pudo cerrar sus puertas a la penetración
brasilera que, desde luego, no se presentó tan abiertamente como en la otra orilla. Por de pronto, el temor del apoyo brasilero
al bando contrario o el deseo de ganarlo a su favor, paralizaba en
Buenos Aires o en Paraná, todo intento de interferir los avances de
una diplomacia tenaz, insinuante, y pródiga en recursos.

Además, el Imperio no necesitaba apelar dentro de la Argentina, a la fuerza de las armas o de los tratados para hacer triunfar
su influencia. Al par que sus diestros diplomáticos, actuaban dili-
gentemente banqueros y comerciantes no menos sagaces en la tarea
de captar voluntades. El barón de Mauá, el más importante y em-
prendedor hombre de negocios del Brasil, se convirtió en un factor
indispensable de la vida económica y financiera, no sólo del Uruguay, sino también de las dos fracciones de la República Ar-

gentina. Llegó a su auge la llamada "diplomacia del patacón", que mediante generosos empréstitos, acordados en cada una de las tantas dificultades del erario, mantenía en buena amistad a los gobiernos. Y no era misterio que los diplomáticos imperiales estaban cuantiosamente dotados para ganar opiniones en los círculos políticos y en el campo periodístico. Surgían detractores o apologistas de la política brasilera, con variable ardor, según las larguezas de sus mal encubiertos acicateadores. El oro imperial corría abundantemente y del día a la noche furibundos antibrasileristas se convertían en defensores del Imperio.

Pero la diplomacia brasilera no siempre necesitaba apelar a recursos de esta ley. Sabía, si lo quería, actuar con prudencia, tino y habilidad para no herir las susceptibilidades ni lastimar el innato orgullo hispanoamericano, cuando había necesidad de proceder con miramientos y circunspección. No pocos de los agentes del Imperio, en su trato con las turbulentas democracias platenses, ganaron prestigios por su tacto y sagacidad. Si algunos estadistas como el vizconde del Uruguay predicaban la necesidad de la "mano dura", otros optaron por procedimientos más concordes con la necesidad de vencer las seculares prevenciones contra el Brasil. Uno de éstos últimos, José María da Silva Paranhos, profundo conocedor de los problemas del Plata, sostuvo que el "carácter de la política del Imperio para con los estados vecinos debe ser la moderación y la benevolencia, pues es él uno de sus protectores natos" [20].

Este "protectorado nato" no sólo era la proyección de las tendencias atávicas. También se fundamentaba en las circunstancias históricas del mundo durante el siglo XIX. En la época de la triunfal expansión de los imperialismos, cuando las grandes potencias europeas, Inglaterra, Francia y Rusia, procuraban extender, en nombre de la civilización, la órbita de su influencia hacia todos los países atrasados del orbe, era natural que el Brasil, el más progresista de los estados sudamericanos, se creyera destinado a igual misión tuteladora en Sud América y sobre todo en beneficio de sus rezagados vecinos rioplatenses. Su superioridad resplandecía en todos los órdenes y no solamente en el material. En un continente convulsionado por la anarquía, oprimido por los despotismos y sumido en la pobreza, el Brasil gozaba de paz, libertad y prosperidad. Alberdi se refirió en sus Bases al "bello ejemplo del Brasil" aludiendo no a su forma de gobierno sino al orden y bienestar de que gozaba. La monarquía aparentemente no constituía una rémora sino una garantía de grandeza y de estabilidad. Las instituciones políticas eran democráticas y representativas, por más que la economía

[20] ANNAES, DIPUTADOS, 1862, App. p. 77.

se basara en el trabajo servil. La esclavitud preocupaba y lastimaba hondamente a no pocos de los estadistas, pero no más de la cuenta. La contradicción entre el liberalismo de las instituciones políticas y la subsistencia de la servidumbre humana, era sofocada por la convicción de la grandeza del Brasil y de la alta misión civilizadora que le había señalado la Providencia en América. Bajo la égida de un emperador culto y progresista, una clase dirigente altamente capacitada había convertido al Brasil en la primera potencia sudamericana con proyecciones en el mundo. Ninguno de sus vecinos le superaba en territorio, población, riquezas, orden, ilustración y progreso material. Su escuadra no tenía rival. Sus estadistas calzaban alto coturno y se pareaban con los más renombrados del viejo continente. La diplomacia brasilera era el alma del Imperio y la vértebra de su grandeza.

Si el Brasil se enorgullecía de su poderío material, no lo estaba menos de su diplomacia, a la cual debía principalmente el lugar de realce que ocupaba en el Río de la Plata, en América y en el mundo. Prolongación, sin solución de continuidad, de la diplomacia lusitana, de ella heredó la habilidad, la destreza, la astucia, la inteligencia, los ideales y las ambiciones que le habían permitido en el pasado, en la larga lucha entre las metrópolis, vencer siempre a la diplomacia española y con sus ricos despojos echar los cimientos de la grandiosidad territorial del Imperio. Pero a diferencia de sus antecesores portugueses, a quienes no importaba recurrir a la guerra porque las derrotas militares tenían escenarios lejanos, y sabían luego convertirlas en victorias diplomáticas, los diplomáticos brasileros se sentían capaces de alcanzar altos triunfos sin necesidad de demasiado cercanos derramamientos de sangre en que el prestigio del Imperio pudiera quedar quebrantado. Aunque no trepidaran en esgrimir amenazas y alardes de guerra, en el fondo eran pacifistas, correspondiendo a la índole del pueblo brasilero y a la fe que depositaban en sus propias cualidades como negociadores sin par. La guerra no estaba, sin embargo, ausente en sus cálculos, pero sólo como *última ratio* y para cuando la impusieran necesidades y derechos vitales del Imperio. No les asustaba la crónica desorganización militar del Brasil, la falta de espíritu marcial de las masas, y la carencia de una clase castrense capacitada, defectos que la eficiencia de su marina no podría compensar. Sabían que el Imperio con sus inmensos recursos atesoraba reservas de energías que bajo enérgica dirección civil suplirían, con creces, en caso necesario, las fallas de las épocas de paz. Caseros era un ejemplo de lo que era capaz el Imperio.

La fuerza de la diplomacia brasilera estribaba tanto en las calidades de sus agentes y en su respaldo militar como en la continuidad de los esfuerzos y en la fijeza de los propósitos. Cuando el

Imperio se trazaba un rumbo, él era seguido con infatigable tenacidad, aunque cambiaran los diplomáticos y se alternaran los gobiernos o las tendencias políticas. Los partidos divergían sólo en los procedimientos. Los objetivos no variaban. En lo fundamental de la acción exterior estaban todos de acuerdo. Variaban las circunstancias históricas, al compás de las mudanzas del mundo, pero las finalidades fundamentales del Imperio no cambiaban sino de ropaje. El Brasil siempre sabía lo que quería y cómo conseguirlo.

Y entre esas finalidades, la principal de todas, la de mayor permanencia y con más profundas raíces, era el mantenimiento y ensanche de la presencia brasilera en el Río de la Plata, por una razón de prestigio y de honra, como por la fuerza de la tradición.

Los fundamentos, jurídicos, políticos o económicos, y los procedimientos, pacíficos o militares, podían variar al ritmo de las transformaciones nacionales o internacionales o de la imaginación de los gobernantes. Pero la orientación era siempre la misma: no abandonar nunca el Río de la Plata, tenerlo cada vez más en las manos, porque así lo imponían el honor y los antecedentes del Imperio. No importaba el título. Que el Brasil fuera el conquistador, el soberano, el aliado o el protector, lo mismo daba. Lo esencial era que el prestigio del Imperio quedara siempre bien alto y que el mundo supiera que el Río de la Plata estaba dentro de la órbita brasilera.

9. En consecuencia, los negocios del Plata se convirtieron en el principal objeto de la política brasilera, por decir así su razón de ser. Ningún estadista se consideraba como tal, si no acreditaba íntimo conocimiento de los problemas del Río de la Plata y de sus repercusiones en el Brasil. Para ellos el Plata pasó a ser la grande, insuperable escuela política. Algunos terciaron allí sus primeras armas, como Paranhos, Sinimbú, Pimenta Bueno. Otros, ya formados en la política interna, fueron a buscar en Buenos Aires, Montevideo o Asunción, el áurea de prestigio exterior que servía para consolidar y solidificar su situación política. Unos y otros, se sumergían en los enmarañados conflictos internos del Plata, como en una gran prueba, para alardear cualidades, recursos de inteligencia, habilidad y extensión de conocimientos. Era de hecho un duro aprendizaje, que, practicaron, además de los nombrados, otras altas figuras de la política imperial, como Abaeté, Saraiva, Octaviano, Cotegipe, etc. Así bien pudo decir el vizconde del Uruguay que para el Brasil "las cuestiones del Río de la Plata eran las primeras cuestiones de la política exterior, y sobre las cuales el público tenía los ojos más abiertos" (21). Lo eran también de la política general, en realidad el nexo de unión entre los segmentos sociales

(21) SOARES DE SOUZA, p. 251.

y políticos que se anudaban en torno de la institución monárquica sólo frente a las cuestiones externas. Y servían, sobre todo, para desviar la atención del problema de la esclavitud que sorda, lenta e inexorablemente carcomía los cimientos de la monarquía. Nada de este cáncer ominoso salía a la superficie, donde sólo emergía un Brasil pletórico de ímpetus, servido por expertos diplomáticos que tenían detrás una tradición imperial de la cual se enorgullecían y delante un ideal que les atraía irresistiblemente como en los buenos tiempos coloniales y que era para ellos un ineludible compromiso de honor: el Río de la Plata.

10. Frente a esta vigorosa galvanización de las seculares tendencias expansionistas, el Río de la Plata, aminorado severamente por la larga tiranía de Rosas, la subsiguiente secesión de la República Argentina y la mediatización de la República Oriental, no estaba en condiciones de neutralizar y superar su inferioridad material mediante un inteligente uso de los recursos políticos y morales. Los estadistas y diplomáticos del Plata, generalmente improvisados, no siempre se mostraron capaces de elevarse a la altura de sus congéneres brasileros que fácilmente les batían en cotejos de habilidades. Aquellos procedían por impulsos, muchas veces contradictorios, y más en función de las cambiantes circunstancias de la política interna que de los intereses permanentes de su país. No siempre reconocían política fija ni menos continuidad: a muchos, nada les costaba aborrecer hoy lo que ayer alababan. Para casi todos los políticos que encarnizadamente disputaban predominio, el Brasil era el secular enemigo del Río de la Plata sólo cuando apoyaba al adversario político. Pero los partidos y los gobiernos, pocas veces tenían escrúpulos en solicitar su auxilio cuando así les convenía en sus contiendas por el poder. Aunque en el fondo seguían odiando al Imperio y veían en él al temible rival de las nacionalidades hispánicas, con tal de obtener ventajas partidistas siempre se hallaban dispuestos a tomar la mano que les tendían los hábiles diplomáticos brasileros. El resultado de esta falta de verticalidad de la política después de Caseros fue que la diplomacia brasilera no encontró, durante este período, vallas que pudieran detener la ejecución de su plan de pacífico enseñoramiento del Río de la Plata.

Para *El Nacional* de Buenos Aires era segura la absorción por el Brasil de todas las nacionalidades del Plata. Revirtiendo sobre el Imperio la doctrina en cuyo nombre había deshecho el poder de Rosas, juzgó que la política brasilera estaba rompiendo el equilibrio de Sud América. La doctrina del equilibrio como fundamento de la paz internacional gozaba entonces de rigurosa actualidad en el mundo. Invocándola las potencias europeas estaban llevando la guerra al Imperio Ruso en los campos de Crimea. *El Nacional* señaló las coincidencias y las disimilitudes. Dijo:

La Rusia apoderándose del Imperio Otomano rompía el equilibrio europeo y el inmenso coloso en su marcha destructora amenazaba con igual suerte, en sus absorciones sucesivas, a todos y cada uno de sus vecinos. Los amigos mismos del autócrata se alarmaron y siguiendo la iniciativa dada por la Inglaterra y la Francia, hasta el Austria y la Rusia parecen dispuestas a contener la desmesurada ambición moscovita; tan irresistible es hoy la fuerza de la opinión.

Las Potencias Europeas son previsoras.

Las Repúblicas Americanas son sus antípodas.

Por eso, el Brasil absorberá de a una las que le rodean si se le dejan ocasión.

Bajo el punto de vista del poder, el Brasil es la Rusia de América; rico, próspero, compacto, poderoso, ambicioso y hábil, tiene de menos la barbarie, tiene de más la liberalidad de su régimen interior, y la ilustración de sus hijos.

Todo es relativo, y si bien no se puede decir que el Imperio del Brasil date sus planes de dominio y absorción en América desde el testamento de Pedro el Grande, zar de Rusia, es evidente al ojo observador que él extiende sus límites progresivamente, y va encerrándonos en un círculo de hierro hasta oprimirnos; es evidente que sus planes son llevados adelante desde la princesa Carlota hasta el emperador Pedro II con persistente tenacidad; y por más que los acontecimientos retarden eventualmente su marcha, el Brasil prosigue siempre a sus fines y vuelve a empezar sus trabajos destruidos con la notable perseverancia de las arañas [22].

El peligro señalado por *El Nacional* fue considerado como una realidad por el ministro inglés en Río de Janeiro, quien dio a su gobierno el siguiente diagnóstico de la situación de los países del Plata en relación con el Brasil;

La política del Brasil en el Río de la Plata ha estado hasta ahora al servicio de sus propios fines: alentando las esperanzas de todos los partidos, el Imperio ha mantenido por largo tiempo su influencia sobre todos, sin comprometerse por completo con ninguno. *Divide et impera* es su lema, que por cierto ha arrojado a todos estos republicanos a sus pies [23].

Pero no todos los republicanos del Plata se habían arrojado a los pies del Imperio. No en todas partes los descendientes de los *bandeirantes* llegaron a domesticar del todo a partidos y políticos para mantener al Río de la Plata a sus plantas. La República del Paraguay era una excepción. En un principio le ofreció al Imperio la ocasión de recoger los mejores lauros. Pero después de Caseros se irguió con arrogancia y altanería desprendiéndose de una tutela que ya no necesitaba. Amenazaba ahora con su insumisión todo el edificio del prestigio brasilero en el Río de la Plata y en la América del Sud, y le creaba al Imperio muy serios problemas para el porvenir.

[22] *El Nacional*, Buenos Aires, 1855.

[23] De Scarlett a Malmerbury, Río de Janeiro, abril 13, 1858. HORTON Box, pág. 117.

CAPÍTULO II

EL PARAGUAY Y EL BRASIL

1. El Paraguay, parte integrante del Brasil. — 2. Los "bandeirantes". — 3. Los demarcadores Azara y Aguirre. — 4. El motivo de la revolución de 1811. — 5. El dictador Francia. — 6. Carlos Antonio López. — 7. La cuestión de límites. — 8. La libre navegación. — 9. La expedición de Ferreira de Oliveira. — 10. José Berges en Río de Janeiro.

1. Antes y después de la Independencia, pocos países en el continente sudamericano sufrieron tanto como el Paraguay los efectos de la dinámica y voraz vecindad brasilera. El Portugal le disputó en sus años iniciales el derecho a la existencia. Luego representó un obstáculo invencible para la consolidación de sus dominios hasta el Atlántico y el Amazonas, a que tenía derecho por las primeras capitulaciones; estimuló las devastaciones del Guayrá y del Itatín por los *bandeirantes* y finalmente fue agente principal del empequeñecimiento geográfico de la Provincia y de la pérdida definitiva de sus costas sobre el mar. Emancipado de su metrópoli, el Brasil heredó sus tendencias, de entre las cuales no era la menos acentuada la que le impulsaba hacia el río Paraguay, que le obsesionaba tanto como el río de la Plata.

Para los portugueses, el Paraguay era parte integrante de la misma expresión geográfica, el Brasil. La más antigua cartografía portuguesa —Lope Homen (1519), Diego Ribeiro (1525 y 1527), Joao Alfonso (1528—1543), André Homen— objetivó la idea de que el Brasil era una gran isla, flanqueada por las cuencas de los ríos Madeira, Amazonas y del Plata con sus principales afluentes el Paraná y el Paraguay. Ese mito de la Isla-Brasil gravitó fuertemente sobre la imaginación de los gobernantes lusitanos y fue estímulo poderoso para oponer a la letra del tratado de Tordesillas la razón geográfica de Estado que iba a presidir la formación territorial de

Brasil (¹), y que le llevaría incansablemente a buscar el señorío del Paraguay.

Dio fuerza a esta aspiración el atribuirse el descubrimiento del Paraguay a un portugués, Alejo García, que emprendió desde posesiones brasileras su portentosa hazaña (²). Organizado políticamente el Brasil, el gobernador Tomé de Souza denunció la fundación de la ciudad de Asunción como una usurpación inadmisible. Escribió en 1553 a Don Juan III:

Parécenos a todos que esta población está en la demarcación de Vuestra Alteza (³).

La Corte de Lisboa formuló reclamaciones que el emperador Carlos V rechazó indignado. Decía una Real Cédula dirigida al embajador español en Lisboa:

...estamos maravillados de lo que os dixeron porque como todos saben y es cosa muy notoria el pueblo de la Asunción que dizen está poblado en la provincia que dizen del rrio de la plata, que allende de caer con muchas leguas dentro de la demarcación de Su Majestad y ha más de quarenta años que está descubierto por capitanes de el catholico rrey mi señor e aguelo que aya santa gloria primeramente, y después por capitanes de su magestad y extendido y poblado muchos años ha, y puesto por ellos en la provincia del Río de la Plata e ansí han sido proveídos muchos gobernadores y ahora lo está poblado el dho pueblo de más de seis cientos vecinos e se han embiado navios para los proveer... (⁴).

Desahuciada la protesta diplomática, durante mucho tiempo nada hizo el Portugal para reivindicar sus supuestos derechos sobre el Paraguay ni para contener la pujante expansión irradiada durante el siglo XVI y parte del XVII, desde la ciudad de Asunción con el claro designio de consolidar los títulos de España hasta la línea de Tordesillas. Unica señal de posesión castellana en la vasta extensión de la Provincia Gigante de Indias, que abarcaba desde el Atlántico y la línea de Tordesillas hasta los Andes, y desde el Amazonas hasta la Tierra del Fuego, Asunción no sólo se cuidó de mantener expedito el camino a las costas del océano, sino que trazó un plan para hacer efectiva la ocupación de los dilatados territorios hasta donde alcanzaban sus límites.

El primer paso consistió en la fundación de ciudades hacia todos los ámbitos: Ontiveros (1554); Ciudad Real (1556); Santa Cruz de la Sierra (1561); Villa Rica (1570); Santa Fe (1573); Buenos

(1) JAIME CORTESAO, *Raposo Tavares e a formaçao territorial do Brasil*, Río de Janeiro, 1958, pág. 30.
(2) HILDEBRANDO ACCIOLY: *Limites do Brasil A fronteira com o Paraguay*, S. Paulo, 1938, pág. 13.
(3) JAIME CORTESAO, *Jesuitas e bandeirantes no Guayrá*, Río de Janeiro, 1951, pág. 66.
(4) R. C. junio 13, 1554, Archivo General de la Nación. *Campaña del Brasil. Antecedentes coloniales*, Buenos Aires, 1931, t. I, pág. 7.

Aires (1580) ; Concepción del Bermejo (1585) ; Corrientes (1588) ;
Santiago de Xerez (1593). Luego vinieron las fundaciones religiosas, a cargo de los padres de la Compañía de Jesús. Numerosas reducciones fueron establecidas a instancias y con el apoyo del gran
gobernador Hernandarias, a partir de 1610, en el Guayrá y el Itatín. Su intento era enlazar las posesiones castellanas, con la costa
del mar, para llegar hasta el Amazonas y el Perú, según expresó
el provincial Padre Diego de Torres, en su *Carta Anua* de 1609 [5].

2. La expansión asuncena de carácter civilizador y que tenía
por finalidad llegar al Atlántico, fue brusca y salvajemente detenida por las desoladoras invasiones de los *bandeirantes* de San Pablo. Iniciadas en gran escala en 1628, destruyeron de cuajo
las poblaciones civiles y religiosas del Guayrá y del Itatín, etapas
de la marcha paraguaya al océano. El horror y el espanto que las
bárbaras depredaciones concitaron en el alma paraguaya, fue expresado con patéticas palabras de Hernandarias, en su última carta
conocida:

> Las iglesias profanadas; las vestiduras sagradas y santos evangelios arrojados
> por el suelo; las imágenes rasgadas; las pilas de agua bendita quebradas; los
> sacerdotes heridos a flechazos y maltratados; nuestra santa Fe desacreditada entre
> los indios recién convertidos; el numeroso gentío de aquella provincia acabado;
> parte muerto con extraordinarias crueldades a mano de los portugueses y sus
> indios tupis, parte consumido de hambre, huyendo por los montes, parte llevado
> en collares y cadenas, quedando tantos hijos sin padres y éstos sin ellos, tantos
> maridos sin mujeres y mujeres sin sus maridos, y lo que es más, tantos muertos
> sin bautismo, y cerrada la puerta de la salvación de tantas almas... [6].

Las *bandeiras* apuntaron derechamente a Asunción. Al calor de
sus audaces asaltos, resurgió con fuerza el viejo deseo portugués
de apoderarse de las márgenes del río Paraguay. El Paraguay debió
defender, espada en mano, durante muchos años, su derecho a subsistir. Las depredaciones de los *mamelucos* fueron condenadas oficialmente por la corona portuguesa, pero detrás de ellas actuaba
como secreto impulso, la vieja ambición de ganar para Portugal el
Paraguay tan codiciado desde antiguo. El primer paso consistiría
en el aniquilamiento de la ocupación paraguaya. Había que crear
un desierto, para luego entrar desde la boca del río de la Plata,
a la conquista fácil de los lugares despoblados. A ese plan de apoderamiento de todo el Río de la Plata, obedeció la fundación, en
1680, de la Colonia del Sacramento. En el camino de esa política
estaba la destrucción del Paraguay español. He aquí cómo el ilustre
historiador brasilero Joao Pandiá Calogeras, enjuicia esa política:

---

[5] FACULTAD DE FILOSOFÍA Y LETRAS. *Documentos para la Historia Argentina.* Tomo XIX, Buenos Aires, 1927, pp. 18-19.

[6] De Hernandarias al Rey, Santa Fe, junio 23, 1631, ALFONSO DE TAUNAY,
Documentos sobre o bandeirantismo, Sao Paulo, 1925, p. 268.

"Ligados tales hechos, no hay que desconocer que la monarquía bragantina ambicionaba extender su dominio hasta donde sus
armas alcanzaran y bastase su poder de retención. Y, con todo, quien
lea los papeles ya divulgados del Consejo Ultramarino, nota en todos
ellos la convicción siempre afirmada de que hasta el Paraguay se
hallaba en tierras del Portugal. Ignorancia geográfica y ambición
de ganar territorios aunábanse para dar mayor vigor a las incur-
siones avasalladoras de los Paulistas. Graves, preñadas de complicaciones de todo género, eran las consecuencias de tal estado de
espíritu. Dueño de la región de las nacientes, aún hoy ignotas, amenazando la antigua colonia de Asunción, fortificados en la boca,
en Sacramento, fuera el linde de las dos soberanías definitivamente
fijado por el *thalweg* hasta el río de la Plata. Política imperialista
de agresión, pues contemplaba destruir uno de los núcleos primitivos de la ocupación europea en América, la ciudad española fundada por Juan de Ayolas, Domingo de Irala y Salazar, en 1537, in-
cluiría la conquista eventual las hoy provincias argentinas de Misiones, Corrientes, Entre Ríos y la hoy República del Uruguay. La
línea de comunicaciones de Buenos Aires con el virreinato del Perú
quedaría dominada por el enemigo portugués, en su extensión casi
total; libre o impedida, a merced de los caprichos de la turbulen-
cia fronteriza y de los fuertes que allí se construyeran" (⁷) .

3.   Asunción vivió durante los siglos XVI y XVII bajo la amenaza del riesgo mortal de la vecindad portuguesa, que le obligó
a velar con el arma al brazo. La marcha paraguaya hacia el Atlántico quedó detenida. Pero los *bandeirantes* al asolar el Guayrá y el
Itatín, no reemplazaron lo destruido: crearon un desierto, no una
ocupación. No fundaron ninguna ciudad. Sólo dejaron ruinas como
huellas de su paso. La diplomacia lusitana se encargó de legitimar
las devastaciones, dándoles el carácter de títulos de soberanía. Los
tratados de 1750 y 1777 significaron para el Paraguay la pérdida
de Río Grande, Santa Catalina, Cuyabá y Matto Grosso. El mar
dejó de ser paraguayo. Pero la incruenta conquista fue mucho más
allá. Cuando vinieron los demarcadores españoles a trazar sobre el
terreno las fronteras pactadas, se encontraron con la sorpresa de
que ellas, en la parte del Paraguay, podían traer al Portugal a las
barbas mismas de Asunción, hasta puntos donde jamás habían llegado las más audaces *bandeiras*. El famoso demarcador, capitán
Félix de Azara, mediante argucias y sofistificaciones geográficas,
logró que la línea fuera retrocediendo, desde el río Jejui, en que
querían plantarla los portugueses a sólo 36 leguas de Asunción, hasta el Ypané y finalmente el Apa, con todo de que este río estaba

    (⁷)   JOAO PANDIA CALOGERAS, *A política exterior do Imperio*. I. *As orígenes*,
"Revista do Instituto Historico e Geographico Brasiliero, Tomo Especial, Río
de Janeiro, 1927, p. 161.

lejos de limitar el *uti possidetis* portugués. La última posesión del Portugal, al firmarse los tratados, se hallaba a no menos de 150 leguas del Apa.

Ni siquiera las líneas pactadas sobre la base de una inexistente posesión, fueron respetadas por el Portugal, cuya energía expansiva no se detenía ante débiles cercos legales. El río Paraguay era el límite reconocido e indisputado desde el Corriente o Apa hasta el Jaurú, al tenor de los tratados. Los portugueses cruzaron el río y fundaron Coimbra y Alburquerque, en las cabeceras del Chaco paraguayo. En la parte del Paraná se introdujeron hasta el Ygatimí, donde establecieron Nuestra Señora de Prazeres, muy al sud del Ygurey señalado por los tratados. Contra una y otra flagrante usurpación el Paraguay reaccionó violentamente. Una expedición militar desalojó en 1777 a los portugueses del Ygatimí. Para contener el avance sobre el río Paraguay, que se dirigía ostensiblemente hacia Asunción, en 1792 el Paraguay fundó el fuerte Borbón, a los 19º, en la margen occidental del río Paraguay. Escribió Juan Francisco de Aguirre:

La idea del Portugal en el día por estas regiones es la absoluta dominación del río Paraguay (8) .

Aguirre, como Azara, propuso una operación militar para recuperar los terrenos usurpados, incluso los de Cuyabá. La ocasión se le presentó al gobernador Lázaro de Ribera, en 1801, que llevó, por el río una poderosa expedición contra Coimbra. No tuvo éxito en su intento. Su desgraciada suerte envalentonó aún más a los portugueses. Azara regresó a España con la convicción de que el Portugal mantenía vivo su secular proyecto de apoderarse de toda la provincia del Paraguay y del Río de la Plata, "lo que habría sido lo mismo que perder toda la América meridional, porque la parte que nos hubiera quedado no haría el comercio con nosotros, sino con ellos" (9) .

La recrudecencia del peligro avivó en el alma paraguaya el viejo aborrecimiento a los *bandeirantes,* como trasuntaron estas palabras del ex gobernador Lázaro de Ribera, datadas en 1808:

Los grandes exemplos de la virtud y constancia que Gamas y Alburquerque daban a su Nación desde las orillas del Tajo hasta la boca del Ganges, no fueron imitados por los aventureros que se dejaron ver en el Brasil, no como conquistadores sino como arrebatadores injustos de estas regiones, cometiendo excesos y crueldades que los mismos bandidos no pueden executar, porque a veces se descubre alguna generosidad en el exercicio de los delitos. Aún no conocían los portugueses la América, cuando el gobierno del Paraguay abrazaba todo el Brasil, por derecho de descubrimiento, conquista y posesión, sin que desde el Marañón hasta el Río de la Plata, se excluyese comarca alguna de la dominación

(8)   AGUIRRE, t. II, pág. 860.
(9)   *Memoria sobre el tratado de 1777*, Madrid, mayo 14, 1805.

española. Esta vasta extensión de terreno fue el teatro de las injusticias más
espantosas, donde el dolo, la mala fe y la sorpresa fueron los instrumentos que
dieron al Portugal países inmensos. El honor y la humanidad se conmueven
y quisieran arrancar de la historia las páginas que describen los horribles atentados que cometieron en el Paraguay (10).

4.   Escritas estas palabras, cargadas de pasión, al borde mismo
de la revolución emancipadora, ésta fue ocasión para que se manifestara la profundidad de los sentimientos de temor y animadversión que el Paraguay profesaba al Brasil portugués. Motivo principal del movimiento revolucionario del 14 de mayo de 1811, que
puso fin al dominio español, fue la sospecha de que los gobernantes españoles habían aceptado el auxilio ofrecido por Don Juan VI
so pretexto de preservar los derechos de la Infanta Carlota Joaquina.
El ultimátum del capitán Pedro Juan Caballero, jefe de los patriotas, al gobernador Velasco, expresó claramente que la insurgencia
patriótica se efectuaba en atención "a que la Provincia está cierta... que ahora se va a entregar a una Potencia extranjera... que
es la potencia Portuguesa" (11).

Los patricios paraguayos no estaban equivocados al atribuir
intenciones de conquista a los manejos portugueses. La crisis iniciada en 1810 en el Río de la Plata hizo que recrudecieran los
viejos apetitos, como tuvo ocasión de verificarlo el embajador inglés
en Río de Janeiro, Lord Strangford, por confesión del propio ministro secretario de Estado, conde de Linhares, apenas conocida la noticia de la revolución de Buenos Aires.

Me pareció regocijado —informó a su gobierno— por la oportunidad que
le brindaba el nuevo instante político, para concretar ahora sus antiguos proyectos de extender las fronteras portuguesas a la margen norte del Río de la
Plata y al Paraguay. Me expresó reiteradamente la alarma que el Príncipe Regente había sentido como consecuencia del proceso revolucionario de las colonias
españolas y su determinación de justipreciar él mismo, la oportunidad de restaurar los antiguos límites de los dominios en esta parte del mundo... (12).

El último gobernador español, Bernardo de Velasco, negó toda
participación en la conspiración portuguesista, pero cuando se comprobó la realidad de la aborrecida connivencia su separación del
gobierno fue definitiva, por decisión de los revolucionarios, que en
el bando con que anunciaron la radical medida, recordaron:

Uno de los motivos que han apurado los sufrimientos de las tropas y de
muchos distinguidos vecinos de la Provincia, hasta obligarles a tomar la generosa determinación de arrojar el pesado yugo que la tenía oprimida y tiranizada,
ha sido el concepto, a que la voz divulgada y las circunstancias mismas dieron,

(10)   De Ribera a Liniers, S. Nicolás, abril 25, 1808, DIEGO L. MOLINARI,
Antecedentes de la Revolución de Mayo, Buenos Aires, 1922, pp. 28-50.
(11)   De Caballero a Velasco, Asunción, mayo 15, 1811, BÁEZ, t. I, p. 134.
(12)   De Lord Strangford a Wellesley, Río, junio 20, 1810, en *Historia*, Buenos Aires, 1960, Nº 19, p. 182.

lugar, de que los depositarios de la autoridad y sus viles secuaces maquinaban el detestable proyecto de someterla a una dominación extranjera, o valerse de sus fuerzas para sorprenderla con el simulado aparato de auxilio, tenerla en dura y rigurosa sujeción, y de este modo formar y asegurar una especie de señorío y posesión para ellos mismos, sacrificando a su orgullo, ambición y codicia la libertad de la Provincia, los derechos más esenciales de sus naturales y los vínculos que la unen con las demás de la nación (13).

Y así también el primer gobierno paraguayo, recordó al de Buenos Aires:

> Una de las concausas que dieron impulso a la gloriosa revolución del 14 de mayo anterior fue la natural rivalidad y antítesis que hay entre esta Provincia y los Portugueses, que poco a poco han ido usurpando nuestro terreno, haciendo devastación de los más apreciados establecimientos de minas, con muerte de muchos vecinos (14).

Entre los primeros pensamientos de la Junta Gubernativa presidida por Fulgencio Yegros (que participó en las acciones de 1801) estuvo el envío de una expedición por río y tierra contra Coimbra y Alburquerque, para vengar la derrota sufrida por el gobernador Ribera y recuperar las tierras usurpadas por los portugueses. A fin de asegurar el éxito de la operación se solicitó en compra una partida de armas a la Junta de Buenos Aires, a quien el gobierno paraguayo declaró que "aunque se compongan los negocios de Montevideo y Don Diego de Souza retire sus Tropas, no podrá esta Provincia dejar de tomar satisfacción de los portugueses, a fin de prevenir nuevos insultos y contener su ambición de dominar" (15). Buenos Aires no envió armas y en cambio, invocando el tratado de alianza firmado el 12 de octubre de 1811, pidió tropas paraguayas para enfrentar a los portugueses en la Banda Oriental. El Paraguay, también gravemente amenazado desde el norte, contestó que desprenderse de sus fuerzas "sería abrir la puerta para que entren francamente los portugueses" y se mantuvo a la defensiva a la espera de una invasión que se consideraba inminente, pues se sabía que, por la infidencia del coronel Pedro Gracia, la capitanía general de Cuyabá y Matto Grosso estaba informada de la precariedad de los armamentos paraguayos. En Asunción se tenía la persuasión de que los portugueses no habían renunciado a su sueño de conquistar al Paraguay:

> Ocupadas las villas de Curuguatí y Concepción —decía la Junta gubernativa— serán pacíficos poseedores de todo lo demás; dueños de los yerbales y estancias, nos agotarán todos los recursos, os estrecharán y circuirán por todos los lados, entrarán a esta Ciudad y apoderados de la marina mercantil todo el

(13) Bando de junio 9, 1811, AGNP, vol. 4, Nº 20.
(14) De Yegros, etc. a la Junta de Bs. Aires, Asunción, enero 25, 1812, VARGAS PEÑA. p. 110.
(15) De Yegros, etc. al gobierno de Bs. Aires, Asunción, octubre 27, 1811, VARGAS PEÑA, p. 89-91.

poder armado de V. E. será imposible que los lance una vez arraigados en este Territorio, en que han juzgado siempre hallar la piedra filosofal, pues sus principales minas fueron nuestras en otro tiempo [16].

El gobierno de Buenos Aires insistió en el envío de tropas paraguayas a la Banda Oriental. Arguyó que si el ejército patriota era vencido en Montevideo, la provincia del Paraguay sería inevitablemente conquistada y sus hijos "servirán de trofeo para coronar el triunfo de los portugueses, de los hombres más despreciables y del gobierno más tiránico que existe en la tierra", pero que si aquel ejército, auxiliado por los paraguayos, derrotaba los enemigos, pronto se recuperaría cualquier punto que pudieran haber ocupado en el Paraguay con motivo del envío de tropas al auxilio del general Artigas:

> Los bravos paraguayos —subrayaba— sólo pueden defender la libertad y la gloria de su Provincia, peleando entre las filas de sus hermanos, y auxiliándolos en la lucha contra los implacables enemigos de la América del Sur [17].

El Paraguay repuso que despacharía aun "por aire" cuantas tropas tuviera, si no se hallase en el compromiso de acordonar tantos territorios abiertos y amenazados por los portugueses.

> V. E. nos pide un imposible por ahora —decía la respuesta—, pues antes, que todo debemos mirar por la conservación de nuestro patrio suelo, sin empeñar la palabra con promesas, cuyo cumplimiento nos será difícil o demasiado ominoso [18].

La famosa "cuestión de auxilios" abrió una ancha brecha entre Asunción y Buenos Aires. La desigual apreciación del peligro portugués y del orden de prelaciones para las ayudas militares, inutilizó las previsiones del tratado del 12 de octubre. Pero Asunción pronto se vio justificada en sus aprensiones. Los indios mbayas, aliados de los portugueses, se apoderaron del Fuerte Borbón, que, al momento, fue ocupado por tropas de Coimbra. El Paraguay vibró de entusiasmo bélico. Una expedición naval al mando del vocal Fernando de la Mora fue despachada para la recuperación del fuerte. Los portugueses lo evacuaron antes de entrar en acción las fuerzas paraguayas, y la Junta Gubernativa de Asunción se dispuso a cortar, de una vez, las diferencias con el Brasil, enviando un ultimátum para "la evacuación de los fuertes que tienen en nuestros terrenos", según comunicó al Triunvirato de Buenos Aires [19]. El armisticio firmado el 26 de mayo de 1812 entre el enviado por-

---

[16]   De Yegros, etc. al gobierno de Bs. Aires, Asunción, marzo 19, 1812, VARGAS PEÑA, 138.

[17]   De Chiclana y Rivadavia a la Junta, Buenos Aires, mayo 12, 1812, VARGAS PEÑA, p. 160.

[18]   De Yegros, etc. al gobierno de Bs. Aires, Asunción, mayo 27, 1812, VARGAS PEÑA, p. 169.

[19]   De Galván a Herrera, Asunción, agosto 19, 1812, VARGAS PEÑA, p. 184.

tugués Rademaker y el representante de Buenos Aires, postergó la realización de este proyecto, fervientemente anhelado por los primros gobernantes paraguayos que querían restaurar la antigua grandeza territorial. Ganada la libertad, habían renacido con fuerza las tendencias que llevaron al Paraguay a sembrar ciudades y misiones a lo largo y lo ancho del continente. La primera junta encabezada por Fulgencio Yegros, tuvo conciencia de la perdida grandeza y del papel civilizador desempeñado por la Provincia. Recordó al gobierno de Buenos Aires:

> Esta Provincia, en su primera época y descubrimiento, reconoció por términos, al Oriente, el Brasil con inclusión de Santa Catalina; al Norte, el país de las Amazonas; al Occidente, el Perú y Chile, y al Mediodía, la tierra Magallánica. Dentro de esa vasta dilatación fundó ocho ciudades, catorce poblaciones, varias villas y muchos pueblos... [20] .

Aguijoneados por tales recuerdos los próceres paraguayos propugnaron audazmente, en la famosa nota del 20 de julio de 1811, la confederación del Paraguay con las demás provincias de América de un mismo origen, "y principalmente con las que comprendían la demarcación del antiguo Virreinato" [21]. Era la primera vez que un gobierno americano lanzaba la idea de la unión federal de los pueblos de origen hispánico. Y también fue la primera iniciativa para preservar la unidad del Virreinato sobre las bases de una confederación de iguales.

5. Las alarmas que los pretensiosos alardes y las amenazas del Paraguay de recuperar las tierras usurpadas suscitaron en el Brasil, desaparecieron de raíz cuando el doctor José Gaspar de Francia quedó solo en el poder e impuso a la revolución paraguaya el cuño de su extraña personalidad. La antigua Provincia Gigante se sumió en un pozo oscuro. Fue abandonado el proyecto de confederación. Se rompió todo vínculo con Buenos Aires. El Paraguay se sustrajo de la vida internacional. Se aisló dentro de impenetrables murallas. Los enemigos de Buenos Aires en vano trataron de arrastrarlo para encabezar la reorganización del virreinato. En vano Artigas volvió a levantar la bandera de la federación y ofreció su jefatura al Paraguay. En vano los "parrouphilas" brasileros desgarrados del Imperio, impetraron su alianza e insinuaron la incorporación del Río Grande sublevado al Paraguay. Francia no quería ni amigos ni enemigos. A todos dio las espaldas. El Paraguay se encartujó. Los proyectos de restauración de la antigua grandeza territorial fueron abandonados.

Esta posición satisfizo grandemente al Brasil que cesó de hos-

[20] De Yegros, etc. al gobierno de Bs. Aires, Asunción, febrero 15, 1812, Vargas Peña, p. 123.

[21] De Yegros, etc. a la Junta de Bs. Aires, Asunción, julio 20, 1811, Vargas Peña, pp. 37-40.

tilizar al Paraguay y aún tentó ganar su alianza para la guerra contra Buenos Aires en torno de la Provincia Cisplatina. Francia admitió en 1825 al enviado del Imperio Antonio Manuel Correa da Cámara, pero rehusó todo acuerdo, por más que el emisario brasilero se mostrara dispuesto a concertar la restitución de los territorios usurpados en el norte. La segunda vez que Correa da Cámara quiso allegarse al dictador, ya no fue admitido. Debió hacer larga y humillante espera en Itapúa, hasta que Francia lo despidió lisa y llanamente. El Imperio silenció el agravio y mitigó la humillación con el consuelo de que, de todos modos, nunca habían podido llegar a Asunción los emisarios de Buenos Aires, ni de ningún otro país.

Despechado, Correa da Cámara, denunció al Paraguay como a un "coloso naciente", que amenazaba la seguridad y la unidad del Imperio, y al cual había que aniquilar preventivamente con una "rápida y bien combinada invasión." También sospechó la existencia de lazos que unían invisiblemente al Paraguay con todos los descontentos del Río de la Plata y aún del Brasil. Fue el primero en auspiciar la alianza del Brasil con Buenos Aires para enfrentar y despejar el peligro paraguayo. El Imperio no tuvo necesidad de seguir sus consejos. El dictador Francia se encargó de mantener arrinconado, quieto y pacífico al "coloso naciente", cortándole las uñas, amarrándole con grillos de acero y quitándole todo gusto y posibilidad de aventuras en el exterior. De este modo, entendió defender la independencia nacional, pero también aseguró su absolutismo personal, y arrancó de cuajo las veleidades expansionistas de los otros próceres de mayo, con gran contento del Brasil.

A Francia no se le escapaba, sin embargo, la pretensión brasilera de ser "el mayor Imperio del mundo" y de llevar su línea divisoria por los ríos Paraguay y Paraná hasta entrar en el océano, según hizo saber, si bien muy oblícuamente, al emisario Correa da Cámara [22]. Y aunque sostuvo vigorosamente los derechos territoriales del Paraguay hasta el Jaurú y el río Blanco, nada hizo, durante su largo predominio, para consolidar esos derechos, ni para colocar a la República en condiciones de resistir los avances del Imperio, si ellos se producían. El Brasil respetó el "statu quo" mientras vivió el Supremo Dictador, satisfecho con su política inflexiblemente antiporteñista y su inviolable quietismo que suprimía una de las principales fuentes de preocupaciones para la seguridad y la unidad del Imperio [23].

[22] De Correa a Quesluz, Itapúa, setiembre 30, 1827, ANNAIS, ITAMARATI, t. III, p. 175.
[23] Cif. R. ANTONIO RAMOS. *La Política del Brasil en el Paraguay bajo la dictadura del Dr. Francia*, Buenos Aires, 1959.

6.   Muerto Francia, su sucesor Carlos Antonio López abrió las puertas del Paraguay y aceptó la amistad que le ofreció el Imperio para oponerse a las pretensiones del gobernador de Buenos Aires, Juan Manuel de Rosas, y para sostener la independencia paraguaya en el orden mundial. En una feliz luna de miel, de íntimo entendimiento, el ministro brasilero José Antonio Pimenta Bueno, después del solemne reconocimiento de la independencia, se convirtió en verdadero procónsul del Imperio, con positiva gravitación en los actos del gobierno, incluso en la redacción del periódico oficial y en la formulación de planes militares. El sometimiento del gobierno paraguayo llegó al punto de dar carta blanca al emperador del Brasil para representarlo en las relaciones exteriores. Los diplomáticos brasileros actuaron en Europa y en América como gestores del Paraguay, no sólo para recabar el reconocimiento de la independencia, sino también para comprometerlo en acciones internacionales. A todo se avino el presidente López con tal de contar con la poderosa ayuda del Imperio en su lucha contra Rosas.

Pronto advirtió el Paraguay que el Brasil quería cobrar su protección mediante el reconocimiento de pretensiones territoriales, que incluían la consolidación de las usurpaciones al occidente del río Paraguay y el trazado de la frontera al oriente, conforme a los fenecidos tratados de 1777. Con todo de reconocer los beneficios y la necesidad de la ayuda brasilera, Carlos Antonio López no quiso pagar tal precio. Las negociaciones entabladas en Asunción y en Río de Janeiro, no tuvieron éxito. En 1850, el Paraguay desalojó violentamente a los brasileros que se habían establecido en Pan de Azúcar. Ocurría esto en el momento más candente de la lucha contra Rosas que acababa de obtener autorización legislativa para someter al Paraguay, a cualquier costo y sacrificio, y cuando el Imperio parecía inclinado a entenderse con Buenos Aires. Dijo *El Paraguayo Independiente,* refiriéndose al hecho de Pan de Azúcar:

> No sabemos las ulterioridades de la expresada hostilidad, pero sea cual sea la marcha del gobierno de Buenos Aires en esta emergencia, defenderemos a un tiempo nuestra independencia y la integridad de nuestro territorio [24].

La alianza entre Buenos Aires y el Brasil, que temía el Paraguay, no se produjo. Contrariamente, el Brasil, después de muchas vacilaciones, resolvió llevar la guerra a Rosas; pasó la esponja sobre el incidente de Pan de Azúcar y firmó una alianza con el Paraguay. Influyó, sin embargo, diestramente sobre el ánimo de López para que postergara su apoyo militar. Al Imperio no le convenía que el Paraguay se convirtiera en factor político de primer orden en el Río de la Plata, lo que hubiera ocurrido si participaba en la guerra contra Rosas. El Paraguay estuvo ausente de Caseros, aunque fue el

(24)   *El Paraguayo Independiente,* Asunción, octubre 5, 1850.

primero en recoger sus frutos, mediante el reconocimiento de su independencia por la Confederación Argentina.

Caído Rosas y desaparecido el serio peligro que para el Paraguay entrañaban las ambiciones del gobernador de Buenos Aires, el presidente López no se creyó atado por lazos de gratitud hacia el Brasil que tan grandemente se había empeñado en favor de la independencia paraguaya, pero en cuya buena fe nunca había confiado. Sacudió con gusto su tutela y se aprestó a su turno, a cobrar las viejas cuentas. Salieron a la superficie desconfianzas y resentimientos acumulados durante generaciones, puestos en sordina por la necesidad de contar con la amistad brasilera para la ardua lucha contra Rosas, y ahora renacidos con violenta aspereza. El gobierno del Paraguay, según las palabras de Paranhos, receló que "ufanos con los resultados que habíamos alcanzado (los brasileros) en las márgenes del Plata, nos tornásemos ambiciosos y quisiéramos substituir al dictador Rosas en sus designios contra la República del Paraguay" [25]. En la forma como el Imperio encaró y enlazó los problemas de límites y de navegación, y en el modo conminatorio con que exigió la aceptación de sus pretensiones, se vio en el Paraguay una alarmante revivencia de los viejos anhelos de absorción de la nacionalidad paraguaya.

Alegando las líneas del tratado de 1777, cuya caducidad argüía en sus otras cuestiones de límites, el Brasil insistió en traer sus fronteras por lo menos hasta el río Apa, a los 22°, lo cual equivalía a avanzar varios grados geográficos sobre sus últimas posesiones reales, Coimbra y Miranda. El presidente López consideró, que, si aceptaba ese trazado, Fuerte Borbón, la más septentrional de las poblaciones paraguayas, a los 20° 4' 30", quedaría aislado y a merced de los brasileros. Además sabía que el Apa no representaba la verdadera aspiración del Imperio, sino el Jejui, a los 24° 10', a sólo 36 leguas de Asunción, y que sus designios eran continuar el avance hacia el sur. En poder del gobierno paraguayo obraba una memoria atribuida a Pimenta Bueno, datada en 1845, donde se desembozaban propósitos bélicos y se alegaba la conveniencia estratégica de una línea al sur del Apa, que sólo era aceptado como etapa para ulteriores avances. Decía:

Del Río Apa para abajo, la costa del Paraguay es firme y superior a las mayores crecientes, con excelentes pastos, yerbales y lugares apropiados para establecer cuantos puestos, villas y ciudades se quieran; allí se estacionarían nuestras fuerzas fluviales; serían escalas y puntos de depósitos comerciales de Matto Grosso; dominaríamos la navegación superior, y cuando circunstancias políticas lo exigiesen, podríamos, con fuerzas anterior y legítimamente allí reunidas, penetrar de improviso sobre la próxima capital paraguaya [26].

[25] ANNAIS, DIPUTADOS, 1862, App. p. 69.
[26] Memoria de noviembre 30, 1845, *El Semanario*, Asunción, mayo 5, 1855.

Conocida esta pretensión, Carlos Antonio López planteó resueltamente el litigio territorial, antes que como una cuestión jurídica, como un problema de seguridad. La frontera sobre el Apa sería como "una pistola asestada al corazón de la República", según las expresiones de *El Semanario*. La solución propuesta por López tendía a alejar ese peligro. Consistía en llevar la frontera al río Blanco, con la neutralización del territorio comprendido entre ese río y el Apa. Esta proposición no contemplaba los derechos de la República sino su seguridad. El Paraguay renunciaba a ejercer soberanía sobre extensa zona, pero alejaría la vecindad brasilera y resguardaría las espaldas de Borbón.

El concepto de seguridad privó sobre toda otra consideración. El Paraguay podía exigir, como quiso hacerlo el primer gobierno independiente, la restitución de los terrenos de Matto Grosso y Cuyabá, por derecho de descubrimiento y de conquista no invalidado por los tratados de 1750 y 1777 que nunca tuvieron vigor. Pero este pensamiento reivindicatorio no fue adoptado por ninguno de los gobernantes que sucedieron a la Junta Gubernativa presidida por Fulgencio Yegros. Francia aspiró sólo a la evacuación de Coimbra y Alburquerque, que Correa da Cámara llegó a prometer, pero Carlos Antonio López se allanó desde el primer momento a reconocer esas dos notorias usurpaciones que tanta sangre habían costado al Paraguay colonial. Admitió, sin asco, el río Negro o Bahía Negra, como límite al occidente del río Paraná, renunciando a la frontera del Jaurú, con tal de obtener el río Blanco como frontera en la margen oriental, que consideraba suficiente para afianzar la seguridad nacional.

7   Las dos fronteras, el Negro y el Blanco, aunque no contemplaran los derechos históricos del Paraguay y si sólo su seguridad, demarcaban entonces el *uti possidetis* de ambos países, incluso el resultante de las usurpaciones del Brasil que quedarían legitimadas por el solo hecho de la ocupación. Se conformaban, pues, con la doctrina que el Brasil esgrimía invariablemente en sus otras cuestiones de límites y representaban la renuncia del Paraguay a la reivindicación de Matto Grosso y Cuyabá. Su rechazo por el Imperio y su insistencia en traer sus límites hasta el Apa, que no señalaba ninguna posesión brasilera, y en argüir insólitamente el tratado de 1777, con tanta vehemencia repudiado en sus controversias con las demás repúblicas sudamericanas, dieron mayor pábulo a los temores paraguayos. Dijo *El Semanario*:

El Brasil es un estado grande y fuerte; el Paraguay pequeño y débil. Los Estados grandes y fuertes tienen una tendencia y propensión a extenderse; creen que ese es su destino. Díganlo la Rusia en Europa, los Estados Unidos de América. Si por un milagro, de que no es capaz la naturaleza humana cuando ha llegado a cierta altura, la moderación del gabinete brasilero se sobrepusiese a su ambición, y no quisiese, con el tiempo, pasar a la izquierda del

Apa, no puede dejar de aspirar a una preponderante y muy pesada influencia,
a que, entre otras cosas, le convidaría su posición sobre la derecha del Apa;
está en el orden de las cosas que un gobierno fuerte, poderoso y civilizado
ejerza influencia sobre su vecino que es menos que él, pero no debe ser una
influencia preponderante y despótica; debe ser una influencia que ayude,
ilustre y mejore, no una influencia que anule y destruya: el gobierno paraguayo no puede someterse de buen grado a una influencia de este género (27).

Al Paraguay de Carlos Antonio López le horrorizaba la perspectiva de convertirse en otro Estado Oriental, por saberle al Imperio persuadido de que todas las repúblicas del Plata necesitaban de
su protección y porque conocía el modo severo como se imponía
y se ejercía esa tutela. Señalaba *El Semanario* que el Brasil, por su
prosperidad, sus recursos, la regularidad de sus instituciones y de
sus fuerzas, tendía inevitablemente a establecer su preponderancia
en los Estados del Plata y a ejercer sobre ellos una influencia tal,
"que sin hacer pesar sobre el Brasil los gastos y trabajos de una ocupación o absorción material y completa, lo haga árbitro de las nuevas Repúblicas".

La aspiración visible del gobierno brasilero a esa preponderancia, a esa
especie de monopolio de influencia, que no oculta, la funda en consideraciones que pueden arrastrarlo más allá de lo que la prudencia y sana política
permiten; y que por lo mismo ha de infundir necesariamente recelos, temores
y desconfianzas en los Estados vecinos; temores y desconfianzas que les imponen
la obligación de ser muy cautos, y aún mezquinos, en punto a concesiones y
condescendencias con las demandas y pretensiones del gobierno brasilero.

Echese la vista sobre la carta de la América del Sud y se verán las grandes
ventajas que da al Brasil sólo el lugar que ocupa; ventajas muy propias para
hacerle creer que puede, fácilmente, llegar a ser el árbitro de todas las nuevas
repúblicas del sud. El Brasil toca desde el Perú al Océano Atlántico; desde la
antigua Colombia hasta la República Oriental del Uruguay; a la Confederación Argentina, al Paraguay, a Bolivia. Añádense a esa posición geográfica
los sucesos ocurridos en el Plata desde 1852, el papel que ha hecho el Brasil y
la parte que ha tomado a salvar a Montevideo; en hacer caer a Rosas, los
tratados que ha concluido con el Estado Oriental; y la guarnición que mantiene en él, han aumentado su influencia, sentada sobre estipulaciones internacionales, de modo que, hasta ahora nada contrabalancea el ascendiente del
Brasil. Todo es bastante y aún demasiado para que el Brasil llegue a persua-
dirse que es natural y hasta legítimo ese pensamiento, esa ambición de preponderancia exclusiva que alimenta.

Esa ambición de preponderancia, que el Brasil abriga como una ley de
su situación, como un decreto de su destino, ha infundido en todos los Estados
vecinos una alarma general. Todos temen, todos desconfían, y el Paraguay
participa, con razón, de este temor y desconfianza con respecto al Brasil en su
cuestión de límites. El Brasil conocidamente aspira a una influencia decisiva;
el Paraguay no puede contrapesarla: si a todas las ventajas para el Brasil y
desventajas para el Paraguay, tuviese éste la candidez de conceder al Brasil
sobre su frontera una posición dominante y perpetuamente amenazadora, tendría que renunciar a su independencia, seguridad y tranquilidad (28).

(27) *El Semanario*, Asunción, abril 28, 1855.
(28) *El Semanario*, Asunción, mayo 5, 1855.

No solamente por temor al excesivo ascendiente brasilero el Paraguay se negó a admitir la temida vecindad. El Brasil pretendía, según *El Semanario*, colocarse sobre la derecha del Apa, con la mira de "encerrar al Paraguay en un círculo de hierro, que no le deje la menor libertad de acción", y "en una posición enteramente subordinada", todo para "encubrir y cohonestar miras ambiciosas y someter por medios indirectos al Paraguay". Porque, bien sabía *El Semanario* que no era nueva en el Brasil la idea de absorber los territorios de los Estados vecinos. Durante la Regencia del Padre Diego Feijóo aún se revolvía esa idea en las imaginaciones brasileras:

> En una conversación íntima y franca con el senador Padre Custodio Dias y el diputado Cayetano Almeida, en que se hablaba del porvenir del Imperio, el Regente manifestó que los límites naturales del Brasil eran al sud el Plata, Paraná y Paraguay, y que el Brasil debía y haría esfuerzos para conseguirlo; que no era sino cuestión de tiempo; el Padre Custodio observó que no llegan a tanto los derechos del Brasil y el Padre Regente repuso que el mejor derecho era la conveniencia (29).

8   Bajo la presión de tantos y tan exacerbados recelos, el gobierno paraguayo se mostró reacio no sólo a admitir la línea propuesta por el Brasil, sino también a conceder unilateralmente la libre navegación hasta Matto Grosso. Temía que el libre uso de su río sirviera al Imperio para completar sus preparativos bélicos en el norte con vistas al sojuzgamiento del Paraguay. Estaba dispuesto a estipularlo sólo a condición de que, previa o simultáneamente, se trazara una frontera que alejara geográficamente ese peligro poniendo a resguardo la seguridad nacional. El Paraguay no se negaba a la libre navegación, pero exigía que ella no pudiera ser utilizada en su propio perjuicio. Decía *El Semanario*:

> Este es el caso en que se hallan el Paraguay y el Brasil: éste dice, "tengo necesidad de pasar por el territorio del Paraguay para llegar a mi casa; esa necesidad me da un derecho y le impone al Paraguay la obligación de no cerrarme ese paso"; el Paraguay responde: "reconozco la obligación que la ley y la razón natural me imponen de hacerle al Brasil ese bien, y estoy pronto a hacerlo; pero yo tengo mejor derecho para exigir al Brasil que me asegure y garanta que ese bien no me traerá perjuicio; esa seguridad y garantía no puede ser otra que la fijación de límites, estableciendo una barrera fuerte entre ambos Estados; hágase esa demarcación de límites, déseme esa garantía y está todo arreglado" (30).

El Imperio rechazó, una tras otra, las alegaciones del Paraguay. Se mantuvo firme en sus pretensiones sobre el Apa y en reclamar incondicional libertad de navegación. La nueva actitud paraguaya se produjo en pleno apogeo del predominio brasilero en el Río de la Plata. La arrogancia, rayana con la grosería, con que Carlos Antonio López sustentó sus puntos de vista, no fue tolerada por el

---

(29)   *El Semanario*, Asunción, mayo 5, 1855.
(30)   *El Semanario*, Asunción, febrero 17, 1855.

Imperio. La diplomacia brasilera abandonó su habitual mesura y pronto Asunción fue teatro de ruidosas controversias. El encargado de negocios Felipe José Pereira Leal fue acusado de promover el descontento entre los paraguayos, de introducir cizañas en las relaciones entre el Paraguay y la Confederación, y finalmente de faltar el respeto al propio presidente. El 10 de agosto de 1853 el ministro de relaciones le envió una nota en que le dijo:

> Siendo notorio en esta capital que V. S. con olvido del indeclinable deber que le impone la misión que le fue conferida por su gobierno para representarle ante la República, se ha permitido faltar públicamente al respeto y a las consideraciones recomendadas por todos los gobiernos en sus órdenes e instrucciones a sus agentes diplomáticos, y se ha dedicado a la intriga e impostura en odio al Supremo Gobierno de la República... S. E. el Sr. Presidente de la República, no pudiendo ni debiendo desatender por mayor tiempo el procedimiento singular de V. S. me dio orden de comunicarle que este ministerio de relaciones exteriores suspende toda correspondencia con V. S. hasta que dé entera satisfacción al gobierno de la República sobre sus referidos procedimientos ofensivos y hasta que haga sincera protesta de guardar en adelante la fidelidad y el respeto debidos al Excmo. Sr. Presidente de la República, quedando en la inteligencia de que, en caso contrario, S. E. está dispuesto a mandarle sus pasaportes y dar las debidas explicaciones al gobierno de S.M. el Emperador del Brasil [31].

Pereira Leal no dio las satisfacciones que se le exigían. En consecuencia, el 12 de agosto de 1853, le fueron entregados los pasaportes. Las relaciones con el Imperio quedaron suspendidas. Nunca, un diplomático brasilero había sufrido trato semejante en la América del Sur. Fue entonces que en Río de Janeiro se llegó a la conclusión de que el Paraguay merecía un ejemplar escarmiento. El ministro de negocios exteriores, Paulino Soarez de Soûza, declaró solemnemente que "sólo la guerra podía no desatar sino cortar las dificultades con el Paraguay" [32]. Pereira Leal con sus informes exacerbó aún más la irritación de los gobernantes brasileros. Refirió entre otras cosas, que el presidente López, en más de una ocasión, le habría amenazado con ponerse al frente de los paraguayos "para enseñarle a cortar pescuezos a los brasileros", y aconsejó que se aprovechara para tomar el desquite la ausencia del general Francisco Solano López, entonces en Europa, en quien mucho confiaba su padre "y quien sin duda es nuestro principal enemigo" [33]. Quedó sin respuesta la nota paraguaya en que se explicaba el incidente como una cuestión meramente personal y se accedía a reanudar las negociaciones.

9. El año 1854 fue empleado por el Imperio en organizar una

----

(31)   De Varela a Pereira, agosto 10, 1853, RELATORIO, 1854, Anexo K.

(32)   PEREIRA PINTO, t. IV, p. 98.

(33)   De Pereira a Paulino, Río de Janeiro, noviembre 25, 1853, CHAVES, p. 210.

poderosa escuadra, de 20 cañoneras con 120 piezas de artillería, y en acumular fuerzas militares en Montevideo y en las fronteras. La escuadra debía exigir al Paraguay una satisfacción por la ofensa inferida a Pereira Leal, la libre navegación y la fijación de los límites conforme a las pretensiones brasileras. Su comandante, el almirante Pedro Ferreira de Oliveira, fue investido de plenipotencias para ajustar los acuerdos, perentoriamente dentro de un plazo que no excediera de ocho días. Si el Paraguay accedía a todo, inmediatamente tenía que ser ocupado y fortificado Fecho dos Morros (Pan de Azúcar), que era la manzana de la discordia. Para el caso contrario, rezaban las instrucciones:

> Si la satisfacción no fuera dada a la celebración de los tratados; si, en los plazos que se hubieran asignado (no deben exceder de ocho días) ninguna respuesta admisible hubiera recibido, o no estuviera concluida la negociación, deberá V. S. forzar el pasaje del río y subir, o expedir algún oficial con los vapores y navíos de vela que puedan llegar hasta el Fecho dos Morros, y fuesen necesarios para con prontitud y seguridad transportar a aquel punto 300 ó 400 soldados de ejército, y la artillería y demás material de guerra con que deben ser guarnecidas y armadas las fortificaciones que allí se establezcan [34].

Al anuncio del envío de la escuadra punitoria, el Paraguay fue puesto en pie de guerra. Dirigió los preparativos el general López que acababa de llegar de Europa, a bordo del *Tacuarí*, moderna nave de guerra recién adquirida y que pasó por Río de Janeiro sin molestias, lo cual indicaba que no eran meras satisfacciones o represalias las que buscaba el Imperio. El presidente López proclamó la política de tierra arrasada. Ordenó la evacuación de la capital y que se emplearan en las costas "todo género de esfuerzos y resistencia para no dejarles poner pie en tierra y que no puedan cortar un gajo de leña ni hallar un animal útil de ninguna clase, ni granos, ni raíces, ni frutas" [35]. El 20 de febrero de 1855 la escuadra fondeó en Tres Bocas. Aunque el almirante brasilero comunicó al gobierno de Asunción que su misión era pacífica y diplomática, el ministro de relaciones exteriores repuso que el Paraguay tenía el deber y la necesidad "de negarse a toda comunicación y negociación iniciada bajo el amago y la amenaza de la fuerza": el honor y la susceptibilidad del pueblo paraguayo no le permitían recibir a Ferreira en el carácter diplomático, a la vista de la actitud hostil que había tomado el gobierno imperial, del aparato bélico y de sus intimaciones perentorias. Con todo, "y a pesar de que con sólo el apresto y armamento se ha hecho ya al gobierno paraguayo y a la República, una injuria y ofensa gravísima", el presidente del Paraguay estaba dispuesto a recibirle y a una discusión pacífica, si quedaba

---

[34]   De Abaeté a Ferreira, Río de Janeiro, diciembre 10, 1854, HELIO LOBO *Cousas Diplomáticas*, Río de Janeiro, 1918, p. 51.

[35]   Instrucciones, en AGNP, vol. 314.

afuera de las aguas paraguayas la escuadra y arribaba el almirante
a Asunción sólo con el barco que le conducía. Continuaba la arrogante nota:

> Si por desgracia para ambos Estados, V. E. no quisiese prestarse a ese paso
> conciliatorio, e insiste en remontar el Río Paraguay con su fuerza naval, V. E.
> habrá iniciado las hostilidades a la República; cargará con la responsabilidad
> de agresor gratuito y no provocado, y habrá puesto a la República en la inde-
> clinable necesidad de defenderse, sin reparar en el resultado de la lucha, ni
> detenerse en la superioridad de poder y fuerza de que V. E. dispone. Este
> terrible y penoso pero indeclinable deber, le imponen su honor, y su dignidad,
> como lo ha dicho el infranscripto [36].

Las circunstancias impelieron a Ferreira de Oliveira a inclinarse ante la condición paraguaya. Por curioso descuido de las
autoridades navales del Imperio, la escuadra, de alto porte, no era
apta para navegar el río Paraguay. Aunque lo quisiera no podía
navegar más allá de Corrientes. El almirante y plenipotenciario llegó solo y en un pequeño barco a Asunción, después de sufrir innú-
meras varaduras por la súbita bajante del río. La imprevisión brasilera y la naturaleza paraguaya se coaligaron para desvalorizar la escuadra como factor de presión. El presidente no regateó las satisfacciones por el caso Pereira Leal, pero se mantuvo inflexible en
su decisión de no conceder la libre navegación antes de trazados los
límites. Ferreira de Oliveira no demostró poseer las cualidades que
hicieran famosos e incontrastables a los diplomáticos de su país.
Imposibilitado de hacer valer el argumento de la fuerza, perdió la
batalla diplomática. La negociación en la parte paraguaya estuvo a
cargo del general Francisco Solano López, quien dio a sus comunicaciones un tono de singular altanería. No hubo dificultades en
acordar las reparaciones que el Brasil exigía por el episodio Pereira
Leal, pero López rechazó enérgicamente la propuesta de fronteras,
confirmando que se trataba para el Paraguay de "una cuestión de
seguridad, de tranquilidad y de conservación de las buenas relaciones con el Imperio del Brasil". Aunque finalmente concedió un
tratado de libre navegación, que se firmó el 27 de abril de 1855, quedó
expresamente consignado que su ratificación se haría simultáneamente con el tratado de límites, cuya negociación fue aplazada por
el término de un año. Era el triunfo de la tesis paraguaya. No habría libre navegación mientras no se trazara una frontera que es-
tùviera conforme a los intereses y la seguridad del Paraguay.

Fue un triunfo efímero. Toda la arrogancia del Imperio se
sublevó ante la idea de que el Paraguay lograra imponer sus puntos
de vista sin que de nada hubieran valido los alardes de la ostentosa
expedición naval. El Imperio ardió de vergüenza y de indignación.
Nunca había sufrido humillación semejante. Toda su obra en el

---

[36] De Falcón a Ferreira, Asunción, febrero 23, 1855, COLECCIÓN, 5-6.

Río de la Plata estaba al borde del derrumbe. Ferreira de Oliveira sufrió vergonzosa destitución y ni siquiera obtuvo que se le formara consejo de guerra. El emperador anunció el rechazo de los tratados y la prensa predicó la necesidad de hacer de una vez por todas la guerra para salvar la honra nacional y resolver las "interminables cuestiones con el Paraguay". Fueron adquiridos los sobrantes de la guerra de Crimea, que acababa de terminar, y comenzó la acumulación de tropas en Montevideo, en Matto Grosso y en Río Grande do Sul. El ministro de relaciones exteriores, Paranhos, instruyó a los ministros de marina y de guerra para que se dispusieran a sustentar por la fuerza los derechos del Brasil. Decía la comunicación al ministro Caxías:

> Si el gobierno de esa República (del Paraguay) no viene prontamente a un acuerdo pacífico, por lo menos sobre nuestro derecho al libre tránsito por las aguas del Río Paraguay, será forzoso que usemos de este derecho a despecho de cualquiera resistencia que tiente oponernos, haciendo subir algunos barcos de guerra hasta la frontera de Matto Grosso.
>
> ...Si tuvieramos que forzar el pasaje del Río Paraguay, como es de recelar, atenta la obstinación del presidente de la República del Paraguay, no debemos contar solamente con el empleo de una expedición naval.
>
> Parece probable la necesidad de una operación por tierra, cuya fuerza debe partir, en todo o en parte, de la Provincia de San Pedro de Río Grande do Sul, y atravesar el territorio que se disputan la Confederación Argentina y el Paraguay, hasta el punto de la margen izquierda del Paraná en que debe pasar al otro lado [37].

10. Alarmado de verdad, el presidente Carlos Antonio López envió a Río de Janeiro a José Berges con la misión de aplacar al Imperio. En esos mismos momentos, comenzaban a agriarse sus relaciones con Urquiza y muy serias cuestiones le estaban suscitando los gobiernos de Estados Unidos y de Francia. Después de eruditas discusiones con Paranhos, que evidenciaron la imposibilidad de llegar a un acuerdo sobre límites, Berges aceptó en materia de navegación, cuanto el Paraguay había rehusado el año antes en Asunción bajo el apremio de una escuadra. Por los tratados firmados en Río de Janeiro el 6 de abril de 1856, la libre navegación fue concedida ampliamente sin relacionarla ya con el arreglo de fronteras, postergado por seis años. En este lapso ambas partes debían respetar su *uti possidetis*, sin introducir innovaciones en las zonas litigadas. El vizconde del Uruguay, desde Europa, felicitó a Paranhos por su triunfo, pero le previno sobre las dificultades del porvenir.

> Estimé mucho —le escribió— la noticia que V. E. me da del éxito de la negociación con el Paraguay y felicito a V. E. por haberlo obtenido. Felizmente salimos de la mala posición en que nos colocó el señor Pedro Ferreira. Creo sin embargo que López cedió por miedo a Urquiza, y porque está com-

(37)   De Paranhos a Caxías, Río de Janeiro, julio, 1855, WANDERLEY PINHO, p. 442-443.

plicado con americanos y franceses. Reservó la cuestión de límites que es la
más delicada. Ya nos dio la medida de su lealtad y luego que cesen las dificultades que ahora le cercan ha de hacer de las suyas. He de creer sin embargo que nuestro gobierno se va preparando con los medios necesarios para
en tiempo hacerlo andar derecho [38].

No esperó Carlos Antonio López que desaparecieran las dificultades que le cercaban para tomar sus medidas. Dictó reglamentos
que prácticamente dejaron sin efecto la libertad de navegación, siempre con el propósito de impedir que el Brasil utilizara esa franquicia
para fortificar Matto Grosso. En Río de Janeiro volvieron a encres-
parse los ánimos. Nuevamente se creyó que el Imperio había sido
burlado. El tono de la prensa y de los debates parlamentarios indicó
que sólo se veía el camino de la guerra para "hacer andar derecho
al Paraguay". Dijo *Correio Mercantil*:

> Aplaudiríamos todavía hoy, como lo hicimos el año pasado, los admirables
> convenios del 6 de abril, si la diplomacia paraguaya no fuera una excepción,
> hasta de las reglas generales de la urbanidad, si los tratados para el señor
> López valiesen más que su bueno o mal humor, o que su buena o mala
> voluntad. Tenemos, empero, el derecho y la razón por nuestra parte, y no
> nos faltan medios para hacerlos respetar de quien tan mal comprende sus
> propios intereses y juzga que la China americana podrá burlarse siempre e
> impunemente de todas las potencias del Universo. Pero conviene, entre tanto,
> que el gobierno del Brasil no confunda el respeto a una nacionalidad, con la
> sumisión a un gobierno de mala fe; que no confunda al pueblo paraguayo con
> un gobiernillo de hecho, el gobierno sanguijuela de la casa comercial López,
> hijos y compañía. Es preciso que ponga fin a un miserable enredo que tiene
> la pretensión de llamarse política nacional del Paraguay [39].

La organización en ese tiempo, de un núcleo de emigrados
paraguayos en Buenos Aires, con fines revolucionarios, fue alentada
por el Brasil, que buscó, de ese modo, repetir los éxitos alcanza-
dos con sus ingerencias en la política interna en el Estado Oriental.
Volvió a escribir *Correio Mercantil*:

> Dios quiera que la libertad y la independencia penetren también en el
> Paraguay. Entonces será fácil entendernos con algún gobierno nacional e ilus-
> trado que sustituya allí al estólido redactor de *El Semanario,* así como los
> Obligados y Alsinas sustituyeron al furioso de Palermo [40].

Fue entonces que el Imperio decidió jugar la carta mayor de
su diplomacia, enviando a Asunción a José María da Silva Paranhos,
su más experto negociador. Debía actuar respaldado por una poderosa escuadra, donde las pesadas naves que malograron la expedición de 1855 habían sido sustituidas por cañoneras capaces de llegar
hasta Matto Grosso, y por grandes efectivos militares concentrados
en las fronteras. Rezaron sus instrucciones:

[38]   De Uruguay a Paranhos, París, junio 3, 1856, WANDERLEY PINHO, p. 446.
[39]   *Correio Mercantil*, Río de Janeiro, julio 20, 1857.
[40]   *Correio Mercantil*, Río de Janeiro, octubre 13, 1857.

Parece que el espíritu de intriga le ha infundido a López la desconfianza de que pretendemos preparar la provincia de Matto Grosso para resolver la cuestión de límites por las armas. Las instrucciones que tengo que dar a V. E. para disipar tan infundada preocupación, importarían el desconocimiento de los medios que tiene V. E. para convencer al señor López de los sentimientos pacíficos que el gobierno imperial ha estado hasta ahora poseído, por esperar que el del Paraguay procediese de igual modo en el cumplimiento de sus obligaciones. No es dudoso para el gobierno imperial el triunfo de nuestras armas en una lucha con el Paraguay, atento a las fuerzas de que podemos disponer; la guerra, sin embargo, debe ser el último recurso entre dos pueblos civilizados (41).

Pero Paranhos, el más lúcido de los estadistas brasileros, el que mejor conocía al Río de la Plata y que quintaesenciaba las virtudes de la diplomacia luso-brasilera, sabía que eran sumamente escasas, por no decir inexistentes, las posibilidades de someter por las armas al Paraguay, si el Brasil no contaba con la alianza o la buena voluntad de la Argentina. En consecuencia, antes de cumplir su misión, se propuso plantear de nuevo toda la estrategia imperial en el Río de la Plata, hasta entonces basada en un supuesto fundamental: la secular rivalidad entre el Brasil y la Argentina. Esa rivalidad había que transmutar en amistad y en alianza.

(41) Instrucciones, setiembre 16, 1857, RELATORIO, 1858, Anexo c. doc. 6.

CAPÍTULO III

EN BUSCA DE LA ALIANZA ARGENTINA

1. La "bien combinada invasión", planeada por Correa da Cámara. — 2. La llave del Paraguay. — 3. Paranhos y Urquiza. — 4. Antibrasilerismo en Buenos Aires. — 5. El tratado López-Paranhos de 1858. — 6. "Delendus est Paraguayus". — 7. Replanteamiento de estrategias. — 8. El Brasil abandona a Urquiza. — 9. Galanteos con Mitre.

1. En poco tiempo el Paraguay, con su creciente poderío y su arrogante política, se había convertido en un verdadero peligro para el Brasil. Ya no era solamente una infranqueable valla para el desarrollo de los tradicionales planes de predominio en el Río de la Plata, sino también una potencial amenaza para la grandeza, la unidad y aun la vida del Imperio. Pueblo de soldados, de larga tradición heroica y fuertemente disciplinado, podía transformarse en una potencia mediterránea de primer orden, capaz de hacer tambalear y aun derrumbar la posición conquistada por el Imperio en la América del Sur. Ya en 1825 el enviado Correa da Cámara decía del Paraguay que "después del Brasil es sin contradicción la primera potencia de la America del Sud" [1]. Veinte años después, el famoso cónsul norteamericano Edward August Hopkins, en una carta a Rosas, que reprodujo *La Gaceta Mercantil,* juzgó que el Paraguay era "la nación más poderosa del nuevo mundo, después de los Estados Unidos", asegurando "que su pueblo es el más unido, y que el gobierno es el más rico que el de cualquiera de los Estados de este continente" [2].

Los estadistas brasileros sabían a qué atenerse acerca de lo cierto y de lo exagerado en estas alabanzas, pero no se les escapaba que en el seno de este pequeño país, inmune a la anarquía, sano y

[1] De Correa a Quesluz, Asunción, setiembre 4, 1825, ANNAIS, ITAMARATI, t. III, p. 64.
[2] De Hopkins a Rosas, Buenos Aires, marzo 19, 1846, PABLO MAX YNS-FRAN. *La expedición norteamericana contra el Paraguay*, México, 1954, p. 259.

vigoroso, germinaban ímpetus, anhelos y fuerzas que nada bueno
vaticinaban para los intereses del Imperio. El Paraguay, entre todos
los países sudamericanos, era el que más vivamente había sufrido
los embates de la marea expansionista luso-brasilera. La pérdida
del mar, el enclaustramiento, la destrucción del Guayrá y del Itatín,
el empequeñecimiento geográfico, fueron principalmente obra de
los *bandeirantes* brasileros y de los diplomáticos portugueses. ¿Algún
día, cuando se sintiera con fuerzas, no se arrojaría el Paraguay a
recuperar todas o parte de sus viejas fronteras? Además, si Buenos
Aires renunciara a su intento de reconstruir el Virreinato, no querría, algún día, reemplazarla en ese designio, que ya estuviera en los
planes de los próceres de la independencia paraguaya? ¿Acaso no
una sino muchas veces, los pueblos interiores de la Argentina no
incitaron al Paraguay a tomar la bandera federalista? ¿Los mismos
"parrouphilas" de Río Grande, no habían llegado a pensar en su
alianza y protección? Las corrientes profundas que impulsaron las
tendencias ahora soterradas, ¿no renovarían su violencia y saldrían
nuevamente a la superficie, con el acrecentamiento del poder paraguayo? ¿No se decía que el general Francisco Solano López, presunto
heredero del poder, había regresado en 1855 de Europa con sueños
imperiales de expansión territorial? Había, por lo demás, un hecho
cierto. El Paraguay estaba enclaustrado. Algún día querría volver al
mar. ¿Auguraba todo esto algún bien para el Imperio?

El primer agente que envió el Imperio al Paraguay independiente, José Antonio Correa da Cámara, ya había señalado los peligros
que entrañaba para la futura seguridad brasilera el presentido poderío de este país en que veía potencialmente "uno de los más pesados
enemigos del Brasil" [3]. Correa da Cámara abandonó Asunción
persuadido de que su patria estaba abocada a una guerra inevitable
"en la cual no dejaremos de sucumbir certísimamente". A su juicio,
el Paraguay, "más jefe de la Confederación Argentina que el propio
Buenos Aires", con inteligencias secretas en el Estado Cisplatino
y en la República «Peruviana», contando con un partido en Misiones, en Río Grande y aun en Matto Grosso, podía "invadir Matto
Grosso, apoderarse de las misiones orientales a título de compensaciones o represalias, y llevar todos los horrores de la guerra hasta el
centro de la provincia de Sao Paulo". Para que no madurase tan
grave proyecto, Correa no encontraba otro recurso que el de la
guerra preventiva. "El único medio —aconsejaba su gobierno— de
acabar con aquel coloso naciente, sería el de una rápida y bien
combinada invasión" [4].

    [3]   De Correa al Marqués de Quesluz, Itapúa, setiembre 30, 1827, ANNAIS
ITAMARATI, t. III, p. 175.
    [4]   De Correa a Calmón, Río de Janeiro, abril 2, 1830, ANNAIS, ITAMARATI,
t. IV, p. 165.

2. La "rápida y bien combinada invasión", que propuso Correa da Cámara en 1830, tenía que hacerla el Brasil en alianza con Buenos Aires sin cuya cooperación el emisario brasilero no creyó posible acabar con el "coloso naciente". No fue escuchado. En esos momentos y durante mucho tiempo, en la mente de la diplomacia imperial estaba todo lo contrario a una alianza cualquiera con la antigua capital del Virreinato. Fueron tentados otros procedimientos para reducir o aquietar al Paraguay, y ellos tuvieron cumplido éxito en tanto el presidente Carlos Antonio López se enzarzó con Juan Manuel de Rosas en ásperas luchas en defensa de la independencia paraguaya. El Imperio se convirtió en el campeón de la independencia amenazada y López aceptó su útil protectorado. Durante un corto período la influencia brasilera en Asunción no tuvo límites. Pero caído Rosas, López se desprendió con gesto agrio de la tutela brasilera, que ya no necesitaba, y trocó su benevolencia en enemistad. Asunción fue desde entonces el sitio más ingrato para los diplomáticos del Imperio. Pronto los estadistas brasileros se persuadieron de que solamente la guerra podía cortar las dificultades con el Paraguay, y así lo expresó agriamente Soarez de Souza en su Relatorio de 1853. Sin embargo, el Imperio seguía sintiéndose capaz de poner en vereda al rebelde Paraguay sin necesidad de ayudas extrañas y menos que de nadie de la República Argentina, ya de Buenos Aires o de la Confederación. Cuando despachó en 1854 la poderosa expedición naval al mando del almirante Ferreira de Oliveira, consideró suficiente como base de operaciones la República Oriental, entonces ocupada por sus tropas, y ni siquiera pidió permiso para cruzar el territorio fluvial argentino. El gobierno de Buenos Aires dicutió largamente el derecho de hacerlo. Tampoco la Confederación le dio, de buenas a primeras, su aquiescencia; pero la escuadra brasilera hizo caso omiso de protestas y se internó arrogantemente hacia el Paraguay, dispuesta a romper por la fuerza cualquiera resistencia que se le opusiera a lo largo del río Paraná.

El ruidoso fracaso de la expedición obligó al Imperio a reconsiderar la posición argentina. La verdad era que la Argentina, merced a su posición geográfica, tenía la llave del acceso al Paraguay, carta con la cual podía jugar decisivamente para frustrar o asegurar el éxito de los planes del Brasil, en cuanto éstos incluyeran como supremo recurso la apelación a la fuerza. La guerra, que algún día habría que llevar al Paraguay, tendría que ser aniquiladora, para que el peligroso país no pudiera levantar la cabeza en mucho tiempo. Pero para ello no bastaba una escuadra, por poderosa que fuera. Era menester la invasión terrestre, que razones topográficas insuperables hacían imposible por Matto Grosso o por cualquier punto de las comunes fronteras; ella era factible sólo a través de territorio argentino. Se imponía, en consecuencia, ganar la amistad argentina,

por más que ello les pesara y doliera a quienes habían hecho de
la malquerencia al Río de la Plata una de las llaves maestras de la
política imperial. Pero José María da Silva Paranhos, al frente de
la diplomacia, se propuso obtener ese desideratum.

La empresa era ardua. A los siglos de rivalidades, guerras, sospechas y temores, se habían agregado las odiosidades ocasionadas por
el avasallamiento de la República Oriental y las intromisiones en
la política argentina. En 1857, al iniciar Paranhos su campaña,
advirtió que la marea adversa al Imperio estaba en su punto más
alto. Escribió al vizconde del Uruguay:

> Es fuera de duda que una reacción se opera en la opinión pública contra
> nosotros, desde el Río de la Plata hasta el Paraguay. La triste misión del
> señor Pedro Ferreira revivió el preconcepto de cobardía que aquella gente
> tenía contra nosotros. Los asuntos de Montevideo nos han hecho odiosos, revi-
> viendo el otro preconcepto de que nutrimos vistas de conquistas [5].

3.   Dividida la Argentina en dos porciones, Paranhos decidió
comenzar en la Confederación la tarea de ablandamiento. Comisionado él mismo en 1858 para buscar la solución definitiva de los
problemas con el Paraguay, con respaldo de una escuadra y tropas
terrestres agolpadas en Río Grande, antes de cumplir su misión
demoró largamente en Paraná, donde propuso, sin remilgos, la alianza contra el Paraguay. Ofreció, como premio, lo que en esos momentos interesaba más a Urquiza: ayuda para someter luego a Buenos
Aires. Urquiza no se mostró renuente a aceptar la mano que se le
tendía, pero pidió mucho más. Dijo que una guerra contra el Paraguay encontraría ecos simpáticos en las provincias, sólo si tuviera
como objetivo la solución de todos los problemas, entre ellos el
territorial que en vano la Confederación había procurado alcanzar
en sus fracasadas tratativas con López. El Chaco, hasta la Bahía
Negra, tendría que ser de la Argentina para justificar su apoyo
al Brasil. El Imperio no estaba dispuesto a conceder premio tan
valioso, que colocaría a la Argentina en las espaldas de Matto Grosso
y le daría el efectivo control del río Paraguay. Paranhos repuso que
bastaba el definitivo reconocimiento de la libertad de nagevación.
En nota a Urquiza le expuso sus razones:

> La guerra, decían mis ilustres colegas (los plenipotenciarios argentinos),
> debe poner término a todas las cuestiones con el Paraguay, sin lo que, no
> sería popular en la Confederación.
> Concordé prontamente en este pensamiento, pero no pude convenir en que
> el término de la guerra quedase dependiente del reconocimiento que el go-
> bierno paraguayo ha recusado obstinadamente en cuanto a las verdaderas fron-
> tras de los dos países.
> La alianza de los dos Estados para imponer a un tercero más débil el reco-
> nocimiento de sus límites me parece sumamente odiosa, y su resultado muy
> difícil, si no irrealizable.

[5]   De Paranhos a Paulino, SOAREZ DE SOUZA, p. 483.

Sustenté que la cuestión fluvial es de alta importancia para los dos países, porque la provincia de Matto Grosso y mismo el Paraguay, tienen gran futuro, y todo su comercio ha de transitar por las aguas del Paraná o de la Confederación; porque Bolivia verá de obtener alguna salida en el río Paraguay para las provincias de Mojos y Chiquitos; porque las provincias de Salta y Jujui esperan grandes ventajas de la navegación del Bermejo, por donde atraerán la mayor parte de la importación y exportación de Bolivia.

Una guerra que realizase estos grandes fines, y pusiese a cada gobierno en circunstancias de ocupar su territorio contestado, no sería impopular en ninguno de los dos países.

El recelo de que el Paraguay se levantase más tarde contra esta ocupación es infundado. ¡El golpe, si el Paraguay lo provocase, será muy fuerte para que pueda levantarse tan pronto! (6).

Sin embargo de las discrepancias, la alianza guerrera no fue desahuciada, ni el Imperio mantuvo su negativa a incluir la cuestión de límites entre sus objetivos. Quedó ella pospuesta para cuando el Paraguay se negara a conceder la libre navegación; la negativa sería la condición resolutiva. Se protocolizó que "en todo caso, sea que se efectuase o no la alianza, la República Argentina se comprometía a dar paso por su territorio a los ejércitos del Brasil contra el Paraguay, por reconocer que la causa era común y que el Brasil iba a combatir a la vez por la navegación de los ríos y los límites de la República Argentina", según recordaría, años después, Mitre a Urquiza (7). Fue un positivo triunfo del Imperio, que concedió al gobierno de la Confederación un empréstito de 300.000 patacones y obtuvo también que Urquiza abogara ante el presidente López en favor de las pretensiones del Brasil. Antes de abandonar Paraná, rumbo a Asunción, Paranhos pronunció un significativo brindis, por que "la gloria de Caseros no sea la única adquirida en común por el Brasil y la Nación Argentina" (8).

4. Si en la Confederación encontraron ambiente favorable los planes bélicos del Imperio contra el Paraguay, no ocurrió lo mismo en Buenos Aires. El influyente coronel Bartolomé Mitre, desde las columnas de *Los Debates* emprendió una campaña contra quienes incitaban al Brasil a emprender la guerra contra el Paraguay.

A Buenos Aires —decía— lo que le interesa es la paz entre el Paraguay y el Brasil. La guerra es contra sus intereses. Los amigos del Brasil en Buenos Aires, al concitarlo a la guerra contra el Paraguay, traicionan los intereses de Buenos Aires, cuyo comercio se resentiría con tal rompimiento sin que las ventajas futuras compensen los quebrantos presentes (9).

(6) De Paranhos a Urquiza, Paraná, enero 1858, AGNA, Archivo Urquiza, Legajo 57.

(7) De Mitre a Urquiza, Buenos Aires, febrero 15, 1865, ARCHIVO MITRE, t. II, p. 105.

(8) CHAVES, p. 262.

(9) *Los Debates*, Buenos Aires, diciembre 10, 1857.

También criticó *Los Debates* los motivos que estaba alegando el Brasil para traer la guerra al Paraguay:

El Brasil no puede sin cubrirse de oprobio llevar la guerra al Paraguay en defensa del principio de la libre navegación de los ríos, que no forma parte de su derecho público internacional, y que por el contrario, es rechazado por él, habiendo sostenido la doctrina contraria en la navegación del Amazonas.

Es una simple cuestión de policía fluvial y esta es la gran cuestión que a son de trompas publican los diarios que han pretendido hacer asumir al Brasil una actitud de libertador y de guerrero, y que parece ridícula en presencia del interés que la motiva (10).

Y cuando en Buenos Aires cundió la versión de que Paranhos había logrado arrancar la alianza de Urquiza contra el Paraguay, el vocero de Mitre estigmatizó semejante acuerdo, que no trepidó en denunciar como inaudito e inmoral:

Si tal hecho tuviera lugar —decía— sería un hecho inaudito en la América del Sur, y el más inmoral que recuerde la historia moderna.

Nada tiene que reclamar la Confederación en cuanto a la libre navegación del Río Paraguay.

Por lo que respecta a la cuestión de fronteras, no está en el interés de las Repúblicas del Plata auxiliar al Brasil en su política invasora del territorio ajeno, traicionando la causa de la República del Paraguay, nuestro antemural contra las pretensiones exageradas del Brasil; y sería también traicionar nuestra propia causa, cuando más adelante puedan surgir cuestiones análogas entre el Brasil y la República Argentina.

No está la República Argentina en estado de emprender cruzadas libertadoras, y si lo estuviera no es a la Confederación a la que le tocaría llevar su pendón con el general Urquiza a la cabeza, ni hay motivos que justifiquen una intervención armada.

El Paraguay no amenaza a la Confederación, luego ningún peligro justifica la agresión.

El gobierno del Paraguay es un gobierno de retroceso, cuya administración es inmoral, y cuyo sistema es despótico, pero no es bárbaramente sangriento como el de Rosas, y esta circunstancia sería lo único que justificaría una cruzada como la que derribó a Rosas (11).

En el Paraguay, los preparativos bélicos del Brasil, de que la prensa de Río de Janeiro y del Río de la Plata no hicieron ningún misterio, exaltaron la inquietud nacional. Se tomaron disposiciones para resistir "el funesto crimen que premedita el Imperio", según informó *El Semanario*, que comentó:

Aunque siempre lamentaremos que la sangre paraguaya nos proporcione el triunfo o la derrota, aceptaremos el combate si a pesar de nuestros esfuerzos no podemos pasar por otra alternativa, porque no creemos prudente que por el ídolo de la paz sacrifiquemos la plenitud de nuestro derecho y sin lucha material de ninguna especie, cedamos a nuestro enemigo lo que debe costarle el éxito de una victoria armada (12).

(10) *Los Debates*, Buenos Aires, diciembre 11, 1857.
(11) *Los Debates*, Buenos Aires, diciembre 12, 1857.
(12) *El Semanario*, Asunción, noviembre 17, 1857.

5. Sin embargo, el Paraguay cedió en toda la línea. Aparte de la guerra con que abiertamente se le amenazaba, y para la cual el Brasil parecía contar con la cooperación de Urquiza, su situación internacional era, en esos momentos, harto comprometida, con serios conflictos con los gobiernos de Estados Unidos, Inglaterra y Francia. La habilidad de Paranhos le permitió obtener en Asunción las mayores concesiones sin que el orgullo paraguayo se sintiera lastimado. Llegó solo, sin acompañamiento de escuadras. Planteó, sin arrogancias, la exigencia fundamental del Imperio de dejar expedito el tránsito a Matto Grosso sin que las reglamentaciones pudieran inutilizarlo en ningún momento. El 12 de febrero de 1858 firmó con el general López el tratado de navegación, conforme en todo a las pretensiones brasileras. La cuestión de límites quedó nuevamente diferida.

El tratado de Asunción consagró un triunfo brasilero. Pero quedó en pie la cuestión de límites y latente la convicción de que la libre navegación estaría siempre librada a la buena voluntad y al poder del Paraguay. En realidad, de nada le valían al Brasil las seguridades proclamadas por los tratados, si una situación de hecho pudiera invalidarlas. Y el Paraguay, desde el regreso del general Francisco Solano López de Europa, no había hecho sino aumentar su escuadra, su ejército y sus fortificaciones de Humaitá. El general López era considerado, desde los tiempos del ministro Pereira Leal, como "el principal enemigo del Brasil" ([13]), y todo parecía indicar que estaba destinado a reemplazar a su padre en el poder. La aparición de este inquietante factor en el panorama del Río de la Plata, obligaba a los estadistas brasileros a considerar muy seriamente la posición del Imperio. Su primordial problema ya no radicaba en Buenos Aires ni en Paraná, sino en Asunción. Había allí un general a quien se le creía imbuido de grandes ambiciones, y tal vez soñaba con la Provincia Gigante de Indias. Y había un pueblo pletórico de energías, unido y militarizado, cada día más vigoroso, que odiaba ancestralmente al Brasil y que podría ser materia propicia para quién sabe qué aventuras, en busca de las antiguas fronteras o quizás del mar.

6. Pronto se supo que importantes estadistas brasileros no consideraron definitivas las soluciones obtenidas por Paranhos. En la sesión del Senado, del 28 de mayo de 1858, después de examinar los términos de las convenciones del 12 de febrero y de rendir justicia al negociador que "obtuvo todo cuanto era posible obtenerse pacíficamente", Soarez de Souza, vizconde del Uruguay, dijo:

Conseguimos el fin principal que el gobierno se propusiera, y que era salir de las dificultades actuales pacíficamente, pero creo que bastantes difi-

___

([13])   De Pereira Leal a Paulino, Asunción, noviembre 25, 1853, CHAVES, p. 210.

cultades quedarán postergadas para el futuro... Por eso desearía que el gobierno no durmiese a la sombra de los laureles de su victoria; desearía que se compenetrase bien de que las dificultades no están salvadas, están postergadas solamente (14).

Aunque ya no se hacía mención de la espada, eran los mismos conceptos del Relatorio de 1853. Y basándose en la autoridad que tenía el vizconde del Uruguay, el senador por Matto Grosso, Joao Antonio de Miranda, en la sesión del 5 de junio de 1858 insistió en que sólo la guerra podía solucionar las cuestiones con el Paraguay. El senador Manuel no compartió esta opinión, manifestando su fe en las negociaciones pacíficas. El *Diario de Sesiones,* correspondiente al día 7 de junio de 1858, registró el siguiente diálogo:

> *Senador Manuel:* El noble senador por Matto-Grosso está tan convencido de que sólo la guerra pondrá término a nuestras negociaciones con el Paraguay, que no se olvida de repetir las palabras proferidas por el señor Vizconde del Uruguay en la sesión del año pasado, si no me falla la memoria. Dijo entonces el señor Vizconde que las dificultades de nuestras relaciones con el Paraguay, sólo se cortarían con la espada. Pero en la sesión actual no repitió las mismas palabras, cuando resumidamente habló sobre la convención última. La experiencia ha de mostrar que los obstáculos se pueden vencer sin el recurso de la espada... Pero el noble senador por Matto-Grosso, apenas el señor Vizconde del Uruguay usó las expresiones que hace poco referí, sacó la espada y juró que nunca más la envainaría (risas) en cuanto no se hiciese la guerra al Paraguay.
>
> *Señor Miranda:* De aquí a cuatro años.
>
> *Senador Manuel:* De aquí a cuatro años espero de Dios que el tratado se concluya en paz. El noble senador siguiendo el ejemplo de Catón, que no entraba en el senado romano sin proferir las palabras —delenda est Carthago— apenas entra en el senado brasilero profiere las siguientes expresiones: *delendus est Paraguayus* (15).

De este modo se supo que la idea catoniana de la guerra de destrucción seguía trabajando la mente de estadistas brasileros. El *delendus est paraguayus,* que profería el senador Miranda cada vez que entraba en el senado brasilero, era el mismo que Paranhos susurró al oído de Urquiza: *"El golpe, si el Paraguay lo provocase, será muy fuerte para que pueda levantarse tan pronto".* Orgulloso del éxito obtenido en Asunción sin disparar un solo tiro, con sólo el despliegue de sus habilidades y de las combinaciones internacionales urdidas con anticipación, era natural que Paranhos insistiera en el camino que le había conducido a tan incruento triunfo, pero sin perder nunca de vista la necesidad de apelar, alguna vez, al supremo recurso de la guerra. El tratado de 1858 sólo había resuelto una parte de las dificultades: quedaba en pie el problema fundamental del Paraguay, como potencial amenaza para el futuro del Imperio. Y Paranhos sabía que cualquiera fuera la vía que final-

(14)   ANNAES, SENADO, 1858, cit. SOARES DE SOUZA, p. 592.
(15)   ANNAES, SENADO, 1858, cit. SOARES DE SOUZA, p. 593.

mente se eligiera para destruir hasta sus raíces ese peligro, la cooperación argentina era indispensable.

7. La experiencia demostró cuán fuertemente gravitó para
arrancar las concesiones paraguayas el solo anuncio de esa alianza.
Y también arrojaba la conclusión de que, en las nuevas ecuaciones
del Río de la Plata, insistir en el viejo juego de azuzar a argentinos
contra argentinos entrañaba el peligro de que uno de los bandos se
arrojara en brazos del Paraguay. La actitud de Buenos Aires en
1858 no podía ser más ilustrativa. De nada le valdría al Imperio su
alianza con la Confederación, si Buenos Aires no entraba en la
combinación. Se confirmaba la necesidad de rectificar la línea tradicional, a fin de suplantar la vieja rivalidad por una estrecha
amistad brasileña-argentina y teniendo en cuenta la valiosa posición
de Buenos Aires.

Por eso era necesario guardar la más estricta neutralidad
en el conflicto entre Buenos Aires y la Confederación. Las promesas de ayuda militar formuladas por Paranhos en Paraná fueron
echadas por la borda. El ministro de Relaciones Exteriores de la
Confederación, Luis José de la Peña, en vano impetró en Río de
Janeiro la alianza militar prometida para reincorporar por las armas
a Buenos Aires, a cambio del apoyo al Imperio en su última arremetida contra el Paraguay. Paranhos y el vizconde de Uruguay,
que representaron al Imperio en las conversaciones, se mantuvieron
firmes en la negativa. En trueque, propusieron un tratado cuyo
objetivo era remover el principal obstáculo en las relaciones entre
el Brasil y la Argentina —la de Paraná y la de Buenos Aires—. siempre con vistas a los planes del futuro. No hacía un año que el
vizconde del Uruguay había escrito a Paranhos:

> Es por éso que yo siempre pensé que nuestra política debía ser más activa,
> más enérgica, más eficaz en lo que respecta al Estado Oriental. Que visto le
> damos subsidios y fuerzas, debemos ejercer una tutela más directa sobre sus
> negocios interiores, especialmente financieros (16) .

Ahora pensaba, juntamente con Paranhos, y contando con la
aquiescencia del ministro uruguayo, Andrés Lamas, siempre dispuesto a secundar al Imperio, que la República Oriental, para dejar de
ser la piedra del escándalo y el motivo de los roces y enemistades,
debía proclamar su perpetua neutralidad. Se lanzó el pensamiento
de convertir al Uruguay en la Suiza sudamericana. El pequeño país
europeo, enclavado entre potencias en eterna lucha, debía a su neutralidad la paz milenaria que gozaba. ¿Por qué no intentar su imitación?

Tales fueron los grandes objetivos de los tratados del 2 de enero
de 1859 firmados en Río de Janeiro entre el Imperio, la Confede-

---

(16) De Paulino a Paranhos, París, 1857, SOARES DE SOUZA, p. 494.

ración y el Estado Oriental. La República uruguaya se declaró "estado absoluta y perpetuamente neutral entre el Imperio del Brasil y la Confederación Argentina", y estos dos países se daban las manos con la promesa de no consentir en sus respectivos territorios preparativos subversivos contra la legalidad oriental. Además ratificaban su compromiso de mantener y respetar la independencia uruguaya, que se consideraría atacada tanto en el caso de conquista declarada como "cuando alguna nación extranjera pretenda por sí sola, o aliándose, o auxiliando una revolución interior, designar o imponer persona o personas que deban gobernar a la República".

De este modo, el Imperio entendía suprimir los motivos de intervenciones brasileras y de ingerencias argentinas, descuajando la raíz de los conflictos entre los dos grandes países. Neutralizada la República Oriental, no sólo sería de verdad el "algodón entre dos cristales" como quería Lord Ponsonby, sino también el lazo de unión de sus dos grandes vecinos, que tendrían las manos libres para enfrentar mancomunadamente el común peligro: el Paraguay.

El tratado no llegó a perfeccionarse. Pero de él quedó en pie el pensamiento brasilero de frenar sus propios excesos en el Uruguay y de buscar un acuerdo con la Argentina, con vistas al Paraguay. Las posiciones asumidas por los dos segmentos argentinos ante la eventual alianza contra el Paraguay, espejeada por Paranhos en 1857, indicaban la magnitud de las dificultades que debía vencer el Brasil: la Confederación había aceptado la alianza a condición de quedarse con las dos terceras partes del territorio paraguayo, acrecentamiento que el Imperio se mostraba nada dispuesto a consentir, y Buenos Aires, por su parte, se había sublevado ante la sola idea de auxiliar al Brasil en su política invasora y execraba la posibilidad de unirse al viejo enemigo del Río de la Plata. Pero entre las dos actitudes, la que más interesaba al Imperio era la de Buenos Aires. Los estadistas brasileros sabían que la antigua capital virreinal, por la natural gravitación de su poderío y de la geografía, tarde o temprano reasumiría la rectoría argentina. Había, pues, que hacer cualquier sacrificio para desarmar sus ancestrales recelos y ganar su amistad.

8.   Por eso, al hacer crisis el gran debate sobre la unidad argentina, el mismo año de la firma del frustrado tratado de neutralización oriental, el Brasil dio la espalda a su casi aliado Urquiza. Le negó, de una vez por todas, la ayuda prometida por Paranhos en retribución a la que recibiera para su misión al Paraguay, todo esto dentro del gran plan de desvanecer la malquerencia de Buenos Aires y convertirla alguna vez en amiga y aliada. Fue entonces que el Imperio proclamó oficialmente la política de abstención en los negocios internos del Río de la Plata para suprimir el punto neurálgico de las irritaciones. Se anunció que ya no habrían interven-

ciones, sino cuando lo requirieran supremos intereses. Llevando la palabra a los hechos, las tropas brasileras fueron retiradas del Uruguay. Para ser fiel a su nuevo plan, el Brasil guardó neutralidad en el conflicto que llevó ese mismo año de 1859 a Buenos Aires y Paraná a la batalla de Cepeda, y también movió al gobierno de Montevideo a no inmiscuirse en la lucha. Siguiendo la nueva línea, Bernardo Berro, designado presidente de la República Oriental en 1860, anunció el propósito de desinternacionalizar las luchas políticas de su país, a cuyo efecto renunciaría al derecho de recabar la intervención brasilera y al mismo tiempo impediría que los azares de la política argentina siguieran repercutiendo en la vida oriental. Cuando en 1861 se dirimió el pleito argentino en Pavón y Buenos Aires quedó al frente de la Confederación, ésta ya no contó con el apoyo de sus amigos blancos y el Imperio guardó estricta neutralidad. De este modo, el Brasil preparaba el terreno para llevar adelante la nueva política concebida por Paranhos. Bajo su inspiración, el Brasil iba a fundar un nuevo "status" en el Río de la Plata, cimentado en la amistad estrecha con la República Argentina, ahora ya unificada. La abstención brasilera en las cuestiones internas del Estado Oriental era uno de los puntales básicos del plan.

Implicaba este nuevo planteamiento de los problemas del Plata revolucionarias innovaciones en la mentalidad brasilera. Si la preconizada abstención contrariaba seculares tendencias, la amistad con la Argentina no tenía adeptos muy entusiastas ni numerosos. La opinión brasilera era adversa en general a cuanto proviniera del Plata, donde sólo se veía anarquía y atraso, y se concebía al Imperio únicamente blandiendo el cetro o empuñando el fusil. Contra todo esto la escuela de Paranhos se proponía reaccionar, no sin suscitar vivas oposiciones, sobre todo entre los liberales, ausentes del poder desde 1848, que ya venían tachando a la diplomacia de claudicante, débil e imprevisora, y que ahora, con motivo de este cambio de tácticas, acusaban a los conservadores de traicionar los grandes ideales del Imperio. Teófilo Ottoni, jefe de la Liga Progresista que agrupaba a liberales y conservadores disidentes, llegó a lamentarse que el monarca brasilero no hubiera tenido "un ministro que, cual Cavour, anexase al Imperio las repúblicas del Plata". El comentario que dedicó el órgano conservador *Jornal do Commercio* a este pensamiento, indicó cuánto habían avanzado las nuevas ideas que Paranhos estaba propugnando:

Si esta idea homérica de conquista que se lee en la circular del señor Ottoni, pudiese llegar hasta las repúblicas del Plata, y fuese recibida como la expresión de ideas de un grupo político, las sospechas y temores de que aquellos pueblos crecerían y tomarían un carácter de susceptibilidad que más y más dificultaría el sostenimiento de las relaciones amistosas y de confianza en que felizmente vivimos en estos últimos tiempos.

Y si la Liga, de que es jefe el señor Ottoni, subiese al poder, llegaría el caso en que aquellos países se preparasen para una resistencia y para afrontar los peligros de una guerra probable.

La experiencia nos da derecho a no pretender la anexión de aquellas repúblicas, aún cuando fuese solicitadas por ellas [17].

9.   Tan categórica repulsa, por parte del vocero conservador, de las viejas veleidades irónicamente recordadas, apuntaba a desvanecer las prevenciones de Buenos Aires, cuya amistad el Imperio buscaba ahora tan empeñosamente teniendo en vista al Paraguay. Ya en vísperas de Pavón, cuando nada parecía impedir la ascensión de Buenos Aires al comando argentino, y próxima a terminar la tregua con el Paraguay, el Brasil hizo "algunas indicaciones más o menos directas" de que buscaría la alianza bonaerense contra el Paraguay, aunque con resultado infructuoso [18].

No se amoscó el Imperio por este primer fracaso, y después de Pavón se dedicó con paciencia y habilidad a la tarea de captar la buena voluntad del nuevo director de la República Argentina, el general Bartolomé Mitre, que tan acerbamente había censurado en 1857 la posibilidad de una alianza argentino-brasilera contra el Paraguay. Mitre asumió la presidencia el 12 de octubre de 1862, y cuatro días después lo hacía en el Paraguay el general Francisco Solano López, de quien *El Nacional* de Buenos Aires dijera a raíz de su fructuosa mediación de 1859:

> Acaso el general López está destinado por la Providencia a presidir una gran nación compuesta de todos los países ribereños del Paraná, Paraguay y Uruguay, que guarde equilibrio con el Imperio del Brasil [19].

El Imperio sabía a qué atenerse sobre la firmeza de las convicciones en ciertos hombres del Plata. Profecía tan poco grata para el Imperio había sido estampada en noviembre de 1859. Apenas transcurridos seis meses, el mismo órgano periodístico de Buenos Aires clamó para que cesara la "política de abstención" trazada por el gabinete de Río de Janeiro, y propugnó sin remilgos en favor de la alianza argentino-brasilera dirigida contra el Paraguay. Decía:

> Si la solución del gran problema argentino tiene un feliz desenlace, entonces intereses comunes entre las Provincias Unidas del Río de la Plata y el Brasil, han de aproximarlos y reunirlos para hacer triunfar en el interior de nuestros ríos, principios y libertades que nos garanticen contra gobiernos como el del Paraguay. Tenemos fe en que ha de llegar el momento en que los países vecinos a la desgraciada población del Paraguay, han de intervenir para mejorar las condiciones del gobierno tan anómalo como el de don Carlos Antonio López. Con tal objeto la única alianza que tendrá objetos y fines de grande trascendencia para estos países es la que tienda a mejorar la actualidad del Paraguay. El Brasil para hacer efectiva la prosperidad de sus ricas poblaciones en el interior de los ríos Paraná y Paraguay y las Provincias Uni-

(17)   *Jornal do Commercio*, Río de Janeiro, febrero 22, 1861.
(18)   CARDOZO, p. 79.
(19)   *El Nacional*, Buenos Aires, noviembre 15, 1859.

das del Río de la Plata para salvar y poblar nuestros feraces territorios de la banda derecha del Río Paraguay desde la confluencia del Bermejo al norte, tendrán que entenderse un día u otro, más tarde o más temprano. Preveer en política es preparar el feliz desenvolvimiento de los sucesos que vienen. Para los hombres de Estado del Río de la Plata y del Brasil, es que trazamos estas líneas [20].

La Argentina dirigida por Buenos Aires, si se creía a *El Nacional,* estaría dispuesta a llevar de brazos con el Brasil la guerra al Paraguay, toda vez que su premio fueran "los feraces territorios de la banda derecha del río Paraguay desde la confluencia del Bermejo al norte". Era, por cierto, el mismo planteamiento de Urquiza en 1857, que tan terminantemente rechazara Paranhos y que continuaba inaceptable para el Imperio. Pero su reiteración en 1860 significó que la alianza brasilera ya no encontraba tan ardiente repudio en Buenos Aires como tres años atrás. Había algún cambio promisor, aunque fuera dudoso que *El Nacional* expresara auténticamente el pensamiento de los nuevos gobernantes. Porque la opinión que interesaba al Imperio no era la de los periodistas porteños, sino la del general Mitre, ahora al frente de los destinos de la República Argentina. ¿Seguiría pensando, como en 1857, que una alianza con el Brasil *"sería un hecho inaudito en la América del Sur y el más inmoral que recuerde la historia moderna",* y que no estaba la Argentina *"en estado de emprender cruzadas libertadoras"?* ¿Cómo recibiría el plan de la diplomacia brasilera de sustituir la vieja rivalidad por una íntima, estrecha amistad?

[20] *El Nacional,* Buenos Aires, mayo 24, 1860.

CAPÍTULO IV

"NO CON LA ESPADA SINO CON LA PLUMA"

*1. Abstención del Paraguay en Pavón. — 2. Los fuertes Dourados y
Miranda. — 3. Tavares Bastos enjuicia a la diplomacia conservadora. — 4. Una propuesta de transacción. — 5. El espectro de la guerra.
— 6. Un discurso de Paranhos. — 7. Repercusiones en el Paraguay. —
8. Mitre y el Paraguay. — 9. Juan José de Herrera en Asunción. —
10. Muerte de Carlos Antonio López.*

1. Provino precisamente del general Mitre el primer aviso serio
que se recibió en Asunción de los manejos que el Imperio tramaba
en vísperas de Pavón, para arrastrar a Buenos Aires en una combinación hostil contra el Paraguay. Cuando todo hacía presumir que
la crisis argentina llegaba a su final, el general Mitre comisionó ante
el presidente Carlos Antonio López al común amigo de ambos, el
habilidoso doctor Lorenzo Torres, con el objeto de obtener del
Paraguay si no ayuda por lo menos neutralidad benévola en la
lucha próxima. Fue en esa oportunidad que quedaron reveladas las
maquinaciones del Brasil, en términos que no podían dejar lugar
a dudas en el espíritu del gobernante paraguayo. Decían las instrucciones expedidas por Mitre a Torres, a propósito de la necesidad de
que Asunción guardara una actitud amistosa hacia Buenos Aires:

> Que esta cordialidad con el gobierno de Buenos Aires es la que conviene
> al Paraguay, por cuanto estando próxima a terminar la tregua con el Brasil,
> éste ha de buscar un gobierno aliado en el Río de la Plata, para llevar ade-
> lante su cuestión y que no pudiendo ser ése ni el Estado Oriental ni la Confe-
> deración, es natural que el Brasil busque a Buenos Aires (sobre lo cual puede
> decirse que hay ya algunas indicaciones más o menos directas de parte del
> Brasil), pero que Buenos Aires nunca se prestará a una política semejante
> sobre todo antes de conocer la actitud del gobierno del Paraguay en su cues-
> tión actual con la Confederación, y que de seguro observe que, en todo tiempo
> no procederá con él, en lo que respecta a su cuestión futura con el Brasil,
> si no guardando la misma conducta que al presente observe el Paraguay res-
> pecto de nosotros, es decir, imparcialidad, cordialidad y aún simpatías efica-
> ces, si antecediesen hoy éstas de su parte [1].

[1] Bases del general Mitre, CARDOZO, pp. 80-81.

López escuchó el aviso y el consejo de Mitre. Desechó las tentadoras ofertas de la Confederación que, a cualquier costo, aun al del reconocimiento de las máximas aspiraciones territoriales paraguayas, procuraba arrastrarlo a su causa. El Paraguay no se hizo presente en los campos de Pavón, ni con sus armas ni con su diplomacia. Al mismo tiempo, por órgano de *El Semanario,* ratificó solemnemente la política de "absoluta abstención" en las cuestiones que se ventilaban fuera de sus fronteras y también la decisión de fortalecer su poderío naval para sostener esa política:

> Para atender a los fines que se ha propuesto el gobierno del Paraguay, para poder realizar sus legítimas aspiraciones, cuenta con un ejército modelo de lealtad y disciplina; cuenta con una oficialidad brillante, con jefes de pericia y confianza y con los medios de duplicar en un momento crítico las fuerzas militares. Cuenta con el patriotismo de los paraguayos, con el entusiasmo que inspira el sentimiento de nacionalidad y que no se ha desmentido en ninguna ocasión suprema y por último con los recursos que puede suministrar un país al que la Providencia ha favorecido con un suelo privilegiado y con un fecundo instinto mercantil.
>
> No obstante, el gobierno del Paraguay, aconsejado siempre por sus nobles aspiraciones, sabe que todo eso no es bastante. El Paraguay, por su situación geográfica y por la importancia que adquiere cada día su territorio, ha menester una marina fuerte y respetable, una marina que pueda sostener dignamente su glorioso pabellón [2].

2.   Mientras se hablaba en Asunción de la incrementación del poder militar y naval, la cuestión de límites con el Imperio súbitamente entró en crisis. En febrero de 1862 una patrulla paraguaya comprobó la existencia de los fuertes Dourados y Miranda en el territorio neutralizado por el tratado de 1856. El encargado de negocios del Brasil, Carvalho Borges, pidió explicaciones y seguridades, protestando porque la fuerza paraguaya había exigido el desalojo de las posiciones sin que mediara reclamación diplomática [3]. El gobierno paraguayo negó la existencia de semejante intimación, pero no el envío de la patrulla, y consideró inútil formular reclamaciones, porque "la legación imperial diría, como dice ahora, que esas nuevas poblaciones están en territorio brasilero". Tampoco quiso dar seguridades de no repetir las exploraciones, "porque eso importaría nada menos que un consentimiento de la violación de neutralidad estipulada en la tregua de 1856" [4]. De hecho, ambos países denunciaban la neutralización y recobraban su libertad de acción. Antes de fenecido el plazo, López insistió ante Borges para abordar la cuestión de límites. El diplomático brasilero, amoscado por el tono de la respuesta paraguaya a su reclamación, abandonó el país, sin esperar instrucciones de su gobierno. Éste no aprobó

[2]   *El Semanario,* Asunción, febrero 25, 1861.
[3]   De Borges a Sánchez, Asunción abril 7, 1862, *El Semanario,* Asunción, junio 14, 1861.
[4]   De Sanchez a Borges, Asunción, abril 10, 1862, *El Semanario,* cit.

su conducta, pero dejó vacante la legación imperial por largo tiempo, para significar que no llevaba mucho empeño en zanjar pacíficamente la cuestión de límites.

En sus conversaciones con los diplomáticos extranjeros, el presidente Carlos Antonio López se quejó amargamente de la actitud brasilera. Al ministro inglés dijo que temía que la cuestión de límites llevara a una ruptura: el gobierno brasilero se empeñaba en ponerla de lado, "mientras él estaba ansioso de arreglarla, porque los brasileros incursionaban continuamente en territorio paraguayo" (⁵). Alarmado, el ministro americano recogió análogas confidencias que se apresuró a transmitir al Departamento de Estado:

> El presidente López desea que se arregle la vieja cuestión entre el Paraguay y el Brasil, y se queja de que este último lo presiona en todo tiempo y que no llegará a un acuerdo, pues, al amparo de la dilación se sigue apropiando continuamente de territorio paraguayo. El presidente odia cordialmente a los brasileños y los desprecia como soldados, y al hablar de ellos acostumbra a llamarlos *macacos* (⁶).

3. El incidente de los fuertes Dourados y Miranda tuvo en el Brasil resonantes repercusiones parlamentarias. Por la versión de los discursos, transcriptos extensamente en *El Semanario*, se supo en Asunción que la acción diplomática brasilera, que tanto lastimaba en el Paraguay, estaba lejos de satisfacer en todos los sectores. Importantes núcleo de opinión reclamaban más energía y menos contemplaciones.

En la sesión del 7 de mayo de 1862 de la Cámara de Diputados, los liberales, por la voz de Aureliano Cándido Tavares Bastos, hicieron el implacable proceso de la diplomacia conservadora en el Paraguay. Tavares Bastos arrancó su crítica —en que no ahorró censuras y sarcasmos— del fracaso de la misión encomendada a Ferreira de Oliveira. Aunque apoyada ésta por una brillante escuadra "en que resplandecía la flor de nuestra marina de guerra", no pudo ser desempeñada con mayor incompetencia y con peor desconocimiento de los derechos brasileros. El Paraguay demostró que valía más que el Brasil. El Imperio retrocedió un siglo.

> Así, después de más de cinco años, después de tres discusiones solemnes con el gobierno del Paraguay, después de enviarse una fuerza armada, después de acres discusiones, de los vejámenes y de los insultos que sufrimos, ¿qué se consiguió? Consiguióse apenas hacer la voluntad del presidente López, cuya política, como la del cónsul romano, es la de la "procristinación"; consiguióse llegar a ese resultado —postergar las dificultades, medio habilísimo del gobierno para el noble ministro de hacienda *(entonces el consejero Paranhos);* consiguióse apenas firmar aquello que ya existía antes, esto es, nuestro derecho de tránsito, como ribereños.

(⁵) De Thornton a Russell, Bs. Aires, mayo 15, 1862, Horton Box, p. 54.
(⁶) De Washburn a Seward, Asunción, abril 24, 1862, Horton Box, p. 53.

Pero, señor presidente, no hay diplomático más hábil para nuestros diplomáticos que el presidente López; el noble ministro de hacienda lo conoce por experiencia propia.

Según Tavares, no paró en eso "la infelicidad de nuestra diplomacia. El tratado del 6 de abril de 1856 (Berges-Paranhos) no aumentó en nada las ventajas del Brasil. Contenía sólo promesas de medidas policiales, sin precisarlas claramente por imprevisión del negociador brasilero, por lo cual ellas se convirtieron en una "verdadera espada, que hiriendo nuestro comercio hería también nuestra dignidad". Los vejatorios reglamentos del gobierno paraguayo, que vinieron después, no merecieron del gabinete siquiera una frase enérgica para condenar la transgresión del tratado de 1856. La nota que la cancillería brasilera a cargo de Paranhos confió a la misión especial del consejero Amaral en 1857, no contenía una sola "frase corajuda". Amaral nada consiguió. Deliberóse el envío a Asunción del consejero Paranhos, entonces fuera del poder y autor principal de la política recriminada. El ministerio del marqués de Olinda comprendió que en bien de los intereses del comercio, del país y del futuro de la importante provincia de Matto Grosso, no había para con la República del Paraguay "otro recurso que apoyar nuestras reclamaciones con la fuerza armada".

Todos saben que el noble ex ministro de marina *(el barón de Cotegipe)*, diputado por Bahía, procuró activamente preparar los arsenales del Estado, abasteciéndolos de todo el material conveniente; mandó activar las construcciones y fábricas, y construir diez cañoneras a vapor en Europa. Y al mismo tiempo que se expidieron tropas por la provincia de San Pablo en dirección de Matto Grosso, acumulóse en Montevideo un vasto depósito de 20.000 toneladas de carbón de piedra, exploráronse los ríos y proyectóse la fundación de Itapura y de otros puestos militares. Las circunstancias reclamaban todos esos cuidados.
Aunque el señor presidente López, desde 1854, tratara de aumentar sus recursos, desenvolviese las fortificaciones de Humaitá, cubriese de fuertes casamatas la ciudad de Asunción, y emplease todos los esfuerzos para obtener buen material y buenos oficiales para su pequeño ejército, nosotros teníamos en esa época diez vapores nuevos perfectamente armados, bravos oficiales, una marina y un ejército aún animados por las victorias de Tonelero y Caseros. Todo esto era suficiente para inspirar el más serio recelo al gobierno de la República.

Si Tavares Bastos hizo tan grave revelación de los preparativos bélicos del Brasil en 1857, era para llegar a la conclusión de que Paranhos no supo aprovechar tan favorables circunstancias para zanjar, de una vez por todas, la cuestión de límites, que, al cabo de su gestión, quedó en pie. Se inutilizó todo el aparato militar "porque el noble plenipotenciario fantaseó que en los salones del presidente López trataba con la más susceptible diplomacia europea". Las ventajas en materia de navegación obtenidas con el tratado del 12 de febrero de 1858, que Tavares Bastos calificó de ínfimas, nada agregaron a lo que ya de derecho estaba reconocido al Brasil desde

1851. Fueron alcanzadas a costa de enormes gastos, de un estado militar y naval soportado durante dos años, de gruesas cuantías dispendiadas en el Río de la Plata al arbitrio del plenipotenciario (empréstitos para los gobiernos de Montevideo y de Paraná) y, finalmente, después "de mucha paciencia y de mucho infortunio anterior". Entre tanto, la convención de 1858 fue el "manto de púrpura" con el cual el ex plenipotenciario se presentó como candidato a la senaturía de Matto Grosso, "la provincia que hoy justamente se ve amenazada de una invasión, porque nuestro plenipotenciario no supo aprovechar las felices circunstancias de 1857 para arreglar definitivamente la cuestión de límites". Y si en 1857 el Brasil estaba en condiciones de imponer soluciones, ya no lo estaba en 1862, por acrecentamiento del poder paraguayo y debilitamiento imperial. Humaitá se había vuelto inexpugnable y se carecía de acorazados para franquearlo.

4. A continuación Tavares Bastos abordó las posibles soluciones. ¿Acaso había sólo dos caminos: "o autorizar nuestros derechos y nuestras exigencias con la fuerza armada o abandonarlos, rindiéndonos al Paraguay"? ¿La solución no podría ser una transacción? Tavares la propuso resueltamente. Ya que nada valía el territorio contestado, que se lo dividiera en dos, partiendo la línea divisoria del Pan de Azúcar, con una cláusula que prohibiera para siempre la fortificación de este punto estratégico, con lo cual se desvanecerían los recelos del Paraguay. No era porque dudaba de los resultados de una guerra que Tavares Bastos proponía la transacción:

> No vacilo acerca del resultado de una lucha entre el Brasil y el Paraguay. La naturaleza del terreno, la organización de la República, la vida poco fija de sus habitantes, los recursos del interior, habían de prolongar por mucho tiempo la guerra, que desgraciadamente estallase entre los dos países; pero la facilidad que tenemos para armarnos, los recursos y el crédito de que disponemos, habrían de darnos al fin la victoria. En el litoral del río Paraguay, la república podría ofrecernos embarazos serios en Humaitá y en Asunción, pero además de que podríamos forzar el primer pasaje, tenemos el recurso de las tropas de desembarque, y de movimientos combinados, atacando al enemigo, a un tiempo, por el norte descendiendo de Matto Grosso, por el este en dirección de San Paulo, y por el sud en el Paraná. Pero, señor Presidente, ¿se pueden calcular las exigencias de una guerra semejante? Si el Paraguay tiene en armas 8.000 hombres de ejército permanente, de los cuales 2.000 en las fronteras, es dudoso que podamos agredirlo con menos del doble. ¿Y no tendría la lucha un teatro mayor? ¿No se sabe que hemos herido, en iguales cuestiones de límites y en las de navegación del Amazonas y Madeiras, los intereses de Bolivia y que finalmente, la situación nos es hoy desfavorable en todo el Río de la Plata? [7].

Conclusión tan inesperada y falta de lógica con el fondo de su exposición, no mereció por cierto, el aval de toda la oposición. Tavares Bastos, llevado por su anhelo de acumular cargos contra

[7] ANNAES, DIPUTADOS, 1862, p. 36.

la diplomacia conservadora, formuló la propuesta de transacción sin buscar el apoyo de sus colegas, solamente para demostrar que por la inhabilidad y las torpezas de la política gubernamental, el Imperio no se hallaba en condiciones de emprender una guerra, y le era forzosa una concesión. El ministro de Relaciones Exteriores, Taquies, al replicar a Tavares Bastos en esa misma sesión, protestó por sus expresiones "que no podían dejar de herir el amor propio nacional y que tenderían a presentarnos ante el extranjero en una posición demasiadamente humilde y triste". Anunció que no se permitiría la repetición de hechos como el de Dourados y Miranda; el canciller reconoció la gravedad del asunto y declaró que el Brasil consideraba "incontestable e inconcuso" su derecho a los territorios entre el Apa y el río Blanco, y que "no podía renunciar a aquello que heredamos de nuestros antecesores, lo que fue del pueblo al que sucedimos en todos sus derechos". Se produjo el siguiente diálogo a continuación de tan terminante repudio de la propuesta de transacción:

> Sr. *Tavares Bastos:* ¿Entonces V. E. nos anuncia la guerra?
> Sr. *Ministro de Negocios Extranjeros:* No veo una guerra inminente, pero, cualesquiera sean las previsiones del noble diputado, la cámara no exigirá al gobierno que venga a manifestar lo que tiene hecho o pretende hacer (8).

5. Una escisión en las filas conservadoras, provocó la renuncia del ministerio a esa altura del debate. El 30 de mayo de 1862 el marqués de Olinda organizó un nuevo gabinete integrado por liberales y conservadores disidentes. Con el nuevo ministro de Relaciones Exteriores, marqués de Abrantes, continuó en la sesión del 8 de julio el debate sobre la política exterior. El diputado Amaro da Silveira, prominente opositor, señaló que el anterior gobierno quiso atenuar la gravedad de los hechos ocurridos en la frontera con el Paraguay. Las relaciones con la República se habían vuelto muy delicadas desde que invadido el territorio brasilero, el gobierno del Paraguay no había querido prometer la no repetición de hechos semejantes. Entendía que para evitar un conflicto más serio con el Paraguay, era preciso prestar mucha atención a este punto. Y decía "conflicto más serio" no porque le horrorizaba la guerra:

> Parece que esta palabra *guerra* en mi país es un espectro horrible, con el que nadie puede encararse sin el mayor temor. La guerra será una calamidad, será un gran mal, pero entiendo que es también un gran medio para hacer valer nuestros derechos, y que es un recurso legítimo, sin el cual las naciones no pueden sustentarse, sin el cual no pueden subsistir mucho tiempo (*Apoyados*).
> La paz a todo precio ha sido muchas veces el declive por el cual las naciones ruedan al abismo. Entiendo que tanto la paz como la guerra tienen sus conveniencias y su oportunidad.

(8) Annaes, Diputados, 1862, p. 42.

En consecuencia, para no desistir de nuestro derecho, para sustentar nuestra dignidad y nuestra honra, no debemos retroceder ante ese medio extremo, si ello fuera preciso. *(Muchos apoyados)* [9].

Amaro da Silveira terminó pidiendo al gobierno que mantuviera ilesa la dignidad de la honra nacional; que no permitiera, por consideración alguna "que ella fuera tratada con arrogancia por quien quiera que fuera; que no sufra insultos y humillaciones de quien quiera que sea, porque estoy persuadido que toda vez que el gobierno tome en debida consideración estos puntos, ha de tener el apoyo unánime de todos los ciudadanos brasileros".

En la misma sesión, Tavares Bastos insistió en sus ataques a la diplomacia conservadora. Señaló que en el Río de la Plata la situación no podía ser más consternadora para el Brasil, y que al proponer la solución transaccional con el Paraguay, no lo hacía como partidario de la paz a todo costo.

En este momento no puede discutir de nuevo el procedimiento del gobierno en esa cuestión; pero parece que ella llegó a un punto que inspira algún cuidado. ¿Haremos concesiones? ¿Empuñaremos las armas? Yo soy partidario extremo de la política de la paz, porque ella es necesaria al país, porque sin ella no podemos florecer. Entre tanto, también diré a la cámara que agresiones como la de Dourados no pueden ser toleradas.

Y si estuviese presente el noble ministro de marina le preguntaría lo que piensa respecto de los acorazados para operar en el Paraguay. Por informaciones que obtuve, y a la vista de recientes noticias de los Estados Unidos parece que serían ellas de mucha utilidad en la guerra fluvial. En el Misisipí algunos de los fuertes de los confederados fueron atacados de ese modo. Es todavía un negocio grave y el gobierno debería resolverse a ese respecto mediante estudios serios en Europa y en América del Norte [10].

Entre bromas y de veras, Tavares Bastos dio finalmente un consejo al gobierno: que antes de resolver cosa alguna respecto de la adquisición de los acorazados, enviara al Paraguay al diputado Paranhos, a fin de preguntar a "su antiguo conocido" el presidente López: *"¿Esto es serio? ¿De veras queréis pelear con el Brasil?"* Y si el diputado Paranhos volviera con una respuesta afirmativa, "entonces tratemos luego, sin demora, de lo que conviene, armémosnos a la carrera, mandemos venir los acorazados".

6. Para defender la política tan duramente criticada, Paranhos pronunció en la sesión del 11 de julio de 1862 uno de sus más famosos discursos, donde hizo la historia de la diplomacia imperial en el Río de la Plata y el Paraguay. Alegó que en presencia de las dificultades que no fueron creadas ni podían ser evitadas por el gobierno imperial, la diplomacia bajo la dirección conservadora había obrado con prudencia y dignidad. Sus esfuerzos, si no siempre coronados por el éxito, muchas veces consiguieron triunfos. El go-

[9]   ANNAES, DIPUTADOS, 1862, p. 78.
[10]   ANNAES, DIPUTADOS, 1862, p. 85.

bierno no tenía motivos para avergonzarse, ni de aceptar la tacha de
imprevisión, inhabilidad y flaqueza, que el diputado Tavares Bastos
le infería. Ni siquiera la expedición al mando de Ferreira de Oliveira había sido perdida. El gobierno paraguayo vio por "ese pequeño
esfuerzo" lo que podría hacer el Brasil "si por acaso la guerra se
tornase inevitable entre los dos países". La misión que el mismo
Paranhos cumplió en 1857-1858 tuvo por objeto resolver la única
cuestión de paz o de guerra que había con el Paraguay y era la de
la navegación. No negó el orador los preparativos bélicos que le
precedieron y le acompañaron, pero alegó que la convención del 12
de febrero de 1858, con que el Imperio obtuvo todo cuanto reclamaba en materia de navegación, no fue dictada por el cañón; "fue
fruto de mucho estudio y el resultado de una larga negociación";
esa convención no deshonró al Imperio.

> *Sr. Tavares Bastos:* La actitud bélica es el fondo del cuadro; la conven-
> ción del 12 de febrero es un accidente de la situación.
> *Sr. Paranhos:* ¡Es singular esta apreciación! Pero el noble diputado sabe
> bien, que cuando una negociación es acompañada de la fuerza, la fuerza es
> un medio auxiliar, que no dispensa trabajos y esfuerzos de inteligencia para la
> solución amistosa. Por consiguiente, cuando el noble diputado dice: veinte
> mil toneladas de carbón de piedra en Montevideo, la presencia de cañone-
> ras, etc....
> *Sr. Tavares Bastos:* Grandes preparativos y enormes créditos.
> *Sr. Paranhos:* ...nada produce que niegue la existencia de esa convención
> y su mérito intrínseco [11].

Siguió diciendo Paranhos que el acuerdo sobre límites "nunca
fue urgente para el gobierno imperial". No obstante, resuelta la
única cuestión de paz o de guerra entre ambos países, que era la
de navegación, había procurado cortar también aquel nudo gordiano. No era de prever que el gobierno paraguayo, que tanto había
cedido en la cuestión de los ríos, cediese, al mismo tiempo, en el
litigio de fronteras. Era quimérico suponer que un gobierno "nimiamente escrupuloso en lo que toca a sus derechos de soberanía territorial, nimiamente celoso de su fuerza moral para con el propio
pueblo paraguayo", aceptara la solución del problema de límites,
reconociendo la línea sustentada por el Brasil, que nunca había
aceptado.

> Para resolver esta cuestión al mismo tiempo, era preciso, o hacer concesio-
> nes a la República del Paraguay (lo que no estaba en mi pensamiento, ni me
> fue autorizado), o resolverlo por medio de la fuerza. Ahora ninguno de nos-
> otros sustentará que la cuestión de límites deba ser resuelta por medio de la
> fuerza, antes de agotar todos los medios pacíficos.
> Esta cuestión, como dije hace poco, no es urgente. No es urgente, porque
> las fronteras con el Paraguay se componen en parte de desiertos que no pode-
> mos ocupar ahora...

[11]   ANNAES, DIPUTADOS, 1862, App., p. 74.

Un diputado: Pero los paraguayos están ocupando; tienen ocupada la margen del Apa.

Sr. Paranhos: Lo que nos corresponde es...

El mismo diputado: Es preciso averiguar si ellos están allí fundando estancias.

Sr. Paranhos: Lo que nos corresponde es policiar y ejercer vigilancia constante sobre nuestras fronteras. El Brasil es fuerte, como dice el noble diputado por Alagoas, en relación al Paraguay; el Paraguay no puede dejar de respetarnos.

Sr. Tavares Bastos: Pero corresponde hacernos respetar.

Sr. Paranhos: El Paraguay no puede provocar una guerra con nosotros; no está en sus intereses, no puede desconocer la desigualdad de recursos que hay entre uno y otro país. Vigilemos nuestras fronteras, impidamos que el gobierno paraguayo, si lo tiene en vista, lo que no presumo, pueda establecer posesiones más allá de la línea que se ha demostrado ser la verdadera frontera de los dos países; pero de allí a decir que debemos resolver la cuestión de límites por la fuerza, sin que a esto seamos llevados por el gobierno paraguayo, hay gran distancia. Cuando se trata de una nación débil, no querramos resolver las cuestiones solamente a lo valentón, porque puede haber también una nación fuerte que nos quiera aplicar la pena del Talión. Es necesario que seamos moderados, prudentes y justos para con todos. Si el Paraguay no respetara nuestro territorio...

Sr. Gouto: El *uti possidetis.*

Sr. Paranhos: ...o uti possidetis, como dice el noble diputado (lo que para mí es sinónimo), si repitiera exploraciones como esa de 60 ó 70 hombres que fueron a la colonia Dourados, sin duda alguna que provocará un rompimiento, no respetará nuestro *uti possidetis,* violando nuestro territorio: entonces es el Paraguay quien tornará esta cuestión urgente; su solución inmediata será una cuestión de paz o de guerra entre los dos países. Pero por ahora no considero que se dé esa hipótesis (12).

7.   El debate parlamentario repercutió intensamente en el Paraguay. Los estadistas del Brasil no disimulaban su pensamiento. Conservadores y liberales, aunque divergieran en los procedimientos, concordaban en lo esencial. El Brasil no estaba dispuesto a ceder y ya no iba a consentir nuevas humillaciones. Se consideraban "inconcusos e incontestables" los derechos brasileros entre el Blanco y el Apa, y se hablaba sin ambages de la necesidad de recurrir a la guerra si esos derechos eran desconocidos. Las viejas aprensiones paraguayas sobre los verdaderos motivos que impulsaban al Imperio para insistir en su avance hasta el Apa, se acrecentaron con la confesión, hecha varias veces en el curso del debate, de que la zona litigada se componía de desiertos que el Brasil no podía ocupar por entonces. No había, pues, *uti possidetis,* y las pretensiones brasileras no tenían base jurídica, sino meramente estratégica. La relación de los debates fue publicada en *El Semanario,* que comentó:

La preconizada cuestión de límites, y que parecía iba a tener una pronta, fácil y pacífica solución, se presenta bajo un aspecto bélico, lo cual nos induce a creer que el gabinete imperial no desea que se resuelva de una manera tranquila. Los acontecimientos que se han denunciado nos colocan en el impres-

(12)   ANNAES, DIPUTADOS, 1862, App., p. 76.

cindible deber de aceptar la cuestión en el terreno que escojan nuestros antagonistas (13).

8. Y mientras del lado del Brasil se levantaban densos nubarrones que ensombrecían el porvenir del Paraguay, no eran menos alarmantes las perspectivas que se le estaba creando en el Sur con la inminente ascensión del general Bartolomé Mitre a la presidencia de la unificada República Argentina. Con Pavón había terminado el largo proceso de la unificación argentina. ¿La supremacía de Buenos Aires y el triunfo de su principal adalid, qué vaticinaban para la suerte de la independencia paraguaya? ¿La antigua capital había renunciado a sus sueños de reconstrucción del Virreinato? El general Mitre era conocido por las ideas que, como historiador, había sostenido respecto de la independencia del Paraguay. En su *Historia de Belgrano,* aparecida en 1859, se leía que el Paraguay, al romper los vínculos con Buenos Aires en 1811, se había dejado arrastrar por el genio atrabiliario del doctor Francia, el único que soñaba con un Paraguay independiente, y ante cuya voluntad inflexible se plegaron todas las voluntades como débiles juncos. Francia era, a su juicio, "uno de los poquísimos paraguayos de representación que en aquella época tuviere algunas nociones de gobierno, y el único que fuese capaz de dirigir una revolución". Su primer acto de gobierno habría sido detener el viaje del comisionado que en los primeros momentos los revolucionarios paraguayos habían resuelto mandar a Buenos Aires, "reconociendo la supremacía de la Junta Gubernativa del Virreinato". Pero esta interpretación de la revolución paraguaya como la obra personal de una sola voluntad, estaba en contradicción con los antecedentes cívicos de la Provincia del Paraguay, que Mitre como historiador no podía desconocer, y que fueron a su vez, juzgados del siguiente modo, en la misma obra:

> El espíritu municipal, la fusión de las razas, y la influencia teocrática de las misiones jesuiticas, forman el gran nudo de la historia del Paraguay. Esta colonia tan pacífica al tiempo de estallar la revolución, había vivido antes en perpetua agitación, sosteniendo sus fueros y franquicias en pugna con las tendencias invasoras del poder real y del espíritu teocrático; y como el antiguo Aragón, había tenido sus comuneros y su Padilla decapitado en un cadalso (14).

Representando Mitre una corriente histórica que había basamentado la Revolución de Mayo y la organización nacional en el dogma de la soberanía popular, forzosamente debía situar el norte de su política, en relación con los demás Estados americanos, en el principio de la autodeterminación de los pueblos. ¿Pero hasta qué punto Mitre consideraba que el régimen imperante en el Paraguay, y aún su propia autonomía, eran expresión auténtica de la voluntad po-

(13)   *El Semanario*, Asunción, junio 21, 1862.
(14)   BARTOLOMÉ MITRE: *Historia de Belgrano.* Buenos Aires, 1859.

pular que no tenía ocasión de manifestarse libremente, carente de instituciones representativas y bajo el imperio de una constitución donde el único derecho reconocido era el de queja? Era forzoso suponer que Buenos Aires, baluarte del liberalismo en el Río de la Plata, difícilmente simpatizaría con el sistema paraguayo, y que el mismo espíritu que le había animado durante la revolución emancipadora a enviar ejércitos para liberar otros pueblos, aún oprimidos por el cetro español, seguiría bulliendo en quienes, sintiéndose herederos y responsables de la herencia de San Martín, no podrían mirar con indiferencia la subsistencia en el Paraguay de un régimen político que era la negación de todos los ideales que tenían ahora en Mitre a su principal adalid.

Por entonces llegó a oídos de los gobernantes de Asunción la especie de que los nuevos directores argentinos acariciaban proyectos contra el Paraguay, incluso el viejo sueño de la reconstrucción virreinal, que se creía sepultado en los campos de Caseros, muy de acuerdo con las entrelíneas de lo que Mitre había escrito tres años atrás. *El Semanario* reclamó una aclaración:

Sin que se arguya temor o recelos, estamos en el deber de manifestar —dijo— nuestra incertidumbre respecto a las miras del Gobierno de Buenos Aires acerca del Paraguay. Deseamos una política franca e ingenua para no estar en perpetua expectativa en vista de los informes contradictorios que tenemos sobre la política de Buenos Aires con el Paraguay.

Ateniéndonos a los informes de los unos, sabemos que el general Mitre, sabedor de que tratan de infundir sospechas en el gobierno del Paraguay de una guerra de conquista sobre esta República, se ha expresado opuesto a este sistema, y que de ninguna manera dirigirá sus armas contra el Paraguay, puesto que el modo de ser de este país garantizará siempre a Buenos Aires que no se forme aquí partidos de revolución contra su gobierno.

Pero no faltan correspondencias no menos autorizadas que la anterior, que nos aseguran que el General Mitre ha mandado en comisión a Ferré y Torrens, cerca del gobernador de Corrientes, animándoles a reclamar el territorio que dice tenerle usurpado el Paraguay, ofreciéndose a ayudar a los correntinos con dinero, tropas y vapores. Que el general Mitre no solo tiene el objeto de alucinar a los correntinos para sacar partido de ellos, sino que quiere por medio de Corrientes provocar conflictos al Paraguay para anexarlo a la disuelta Confederación Argentina [15].

Dubitativamente se expresó el periódico oficial sobre estos rumores, pero en su correspondencia particular el presidente Carlos Antonio López dio por cierta la segunda de las versiones, sabida por "conducto muy respetable".

Se sabe —escribió al agente en Buenos Aires— por el conducto indicado que Mitre pretende provocar conflictos al Paraguay por medio de Corrientes para anexarlo a la Confederación que va a reconstruir. ¡Cuentas alegres! Lo que conviene es que no pierda tiempo en traernos la guerra [16].

[15] *El Semanario*, Asunción, febrero 22, 1862.
[16] De C. A. López a Egusquiza, Asunción, febrero 20, 1862, BRAY, p. 140.

Los sarcasmos del viejo presidente mal encubrían sombrías preocupaciones. El Paraguay estaba cercado de graves amenazas ¿Pero acaso, en el pasado, ambos peligros no se neutralizaban mutuamente? ¿Las pretensiones argentinas no habían encontrado siempre una valla infranqueable en la decisión del Brasil de defender la independencia del Paraguay a todo trance? Sin embargo, la experiencia de 1858 mostraba que los viejos rivales podían olvidar sus seculares enconos tratándose de encarar en un solo frente el común peligro que les representaba el Paraguay. Ciertamente que entonces había sido Buenos Aires y por boca de Mitre, quien con mayor virulencia había denunciado, como inaudita e inmoral, la posibilidad de una alianza entre el Brasil y la Argentina, ¿pero mantendría ahora la misma oposición? ¿La insinuante diplomacia imperial, que tan ostentosamente había dejado en la estacada a Urquiza y que en las vísperas de Pavón había ya buscado la alianza de Buenos Aires contra el Paraguay, no lograría ahora lo que entonces buscó en vano?

9. La conquista de la dirección política de la República Argentina por el partido encabezado por el general Mitre, despertó no menores recelos en la República Oriental del Uruguay. Gobernaba allí el partido blanco y su principal opositor, el general Venancio Flores, que había combatido en Pavón en el bando de Buenos Aires, preparaba ostensiblemente un movimiento revolucionario con la adhesión del Partido Colorado de que era uno de los principales caudillos. Aunque el gobierno oriental había guardado celosa neutralidad durante la crisis desembocada en Pavón, notoriamente Buenos Aires no se sentía obligada a la reciprocidad y apoyaba la empresa que estaba gestando el general Flores. Y era también evidente que el Imperio del Brasil no parecía ya dispuesto a cobijar bajo su manto al gobierno oriental, dentro de su nuevo plan de desarmar los recelos de Buenos Aires para ganarle a sus designios contra el Paraguay. En Montevideo, los blancos advirtieron que se estaba tendiendo a la formación de un bloque entre los dos grandes países, con vistas a mancomunar esfuerzos frente a los dos pequeños países intermedios, el Uruguay y el Paraguay. El presidente Berro creyó llegada la oportunidad de señalar al gobierno paraguayo la comunidad de peligros y la necesidad de contrarrestarlos mediante una acción también común.

Para buscar ese entendimiento, en febrero de 1862, el gobierno de Montevideo destacó a Asunción al doctor Juan José de Herrera, con la misión de exponer al presidente López los dos peligros que se cernían sobre el Paraguay y el Uruguay que según sus instrucciones:

Es el uno la tentativa de absorción de las (dos) repúblicas, predominando en la Confederación los políticos que tal pretenden, ya que no estaría lejos de presentarse el Brasil si se le ofreciese en perspectiva la adquisición de una buena parte; es el otro la invasión de una demagogia turbulenta, que no deja de trabajar por introducir el desquicio en las dos repúblicas [17].

Herrera sugirió a López un acuerdo para garantizarse mutuamente el Paraguay y el Uruguay la vida independiente y la estabilidad institucional cuando se vieran amenazadas por comunes peligros. Pero el viejo presidente, en las postrimerías de su vida, nada quiso saber de salir de la línea nacional contraria a todo compromiso con países extranjeros. Reconoció estar rodeado el Paraguay de peligrosos vecinos: por un lado "los más incorregibles anarquistas", como titulaba a los porteños "que no abandonaban la idea de absorber o retacear el Paraguay", y por el otro, los "macacos" brasileros, que se empeñaban en traer sus límites muy dentro del territorio paraguayo. Pero declaró orgullosamente que aun para el caso de que los dos potenciales enemigos se aliasen, el Paraguay se hallaba preparado para salirles al paso, sin necesidad de concursos extraños:

Para los unos y para los otros —le dijo a Herrera— o para ambos juntos, son las fuerzas que el Paraguay se ve en el caso de tener siempre reunidas [18].

10. Los últimos momentos de Carlos Antonio López estuvieron amargados por la persuasión de los graves peligros que se cernían sobre los destinos del Paraguay. En su lecho de muerte, dirigiéndose a su hijo mayor y sucesor en el mando, general Francisco Solano López, formuló un supremo consejo:

Hay muchas cuestiones pendientes a ventilarse, pero no trate de resolverlas con la espada sino con la pluma, *principalmente con el Brasil* [19].

El Padre Fidel Maíz, presente en ese momento, dio testimonio de la exhortación del agonizante mandatario, y agregó:

Las palabras subrayadas *principalmente con el Brasil* las pronunció con un esfuerzo de acentuación. No hizo mención explícita de la Argentina, ni de otra nación, sólo especializó al Brasil. Tampoco dijo que las cuestiones a resolverse eran de límites; habló de ellas en sentido indeterminado.

El general guardó efectivamente silencio, nada respondió al padre que en cuanto acabó de hablarle, guardó también silencio, y momentos después entró ya en movimientos levemente convulsos, precursores inmediatos del desenlace fatal de la vida. No tardó en exhalar su último suspiro [20].

Tal fue el testamento político del gran presidente para su sucesor el general Francisco Solano López: resolver las graves cuestiones que dejaba pendientes, no con la espada sino con la pluma. Y principalmente con el Brasil. . .

[17]   Instrucciones de febrero 25, 1862 HERRERA, t. I, pág. 380.
[18]   De Herrera a Arrazcaeta, Asunción, abril 4, 1862, HERRERA, t. I, p. 408.
[19]   De Maíz a Olleros, Arroyos y Esteros, setiembre 12, 1805 en OLLEROS, p. 341, subrayado en el texto.
[20]   Ibidem, p. 341.

CAPÍTULO V

SOLANO LOPEZ EN EL PODER

1. El poderío militar del Paraguay. — 2. Un informe del marino español Navarro. — 3. La memoria del ministerio de guerra de 1862. — 4. Ferrocarriles o armamentos. — 5. Disconformismos reprimidos. — 6. El Padre Maíz encarcelado. — 7. Cambios planeados en la política externa. — 8. Campaña monarquista de "El Semanario". — 9. El Catecismo de San Alberto. — 10. Proyectos de casamiento imperial.

1.   Cuando el 16 de octubre de 1862 un congreso extraordinario le eligió presidente de la República del Paraguay por un período de diez años, el general Francisco Solano López mejor que nadie estaba en condiciones de optar, con perfecto conocimiento de causa, por uno de los dos términos del dilema, la espada o la pluma, planteado en el postrero consejo de su padre, que también sólo a él le competía decidir. Nadie mejor que él conocía el poder militar y la magnitud de los peligros que se cernían sobre el porvenir del Paraguay.

No era solamente el Imperio del Brasil con su política amenazante de absorción y predominio. Era también la República Argentina, a cuyo frente acababa de colocarse el general Bartolomé Mitre, con ideas sobre el futuro de las pequeñas nacionalidades sudamericanas, enunciadas a pocos días de su asunción del mando, que nada bueno presagiaban para el Paraguay. En la nota al ministro peruano Seaone del 22 de noviembre de 1862, había declarado que uno de los propósitos fundamentales del nuevo gobierno argentino consistía en "fomentar y consolidar la reconstrucción de las nacionalidades de América que imprudentemente se han dividido y subdividido" (¹), y en *La Nación Argentina,* su vocero oficial ratificó esa doctrina en los siguientes términos:

Las nacionalidades americanas deben tender a ensancharse, por que está en la ley natural. Por eso hemos dicho que la confederación vendrá con el tiempo. Esos medios son, por una parte, los tratados particulares, y por la

(¹) CARDOZO, p. 34.

otra, la fusión de las nacionalidades que tienen verdadera afinidad de intereses y que se hallan unidas, cuando menos, por su posición geográfica. Así lo que no es materia de congreso quedaría arreglado separadamente con Chile, con Bolivia, con Perú, etc. El segundo medio está ya indicado y consiste en la anexión recíproca de las repúblicas limítrofes. Tal vez estamos destinados a reconstruir la grande obra que deshicieron las pasiones locales, volviendo así las nacionalidades americanas a las condiciones en que se hallaban antes de los sucesos que las redujeron a su estado actual (²).

Si el Brasil era un peligro para el Paraguay en 1862 no lo era menos la República Argentina. ¿Estaba el Paraguay, al asumir el mando el general López, en condiciones de afrontar las amenazas que le acosaban por todos los costados y apuntaban directamente contra la existencia nacional? Era López el creador del ejército y de la marina. A su engrandecimiento había dedicado sus energías desde muy temprana edad y nadie conocería como él los alcances del poder paraguayo. La fama heroica del Paraguay venía desde las más antiguas edades, pero su prestigio militar provenía del momento en que Francisco Solano López se propuso convertir a su país en una de las primeras potencias armadas del continente sudamericano, para lo cual contó con todos los recursos del Estado y con la materia prima del soldado paraguayo, uno de los mejores del mundo. El general Paz conoció el ejército paraguayo en 1845, cuando estaba en las primeras etapas de su organización, ya bajo el mando de Francisco Solano López, entonces de 18 años, y lo calificó de "masas informes", pero vaticinó que "son tales las cualidades que reune el soldado paraguayo que seguramente será el primer soldado de la América del Sud si se le organiza, instruye y disciplina como corresponde" (³). Efectivamente, el Paraguay llegó a tener, gracias a Solano López, el ejército más numeroso y disciplinado de Sud América. ¿Pero estaba en condiciones de enfrentar victoriosamente al Brasil, eventualmente aliado con la Argentina? ¿Hasta qué punto la fama correspondía a la realidad? ¿Podía el Paraguay, si a él le dejaban la opción, romper la pluma y empuñar la espada para solucionar sus cuestiones internacionales, sin que ello le llevara a un irreparable desastre? Sólo al general Francisco Solano López le correspondía sopesar las realidades y juzgar en definitiva sobre el verdadero poderío del Paraguay, para ver si qué convenía más a los intereses fundamentales de la patria: seguir o desechar los postreros consejos de su padre.

2. La incógnita de la potencialidad bélica del Paraguay, tan ponderada en el mundo, quiso ser develada, en los primeros meses del gobierno del general Francisco Solano López, por el comandante de la escuadra española que por entonces ambulaba por las aguas del Pacífico detrás de nebulosos proyectos de restauración colonial.

(²) *La Nación Argentina*, Buenos Aires, 10 de noviembre de 1862.
(³) *Memorias*, inéditas, cit. por JUAN B. TERÁN: José María Paz. Buenos Aires, 1936, p. 130.

So pretexto de buscar maderas para reparar el timón de la nave principal, una comisión especial presidida por el capitán Joaquín Navarro se trasladó en diciembre de 1862 a Asunción, donde con la ayuda valiosa y secreta del literato español Ildefonso Bermejo, hasta hacía poco de la entera confianza del gobierno, se dedicó a una minuciosa tarea de espionaje. El informe ([4]) que envió el capitán Navarro, ya terminada su misión, no pudo ser más decepcionante para quienes creían en la existencia de una potencia de primer orden en el corazón del continente.

Si el capitán Navarro comprobó el predominio del elemento militar en la vida paraguaya, tanto que todo el mundo era soldado o sujeto al régimen de tal y no se veían en las calles más que uniformados, también encontró que el ejército y la marina estaban "en el más deplorable atraso". Había ciertamente numerosos depósitos de armas, monturas y atalajes, que permitirían armar, en menos de cuatro días a toda la reserva, hasta más de 200.000 paraguayos, pero el ejército permanente, de 19.000 hombres, estaba poco instruido, mal vestido en general, y con armamento de chispa, excepto algunos batallones que lo tenían de pistón. El único proyectil que conocían eran las balas, "siéndoles absolutamente extraño todo lo que respecta a granadas y demás proyectiles de guerra". Se notaba gran descuido de la limpieza de las armas y deficiencia en su manejo. La instrucción de la oficialidad en general era muy limitada "por no decir nula". En cuanto a la famosa fortaleza de Humaitá, la llave del país que "los paraguayos reputan como el baluarte inexpugnable del siglo", el capitán Navarro vio en ella una poderosa defensa, pero no hasta el punto de considerarla inexpugnable; a su juicio la podrían franquear sin dificultad cañoneros blindados de poco calado y veloces movimientos. Observando a la marina encontró que carecía de régimen y buena organización. Su material consistía en once buques de vapor, pero solamente dos armados de guerra. Los conocimientos en artillería de la oficialidad eran muy poco extensos, por no decir nulos. Lo único para el capitán Navarro digno de aplauso era el arsenal "sin disputa el mejor que poseen las Repúblicas Hispano-Americanas".

3. Muchas exageraciones y omisiones, atribuibles a la oculta pero cordial inquina que el informante Bermejo profesaba al general López, pudieron deslizarse en la memoria del capitán Navarro. Pero el panorama que el propio general López, en su carácter de ministro de guerra y marina del extinto gobierno, presentó al Congreso extra-

---

([4]) El informe, fechado en Montevideo el 6 de enero de 1863, fue publicado en *Revista Nacional*, Tercera Serie, Tomo I, pp. 166-209, Buenos Aires, 1894. El original en el archivo de D. Juan Bautista Gill Aguínaga, Asunción.

ordinario del 16 de octubre de 1862, tampoco era muy halagüeño (⁵) respecto al verdadero estado de las fuerzas navales y militares. En ese documento, de carácter secreto, destinado exclusivamente a los representantes, Francisco Solano López no recató nada de la realidad acerca del fantaseado poderío militar de la República.

La memoria de 1862 comenzaba por reconocer la exigüidad de la plana mayor en actividad, que no correspondía numéricamente al efectivo total del Ejército. No había una "larga lista de jefes y oficiales", si bien éstos podían ser suplidos por clases adecuadas e instruidas, que llenarían en caso necesario las faltas numéricas. Se admitía que la fuerza militar fraccionada en diversas guarniciones de puntos lejanos, estaba sujeta "a inconvenientes de moralidad y disciplina militar". En cuanto a la calidad del armamento no podía ser más cruda la revelación:

El armamento del Ejército —decía— se halla perfectamente cuidado y atendido, pero siento decir que todo ello pertenece al antiguo sistema, hoy abandonado en todos los países de Europa, y reemplazado por los grandes mejoramientos que las últimas guerras en Europa y Norte América han introducido.

Este es un ramo que demanda una atención preferente y un crecido desenvolvimiento (¿desembolso?). Hay algunos cuerpos de artillería armados con fusiles fulminantes como registran los estados; así como algunas compañías con armamento rayado. Las ventajas de este armamento aconseja que se trate de ir sustituyéndolo al armamento antiguo.

Las artillerías de sitio y campaña se hallan en el mismo caso que el armamento portátil y demanda una reforma, tal vez todavía más urgente que la de las armas portátiles.

No fue menos explícito el general López al referirse a la calidad militar de la marina en que tanto se cifraba el orgullo paraguayo. Decía:

La flota nacional no puede llamarse todavía con propiedad marina de guerra, porque aunque las instituciones que allí rigen sean realmente militares, grande es todavía la distancia que hay que recorrer para adquirir todos los conocimientos necesarios.

El cuerpo de oficiales de la marina no se ha elevado a la importancia numérica que le corresponde, pero se han llenado las faltas que el servicio demandaba.

Considerando los últimos mejoramientos introducidos en el armamento naval, el de nuestra marina es escaso e imperfecto.

El Tacuarí es el único vapor de la flota que se halla montado en pie de guerra, porque aunque los otros sean mandados y tripulados por oficiales y marineros de guerra, y en un caso necesario puedan convertirse en barcos de guerra, hoy no pueden clasificarse sino como transportes.

Tal era la verdadera situación militar y naval del Paraguay cuando el general Francisco Solano López fue ungido presidente de

(⁵) *Memoria del Ministerio de Guerra y Marina al H. Congreso de la República*, en AGNP, repr. en *El Orden*, Asunción 6 y 9 de noviembre, 1923.

la República: Un ejército numeroso, pero sin jefes ni oficiales en
número adecuado (no había sino 22 jefes y 373 oficiales del servicio
activo y 3 jefes y 255 oficiales retirados, aparte de 109 oficiales de
la guardia urbana (6) ; buena parte de las tropas sin instrucción
ni disciplina; armamento anticuado, constituido en gran parte por
fusiles de chispa y cañones de hierro de ánima lisa y avant carga;
carencia de escuadra de guerra, con un solo barco armado y ningún
acorazado, de artillería inadecuada y oficialidad también insuficiente
y escasamente adiestrada pues no había ninguna escuela militar. La
fortaleza de Humaitá, llave maestra de la defensa del suelo paraguayo, aunque bastante para contener escuadras de madera, ya no lo
era para hacer frente a los modernos y veloces acorazados, por falta
de artillería apropiada. La fundición de hierro y el excelente arsenal
eran el orgullo del Paraguay, pero fabricaban cañones y balas de
modelos antiguos. Los astilleros bien provistos, tampoco estaban en
condiciones de construir verdaderos barcos de guerra, y mucho menos
acorazados. La extraordinaria cantidad de técnicos ingleses que habían dado impulso a esos tres importantes establecimientos no podrían, aunque lo quisieran, ponerlos a la altura de los similares de
Europa, tanto por la falta de materia prima adecuada como porque
las patentes de las modernas armas no estaban a su alcance. El general López, en su memoria de 1862, aunque rindió justicia a la
industria nacional, reconoció que el mejoramiento del equipo militar
y naval dependía exclusivamente de las provisiones europeas.

El poder militar del Paraguay, tan admirado y comentado, se
basaba exclusivamente en el gran número y calidad de sus soldados.
Prácticamente todo el Paraguay era un gran cuartel. Casi no había
hombre que no proviniera o no dependiera de un cuartel. Las guardias urbanas, constituidas por los hombres aptos, recibían en los
pueblos permanente instrucción militar, siquiera con fusiles simu-
lados. Por temperamento, por tradición heroica heredada de los
lejanos antepasados, todo paraguayo, aunque no tuviera ocasión de
probarlo, era el mejor soldado del mundo. La fe que en él depositaba el general López era inmensa. *"Sepa usted que con mis paraguayos tengo bastante para brasileños, argentinos y orientales, aún con
los bolivianos si se meten a zonzos"*, dijo en París a Héctor F. Varela (7).

¿Pero bastaría acaso el número y valor personal de los soldados
para vencer en el campo de batalla o en los ríos, si al general López,
desatendiendo el consejo paterno, se le ocurriera romper la pluma
y recurrir a la espada para encontrar solución a las cuestiones con
los vecinos, especialmente con el Brasil? ¿Esa espada, aunque blan-

(6) Documento de AGNP, repr. por J. NATALICIO GONZÁLEZ, en prólogo de
CENTURION, t. I, p. 16.
(7) REBAUDI, p. 29.

dida por el mejor soldado del mundo, qué podría contra las modernas armas y acorazados que los potenciales enemigos, con mayores recursos y sin peligro de bloqueos, estarían en condiciones de desplomar sobre el Paraguay?

4.   A Francisco Solano López, antes que nada hombre de armas, no se le escapaba la inferioridad del material paraguayo. La memoria de 1862 probaba su preocupación, y también su propósito de suplir las deficiencias. Pero en los primeros tiempos de su administración nada hizo que indicara la decisión de llevarlo a la práctica. En cambio la mayor atención del nuevo presidente fue dedicada a una obra de gran trascendencia económica pero de discutible valor militar: la construcción de la línea férrea a Villa Rica, para cuya realización el Paraguay estaba realizando un máximo esfuerzo financiero. En todos los demás países sudamericanos, estas empresas eran confiadas al capital privado; sólo el Estado paraguayo cargó él solo con la pesada tarea. El mensaje de 1862 era a este respecto también sumamente ilustrativo. Decía el general López al Congreso:

Uno de los acontecimientos importantes y conducentes a la felicidad de la república, aunque al presente una de las cargas más pesadas para el Tesoro, es sin duda, la introducción del ferrocarril.

El Gobierno, penetrado de su necesidad, le ha prestado madura atención, y después de un detenido examen sobre el estado del país, las condiciones generales a que están sujetas las empresas de esta naturaleza establecidas por compañías mercantiles, que las más de las veces entran en estas especulaciones sobre la base de un agiotaje poco ordenado, ha tenido que acometer la empresa por cuenta del Estado, distrayendo así una gran suma de los capitales y medios de defensa, ordenando la construcción de un ferrocarril de esta ciudad a Villa Rica [8].

Al asumir el general López el poder, el dilema era éste: o ferrocarril o armamentos modernos. López optó por lo primero. La casi totalidad de las remesas de fondos y de la correspondencia de los ministerios de guerra y marina y de relaciones exteriores con los agentes y representantes en Europa, estuvo, en el primer año de su gobierno, embebida por las adquisiciones para la vía férrea. En lo que restó en 1862 y en todo el año 1863 y buena parte de 1864, no se despachó un solo pedido importante de armas. En noviembre de 1862 la casa John y Alfred Blyth de Londres, la misma que había construido y armado el *Tacuarí* envió un proyecto de barco de guerra blindado, pero su consideración fue postergada indefinidamente.

¿No se percató acaso el general López al iniciar su gobierno, de los graves peligros que se cernían sobre los destinos nacionales y de la necesidad de poner al Paraguay en condiciones de resistir posibles agresores? ¿Creía que el Imperio había renunciado a su proyecto de traer sus límites muy dentro del territorio paraguayo y que Buenos

(8)   Memoria, 1862, cit.

Aires ya no alentaba su sueño virreinal? ¿Había desaparecido en su espíritu todo temor de que ambos vecinos se dieran las manos para sojuzgar al Paraguay? ¿Había optado, siguiendo los consejos de su padre, por el camino de las negociaciones y de la amistad, para alcanzar la solución de los intrincados problemas que le separaban de sus dos grandes vecinos, especialmente con el Brasil?

De lo que no se podía dudar, a la vista de la casi total falta de preparativos, era de que el general Francisco Solano López, por lo menos en los primeros meses de su gobierno no soñaba con aventuras bélicas. No parecía convencido de la inevitabilidad de conflictos provocados por sus vecinos con motivo de las cuestiones irresueltas, ni mucho menos denotaba traer en mente los grandes y ambiciosos proyectos de engrandecimiento territorial que se le atribuían en el exterior. Cuantos se pusieron en condiciones de conocer a fondo en esa época las realidades paraguayas, como el marino español Joaquín Navarro, para quien ningún velo pudo ser suficientemente espeso gracias a los buenos oficios de su compatriota Bermejo, no disimularon su decepción. He aquí cómo resumió las impresiones que recogió sobre el poder militar del Paraguay, tal como lo vio a fines de 1862:

Yo había creído ver en el Paraguay una nación de cien mil guerreros dispuestos a lanzarse con un nuevo Atila a su cabeza por el territorio Americano Meridional en un día dado y ofrecer al mundo un ejemplo de exterminio y devastación; pero estos guerreros, no por ellos que no sabemos lo que son como tales, sino por falta de administración y práctica de guerra, sucumbirán a los golpes de masas disciplinadas, y quizá en esos momentos la palabra y el ejemplo baste para volverlos contra su natural Señor (9).

5. El mismo capitán Navarro estudió el sistema político del Paraguay y consideró ilusoria la aparente conformidad de las masas, así como nulo el efecto sobre el espíritu público de las obras de progreso en que el gobierno se hallaba empeñado con tantos alardes. A su juicio, muy graves acontecimientos se estaban gestando en el seno del pueblo y Navarro no vaciló en vaticinar que ellos asumirían proporciones catastróficas. Decía:

Los gobiernos que se han sucedido después del excepcional del doctor Francia ,si bien han suavizado las medidas rigurosas de aquel feroz Calígula, no por eso han desistido de su tenebroso sistema, ni han logrado alucinar las masas, las cuales, a semejanza del cautivo que encerrado por años en una mazmorra, vuelve a ver la luz, han creído llegada la época de su regeneración al ver suprimidas las sangrientas ejecuciones, y que se hacen algunas mejoras materiales...

Creo que aunque el gobierno del Paraguay marche con paso lento y siga en sus medidas de desarrollo material, está amenazado en día más o menos lejano de un cataclismo social; y será aquel en que este pueblo oprimido adquiera nociones de lo que es y de lo que puede ser (10).

(9) Informe cit., p. 206.
(10) Informe cit., p. 206.

Verdaderamente, no todo era conformidad en el Paraguay. El instinto de libertad y de democracia, profundamente asentado en el pueblo paraguayo, con raíces históricas que se perdían en las profundidades de los tiempos, asomó amenazante en los primeros días del gobierno de Francisco Solano López. En 1862 no faltaron quienes creyeron llegado el momento de modificar las instituciones políticas que daban facultades omnímodas al presidente de la República, al fin de volverlas más conformes con las ideas del siglo. Surgió en el Congreso convocado para designar el sucesor de Carlos Antonio López el pensamiento de dictar una constitución liberal. Considerada inevitable la ascensión del general López, se quiso refrenar su autoridad creando resortes legales que consagraran la separación de los poderes y los derechos individuales, ausentes en la Constitución de 1844. La idea emanó de la propia familia de López. Propugnador de la reforma constitucional fue Benigno López, quien "conocía profundamente a su hermano Francisco Solano López, y horror tenía que subiese al mando presidencial del país con la suma de todos los poderes, sin control alguno, abriéndose anchuroso e ilimitado horizonte a su orgullo y sentimiento de amor propio, de odio y de venganza contra los que una vez cayeran en su desgracia", según opinión del Padre Fidel Maíz [11], principal animador del frustrado pensamiento. A él debemos también este testimonio acerca de la parte que le correspondió en la tentativa reformista:

"...yo deseaba una nueva constitución política, en reemplazo de la del 44, que daba al presidente atribuciones extraordinarias y dictatoriales.

Era que yo conocía bien a fondo el carácter del General López, y el poder omnímodo de que iba a investirse al ser electo Presidente de la República; y por eso mismo deseaba una Constitución que le quitara las facultades absolutas y pusiera un freno a posibles arbitrariedades. Hacer, en fin, que se encontrase, según las hermosas frases del Deán Funes, "en la feliz imposibilidad de poder obrar el mal".

Conocía, también, cómo había sido mimado por el poder desde la más temprana edad; apenas tenía 15 años, cuando ascendió a General de Brigada, con mando del ejército paraguayo en operaciones fuera del país. En seguida Ministro de Guerra y Marina, levantó la Fortaleza de Humaitá, donde tenía disciplinada una fuerza de 12 a 15 mil soldados de las tres armas, bajo sus inmediatas órdenes.

Aquel joven militar, mandatario supremo en la flor de su edad, con la conciencia de su dignidad y el mayor celo por la estabilidad del orden público, mal podría transigir con idea alguna que pudiese traducirse, pero ni lejanamente, en una oposición a su persona, mucho menos al sistema establecido de gobierno. Y en tal sentido fue tomado cabalmente mi deseo de una nueva Constitución que estableciera la independencia de los tres poderes, el Legislativo, el Ejecutivo y el Judicial [12].

[11] De Maíz a O'Leary, Arroyo y Esteros, julio 10, 1906, en P. SILVIO GAONA: *El Clero en la guerra del 70*, Asunción, 1957, pág. 140.

[12] P. FIDEL MAÍZ. *Etapas de mi vida*, Asunción, 1919, pág. 12.

6. Efectivamente, el Padre Maíz fue encarcelado el 4 de diciembre de 1862, acusado de promover "una revolución social, moral y política", que con la base y palanca del clero, debía obrar "sobre el bello sexo, las masas sencillas de la población, sobre las autoridades de la campaña, y del Ejército y luego refluir sobre las altas clases de la sociedad", según informó el órgano oficial, tiempo después [13]. ¿Las medidas adoptadas lo fueron para evitar el "cataclismo social" previsto por el capitán Navarro? De cualquier modo, el flamante presidente no estaba dispuesto a que prosperaran ideas reformistas y severas medidas siguieron al apresamiento del Padre Maíz. Las cárceles se llenaron de presos. No pocos comerciantes extranjeros liquidaron sus intereses y abandonaron el país. Informó a su gobierno el cónsul brasilero Amaro José dos Santos Barbosa:

> No hay hoy persona en esta ciudad que de corazón no lamente la muerte de Don Carlos Antonio López. El actual señor Presidente principió su gobierno de una manera tal, que todos están aterrados, desconfiando unos de otros, y todos vigilados por una policía más propia para aterrar que para vigilar [14].

Pronto alcanzaron las medidas represivas a miembros del ejército. Según informó el mismo cónsul, dos coroneles y la mujer de uno de éstos, así como varios oficiales y soldados, fueron encarcelados y engrillados; otros oficiales desterrados y numerosos soldados castigados. Entre tanto, el comercio estaba paralizado; no se vendía ni se cobraba y la cosecha de tabaco, principal artículo de exportación, no iba a alcanzar ni un tercio de la del año anterior. Trascendió al público, y de ello también se hizo eco el cónsul brasilero, la divergencia entre el general y sus hermanos, así como que "su madre está bastante disgustada por tantas prisiones que se han hecho". Y comentaba Santos Barbosa:

> No deja de ser crítica la posición del señor Presidente: sin la práctica de su finado padre, y sin ninguna persona de confianza en quien valerse, vive desconfiado de todos dando crédito a puros cuentos que no hacen sino volver odioso a su gobierno, aunque desee, como estoy persuadido, gobernar bien al país [15].

En los primeros tiempos, López contrarrestó la sorda oposición instaurando una política popular. Estableció premios para los agricultores, envió estudiantes pobres a Europa, otorgó préstamos a los comerciantes modestos e implantó la costumbre de grandes y continuadas festividades en las fechas nacionales, a las cuales agregó el aniversario de su ascensión al poder y el de su propio natalicio. Al mismo tiempo dio gran impulso a la construcción del ferrocarril, inició el tendido del telégrafo, hizo ensanchar los arsenales y la fun-

[13] *El Semanario*, Asunción, mayo 25, 1863.
[14] De Santos Barbosa a Abrantes, Asunción, enero 12, 1863, Ahi.
[15] De Santos Barbosa a Abrantes, Asunción, abril 9, 1863, Ahi.

dición de Ybycuí, y planteó una completa transformación edilicia
de Asunción. Los recursos del Estado fueron insumidos principalmente en estas obras. La preconizada modernización del armamento
militar y naval quedó postergada. López no pensaba en la inminencia
de ninguna guerra y además estaba planeando grandes cambios en la
orientación internacional y en el orden institucional que podían
significar la pacífica solución de los problemas externos y le permitirían afianzar, también en paz, su insegura posición política.

7. La política de aislamiento instaurada por el dictador Francia había sido modificada por Carlos Antonio López sólo en parte,
para hacer posible la defensa activa le la independencia y de los
derechos territoriales y fluviales de la República. El Paraguay se
había abstenido cuidadosamente hasta entonces, de ingerirse en las
cuestiones que se debatían fuera de sus fronteras y que no le atenían
de un modo directo. La sola excepción en esa línea de conducta fue
cuando en 1859 una mediación paraguaya obtuvo la unidad argentina. El mediador había sido Solano López, entonces de 35 años, y
la fructuosa comprobación de sus eximias dotes de negociador, allí
donde fracasaron tantos diplomáticos europeos y americanos, le persuadió que bien podía volver a desempeñar el alto papel de compo-
nedor de la paz en esta parte del continente, y ya en el plano internacional, no simplemente para solventar pleitos intestinos. El Paraguay podía y debía ser el mantenedor del equilibrio en el Río de
la Plata, como en los años de la permanencia del general López
en Francia pretendía serlo de Europa el emperador Napoleón III.
De ese viaje había regresado precisamente con ese ambicioso plan,
según la confidencia que a su paso por Río de Janeiro vertió en
los oídos de Andrés Lamas:

> En cuanto a mi país —le había dicho—, si algún pensamiento le agita es el
> de pesar en la política del Río de la Plata en un sentido pacífico y sin más
> propósito que el que se conserve el actual equilibrio, buscando con ello la
> garantía de su propia conservación y autonomía, beneficio que peligrará el
> día en que el Brasil o la Argentina, los eternos rivales, lleguen, uno u otro
> a predominar, decididamente, sin control en esta región de América [16].

Aunque en Europa la pretensión de Napoleón III había llevado a la guerra de Crimea, en el Río de la Plata se podía procurar
el desideratum del mantenimiento del "statu quo", sin necesidad
de imponerlo sangrientamente, con sólo los recursos y la fuerza de
la diplomacia. No en los campos de batalla sino en los salones oficiales esperaba López bregar y velar por el respeto del equilibrio
entre las naciones rioplatenses, para lo cual le serían suficientes sus
cualidades de negociador, aquilatadas brillantemente en 1859, sin
necesidad de incrementar el poderío militar del Paraguay, que tal

[16] PEDRO S. LAMAS: *Etapas de una gran política*. Sceaux, 1908, p. 256.

como era bastaba para respaldar una política que no iba a ser de guerra sino de paz.

El Paraguay carecía de diplomáticos para desparramarlos en el presunto campo de su nueva política. Para decir verdad, su servicio exterior se reducía, cuando Francisco Solano López advino al poder, a una sola persona, que ni siquiera era paraguayo: el internacionalista argentino Carlos Calvo, quien después de haber defendido con éxito la causa paraguaya en sus litigios con Inglaterra, quedó acreditado como ministro ante las Cortes de Londres y París. Ni en Buenos Aires, ni en Montevideo, ni en Río de Janeiro, el Paraguay mantenía legaciones y Solano López no se preocupó en llenar las vacantes. En la primera ciudad actuaba Félix Egusquiza como agente confidencial, sin calidad diplomática reconocida. En la segunda, Juan José Brizuela, agente de la compañía de vapores, hacía de enlace con el gobierno y de corresponsal, pero también sin categoría oficial. En Río de Janeiro, el gobierno no tenía ni siquiera corresponsal. La acefalía era completa. Tampoco el Imperio del Brasil había provisto la Legación en Asunción desde la retirada de Borges en abril de 1862 y menos había, en ese momento, representantes diplomáticos de la República Argentina ni del Estado Oriental.

Pareciera que sin regularizar el intercambio de las representaciones diplomáticas con aquellos países sobre los cuales el Paraguay pretendía ejercer la guardia de la paz, no cabía iniciar la proyectada política, pero López no se preocupó de llenar las vacantes aunque si que lo hicieran el Brasil y la Argentina. Su deseo era que Asunción se convirtiera en el centro de los trabajos. No pensaba delegar en nadie la dirección de la campaña que traía en mente, ni siquiera en su ilustrado ministro de relaciones exteriores, don José Berges, veterano en lides diplomáticas de alto vuelo, conocido internacionalmente por sus exitosas misiones en Montevideo, Río de Janeiro, Washington y Londres, y sin disputa la figura civil más relevante del mundo paraguayo. Esperaba López que el nuevo gobierno argentino del general Mitre, iniciado al mismo tiempo que el suyo con diferencia de días, cumpliera la promesa que el doctor Lorenzo Torres formulara al finado presidente de venir él mismo como plenipotenciario para ajustar la cuestión de límites, pero en enero de 1863 ya pocas esperanzas le restaban de ver a su amigo porteño como ministro argentino en Asunción, según informó el cónsul brasilero [17] .

El doctor Torres apareció en Asunción poco después, pero no como plenipotenciario sino como portador de un mensaje del presidente Mitre que invitaba a López a ponerse de acuerdo sobre las bases para la solución definitiva del problema de límites. Con tal

[17] De Santos Barbosa a Abrantes, Asunción, enero 12, 1863, AHI.

motivo se abrió una cordial correspondencia entre ambos mandatarios. Pronto concordaron en aceptar el *uti possidetis* como regla del posible ajuste y Mitre insinuó la idea de un entendimiento más vasto, una vez solucionado el pleito territorial, para que los dos países se coadyuvasen recíprocamente "en las cuestiones que podían tocar a sus intereses políticos y que se suscitasen en lo futuro" (¹⁸). López entendió que esa inteligencia sería frente al Brasil, pero Mitre que al principio alentó el pensamiento, lo trasladó al caso oriental, donde la enconada lucha entre blancos y colorados estaba por hacer crisis y se perfilaban muy serias complicaciones internacionales. Nada de esto interesaba, por el momento a Solano López, que tenía puesta su vista en miras mucho más altas.

Poco antes de iniciarse esta correspondencia, López había dado un importante paso que reveló la impaciencia que le consumía en cuanto a su actuación internacional. La vacancia de la legación brasilera le desazonaba, tanto o más que la de la Argentina; había ciertamente un cónsul brasilero de antigua permanencia, pero nunca se le había concedido categoría para conferir materias políticas. El cónsul del Imperio, Santos Barbosa recibió por eso, con sorpresa, una insólita insinuación del propio López, subrayada por el ministro Berges, de que sería muy apreciada la venida al Paraguay del consejero José Antonio Pimenta Bueno, el celebrado mentor de don Carlos Antonio López en tiempos memorables y que tantos recuerdos y amigos había dejado en el país. Si el general López, tan puntilloso, como su padre, en cuestiones de protocolo, se comedía a dar tal encargo a un simple funcionario consular era porque atribuía importancia y urgencia a la presencia del connotado consejero en Asunción. Santos Barbosa no creyó que fuera con vistas a la cuestión de límites que se insinuaba la visita del personaje y adelantó una explicación de la sorprendente invitación. Escribió a su gobierno adelantando una explicación.

El deseo que el señor Presidente tiene de que venga el señor consejero no es para concluir la cuestión de límites, y si para tener una persona con quien consultar. Esta es la opinión de muchos que conocen el pensamiento del señor Solano López.

Las principales familias de esta ciudad que conocen al señor consejero también desean con ansiedad su venida para tener una persona que influya para que el señor presidente sea más benigno con este pueblo, digno de compasión (¹⁹).

Sus largos años de convivencia con los paraguayos no le habían dado a Santos Barbosa el don de penetrar la psicología de Solano López. Suponerle necesitado y ansioso de consejos para la política interna era desconocer de cabo a rabo la orgullosa naturaleza del

(¹⁸) Sobre la correspondencia entre López y Mitre, véase: CARDOZO, cap V.
(¹⁹) De Santos Barbosa a Amaro, Asunción, febrero 26, 1863, AHI.

presidente paraguayo. Lo último en que pensaría López sería en convertirlo a Pimenta Bueno, o a cualquiera, en su consejero. Si deseaba la presencia del viejo amigo en Asunción era porque tenía en mente muy grandiosos proyectos, de trascendencia nacional e internacional en que al Imperio del Brasil le tocaría un importante papel, y para todo lo cual la intervención del influyente estadista podía serle de suma utilidad.

8. En los primeros meses de 1861 el vocero oficial *El Semanario* analizó en una serie de editoriales las causas de la inestabilidad política en los países hispanoamericanos. Rechazando la teoría de que ella era imputable al predominio del militarismo, esbozó la opinión de que la principal causa de los trastornos estribaba en que, al emanciparse de España, los pueblos pasaron bruscamente, sin transición, de la monarquía a la república para la cual no estaban preparados.

Educados bajo el patrocinio e inmediata tutela de España monárquica —decía el primero de los artículos de *El Semanario*—, adquirieron las costumbres, los hábitos puramente españoles. La España había llevado a su seno la antorcha de la civilización..., había formado su legislación; había establecido en suma todos los vínculos intelectuales, morales y legales que pueden constituir su vigorosa organización social.

Al grito mágico de libertad e independencia, estos países se levantaron contra la madre patria, consiguieron su autonomía, y por un rasgo fácil de comprender en el período de fiebre revolucionaria, adoptaron la organización *más* [20] opuesta a su organización social. De aquí esa larga serie de choques violentos y de repercusiones más violentas todavía; de aquí esta inestabilidad de los gobiernos; de aquí esa pugna tremenda entre los elementos sociales y los elementos políticos.

Pueblos educados por la monarquía y para la monarquía, no han podido acostumbrarse a las formas republicanas, porque cada una de las páginas de su historia envuelve una elocuente protesta contra este género de gobierno.

La prueba que ofrecía *El Semanario* de la exactitud de sus asertos era el Brasil, que al romper sus vínculos con Portugal, conservó la monarquía, lo cual le aseguró la paz inalterable que gozaba.

¿Quién ha salvado —se preguntaba *El Semanario*— al Brasil de las convulsiones políticas que aquejaban a nuestras repúblicas? Sus instituciones: el Imperio. No ha experimentado aquel pueblo la repentina transición de los nuestros; su moderna educación ha estado más en armonía con su antiguo sistema.

Otra excepción era el Paraguay. Tampoco había experimentado los funestos embates que lamentaban los demás pueblos. Según el periódico oficial, ello se debía a que su gobierno fue parco y prudente en la concesión de "inmoderadas garantías", y "ha procurado en cuanto le ha sido posible, buscar la armonía entre la república y el antiguo sistema, sin que por eso deje de alimentar el noble de-

(20) El texto impreso dice *menos*, pero evidentemente se trata de *una* errata de imprenta.

seo de ver a su pueblo en el pleno goce de todas las libertades; pero
éstas no siempre pueden confiarse de una manera absoluta" (²¹).

En su edición del 6 de abril de 1861 *El Semanario* continuó
abordando el estudio de las instituciones políticas, pero previamente encaró el tema de la libertad, "palabra mágica", "que entusiasma
a las almas generosas, que electriza a las muchedumbres, que re-
suena poderosamente en los corazones más empedernidos, que será
siempre el ídolo de los que tengan en algo la dignidad del hombre; palabra que ha hecho y hará derramar torrentes de sangre por
conseguir la realidad de lo que representa..." Y después de este
fervoroso panegírico, que expresaba, pese a todo, cuán hondo se
sentía en el Paraguay el anhelo de libertad, el vocero del gobierno
resueltamente planteaba el gran problema de la institución más adecuada para asegurar sus beneficios. ¿Solamente la república era capaz de afianzar la libertad? ¿No podía hacerlo la monarquía?

> ¿Podrá decirse que hay incompatibilidad entre la libertad y las monarquías?
> ¿Que sólo hay compatibilidad entre ella y las repúblicas? ¿No podrán los reyes
> dar a los pueblos toda aquella libertad que éstos creen deben tener? ¿No podrán
> las repúblicas privarlas de la que ellos creen que le corresponde?
> La monarquía en el sentido que hoy tiene esta palabra, no significa pre-
> cisamente la soberanía del monarca, ni la república la completa emancipación
> del pueblo; porque ha habido pueblos libres con reyes y pueblos oprimidos con
> repúblicas.

Y luego de traer ejemplos de repúblicas opresoras, como las de
Venecia, Cromwell y Napoleón I, concluía: "De consiguiente, lo que
se llama república no significa precisamente la completa libertad de
los pueblos" (²²).

Después de dejar así sentado que no siempre la república traía
la libertad y que libertad y monarquía no se incompatibilizaban,
El Semanario se dedicó en edición siguiente a demostrar que la democracia también se encontraba cómoda dentro de la institución
monárquica.

> La democracia —dijo— es la supremacía del pueblo, el gobierno del pueblo:
> la preponderancia del pueblo sobre el gobierno. ¿Y qué es lo que se llama
> monarquía constitucional? La monarquía constitucional es aquella en la que el
> pueblo soberano, en la que el pueblo por medio de sus representantes, es el
> legislador, en la que el rey nada puede hacer sin el consentimiento del gobierno,
> y el gobierno nada sin el de las Cámaras, sin ejecutar lo que éstas hayan pre-
> visto.
> De consiguiente, la monarquía constitucional y la democracia es una mis-
> ma cosa; el pueblo legislador, el pueblo soberano, solo que en éstas, obra el
> pueblo por sí mismo y en aquellas por medio de sus elegidos y representantes.

El Semanario iba mucho más allá. No sólo la monarquía no era
incompatible con el liberalismo y la democracia. Tampoco lo era con

---

(²¹) *El Semanario*, Asunción, marzo 23, 1861.
(²²) *El Semanario*, Asunción abril 6, 1861.

cualquier reforma social, "aunque sean las más avanzadas del socialismo", y aun con su forma más extrema: el comunismo. Pero aunque el vocero oficial se despeñaba luego en una sorprendente apología del comunismo, no el de Marx sino el conocido a través de los escritos de Proudhon, Saint Simon y Fourier, su propósito no era abogar en favor de idea tan radical, sino reconocer a la monarquía capacidad para satisfacer las más audaces teorías políticas, y por lo tanto con aptitud para realizar la democracia y garantizar la libertad.

En realidad, lo que buscaba *El Semanario* con esta campaña era persuadir a los paraguayos que la fórmula ideal para pasar del absolutismo a la libertad, sin los sobresaltos que tanto hicieron sufrir a los pueblos hispanoamericanos, era la monarquía constitucional. Estaba, desde luego, enderezada también esta campaña, que solo cabía atribuir al presidente Carlos Antonio López, al espíritu del general Francisco Solano López, a quien todos sabían preparado para sucederle en el poder, pero de cuyo temperamento personal, que conocía mejor que nadie, su padre tanto temía. Suponía Carlos Antonio que la monarquización del Paraguay satisfaría ampliamente las íntimas apetencias de honras de su hijo y le dejaría margen para realizar, a su sombra, la tan necesaria transformación de las instituciones, a fin de asegurar al pueblo del Paraguay el goce de los derechos cívicos, sin peligrar la paz social, a ejemplo de lo que ocurría en el Brasil y en tantas monarquías constitucionales.

Carlos Antonio López no quería la corona para afirmar o aumentar el poder omnímodo que la Constitución de 1844 depositaría en manos de su hijo mayor, cuando este adviniese al poder, si no para todo lo contrario. Veía en la monarquía el camino para la instauración de las libertades públicas tan ansiadas por el pueblo y para la terminación del régimen de absolutismo, que en su mensaje de 1857 había calificado de provisional, sin exponer al país a los horrores de la monarquía. Francisco Solano López, convertido en monarca constitucional, con cámaras de origen popular que controlaran sus actos, no tendría necesidad de abdicar nada de la majestad del poder, conforme al deslumbrante modelo del Segundo Imperio de Francia, donde Napoleón III era monarca y gobernante al mismo tiempo, con todo el aparato del sistema parlamentario, sin ninguna de sus inconveniencias y siempre en condiciones de defender el orden público y los derechos nacionales. La Corona traería la democracia al Paraguay, sin desmedro de la autoridad ni peligro de anarquía. Tal fue el planteo de *El Semanario* en 1861.

9. Cuando el congreso del 16 de octubre de 1862 nombró presidente al general Francisco Solano López pocos eran lo que, dentro y fuera del país, creyeran que las instituciones paraguayas tuvieran más de republicanas que de monárquicas, a lo cual dio pábulo la forma hereditaria en que se había transmitido el poder. Hubo un

diputado que manifestó escrúpulos de conciencia, en vista de la cláusula constitucional que prohibía los gobiernos de familia. Solano López acalló violentamente esta disidencia y desde los primeros actos de su gobierno se dedicó a acentuar los rasgos externos que tanta similitud conferían al régimen nacional con el vigente en los países con testas coronadas. Mandó construir para servirle de residencia un palacio de características monumentales, así como un oratorio también particular con reminiscencias de los Inválidos de París, y otras obras de grandiosa arquitectura para los miembros de su familia. En el vasto salón de baile del Club Nacional se instaló para el presidente un sillón sobre estrado con gradas y bajo dosel, con todo el aspecto de un trono, y se encargó a París una corona que aunque destinada aparentemente a la histórica imagen de la Virgen de la Asunción, Patrona de la Capital, tenía muy poco de religiosa y mucho de imperial con su juego de rampantes águilas. Y sobre todo mucho boato y despliegue de arreos militares por todos lados, igual a lo que por entonces se veía en el París de Napoleón III que tan vivamente había golpeado la imaginación de Francisco Solano.

"Nuestro país en la actualidad —le decía el teniente de marina Andrés de Herreros a Crisóstomo Centurión cuando éste regresaba de Europa— se parece más a un imperio que a una república. Doquier Ud. vuelve la vista, no verá sino ostentación de fuerzas militares; en los teatros, en los bailes, en los paseos, en todas partes, exactamente lo mismo que en Francia que Ud. acaba de estar" (23).

No tardaron los rumores en el Río de la Plata de que Solano López abrigaba, efectivamente, el pensamiento de monarquizar el régimen institucional. ¿Lo haría para cumplir el plan de su padre, esbozado desde las columnas de *El Semanario* un año antes de la iniciación del nuevo gobierno? ¿Ya que con tanta severidad había reprimido el plan esbozado por el Padre Maíz de llegar a la democracia liberal dentro de la República, optaba ahora por el camino de la monarquía constitucional para dar satisfacción a los reclamos de libertad de su pueblo? Pronto se supo que su resolución de no alterar los lineamientos del régimen político en cuanto a la extensión de sus poderes, era inquebrantable, pero pocos sopecharon que se estaba preparando el Paraguay para la abolición de la República y la instauración de la monarquía, no la monarquía que Carlos Antonio López diseñara en las postrimerías de su vida, sino la monarquía absolutista con sus clásicos atributos, incluso con su fundamentación divina, hasta que la reedición del famoso Catecismo del Arzobispo San Alberto vino a esclarecer las profundidades de su pensamiento. Impreso en la Imprenta Nacional salió a la luz el año

(23)   CENTURION, t. I, p. 129.

1863, ([24]) y destinado no solamente para la enseñanza en las escuelas, sino también para los párrocos, padres de familia "y demás ciudadanos", según circular del Obispado, allí estaba la cruda apología de la monarquía absoluta. He aquí algunos pasajes del famoso Catecismo:

I. *Del principio y origen de los reyes.* — Sea, pues, la conclusión que el origen de los reyes es la misma Divinidad, que su potestad procede de Dios, y que sus tronos son tronos del mismo Dios, según aquellas palabras de la Escritura...

P. — ¿Quién, es pues, el origen de los Reyes?

R. — Dios mismo, de quien deriva toda potestad.

II. *Qué cosa sea Rey, y los modos con que se puede llegar a serlo*

Pensar que la potestad suprema no es más que un nombre vacío, un título sin sustancia, una dignidad soñada, una preeminencia fingida y una autoridad imaginaria de ningún modo radicada en el que la tiene, sería un error seminario de muchos y graves errores...

Es verdad que el hombre puede llegar a ser rey por adopción, por compra, por permuta, por derecho de guerra, por sucesión hereditaria y por elección. Este último modo es el que admite y usa la República del Paraguay para colocar legalmente a un ciudadano en el Magistrado Supremo.

Pero sea esto lo que fuese, lo que no admite duda es que de cualquier modo que el hombre llegue a ser rey, su potestad es dada por Dios, y derivada de la suya...

IV. — *De la superioridad del Rey y de sus oficios.* Un rey dentro de su reino no reconoce en lo civil y temporal otro superior que a Dios, ni otra dependencia o sujeción que la que tiene a la primera Majestad. Ellos son como Dios en la tierra y participan en cierto modo de la independencia divina. Sin esta superioridad o potestad absoluta no podría tal vez obrar lo bueno ni reprimir a los malos... El Rey no está sujeto, ni su autoridad depende del pueblo mismo sobre quien reina y manda, y decir lo contrario sería que la cabeza está sujeta a los pies, el sol a las estrellas y la Suprema Inteligencia motriz a los cielos inferiores que mueve y gobierna...

V. — *De la potestad legislativa del Rey.* La superioridad que el Rey tiene en lo civil y temporal de su reino sería inútil y de ningún valor si no estuviera acompañada de la potestad de hacer sabias y justas leyes...

P. — ¿Para que obliguen las leyes Reales es menester que el pueblo las acepte?

R. — No; porque esto sería gobernarse por su voluntad más que por la del Soberano.

VI. — *De la potestad coercitiva del primer magistrado*... ha querido Dios que los Príncipes a más de potestad legislativa tengan también la coercitiva, para contener con el temor de la pena aquellas almas bajas a quienes no contienen ni el amor ni la conciencia... La cárcel, pues, el destierro, el presidio, los azotes o la confiscación, el fuego, el cadalso, el cuchillo y la muerte son penas justamente establecidas contra el vasallo inobediente, díscolo, tumultuario, sedicioso, infiel y traidor a su Soberano, quien no en vano, como dice el Apóstol, lleva espada...

P. — ¿Está obligado el vasallo a aceptar y sufrir las penas?

R. — Sí; porque son justas y establecidas por ley.

P. — ¿Y debe por sí mismo ejecutarlas?

R. — Sí; como no sean de las más graves o capitales.

(24) Cif.: MANUEL GONDRA: *Hombres y letrados de América*, Buenos Aires 1924, pp. 79-96.

P. — ¿Y aún a éstas debe concurrir indirectamente?

R. — Sí; para manifestar que las acepta y sufre con paciencia.

P. — ¿Qué es concurrir indirectamente?

R. — Subir la escalera si lo ahorcan y aplicar la garganta si lo degüellan por sus delitos.

Pocas dudas podían restar acerca de la existencia de los planes monarquistas de Solano López y del sentido que pensaba dar al cambio institucional, después de la reedición del famoso Catecismo. Pero para llevar aquellos a la práctica necesitaba un respaldo internacional. Pensó que podría prestárselo el Imperio del Brasil y creyó que Don Pedro II apoyaría sus planes y le animaría a empuñar el cetro. Era la única monarquía sudamericana y estaba rodeada de repúblicas hostiles. Seguramente no le disgustaría que una de éstas, y nada menos el Paraguay, adoptara el sistema de gobierno tan criticado por los hispanoamericanos. Lo que el Paraguay estaba dispuesto a dar en compensación era mucho: su amistad y aún su alianza. Porque entre todas las innovaciones que López trajo en mente al asumir el mando supremo, ninguna tan revolucionaria, como la de trocar resueltamente las varias veces secular enemistad entre el Brasil y el Paraguay por una sólida e íntima unión política, sin mengua de las respectivas soberanías y sobre bases enteramente nuevas.

10.   Las concepciones de López iban mucho más allá de la amistad convencional basada en los tratados. Tendían directamente a la alianza de los dos países por las cabezas, al estilo de las milenarias monarquías europeas; mediante la inmixtión de la sangre de las familias gobernantes. López emperador necesitaba fundar una dinastía, y Don Pedro II tenía dos hijas casaderas. La mayor, Isabel, heredera del trono estaba obviamente descartada: quedaba la segunda, Leopoldina, nacida en 1847. Era notorio que el emperador andaba, por entonces, a la caza de novios para sus hijas. ¿No querría acaso consentir la mezcla de la rancia sangre de los Braganza, Borbones y Habsburgos, que corría por las venas de su hija, con la fresca y briosa de un flamante emperador del Paraguay?

Elisa Lynch de Quatrefages, la hermosa irlandesa que Solano López trajo de París, no sería obstáculo. No era sino una de las queridas, la primera de todas, pero sin primacía alguna en la voluntad todopoderosa de López, ante la cual todos se plegaban como débiles juncos al golpe del viento. A la muerte de Carlos Antonio Solano López, había liberado a la Lynch de las penumbras en que la hostilidad de doña Juana Carrillo de López y de sus hijas le habían confinado. Pero cuando el nuncio apostólico, monseñor Marini, interesado en regularizar la situación de la pareja, ofreció la anulación del primer matrimonio de la Lynch efectuado por la Iglesia anglicana, para hacer posible el casamiento católico, Solano López agradeció ese interés pero difirió la aceptación de la propuesta para cuando lo creyera oportuno, oportunidad que nunca se presentó ([25]). López no pensaba desposar a madame Lynch, ni desprenderse de ella, a quien amaba, en aras de un matrimonio de Estado, ya que la propia dinastía brasilera con la cual pensaba unirse había registrado en su historial el antecedente de la marquesa de Santos la famosa amante de Don Pedro I y había tantos otros casos ilustres en los anales de la realeza.

El Brasil, sin duda, taparía los ojos, ante las muchas ventajas que dimanarían de este matrimonio de conveniencia. El Imperio tendría, al fin, el grande y poderoso aliado que predecía Correa da Cámara. En vez de pensar en su destrucción, le convendría el acrecentamiento de las fuerzas de este país ávido de desempeñar en la gran arena de la política sudamericana un papel hecho como de medida para satisfacer las caras aspiraciones y tradicionales conveniencias del Brasil: mantener el equilibrio del Río de la Plata, asegurar la independencia del Uruguay, impedir a toda costa la reconstrucción del Virreinato, sueño de Buenos Aires, ahora al frente de la República Argentina, y asegurar pacíficamente la influencia brasilera en el Paraguay.

Si el Paraguay bajara a la liza sería para defender intereses y ambiciones propios, pero también conveniencias fundamentales del Brasil. Un Paraguay poderoso, aliado con el Imperio por los vínculos de la sangre, ya no sería un peligro, y serviría de escudero o de punta de lanza en la lucha secular para poner a raya a Buenos Aires. Su poderío militar aún reducido a sus verdaderas proporciones, era mucho más efectivo que el de la República Argentina. Aunque barcos, cañones y fusiles del Paraguay eran obsoletos, en su casi totalidad, lo eran mucho más los de la Argentina, cuya población total no superaba la del Paraguay, y cuyo ejército, aunque aguerrido en las batallas de la anarquía, ni era tan numeroso ni tan disciplinado. El Paraguay se bastaba para poner en vereda a Buenos Aires ([26]), si ésta se obstinaba en llevar adelante sus viejos sueños de predominio en la antigua órbita virreinal. Y llegado el caso de que Buenos Aires volviera a las andadas, ¿no sería la hora de una nueva remodelación del Río de la Plata, mediante la formación del gran Estado litoral, con el Paraguay, Corrientes, Entre Ríos y quizás Uruguay, tantas veces insinuado por el Imperio del Brasil como único modo de contener definitivamente las ansias expansivas de la antigua capital del Virreinato? ([27]). Si fuera así, el Imperio que Solano Ló-

([25]) M. C. LEYES DE CHAVES: Madame Lynch, Buenos Aires, 1957, pág. 297-8.

([26]) Paranhos, en sus anotaciones a Schneider afirma que el ejército paraguayo estaba en condiciones de marchar, sin oposición, hasta la misma Buenos Aires.

([27]) Conf. CARDOZO, Vísperas, pp. 37-38.

pez entregaría como presente de bodas a la hija de Don Pedro II
tendría mucho de aquella Provincia Gigante de Indias esfumada en
las penumbras de la historia y que sería reconstruida no con
los girones arrebatados por manos brasileras donde para siempre per-
manecerían, sino a costa de Buenos Aires, cuyo poder quedaría definitivamente anulado.

Y mientras Solano López buscaba, por muy ocultos canales, la
aquiescencia del emperador del Brasil para estos grandiosos proyectos (28), estalló una revolución en la República Oriental del
Uruguay.

(28) Los proyectos monárquicos y matrimoniales de Solano López circularon
libremente en la prensa mundial. Nunca fueron desmentidos por *El Semanario*,
tan pronto siempre en salir al paso de los infundios que afectaban al gobierno
del Paraguay, y que, como queda visto, en 1861 había sostenido una campaña
en favor de la monarquía, prueba concluyente de la existencia del pensamiento.
Washburn se refiere al episodio, aunque con su habitual acrimonia tratándose de
López, en una carta a *Tribune* de New York, del 22 de enero de 1870, que se re-
produce en la edición de Buenos Aires de MASTERMANN de ese mismo año. Luego,
WASHBURN en su *History of Paraguay* (1871) vuelve a referirse extensamente al
asunto. SCHNEIDER, en el primer tomo de su obra original (1872) recoge la versión de los decires de la prensa "de todos los países", sin darles crédito en lo
referente al plan matrimonial aunque aceptando la intención de monarquización
y expansión territorial. Paranhos en las anotaciones a la edición brasilera de
Schneider (1875) atribuye el "invento" del proyecto matrimonial a Washburn,
pero agrega significativamente: *"Estamos persuadidos, y eso se desprende de documentos del archivo de López que el dictador no se armaba para hacer la guerra
del Brasil. El proyecto que alimentaba entonces era extender sus dominios para
el Sud, conquistando Corrientes, tal vez ni eso, mas solamente ganar fama militar
e influenciar en las cuestiones del Río de la Plata"* (t. I, p. 85). Es también
altamente significativa la siguiente referencia que trae el barón de Río Branco,
en su *Historia de Don Pedro II* (publicada bajo el nombre de B. Mossé) que,
según se lee en el prólogo fue severamente documentado: *"Feito presidente (López),
após a morte do pae, procurou alliarse com o Brazil. Porem, certos estadistas bra-
sileiros, tal vez erradamente, nao o tomaran a serio, e Lopez abespinhou-se. Era
seu plano augmentar o Paraguay con prejuizo da Argentina, conquistando as provincias de Corrientes e Entre-Ríos, assim como a ilha de Martin-García, que
domina a entrada do Paraná e do Uruguay. Contava, como Napoleón, fazeese
acclamar imperador após a victoria"* (pág. 109). Esa proposición de alianza, sólo
pudo existir por la vía de la unión dinástica, único caso en que cabe concebir
que los estadistas brasileros aludidos no pudieran tomar en serio a López, como
efectivamente no lo tomaron. Todo lo referente a los casamientos de sus hijas
fue tratado personalmente y en el mayor secreto por Don Pedro II (véase LYRA,
t. I, pág. 398); el archivo imperial guardado en el castillo D'Eu, Francia, no
está librado al público y sólo parcialmente ha sido publicado. En cuanto al archivo privado de Solano López, que con seguridad manejó también personalmente
el negocio, se halla disperso, inaccesible mucho de lo poco rescatado de la destrucción y publicado sólo en mínima porción. López se refirió a los proyectos
monárquicos en conversaciones con Washburn, registradas en despachos contem-
poráneos, que HORTON BOX extracta y de ellos también se hicieron eco los
diplomáticos en Buenos Aires, según relatamos más adelante. Christiani Benedicto Ottoni refiriéndose en su *Autobiografía* a los motivos que pudo tener pos-

teriormente el emperador Don Pedro II para no aceptar ninguna paz negociada con López dice: "Sin embargo, en voz baja, muchos decían que S.M.I. era llevado por un motivo personal dinástico: López osara pedir en matrimonio a la princesa Leopoldina, No pude dar por averiguado este hecho pero fue afirmado por varias personas que parecían tener motivos de saberlo". Silvano Mosqueira, autor paraguayo que residió varios años en Río de Janeiro con cargos diplomáticos, en su libro *Impresiones sobre los Estados Unidos* (Asunción, 1925), acota: "El Barón de Río Branco dijo una vez en Itamaratí al Ministro Plenipotenciario del Paraguay don Juan Silvano Godoy —según referencia verbal de éste—, que también había oído hablarse, en la Corte de Río de Janeiro, que el mariscal López había solicitado la mano de la princesa Leopoldina, hija del Emperador pero que nunca pudo encontrar, a pesar de empeñosas investigaciones, en los archivos oficiales del Brasil, documento alguno que comprobase tal aserción. Habiendo, a nuestra vez, referido esta opinión del Barón al ilustre prócer de la República Brasileña, doctor Joao Coelho Lisboa, éste replicó: "¿Creerá por ventura el Barón que un asunto de esa naturaleza se ventila y se tramita como una cuestión de límites o tratado comercial, por medio de notas y documentos oficiales " (pág. 41).

Capítulo VI

REVOLUCION EN EL URUGUAY

1. El General Flores en armas. — 2. Rumores en el Río de la Plata. — 3. Actitud del Brasil. — 4. Loureiro en Montevideo. — 5. El Protocolo del 20 de octubre. — 6. Solano López recusado. — 7. Nuevo ministro brasilero en Asunción. — 8. Tirantez con Buenos Aires. — 9. Bareiro, comisionado a Europa. — 10. Cambios políticos en Río de Janeiro.

1. La revolución iniciada el 19 de abril de 1863 por el general Venancio Flores en la República Oriental del Uruguay puso en evidencia los factores de crisis que estaban bulliendo en el Río de la Plata (¹). El movimiento fue visto en Buenos Aires como el episodio culminante de la larga lucha entre unitarios y federales, convertida en lucha entre la capital y las provincias, y resuelta artificialmente en Pavón según la opinión de los porteños extremistas, mal avenidos con las complacencias de Mitre con Urquiza. El gobierno oriental del presidente Bernardo Berro acusó al argentino de promover y alentar la revolución, pero el general Mitre, por intermedio de su canciller Rufino de Elizalde, rechazó airadamente el cargo, y pronto las relaciones entre Buenos Aires y Montevideo, estuvieron al borde de la guerra. Los blancos pusieron su vista en el Paraguay, a cuyo flamante presidente el general Francisco Solano López, sabían anhelante de actuación internacional y sumamente celoso de la independencia de su país. Octavio Lapido fue destacado a Asunción para solicitar la alianza militar contra Buenos Aires a la cual se imputaba el designio de reconstruir el virreinato del Río de la Plata. El emisario oriental debía también proponer, si encontraba terreno propicio, una audaz remodelación de la geografía política, barajando ante los ojos de López las diversas combinaciones,

---

(¹) Parte de este capítulo es apretada síntesis de nuestro libro *Vísperas de la Guerra del Paraguay*, al cual nos referimos, sobre todo para las referencias documentales, cuando no hay expresa constancia de estas últimas.

todas favorables a los sueños de grandeza en que se le suponía sumido, que podían hacerse con las provincias litorales argentinas a costa de Buenos Aires. Por su parte, el general Urquiza, alarmado por las intenciones atribuidas a Mitre de utilizar el Estado Oriental, una vez triunfante Flores, para imponer el señorío de Buenos Aires en Entre Ríos, envió un mensajero hasta López para apoyar las gestiones de Lapido e insinuar que provocaría la separación absoluta de Buenos Aires, para resolver las provincias nuevamente bajo su mando, reconstruida la Confederación y de acuerdo con el Paraguay, todas las cuestiones del Río de la Plata.

Solano López rechazó tanto las incitaciones de Lapido como las de Urquiza. Pero su intención no era desinteresarse del pleito oriental, sino todo lo contrario. Vio en él la tan esperada ocasión para asumir el papel que se había señalado a si mismo en el concierto rioplatense, de árbitro mantenedor de la paz y del equilibrio de las naciones, en resguardo de la independencia paraguaya que tenía en ese equilibrio la mejor garantía, según la vieja fórmula brasilera ahora adoptada por el Paraguay como basamento de su nueva política exterior. En consecuencia, el 6 de setiembre de 1863 el gobierno del Paraguay se dirigió al argentino pidiendo explicaciones sobre la denuncia hecha por Montevideo de que Buenos Aires alentaba propósitos contrarios a la independencia oriental. López no hacía suyas las acusaciones; sólo tomaba ocasión en ellas para arrancar de Buenos Aires el reconocimiento del derecho paraguayo de velar por la paz y el equilibrio del Río de la Plata.

El gobierno argentino se negó a satisfacer las explicaciones solicitadas, y reiteradas una y otra vez, por el Paraguay. Al mismo tiempo, el general Mitre dio giro distinto a las negociaciones epistolares con López. Ambos gobernantes ya se habían puesto de acuerdo para la designación de plenipotenciarios y sobre la sede de las conversaciones con vistas a la solución de la cuestión de límites, pero Mitre anunció que todo quedaría en suspenso hasta tanto se aclarara la atmósfera creada por el pedido de explicaciones.

2.   Efectivamente, los cielos del Río de la Plata se llenaron de rumores según los cuales Paraguay, Uruguay y Entre Ríos, habían concertado un arreglo secreto para proceder en mancomún frente a Buenos Aires. La prensa porteña se pronunció violentamente contra Urquiza y hubo algunos conatos subversivos en Entre Ríos. Pero Urquiza, decepcionado por la acogida que tuvo su gestión en el Paraguay, desautorizó todo movimiento contra el orden nacional y además puso en claro ante Mitre que ningún acuerdo tenía ni con el Paraguay ni con los blancos orientales. Por su parte, el doctor Lorenzo Torres intercedió oficiosamente ante Mitre para persuadirle que Lapido nada había logrado arrancarle a López y que las relaciones entre Montevideo y Asunción estaban lejos de ser amistosas,

como resultado del serio incidente producido por la indiscreta revelación que el Paraguay hiciera en su nota del 6 de setiembre de 1863 de los manejos del gobierno oriental.

Mitre sugirió el envío a Asunción del propio Torres como agente confidencial para desvanecer los equívocos de la situación, pero López no aceptó el arbitrio, insistiendo en la necesidad de la designación de plenipotenciarios y en la demorada respuesta al pedido de explicaciones. Quería recibirlas en cualquier sentido, aunque fuera para negar los hechos denunciados. Lo que le importaba era que Buenos Aires reconociera el derecho del Paraguay de intervenir en las cuestiones del Río de la Plata. Mitre no estaba dispuesto a concederle ese derecho, dado el sesgo de los acontecimientos y porque en este punto comenzó a actuar a su vera la diplomacia del Brasil, resuelta a impedir todo acercamiento paraguayo-argentino y a llevar adelante el plan de Paranhos de alcanzar a cualquier costo, la inteligencia entre Río de Janeiro y Buenos Aires, con vistas precisamente al Paraguay, aun cuando su presidente se empeñara grandemente por entonces en ganar la amistad y aún la alianza del Imperio con su audaz proyecto de monarquización y de desposamiento con una de las hijas del emperador del Brasil.

Si el emperador Don Pedro II en verdad animó a López en sus aspiraciones monárquicas, lo habría hecho, según Washburn, con la esperanza de que ellas le llevaran a su total anulación. Miraba la existencia de un gobierno como el del Paraguay, "como un obstáculo y estorbo perpetuo para el desarrollo y el progreso de la América del Sud", y no tomó en serio, en ningún momento, los proyectos matrimoniales de López planteados como la mejor manera de llevar adelante la alianza íntima con el Imperio en que soñaba el nuevo gobernante de Asunción (²). La diplomacia imperial, por su parte, dio por inexistentes los planteos paraguayos, y continuó con los suyos en relación con Buenos Aires, cuya estrecha amistad pasó a ser uno de sus obsesionantes objetivos.

3. La revolución oriental, iniciada en abril de 1863, vino a poner a prueba la viabilidad del nuevo planteamiento de la diplomacia imperial. Buenos Aires, que nunca había aceptado el convenio de 1859, no se sentía atada por compromisos de neutralidad y ayudó cuanto pudo, fiel a las ancestrales afinidades políticas, al general Flores en su empresa revolucionaria. Las antiguas tradiciones impelían al Brasil a tomar bajo su manto al amenazado gobier-

(²) WASHBURN, t. II, pág. 221.

no de Montevideo, su tradicional pupilo, sobre todo desde que este sindicaba públicamente a Buenos Aires como promotora de la revolución, y le atribuía el designio de instrumentar al general Flores a planes de anexión. Pero el Imperio, aunque se le hiriera en su nervio más sensible, se abstuvo esta vez de amparar a Montevideo, para no chocar con Buenos Aires. La magnífica oportunidad, que no hubiera desaprovechado el vizconde del Uruguay, de hacer tremolar nuevamente la bandera brasilera en las orillas del río de la Plata, con el pretexto de defender las instituciones y la independencia del Estado Oriental, fue desdeñada ostensiblemente.

Además, se hizo evidente que el gobierno de Río de Janeiro hacía la vista gorda a los notorios auxilios que la causa revolucionaria recibía, desde territorio brasilero. Antes de la iniciación del movimiento, el gobierno de Montevideo había denunciado a la Legación imperial que en las zonas fronterizas se estaban reuniendo grupos armados de orientales y brasileros con intenciones de incursionar en territorio uruguayo y pidió la adopción de medidas de prevención (3). El encargado de negocios brasilero Barbosa da Silva transmitió directamente la denuncia al comandante de la frontera, general David Canabarro, quien repuso que eran inciertas las noticias, pero pocos días después, al tiempo que Flores iniciaba su movimiento desde costa argentina, grupos armados con organización militar, y en número muy superior a los que acompañaron al jefe revolucionario, se introducían en territorio uruguayo por la frontera de Salto, lo cual motivó una nueva y enérgica reclamación del gobierno de Montevideo. La legación imperial repuso:

> El abajo firmado no tiene conocimiento alguno de los nuevos hechos a que V.E. alude. Ellos se habrían verificado, sin duda, sin conocimiento de las autoridades brasileras, porque de otro modo, ellas no consentirán de cierto que los refugiados orientales, abusasen así del asilo que tan generosamente les ha sido concedido.
>
> Por otro lado, no puede S.E. desconocer las dificultades que encuentran las mismas autoridades para estorbar los manejos de pequeños grupos dispersos sobre una frontera extensa y poco poblada, e impedir incursiones que, las propias autoridades orientales, a pesar de estar avisadas, no consiguieron estorbar (4).

La cancillería oriental replicó largamente, con virulencia mal reprimida, basada en abundante documentación comprobatoria de las actividades prerrevolucionarias en territorio brasilero, realizada

(3) De Herrera a Barbosa da Silva, Montevideo, marzo 31, 1863, *La Reforma Pacífica*, Mont., marzo 11, 1864.

(4) De Barbosa da Silva a Herrera, Montevideo, abril 29, 1863, *La Ref. Pac.* cit.

a vista y paciencia de las autoridades, no sólo en la jurisdicción del general Canabarro, sino también en la importante población de Uruguayana, desde cuya plaza pública había partido una importante expedición armada. Entre las pruebas aportadas por el canciller Herrera estaban cartas suscriptas por propietarios brasileros radicados en el Uruguay que se agitaron pidiendo al gobierno de Montevideo amparo y protección para sus vidas y propiedades, así como la lista de jefes y oficiales brasileros que participaban en la invasión. El gobierno reclamaba enérgicamente la desautorización y el castigo de las autoridades brasileras implicadas, así como garantías para el futuro, pero se cuidó mucho de particularizar sus denuncias en las autoridades de Río Grande del Sur dejando a salvo la responsabilidad del emperador y de su gobierno. Decía Herrera:

A más de sagrados deberes internacionales, a más de conveniencias políticas de orden superior, sabe bien S.E. el presidente de la República, con cuanta solicitud, con cuanto amor, tutelan la augusta persona de S.M. el Emperador y su gobierno los intereses de sus súbditos en este territorio, y está seguro que no tolerará que las armas del Brasil, que los jefes militares del Imperio y sus súbditos, sean los que tomen a su cargo el hacer la ruina de tales intereses, reproduciendo hoy en época normal de paz y armonía, salteamientos e invasiones que, como las de años anteriores, de un barón de Yacuy, quiten al Imperio todo derecho de formular cargos al país que los sufre, por el perjuicio que irroguen a los intereses y riquezas de sus súbditos (⁵).   .

El gobierno imperial prometió reprimir con rigor los actos practicados en su territorio con el fin de fomentar las hostilidades contra el gobierno de "un estado vecino y amigo, en que residen con abultados capitales millares de brasileros laboriosos y pacíficos, altamente interesados en la coservación del orden público (⁶), pero nuevas reclamaciones de Herrera pusieron en evidencia que no habían cesado aquellas actividades.

4. El 21 de julio de 1863 quedó acreditado como ministro residente del Imperio Joan Alves Loureiro, quien en el acto de entrega de sus credenciales declaró que "el gobierno imperial se mantiene firme en el propósito de observar y hacer observar por los súbditos brasileros la más perfecta y absoluta neutralidad en las luchas intestinas de la república", lo cual puso en conocimiento de los vicecónsules, para recomendarles el acatamiento de esas directivas.

Interponiendo —les decía— su consejo y diligencia con este contesto, los vicecónsules deberán disuadir a los súbditos del emperador que por ventura se

(⁵)   De Herrera a Barbosa da Silva, Montevideo, mayo 8, 1863, *La Ref. Pac.*, V-12-64.
(⁶)   De Barbosa da Silva a Herrera, Montevideo, mayo 9, 1863, *La Ref. Pac.*, V-15-64.

mostrasen dispuestos a una tal ingerencia, haciéndoles comprender que ninguna parte deben tomar en las discordias del país extranjero en que residen, y que, mezclándose en ellas se expondrán a cualquier consecuencia desastrosa de la lucha y malograría la protección que el gobierno imperial siempre ha prestado a los brasileros [7].

Estas directivas fueron letra muerta, como las anteriores. Los brasileros residentes continuaron auxiliando a la revolución y muchos de ellos se alistaron en sus filas, sin que la legación imperial en Montevideo se sintiera incómoda. Y cuando en setiembre de 1863 el ministro Loureiro se trasladó a Buenos Aires, siguiendo instrucciones de su gobierno, para explorar y solicitar explicaciones sobre las denuncias orientales acerca de la ingerencia argentina en la lucha intestina, evidentemente no hizo sino cumplir un formalismo, pues aceptó sin vacilar las que le quiso proporcionar el gobierno del general Mitre. Las intenciones de la República Argentina fueron reconocidas públicamente por el Brasil como leales y ajenas a todo propósito peligroso para el Uruguay.

El Imperio, por primera vez en mucho tiempo, dejaba que las cosas orientales se desenvolvieran sin su directa participación y sin que parecieran perturbarle los notorios auxilios y simpatías que recibía una revolución desde Buenos Aires. En Río de Janeiro se anunció el propósito de mantener estricta neutralidad en la crisis oriental. Si se le negaban socorros al gobierno blanco tampoco se permitiría que los brasileros engrosaran las filas revolucionarias. Y como estas últimas prohibiciones no surtieran efecto, pues Río Grande del Sur seguía siendo la base de las operaciones de Flores y era cada vez mayor el aporte brasilero en jefes y soldados incorporados al movimiento revolucionario, severas reconvenciones fueron transmitidas por el gabinete al presidente de Río Grande do Sul:

El gobierno imperial ha visto con amargura que, a pesar de sus insistentes y reiteradas órdenes y recomendaciones, la causa de la rebelión que actualmente azota el Estado Oriental, continúa encontrando el apoyo y el concurso de algunos brasileños irreflexivos, que desconociendo sus propios deberes y los de su país, exponen así al mismo gobierno a acusaciones de deslealtad en sus declaraciones solemnes, y quizás a conflictos internacionales de consecuencias gravísimas.

Además de infringir la abstención y la neutralidad, que el gobierno imperial está tan interesado en hacer respetar en la desastrosa lucha de que se trata, la imprudencia de esos brasileños es tanto más criminal y condenable cuando que no sólo inhiben al mismo gobierno de prestarle la protección debida, reclamando contra cualesquiera vejámenes o violencias de que puedan ser víctimas en la senda desatinada a que se han lanzado, sino, lo que es más, dificultan

[7] De Loureiro a Oliveira, Montevideo, julio 22, 1863, *La Ref. Pac.*, V-2-64.

la protección y el apoyo a que tienen sagrado derecho los brasileros inofensivos, que residen en el territorio de la República, exclusivamente dedicados a su trabajo y a su industria (8).

El Imperio aplicaba, siquiera en la teoría, el tratado de 1859, sin esperar la adhesión argentina, dando por cierto que Buenos Aires no ayudaba a la revolución aunque le constara lo contrario, y anatematizando a los brasileños que infringían las reglas de abstención y neutralidad, por más que sus órdenes no surtieran el menor efecto. De este modo, se reducían a lo mínimo los peligros de fricción con Buenos Aires y se allanaba el camino para futuros entendimientos. El gobierno de Mitre se había negado a ratificar el tratado de 1859, arguyendo la necesidad de negociar uno nuevo, pero pronto se hizo evidente en Buenos Aires que otra atmósfera presidía las relaciones argentino-brasileras. El barón de Mauá, con la ayuda de Andrés Lamas, entonces residente en Buenos Aires, intercedió eficazmente para facilitar el gran cambio que prohijaba la diplomacia imperial, con la vista puesta no en el Estado Oriental sino en la República del Paraguay.

5.   Nada contribuyó más a acortar distancias hacia el objetivo perseguido por el Brasil como la propia actitud del Paraguay frente a la crisis oriental. El Paraguay, que nunca se había interesado por la suerte de la República Uruguaya, ahora, bajo la presidencia del general López, adoptaba postura muy distinta, al mismo tiempo que aparentemente desde Asunción salían rumores de la preparación de un gran movimiento, con la cooperación del general Urquiza, dirigido contra Buenos Aires entonces en violenta polémica con el gobierno oriental. La irrupción del Paraguay como nuevo factor internacional y su pretensión de velar por el equilibrio del Río de la Plata, tenían que aunar, de por fuerza, en sus alarmas, al Imperio y al gobierno argentino. Ambos países se hallaban confrontando problemas de comunes raíces con un vecino tenaz, intransigente y animoso que acababa de lanzarse, con toda la energía de su juventud tanto tiempo contenida, a la ardiente arena de las luchas internacionales, dispuesto a desempeñar el muy alto y por nadie, que no fueran los blancos, pedido papel de árbitro del Río de la Plata. Señalar el peligro común era indicar la necesidad de una común línea de conducta y es lo que hizo la diplomacia imperial.

Las circunstancias abonaron el terreno donde pronto la nueva política brasilera comenzó a cosechar frutos óptimos. Una por una fueron cayendo las viejas prevenciones argentinas. A Buenos Aires

(8)   RELATORIO, 1863, Additamento, Annexo I, p. 122.

nada le costó entrar por el aro. La amistad brasilera le permitía afrontar con mejores perspectivas de éxito los tres problemas sólidamente enlazados: el oriental en primer lugar, la ambigua posición de Entre Ríos, y finalmente el creciente poderío del Paraguay que, en cualquier momento, podía levantar la bandera que Urquiza dejó caer en Pavón. Por de pronto, le permitía al gobierno argentino adoptar ante los reiterados pedidos de explicaciones formulados por el Paraguay una firme actitud. Mitre, que en los comienzos de su gobierno, sugirió al gobierno del general López un acuerdo para encarar juntos los problemas con el Brasil, se apartó de esa idea y a poco andar negó al Paraguay todo derecho de ingerencia en el pleito oriental. Además aceptó la intervención de Mauá, siempre listo para actuar como agente oficioso del Imperio, a fin de tentar una solución de las controversias con el gobierno oriental. Este se mostró accesible, decepcionado por la negativa del Paraguay a prestarle ayuda efectiva. Con la eficaz colaboración de Lamas, se llegó a un arreglo el 20 de octubre de 1863 y se designó al emperador del Brasil como árbitro de futuras dificultades.

6.	Esto último no estaba previsto en las instrucciones de Lamas y causó malestar en Montevideo. Como simultáneamente se recibió noticia de que Lapido había prometido a López un lugar importante en cualquier arreglo, el gobierno oriental solicitó la modificación del protocolo, a fin de que el presidente del Paraguay fuera designado árbitro, al par del emperador. El gobierno de Mitre rehusó airadamente la ampliación del protocolo, tal como querían los blancos sólo para dar satisfacción al presidente del Paraguay, resuelto como estaba a entrar en la vía de entendimientos a que le invitaba el Imperio.

Solano López se sintió herido en lo más vivo por este rechazo, pero su enojo estuvo dirigido contra Buenos Aires, no contra el Brasil, de cuyo emperador esperaba recibir alientos para llevar adelante los planes de monarquización y una respuesta favorable al proyecto matrimonial, acerca del cual Don Pedro II no había dicho una palabra.

En realidad, desde que López asumió el poder, la actitud del Paraguay hacia el Brasil, vista a través de *El Semanario*, antes tan mordaz con el Imperio, se había vuelto inusitadamente cortés. No varió la mesura asuncena cuando, producida la grave crisis oriental, el Imperio se abstuvo de interceder en favor del gobierno de Montevideo, como lo hizo el Paraguay, y se mostró inclinado a marchar de acuerdo con Buenos Aires al mismo tiempo que aparentemente dejaba las manos libres a los riograndenses para seguir ayudando, en toda forma, a la revolución colorada. Comenzaron a llover sobre Asunción las versiones alarmantes pero ellas no le sacaron de quicio al general López. En mayo de 1863 se habló de una combinación entre Río de Janeiro y Buenos Aires para auxiliarse mutuamente: el Brasil cooperaría en el mantenimiento de la situación interior argentina a trueque de la ayuda argentina en la cuestión de límites del Imperio con el Paraguay. El gobierno de Asunción no dio mayores señales de inquietud. Tampoco salió de sus casillas cuando el canciller oriental Juan José Herrera informó al agente paraguayo Juan José Brizuela que el Brasil impulsó el frustrado arreglo del 20 de octubre de 1863 solamente para evitar que el Paraguay llegara a pesar su influencia en la balanza. Cuando fue rechazada la inclusión del general López como árbitro al par del emperador, Herrera volvió a atribuir ese rechazo, que tanto ofendió a López, a manejos del Brasil en mancomunión con Buenos Aires. Ambos —según aseguró a Brizuela— ante la actitud del Paraguay se convertían en aliados naturales, pues teniendo pendientes sus cuestiones de límites, no podía serles agradable la influencia del Paraguay en el Plata.

La intriga al parecer no encontró ambiente en Asunción, y tampoco inquietó que el Brasil destacara a Buenos Aires como ministro a José Pereira Leal, el viejo enemigo del Paraguay. En noviembre de 1863, López dio al ministro americano Washburn una extraordinaria información que permitía suponer que sus relaciones con el Imperio no podían ser mejores. Le aseguró que Don Pedro II le había invitado a convertir al Paraguay en Imperio, y a ceñirse él la corona imperial. Casi coincidentemente el encargado de negocios británico en Buenos Aires relató a su gobierno:

> Se me ha informado que el presidente de la República del Paraguay ha solicitado saber de los gobiernos de Inglaterra, Francia y Brasil, si, en caso de que le pida la nación asuma el título de emperador y él acepte para su familia la sucesión hereditaria, los tres gobiernos arriba mencionados le reconocerían en su nueva posición. Se me ha informado además que el presidente general López ha recibido ya una respuesta favorable del gobierno brasileño [9].

Dos meses después, el ministro americano recogió en Buenos Aires, de una fuente que le parecía fidedigna, la versión de que López pensaba declararse emperador el 1º de enero de 1864, y que ya contaba con el reconocimiento de Francia y del Brasil. Washburn apresuró su regreso a Asunción y no encontró ninguna señal que denunciara un cambio inmediato, "aunque parece ser general la im-

[9]   De Doria a Russell, Buenos Aires, octubre 12, 1863, HORTON BOX, p. 211.

presión de que se lo hará tarde o temprano". Decidió entonces abordar directamente a López Le preguntó de sopetón si se proponía transformar el Paraguay en Imperio, pero el presidente declinó expresarse sobre el punto en forma alguna.

7. Cuando, en febrero de 1864, se anunció que la legación del Brasil, tanto tiempo vacante, iba a ser provista, en Asunción no se ocultó la satisfacción oficial. *El Semanario,* a través de una correspondencia de Buenos Aires, celebró esta designación "como una nueva prueba de consideración consagrada al Paraguay por el Imperio Brasilero" y comentó sugestivamente:

> Todo anuncia que el gabinete de Río de Janeiro y el de la Asunción fundarán sobre bases sólidas la amistad de dos naciones que han adquirido envidiable renombre por la estabilidad de sus instituciones y su prosperidad creciente (10) .

El nuevo encargado de negocios, Cayetano María López de Gama fue reconocido en su carácter diplomático el 16 de febrero de 1864. *El Semanario,* saludó efusivamente la llegada del representante del Imperio "después de largo tiempo en que extrañamos la presencia de un diplomático brasilero". Informó también que Lopez Gama efectuó, apenas llegado, algunas conferencias con los hombres del gobierno "sin que aún sepamos las verdaderas miras que trae este diplomático", hizo votos porque el nuevo representante imperial aportara la solución del "escabroso arreglo de límites territoriales" y concluyó:

> No pueden desconocerse las grandes ventajas de un arreglo definitivo entre el Brasil y el Paraguay; sus intereses se relacionan, se tocan y vinculados por una verdadera amistad y armonía, pueden desenvolverse prodigiosamente con un activo comercio sus grandes riquezas (11) .

Si Solano López esperó que López de Gama fuera portador de las tan ansiadas respuestas de Don Pedro II a sus proposiciones de alianza por la vía dinástica previa creación del Imperio del Paraguay con el espaldarazo de Brasil, sus esperanzas resultaron fallidas. Nada tuvo para decir al respecto el diplomático brasilero, y nada siquiera sobre el problema territorial. El Imperio se sumía en impenetrable reserva, al tiempo que su diplomacia se entregaba a misteriosos manejos en el Río de la Plata. Había motivos para que la duda comenzará a corroer el ánimo del presidente López. ¿Sería verdad el estribillo de los diplomáticos blancos: que el Imperio y la Argentina estaban poniéndose de acuerdo, primero para dar buena

(10)   *El Semanario,* Asunción, febrero 13, 1864.
(11)   *El Semanario,* Asunción, marzo 5, 1864.

cuenta del Uruguay y luego del Paraguay? Pero Solano López se aferraba tercamente a sus esperanzas. No concebía que el Imperio se negara a escuchar su mensaje de amistad y que quisiera de verdad secundar a Buenos Aires en sus designios contrarios a la tradicional política brasilera. El corresponsal en Buenos Aires de *El Semanario,* que no escribiría una línea que no respondiera exactamente a las directivas oficiales, opinó:

En todo caso, creo difícil cualquiera acción combinada de los gobiernos brasilero y argentino en los asuntos orientales, prefiriendo el primero desplegar con independencia la política que le cuadre [12].

Poco tiempo permaneció López de Gama en Asunción. Resentida su salud, se propuso bajar a Buenos Aires para restablecerla. Quiso dejar al adjunto a la legación como encargado de negocios interino, pero su pretensión no fue admitida y se originó una polémica que reveló cuan rápidamente se había deteriorado la atmósfera que las esperanzas monárquicas y matrimoniales habían diafanizado por algún tiempo. Berges arguyó que López de Gama, simple encargado de negocios, carecía de facultades para delegar sus funciones, y que no le correspondía salir del país sin pasaportes como se proponía. El diplomático repuso que no lo precisaba porque su ausencia sería breve. Citó las prácticas europeas, y Berges señaló las del Paraguay, a que debía atenerse, declarándole, que, sin embargo, no haría cuestión de ellas y que podía irse como quisiera, con o sin pasaportes. López de Gama accedió entonces, aunque de mala gana, a retirar sus pasaportes. El resultado de este enojoso e inútil incidente fue que el diplomático brasilero salió de Asunción "muy prevenido" contra el gobierno paraguayo, según informó el representante uruguayo a su cancillería [13]. El órgano oficial comentó con ácida ironía la "desgracia" que tenían las cuestiones pendientes con el Brasil: cuantos diplomáticos venían, a poco dejaban la República para recuperar su salud en el Plata. Así lo habían hecho, antes que López de Gama, sus inmediatos antecesores, Varnhagen y Borges:

Nosotros que deseamos verdaderamente una definitiva resolución de esos asuntos arduos y contenciosos, que parecen poner un obstáculo a nuestras sinceras y amigables relaciones con nuestros vecinos, deploramos que nuestro clima tenga tan maligna influencia sobre los diplomáticos que envía el Brasil [14].

[12] *El Semanario,* Asunción, marzo 12, 1863.
[13] De Brito del Pino a Herrera, Asunción, abril, 21, 1864 HERRERA, I, t. IV, p. 467.
[14] *El Semanario,* Asunción, abril 30, 1864.

8. A pesar de todo, el malhumor de Solano López aún no estaba enderezado contra el Brasil, por lo menos públicamente. En esos momentos, Buenos Aires continuaba monopolizando su irritación. El gobierno argentino se mantenía irreductible en su determinación de no reconocer al Paraguay el derecho de terciar en los asuntos del Río de la Plata. Habían sido vanos los varios intentos de arrancar explicaciones sobre la denuncia de que detrás de la revolución colorada estaba la intención anexionista. En Asunción no se daba mucho crédito a la imputación y nada se quería saber de entrar en tratos con los blancos para hacer frente al supuesto peligro de la revivencia de la vieja idea de la reconstrucción del Virreinato. Tan sólo se deseaba que Buenos Aires contestase las notas paraguayas de cualquier modo: un desmentido rotundo sería aceptado sobre tablas. Lo que ahora se buscaba era sólo el reconocimiento del derecho paraguayo a pedir tales explicaciones, ya ni siquiera el de admitir a López como mantenedor del "statu quo". Pero Mitre no se allanó a nada. No le daría a López el gusto de traerle de la mano al circo rioplatense. La negativa argentina exasperaba y ofendía: era una ofensa a la dignidad del Paraguay y de su gobernante. Por primera vez surgió en la correspondencia oficial la palabra "guerra". Berges escribió al agente en Buenos Aires:

> La situación difícil en que estamos con la República Argentina ha sido creada por ese gobierno, situación peligrosa y estéril para ambos países, que puede hacernos olvidar nuestra política tradicional y turbar nuestra paz de medio siglo.
> Lamento la posibilidad de un conflicto con una república vecina y hermana, pero necesaria es la guerra algunas veces, mucho más cuando se falta al respeto debido a nuestro gobierno, y se hiere la dignidad nacional [15].

Efectivamente, el Paraguay parecía ponerse en pie de guerra. En los primeros días de enero de 1864 fueron impartidas instrucciones a los comandos militares del interior para reunir y organizar tropas. El 6 de febrero se expidió una última y terminante nota al gobierno argentino en que se declaraba que el Paraguay prescindía de las explicaciones solicitadas, y que en adelante atendería sólo a sus propias inspiraciones "sobre el alcance de los hechos que puedan comprometer la soberanía e independencia del Estado Oriental, a cuya suerte no le es permitido ser indiferente; ni por la dignidad nacional ni por sus propios intereses en el Río de la Plata". En la misma fecha, López despachaba su última carta a Mitre que fue contestada habilidosamente. Los últimos oficios, el de la cancillería paraguaya y del presidente argentino quedaron sin respuesta.

[15] De Berges a Egusquiza, Asunción, enero 6 de 1864, CARDOZO, p. 290.

Ni aún entonces, López se avino a combinar con Montevideo los medios prácticos de resistencia y represión contra Buenos Aires que le insinuaban los blancos, aun cuando reconociera que pudiera estar cercana la necesidad de hacerlo. La vacante de la legación oriental —Lapido se había retirado dejando un encargado de negocios— no dejaba de molestarle, y su mala voluntad para con el gobierno uruguayo estalló cuando el *Paraguarí,* barco de guerra para guayo afectado al servicio regular de comunicaciones con el Río de la Plata, fue objeto el 27 de febrero de 1864 de un procedimiento policial en la rada de Montevideo. Enérgicas reclamaciones fueron formuladas y el gobierno anunció que no reanudaría su acción diplomática en favor del Estado Oriental mientras el pabellón paraguayo no recibiera amplias satisfacciones.

9. El encargado de negocios oriental, Brito del Pino, informó que efectivamente los pasos del Paraguay en el Río de la Plata habían cesado, pero al mismo tiempo dio cuenta de la intensificación de los preparativos militares. Un gran campamento general era organizado en Cerro León y pronto estuvieron reunidos en él 30.000 reclutas, pero las armas continuaban siendo vetustas. En todo el tiempo que llevaba Solano López en el gobierno no había dado un paso para modernizar el equipo militar. Las únicas adquisiciones anotadas en el período en que el Paraguay comenzó a actuar enérgicamente en el campo internacional, fueron una batería de cañones rayados recibidos en setiembre de 1863 procedentes de Inglaterra ([16]), y otra de ocho cañones contratados en Francia y llegados en enero de 1864 ([17]) cantidades insignificantes para suplir las serias deficiencias de la artillería, denunciadas por López en su memoria de 1862. En cuanto a las anacrónicas armas portátiles nada se hizo para reemplazarlas. Contrariamente fueron rechazadas partidas de armas modernas ofrecidas en Montevideo, en agosto de 1863 y enero de 1864.

Fue sólo a raíz de la definitiva ruptura de las negociaciones con la República Argentina, que López decidió encarar seriamente el grave y postergado problema de la modernización del armamento. El 21 de marzo de 1864 Cándido Bareiro fue despachado a Europa con la misión de dirigir la compra de cañones y fusiles modernos, así como la construcción de buques acorazados, debiendo previamente

---

([16]) De V. López a Egusquiza, Asunción, octubre 6, 1863, AGNP, "Libro copiador de las comunicaciones al exterior del Ministerio de Guerra", f. 31.
([17]) De V. López a Egusquiza, Asunción, enero 21, 1864, AGNP, Lib. cit., f. 31.

enviar a Asunción muestras y planos ([18]). Luego de despedir a Bareiro, Solano López marchó a Cerro León para asumir personalmente el mando de las tropas que allí recibían instrucción militar. Lo que en esos momentos dirigía sus pasos para poner al país en pie de guerra no eran los viejos ni los nuevos problemas. No la cuestión de la independencia o los pleitos de límites, ni siquiera las alternativas del sangriento drama uruguayo, acicateaban a López para convocar a la juventud paraguaya en torno a las fogatas de Cerro León y para embarcarse en un plan de armamentismo sin precedentes. Era la sensación amarga de la humillación que acababa de sufrir en manos de Buenos Aires, que quizás, no se hubiera atrevido a tanto si el poderío militar del Paraguay fuera distinto. Aunque tardíamente, López advirtió que con sus anacrónicos fusiles de chispa, sus cañones lisos, sus barcos de madera, no estaba en condiciones de imponer respeto y evitar ofensas como las que le infiriera Buenos Aires, y se dispuso a ponerse en condiciones de que en el futuro ya nadie osara humillarlo. "Donde está la fuerza está el derecho" proclamó *El Semanario* ([19]), que también definió muy nítidamente el sentido de los preparativos militares y alertó a la opinión pública contra cuantos creyeran que la paz de que gozaba el país podía ser inalterable y que todo debía sacrificarse en aras de esa paz.

> Necesitamos alimentar —decía— ese espíritu de paz y el amor al trabajo, pero también es necesario que todos seamos interesados en sostener el honor nacional y los derechos de esa gran sociedad que llamamos Patria. Es preciso avivar los sentimientos nacionales, y es preciso desengañarnos que adonde no hay aspiración, no puede haber grandeza ni gloria.
> El Paraguay aspire a ser grande y civilizado, y lo será.
> Aspira a ser pacífico y laborioso, pero celoso de su honor y de sus derechos, y será uno de los pueblos más respetables de la América del Sud ([20]).

El asunto oriental estaba relegado a segundo plano. Que blancos y colorados continuaran disputando en los campos de batalla, con o sin ayudas extrañas. La intromisión argentina no era sino el motivo ocasional de la ofrecida tercería paraguaya. Esta había sido airadamente rechazada, pero Buenos Aires no quedaría con el campo libre, ni mucho menos.

10.   En Río de Janeiro comenzaron a producirse cambios políticos importantes que presagiaban rectificaciones fundamentales. La Liga Progresista, fundada por Ottoni, estaba en el gobierno desde el 24 de mayo de 1862, gracias a la alianza de los liberales con con-

---

([18])   BENITES, t. I, pág. 133.
([19])   *El Semanario*, Asunción, marzo 19, 1864.
([20])   *El Semanario*, Asunción, abril 9, 1864.

servadores disidentes, y se había visto obligada a proseguir las directivas de Paranhos en el orden exterior, tan criticadas por Tavares Bastos, pero las elecciones de fines de 1863 arrojaron una mayoría netamente liberal. Al constituirse la Cámara en enero de 1864, la nueva mayoría podía tirar por la borda los enojosos compromisos con la tan vapuleada diplomacia conservadora. Ahora sí cabía adoptar, en los negocios del Río de la Plata, la política recia, dinámica, activa que los liberales venían propugnando, que mejor se adecuaba a las tradiciones del Imperio y que poco se compadecía con la ausencia del Brasil en el pleito oriental y con su inexplicable tolerancia frente a la intromisión argentina.

Cuando a fines de 1863 llegó a Río de Janeiro el barón de Mauá, después de ímprobos esfuerzos para aquietar el *maremagnum* rioplatense y dispuesto a patrocinar sin remilgos la causa del gobierno oriental en sus controversias con Buenos Aires, vio que estaba dando sus últimas boqueadas la política de abstención. Como siempre, Mauá confió sus impresiones a su amigo Andrés Lamas, entonces residente en Buenos Aires, a quien escribió:

> Estando el ministerio moribundo no es posible deducir lo que se hará, pero no hay ninguna duda de que la invasión y todas las ocurrencias que le han seguido son el desenvolvimiento de la política argentina para establecer en la República Oriental una influencia indebida. Es por consecuencia natural que el Brasil tenga al final que contrariar semejante política. Pero V.E. sabe cuán morosa es la acción de este gobierno, en tanto que ahí los sucesos se precipitan. La guerra con la República Oriental, días más o días menos, se convertirá en guerra con el Brasil. Las palabras del ministro brasilero ahí, dado que no tienen esta significación, no expresan la verdad íntima de la política brasilera [21].

¿Tenía razón el barón de Mauá? ¿La nueva situación política en Río de Janeiro iba a desarticular la paciente labor de aproximación a Buenos Aires iniciada por los conservadores? ¿El ministro del Imperio en la República Argentina, Pereira Leal, no interpretaba la verdad íntima de la política brasilera en el Plata, con sus manifestaciones cordiales para Buenos Aires y su pasividad ante la ayuda recibida por los revolucionarios orientales desde territorio argentino? ¿Era verdad que el Imperio, desalojados del poder los contemporizadores conservadores, se disponía a salir al paso de Buenos Aires para impedir, por las armas si fuera preciso, una influencia indebida de la Argentina en la República Oriental? ¿Se estaba en vísperas de la reanudación de la vieja y nunca terminada guerra entre portugueses y españoles, ahora brasileños y porteños, en torno de la Ban-

[21] De Mauá a Lamas, Río de Janeiro, diciembre 22, 1863, AGNU, Caja 111.

da Oriental? ¿Verdaderamente podía Solano López mirar los toros con fruición por encima del cercado? ¿Iban los brasileros a corregir la osadía de los orgullosos porteños?

De lo que no cabía duda era que el Río de la Plata continuaba siendo la fuerza que atraía inexorablemente al Brasil desde los tiempos de la Colonia del Sacramento. Tres siglos de historia se oponían a que el Imperio se mantuviera frío e indiferente ante el incendio que crepitaba en la Banda Oriental.

Capítulo VII

FIEBRE BELICA EN RIO DE JANEIRO

1. Los liberales brasileros en el poder. — 2. Zacharías. — 3. Motivación de las nueva política oriental. — 4. La protección de los brasileros — 5. El emperador Don Pedro II. — 6. Una ofensa que lavar. — 7. Asomos republicanos. — 8. La opinión exacerbada. — 9. Consejos imperiales. — 10. Decepción de Mauá.

1. Cuando el 1º de enero de 1864 se constituyó en Río de Janeiro la nueva Cámara de Diputados donde ya no dominaban los conservadores, nadie dudó que el Imperio del Brasil estaba por enfilar, una vez más, su poderosa proa en dirección al Río de la Plata. Los implacables censores de la política conservadora en el Plata, aquellos que la venían tachando de imprevisora, débil y claudicante, tenían ahora en sus manos el timón de la nave. Su hora había llegado. Ya nada de compromisos y transacciones cuyo resultado era la ausencia del Imperio en las revueltas aguas del sur, cauce de sus tradicionales ímpetus.

La brillante pléyade de parlamentarios de la promoción triunfante entre quienes sobresalían Zacharías de Vasconsellos, José Antonio Saraiva, Teófilo Ottoni, Francisco Octaviano, Tavares Bastos, etc., superaba en número, calidad y ardor al cansado equipo conservador, en cuya más alta figura, José María da Silva Paranhos, se cebaba la furia de los liberales. Ya no tenían éstos que compartir responsabilidades y para ellos era imperioso un enérgico cambio de rumbos. El Imperio acababa de sufrir el ultraje de las represalias ordenadas por el ministro inglés Christie y ejecutadas en plena bahía de Río de Janeiro. Necesitaba desagraviar su honra, recuperar el respeto de los pueblos del Sur y ocupar nuevamente, mediante actos de poder, el lugar de primacía que le correspondía en América y en

el mundo y que la arrogancia inglesa había osado desconocer. El
Río de la Plata, envuelto en llamas, le ofrecía magnífico escenario.
Hacia allí le empujaban sus tradiciones, y de allí había sido desalo-
jado por una escuela diplomática desvanecida en la derrota electoral.
Ahora, triunfantes los liberales, los tambores de guerra que resona-
ban en las cuchillas orientales llenaban con sus ecos los pasillos del
Parlamento y llamaban al Brasil, con invencible atracción, a sus
viejos y nunca olvidados campos de laureles.

2.   Como era de prever, el gabinete presidido por el marqués
de Olinda dio paso, el 15 de enero de 1864, a otro que fue encabezado por Zacharías de Goes de Vasconsellos, como representante de
las tendencias de la nueva Cámara por más que su temperamento
contrastara notablemente con el nerviosismo de sus correligionarios.
De él dijo un biógrafo que tenía el sentimentalismo como el más
repulsivo de los vicios (1). Era fundamentalmente frío. No conocía
debilidades ni afecciones en política. Había sido en las cámaras anteriores el más severo censor de la política conservadora. Ahora se
erguía en el gobierno como "un navío de guerra, con los portalones
cerrados, la cubierta despejada, los fuegos encendidos, la tripulación en su puesto, solitario, inabordable, pronto para la acción",
como lo describe Joaquín Nabuco (2). Tanta frialdad y tan escaso
pasionismo, estaba conforme también con las tradiciones de la diplomacia imperial.

Zacharías, llevado al pináculo, por una cámara trepidante y
ávida de acción, sabría encauzar los acontecimientos por los canales
que mejor convinieran a los intereses del Imperio. No se opondría,
ni mucho menos, al avasallador avance de la corriente que estaba
llevando al Brasil a recuperar sus posiciones perdidas en el Río de
la Plata. Pero en lo que de él dependiera, y era mucho, no se dejaría
arrastrar por impulsos incoherentes y no meditados.

3.   Ya resuelto el nuevo equipo gubernamental a poner punto
final a la política de abstención en el Río de la Plata, era importante
acertar en la elección del motivo a invocarse para esta nueva irrupción del Imperio en las caldeadas arenas del Sur. ¿Sería la protección
de la independencia oriental, de que el Brasil era garante por mandato del tratado de 1828? Hacerlo equivaldría a aceptar las apelaciones del gobierno oriental y a tomarlo bajo el patrocinio imperial en
momentos en que acusaba, en todos los tonos, al gobierno de Buenos
Aires, de estar promoviendo la revolución colorada para luego absor-

(1)   LOBO, I, p. 33.
(2)   NABUCO, *Un estadista*, t. II, p. 116.

ber a la nacionalidad oriental. Significaría entonces entrar en conflicto, y quizás en guerra, con Buenos Aires. Era lo que el barón de
Mauá estaba propiciando, pero no lo que, en esos momentos, convenía al Imperio, pues la situación militar estaba lejos de satisfacer
las necesidades de una guerra internacional. Además, razones de
afinidades políticas influían para contrariar todo plan que significara ponerse en pugna con Buenos Aires. Los blancos de Montevideo,
los "sanguinarios tigres de Quinteros", merecían la indignada repulsa de los liberales brasileros que se sentían, en cambio, solidarios
y casi identificados con los liberales porteños. Además estaba la
necesidad de no dejar de lado el plan de los conservadores de ganar
la amistad de Buenos Aires para habérselas juntos contra el Paraguay, peligro común. Había que descartar una alegación que podía
desbaratar esa perspectiva del porvenir.

¿Se esgrimiría la pacificación del Estado Oriental, tan reiteradamente aducida antes y después de los tratados de 1851 que elevaron
ese motivo a la categoría de razón legal? Demasiadas cercanas estaban las censuras con que los liberales desacreditaron una finalidad
constante y flagrantemente desmentida por los hechos, para que llegados al poder recayeran en el error tan achacado a los conservadores. Nada había cambiado para suponer que la presencia del Imperio
lograra en 1864, como por arte de magia, lo que no obtuvo ninguna
de las anteriores intervenciones militares: llevar la paz, el orden, el
derecho, el civilismo a las luchas políticas de la República Oriental.
Además, la intervención para pacificar también requería el pedido
oficial del gobierno Oriental, conforme a los tratados y en Montevideo no había disposición para formularlo. Había que descartar esta alegación.

4. ¿Sería entonces la protección de los derechos y de los intereses de los brasileros, la razón que se alegaría? Lo había sido en
1816 para la expedición de Lecor y también en 1850 para la guerra
contra Oribe y en ambos casos, el poderoso motivo desarmó los recelos argentinos, los convirtió en adhesión y llevó al éxito más completo.

Había en el Uruguay una gran masa de brasileros y ellos estaban sufriendo, a igual que los demás habitantes del territorio oriental, los horrores de la guerra civil de la cual eran también, y en no
pequeña escala, activos protagonistas. En buen número alistados en
las filas del general Flores, más que nada por afinidad política, su participación activa en la revolución no era una novedad. Lo habían
hecho siempre, desde los tiempos en que los "parrouphilas" de Río

Grande se aliaron con los colorados de Rivera, y a través de éstos
con los unitarios argentinos. Sofocada la revolución separatista de Río
Grande do Sul, aunque el Imperio condonó la insurgencia y reconoció los grados militares de los principales jefes del ejército republicano, la mayoría de estos últimos prefirieron asentar sus reales
en las campiñas uruguayas a donde llevaron sus ganados y sus peones
y se convirtieron en grandes estancieros. A ellos acompañó una numerosa emigración proletaria que aumentó la ya nutrida colonia
brasilera. En los años posteriores continuó el éxodo de riograndenses
hacia el Uruguay que se incrementó con la paz ininterrumpida desde 1858. En 1864 el número de brasileros domiciliados en el país
oriental superaba los 40.000, establecidos en gran parte, en la
campaña, dentro o en torno de las grandes estancias de los antiguos caudillos parraphos.

Tan crecida población, con tan conspícuos directores, pronto se identificó íntimamente con las pasiones políticas del país que
les daba asilo y bienestar, compartiendo también, y a voluntad,
sus dramáticas vicisitudes. En un país frecuentemente azotado por
revueltas y asonadas, la seguridad de los bienes y de las personas
estaba condicionada al vaivén de los acontecimientos políticos.
Era sobre todo en las zonas limítrofes donde más agudamente se
hacían sentir en épocas revolucionarias las reacciones del rencor
político o los desbordes de los maleantes que sacaban provecho de
la inmunidad que proporcionaba el fácil traspaso de las fronteras después de sus *razzias* devastadoras. Los brasileros eran víctimas, pero también victimarios de las depredaciones. El gobierno
imperial no se cansaba de reclamar contra los excesos que sufrían
sus súbditos, pero Montevideo poco o nada podía hacer para conte-
nerlos y menos para sancionarlos. Los riograndenses, a su turno, tomaban el desquite, haciendo de las invasiones o "californias" verdaderas empresas de piratería que dieron fama a su principal promotor
el barón de Yacuy, pero tampoco las protestas del gobierno del
Uruguay surtían mayores efectos. En el período de paz que siguió a
Quinteros la situación mejoró un tanto, pero no del todo, y ambos
gobiernos no dejaron de asentar, en cada caso, su formal denuncia
de los atropellos, en notas que iban a aumentar el pilón de las pasadas reclamaciones y de los anexos de los Relatorios y memorias
ministeriales.

Convulsionada en 1863 la campaña, las autoridades del interior se entregaron a los antiguos odios, heredados de los espa-

ñoles contra los descendientes de los portugueses y cometieron crueldades de todo género con los súbditos de Don Pedro II (³).

Muchos brasileros residentes, a título de defensa de sus personas e intereses, o para evitar el reclutamiento a que les obligaban los jefes gubernistas, corrieron a alistarse en las filas de Flores. Otros lo hicieron movidos por las ancestrales afinidades políticas. Esta participación motivó un recrudecimiento de los recíprocos atropellos, casi siempre de salvajismo inaudito como los que Hudson describió en *Tierra Purpúrea*. Ante cada atentado, Río de Janeiro cumplía religiosamente con la obligación de denunciar los atentados y Montevideo la promesa de castigar a los culpables. Pero el Brasil no podía poner coto a las actividades de los riograndenses, cada vez más entregados a la causa de la revolución, y el gobierno oriental tampoco podía poner coto a las violencias de sus subordinados, desquiciada como estaba la campaña por la guerra civil y sin medios para imponer el orden dentro de su propia órbita.

Se decía que no menos de 2.000 brasileros integraban el ejército revolucionario, lo que creó una delicada situación al gobierno brasilero, que se sentía cohibido para insistir en sus reclamos. Contrariamente, el gabinete imperial, por intermedio del Marqués de Abrantes, en nota del 22 de diciembre de 1863 al presidente de Río Grande do Sul, estigmatizó severamente a los "brasileños irreflexivos" que exponían a su gobierno a acusaciones de deslealtad para con sus solemnes declaraciones de neutralidad y quizás a conflictos internacionales "de consecuencias gravísimas". Al mismo tiempo declaró que la imprudencia "criminal y condenable" de esos brasileños inhibía al gobierno de prestarles la protección debida, y de reclamar contra los vejámenes y violencias que pudieran sufrir "en la senda desatinada a que se han lanzado" (⁴).

Aun estaba fresca la tinta con que esta execración quedó estampada en un documento del más genuino valor oficial como era el Relatorio del Ministerio de Relaciones Exteriores, cuando éste decidió que los mismos "brasileños irreflexivos" que por su conducta "criminal y condenable" se habían colocado fuera del amparo imperial, merecían que el Brasil desplegara todo su poderío para asegurarles la protección que el anterior gabinete les negara tan rotundamente.

5.   No fue ajeno a este cambio de frente y a la adopción de

(³)   CARLOS ONETTO Y VIANA. *La diplomacia del Brasil en el Río de la Plata*, Montevideo, 1903.
(⁴)   Additamento ao RELATORIO, 1863, cit.

las medidas que habrían de conducir a la intervención en la República Oriental, la actitud de la Corona, cuya posición espiritual fue hábilmente explotada por Zacharías. Detrás de los políticos, respetada por todos, irresponsable e inmune, se hacía sentir una voluntad poderosa con un pensamiento claro sobre las cosas políticas y con medios para forzar suave pero decisivamente la maquinaria constitucional. Era la del emperador Don Pedro II. Monarca culto, ilustrado, se consideraba un conspícuo exponente de la civilización europea en un continente aún semibárbaro. Con tal conciencia de su papel, procuró imprimir un sentido de civilidad y de decencia a los actos del Imperio. Juzgaba a su país señalado por Dios para servir de ejemplo a los pueblos iberoamericanos dominados por el caudillismo y constantemente ensangrentados por bárbaras revueltas. "El emperador —dice de él su principal biógrafo— no nutrió jamás la menor simpatía por los caudillos que infestaban las Repúblicas del Continente. Veía en ellos unos hombres turbulentos, dominados los más por la ambición del mando político, y siempre peligrosos para la tranquilidad y seguridad de nuestras fronteras. Por eso empeñóse en mantenerlos en una línea de respeto para con el Imperio. Un abismo de sentimientos separaba a ese Emperador erudito, enemigo de toda violencia, imbuido de los más rigurosos principios del derecho público, de aquellos caudillos, en general hombres rudos del campo, educados por así decir, en el lomo de los caballos, acostumbrados desde el nacimiento al uso de la lanza, y desprovistos de la menor noción de moral política" ([5]) .

Y por cierto, los blancos del Uruguay, los *tigres de Quinteros*, como los llamó en el Senado el marqués de San Vicente (Pimienta Bueno), y en esa misma ocasión puestos "fuera de la especie humana" por Teófilo Ottoni, merecerían, menos que nadie, la simpatía del pulcro emperador a quien además su notoria y creciente enemistad con el barón de Mauá le impulsaría a contrarrestar cualquiera sugestión emanada de personaje para él ahora tan antipático.

6. Había, además, una razón poderosa que le llevaría a Don Pedro II a movilizar los resortes de la política hacia posiciones de fuerza que pudieran traer satisfacciones a las armas brasileras. Era la necesidad de buscar bálsamos para la dolorosa herida que Inglaterra había inferido al honor de la Corona y del país el incidente

([5]) LYRA, t. I, p. 425.

provocado por el ministro William Douglas Christie. El episodio, aún no solucionado, le quemaba como una brasa viva. El último día de 1862 la escuadra inglesa había aprehendido a cinco navíos mercantes brasileros, a vista y paciencia de las fortalezas de Río de Janeiro. Lo hizo, por orden del ministro Christie, a título de represalias por el saqueo de la fragata inglesa *Prince of Wales,* naufragada en la costa de Río Grande do Sul y por el apresamiento de dos oficiales de la fragata *Forte* que, embriagados desacataron a la policía de la Corte. A este hecho, Christie agregó desaires personales al monarca que desde ese momento "se abocó las negociaciones con Inglaterra, se reservó el papel de árbitro y de principal responsable de todo cuanto tuviera que hacerse en respuesta a las impertinencias de Christie y a la solidaridad que le prestaba el gobierno de Londres" (6). El Foreing Office desahució los reclamos brasileros, y las relaciones quedaron rotas.

La conducta de Christie era indefendible, pero los vejámenes al honor imperial y la flagrante violación de la soberanía brasilera quedaron sin desagravio. Desde la época del *bill* Aberdeen, los estadistas ingleses trataban al Brasil como a un país de cafres, donde los náufragos eran impunemente saqueados y al cual había que aplicar la política de mano de hierro. El emperador no podía consentirlo. Si represalias contra la poderosa Albion eran imposibles, la ocasión para lavar el honor brasilero se le presentaba ahora, en relación con los persecutores implacables de los pacíficos riograndenses, cuyos martirios clamaban venganza. Inglaterra estaba fuera de su alcance. En el Sur podía desahogarse la refrenada indignación, mostrando al mundo, que el Imperio del Brasil era el verdadero guardián de la civilización en el continente y que los cafres estaban en otra parte.

7. Mediaba también otra razón no menos poderosa, para que el emperador prestara personal atención a lo que estaba ocurriendo. Eran las insinuaciones de la prensa riograndense sobre posibles consecuencias de la esterilidad de los reclamos diplomáticos en favor de los brasileros del Estado Oriental. Río Grande do Sul abrazaba abiertamente el partido de sus compatriotas víctimas del caos que reinaba en el Uruguay. Considerando ineficaz y humillante la protección del gobierno no sólo amenazaba hacerse justicia con sus propias manos. También daba a entender que, si el Imperio era incapaz de lavar las afrentas y de amparar a sus súbditos en el exterior, no habría razón para seguir manteniendo la adhe-

(6) LYRA, p. 381.

sión a la Corona. No hacía mucho tiempo que en la propia prensa de Río de Janeiro un corresponsal de Río Grande do Sul estampara:

> Nosotros los riograndenses, llegada la última necesidad, sabremos hacer que nos respeten. Se torna inevitable un conflicto del Imperio con la República (Oriental) o con la provincia del Río Grande... Si la nacionalidad no sirve a nuestros compatriotas para ser respetados en el exterior, para nada más les vale... (7).

En los artículos de *Echo do Sul,* de Porto Alegre se perfiló cada vez más claro el peligro de la resurrección del separatismo republicano. El tono de su prédica era amenazante, preñado de intenciones nada auspiciosas para la unidad nacional. Además, afectaba el nervio más vivo del Emperador Don Pedro II, el de su dignidad personal ligado al de la conservación de la propia corona, aún cuando los ataques estaban aparentemente dirigidos sólo al ministerio. Decía uno de esos artículos:

> Esta situación inmoral no puede continuar. Queremos saber la verdad. Queremos que nos digan cuál es la política del ministerio, con relación al Estado Oriental del Uruguay, cuáles las esperanzas para el futuro. Queremos que el gobierno nos diga clara y positivamente si pretende envolverse en una lucha a favor del barón de Mauá y del partido blanco, o si quiere atender a los llamamientos de nuestros compatriotas habitantes del país vecino. La cuestión no admite términos medios y la provincia del Río Grande quiere saber si el gobierno pretende sacrificarla, o, lo inverso, atender sus justas quejas. Antes de todo, deseamos ver claro en este caos político. Después, la provincia resolverá lo que le conviene hacer (8).

Más adelante, el mismo órgano riograndense se expresó así:

> El Brasil curva humildemente la frente y con resignación cobarde espera nuevas infamias para de nuevo perdonarlas. Es el papel más degradante que sobre el inmenso escenario de la historia universal ha sido representado por una nación. Y ese papel no es del carácter del pueblo brasilero. Ese rol vergonzoso y humillante nos ha sido impuesto por el gobierno. Todos sienten la afrenta, todos arden en anhelo de venganza. Pero el gobierno mira indiferente la impaciencia del pueblo, desprecia los votos de la Nación y continúa humillándose.

Recordaba *Echo do Sul,* intencionalmente, que también la Francia de Luis Felipe era escarnecida y humillada, al igual que el Brasil, pero que un día los franceses, cansados de sufrir afrentas, se levantaron con sombría resolución, *"y Luis Felipe dejó de ser Rey..."* (9). Le sobraban, pues, motivos a Don Pedro II para mostrarse inquieto.

(7) *Jornal do Commercio,* octubre 1º, 1863.
(8) LOBO, I, p. 32-33.
(9) Repr. en *La Tribuna,* Buenos Aires, mayo 1º, 1864.

8. No solamente al emperador agitaban los temores que provocaba la enconada agitación de los riograndenses. La opinión popular en la capital del Imperio comenzó a exacerbarse con el relato de los horrores del Estado Oriental que registraba la prensa local. Hasta el órgano conservador, *O Espectador da America do Sul,* dirigido por José María do Amaral, se esmeró en relatar las dantescas escenas en que los brasileros eran víctimas inocentes y desamparados en manos de los crueles blancos.

La exaltación pública aumentó cuando, en los primeros días de marzo de 1864, apareció en Río de Janeiro, el viejo general Antonio de Souza Netto, portador de las quejas impresionantes de los súbditos brasileros establecidos en la República Oriental. El general Netto había sido el comandante en jefe del ejército republicano durante la Revolución de los Farrapos. Sofocada ésta se radicó en el Uruguay, donde adquirió vastas extensiones de tierra, se convirtió en acaudalado hacendado y tomó parte activa en la vida política, al lado de los colorados. Allí conoció y sufrió las vicisitudes orientales y era una de las víctimas de la nueva guerra civil, pero también uno de sus más activos promotores. A su llegada a Río de Janeiro fue entusiastamente saludado por la prensa y Netto se entregó a la tarea de soliviantar el espíritu público aún más de lo que estaba. Aseguró que si el gobierno no intervenía prontamente, a su sola voz se levantarían los 40.000 riograndenses residentes en el Uruguay y se harían justicia con sus propias manos. Al término de todas sus imploraciones iba implícita la amenaza de la separación. *O Espectador da América do Sul,* dijo:

El general que está aquí actualmente es la voz de cuarenta mil brasileros residentes en el Estado Oriental del Uruguay, dirigiendo al gobierno imperial la siguiente interrogación: "¿Somos o no súbditos del emperador? Tenemos derecho a vuestra protección o debemos contar solamente con nosotros?" [10].

9. La tensión nerviosa soportada por el emperador no toleraba nuevos choques. La cuestión oriental hacía impacto en demasiados puntos sensibles. Despertaba tantos temores en su espíritu, que se sentía obligado a salir de su pasivo papel constitucional, para aconsejar al gabinete las medidas que, a su juicio, convenía adoptar en defensa de preciados intereses. De Don Pedro II emanaron los impulsos que habrían de orientar las futuras directivas frente al caso del Uruguay.

La política que tengo aconsejada —escribió el emperador— como la más conveniente en el Estado Oriental es la de completa abstención en la lucha civil de

[10] LOBO, I, p. 32.

esa República, y enérgica reclamación a favor de las personas e intereses de los ciudadanos brasileros, siendo seguida, en caso de no ser atendida, del empleo de la fuerza para hacernos justicia, tanto respecto de los hechos pasados como del futuro [11].

El consejo de Don Pedro II surtió efecto. Al final, fueron sus directivas las adoptadas por el gabinete de Zacharías. Cuando el general Netto apareció en Río de Janeiro con sus indignadas imprecaciones, ya se había resuelto formular una última enérgica reclamación al gobierno oriental. El gabinete estaba ocupado en preparar un cuadro con las numerosas denuncias desatendidas desde 1851. Se iba a exigir perentoriamente al gobierno oriental la satisfacción de todos y cada uno de los reclamos, el castigo de los culpables y garantías para que no se repitieran los hechos en el futuro. La aplicación de la fuerza, como lo quería el emperador, para el caso de la desatención de las demandas, no significaba la intervención prevista por los tratados que requería el pedido del gobierno uruguayo, sino la acción militar lisa y llana, unilateralmente decidida.

Zacharías, inteligencia fría y equilibrada, al aceptar el camino sugerido por el emperador, no se dejaba llevar por impulsos ni por desconocimiento de la realidad. No se le escapaba que el gobierno de Montevideo no podía atender el nuevo reclamo. Pero sabía también que éste no era sino el pretexto para la nueva irrupción armada del Brasil en las tierras del Río de la Plata. Tal era el supremo objetivo de la nueva política con que el partido liberal, ahora en el poder reanudaba la vieja política del Imperio, heredada del Portugal y que los conservadores estuvieron a punto de dejar zozobrar, según creían los actuales gobernantes.

10.   No era esto, ni mucho menos, lo que el barón de Mauá, venía patrocinando desde su retorno del Río de la Plata. También él pugnaba porque el Imperio abandonara su posición de prescindencia pero sólo para acudir en apoyo del gobierno de Montevideo. La acción armada, tal como se insinuaba, no encontraba, a su juicio, apoyo en el pueblo, "y el gobierno mal puede obrar contra la opinión pública". Así escribió a Lamas, apesadumbrado al comprobar que, se le escapaban de las manos los hilos de la alta política, hasta entonces tan diestramente manejados desde las bambalinas, utilizando sus recursos y sus vastas relaciones. Manifestó su desconsuelo a Lamas:

[11]   Notas de Don Pedro II, en el Archivo de la familia imperial, LYRA, t. I, p. 423.

Afligido y descontento, obligado a acompañar los sucesos sin poder domi-
narlos, resígnome a lo que viene, porque me cansé con los cinco meses de residencia en el Río de la Plata: creo que sólo hay que esperar el bien por el exceso de los males (12).

Estas líneas fueron escritas antes de la incendiaria aparición
del general Netto. Si los artículos de la prensa de Río Grande no
bastaran para conmover a la opinión pública, el relato, hecho por
tan caracterizado riograndense, de las crueldades que estaban sufriendo los laboriosos y pacíficos brasileros en manos de los bárbaros y sanguinarios blancos, barrió con todas las indecisiones.
Creó el clima bélico necesario para llevar adelante, a tambor batiente, el plan que tenía el gobierno, sin temor a reacciones populares adversas. Hasta los conservadores se dejaron arrastrar por
la corriente. Que la idea de la acción surgiera nada menos que
del emperador Don Pedro II convertía todo el problema en una
cuestión nacional. El símbolo viviente de la nación brasilera, pro-
nunciándose en el caso, obligaba a los más remisos a plegarse a
la opinión belicista. Si los viejos políticos conservadores, que hasta poco antes dirigían el país, tenían fama de habilidosos, los jóvenes e impetuosos liberales que les sucedieron en el mando no
les irían en zaga. Zacharías mostraba ser un político capaz de aunar
lo viejo con lo nuevo, las ideas tradicionales con los procedimientos modernos, la ingeniosidad con la audacia. Su gran triunfo consistía en presentar la nueva política —que no era sino la vieja política remozada—, no como una política de partido, sino como política nacional, avalada por el Emperador.

(12)   De Mauá a Lamas, Río de Janeiro, marzo 8, 1864, Agnu, Caja 111, 6.

CAPÍTULO VIII

LA MISION SARAIVA

1. Los debates del 5 de abril. — 2. Discurso de Ferreira de Veiga. — 3. Intervención de Dias Vieira. — 4. Imprecaciones de Nerî. — 5. Responsos sobre la nacionalidad oriental. — 6. Balance del debate. — 7. Saraiva, jefe de misión. — 8. Tavares Bastos, secretario. — 9. Instrucciones de la Misión especial. — 10. Mauá desaparece.

1. De que la nueva política del Imperio estaba igualmente apoyada por liberales y conservadores se puso de resalto en la sesión que la Cámara de Diputados efectuó el 5 de abril de 1864 para escuchar las explicaciones solicitadas al gobierno sobre las providencias que pensaba tomar respecto de las violencias, robos y persecuciones cometidas por las autoridades civiles y militares uruguayas contra las personas y propiedades de súbditos brasileros residentes en el Estado Oriental (¹). Dos fueron los interpelantes: uno, Ferreira de Veiga, de la oposición conservadora; el otro, Neri, liberal; ambos se pusieron en la misma línea.

2. Ferreira de Veiga inició la sesión. No le fue difícil conmover los ánimos, desarrollando ante la Cámara, predispuesta a dejarse convencer, un pavoroso cuadro de brasileros degollados en las calles y en los campos uruguayos, "trayendo algunos de ellos como escarnio en la boca un cartel con la nacionalidad"; violaciones, incendios, torturas, estacamientos, mil desmanes horribles, un rosario de suplicios inauditos que exacerbaron el horror en todos los espíritus. Su exposición era interrumpida por exclamaciones que registró el Diario de Sesiones: *"Viva sensación"; "profunda sensación"; "esto es horroroso"; "qué verguenza, mi Dios"*, etc., que expresaban la profunda conmoción ocasionada por el crudo relato de las crueldades sufridas por los brasileros en la Banda

(¹) La versión de la sesión en: Annaes Diputados, 1864, t. 4.

Oriental. Terminó su discurso patéticamente. Extrajo de sus faltriqueras el recorte de un diario de Río Grande do Sul que leyó con enérgico subrayados. Decía ese vocero periodístico:

Una vez más, la primera potencia sudamericana, ultrajada, escarnecida, insultada y provocada mil veces por el gobierno oriental, por sus decretos, por su prensa, por sus ministros plenipotenciarios, por sus hordas de asesinos, por sus alcaldes, por todos y por todo en fin, una vez más la primera potencia sudamericana fue humilde a besar la franja del sangriento chiripá del gaucho oriental.

Una vez más el Brasil se humilló, se deshizo en satisfacciones, cuando debió lanzar el guante a la faz de aquel gobierno falsario y perverso. Envió humilde un ministro para limpiar con las mangas de su casaca la mesa del ministro de relaciones exteriores de Montevideo, cuando debía enviar un ejército para proteger los intereses de sus súbditos y derribar una vez para siempre a los tigres de Quinteros, que son enemigos natos de todos los brasileros.

Y el gabinete San Cristóbal se conserva sordo a ese clamor, desprecia las reclamaciones de nuestro valiente Netto, sufre callado los insultos de la prensa, tolera la emisión de decretos que manifiestamente violan los tratados.

Y el gabinete de San Cristóbal se conserva mudo y quieto ante la desgracia de tantos miles de brasileros, no comprende o no quiere comprender la noble misión que Dios dio al Brasil para ser la primera potencia de la América del Sud.

¡Pobres compatriotas que están indefensos y sin protección, entregados a los furores de nuestros verdugos!

¡Infelices cuarenta mil brasileros del Estado Oriental, que no tenéis un gobierno que haga respetar nuestro derecho! ¡No contéis con nuestro país; confiad en vos y sólo en vosotros! (²).

Los conservadores desde la oposición, aparecían ahora mucho más enérgicos que los liberales. El debate parlamentario tendía a convertirse en una puja de animosidades. Se trataba ahora de saber quiénes estaban más indignados y quiénes reclamaban acción más vigorosa: conservadores o liberales.

3. El ministro de relaciones exteriores, Joao Pedro Dias Vieira, se encargó de desvanecer la imputación de que el gabinete de San Cristóbal estaba sordo, mudo y quieto. Informó que aún antes de la llegada del general Netto ya el gobierno había estudiado los medios de proteger la vida y los intereses de los súbditos brasileros. Se había resuelto recapitular todas las reclamaciones pendientes desde 1851, a fin de

afirmar mejor el derecho de la nueva y más positiva reclamación que iba a dirigirse al gobierno de la República en el interés de convencerle de que, si reprobaba y condenaba (el Imperio) que los brasileros intervengan en las luchas y disensiones internas de la misma República, no está dispuesto a tolerar que bajo este pretexto se practiquen violencias y atrocidades, y queden sin protección y sin garantía la vida, la honra y la propiedad de los súbditos brasileros allí residentes.

(²) ANNAES, 1864, t. IV, p. 31.

Pero aseguraba Dias Vieira que el Imperio no iba a limitarse a este último reclamo y recapitulación de cargos. Las fronteras serían reforzadas, tanto para que se respetara la neutralidad brasilera por uno y otro contendor, como para proteger efectivamente los intereses brasileros, "dando el caso, que no se espera, de ser infructífero el último llamado amistoso que se iba a hacer al Gobierno oriental". Sin embargo, Dias Vieira no se mostraba muy optimista sobre la eficacia de los procedimientos militares para obtener las garantías deseadas. Señaló que la política de intervención había fracasado en el pasado, ya que las cosas continuaban, en el Estado Oriental, como antes, en punto a la estabilidad del orden y a la protección a los brasileros.

La intervención de la fuerza —dijo— puede ser provechosa en el momento, pero después las cosas continuarán del mismo modo, y constantemente tendremos que vernos allí a brazos partidos con dificultades. La cámara no ignora que hasta cierto punto existe allá un antagonismo de razas y que aquella República vive por eso en continua agitación.

El gobierno allí no se consolida y por consiguiente no puede establecer el orden, no puede responder debidamente a los gobiernos extranjeros por las extorsiones y violencias que se cometen contra los súbditos respectivos (3).

4. El canciller Dias Vieira, en realidad, hacía de fiscal del diablo sólo para dar a su correligionario el diputado Neri, que como segundo interpelante le siguió en el uso de la palabra, la oportunidad de replicar sus argumentos contra la eficacia de las intervenciones. Neri adujo que la política intervencionista fracasó no por contraproducente, como expresara Dias Vieira, sino porque los conservadores la habían hecho incierta, dubitativa, sin nexo, contradictoria y sin tensión formal y positiva. "Pronta y acaso varonil en el ataque, faltóle siempre la necesaria constancia para coger los frutos de su virilidad, abriendo mano de sus propios propósitos cuando estos iban a tocar tal vez sus resultados". No era pues exacta la apreciación del ministro de relaciones exteriores "contra la eficacia de una política enérgica en el Río de la Plata como remedio efectivo de los males que allí estamos sufriendo". Y después de una nueva retahila de cargos contra el gobierno oriental, pronunció algo así como una sentencia de muerte:

El Estado Oriental obedece incuestionablemente a una influencia infernal en la manera como procede con nosotros, pues esa conducta es su muerte, cavando su infalible ruina (4).

El diputado Neri dio cima a su fogosa exposición, con un dramático resumen del problema:

(3)   ANNAES, 1864, t. IV, p. 35.
(4)   ANNAES, 1864, t. IV, p. 40.

En resumen, la situación de nuestros residentes en el Estado Oriental es la siguiente: víctimas de una malevolencia tradicional, víctimas de una malevolencia que ya se ha expresado oficialmente, no sólo en la prensa, sino también en los documentos oficiales de su Gobierno y en las propuestas de sus legislaturas, han sido constantemente objeto de persecuciones atroces, de violencias en la honra más sagrada, del robo de sus vidas, de la depredación de sus fortunas. El general Flores, aunque llegue al poder no será mejor que los otros, tanto que es posible que nos pida cuenta de la famosa manera como lo sustentamos en 1855; el general Flores, digo, protege, acariciándolos hoy, ha hecho de ellos sus mejores soldados, su más firmes cabos de guerra, desde que perseguidos en sus lares domésticos, privados por la deplorable situación económica en que se halla el Río Grande, de ir a procurar en los antiguos penates los medios de ganar la vida, tomaron desesperado expediente de incorporarse a esa fuerza revolucionaria para repeler, las afrentas que se les hacían. Más de dos mil hermanos nuestros encuéntranse en esa posición precaria; pero no están ellos solos, porque con ellos está el corazón de Río Grande, con ellos la opinión pública del país entero, porque no es sólo la provincia de Río Grande do Sul, estoy cierto que el Imperio todo se estremece al saber la manera como son tratados sus nacionales. No, mis señores, no es posible que haya un solo corazón brasilero que deje de palpitar precipitadamente oyendo la triste historia que hoy escuchó con espanto la Cámara (5).

5. El diputado Barros Pimentel, tercer orador de la jornada, no necesitó insistir en la triste historia que la Cámara estaba escuchando con espanto. Su oración se dedicó a procesar la política del Imperio en los pueblos del Plata. Esa política nunca había merecido sus aplausos pues la consideraba "vacilante, teniendo por norma la inconsecuencia, y la debilidad". Era un error tratar como a las naciones de Europa, a los países platenses, "pueblos mucho menos civilizados". No quiso decir nada de la separación de la Provincia Cisplatina, sólo que "desde entonces no hubo más sosiego para los pueblos del Sud del Imperio". Recordó el lenguaje desabrido y las insolencias de Rosas, ante el cual la abstención era más que un error, un crimen. Pero desgraciadamente de la victoriosa coalición que llevó a Caseros, el Imperio no sacó ningún provecho. Desde entonces la falta de respeto al Brasil había ido en aumento. "A imitación del Estado Oriental, el Paraguay y la Confederación Argentina han escarnecido nuestra buena fe, faltando a sus compromisos, colocándose en posición poco digna de pueblos civilizados". Trajo el recuerdo de la humillación que sufrió el Imperio en el Paraguay con la misión de Ferreira de Oliveira, a pesar del apoyo de "una escuadra tan bella, tan numerosa" como no se había presentado hasta entonces en parte alguna. Recordó luego que la presencia posterior de Berges en Río de Janeiro no sirvió sino para nuevas dificultades y chicanas paraguayas. Los resultados de la misión de Paranhos en el Paraguay, que tanto di-

(5) ANNAES, 1864, t. IV, p. 40.

nero costó al Imperio, tampoco fueron a su juicio para enorgullecer a las brasileros. Y terminó su discurso con otro responso sobre la nacionalidad oriental, el segundo que se escuchaba desde la tribuna parlamentaria:

A la vista pues de lo que acabo de exponer, de la mala voluntad de esos pueblos, y de los pésimos resultados que hemos sacado de esa política demasiadamente condescendiente, no podemos dejar de cambiar de rumbo; y estas consideraciones suben de punto en relación a Montevideo, que por sus hábitos tradicionales de derramamiento de sangre, por su ingratitud, por la ausencia de un tipo nacional, por que los dos tercios de su población es extranjera, por la inestabilidad de su gobierno, no tiene de nación sino el nombre. Un país cuyo gobierno no tiene acción cuatro leguas más allá de su sede, que tiene en su capital, públicamente protegida, una comandita dedicada a fabricar títulos de deuda brasileros, títulos falsos, un país donde nada pertenece a la nación, porque todo está hipotecado por una eternidad o definitivamente vendido, donde solo la Catedral no está alienada; donde la fe pública desapareció; un país de éstos, digo es antes una negación de nación que una nación, es una ficción de los tratados. Entiendo que con el gobierno de Montevideo no podemos tener la misma política que con las naciones civilizadas. Para ahí acción muy enérgica de la diplomacia y fuerza para hacernos oir (6).

6. Y con esta tremenda imprecación contra la nacionalidad oriental terminó la sesión. En realidad no hubo debates. Nadie salió a defender la política de los conservadores que iba a sepultarse en los campos uruguayos. El ministro de relaciones exteriores no quiso ocupar nuevamente la tribuna siquiera para desvanecer los equívocos que podían surgir de la conexión que los oradores establecían entre la acción armada prohijada y la suerte de la República Oriental. No surgió ninguna voz disidente. Nadie analizó los fundamentos de la política de fuerza en que se quería embarcar al Imperio. ¿Cuánto había de verdad y cuánto de exageración en los reclamos riograndenses? ¿Hasta qué punto los tratados daban al Brasil el derecho de erigirse *motu propio* en juez de desafueros cometidos fuera de sus fronteras, en un país débil y desorganizado por la anarquía? ¿No estaba el Imperio, en esos mismos momentos, protestando contra Inglaterra porque se prevalecía de la superioridad de su fuerza para vejar la soberanía brasilera, so pretexto de defender intereses de sus súbditos? ¿Era oportuno el momento de la reclamación cuando el gobierno oriental apenas si podía con la rebelión armada? ¿Por qué se pensaba ahora de distinto modo que cuatro meses antes, cuando el marqués de Abrantes, proclamó que los brasileros enrolados en las filas revolucionarias habían perdido todo derecho a la protección imperial?

Tampoco fueron analizadas las complicaciones que podía aca-

(6)   ANNAES, 1864, t. IV, p. 43.

rrear en el orden internacional esta nueva irrupción del Brasil.
¿Conocidos los discursos pronunciados en esa sesión del 5 de
abril, en que se formularon tan claras alusiones sobre la inviolabi-
lidad de la soberanía oriental, permanecía impasible el Río de
la Plata? ¿Lo mucho que se había ganado para conquistar la buena
voluntad de Mitre y de Buenos Aires, no quedaría perdido en un
momento? ¿Urquiza, permanecería indiferente? ¿Y el Paraguay?
¿Acaso no se sabía que su presidente el general López había declarado que no consentiría la absorción del Estado Oriental por
cualquiera de sus vecinos?

A Zacharías de Goes e Vasconsellos, director de la nueva política no le escaparían ninguna de las azarosas perspectivas que se
abrían en el camino por el cual el Imperio estaba siendo empuja-
do. Aunque se respiraba una atmósfera de guerra y el brillo de
las glorias militares seducía indistintamente a conservadores y liberales, no era una guerra contra todo el mundo lo que Zacharías
tenía en vista. Su programa se reducía a un objetivo más escueto:
que el Imperio volviera a hacerse presente en el Río de la Plata.
Y aunque para obtenerlo estaba dispuesto a movilizar imponente
maquinaria naval y militar, no era mediante vastos derramamientos de sangre que Zacharías querría recuperar para el Imperio la
alta gloria de ser el amo y el señor de los pueblos del Sur. Si los
conservadores basaron la fuerza y el crédito de su política en las
aptitudes personales de sus diplomáticos, los más ilustres del Imperio, ¿acaso el partido liberal no estaba en condiciones de com-
petir también en ese terreno? ¿Le faltarían estadistas que supieran
como Paranhos, calzar guantes de seda sobre manoplas de acero,
y que, respaldados por todo el poderío del Imperio, fueran capaces
de alcanzar, pacíficamente, mediante coerciones, amenazas, o lo
que fuera, y sin necesidad de quemar la pólvora, los grandes objetivos propuestos?

7. La elección de José Antonio Saraiva como emisario del
Imperio, para que acompañado de impresionante séquito de
barcos y ejércitos, obtuviera del gobierno oriental las satisfacciones reclamadas por la honra nacional, indicaba que Zacharías
fiaba tanto en la inteligencia como en la fuerza y que no todo
se reduciría a alardes y ruidos de armas. Saraiva, sin disputa el
hombre más importante y respetado del partido liberal, era una
de las mentes más esclarecidas, serenas y juiciosas de todo el Imperio. Intransigente en los principios, flexible en los procedimientos, imaginativo y audaz, podía ser también cauto y paciente cuando quería. Aunque le faltara tenacidad y muchas veces desmayaba

antes de llegar a la meta, parecía el hombre indicado para hacer chisporrotear la tea de las amenazas imperiales sin hacer saltar, en la primera arremetida, todo el polvorín del Río de la Plata. Había sido ministro de relaciones exteriores pero nunca desempeñó cargos en el exterior. Tenía vocación por la diplomacia y le atraía, como a todos los estadistas brasileros, el Río de la Plata. En enero de 1862, aún los conservadores en el poder, Saraiva se ofreció para alguna misión diplomática, "aunque fuera para conquistar la buena voluntad de López en el Paraguay", según escribió a Nabuco (⁷). Esta vez, su falta de experiencia diplomática motivó algunos reparos en la Cámara, que el diputado Pinto Lima, supo desvanecer con un elogio: "Incapaz de sufrir una humillación; prudente, virtuoso y esclarecido, es una garantía de seguridad para todos los que le conocen, y para mi su nombre solo importa y significa un programa" (⁸).

8. Al no recurrir al equipo de diplomáticos profesionales, sino a una personalidad política de los relieves de Saraiva, el gobierno significaba la importancia que atribuía a la misión especial destinada al Estado Oriental. Para la designación del secretario tampoco se paró mientes en el numeroso y eficiente cuadro de funcionarios de carrera. Sin remilgos, fueron ellos puestos de lado para confiar esa función a otra figura que, si no tenía la máxima importancia política de Saraiva, gozaba entonces de gran prestigio en la Cámara de Diputados y en la prensa, como uno de los positivos talentos del Brasil y expertos conocedores de los asuntos internacionales. Era Aureliano Cándido Tavares Bastos, el implacable censor de la política exterior conservadora en los famosos debates de 1862. Había ganado fama con las "Cartas do Solitario" publicadas en *Correio Mercantil,* reveladoras de su agudeza política y de su conocimiento de los problemas externos e internos del Brasil, del derecho internacional, de las cuestiones de límites y de navegación y de historia americana. Ahora se le presentaba la gran oportunidad de su vida para poner en práctica sus puntos de vista sobre política exterior. La designación del prominente parlamentario liberal como simple secretario produjo algún resquemor entre sus colegas. El diputado Junqueira desvaneció los reparos señalando la enorme importancia de la misión especial, que salía de las reglas comunes. "porque en nuestras rela-

(⁷) NABUCO, *Um estadista*, t. I, p. 359.
(⁸) LOBO, I, p. 66.

ciones no tenemos cosas de más interés y de más actualidad de lo que son nuestras relaciones con las repúblicas del Plata" (⁹).

9. El 20 de abril de 1864, la Cámara dio la venia para que sus dos distinguidos miembros, Saraiva y Tavares Bastos, aceptaran ponerse al servicio del gobierno. Ese mismo día fueron firmadas por el ministro de relaciones exteriores las instrucciones que debía sujetarse la misión especial. En el extenso documento el ministro Dias Vieira comenzaba diciendo que, sin desviarse de la neutralidad en las cuestiones internas, el Brasil estaba resuelto a adoptar, en relación con el Estado Oriental, una política "que procurase despertar a su gobierno del letargo en que parecía yacer y que tan gravemente ofendía y perjudicaba a los incontestables derechos y legítimos intereses del Imperio". Y luego se explayaba:

Por mayor que sea el deseo y el interés que tenemos y que en varias ocasiones hemos prácticamente probado, de ver consolidadas las instituciones y afirmadas sobre bases sólidas y perdurables el orden y la paz de aquel país, es todavía forzoso aceptar las lecciones de la experiencia de diferentes épocas de un pasado, aún no muy remoto, las cuales demuestran que lejos de reportarle el resultado pretendido, de su dedicación, de su generosidad y de sus sacrificios de sangre y de dinero, el Brasil sólo ha recogido infundadas e injustas sospechas sobre la sinceridad de sus intenciones y la lealtad de sus procedimientos.

Fue sin duda de esa dolorosa experiencia que nació la política de neutralidad y de abstención absoluta en las cuestiones y en las luchas internas de la República, política que el gobierno imperial desde entonces reconoció ser la única compatible con las aprehensiones y desconfianzas que ahí despertaba siempre su interferencia, aún mismo cuando era requerida con el mayor empeño y solicitud por el propio gobierno de la República.

La neutralidad y la abstención así definida, que, corresponde repetirlo, el gobierno imperial continúa juzgando como la mejor y más conveniente política a seguir en sus relaciones con aquella República, de cierto no excluía, ni podía excluir, como el mismo gobierno constantemente ha declarado, la intervención a que pudiese ser llamado en obediencia a compromisos internacionales, a que se halla ligado, en el desempeño del indeclinable deber de dar protección y garantía a la vida, la honra y la propiedad de sus conciudadanos.

Para el gobierno imperial es pues indiferente que el Estado Oriental sea gobernado por *colorados* o por *blancos*, según la denominación dada a los dos partidos en que ahí se divide la opinión; y que prevalezcan en la política y en la administración los principios y las doctrinas de unos o de otros, estando en el propósito deliberado de asistir impasible, aunque con pesar, a las disensiones y las luchas que en ese territorio se traban.

En la presente coyuntura, por lo tanto, no existiendo motivo alguno serio para recelarse que esté en riesgo la autonomía e integridad de la República, es claro que la mudanza de política que el gobierno imperial resolvió adoptar, solo puede tener por objeto la segunda de las hipótesis figuradas en que le es impuesto el riguroso deber de proceder también de un modo positivo y directo.

Y así expuestos los motivos de la mudanza de política por que optaba el gobierno imperial para proceder de un modo "positivo

(⁹) Sesión del 20 de abril de 1864, Annaes, 1864.

y directo", Dias Vieira pasaba a ocuparse concretamente de la especial situación que originaba el envío de la misión especial:

Como V.E. sabe, y lo sabe también el gobierno oriental, a despecho de las más expresas recomendaciones y de las más terminantes órdenes del Gobierno imperial, un crecido número de brasileros apoya y auxilia la causa del general Flores, exhibiendo como justificación de su procedimiento, la necesidad de proteger y garantizar su vida, su honra y su propiedad contra los propios agentes de la autoridad pública de ese Estado.

El grito de esos brasileros repercute, como es natural, en todo el Imperio y, principalmente, en la provincia vecina de S. Pedro do Rio Grande do Sul; y el gobierno imperial no puede prever, ni podrá tal vez cortar el efecto de esa repercusión si, para remover las causas indicadas, no contribuye prontamente el gobierno de la República con franqueza y decisión.

Sin embargo de la urgencia de las circuntancias y del estado de excitación del espíritu público brasilero, Dias Vieira explicaba a Saraiva, el gobierno imperial prefería tentar "un último llamamiento a los medios amistosos" en la confianza de que surtiría el efecto deseado y que tanto importaba a ambos países. Se incluía copia de la representación del general Souza Netto, y de los cuadros organizados por la Secretaría de Estado de Negocios Extranjeros, a la vista de informaciones y documentos oficiales y auténticos. Contenía "no solo la serie de vejámenes y violencias de que han sido víctimas los súbditos brasileros desde 1851, como el historial resumido de las reclamaciones, casi todas inútilmente presentadas al Gobierno de la República contra tales vejámenes y violencias". Basándose en esos datos y consideraciones, la misión especial a cargo de Saraiva debía dirigir al gobierno oriental, "nuestro último llamamiento amistoso", concluyendo por exigir, en nombre del gobierno imperial, como solución de las reclamaciones pendientes y como satisfacción de las que fueron desatendidas:

1º Que el gobierno de la República haga efectuar el debido castigo, sino de todos, al menos de aquellos de los criminales reconocidos que pasean impunes, ocupando algunos de ellos puestos en el ejército oriental, o ejerciendo cargos civiles del Estado.

2º Que sean inmediatamente destituidos y responsabilizados los agentes de policía, que han abusado de la autoridad de que se hallan investidos.

3º Que indemnice competentemente la propiedad que bajo cualquier pretexto haya sido expropiada a los brasileros por las autoridades militares o civiles de la República.

4º Finalmente que sean puestos en libertad todos los brasileros que hubiesen sido constreñidos al servicio de las armas en la República.

Estas eran las medidas que se referían a los hechos pasados y presentes. En cuanto al futuro, la misión imperial debía exigir del gobierno oriental medidas adecuadas para que no se reprodujeran los atentados. Tenían que ser expedidas, dándoles toda publicidad, convenientes órdenes e instrucciones a las autoridades, en las cuales "condenando solemnemente los aludidos atentados y escándalos, recomiende la mayor solicitud y desvelo en la ejecución de las leyes de la República, conminando con las penas por esas mismas leyes impuestas a los transgresores de modo a tornar efectivas las garantías en ellas prometidas a los habitantes de su territorio". Así también el gobierno debía ordenar que se acatasen los certificados de nacionalidad expedidos por los competentes agentes del Imperio y para que los cónsules brasileros fueran tratados con la consideración y deferencia debidas, y respetados en sus atribuciones y en las regalías que les eran propias.

Seguía diciendo Dias Vieira que satisfechas estas exigencias, no sería difícil conseguir el "espontáneo desarme" de los brasileros, los cuales, como lo declaraban, adhirieron a la causa de Flores, solamente en defensa de sus vidas, honra y propiedad. Y terminaba con este colofón, donde se asentaban la fuerza y la sustancia del paso que Saraiva debía dar ante el gobierno oriental:

> V.E. prevendrá, además, al gobierno de la República que, con el propósito de hacer respetar el territorio del Imperio y mejor impedir el pasaje de cualquiera contingente por las fronteras de Río Grande para el general Flores, el gobierno de S.M. el emperador resolvió mandar colocar en esas mismas fronteras una fuerza suficiente, la cual servirá al mismo tiempo para proteger y defender la vida, la honra y la propiedad de los súbditos del Imperio, si, contra lo que es de esperar, el gobierno de la República, desatendiendo este último reclamo, no quisiera o no pudiera hacerlo por sí mismo [10].

La sabiduría, la habilidad, la prudencia del consejero Saraiva tenían en estas instrucciones un ancho y árduo campo de pruebas. Eran instrucciones de guerra. Un ejército iba a ser colocado en las fronteras para proteger a los brasileros y ¿cómo cumplir su cometido sin entrar en territorio oriental? Saraiva, ni nadie, podía desconocer el orgullo hispanoamericano para suponer que el gobierno blanco, o cualquiera otro, se aviniera mansamente a las severas condiciones de la requisitoria que debía presentar. Aparte de su carácter impositivo, ¿el castigo de esos "criminales reconocidos", que ocupaban puestos en el ejército o ejercían cargos civiles en el Estado, no equivaldría al suicidio de la legalidad oriental frente a la rebelión? ¿Y cómo plantear tales demandas sin poner en peligro la paz internacional con todas sus consecuencias y sus imprevisibles complicaciones? La paz de América dependía entera-

---

[10]   De Dias Vieira a Saraiva, Río de Janeiro, abril 20, 1864, CORRESPONDENCIA SARAIVA, p. 1-2.

mente de la destreza con que Saraiva supiera manejar la carga de mortales explosivos con que Zacharías atiborró su maleta de diplomático.

10.   En la general excitación bélica una sola voz de apaciguamiento se hizo escuchar y fue la del barón de Mauá. Había enmudecido en la Cámara de Diputados, donde ocupaba una banca, pero desde las columnas de *Jornal do Commercio,* dio a conocer su opinión contraria a la decretada misión. El principal agente financiero de la política de penetración brasilera en el Río de la Plata no podía aparecer, de buenas a primeras, abogando porque se mantuviera la política de abstención que él tanto había reprochado. En su artículo recordaba que estaba entre quienes pensaban que el Brasil "debe ejercer en el Río de la Plata la influencia que le da derecho su posición de primera potencia de América" y que había sido el primero, al iniciarse la guerra civil, en reclamar el refuerzo de las fuerzas navales y un ejército de observación en las fronteras. Sería, pues, contradictorio consigo mismo si censurara las providencias que acababan de adoptarse. Lo que le disgustaba —y así lo decía— era que la política brasilera en relación con los vecinos del sur, no tuviera ideas claras y definidas, y careciera de un pensamiento que conciliando los intereses nacionales y los deberes para con esos países, "nos conquiste en el Río de la Plata la posición, la estima y el respeto a que tenemos derecho". Y más que nada le dolía que el Brasil volviera a aparecer en el Río de la Plata bajo condiciones que estimaba sumamente perjudiciales para el crédito y los intereses bien entendidos de la nación. Continuaba:

Lamento que la intervención ahora anunciada tenga lugar bajo la presión de exageradas reclamaciones, sobre hechos mencionados en los relatorios de esos últimos años y sobre ocurrencias en que ni siquiera es respetada la verdad, para envenenar mejor el espíritu público y fomentar el odio de razas, alimentado en ese sangriento pasado que, por lo demás, está en nuestros intereses, en las conveniencias y en la moralidad del país hacer olvidar.

Lamento también que el Brasil aparezca en el Río de la Plata, no en actitud elevada y digna de una nación vecina, poderosa y amiga, que procura aconsejar, guiar y conducir al buen camino a los espíritus inquietos y desvariados que allí perturban la paz pública y que son la verdadera causa de los sufrimientos de los brasileros, sino con aires de amenaza que para mi, que conozco tan de cerca a nuestros vecinos, pueden ser fatales a las negociaciones que se pretende entablar.

...el Brasil, colocado en posición tan alta en la América meridional no debe, no puede lanzarse en el camino al que quieren arrastrarle espíritus inquietos, ideas de exagerada apreciación de nuestras fuerzas, y aún las ruines pasiones y los intereses ilegítimos que a veces, cubierto bajo el manto sagrado del patriotismo, impelen a los corazones generosos a practicar actos que no resuelven las dificultades que pueden, en cambio, complicarlas y aumentarlas extraordinariamente.

Y terminaba su publicación:

Aquellos que, como yo, jamás dudaron de la lealtad de la política brasilera en el Río de la Plata, aunque en más de una ocasión tuvieran que deplorar los errores de esa política, aguardan con ansiedad su desenvolvimiento en esta nueva fase que asume ojalá que a título de proteger los intereses brasileros, no se comprometan aún más esos mismos intereses.

No exigir nada que no sea justo y razonable, es el secreto del buen éxito que cordialmente deseo a la misión, ardua y difícil, confiada a la ilustración y patriotismo del consejero Saraiva [11].

En medio de la agitación general, la actitud de Mauá, aconsejando prudencia y moderación, fue *vox clamanti in deserti*. "La posición que asume a partir de esa fecha —dice su biógrafa— si no es de ataque al gobierno del Imperio, es por lo menos de reserva, porque no puede concordar con la peligrosa intervención que vendrá a interrumpir naturalmente el ritmo normal de las relaciones entre los dos países. Mauá tiene la conciencia de que la venida de la misión Saraiva es el punto de partida de una política contraria a los blancos, y la unión de Argentina al Brasil y a Flores en "una alianza monstruosa", cómo él mismo dirá en una carta. Y sabe principalmente que la victoria de Flores sólo podrá obtenérsela con la unión de fuerzas extrañas: Mitre y el Imperio. Muchos años más tarde resumirá ese pensamiento diciendo: "El triunfo de la revolución de Flores contra el gobierno legal de la República del Uruguay era imposible sin el auxilio de las armas del Imperio" [12].

Completamente desengañado y persuadido de que su influencia, ayer poderosa y hoy neutralizada por la inquina que le profesaba el emperador, no serviría de dique de contención a la marea que veía avanzar, el barón de Mauá dio las espaldas a su país y al Río de la Plata. El 8 de mayo de 1864 se embarcó para Europa. Pero antes trató de inyectarse a sí mismo y a su confidente Lamas, algún optimismo, valido del acierto en la elección del representante del Imperio recaída en el consejero Saraiva, "talento varonil, prudente y reflexivo" como lo juzgara públicamente en su artículo de *Jornal do Commercio*. Escribió a Lamas:

Por aquí los negocios en relación a la República Oriental no van mal. El "espalhafato" en la Cámara dando como resultado la misión especial puede dar un buen resultado en vez del malo que los malévolos tienen en vista. Trabajo siempre cuanto puedo para que la política brasilera en el Río de la Plata sea lo que debe ser. ¡Ojalá pudiera ser oído! La actualidad gubernativa no tiene iniciativa, ni pensamiento fijo pero por azar puede hacer bien, y ya la elección del señor Saraiva fue buena. Es hombre de bien, franco y leal, de los que siempre hacen buena diplomacia cuando no se quiere eludir sino resolver las dificultades [13].

[11]   *Jornal do Commercio*, Río de Janeiro, abril 22, 1864.
[12]   LIDIA BESOUCHET, *Mauá y su época*, Buenos Aires, 1940, p. 195.
[13]   De Mauá a Lamas, Río de Janeiro, mayo, 1864, AGNU, Caja 111, 6.

Mauá dio su adiós a las tierras americanas, angustiado porque sus compatriotas no parecían advertir el paso en el vacío que acababan de dar al decretar la Misión Saraiva, con sus reclamaciones desmedidas y sus amenazas inaceptables, que iban a llevar, poco tiempo después, a una conflagración mucho mayor de la que en vano, durante un año, él, Mauá, había tratado en vano de apagar o circunscribir.

CAPÍTULO IX

MARMOL EN RIO DE JANEIRO

*1. Inquietudes en Buenos Aires. — 2. El desarme de Martín García.
— 3. Mármol, ministro en Río de Janeiro. — 4. Gestiones en Montevideo. — 5. Primeras impresiones en Río. — 6. Entrevistas con Días Vieira y Saraiva. — 7. Protocolización de seguridades. — 8. Incertidumbres
de Elizalde. — 9. Negociaciones fracasadas. — 10. Regreso de Mármol.*

1.   El gran vuelco en la dirección política del Imperio que aca-
rreó el ascenso de los liberales al poder, suscitó inquietudes en Buenos Aires. Las diatribas de los nuevos gobernantes, cuando tronaron
desde la oposición, embebían a cuanto la diplomacia brasilera había
hecho para dulcificar su actuación en el Río de la Plata. No se pa-
raban en distingos. Todos los pueblos y gobiernos del sur eran me-
didos con el mismo rasero. Para todos se reclamaba un enérgico cambio de política. ¿La paciente labor de aproximación entre Río de Janeiro y Buenos Aires, obra de los conservadores y tan agradable-
mente acogida por Mitre y por Elizalde, estaba en trance de derrumbe total? ¿Se volvería a los viejos tiempos de las rivalidades diplomáticas y armadas en torno de la eterna manzana de discordia: la
Banda Oriental? ¿Era verdad lo que una persona tan autorizada como el barón de Mauá vaticinaba en los últimos días de 1863, que
apenas la República Argentina llevara la guerra a la República
Oriental, esa guerra se convertiría en guerra contra el Imperio?

Esto último estaba en contradicción con lo declarado por el ministro Loureiro, en lo más crítico del conflicto argentino-oriental,
al presidente Mitre: que el Estado Oriental se equivocaba al creer
que el Imperio le acompañaría en la guerra para oponerse a la República Argentina si ésta apelaba al supremo recurso en el libre
ejercicio de su soberanía como nación (1). También resaltaba la incongruencia de los informes de Mauá con todos los demás pasos de

(1)   CARDOZO, p. 254.

Loureiro y del nuevo ministro brasilero Pereira Leal, este último cada día en más estrecho entendimiento con el gobierno argentino. ¿Sería acaso verdad que las palabras de los diplomáticos brasileros en una y otra orilla no expresaban la verdad íntima de la política brasilera, tal como también aseguraba Mauá a Lamas?

En realidad, las conversaciones con Pereira Leal habían avanzado tanto que, a comienzos de 1864, Mitre y Elizalde se consideraron autorizados a insinuar al ministro británico Thornton que las cosas en el Uruguay llevaban un giro muy deplorable y los intereses extranjeros se hallaban tan seriamente comprometidos, que el Brasil y la Argentina se verían obligados a intervenir, tarde o temprano, para detener la guerra civil [2]. La idea de una intervención diplomática conjunta para llevar la paz al Estado Oriental venía siendo acariciada por el presidente argentino y su canciller desde que la diplomacia brasilera, no solamente se negaba a prohijar a los blancos en su controversia con Buenos Aires, sino que se mostraba ansiosa de un entendimiento estrecho con el gobierno argentino. ¿El nuevo sesgo que estaba tomando la política imperial en el Río de la Plata, desde el triunfo electoral de los liberales, obligaba a abandonar esas esperanzas?

2. Mientras el nuevo gabinete brasilero, constituido el 15 de enero de 1864 ya bajo la exclusiva responsabilidad de los liberales, gestaba los rumbos de la nueva política, un episodio diplomático, secuela de los últimos violentos entredichos que habían llevado a la ruptura de relaciones entre Buenos Aires y Montevideo, daba lugar a diversas interpretaciones sobre la posición que en definitiva asumiría el Imperio.

La República Oriental, invocando los tratados vigentes, había incitado al gobierno imperial a reclamar del argentino el desarme de la isla Martín García, desde donde, a título de "medidas coercitivas", se impedía el paso de barcos orientales [3]. El ministro Loureiro repuso que el Imperio no se juzgaba autorizado por los tratados a emplear medios coercitivos para obligar al gobierno argentino a desarmar y desocupar la isla Martín García, pero que apelaría a "todos los medios suasorios" para convencerle de las ventajas de "la completa neutralización" de la referida isla, en prevención de las complicaciones que de su fortificación podían resultar "tanto para aquel propio gobierno, como para las naciones neutrales en la guerra, a quienes incumbe proteger los intereses y comercio de sus súbditos" [4].

[2] De Thornton a Russell, Buenos Aires, enero 22, 1864, HORTON BOX, p. 111.

[3] De Herrera a Loureiro, Montevideo, diciembre 23, 1863, RELATORIO, 1864, An. I, pp. 3-5.

[4] De Loureiro a Herrera, Montevideo, febrero 12, 1864, RELATORIO, 1864, An. I, pp. 6-7.

La negociación se radicó entonces en Buenos Aires, pero los esfuerzos del ministro Pereira Leal para convencer a Elizalde de la conveniencia de la "completa neutralización" de la isla Martín García resultaron infructuosos. El gobierno argentino no se mostró dispuesto a tal medida que no se basaba en obligación internacional, aunque sí a respetar la libre navegación neutral. En prueba de buena fe puso en conocimiento del ministro del Imperio la correspondencia de la fracasada mediación del ministro inglés, Thornton, donde estaban registradas esas seguridades, así como las del respeto de la independencia oriental. Pereira Leal no puso mucho calor en su requisitoria y se dio por satisfecho con estas explicaciones, como se dejó constancia en protocolo firmado el 25 de febrero de 1864. Consignó ese documento que, impuesto el ministro del Imperio de la correspondencia originada por la mediación Thorton, expuso:

que se había complacido con esta demostración de amistad que se daba a su gobierno y de imponerse del tenor de esa correspondencia, pues en ella revelaba la resolución en que está el gobierno argentino de dar la más estricta ejecución a los compromisos internacionales que habían contraído, de no interrumpir a los neutrales la libre navegación de los ríos Paraná y Uruguay, y de no servirse de los armamentos de Martín García con ese objeto, pues aun cuando su gobierno (el del Brasil), consecuente con sus declaraciones de 1859, no se juzgaba autorizado en virtud de las estipulaciones internacionales, a que está ligado, para exigir del gobierno argentino el desarme de la mencionada isla, tendría que solicitar que esos armamentos no sirviesen en perjuicio de la independencia e integridad de la República Oriental, que ambos gobiernos han solemnemente garantizado, ni de la libre navegación de los neutrales si desgraciadamente sobreviniese un rompimiento, que de ninguna manera esperaba, entre las República Argentina y Oriental (5).

Esta "demarche" valía para significar que el Imperio, pese al cambio político en su dirección gubernativa, y aunque continuara en su propósito de no patrocinar al gobierno de Montevideo, tampoco cejaba en su designio de seguir velando por la independencia de la República Oriental. Las incógnitas que abriera la suplantación del elenco oficial en Río de Janeiro, estaban a medias develadas. ¿Cuál sería, en definitiva, la actitud del gabinete Zacharías, con respecto a los tan adelantados pasos en dirección a un entendimiento argentino-brasilero?

3. Para dilucidar en el mismo terreno toda duda y procurar reencauzar la política imperial hacia los canales que habían comenzado a ser abiertos, el gobierno argentino resolvió proveer su legación en Río de Janeiro, con José Mármol. El popular novelista y combativo político, era entonces el principal espada de la diplomacia argentina, de reciente actuación en Montevideo, y en él Mitre había pensado para ministro en Asunción. No pertenecía al círculo

(5) Protocolo de febrero 25, 1864, RELATORIO, 1864, An. I, pp. 8-9.

presidencial, pues era uno de los notorios jefes de los "crudos", pero gozaba de la amistad y de la confianza del presidente. Éste le tenía mucha fe por sus condiciones personales, su agudeza, su prontitud para dominar situaciones intrincadas y su conocimiento de los problemas del Río de la Plata, y Mármol no pudo negarse al pedido que le formuló para encargarse de la difícil misión.

Según sus instrucciones, firmadas por Elizalde el 2 de marzo de 1864, Mármol llevaba a Río de Janeiro la misión ostensible de buscar la firma del tratado definitivo que la Convención de 1828 dejó pendiente y que según la República Argentina sostenía, no necesitaba la inclusión del Estado Oriental. Pero el verdadero objetivo de la misión era establecer contactos y entendimientos más firmes que aquellos que las instrucciones de Pereira Leal permitían concertar en Buenos Aires, respecto de la candente cuestión oriental.

Mármol debía subrayar en todo momento la actitud prescindente del gobierno argentino en el pleito uruguayo y declarar también que si fuese requerido por los partidos en armas "a ejercer su mediación o buenos oficios" trataría de ponerse de acuerdo con el gobierno de Río de Janeiro. También debía velar: 1º para asegurar la independencia uruguaya; 2º para que el territorio oriental no fuese reducido en ninguna circunstancia, y para que, por el contrario, la nacionalidad uruguaya fuese "más poderosa" de lo que era en aquellos instantes (6). Y según informó Elizalde al ministro inglés Edward Thornton, Mármol iba al Brasil no solamente para buscar una definición de las relaciones de la Argentina y del Brasil, entre sí y con respecto al Estado Oriental, sino también para:

averiguar con el gobierno del Emperador, por cuánto tiempo juzgaría propio permitir la continuación de las actuales conmociones intestinas de la República Oriental, que tan serios perjuicios causan a los intereses de los numerosos residentes argentinos y brasileños en aquel país, así como al comercio en general, y si sería posible llegar a un arreglo con el gobierno brasileño para una acción conjunta encaminada a poner fin al desorden existente en la República Oriental mediante el ejercicio de su influencia, o si, fuese necesario, mediante la fuerza (7).

Pero las intenciones del gobierno argentino de recurrir a la fuerza de acuerdo con el Brasil para pacificar al Uruguay, no le fueron transmitidas a Mármol, que al embarcarse ignoraba el designio de dar tal objetivo a su misión. Sólo estaba autorizado a insinuar los buenos oficios o la mediación, en mancomún con el Brasil. Seguramente tanto Mitre como Elizalde se proponían enviarle instrucciones complementarias en que constaran los deseos argentinos de concertar también, si fuera necesario, la acción conjunta con el Imperio de tipo militar, con vistas a la pacificación oriental, pero nada de esto fue adelantado al emisario. Cuando

(6)   Instrucciones a Mármol, extr. CAILLET BOIS, p. 21-22.
(7)   De Thornton a Russell, Buenos Aires, marzo 24, 1864, HORTON BOX, p. 112.

Elizalde reveló al ministro británico ese programa, Mármol ya se había ausentado, y quizás el propósito de aquél era recabar previamente, antes de autorizar tal gestión, el parecer del gobierno de Londres. De allí su confidencia a Thornton. Para la Argentina asumía gran importancia conocer de antemano la actitud inglesa, que seguramente descontaba favorable, teniendo en cuenta que la intervención propiciada tendría por objeto la terminación del desorden oriental, tan perjudicial para los intereses comerciales de la Gran Bretaña. Pero lo que ni Mitre ni Elizalde sospechaban era que Mármol sería el más enérgico adversario de la medida insinuada, como lo haría saber enfáticamente, apenas llegado a Río de Janeiro.

4. Antes de partir para hacerse cargo de la Legación en Río de Janeiro, Mármol permaneció alrededor de diez días en Montevideo. Allí se le presentó una oportunidad de tentar el arreglo de los diferendos que habían separado violentamente a ambos gobiernos hasta llevarlos al borde de la guerra en el mes de diciembre de 1863, actuando él mismo como plenipotenciario de su país. El 22 de marzo de 1864 el encargado de negocios británico, Mr. Lettsom, invitó a Mármol y a Herrera a una comida que se prolongó durante cinco horas. En momento oportuno el agente británico preguntó si no habría algún medio de terminar "la desagradable desinteligencia". Mármol repuso que si el gobierno oriental renunciaba a su exigencia del retiro previo de las órdenes impartidas a la escuadra argentina para impedir el paso de los barcos orientales en Martín García, el gobierno de Mitre vería con gusto cualquier abertura. El canciller oriental contestó que en cuanto se levantase el bloqueo argentino "el arreglo sería de suma facilidad". Agregó que "tendría mucho gusto en redactar unas bases de arreglo para que sirviesen en una nueva entrevista de carácter particular de tema de discusión en el mismo carácter". A su turno, Mármol insistió en que su gobierno se prestaría a escuchar toda proposición que no empezara por la exigencia de dejar sin efecto las órdenes dadas a la escuadra.

Las posiciones eran irreductibles. Herrera insistía, para entrar en negociaciones, en la anulación de la situación creada en Martín García, y Mármol no quiso admitirlo como condición previa. Las conversaciones no condujeron a ningún resultado positivo. Las cosas quedaron como antes [8]. Según informó Lettsom a su gobierno los dos estadistas se separaron luego de haberse inspirado recíprocamente la más violenta antipatía [9].

[8] De Mármol a Elizalde, Montevideo, marzo 23, 1864, CAILLET BOIS, pp. 22-23.
[9] De Lettsom a Russell, Montevideo, marzo 26 y 30, 1864, HORTON BOX, p. 112.

5. Fracasada esta tentativa de arreglo, Mármol prosiguió el
30 de marzo de 1864 su viaje a Río de Janeiro. Llegó el 6 de abril
cuando aún resonaban los ecos de los fogosos discursos pronunciados el día anterior en la Cámara de Diputados y del importante
anuncio hecho por el canciller Dias Vieira de que el Imperio enviaría una misión especial al Estado Oriental con poderoso respaldo militar y naval. La situación creada no estaba contemplada
en sus instrucciones y Mármol se encontró perplejo. Con la sola
lectura de los diarios, sin conocer aún la versión completa del debate parlamentario y sin tiempo de entrar en contacto con perso-
neros del gobierno, cuatro horas después de su arribo escribió una
carta particular a Elizalde trasmitiéndole sus primeras impresiones:

> El general Netto mete gran bulla aquí, levantando mucho contingente de
> opinión en favor de la intervención brasilera en el Estado Oriental. Estoy segu-
> ro, completamente seguro que me van a preguntar las miras del gobierno argen-
> tino respecto de una mediación, y si estará dispuesto a intervenir en caso de
> que se frustre. Y también estoy perfectamente seguro de que yo no voy a saber
> qué contestarles.

Nada de lo que Elizalde adelantó a Thornton sobre la necesidad de la intervención armada conjunta se le había comunicado
a Mármol hasta ese momento. Sus instrucciones sólo trataban del
supuesto de una mediación diplomática conjunta y dentro de ciertas condiciones. No se hablaba en ellas de la intervención. Recordó
Mármol a Elizalde que Mitre le había dicho: *Yo no procederé en
la cuestión oriental sino de acuerdo con el Brasil, si llego a creer
conveniente el ofrecer una mediación.* Esto le autorizaba a declarar,
si se le hablaba de mediación, que el gobierno argentino no tendría
inconveniente en ofrecerla conjuntamente con el Brasil. Pero en
su concepto, las cosas no iban a parar ahí. Desairada o fracasada
la mediación, se plantearía probablemente la necesidad de la intervención. Previendo tal eventualidad Mármol no juzgaba lícito negociar la mediación sin dejar bien previstas las consecuencias de su
posible fracaso. "¿Aceptaría el gobierno argentino la intervención?"
Es lo que preguntaba al canciller argentino, después de transmitirle
aquellas impresiones. Y al formular la consulta, Mármol emitió su
opinión, que resumió en la siguiente frase:

> Nunca el gobierno argentino habría cometido más grave error que el día
> en que se asociase al Brasil para intervenir en una guerra civil en el Estado
> Oriental.

Se crearía, en opinión de Mármol, un precedente "peligrosísimo"
que más tarde podría aplicarse a las propias convulsiones políticas
argentinas. Grandes figuras argentinas habían aconsejado huir de
la alianza con el Brasil para intervenir en los asuntos orientales,
"porque nunca el Imperio dejará de llevar una mira propia, un
interés brasilero en el Plata, en toda intervención o política mili-

tante que emprenda; y la política alta y penetrante del gobierno
argentino debe consistir precisamente en estorbar tal cosa". A juicio de Mármol los blancos eran, al fin, orientales. Componían un
partido numeroso, y su odiosidad recaería, en el caso de una intervención colectiva, más sobre los argentinos que sobre el Brasil,
"por la sencilla razón de que en nosotros miran no una nacionalidad, sino un partido contrario, con quien se han batido hace veinte
años en los campos y en la prensa". Emitida así su opinión contraria a toda alianza con el Brasil. Mármol terminaba diciendo a Elizalde que no se consideraba indicado para arreglar con el gobierno
imperial la intervención colectiva que, según sospechaba, se le iba
a proponer, porque "entendía que los ciudadanos de una república no sirven bien a su país cuando sus convicciones no acompañan a sus servicios" (10).

Pronto vio el enviado argentino que en Río de Janeiro poco
o nada se pensaba en la participación de la Argentina en los actos
que el Brasil se proponía efectuar en la República Oriental. Al ser
recibido por el emperador Don Pedro II el 14 de abril no se tocó
el tema de la mediación ni de una posible intervención conjunta.
En cambio se trató el espinoso asunto de la firma del tratado definitivo previsto por la convención de Paz de 1828, punto principal
de las instrucciones de Mármol. El monarca mostró poseer "un
perfecto conocimiento de nuestros hombres y de nuestras cosas",
pero en cuanto al tratado opinó que la República Oriental debía
participar en las negociaciones, según informó el ministro argentino a su cancillería, reproduciendo las palabras de su interlocutor:

"Es necesario oirla; es nuestra hija emancipada, y no podemos disponer de
ella sin que tome parte en lo que hagamos".

Mármol advirtió al emperador que si tal opinión prevaleciera,
el tratado no se firmaría, pues el presidente Mitre contemplaba la
cuestión de otro modo, dado que la República Oriental no había
intervenido en la convención de 1828: sólo en el caso de imponér-
sele obligaciones, existiría el deber de consultar la voluntad de la
"hija emancipada" (11). Esto fue lo que Mármol dijo al emperador. En su informe a Mitre fue más explícito. A su juicio, aún
existente la obligación de incluir a la República Oriental en el
tratado complementario, no lo hacían aconsejable las circunstancias del momento, con las relaciones rotas y un gobierno en Montevideo de dudosa legitimidad. En opinión íntima de Mármol, ni
siquiera la concertación del tratado era conveniente. Existía una
razón que no era para ser discutida con el emperador del Brasil
pero sí con el presidente argentino que había proclamado como

(10)   Mármol a Elizalde, Río de Janeiro, abril 6, 1864, CARTAS POLÉMICAS,
pp. 335-338. No hay copia en AMREA.

(11)   De Mármol a Elizalde, Río de Janeiro, abril 16, 1864, CAILLET BOIS, p. 25.

pensamiento de su gobierno "la reconstrucción de las nacionalidades que imprudentemente se han dividido y subdividido" y a quien Mármol susurró ahora al oído en la penumbra de su correspondencia confidencial, como en un confesionario:

> Siempre he creído que teníamos la obligación de cumplir el compromiso pendiente desde 1828; pero siempre he creído también que el cumplimiento de ese compromiso arrebataría a la República gran parte de su libre acción en el Río de la Plata, obligándola a respetar, como permanentes, hechos que quizá no sean sino transitorios en la historia política de nuestra revolución. (12).

En oficio especial (13), Mármol dio aviso a Buenos Aires de la salida para el Río de la Plata de cinco buques de guerra, los más fuertes de la marina, equipados en pie de guerra y conduciendo refuerzos para los otros cinco ya estacionados en la zona, así como del envío de dos regimientos hacia la frontera. Aunque sin instrucciones al respecto, Mármol creyó de su deber pedir explicaciones "en los términos más amigables posibles", sobre el envío de esas fuerzas, según adelantó a Mitre, a quien expuso su opinión sobre el significado de tanto despliegue de fuerzas:

> Esta situación va pareciéndose mucho a la de 1850. El gobierno va a remolque de la opinión riograndense, y aquí mismo lo impelen a una política interventora. La reparación de agravios propios, es el pretexto; pero el verdadero motivo es la política tradicional de este gobierno, o más bien, de este país; es decir, tomar parte siempre en los negocios orientales, porque alguna ganancia se saca de ese modo (14).

6. Mármol sabía que el emperador tenía ideas propias sobre el Río de la Plata, a cuya razón, entre otras, atribuyó la cautela con que medía sus palabras el ministro Dias Vieira. El mismo día de su entrevista con Don Pedro II pidió ser recibido por el canciller a efecto de confrontar opiniones y buscar mayores esclarecimientos por la vía de un pedido de explicaciones sobre los alardes de fuerza. Lo llevaba escrito en su bolsillo cuando el 18 de abril fue recibido por el ministro de relaciones exteriores. Pero la nota no fue entregada, porque en las primeras de cambio, Dias Vieira negó "absolutamente" la anunciada salida de los buques de guerra en la forma propalada en el público: sólo se trataba de la sustitución de dos buques por otros en igual número y dotación. En cuanto al posible envío de fuerzas terrestres, Mármol se sintió poseído súbitamente de paralizadora timidez; desde que esas tropas se movían dentro del Imperio y no aumentaban considerablemente las fuerzas regulares de la frontera, no se creyó habilitado para hablar de ello.

---

(12) De Mármol a Mitre, Río de Janeiro, abril 16, 1864, ARCHIVO MITRE, t. XXVII, p. 149.

(13) Oficio mencionado en la anterior.

(14) De Mármol a Mitre, Río de Janeiro, abril 16, 1864, cit.

Sin embargo —informó Mármol a Mitre—, he hecho que se penetre bien el señor ministro de que la República Argentina se considera con el más perfecto derecho a pedir en todo tiempo explicaciones francas y veraces sobre los propósitos de la política imperial en planes o en asuntos; que se relacionen con la República Oriental, y que puedan afectar nuestro equilibrio convencional, o nuestro derecho de propia seguridad, haciendo sentir con ésto que nuestras dificultades presentes con el gobierno oriental, no hacen ni harán descuidar al gobierno argentino en la vigilancia que debe a sus propios derechos sobre la existencia de la República Oriental, y a sus propios intereses en el Río de la Plata (15) .

Por supuesto, se habló también del anunciado envío de la misión a cargo del consejero Saraiva. La explicación que escuchó Mármol fue que

El gobierno de S. M. se veía en la imperiosa necesidad de presentar serios reclamos al gobierno oriental por agravios propios que se inferían continuamente. Que esperaba este gobierno las reparaciones que le eran debidas sin emplear por ahora otros medios que los que sugiere la diplomacia, pero que estaba decidido a emplear todos aquellos a que el derecho le autorizaba si tales reparaciones le fuesen negadas (16) .

Mármol se limitó a escuchar. La palabra "intervención" no fue pronunciada ni, en ningún momento, se trajo a cuento la cooperación argentina, que Mármol esperaba se le requeriría. El enviado argentino estaba indeciso, sin saber qué opinión formarse, cuando en la mañana del 20, día en que fueron firmadas las instrucciones a Saraiva recibió la visita de "una persona muy interesada en la paz del Río de la Plata" (¿Mauá?) . Alarmada anteriormente esta personalidad, ahora le decía a Mármol haberse tranquilizado con las seguridades que le habían dado "los ministros del emperador" de que cuanto se hacía no era sino para dulcificar la irritación riograndense. Todo era apariencia y nada realidad. De las revelaciones de su anónimo aunque importante visitante, Mármol dedujo esta importante conclusión que se apresuró a transmitir a Elizalde:

Si esto fuera verdad, se podría decir que este gobierno está a un paso de aliarse con el gobierno de Aguirre; pues no será extraño que una vez que obtenga, bajo tal sistema de aparatos, las reparaciones que va buscando, sea el mejor apoyo de ese gobierno, para que pueda cumplir las promesas que le arranque (17) .

Pero esa misma noche Mármol recibió la visita del propio Saraiva. De la larga conferencia dedujo conclusiones tan inesperadas como importantes, distintas de las que extrajo de su conversación

(15) De Mármol a Mitre, Río de Janeiro, abril 19, 1864, ARCHIVO MITRE, t. XXVII, p. 151.
(16) De Mármol a Elizalde, Río de Janeiro, abril 18, 1864, cit. por CAILLET BOIS, p. 27.
(17) De Mármol a Elizalde, Río de Janeiro, abril 20, 1864, AMREA, Caja 111.

con el visitante de la mañana, y tampoco concordantes con las
declaraciones que le formulara Dias Vieira. Las declaraciones de
Saraiva fueron resumidas en cuatro puntos en el informe que Mármol inmediatamente escribió a Elizalde:

1º Que el señor Saraiva, personalmente es abiertamente contrario al partido dominante en Montevideo, hasta el punto de llegarme a decir que él no
consideraba posible la paz en el Río de la Plata, y la tranquilidad de las relaciones del Imperio con esa parte de sus vecinos, si no dominaban en ambas
Repúblicas las ideas y las instituciones de Buenos Aires, y si no las goberna-
ban hombres como los que figuran en su política.

2º Que sus instrucciones no se hallaban de acuerdo enteramente con sus
opiniones personales, llegando a repetirme que "aquí él tenía que respetar los
propósitos de su gobierno; pero que una vez en el teatro de los sucesos y en el
desempeño de su misión, él aconsejaría a su gobierno sus vistas propias para
el mejor éxito de la misión que se le confiaba".

3º Que esa misión le daba mucha libertad de acción, y que por consiguiente podía operarse una política más extensa que aquella que me había asegurado el ministro de relaciones exteriores, que solo limitaba la misión a las
reparaciones de agravios propios (18) .

El diplomático argentino no advirtió la importancia de las
declaraciones de Saraiva. Pero éste sí sabía lo que estaba diciendo.
En realidad por su voz hablaba la tradición diplomática de su patria que imponía la continuidad en la acción internacional. Saraiva, aunque liberal, no temía parangones con los ases de la diplomacia conservadora, y no cometería el error de desandar los avances que sus rivales habían hecho, ni menos apartarse de los grandes objetivos del Imperio. Ciertamente la política de Paranhos
había tenido en él como en Zacharías constantes críticos. Pero ellos
vituperaron los procedimientos, no los objetivos. Censuraban la
blandura, la pasividad, la inercia, no lo que con esta conducta bus-
caron en los últimos tiempos los conservadores para el bien del
Imperio: el acercamiento a Buenos Aires con vistas al Paraguay.
Saraiva se proponía la misma finalidad y también acreditar a la
diplomacia liberal como capaz de remover el avispero oriental, y
meterse a fondo dentro del Río de la Plata, para obtener los grandes
objetivos imperiales sin chocar con Buenos Aires, y antes bien, con
su aquiescencia. Su plan era alcanzar la alianza de Buenos Aires,
pasando por encima de los campos en llamadas de la Banda Oriental, sin siquiera chamuscarse, y rompiendo con todas las tradiciones,
convertir la vieja rivalidad argentino-brasilera en estrecha amistad.

7.   Mármol no advirtió nada de esto sino el notable antagonismo
entre las ideas de Saraiva y las del ministro Dias Vieira, así como
con las seguridades dadas por la persona, al parecer competente,
que le visitara el día anterior. Ante tanta incongruencia decidió

(18)   De Mármol a Elizalde, Río de Janeiro, abril 21, 1864, AMREA, Caja 111.

no perder un instante en procurarse explicaciones oficiales más claras, amplias y formales. El día 21 visitó nuevamente al canciller Dias Vieira, de quien recogió declaraciones "hechas en un lenguaje, al parecer franco, e inspiradas por una conciencia honrada", según opinión que Mármol emitió al mismo tiempo que las comunicaba a Elizalde:

1º Que el gobierno imperial lleva por principal objeto obtener reparaciones a ciento dos reclamos que va a presentar al gobierno de Montevideo, de los cuales sesenta y cuatro son por agravios inferidos por autoridades dependientes del Gobierno.

2º Que va en busca también de garantías para el futuro.

3º Que si el gobierno oriental satisface ambas cosas, el gobierno imperial hará desarmar en el acto a los súbditos brasileros que acompañan al general Flores.

4º Que en el caso contrario el Brasil buscará las garantías que le son debidas a sus súbditos en el partido que se las ofrezca.

Preguntó entonces Mármol a Dias Vieira si creía que los riograndenses que acompañaban a Flores lo abandonarían en medio de la guerra porque el gobierno brasilero así les mandase después de obtenidas las reparaciones en cuestión. El ministro brasilero "que no pudo menos que ver lo que importaba al decoro brasilero la respuesta que iba a darme", meditó antes de responderle:

"El caballerismo de los hijos de Río Grande se resistiría a tal abandono, y el Brasil por el decoro de ellos, que es nuestro decoro, trataría en ese caso de buscar una solución pacífica en la guerra oriental".

Pasó luego Mármol a formular la pregunta más concreta, de mayor interés para su gobierno, y que le estaba escociendo el alma. Inquirió si el Brasil pensaba "obrar solo" en la ocurrencia hipotética de que hablaban. Dias Vieira le respondió que, en ese caso, como en otros que podían ocurrir, su pensamiento era entenderse con el gobierno argentino para lo cual, Saraiva llevaba una credencial que presentaría según las circunstancias. Mármol anotó, en su informe a Elizalde, que Saraiva no le había hablado de semejante credencial. (Por cierto que la extensión de su misión a la República Argentina no estaba contemplada en sus instrucciones, omisión que más tarde habría de salvarse por insistencia del enviado especial). Finalmente Mármol propuso formalizar las declaraciones en un cambio de cartas, a lo cual prestamente asintió Dias Vieira. El informe de Mármol a Elizalde terminaba:

Tal es, señor Ministro, el estado de las cosas hasta este momento, en que he obrado consultando en todos los respectos que se deben a mi país y a mi gobierno y en que espero su aprobación, siempre tan satisfactoria para mí (19).

(19)   De Mármol a Elizalde, Río de Janeiro, abril 21, 1864, AMREA, Caja 111.

En el día, Mármol volvió a visitar a Dias Vieira provisto de
la nota que protocolizaba, de su parte, las declaraciones formuladas y la entregó a su interlocutor. Preparada con antelación no
podía prever el giro que tomó la conversación. El oficio se limitó
a pedir "alguna explicación" sobre el alcance político de la misión
confiada a Saraiva que debía salir de un momento a otro a Montevideo, abonado ese pedido de explicaciones en las siguientes razones:

> Las circunstancias especialísimas en que se halla la República Oriental; el
> estado en que se encuentran las relaciones de la República Argentina con ella;
> los deberes que se desprenden del derecho convencional entre la República y
> el Imperio y la conveniencia que se encuentra siempre en sacarla del campo de
> las conjeturas, los hechos que pueden ser colocados en el terreno de la verdad,
> el más aparente para conservar la cordialidad y la amistad entre gobiernos ve-
> cinos, y que mutuamente se respetan, autorizan al abajo firmado a solicitar de
> V.E. la explicación que ha indicado [20].

En el mismo día obtuvo Mármol la respuesta. El gobierno del
Brasil declaraba "franca y lealmente" que la misión de Saraiva no
tenía otro objeto que el explicado en la sesión de la Cámara de
Diputados del 5 de abril. Se proponía hacer "un último llamamiento amistoso" al gobierno de la República Oriental para conseguir la satisfacción de las reclamaciones pendientes y la adopción
de providencias para asegurar a los brasileros, en el futuro, la protección que las leyes de la República afianzan a sus habitantes. Y
como prueba de la consideración que le merecían el gobierno
argentino y su representante, y de la lealtad con que el gobierno
del emperador procedía en sus relaciones internacionales, Dias
Vieira, remitió a Mármol, junto con estas explicaciones, copia de
la nota que en la misma fecha dirigía a la legación del Brasil en
Buenos Aires [21].

El despacho a que se refería la nota, tenía por objeto habilitar a Pereira Leal a dar explicaciones al gobierno argentino, si las
pidiese. Tendría que proporcionarlas en los mismos términos hechos a Mármol, pero agregando la información del refuerzo militar en las fronteras de Río Grande do Sul y del reemplazo de algunos de los navíos de la estación naval brasilera en el Río de la
Plata, "mas no aumentar el número de ellos, como se ha propalado
por la prensa de esta Corte, autorizando quizás juicios infundados
sobre las intenciones del mismo gobierno", y terminaba:

> En resumen y con franqueza, el pensamiento del gobierno de Su Majestad
> es hacer un último llamado amistoso al gobierno del Estado Oriental, para con-
> seguir la solución satisfactoria de nuestras justas reclamaciones, y las provi-

[20] De Mármol a Dias Vieira, Río de Janeiro, abril 21, 1864, AMREA,
Caja 105.
[21] De Dias Vieira a Mármol, Río de Janeiro, abril 21, 1864, AMREA,
Caja 105.

dencias indispensables para que no sean ilusorias y frustradas la protección y las garantías que las propias leyes de la República afianzan a sus habitantes; lamentando que el gobierno imperial se viera obligado a usar de sus propios recursos, si por acaso continuasen siendo ineficaces los de la República para la seguridad de la vida, honra y propiedad de los brasileros que en ella residen [22].

8. Mientras tanto, llegaba a Buenos Aires el primer informe de Mármol. Éste, aludiendo a la bulla que estaba metiendo el general Netto en favor de la intervención y a la posibilidad de que la República Argentina fuera invitada a participar en ella, adelantaba su opinión completamente adversa. Consideraba que nunca el gobierno argentino habría cometido un error mayor que al asociarse con el Brasil para intervenir en una guerra civil del Estado Oriental. Elizalde, al responder este oficio, eludió todo pronunciamiento sobre el punto. Limitóse a ratificar las instrucciones que Mármol había llevado. En ellas sólo se hablaba de mediar o prestar los buenos oficios argentinos en acuerdo con el gobierno imperial, si eran requeridos previamente por los partidos en armas, si se contaba con alguna probabilidad de éxito, y cuidando "en todo caso" que se respetaran las estipulaciones vigentes para con la República Oriental. Tal era "la única idea fija" que el gobierno podía adelantarle a Mármol "por ahora". No obstante, le autorizaba anunciar que la República Argentina, frente a las cuestiones que el Brasil quisiera promover al Estado Oriental, adoptaría una posición de reciprocidad, exactamente igual a la que el Imperio asumió en relación al conflicto argentino-oriental. Decía al respecto el despacho de Elizalde a Mármol:

Pero si el gobierno imperial creyese usar de sus derechos como nación soberana en sus cuestiones con el oriental, desde que los tratados con la República Argentina fuesen respetados, no podría ni pensaría interrumpir como no dejaría que le interrumpiesen a su vez en el ejercicio de esos derechos [23].

La Argentina dejaba las manos libres al Brasil.

Los posteriores informes de Mármol, más las crónicas periodísticas del memorable debate del 5 de abril llegados con el paquete del día anterior, y que el 29 de ese mes reprodujo *La Tribuna,* obligaron a Elizalde a un nuevo examen de la situación. Había mucha tela que cortar en los discursos pronunciados. De todos ellos se deducía como muy remota la intención de dar participación cualquiera a la República Argentina en los acontecimientos que iba a desencadenar la misión Saraiva, entre cuyos objetivos no aparecía, por cierto, la pacificación oriental, "la idea fija" del gobierno argentino, anhelante de cooperar en cualquier esfuerzo dirigido a ese fin. Dias Vieira había adelantado a Mármol

---

[22]   De Dias Vieira a Pereira Leal, Río de Janeiro, abril 21, 1864, RELATORIO, 1864, An I, pp. 9-10.

[23]   De Elizalde a Mármol, Buenos Aires, abril 26, 1864, CAILLET BOIS, p. 29.

el propósito del Brasil de entenderse con el gobierno argentino, para lo cual Saraiva llevaba una credencial especial, pero no para la pacificación sino para el caso que fuera necesaria la intervención a objeto de obtener la satisfacción de los reclamos brasileros. Saraiva, tan explícito en tantas cosas, nada habló a Mármol de semejante credencial, si bien se declaró personalmente enemigo del partido blanco y confesó que sus instrucciones —que le mandaban mantener estricta neutralidad frente al pleito interno oriental— no estaban de acuerdo con sus opiniones. Además insinuaba que una vez en el teatro de los sucesos llevaría las cosas en un sentido favorable al triunfo de Flores, a fin de que las ideas y las instituciones de Buenos Aires dominasen también en la otra orilla como la mejor garantía de la paz en el Río de la Plata.

Todo esto olía a idea personal de Saraiva y aunque éste asegurase que su misión le daba mucha libertad de acción para operar una política más extensa que un simple reclamo por agravios desatendidos, nada había dicho Dias Vieira a Mármol que permitiera concebir la esperanza de un posible cambio en la orientación fundamental de la misión en el sentido anhelado por Buenos Aires: procurar la pacificación oriental. En cambio, todo parecía encaminado a llevar adelante a tambor batiente el plan de reclamos con sus bélicas amenazas, que nada satisfacía al gobierno argentino, inquieto por las posibles repercusiones de tan violenta política. En un largo despacho a Mármol, cursado el 9 de mayo de 1864, Elizalde analizó los peligros que entrañaba la situación creada por el Imperio y diseñó la orientación que más le convenía a la República Argentina ante las nuevas circunstancias. Comenzaba la nota:

Todo hace creer que el gobierno del Brasil, después de la posición que le vemos asumir vaya a donde tal vez no piense.

El gobierno que aprueba completamente la hábil conducta de V.E. en los incidentes que contienen sus confidenciales (del 20 y 21 de abril), ha podido formar un juicio que cree no será equivocado, merced a los informes y observaciones de V.E., unidos a los que por otros conductos ha recibido. Ante los hechos y política del gobierno oriental para con el Brasil y sus súbditos, el gobierno imperial no podía dejar de asumir una posición definida. Viene a reclamar por violencias a sus súbditos. Pero los brasileros que están con el general Flores y los auxilios que han dado a éste, complican la posición del Brasil. La negociación del señor Saraiva, reducida a reclamar de violencias va a tropezar con las cuestiones sobre la verdad de los hechos y con las agresiones de los brasileros que siguen la causa del general Flores y que por este motivo han dejado de serlo. Estos reclamos se han de disminuir con la discusión y con la dificultad de las pruebas y los que queden vigentes darán lugar a indemnizaciones, castigos de subalternos y promesas para el porvenir, pero en la dificultad material de pagar por ahora habrá plazos y los castigos a los subalternos los eludirá. En reemplazo los brasileros que están con el general Flores no se desarmarán y las cosas seguirán como hasta aquí.

Tales eran las hipótesis emergentes de un desarrollo normal de las reclamaciones, para el caso de que realmente el Brasil sólo buscara su satisfacción, y de que, queriéndolo y pudiéndolo, el gobierno oriental se allanara a ello. Pero la verdad era que aún queriéndolo, el gobierno oriental no podría satisfacer esas reclamaciones según opinaba Elizalde, y el mismo ministro Pereira Leal lo admitía. En consecuencia Elizalde saltaba a la segunda hipótesis:

Si la negociación del señor Saraiva busca en los reclamos un pretexto para miras ulteriores, entonces será exigente, y como real y efectivamente no pueden ser atendidas, se romperá bien pronto. ¿Pero cuál sería la intención del Brasil en esto? ¿Una intervención para colocar al general Flores en el poder?

Elizalde no creía que tal fuera el propósito del Brasil y así se lo dijo a Mármol. Le informó que el ministro Pereira Leal admitía que al gobierno oriental le sería imposible dar las reparaciones debidas al Brasil, "y me ha dicho que para este caso vendría el señor Saraiva a ponerse de acuerdo con nosotros". Pero hasta ese momento el gobierno argentino no estaba resuelto a salir de la política que se había trazado y de que Mármol tenía conocimiento:

Si el Brasil solo quiere transigir con la opinión de la Provincia de Río Grande y hacer un aparato de reclamaciones a que por cualquier modo les dé salida celebrando ajustes en este sentido, esto es un interés puramente brasilero, que puede afectar al gobierno de Montevideo o al general Flores, según lo convengan, pero que en nada afecta al gobierno Argentino.
Si por el contrario la mente del gobierno imperial es colocar en el poder al general Flores e intervenir con este objeto, el gobierno argentino, después de estar bien persuadido de esto, sólo tomaría una determinación que salvase sus derechos, evitando complicaciones y tratando de respetar el derecho ajeno.

En opinión de Elizalde, la Argentina debía limitarse a escrutar las miras del Brasil "y prepararnos a tomar una resolución en el caso de una intervención a que parece seremos invitados, o a pedir seguridades y el cumplimiento de los tratados si no lo fuéramos". Si el Brasil se contentaba con un arreglo, éste seguramente sería eludido en su ejecución, dejando luego que continuaran las cosas en la República Oriental sin variación y sin interrumpir la cooperación que Flores recibía de los brasileros. Toda otra política le llevaría "a extremos que no le conviene ni puede ir". La intervención sólo vendría en el caso de no arribarse a un arreglo con el gobierno de Montevideo "y tendría que convertirse en una alianza con el general Flores". Esto le parecía a Elizalde muy poco verosímil. A su juicio, el Brasil se encontraba en la misma situación de la República Argentina. Era muy probable que imitara su conducta: "reclamar, pero reclamar con prudencia, y en caso de negativas a justas reparaciones, cortar relaciones y dejar obrar libremente los elementos que combaten a un gobierno que comete atentados injustificables". Pasaba, luego, Elizalde a examinar el fondo y la oportunidad de las reclamaciones brasileras:

Pretender que estando la República Oriental en la situación en que se encuentra no sufran los neutrales que residen en ella es absurdo, y si estos son argentinos y brasileros es más imposible aún por sus antecedentes y por la participación que toman muchos de ellos en la guerra. Estos perjuicios son inherentes a la clase de guerra que se hace, y es preciso reconocer que muchas veces no puede evitarlos el gobierno de Montevideo o es impotente para reprimirlos.

La República Argentina tiene que ser muy prudente en los principios que invoque, porque después pueden ser invocados contra ella. El Brasil puede ser más exigente pero tampoco puede exigir imposibles.

En el mismo oficio, Elizalde informó a Mármol que el gobierno oriental había comisionado a Sagastume al Paraguay para buscar el apoyo de su gobierno contra la acción del Brasil. En Asunción, según los informes del gobierno argentino, se suponía que el envío de la misión Saraiva era, en parte, obra de Mármol. Por todo esto, Elizalde le instruía que estudiara la política del Imperio con el Paraguay. Y en cuanto a la cuestión oriental, interrumpidas como continuaban las relaciones, Elizalde le repetía lo dicho al ministro inglés. No habría negociaciones de arreglo sino por la vía oficial. Ya no se aceptarían mediaciones, pero nada haría el gobierno argentino para salir de su "posición digna y prudente". Por consiguiente, "seremos neutrales en la cuestión oriental-brasilera, limitándonos a exigir en su caso el cumplimiento de los tratados". Terminaba Elizalde su importante despacho:

Nosotros dejaremos solo al Brasil para arreglar sus cuestiones y no pediremos su concurso para arreglar las nuestras [24].

9. Pero este oficio sólo serviría para documentar los puntos de vista del canciller argentino. Mármol ya no tuvo ocasión de debatirlos con el ministro de relaciones exteriores del Imperio. Cuando llegó a sus manos la nota, Saraiva ya había partido para Montevideo, y Dias Vieira nada quería saber de innovaciones, a la espera de los resultados de la misión especial. Además, Mármol consideraba insegura la posición del gabinete frente al parlamento y por lo tanto estéril toda discusión con él. Cuestiones de política interna seguramente harían inevitable la próxima formación de un nuevo ministerio con el cual había que tratar de nuevo el problema. Y aunque Saraiva llevara "in mente" el designio de entenderse, tarde o temprano, con el gobierno de Buenos Aires, en Río de Janeiro nadie se mostraba entonces muy entusiasmado con la idea de acuerdos con la República Argentina, ni siquiera sobre los puntos que eran el principal objeto de las instrucciones que trajo Mármol. Las negociaciones para el tratado definitivo de paz y de límites previsto en la Convención de 1828, ni siquiera habían salido de su faz preliminar y revelaron la irreductible divergencia de los dos gobiernos acerca de la participación que correspondía dar en ellas a la República Oriental [25].

[24] De Elizalde, a Mármol, Buenos Aires, mayo 9, 1864, AMREA, Caja 105.
[25] Un resumen completo de esta negociación en el informe de Mármol a Elizalde, Río de Janeiro, mayo 27, 1864, COLECCIÓN GIL AGUÍNAGA, Asunción.

El 25 de abril de 1864 Mármol había invitado a Dias Vieira a iniciar esas negociaciones. El canciller brasilero le contestó por escrito el 20 de mayo, concordando en la conveniencia de ajustar el tratado y manifestando su disposición a negociarlo luego que conociera bases y condiciones. Pero dejó "bien sentado un punto, por otra parte muy esencial en la cuestión, cual es el de que el gobierno de S. M., en absoluta divergencia con el de la República Argentina, cree que el de la República Oriental del Uruguay tiene el *derecho* de intervenir en la celebración de aquel tratado". Era lo que el Emperador ya había adelantado a Mármol en su primera entrevista: *Es necesario oírla; es nuestra hija y no podemos disponer de ella sin que tome parte en lo que hagamos*. Además, según Dias Vieira el gobierno imperial no entraría en nuevas negociaciones sobre el asunto, sin conocer las causas que impidieron la aceptación por la Confederación del tratado del 2 de enero de 1859. Este se concertó con ese objeto y de él, por cierto, fue parte la República Oriental, cuya intervención había sido reconocida como necesaria por el tratado de 1856.

Extensamente replicó el 27 de mayo de 1864 el ministro argentino la poco alentadora nota de la cancillería imperial. Se constriñó la respuesta de Mármol, en gran parte, al punto neurálgico de la discusión: ¿era la República Oriental parte obligada en el ajuste del tratado complementario del de 1828?

En este punto, señor ministro —decía Mármol—, la cuestión de derecho no admite contestación ni dudas. Por la convención de 1828 el compromiso de concluir el tratado definitivo es esencialmente privativo de los dos Estados contratantes y las estipulaciones referentes a ese mismo tratado definitivo el de 7 de marzo de 1856 que V.E. invoca, son también obligaciones privativas de los mismos gobiernos que firmaron la convención de 1828; y con el mismo derecho que en 56 se convinieron en que fuese parte la República Oriental en el tratado definitivo; pueden en 64, a la luz de nuevas circunstancias, de la experiencia o de nuevos consejos, concentrar en sus primitivos términos la obligación de entrambos, pues que solo los Estados que contratan son los que determinan el rigor y el valor de sus estipulaciones y los únicos jueces de sus conciencias políticas para decidir de la efectividad, postergación o desistimiento de sus compromisos recíprocos, siempre que el acuerdo mutuo presida circunspectamente tales actos.

Según Mármol, nada obstaba a que la República Argentina y el Imperio del Brasil celebraran compromisos respecto de la República Oriental, siempre que no le impusieran obligaciones que sólo ella, como Estado independiente y soberano tenía el derecho de concertar. Con perfecto derecho, la Argentina y el Brasil, consultando intereses esencialmente suyos, o "en resguardo de su porvenir como Estados americanos de su paz como estados limítrofes", podrían estipular obligaciones recíprocas sobre casos hipotéticos "que la prudencia aconsejaba prever que puedan ocurrir en la existencia futura del Estado Oriental colocado entre las dos naciones y en peligro de comprometer con su suerte la de los estados que lo rodean". Pretender lo contrario, sería buscar para la Argentina y el Imperio, una posición bien singular y nada apetecible. Equivaldría a "que ambas naciones mediatizaran su propia independencia y se privasen de tratar sus propias conveniencias dando espontáneamente a un tercero la facultad de intervenir en ellas". Y en cuanto a las causas de la desaprobación del famoso tratado de 1859, negociado por Lamas, irónicamente decía Mármol:

> Quizás el gobierno de S.M. que mantuvo tan estrechas relaciones con el de la Confederación durante la separación de Buenos Aires, pueda mejor que nadie determinar las causas que impulsaron a aquel gobierno a consentir en la negociación del Tratado de 59 y las causas también porque dejó sin aprobación la obra de su plenipotenciario, dejándola sin efecto en las costas del Paraná.

Sin embargo, la legación argentina hacía conocer algunas causas de ese rechazo. Si la República Oriental reputó el tratado de 1859 contrario a sus intereses, la República Argentina lo consideraba inadmisible por muchas otras razones. De entre éstas, Mármol se limitaba a señalar la participación indebida reconocida a las potencias europeas como garantes de algunas de sus cláusulas. La Argentina pensaba que la fe pública de los Estados americanos bastaba para el cumplimiento de las obligaciones. Toda inmixtión de Europa en las relaciones interamericanas era contraria "a sus más altas y fundamentales conveniencias". Y terminaba la belicosa nota:

> Contestados los puntos en que apoya el gobierno de S.M. su resistencia a la negociación a que ha sido invitado, solo resta al abajo firmado hacer notar al señor ministro de negocios extranjeros, que contra la expresa voluntad del gobierno argentino, va a quedar pendiente, y por mucho tiempo quizás, la resolución de uno de los más graves asuntos que, en obsequio de las mejores relaciones debieran apresurarse a resolver la República y el Imperio; y que por desgracia no es esa la única cuestión pendiente, ni la única que se conserva en ese estado, contra los deseos del presidente de la República [26].

10.　Era una completa confesión de que, por lo menos como resultado de la misión de Mármol, no habían sido atados ninguno de los cabos sueltos entre la República y el Imperio. Los grandes proyectos, las grandes ideas de una nueva política brasilero-argentina naufragaban en los primeros arrecifes. Mármol consideró inútil su presencia en Río de Janeiro. A su entender, Dias Vieira no quería aceptar la responsabilidad de ningún acto serio, ya fuera porque estaba persuadido que, de acuerdo con el desenvolvimiento de la política interna brasilera, muy poco tiempo permanecería el gabinete de Zacharías al frente de los negocios públicos o porque prefería esperar los resultados de la misión Saraiva. En consecuencia, Mármol opinó que era estéril insistir en nego-

[26]　De Mármol a Dias Vieira, Río de Janeiro, mayo 27, 1864, Cit.

ciaciones. Después de recibir el extenso despacho de Elizalde del 9 de mayo, le anunció su próximo regreso a Buenos Aires.

En este caso —le decía completamente desesperanzado— y por razones de salud, que desatendería si tuviera la más mínima esperanza de que este gobierno quisiera salir de su posición de espectativa, he resuelto hacer uso del permiso de mi gobierno para volver a Buenos Aires en el paquete *Mersey*, quedando pronto a volver a mi destino, tan luego como V.E. encuentre más propicia para negociar la política del Imperio (27).

Y mientras Mármol volvía a Buenos Aires con el rabo entre las piernas, en Asunción se soplaba al oído del general López que aquella misión había logrado anudar la alianza entre la República Argentina y el Imperio del Brasil con vistas a la conquista del Paraguay y que la ostentosa misión Saraiva no era sino el primer paso de la siniestra confabulación.

(27) De Mármol a Elizalde, Río de Janeiro, mayo 21, 1864, AMREA, Caja 111.

CAPÍTULO X

SAGASTUME EN ASUNCION

*1. Intrigas sobre la misión Mármol. — 2. Instrucciones a Sagastume.
— 3. Primeros tropiezos. — 4. Informes alarmantes y primer encargo
de armas. — 5. Pedido de intervención armada. — 6. Arreglo del incidente del "Paraguarí". — 7. Promesas y ruidos de armas. — 8. Revelaciones a Bareiro. — 9. Conjeturas de Maillefer. — 10. Escepticismo de
Santos Barbosa.*

1.   La misión de Octavio Lapido en el Paraguay había sido
un fracaso. A pesar de sus habilidosos esfuerzos, el enviado oriental
no había logrado que el Paraguay abrazara la causa de Montevideo en su doble contienda con la revolución colorada y con el
gobierno argentino. Ciertamente, como resultado de la insistencia
de López en arrancar explicaciones a Buenos Aires sobre sus designios en la República Oriental y de la terca negativa de Mitre a
proporcionarlas, se había creado entre ambos gobiernos una situación de extrema tirantez. Pero el enojo paraguayo no tenía conexión directa con la crisis oriental sino con la dignidad del país y
de su gobernante que en Asunción se consideraba gravemente lesionada por la descortesía argentina. Aunque los blancos se encargaron de propalar hacia todos los ámbitos la versión de un acuerdo
paraguayo- oriental, a nada parecido se había arribado en las conversaciones de Asunción. El presidente López se cuidó de aclarar
inequívocamente que la posición de su gobierno, tanto en relación
con la crisis argentino-uruguaya como frente a la revolución colorada, era independiente, sin concomitancias con los países o bandos en pugna y sólo persiguiendo la precautelación de intereses y
derechos del Paraguay.

Los gobernantes uruguayos no dieron el brazo a torcer. Aunque el incidente del *Paraguarí* había llevado las relaciones con el
Paraguay a un estado de casi ruptura, las circunstancias ofrecían
nuevos motivos para herir la muy probada sensibilidad paraguaya

en sus nervios más delicados, con resultados fáciles de predecir, y en forma que hiciera obligado el urgente finiquitamiento del enojoso entredicho. La misión encomendada a Mármol en Río de Janeiro ofreció una oportunidad que cabía aprovechar. Se sopló al oído del agente paraguayo en Montevideo, que el principal objetivo del diplomático de Buenos Aires era preparar las bases de un arreglo de límites y también interesar al Brasil en resolver conjuntamente con la Argentina las cuestiones territoriales con el Paraguay (¹). Esta información, prontamente transmitida a Asunción, fue complementada por otra, también recogida por Brizuela y comunicada a Berges, según la cual Mármol iba habilitado para sugerir bases de un nuevo tratado, como punto de partida para mezclar las cuestiones territoriales del Paraguay, Brasil y Argentina, con miras hostiles al primer país.

> Es casi, pues, indudable —seguía diciendo Brizuela— que la primera cuestión que ha de encarar (Mármol) en el Janeyro, es de la pacificación de este Estado para desprenderse de las graves complicaciones que ellas causan a ambos Poderes, y convertir sus miras más tarde hacia nosotros, mayormente cuando les preocupa la idea de la preponderancia fluvial de nuestra Marina y elementos de poder que él desarrolla en su organización militar (²).

Poco después, Lapido, entonces ministro de gobierno, volvió a llamar al agente paraguayo para manifestarle la urgente necesidad de restablecer las buenas relaciones entre el Paraguay y la República Oriental, en vista de que los gobiernos del Brasil y de la Argentina se estaban entendiendo en esos mismos momentos "para resolver varias y muy trascendentales cuestiones en las Repúblicas del Plata" (³).

Estas primeras intrigas cayeron en terreno fértil. El ministro de relaciones exteriores, José Berges ordenó al agente en Buenos Aires, Félix Egusquiza que averiguara la veracidad de la versión, sabida "por un conducto respetable", de que uno de los cometidos de Mármol era procurar un acuerdo entre los gobiernos de Buenos Aires y de Río de Janeiro "para no permitir que el gobierno paraguayo continúe desenvolviendo su política en el Río de la Plata" (⁴). También pidió Berges al doctor Lorenzo Torres, su más autorizado corresponsal en Buenos Aires, averiguaciones sobre esa noticia, que reputaba alarmante, pues no acertaba "a combinar otros medios que puedan ponerse en juego, para oponerse a la política que crea útil desenvolver un gobierno independiente, sino el de la fuerza, o como Uds. llaman *medidas coercitivas*" (⁵).

(¹) De Brizuela a Berges, Montevideo, marzo 29, 1864, AMREP, I, 30, 2, 72, Nº 1.
(²) De Brizuela a Berges, Montevideo, abril 15, 1864, AMREP, I, 30, 5, 33, Nº 3.
(³) De Brizuela a Berges, Montevideo, abril 16, 1864, AMREP, I, 30, 7, 67.
(⁴) De Berges a Egusquiza, Asunción, abril 6, 1864, en REBAUDI, p. 99.
(⁵) De Berges a Torres, Asunción, abril 6, 1864, AMREP, I, 22, 12, 1, Nº 83.

Ni Egusquiza ni Torres pudieron confirmar en Buenos Aires las versiones aludidas por Berges, y cuando, días después, el cónsul del Brasil, Santos Amaro Barbosa, se entrevistó con López, el relato de lo conversado, transmitido a Río de Janeiro, fue el siguiente:

> Nada hablamos de política: la única cosa que me dijo fue que el señor Mármol había ido para esa Corte con muchas esperanzas. Respondí que no lo dudaba, porque la esperanza aparecía y desaparecía con el hombre, por que yo también la tenía, de que las esperanzas del señor Mármol no serían para perturbar el sosiego y el progreso del Paraguay, porque sabía que los deseos del Gobierno imperial eran, no sólo la paz y la prosperidad de sus vecinos, como estar en buenas relaciones con ellos. S. E. me dijo que mucho estimaría que así fuese, porque esos eran también sus deseos [6].

Nada de la misión Saraiva. Y nada tampoco en el órgano oficial. La presencia del Brasil en la crisis oriental, anunciada con bombos y platillos y preñada de amenazas, no parecía conmover al gobernante del Paraguay, cuya inquina continuaba enteramente monopolizada por Buenos Aires y que no perdía la esperanza de que el emperador Don Pedro se decidiera alguna vez a aceptar la mano que le tendía y a darle, en cambio, la de una de sus hijas. En esos momentos le interesaba más a López saber lo que Mármol se proponía en Río de Janeiro que lo que Saraiva haría en el Uruguay. Los blancos se encargaron de ligar lo uno con lo otro.

2. Aún no había llegado a Montevideo la misión Saraiva, cuando el gobierno de Montevideo resolvió destacar un nuevo representante diplomático en el Paraguay. Era el doctor José Vázquez Sagastume. Político hábil e insinuante, protagonista activo de la contienda civil en curso, recibió el encargo de persuadir a López de que el Brasil y Buenos Aires estaban tejiendo la cuerda con la cual extrangular al Uruguay y luego al Paraguay.

Las instrucciones para Vázquez Sagastume fueron firmadas por el ministro de Relaciones Exteriores, Juan José de Herrera, el 1º de mayo de 1864. En ellas, después de reseñar los antecedentes de la situación uruguaya y las gestiones hechas ante el Paraguay, se recordaba que esta República había inscripto en su derecho político y hecho conocer a la Argentina, el Brasil y Europa, "que la independencia del Estado Oriental es condición de existencia propia, como es condición necesaria del equilibrio político del continente en que está situada". Los peligros que suponía esta declaración se presentaban, cuando fue anunciada, sólo de parte de la República Argentina. Ahora se estaba viendo al Brasil enviar una flota a las aguas y un ejército a las fronteras de la República Oriental, al tiempo que daba vigor desacostumbrado a sus gestiones diplomáticas, de donde Herrera extraía las siguientes conclusiones alarmantes:

[6]   De Santos Amaro Barbosa a Dias Vieira, abril 20, 1864, AHI.

El concierto está patente. Ya no es solamente la República Argentina, es también el Brasil, y obrando concertadamente.

El peligro ha aumentado considerablemente para los comunes intereses que el Paraguay vio peligrar por la conducta del gobierno argentino con relación a este país.

La actitud del Paraguay debe tornarse más seria, más imponente, no debiendo dejarse ganar por los sucesos que acaso lo envuelvan, a la par nuestra, advertidos los poderes que nos son tradicionalmente hostiles del cambio que meditamos en las bases de la política internacional del Río de la Plata, cambio que ha patentizado el mismo Paraguay con los actos últimos de su diplomacia. En la vía ya trazada por esos actos practicados en compañerismo con nosotros es ya tarde la inacción y es ya imposible el retroceso. Quedar a medio camino y mantenerse en la región de las teorías y de las simples exhortaciones cuando se condensan los peligros y se llevan a cabo los preparativos para hostilizarnos mejor, parécenos signo de grande imprevisión y de renuncia a las ventajas que, en casos como el que nos preocupa, se derivan siempre de la iniciativa resuelta y vigorosa, fundada en el derecho y sostenida por la fuerza.

Fundado en todo esto, Vazquez Sagastume debía solicitar del gobierno paraguayo concretamente: 1º una gestión diplomática ante el Brasil análoga a la llevada ante el gobierno argentino: el Imperio debía saber que si se atentaba contra la independencia del Estado Oriental, el Paraguay consideraría de su deber y de su interés emplear medios de resistencia, por reputar tal ataque "contrario al equilibrio de las nacionalidades del continente de que forma parte el mismo Paraguay"; 2º el envío a las aguas del Uruguay y del Plata de algunos buques de guerra paraguayos que correspondieran al aparato bélico brasilero; 3º el envío de una fuerza de un par de miles de hombres de infantería y de artillería que desembarcarían en el litoral oriental del Uruguay a fin de guarnecer los pueblos de esa costa. Seguramente teniendo en cuenta las experiencias de Lapido, Herrera recomendaba a Sagastume economizar manifestaciones escritas. Solamente después de palpar la resolución de prestarse a aquellas solicitudes, debía dirigir "bajo reserva" las convenientes notas, en las cuales, con toda discreción se harían conocer los temores del gobierno oriental. Sagastume tenía que huir de los pactos escritos. Ya no eran del momento por la urgencia que imponían los sucesos, ni convenían al Uruguay, "después de tanto tiempo perdido en *pour parlers,* sino para después de sorteadas las dificultades (⁷).

3. El 11 de mayo de 1864 arribó a Asunción el nuevo ministro oriental. A poco de llegar, Sagastume advirtió que el negocio del *Paraguarí* era más serio de lo que se suponía en Montevideo. Aunque el 12 elevó sus cartas credenciales y pidió señalamiento de fecha para ser recibido por el presidente de la República, transcurrieron varios días sin que se le contestara la nota. Sus temores

(⁷) De Herrera a Sagastume, Montevideo, mayo 1º, 1864 HERRERA, t. III, pp. 348-357.

de no ser recibido, desaparecieron cuando el 16 le avisó Berges que al día siguiente se le esperaba en Palacio.

Aunque López se prodigó en cortesías con el nuevo enviado oriental, hízole comprender que ellas eran "al individuo y no al hombre público". Además, no le disimuló su irritación por la respuesta del Uruguay a la reclamación paraguaya por el incidente del *Paraguarí*. Evidentemente la nota de Herrera que ratificaba las explicaciones dadas por Brito del Pino, y defendía la conducta de los empleados portuarios, nota en que tanto confiaban en Montevideo para calmar el disgusto paraguayo por las zalamerías que contenía, amenazaba empeorar la situación. Sagastume comprendió que antes de entrar a fondo a cumplir los objetivos fundamentales de su misión tenía que remover este obstáculo de raíz, en forma que dejara completamente aplacada la ofendida sensibilidad paraguaya (⁸). El acto protocolar de la entrega de sus credenciales no era el más a propósito para zanjar la cuestión, por lo cual el nuevo ministro oriental se reservó para librar sus batallas con el canciller.

La primera conferencia entre Berges y Sagastume tuvo lugar el 19 de mayo de 1864. El ministro oriental se adelantó a inquirir el pensamiento del gobierno sobre el incidente del *Paraguarí*. Su antecesor en la legación, Brito del Pino, no había logrado levantar uno solo de los velos que rodeaban al asunto en las esferas oficiales, pero Sagastume sabía que lo del *Paraguarí* era considerado un pleito de primera magnitud. Berges le contestó que se ocupaba en contestar las explicaciones de Herrera "haciendo rectificaciones y observaciones que sentían fuesen un motivo para colocar las relaciones de ambos pueblos en situación más difícil que aquella que había creado el inmotivado y ofensivo incidente del *Paraguarí*". Lamentó el canciller que las buenas disposiciones paraguayas tropezaron con la necesidad de continuar una discusión que muy probablemente "alejaría a los dos gobiernos del acuerdo y la buena armonía". Sagastume repuso que si la nota en preparación era susceptible de provocar una polémica enojosa, prefería discutir amigablemente sus términos antes de recibirla. Replicó Berges que su gobierno no podía dejar de contestar una nota con apreciaciones poco exactas de los hechos, y menos prescindir de llevar las cosas al terreno a que le conducía la dignidad nacional. Entonces el ministro oriental declaró que tomaría la grave responsabilidad de retirar la nota de su gobierno, siempre que pudiese justificar ese hecho con un resultado práctico y satisfactorio. Pronto Sagastume advirtió que aquella concesión no bastaba para aplacar el disgusto paraguayo. Berges le pidió que formulara por escrito lo que el gobierno oriental podría hacer para

(⁸) De Sagastume a Herrera, Asunción, mayo 21, 1864, HERRERA t. IV, p. 469.

dar satisfacción al Paraguay en el caso del *Paraguarí*. Ni corto ni perezoso, Sagastume escribió, en el acto, con el primer lápiz que encontró a mano:

Si para el restablecimiento leal y ostensible de las fraternales relaciones de la República del Paraguay y la Oriental del Uruguay, si para que la República del Paraguay demuestre con hechos todo el interés que le inspira la nación uruguaya, si para que el Paraguay baje al Río de la Plata y tome puesto al lado de su hermana la República Oriental, frente al Brasil y Buenos Aires, fuera necesario el retiro de la nota del Gobierno Oriental; su Ministro en el Paraguay tomaría sobre sí la grave responsabilidad de retirarla, dando inmediatamente cuenta a su gobierno. El Ministro Oriental tiene plena confianza en la nobleza y elevación de carácter del Gobierno Paraguayo, sabe que no ha de pedir para el pueblo oriental nada que no sea muy digno y muy honroso, y en tal concepto, promete una demostración que atestigüe la buena amistad que el Gobierno oriental ha tenido siempre por el Paraguay.

El canciller paraguayo tomó los apuntes y ofreció contestarle. Esta conferencia se efectuó a las 9. Dos horas después Berges hizo llamar a Sagastume a su despacho. No bastaba el retiro de la nota para desagraviar la honra paraguaya. La legación oriental debía ofrecer las explicaciones debidas y prometer "que no habían de repetirse actos como el del *Paraguarí*, ni ninguno otro que envolviesen agravios a la bandera paraguaya" (9). Los términos de la nota debían ser conocidos por el gobierno paraguayo antes de su presentación. Sagastume a todo se allanaba y se apresuró en cumplir el pedido, presentando sin pérdida de tiempo el proyecto de comunicación en los términos sugeridos. Transcurrieron varios días antes de que Berges convocase nuevamente a su despacho al ministro uruguayo.

4. Hasta el momento, Sagastume no había adelantado nada en lo que era el verdadero objetivo de su misión: denunciar la misión Saraiva como fruto de un acuerdo entre el Imperio y la Argentina con vistas sobre el Uruguay y el Paraguay. La desconfianza paraguaya hacia los blancos parecía invencible. Pero si López no estaba dispuesto a escuchar lo que pudiera decirle el emisario oriental, en cambio otro crédito daba a sus corresponsales particulares en el Río de la Plata, sobre todo a Nicolás Calvo y a Juan José Soto. A sus informes atribuyó el cónsul brasilero en Asunción, Santos Barbosa, la persuasión que estaba formándose en el espíritu del gobernante paraguayo, de que había un concierto brasilero-argentino. Para disuadirle de esa sospecha Santos Barbosa ofreció a López la versión taquigráfica de la famosa interpelación del 5 de abril, y le pareció que a la vista de los hechos patentizados en los discursos pronunciados tanto por Ferreira de Veiga y Neri, como por el ministro Dias Vieira, el presidente paraguayo haría justicia "a los motivos

(9) Memorándum de la 1ª y 2ª conferencia, de mayo 19, 1864, en AMREU, Legajo *Misión Vázquez Sagastume, 1864.*

que tuvo el gobierno imperial para abandonar la política de abstención, no obstante recelar del giro que pueda tomar esa Misión, caso de encontrar oposición en el gobierno oriental" ([10]) .

No fue, sin embargo, tan apaciguadora la intervención del cónsul brasilero, como se patentizó en la carta que, por el mismo tiempo, escribió López al agente paraguayo en Buenos Aires, para decirle:

El carácter y verdadera misión del señor Saraiva en el Río de la Plata es poco pacífica y según corren las cosas no hemos de tardar en ver la conjunta intervención armada del Brasil y de la República Argentina en los negocios intestinos de la Oriental.

Se dice que esa misma liga ha de llegar hasta aquí, requiriendo simultáneamente a las dos nacionalidades la demarcación de sus límites, apoyando las pretensiones por la fuerza.

¿Hay allí sables, fusiles y carabinas para comprar? ([11]) .

La pregunta contenida en el último párrafo revelaba, mejor que nada, hasta qué punto López comenzaba a alarmarse. La verdad era que su plan de adquisiciones para modernizar el vetusto equipo militar y naval estaba en sus balbuceos. Acababa de ser adoptada la primera decisión, sobre la base de muestras enviadas por la casa Blyth. El 6 de mayo de 1864, el presidente había encargado a Bareiro la compra de 1.500 rifles mosquetes *Enfields Paterra*, calibre 577, para 1200 yardas, con espoletas, tapón, etc., "de la mejor calidad", y 1.000 carabinas rifles de caballería *Enfields Paterra*, calibre 577, para 300 yardas, con espoletas, etc., todos de fabricación inglesa ([12]) . La insignificancia de este primer pedido, no parecía abonar la existencia de muy serios temores en el espíritu de López sobre la inminencia de conflictos bélicos en que el Paraguay quedaría aislado sin posibilidad de seguir recurriendo a los mercados europeos para la tan necesaria reposición de su anticuado material. Pero ahora, apenas dos semanas después, parecía dispuesto a comprar en el Río de la Plata cuantos sables, fusiles y carabinas estuvieran disponibles.

5. El crédito que estaba dando el gobierno paraguayo a las noticias de sus corresponsales se puso también de manifiesto en la nueva conferencia que el 24 de mayo sostuvieron Berges y Sagastume. Berges, de sopetón, le requirió noticias políticas y el diplomático oriental, teniendo muy presentes las recomendaciones de Herrera, no recurrió a fuentes oficiales para despertar los recelos que estaba encargado de suscitar según sus instrucciones, sino a cartas particulares. En éstas se consignaba que "posiblemente" el gobierno argentino obraría de acuerdo con el Brasil, "contra la República Oriental ahora y contra la del Paraguay después". En el acto

(10)   De Santos Barbosa a Dias Vieira, Asunción, mayo 23, 1864, Ahi.

(11)   De López a Egusquiza, Asunción, mayo 21, 1864, Bray, p. 190.

(12)   De López a Benites, Asunción, mayo 6, 1864, Benites, t. I, p. 134.

Berges aseguró que esas informaciones estaban confirmadas por otras recibidas por el gobierno según las cuales verdaderamente existía el peligro de que "el Brasil y la República Argentina deseaban convertir en dos solas nacionalidades las Repúblicas que formaban el antiguo Virreinato". Ante esta situación, Berges lamentaba que el entredicho sobre el *Paraguarí* impidiera al Paraguay "tomar parte activa inmediatamente en el Río de la Plata".

Abierta así la brecha por donde Sagastume podía y debía introducirse, no tardó en concretar las ideas que constituían el motivo de su misión. Comenzó diciéndole a Berges que no comprendía cómo reconociendo el gobierno paraguayo el cercano peligro y la conveniencia de unificar políticas, se hacía depender esto último de un "incidente sin significación", como el del *Paraguarí*. Y entró luego de lleno a formular una propuesta, que si no estaba del todo conforme con sus instrucciones, se acomodaba muy bien con lo que en el poco tiempo de su permanencia en el Paraguay había podido comprobar: el deseo del general López de actuar, desde una alta posición, en los negocios del Plata. Sagastume declaró a Berges que:

> el Paraguay está en los momentos de tomar en el exterior una posición altamente honorable y respetable, que su presencia en la actualidad en Montevideo interrogando al Brasil sobre sus intenciones respecto a la República Oriental, contendría el desenvolvimiento de una política hostil y mostraría a los incrédulos su poder y su fuerza. Si un ministro del Paraguay revestido de la misma ostentación que despliega la misión Saraiva, en uso del buen derecho del Paraguay, tomase ingerencia en la política que pretende desenvolver en el Río de la Plata (el Brasil) su voz, fortificada con el concurso uruguayo y sostenido por las potencias europeas, que no pueden consentir en un cataclismo que agrediese los grandes intereses de sus nacionales, despejaría el horizonte político de los nubarrones que amenazan el porvenir de estos países y garantizaría sólidamente su estabilidad; que, en esta resolución del Paraguay habría mucha gloria, mucho provecho y pocos sacrificios.

No era por cierto la intervención militar lo que Sagastume solicitaba sino una mera interposición diplomática. Berges eludiendo una respuesta concreta a esta sugestión, observó a Sagastume que si el Paraguay, en el desenvolvimiento de una política como la sugerida, unificara su acción con la República Oriental y llegara, con ese motivo, a un desacuerdo grave con Buenos Aires, sus buques mercantes podrían ser detenidos en los puertos argentinos, salvo que gozaran de las inmunidades correspondientes a los barcos de guerra. De donde Berges deducía que la concesión de inmunidades por el gobierno oriental debía ser el primer paso hacia la unificación de políticas y un precedente que el Paraguay haría valer. No se consideró Sagastume autorizado a desviarse de los principios del derecho público marítimo para aceptar la propuesta paraguaya; también Francia, Inglaterra, Italia y otras potencias reclamarían igual privilegio, con grave perjuicio para los países del Río de la Plata. Visiblemente amoscado el canciller Berges por la instantánea repulsa de su sugestión y sin siquiera referirse a la que Sagastume había formulado para dar al Paraguay "mucha gloria y mucho provecho con pocos sacrificios", dio por terminada la conferencia, manifestando que meditaría sobre lo conversado y que el día siguiente le haría conocer el resultado de sus reflexiones ([13]).

El 25 de mayo, en efecto, Berges comunicó al ministro uruguayo que, en vista de su negativa a acceder a la petición del gobierno paraguayo de reconocer a los buques de su propiedad, la calidad de buques de guerra, sería pasada la nota contestación a las explicaciones de Herrera sobre el incidente del *Paraguarí*. El éxito de la negociación "resultaría del giro que ella misma tomase". Sagastume pidió, una vez más, que no se cursara la anunciada nota o que, por lo menos, previamente fueran discutidos sus términos. Berges se mantuvo inflexible: nuevas explicaciones del ministro oriental podrían, si lo quisiera, motivar otra nota. La del gobierno paraguayo tenía que ser remitida indefectiblemente. Más aún: expresó Berges que el proyecto de explicaciones sobre lo del *Paraguarí* era definitivamente rechazado. Entonces el enviado oriental, sintiéndose derrotado en toda la línea, anunció a Berges que en vista del fracaso de su misión, pediría que se le relevase del cargo. Solicitó, finalmente una entrevista con el presidente López, lo cual le fue prometido por Berges. Éste nada dijo para disuadirle de su propósito de abandonar la legación y el país ([14]).

6.   Estaban las negociaciones en este punto muerto, cuando recibió Sagastume nuevas instrucciones de Herrera para apurar sus gestiones en favor de un acuerdo militar. Ya había aparecido Saraiva, con su imponente acompañamiento naval y ya se conocían sus severas demandas. Todas las esperanzas de Montevideo estribaban ahora en el Paraguay. Había que recurrir a cualquier procedimiento para sacar a López de su indecisa posición. Instaba, por eso, Herrera:

Conviene aparentar ante ese gobierno, serio temor de una inteligencia argentino-brasilera contra el Paraguay, que obraría contra éste, después de triunfar en el Uruguay ([15]).

Ni corto ni perezoso Sagastume cumplió con fruición las indicaciones de su canciller, con resultados que le suscitaron la sospecha de que, efectivamente, algo de cierto había en lo que el Uruguay estaba denunciado, por lo visto con escasa convicción.

Las recomendaciones que me haces —informó confidencialmente a Herrera— sobre la conveniencia de inspirar temores al Paraguay sobre el concierto argen-

([13])   Memorándum de la conferencia Berges-Sagastume de mayo 24, 1864, en AMREU, Legajo *Misión Vázquez Sagastume, 1864.*

([14])   Memorándum de la conferencia de mayo 25, 1864, en AMREU. Legajo *Misión Vázquez Sagastume, 1864.*

([15])   De Herrera a Sagastume, Montevideo, mayo 14, 1864, AGNU.

tino-brasilero, han sido llenadas cumplidamente y con menos trabajo de lo que creía, porque los informes de este gobierno así lo indican.

Esto me hace presumir, dados los buenos datos que este gobierno recoge, que haya en esta amenaza más realidad, lo que parece creer el señor Thornton.

Bueno sería que averiguases la verdad (16).

En realidad, el gobierno del Paraguay no necesitaba de ninguna información especial para alimentar esa permanente sospecha del espíritu nacional, siempre predispuesto a esperar el entendimiento de los dos grandes vecinos contra la independencia o la integridad territorial del país.

Al calor de las noticias del Río de la Plata, las cosas tomaron tal "carácter inquietante", que Sagastume, según informó a su gobierno dos semanas después, decidió, bajo su propia responsabilidad, cortar por lo sano, aviniéndose a todas las exigencias del gobierno del Paraguay en cuanto al incidente del *Paraguarí*. Todo comenzó en la audiencia que el presidente le concedió, conforme a su pedido. En esta ocasión López le hizo "revelaciones importantes". sobre graves peligros para la República Oriental. Luego el ministro oriental supo, por conductos que reputó fidedignos, que el gobierno argentino procuraba el restablecimiento de cordiales relaciones con el Paraguay y que de Buenos Aires habían llegado insinuaciones para un acuerdo político.

Aunque semejante versión no se compadecía con la del entendimiento argentino-brasilero contra el Paraguay, que oficialmente debía denunciar, la posibilidad del acuerdo entre Buenos Aires y Asunción y también las presumibles complicaciones de la Misión Saraiva movieron a Sagastume a valerse indirectamente de los buenos oficios del ministro norteamericano, Mr. Charles Washburn, para zanjar las dificultades ocasionadas por el episodio del *Paraguarí*. Propuso entonces un nuevo proyecto de comunicación, basada por entero en las pretensiones del gobierno paraguayo. Renováronse las entrevistas con Berges tan asiduamente que ya no le fue posible a Sagastume protocolizarlas, como las anteriores. Llegado, al fin, a un acuerdo completo sobre los términos del arreglo, después de larga y penosa discusión, Sagastume, antes de firmarlo, quiso conocer a fondo el pensamiento del gobierno paraguayo respecto de la actualidad oriental, y se le dijo entonces que la República Oriental "podía contar con el concurso efectivo del Paraguay" (17).

La satisfacción que Sagastume ofreció, en nombre de su gobierno, constó en una declaración con su firma y con los sellos de la legación oriental, fechada el día 3 de junio de 1864. Sus artículos principales rezaron:

(16) De Sagastume a Herrera, Asunción, mayo 25, 1865, HERRERA, t. IV, pp. 470-472.

(17) De Sagastume a Herrera, Asunción, junio 6, AMREU, Legajo *Misión Octavio Lapido, 1863.*

1º Que los actos ocurridos por parte de las autoridades orientales y de su vapor de guerra *Treinta y Tres* en la rada de Montevideo, el 27 de febrero del corriente año, fueron cometidos por el excesivo celo de autoridades subalternas en momentos de una crisis peligrosa para el orden público de aquella Capital, sin que de ninguna manera contribuyese la voluntad del gobierno oriental de desconocer las consideraciones y respetos que ha tenido siempre por la República del Paraguay.

2º Que el gobierno oriental desaprobó la conducta de aquellas autoridades.

3º Que el gobierno de la República Oriental del Uruguay deplora profundamente que tales actos hayan tenido lugar entre sus autoridades subalternas y una nave paraguaya, y ofrece la seguridad de que jamás se repetirá un hecho tan lamentable ni en sus aguas ni con sus buques de guerra fuera de ellas (18).

El gobierno paraguayo consideró estas declaraciones "como satisfacción bastante, por parte de una República amiga, en desagravio de los hechos que han ofendido la honra y dignidad nacional", y, a su vez, formuló la siguiente:

El gobierno paraguayo que no ha cesado de alimentar una sincera y amistosa simpatía hacia el pueblo oriental, cuya identidad de origen, intereses y necesidades políticas no le son extraños, se congratula de ver restablecidas las fraternales relaciones, que han sido infelizmente perturbadas, habilitando de nuevo a este gobierno para continuar, comprobado su interés en todas las ocasiones, y en la órbita que las circunstancias le permitan, y la necesidad del equilibrio, independencia e integridad de todos los ribereños del Plata, lo exijan (19).

7. No era exactamente lo que Sagastume esperaba. Se reducía a una ratificación de principios de sobra conocidos. La declaración paraguaya no contenía una palabra más de las que había obtenido Lapido y que el gobierno oriental conceptuara tan inconsistentes. Pero el ministro Sagastume no se amilanó por el escaso rendimiento de la humillación que soportara al allanarse a todas las exigencias paraguayas en el caso del *Paraguarí*. Y se sintió invadido de optimismo cuando, nuevamente recibido por el presidente López, escuchó de sus labios declaraciones, promesas y noticias mucho más alentadoras.

Esa conferencia —escribió a Herrera— me habilita, señor ministro para decir a V. E. que el gobierno del Paraguay está dispuesto a demostrar con hechos, el interés que toma por la conservación y el respeto del gobierno legal de la República Oriental, que sobre 40.000 hombres que tiene ya en armas esta República se han decretado nuevos reclutamientos para crecer el ejército, que reforzada la división que campa en las inmediaciones de la Tranquera de Loreto, se recostará a lo más posible sobre el río Uruguay, y como en observación del Brasil, que si el gobierno Oriental le da conocimiento de su política y participación en las negociaciones entabladas por el señor Saraiva, el Paraguay llevará a Montevideo su bandera de guerra y su palabra oficial, para sostener y

(18) Declaración de junio 3, 1864, AMREU, Legajo *Misión Octavio Lapido, 1863*.

(19) De Berges a Sagastume, Asunción, junio 4, 1864, AMREP, I-22, 11, 1, Nº 344.

defender de acuerdo con la República Oriental, los altos intereses comprometidos en la actualidad, y procurar el afianzamiento de derechos comunes, sobre bases permanentes de respeto, que garantan el porvenir de ambas nacionalidades [20].

Una vez más, el presidente López iba mucho más de donde quería llegar su ministro de relaciones exteriores. Berges reducía la posible acción del Paraguay a una platónica ratificación del interés paraguayo en velar por el equilibrio, la independencia e integridad de los ribereños del Plata, "en la órbita que las circunstancias le permitan". El general López hablaba ya concretamente de vastos movimientos militares y de su propósito de llevar a Montevideo su bandera de guerra y su palabra oficial, toda vez que el gobierno oriental le diera conocimiento de su política "y participación en las negociaciones entabladas por el señor Saraiva". Tal condición reflejaba su verdadera intención. López sólo buscaba forzar la admisión del Paraguay en la alta diplomacia del Río de la Plata. Pero todo ésto escapó por completo a la comprensión del ministro Sagastume, quién se creyó dueño de la situación:

> Dime detalladamente —escribió a Herrera— dónde quieres que vayamos, para mostrar el camino a este gobierno. Quiere para obrar, y me parece justo, conocer las vistas políticas y los medios del gobierno oriental [21].

Los indicios parecían darle la razón a Sagastume. Según lo que decía *El Semanario* continuaban en gran escala los preparativos militares. Poco tiempo antes de la llegada de Sagastume, Berges había asegurado al encargado de negocios del Uruguay que si el Paraguay se estaba armando "tan formidablemente", era para poder atender "a toda eventualidad que pueda ofrecer la política de la actualidad". Al mismo tiempo había escrito al cónsul en Paraná.

> A varios jefes del Ejército he oído expresar sus deseos de presentar una revista de 30 mil hombres en la próxima primavera, y es probable que S. E. quiera complacer a sus deseos formando una parada general de las tres armas en Paraguarí, o *en alguna otra parte*. Sobre este punto me reservo hablarle más detenidamente cuando se aproxime el tiempo [22].

El subrayado era de Berges, quién, cuando supo que en Buenos Aires había cundido la versión de que 4 ó 5.000 paraguayos estaban invadiendo las Misiones, escribió al agente en esa ciudad:

> Me alegro que en Buenos Aires haya corrido la especie de que una fuerza paraguaya ha invadido las Misiones. Puede que un día sea cierta esa noticia y entonces tardarán en creerla [23].

[20] De Sagastume a Herrera, Asunción, junio 6, 1864, AMREU, Legajo *Misión Vázquez Sagastume, 1864.*

[21] De Sagastume a Herrera, Asunción, junio 6, 1864, HERRERA, t. IV, p. 472.

[22] De Berges a Caminos, Asunción, mayo 6, 1864, AMREP, I, 22, 12, 1, Nº 93.

[23] De Berges a Egusquiza, Asunción, mayo 21, 1864, REBAUDI, p. 102.

Y algunos días después, ya resuelto el entredicho del *Paraguarí*
y anunciada la resolución del Paraguay de seguir velando por el
equilibrio, la independencia y la integridad de los países del Plata,
Berges volvió a informar intencionalmente a Egusquiza sobre los
aprestos militares, comentando:

> Por fin todo el país se va militarizando, y crea Ud. que nos pondremos en
> estado de hacer oír la voz del Gobierno Paraguayo en los sucesos que se desen-
> vuelven en el Río de la Plata, y tal vez lleguemos a quitar el velo a la política
> sombría y encapotada del Brasil [24].

El doctor Lorenzo Torres, verdadero agente paraguayo en Buenos Aires, también fue informado de los nuevos preparativos y de
sus finalidades:

> El campamento de Humaitá ha sido reforzado con tres mil reclutas más,
> y el de reserva de Santa Teresa en Misiones con cinco mil; de modo que si
> viene atravesada la misión Saraiva, nos hallaremos en estado de hacer oír nues-
> tra voz y tomar un lugar en la política que se desenvuelve en el Río de la
> Plata [25].

8.   En las comunicaciones a Egusquiza y Torres sólo se transparentaba el imperioso anhelo de hacer oír la voz del gobierno paraguayo en los sucesos del Río de la Plata. En el extenso despacho
que, en la misma fecha, 6 de junio de 1864, Berges escribió para el
representante en Francia e Inglaterra, Cándido Bareiro, iba mucho
más allá. Declaraba abiertamente el propósito del Paraguay de no
retroceder ante la *última ratio,* la guerra, si se agotaban los recursos de la diplomacia en la defensa de la independencia del Uruguay.
Y al mismo tiempo daba como "un hecho cierto" que el Brasil, conjuntamente con la República Argentina, habían organizado la intervención armada e iban a tomar posesión del país oriental por
seis años, con conocimiento y aquiescencia de Inglaterra y Francia.

> Esta combinación entre el vecino Imperio y la República Argentina —co-
> mentaba Berges— que por la primera vez se entienden, es considerada con
> tendencia a la anexión del Estado Oriental, y atentatoria a la independencia de
> nuestro país. Al menos no tenemos duda que piensan atentar contra nuestra
> integridad territorial, y despojarnos si pueden, de esa gran porción de nuestros
> territorios que todavía no están delimitados con esos dos Estados vecinos, y
> deben discutirse en una negociación de límites; pero como no confían bastante
> en su buen derecho, que por cierto está de parte del Paraguay, piensan obtener
> un arreglo por medio de la fuerza o la coacción.

Seguía diciendo Berges que la anexión del Estado Oriental no
era idea nueva en el Imperio. El recuerdo de la provincia Cisplatina estaba en todos los brasileros. Los sucesos de Méjico (donde el
emperador Maximiliano había recurrido a la ayuda europea) mos-

---

(24)   De Berges a Egusquiza, Asunción, junio 6, 1864, REBAUDI, p. 103.
(25)   De Berges a Torres, Asunción, junio 6, 1864, AMREP, I, 22, 12, 1,
Nº 110.

traba que no era imposible una combinación de las monarquías de Europa y de América. Todos estos antecedentes eran puntualizados, para que Bareiro comprendiera "el pulso y la prudencia" con que, como representante de una república sudamericana ante las dos principales Cortes de Europa, necesitaba expedirse en este negocio. Pasaba luego Berges al objeto de su comunicación:

> V. sabe que nuestro Gobierno ha declarado oficialmente que miraba la completa independencia de la República Oriental del Uruguay, como el equilibrio de las nacionalidades de esta parte de América. Esta declaración lo llevará adelante, y tal vez para sostenerla se verá en la penosa necesidad de recurrir a la *última ratio* (la guerra) después de haber agotado todos los recursos de la diplomacia.

Berges daba como "inevitable" el caso. Y a fin de que el gobierno paraguayo no apareciera en Europa "desempeñando el rol de una quijotada política o de un injusto invasor", Bareiro debía trabajar para esclarecer que "somos arrastrados por la ambición de nuestros vecinos a repeler la fuerza con la fuerza". Los gobiernos de Francia e Inglaterra, y en general los agentes extranjeros, debían comprender el estado de anarquía de las Repúblicas del Plata y la política de absorción y miras ambiciosas del Imperio del Brasil. Bareiro tenía que dejar bien sentado que "sólo arrastrados por los acontecimientos atentatorios a nuestra dignidad y soberanía nacional, abandonaríamos nuestra política tradicional y será perturbada nuestra paz de medio siglo". Tales las instrucciones de Berges, que proseguía:

> Por los encargos de compras, que se le ha hecho a su salida de la Asunción, comprenderá V. mejor que nadie, nuestra intención de prepararnos para todo evento, y la necesidad en que estamos de hacernos respetar. Hubiéramos deseado crecer más, reunir mayores recursos y ganar tiempo; pero los sucesos pueden precipitarse, y si desgraciadamente somos obligados por los acontecimientos, a tomar una parte activa en los asuntos del Plata para salvar nuestros intereses y el honor nacional, a V. le toca trabajar eficazmente en el sentido de hacer conocer en Europa los nobles sentimientos que obligan a nuestro Gobierno a aceptar ese rol, que no está de acuerdo con su política de paz y fraternidad de que ha dado tantas pruebas, muy especialmente cuando la mediación entre la Confederación Argentina y el Estado de Buenos Aires.
>
> Uno de los males que inmediatamente nos traería la guerra sería que nuestras comunicaciones con esa Legación quedarían interceptadas por la topografía de este país. Nuestra voz quedaría ahogada, y sólo se oiría la de ellos en Europa y en todo el mundo, como sucedió en tiempo de la Dictadura de Rosas. No olvide V. hacer estas reflexiones a los estadistas, con quienes está en relación (26).

Este importante despacho con sus sensacionales revelaciones entrañaba dos conclusiones, al parecer definitivas: 1º que el Paraguay estaba cierto de la combinación entre el Imperio y la Argen-

(26) De Berges a Bareiro, Asunción, junio 6, 1864, AMREP, I, 22, 12, 1, Nº 106.

tina, con tendencias contrarias a la independencia del Uruguay y a la integridad territorial del Paraguay; 2º que el Paraguay se disponía a recurrir a la guerra que consideraba inevitable, en defensa de la independencia oriental.

¿En qué informes se basaba Berges para aseverar lo primero como un "hecho cierto?" Sin agentes diplomáticos en el Río de la Plata ni en el Brasil, sus contactos con la gran realidad política del exterior se efectuaba a través de conductos secundarios. Sus informantes eran el agente de la línea de Vapores en Montevideo, Juan José Brizuela; el agente confidencial en Buenos Aires, Félix Egusquiza; el cónsul en Paraná, José Rufo Camino, y algunos corresponsales como el no muy acreditado abogado porteño Lorenzo Torres y los periodistas Nicolás Calvo y Juan José Soto. En Río de Janeiro, desde la desaparición del cónsul Manuel Moreira de Castro, que aunque no era paraguayo prestó muy señalados servicios a la República, el Paraguay no contaba con ningún informante, ni menos con contactos oficiales con el gobierno imperial. Sin embargo de esta aparente carencia de fuentes autorizadas de información, tanto Lapido como Sagastume siempre encontraban a López muy enterado de cuanto ocurría en el Río de la Plata. Cuando el último, en cumplimiento de sus instrucciones aparentó en sus conversaciones con López, temores acerca de una inteligencia argentino-brasilera contra el Paraguay, el ministro uruguayo descubrió, con verdadera sorpresa, que eso mismo estaba corroborado por informes en poder del gobierno paraguayo. Esto le hizo presumir "dados los buenos datos que este gobierno recoge", que en el peligro aventado sin ninguna convicción había más realidad de lo que se deseaba hacer creer ([27]). ¿Acaso eran buenos esos datos? ¿De dónde provenían?

9. La verdad era que en el Río de la Plata, una persona tan autorizada como el encargado de negocios de Francia en Montevideo, M. Maillefer de larga residencia en el Uruguay y gran conocedor de los entretelones de la política sudamericana, por el mismo tiempo bordaba conjeturas que encajaban bien con las que Berges comunicaba a Bareiro como hechos ciertos. En un despacho a su gobierno, refiriéndose a la anunciada intervención brasilera, decía M. Maillefer el 29 de abril de 1864:

Para que el gabinete de S. Cristóbal se haya decidido a tomar un partido tan comprometedor, ha debido haber motivos graves. No se puede (dejar de) conjeturar que, además del interés permanente de dividir, debilitar y dominar la República Oriental, los armamentos del Paraguay, su íntimo enemigo, y la eterna cuestión de los límites, han sido el punto de partida de esa alianza con la política argentina, por la que ya se había hecho una tentativa en 1858, entre el plenipotenciario imperial y el Presidente Urquiza, después de haber derrocado en Montevideo cinco años antes, la administración blanquilla del respetable Sr. Giró.

([27])   De Sagastume a Herrera, mayo 25, 1865, citado.

Una vez más aliado a los colorados, luego de haber contribuido tanto en 1855 en la persona de este mismo Flores, una vez más amigo de los unitarios argentinos, tan divididos sin embargo entre los dos gobiernos que a tiros de revólver se disputan la soberanía en Buenos Aires, el Brasil puede jactarse de reducir a Don Solano López a la aceptación de los límites en litigio; el argentino puede esperar otro tanto, y Montevideo de esta manera es una primera etapa para llegar de común acuerdo a la Asunción.

¿Y quién sabe si alguna idea de reparto del territorio Oriental no se agita en el fondo de esta alianza argentino-brasileña? (28).

El representante diplomático de Francia en Montevideo estaba en contínuo contacto con el cónsul de su país en Asunción, M. Laurent-Cochelet. ¿A través de este funcionario el general López recibía las informaciones que luego se transmitían a la Legación Paraguaya en París? Es probable, aunque Laurent-Cochelet no gozaba de la confianza del presidente paraguayo. En cualquier caso, si por éste o por otro conducto vinieron las graves versiones, éstas, pese al tono afirmativo usado en el despacho a Bareiro, no encontraron, en los gobernantes paraguayos más crédito del debido a las hipótesis pesimistas, y no se tradujeron en hechos. En la misma fecha en que escribió ese largo mensaje, Berges instruyó a su agente en Buenos Aires para averiguar "con el mayor empeño" el objeto y la tendencia de la Misión Saraiva, que se ha presentado en Montevideo rodeada de un imponente aparato militar" (29), averiguación que no se comprendería con la certeza con que se le transmitían a Bareiro las alarmantes noticias.

En cuanto al propósito de recurrir a la guerra o a considerarla inevitable, transparentado, en el despacho a Bareiro, y confirmado, al parecer por las publicaciones de *El Semanario* y las cartas a los agentes en el exterior que hablaban de los febriles preparativos militares, otras fuentes documentales más significativas expresaban mejor la verdadera posición de los gobernantes paraguayos. En el *Libro copiador de las comunicaciones del exterior del Ministerio de Guerra y Marina,* (1862-1865) (30), figuraron como despachadas el día 6 de junio, fecha en que se dató la carta a Bareiro, ocho notas del ministro de guerra y marina, coronel Venancio López, una de ellas al mismo Bareiro y otra a los agentes de compras en Londres, Sres. J. y A. Blyth y en ninguna había la menor alusión a la gravedad de la situación internacional ni nuevos pedidos de armas ni apremios para apresurar la ejecución de los contratos pendientes, que hubieran sido la secuencia lógica de la persuasión efectiva de que se estaba al borde de la guerra. Contrariamente, se registró una carta a José Bacigalupo, agente de los vapores paraguayos en Paraná, rechazando una oferta de provisión de carbón, elemento indispen-

(28)   De Maillefer a Drouyn de Lhuys, Montevideo, abril 29, 1864, en MAILLEFER, pp. 322-323.

(29)   De Berges a Egusquiza, Asunción, junio 6, 1864, REBAUDI, 103.

(30)   En el Archivo Nacional de Asunción.

sable para la escuadra paraguaya, y otra a un tal G. Ruschesweyh rehusando también una oferta de venta de una partida de carabinas de fabricación alemana, puestas en la rada de Buenos Aires.

10. Y había en Asunción quién no creía en la importancia de los preparativos militares paraguayos, por lo menos en el grado que reseñaban las correspondencias periodísticas. Por esos días, el cónsul del Brasil Santos Barbosa en nota confidencial a su gobierno reputó exageradas las noticias que publicó *El Semanario,* según las cuales el Paraguay tenía en pie de guerra nada menos que 44 mil soldados. Decía su informe:

A la vista de tantas exageraciones y contradicciones, cúmpleme también hablar de la fuerza que actualmente tiene esta República en armas y de las que además podrá disponer en caso preciso.

Tiene en el nuevo campamento de Pirayú (Cerro León) 7 mil reclutas y 1.500 soldados que fueron de aquí (de Asunción) y de Humaitá para instructores y jefes de fila, en total 8.500 hombres.

En esta ciudad 2.000 hombres escasos, 500 reclutas, en ejercicio de caballería, 1.000 trabajando en la vía férrea y 400 en el Chaco, en total 3.400 hombres.

En Humaitá, al presente 1.500 hombres escasos.

En Misiones, no tengo noticias de más de 80 hombres en la Villa de Encarnación y 100 en Loreto, en todo 180.

En Villa de Concepción no me consta que hoy existan más de 2.300 hombres.

En el Río Apa, desde la confluencia hasta el fuerte de Bella Vista, de 600 a 800 hombres.

No menciono el número de gente en las guardias del litoral porque se componen de vecinos que hacen ese servicio por turno, sustentándose a su costo. En la marina no hay más gente que la tripulación de los vapores que consta de 20 a 70 hombres, según el tamaño, exceptuando el "Tacuarí" que tiene 120, y 100 reclutas en ejercicio a bordo del vapor "Río Blanco" para el nuevo vapor en construcción.

Por lo expuesto se ve que el ejército de esta República al presente se compone de 16.680 hombres, y además de 7 a 8 mil soldados licenciados.

Teniendo esta República una población de 7 a 800 mil almas, y habiendo de 8 a 9 mujeres por cada hombre, la razón natural nos muestra como extraordinario el número de fuerza que tiene, y que muy poco podría aumentar ese número [31].

Aunque extraordinario el número de paraguayos bajo pabellón, extraordinario sólo en relación con la población del país, y aunque llegaran a recibir los modernos armamentos encargados a Europa, ¿podían constituir un factor para detener al Imperio del Brasil en su nueva marcha hacia el Río de la Plata?

[31] De Santos Barbosa a Dias Vieira, Asunción, mayo 23, 1864, AHI.

Capítulo XI

SARAIVA EN MONTEVIDEO

1. Escuadra y ejército en apoyo de Saraiva. — 2. Primera nota a Herrera. — 3. Apartamiento de las instrucciones. — 4. Agresiva réplica. — 5. La opinión pública excitada. — 6. Saraiva apabullado. — 7. La espada quieta en su vaina. — 8. ¿Y el ejército de Netto?. — 9. Alarmas en Buenos Aires.

1. Saraiva llegó a Montevideo el 6 de mayo de 1864 y presentó sus credenciales el 12. Tres días después, el 15 de mayo, apareció frente a Montevideo, una escuadra brasilera compuesta de cinco barcos de guerra al mando del Vice Almirante barón de Tamandaré. Con anterioridad, el ministro Loureiro, de conformidad con órdenes del gobierno imperial, había prevenido al canciller Herrera que se estaban formando en la frontera de Río Grande del Sud dos divisiones de ejército, con el propósito de hacer respetar el territorio brasilero e impedir el paso de contingentes. También dijo Loureiro que esas tropas protegerían y defenderían la vida y propiedad de los súbditos del Imperio, si desatendidas las reclamaciones brasileras el gobierno uruguayo no quisiese o no pudiese hacerlo por sí mismo. En estas declaraciones formuladas verbalmente, Herrera vio una amenaza y pidió que fueran ratificadas por escrito. En la primera entrevista que tuvo con Saraiva, al siguiente día de la presentación de sus credenciales, insistió en su requerimiento. El enviado especial le manifestó que, aunque difícil prever sucesos del futuro, podía asegurar "que no era intención del gobierno imperial hacer pasar a su ejército la línea de la frontera". Saraiva se negó a protocolizar esta declaración, pero Herrera lo hizo, de su parte, en nota que el mismo día pasó al enviado del Imperio, donde, además, aseveró enfáticamente, en nombre del gobierno oriental, que "en cualquier circunstancia, el pasaje, no consentido, de tropas brasileras por territorio oriental sería considerado como un ultraje a la soberanía e independencia de la República" ([1]).

([1]) De Herrera a Saraiva, Montevideo, mayo 16, 1864, RELATORIO, 1865, Anexo I, pp. 2-3.

Saraiva creyó prudente no colocarse en el mismo terreno de Herrera quién, de entrada, quería convertir las negociaciones en una contienda. No tuvo escrúpulos en asegurarle que el ejército brasilero no pasaría la línea de la frontera, pese a que la contingencia estaba explícitamente contemplada en sus instrucciones, y no replicó ninguna de las destemplanzas del canciller oriental. Procedió así porque le parecía de la mayor importancia despojar a la misión especial de todo carácter de amenaza para no descubrir las intenciones del gobierno brasilero, hasta tanto terminaran los preparativos en la frontera, según explicó al canciller Dias Vieira al darle cuenta de su primera conversación.

Cumplo el deber de prevenir a V. E. —le decía—, que de propósito trataré sin prisa el objeto de la Misión, porque me parece que no conviene apresurar cosa alguna en tanto no tengamos definitivamente organizada y distribuida la fuerza destinada a la frontera de la provincia de Río Grande del Sud; lo que entiendo debe realizarse con la mayor brevedad, porque de eso depende todo [2].

2. El 18 de mayo de 1864 Saraiva dirigió su primera nota al gobierno oriental para comunicar oficialmente el objeto de su misión. Un cuadro anexo a la nota, de las violencias sufridas por los brasileros y que era "trasunto de largos, acerbos y no interrumpidos sufrimientos", daba base a la presentación que aludía a las constantes reclamaciones del gobierno imperial, siempre desatendidas, y al crecido número de brasileros enrolados en las filas de Flores, no por simpatías políticas, sino en defensa propia. La nota explicaba que, sin embargo de la urgencia de las circunstancias y del estado de excitación del espíritu público brasilero, el gobierno imperial prefería dirigirse amigablemente al gobierno oriental "en la confianza de que ese llamado amistoso surtirá el efecto que desea, y que a ambos países tanto importa". Con esa esperanza, Saraiva formulaba las siete demandas que contenían sus instrucciones, "como las únicas providencias eficaces para remover los males que afligen a sus compatriotas". El gobierno imperial esperaba que el oriental no demoraría en corresponder con la solución deseada estos reclamos y estaba persuadido de que por ese medio no sería difícil conseguir el espontáneo desarme de los brasileros adheridos a Flores. Terminaba la nota:

El abajo firmado tiene igualmente orden de su gobierno para prevenir al de la República de que, con el propósito de hacer respetar el territorio del Imperio e impedir mejor el pasaje de contingentes en la frontera de la provincia de Río Grande del Sud para el general Flores, el gobierno de S. M. el Emperador resolvió aumentar la fuerza estacionada en la misma frontera [3].

(2) De Saraiva a Dias Vieira, Montevideo, mayo 14, 1864, CORRESPONDENCIA, SARAIVA, pp. 6-14.
(3) De Saraiva a Herrera, Montevideo, mayo 18, 1864, RELATORIO, 1865, Anexo I, pp. 4-6.

3. Si hubiera ejecutado literalmente sus instrucciones, Saraiva debió haber declarado que las providencias reclamadas lo eran a título de exigencia indeclinable y que éste era un "último llamamiento amistoso", desoído el cual su gobierno usaría la fuerza agrupada en la frontera para hacer efectiva la protección denegada. Esto hubiera equivalido a la invasión del territorio oriental ya que como Herrera le manifestara en su primera conferencia, no había otro modo para el ejército brasilero de garantizar y defender a sus compatriotas dentro del Estado Oriental. Pero Saraiva se apartó de sus instrucciones y dio a su primera nota un carácter más blando y menos decisivo del que le estaba ordenado. Según escribió a Dias Vieira su misión había sido recibida con desagrado por el partido de la situación y la prensa local procuró excitar la animadversión pública, atribuyendo al gobierno imperial el designio de prevalerse de las circunstancias críticas de la República para liquidar las reclamaciones pendientes. Herrera no ocultó su decisión de no tratar bajo amenazas. Llegó a anticipar su protesta por el propósito en que podía estar el gobierno imperial, de mandar a su ejército cruzar la frontera, caso en que consideraría amenazada la independencia y la soberanía del país, con todas las consecuencias imaginables. Todo esto y el deseo de ganar tiempo para que terminaran los preparativos militares en la frontera, bastante atrasados, aconsejaron a Saraiva persistir en, su propósito de despojar a la misión especial de todo carácter de amenaza, como había adelantado a Dias Vieira en su primer informe, y ahora agregaba:

Si después de las primeras aberturas me convenciese de que (el gobierno oriental) no era sincero con nosotros, no deseaba satisfacernos, siempre quedaba a salvo el derecho de proferir oportunamente nuestra última palabra y sustituir el lenguaje amigable por otro que hiciese comprender el alcance de las medidas ulteriores del gobierno imperial (4).

4. El 24 de mayo de 1864, extensamente y con tono cortante, de refutación polémica y contraataque, Herrera contestó la primera nota de Saraiva. Su introducción anticipaba el resto:

La situación que atraviesa este país y que ha creado a su gobierno la invasión que, meditada, organizada y armada en territorios argentinos y brasileros, ocasionó la más ruinosa e injustificable guerra, sin que hasta ahora se haya puesto freno por parte de ninguna de las autoridades de estos territorios a los atentados cometidos, colocaría al mismo gobierno en el caso bien justificable de desatender las reclamaciones retrospectivas, con número reunido de propósito, con cuyas exageraciones e inexactitudes pareciera querer aminorarse la responsabilidad y justificar procedimientos que ante el derecho y las atenciones debidas a la República por parte de los países limítrofes, no tienen justificación posible.

Lícito le sería al gobierno oriental, en medio de las amarguras por que le hace pasar al país una guerra destructora que el espíritu hostil, la inercia o

(4) De Saraiva a Dias Vieira, Montevideo, mayo 24, 1864, PRELIMINARES, pp. 305-310.

la incuria de los gobiernos vecinos nos ha ocasionado, cerrar sus oídos hasta
que fuesen completamente desagraviados la justicia, la razón y el derecho de
la República atropellados.

Y aunque Herrera afirmaba que no haría uso del derecho de
recusar y que su gobierno estaba dispuesto a prestar atención a
quejas justificadas por actos del pasado y del presente, así como
también "atender toda reclamación o pedido fundado en derecho,
con el fin de proteger los intereses legítimos de la población brasilera domiciliada en este territorio", pasaba luego derechamente a
la ofensiva. Presentaba en contraposición a las reclamaciones brasileras otro cuadro de reclamaciones orientales contra el gobierno
imperial, "por asuntos de idéntica o de peor naturaleza". Si impresionante eran las quejas brasileras, no menos lo fueron las que
Herrera recapitulaba en tablas anexas. Con una población brasileña
de 40.000 almas, el Brasil había producido sólo sesenta y tres reclamaciones, una por cada 700 habitantes. Para la escasa colonia oriental en el Brasil, la proporción era mucho mayor con las cuarenta y
tres reclamaciones pendientes del Uruguay. Negaba Herrera que
las quejas brasileras hubieran sido desatendidas y que vejámenes
sistemáticos hicieran intolerable la vida para los brasileros, como
lo comprobaba el verdaderamente escaso número de reclamaciones
en relación con la tan ingente población brasilera. ¡Sesenta y tres
reclamaciones en doce años hacía apenas cinco por cada año! Señaló Herrera que la invasión de Flores se preparó y tuvo su base
en territorio brasilero y que a no ser los elementos provenientes
de la frontera brasilera la guerra ya hubiera cesado. El gobierno
oriental aseveraba que las autoridades brasileras nada hicieron para
evitar o reprimir la invasión desde su territorio.

Difícil es, por tanto —continuaba diciendo Herrera—, que el gobierno del
Brasil se pueda eximir de la responsabilidad de su acción sobre aquellas autoridades de la frontera, por el indiferentismo que mostró, no obstante los reiterados avisos, quejas y reclamaciones, y por la actitud que asumió con olvido de
serios compromisos internacionales que le prescribían otro muy diverso procedimiento; lo que le autorizaría a hacerle la acusación de culpa lata, sobre todo
después del desenvolvimiento que tuvieron y pueden tener los sucesos a que
dio origen, obligándole hoy inflexiblemente a prestarles atención anteriormente
denegada, vino a confirmar infelizmente la previsión del gobierno oriental, que
lo conjuraba a que no desatendiese la exposición de sus alarmas y quejas.

Otras acusaciones graves formulaba la nota de Herrera, como
las referentes a las "californias", empresas de devastación y vanda-
laje, llevadas a cabo por brasileros, que invadían el territorio oriental para enriquecerse con el saqueo de propiedades particulares,
brasileras o de cualquiera otra nacionalidad: entre esos "piratas
de la frontera", Flores había reclutado sus adeptos, y para poner
coto a sus depredaciones nada hizo ni hacía el gobierno imperial.
Finalmente Herrera declaró que aunque "no era éste el momento
de satisfacer cierto género de solicitaciones", invitaba al gobierno

imperial a una acción común para remover las causas permanentes
de los hechos sobre los cuales se reclamaba, por una y otra parte,
a fin de evitar su repetición en el futuro (⁵).

5. El gobierno oriental abandonaba el banquillo de los acusados en que Saraiva le quiso colocar para situarse resueltamente
en el estrado del fiscal. No solamente rechazaba las quejas brasileras, sino que les contraponía otras más graves y en forma que
afectaban a la misma dignidad del Imperio. No se escudó en las
dificultades de la guerra civil que podían dar argumentos válidos
para excusar la imposibilidad material de atender los reclamos brasileros. Tampoco entró a discutir a fondo las bases legales de la
actitud del Imperio. Con su recio contraataque, Herrera transfor-
maba deliberadamente la controversia diplomática en un pugilato
en que le correspondía la mejor parte. Nada quedaba en pie de las
acusaciones brasileras y en cambio el gobierno oriental se convertía
en acusador del Imperio.

No era éste, por cierto, el mejor camino si se querían resolver
las dificultades que traía aparejada la aparición del Brasil en la
contienda oriental. Cuando Herrera escribió esta nota que, por sus
términos, sus conceptos y la intención que encerraba, fácilmente
podía llevar a la ruptura con el Brasil, no se hallaba el gobierno
oriental apercibido para hacer frente, en el terreno de los hechos,
a las posibles consecuencias de tan arrogante actitud. Apenas si podía con la revolución colorada que era incapaz de dominar, se hallaba en conflicto franco con el gobierno argentino y hacía rato que
había perdido las simpatías del general Urquiza. ¿Entonces qué in-
fundía tanto vigor al gobierno oriental para plantarse de un modo
tan categórico ante el Imperio del Brasil? ¿Era acaso el Paraguay?

No podía serlo. El Paraguay no había querido darle la mano
al Uruguay. Las esforzadas tentativas de Lapido no alcanzaron éxito
favorable y luego el incidente del *Paraguarí* colocó las relaciones
entre ambos gobiernos al borde de la ruptura. El nuevo emisario
en Asunción, José Vásquez Sagastume, en los mismos momentos en
que Herrera replicaba agriamente a Saraiva, estaba luchando a brazos partidos con Berges para liquidar el enojoso conflicto portuario
y no había tenido tiempo ni encontrado atmósfera propicia para
formular siquiera las aspiraciones del gobierno oriental. Un acuerdo con el Paraguay aparecía bastante lejano. Y dadas las recientes
experiencias, ni aun cabía el *bluff*: dos veces repetido no se podía
inventar el mismo cuento de la alianza ya concertada. Nadie en esos
momentos se encargó de propalar, como en el pasado muy reciente,
que había un acuerdo secreto con el Paraguay. El *camouflage* podría
esconder la debilidad radical de la posición oriental pero los gober-

(⁵) De Herrera a Saraiva, Montevideo, mayo 24, 1864, DOCUMENTOS SARAIVA,
pp. 14-28.

nantes blancos, duramente escarmentados por la decepción, anterior, no quisieron usarlo esta vez y menos para engañar a los expertos y muy avisados diplomáticos del Imperio.

No era el Paraguay quien animaba a Herrera en su enérgica postura sino el estado de la opinión pública. Ya sobreexcitado el país por las alternativas de la larga guerra civil y de las contiendas con el gobierno argentino, la actitud del Brasil al exigir, arma en mano, la satisfacción de perentorios reclamos, imposibles de satisfacer, había levantado altas olas de indignación. Resucitaron los viejos temores acerca de las conocidas tendencias de absorción. El recuerdo de la Provincia Cisplatina emergió con pujante fuerza en los espíritus. La actitud de Herrera, aunque carente de sustancia en qué sustentarse, respondía a auténticos sentimientos nacionales del Río de la Plata. En el fondo, por la boca de Herrera hablaban las voces de la historia proclamando unánimes el temor de que, so pretexto de demandas inaceptables o imposibles de cumplir, el Imperio quisiera traer su frontera hasta el mismo estuario, que no otra cosa significaba la réplica aunque no lo dijeran sus cortantes frases.

6. Saraiva se sintió apabullado por el impacto. La nota de Herrera cerraba, hasta el menor resquicio, toda posibilidad de obtener por las buenas las satisfacciones reclamadas. "Si no es una farsa la respuesta que me dieron, no tengo esperanza de conseguir nada sino por medios fuertes", escribió a Pereira Leal (⁶). ¿En verdad había llegado el momento de aplicar el torniquete? Ya nada obstaba a Saraiva para "proferir nuestra última palabra y sustituir el lenguaje amigable por otro que hiciese comprender el alcance de las medidas ulteriores del gobierno imperial" según prometiera a Dias Vieira excusando el tono blando de su primera presentación.

Pero Saraiva no consideró que había sonado la hora definitiva. Así, en vez de pronunciar esa última palabra y de hablar fuerte, en su réplica a Herrera, cursada el 4 de junio de 1864, se limitó a recordar las inconsecuencias del gobierno oriental. Este siempre había reconocido la honradez, la sinceridad y el celo con que el gobierno imperial observaba y compelía a sus súbditos a la más escrupulosa abstención en las luchas intestinas del país. Jamás le acusó de inercia e indiferencia, y antes aplaudió y agradeció sus esfuerzos para evitar que Flores recibiera auxilios del territorio brasilero. En más de una ocasión había rendido homenaje a la política pacifista del gobierno imperial, sin que nunca descubriera espíritu hostil para con el Uruguay. Saraiva señalando la contradicción entre esas actitudes recientes y la actual posición, protestó por la calificación que Herrera hacía de la guerra civil, de "invasión argentino-brasilera". Antes de haber asumido el Imperio la conducta que molestaba

(⁶)   De Saraiva a Pereira Leal, Montevideo, mayo 27, 1864, LOBO, t. I, p 144.

al gobierno oriental, "ni la guerra se llamaba invasión, ni se situaba su sede en el Brasil". A esto se limitaron las protestas de Saraiva. No señaló la responsabilidad del gobierno oriental por "semejantes errores". Saraiva sólo se refirió al exclusivismo ardiente y la intolerancia política del país, "como las causas de la guerra civil, que V. E. califica de invasión brasileño-argentina". Y después de refutar en el mismo tono, otras expresiones del despacho de Herrera, terminaba:

> Respondiendo en esta forma la nota de V. E., me doy por enterado de no poder o no estar dispuesto el gobierno oriental, en las actuales circunstancias, a satisfacer las solicitaciones amistosas que el gobierno imperial hizo por mi intermedio. Y no dejándome la nota de V. E. la esperanza de conseguir aquello de que mi gobierno no puede prescindir sin faltar a sus más sagrados deberes, tengo por conveniente llevar lo ocurrido a presencia de Su Majestad el Emperador y aguardar sus órdenes [7].

7. La nota de Saraiva comportaba un retroceso. El mismo día en que recibió la respuesta del gobierno oriental, pero antes de conocerla, había declarado a Herrera que no cedería en nada. No aceptaría las reclamaciones orientales, ni siquiera la discusión de las que él había formulado, "visto que el objeto de la misión especial no es discutir, sino obtener providencias, que aseguren protección a los brasileros en el presente y en el futuro". Y al transmitir a Dias Vieira esta terminante declaración, así como la noticia de sus primeros pasos ante el gobierno uruguayo, adelantó su opinión de que le parecía entonces ventajoso "ir precipitando los acontecimientos" [8]. En realidad, Saraiva nunca se había hecho ilusiones acerca de la aceptación de sus demandas. Desde sus primeros contactos en Montevideo no ocultó a su gobierno una opinión pesimista al respecto:

> No puedo adelantar — decía a Días Vieira después de presentada su primera nota— un juicio acerca del procedimiento que el gobierno oriental tendrá con nosotros.
> Calculando, sin embargo, con los datos que voy recogiendo, me aventuro a decir que no podrá satisfacer nuestras reclamaciones, ni querrá satisfacerlas.
> No podrá, porque algunos de sus agentes responsables de las violencias perpetradas contra brasileros son hombres de influencia política, lo que le embarazaría en la lucha que sustenta contra Flores.
> No querrá, porque el gobierno oriental considera mayores las dificultades que le pueden sobrevenir de sus divergencias con sus amigos, en que se apoya, de las que le pueda suscitar el gobierno imperial [9].

La respuesta uruguaya aunque le desagradara por su forma, no sorprendió a Saraiva. Sabía de antemano que sus exigencias no

[7]   De Saraiva a Herrera, Montevideo, junio 4, 1864, DOCUMENTOS SARAIVA, pp. 44-60.
[8]   De Saraiva a Dias Vieira, Montevideo, mayo 25, 1864, PRELIMINARES, p. 314.
[9]   De Saraiva a Dias Vieira, Montevideo, mayo 18, 1864, PRELIMINARES, p. 307.

serían, o no podrían ser aceptadas y que, en consecuencia, ya no correspondía otra cosa que desenvainar la espada.

Pero la espada no fue desenvainada. No se dieron órdenes para que, como se preveía en las instrucciones a Saraiva, el ejército imperial invadiera el territorio oriental, e hiciera, con sus propias armas, la justicia que el Brasil reclamaba. La razón principal de tal decaimiento de la primera energía estaba en que hasta ese momento no existía en la frontera ninguna fuerza organizada que mereciera el nombre de ejército.

8.   Se había exagerado mucho la influencia y la importancia del general Netto en Río Grande del Sur. Aseguró formalmente que si el gobierno no intervenía, él solo levantaría a los 40.000 riograndenses de la Banda Oriental, pero nunca Netto reunió más de 1.500 hombres y eso fue mucho después, ya rotas las hostilidades [10]. La situación militar en la frontera, tal como fue descripta por el presidente de la Provincia de Río Grande do Sul, Joao Marcelino de Souza Gonzaga, no podía ser más desalentadora. Transcurridas varias semanas desde que el Brasil inició la nueva etapa de su política en el Río de la Plata, en la cual el apoyo de la fuerza era esencial, la frontera continuaba prácticamente desguarnecida. Según las comunicaciones que el presidente de la provincia envió al ministerio de guerra el 26 y 30 de mayo y el 1º de junio, eran enormes las dificultades para organizar y acampar la división que debía formarse en un punto estratégico de la frontera.

Pocas eran las fuerzas de línea de guarnición en la Provincia y éstas mal armadas y diseminadas en diversos puntos lejanos. El arsenal y los depósitos bélicos estaban desprovistos de material; los regimientos no tenían caballada y la estación invernal se aproximaba [11].

La falta de la base principal para la acción ejecutiva imponía a la misión especial del Brasil atemperar sus gestiones en Montevideo. Saraiva tenía un concepto demasiado elevado de la dignidad imperial para exponer a su país al riesgo de un fracaso que se convertiría en ruidoso ridículo si, llegado el momento de cumplir las amenazas, no hubiera ejército con qué imponer las soluciones. Era imperioso ganar tiempo para que se completaran los preparativos militares tan demorados y, en realidad, prácticamente inexistentes en esa época. No por otro motivo Saraiva abrió un compás de espera, difiriendo al emperador la resolución definitiva de lo que correspondía hacer en vista del rotundo rechazo de sus exigencias.

9.   Además, el horizonte internacional bastante enturbiado, precisaba algunas aclaraciones antes de mayores emprendimientos. Cuando fue decretada la misión especial a tambor batiente y en

----

[10]   *Barao do Rio Branco:* O Visconde do Rio Branco, Río de Janeiro, s. f, p. 99.

[11]   Informe de Souza Gonzaga, en TASSO FRAGOSSO, t. I, p. 136.

el frenesí general, no se tuvieron en cuenta las posibles repercusiones de la violenta irrupción brasilera en el Río de la Plata. Se descontaba quizás la benevolencia argentina o el Imperio se consideraba suficientemente fuerte para imponer sus condiciones, con o sin aquiescencias extrañas y aún con la oposición de otros países, y por eso poco se cuidó de explorar la posibilidad de apoyos en el Río de la Plata. Ciertamente, la opinión oficial argentina no era hostil, ni mucho menos, a la acción brasilera, y Mármol nada dio a entender, en Río de Janeiro, de que su país se opondría a la misión Saraiva. En Buenos Aires se la vio con simpatía sobre todo después de las seguridades que Dias Vieira ofreció a Mármol sobre la independencia uruguaya y de las declaraciones de buena voluntad para el gobierno argentino y de enemistad para los blancos uruguayos que Saraiva le formulara. La Argentina daría carta blanca al Brasil toda vez que no violara los tratados que garantizaban la independencia y la integridad del Uruguay. Así lo declaró Elizalde al ministro brasilero Pereira Leal cuando éste quiso conocer oficialmente la opinión del gobierno argentino sobre la misión Saraiva. La respuesta de Elizalde que Pereira Leal transmitió textualmente a Saraiva, fue la siguiente:

> Mi gobierno entiende que el brasilero está en su perfecto derecho empleando los medios que juzgue necesarios para que los súbditos del augusto monarca sean tratados, protegidos y asimismo respetados en el Estado oriental al par de los demás extranjeros y en conformidad con las leyes de la República; y que tanto él, ministro, como el presidente Mitre, seguros de que el gobierno imperial no nutre proyectos ambiciosos y no ha de atentar contra la independencia e integridad de la República vecina, han declarado privadamente a sus amigos en Montevideo y en la campaña que la República Argentina no pondrá el menor obstáculo a las justas exigencias que por V. E. fuesen hechas en nombre del Gobierno brasilero [12].

Sobre el supuesto de esta amistosa postura argentina, Saraiva seguramente esperaba no encontrar obstáculos en el cumplimiento de su misión, pero apenas trascendió la naturaleza de las reclamaciones brasileras, así como la energía con que el Uruguay las rechazaba, cundió la alarma en Buenos Aires. Lo que Saraiva exigía y los aprestos navales y militares que se atribuían al Brasil, no estaban de acuerdo con las seguridades dadas a Mármol en Río de Janeiro. *La Nación Argentina* publicó las notas cambiadas entre Mármol y Dias Vieira, y se manifestó insatisfecha por las explicaciones del gobierno del Brasil. Con desacostumbrado tono el órgano oficioso del gobierno, que se decía inspirado y aún escrito por el presidente Mitre, dijo el 1º de junio:

> Ni el aparato ni el carácter de la misión brasilera responden al objeto que se propone.

(12) De Pereira Leal a Saraiva, Buenos Aires, mayo 19, 1864, Lobo, I, p. 153.

De ahí la alarma con que ha sido recibida la misión Saraiva en cuyo último
término se han previsto dificultades internacionales que no se podrán determinar
claramente (13).

Y no solamente la República Argentina comenzaba a suscitar
recelos en el ánimo de Saraiva. También esperaba complicaciones
de parte del Paraguay. Pereira Leal le había informado que el verdadero objetivo de la misión de Sagastume a Asunción no era dar
explicaciones sobre el incidente del *Paraguarí* sino quejarse ante
el presidente López de que la República Argentina se estaba entendiendo con el gobierno del Brasil "para atentar contra la independencia de ese Estado, o por lo menos contra su soberanía, que
amenazan coartar neutralizándolo, y por fin pedir la mediación y
aún la protección del presidente López" (14). Pero no era tanto la
actitud paraguaya, como la argentina, lo que en ese momento más
preocupaba a Saraiva...

---

(13) *La Nación Argentina*, Buenos Aires, junio 1º, 1864.
(14) De Pereira Leal a Saraiva, Buenos Aires, mayo 19, 1864, Lobo, I, p. 217.

CAPÍTULO XII

INQUIETUDES EN BUENOS AIRES

1. Mitre en favor de la pacificación. — 2. Opinión de Saraiva. — 3. Sálvese y después le daré el remedio. — 4. La alianza argentina imprescindible. — 5. La paz impuesta. — 6. La ocupación de las islas Chinchas. — 7. Nuevas instrucciones a Mármol. — 8. Elizalde decide trasladarse a Montevideo. — 9. Un paso extraordinario. — 10. El verdadero móvil.

1. Verdaderamente en el seno del gobierno argentino había inquietud ante el sesgo que tomaban los acontecimientos en el Estado Oriental. Tanto para Mitre como para Elizalde la fuente de las perturbaciones del momento y que podían sobrevenir, estaba en la guerra civil interminable. En Buenos Aires se creía propios de la situación anormal en que se encontraba la República Oriental los males que motivaron las quejas del Imperio. Era absurdo, según la opinión que Elizalde dio a conocer a Mármol, pretender que no los sufrieran los residentes extranjeros y más aún si ellos eran argentinos o brasileros, generalmente afiliados a algunos de los partidos en lucha. El canciller argentino se veía precisado a reconocer que muchas veces el gobierno oriental no podía evitar esos males o que fuera impotente para reprimirlos. El Brasil podía ser exigente, más que la Argentina, pero no exigir imposibles [1].

Por eso el gobierno argentino entendía que "la mejor sino la única garantía" para el Brasil, como para la Argentina, era la paz, según declaró Elizalde a Pereira Leal, agregándole que si el gobierno del general Mitre pudiera enviar un ministro a Montevideo, ya lo habría hecho con el exclusivo objeto de aconsejar al presidente Aguirre la necesidad de poner término a la guerra y de transigir con el general Flores bajo los auspicios y la mediación del enviado especial del Brasil. Y desenvolviendo esa idea Elizalde preguntó en esa oportunidad al ministro brasilero si Saraiva no tomaría a mal que, en la imposibilidad en que se encontraba el gobierno argen-

---

[1] De Elizalde a Mármol, Buenos Aires, mayo 9, 1864, cit.

tino, por la ruptura de relaciones, de enviar un ministro caracterizado a Montevideo, fuese en persona el mismo Elizalde, aunque en carácter particular, para persuadir a Aguirre de la necesidad de valerse de la influencia y protección de Saraiva a fin de pacificar el país. Pereira Leal no se atrevió a emitir su opinión sobre una indicación de "tanta gravedad" y se limitó a ponerla en conocimiento de Saraiva (²).

2.   La solución radical de los problemas por el camino de la pacificación fue entrevista por Saraiva desde los primeros momentos. Juzgaba que mientras no se alcanzara la paz interna serían vanas las seguridades con que se quisiera satisfacer los reclamos brasileros. Pero el gobierno ni Flores tenían fuerzas suficientes para imponer una victoria militar decisiva y dado el cerrado espíritu partidista de unos y otros no cabía esperar una paz de transacción. Mientras tanto, la situación anárquica se prolongaría indefinidamente y el gobierno imperial tendría que seguir insumiendo sumas considerables y hacer frente a muchas dificultades hasta el fin de la guerra, dado su propósito de hacer efectiva y eficaz la protección de los brasileros. No restaba otro camino que el de imponer la paz a los contendores, pero Saraiva no creía que el Brasil pudiera lograrlo sin el concurso de la República Argentina, pensando, tal vez, en la debilidad militar del Imperio y en las peligrosas repercusiones de una intervención unilateral. Saraiva trazó a Dias Vieira este cuadro de la situación para exponer su opinión:

¿No bastarán estas razones a inspirarnos la idea de imponer la paz a los combatientes?

Estoy persuadido, señor consejero, que, si por cualquier modo y por una acción combinada con la República Argentina, diésemos la paz a este Estado, nuestra tarea se facilitaría y el Brasil tendría mucho que ganar y nada que perder.

La prolongación de la guerra civil ha de obligarnos, tarde o temprano, a intervenir para dar la paz a este país. ¿No sería más generoso apresurar desde ahora ese acontecimiento? (³).

Después de presentada su primera nota, Saraiva insistió ante su gobierno en opinar que su misión sería estéril si no tendiera primordialmente a alcanzar la paz tentando primero la vía de la persuasión antes de procurarla coactivamente. Consecuente con esta idea, solicitó que se le habilitara para hacer de la paz "uno de los medios de facilitar la solución de nuestras dificultades".

Si el gobierno oriental —escribió a Días Vieira—, compenetrándose de sus reales intereses, confiase en el Brasil y en él se apoyase para acabar con la guerra,

_____

(²)   De Pereira Leal a Saraiva, Buenos Aires, mayo 19, 1864, Lobo, I, pp. 153-156.

(³)   De Saraiva a Dias Vieira, Montevideo, mayo 14, 1864, Correspondencia Saraiva, pp. 11-14.

dando a Flores y a los brasileros las garantías deseadas, habría hecho por su país cuanto le es aconsejado por las circunstancias actuales (4) .

3. También trató Saraiva de convencer a Herrera de la necesidad de terminar la guerra civil para facilitar la liquidación de las antiguas y recientes reclamaciones. El ministro oriental le repuso que su gobierno deseaba la paz, toda vez que se respetaran el principio de autoridad y la dignidad del gobierno. El hecho de tratar con el gobierno y no con Flores, fue alegado por Saraiva como prueba de que no desconocía la necesidad de salvar, su autoridad y dignidad. Además señaló que la represión, como medio de afirmar ese respeto se hallaba subordinada a dos condiciones: 1º, que fuera posible y que el gobierno tuviera fuerza para hacerla eficaz; 2º, que a la represión sucediera una política de clemencia que apagara los odios y pasiones. Concluyó Saraiva que en la manifiesta imposibilidad de hacer eficaz política de represión, solo era razonable la transacción.

Herrera eludió opinar sobre este punto, pero indicó que el Brasil, podría concurrir a la pacificación, desarmando a los brasileros que servían a Flores y retirándolos de la lucha. Le respondió Saraiva que eso sería lo mismo que si un médico dijera a su enfermo: *"Sálvese y después le daré el remedio"* (5) .

Esperó Saraiva que el gobierno oriental contestara su primera nota arguyendo la guerra civil como factor que le impedía atender las reclamaciones. Así se hubiera sentido autorizado a hablar de paz, antes de proferir su última palabra. En vez de ésto encontró en la respuesta de Herrera, sólo "recriminaciones acerbas, apreciaciones inexactas de los acontecimientos, poca benevolencia y delicadeza en la manera de producir las quejas que alega contra el Imperio".

Leyéndola —decía Saraiva a Dias Vieira— S. E. reconocerá que el gobierno oriental en vez de procurar unirse a nosotros para dominar sus propias dificultades y auxiliarnos en la solución de las nuestras, pensó en contentar las susceptibilidades partidarias de la porción más exaltada del partido blanco.

4. No cejó, sin embargo, Saraiva en su deseo de tentar, antes de recurrir a los extremos, el camino de la paz, como el más apropiado y menos costoso para alcanzar la satisfacción de los reclamos. Consideraba que "todo lo demás es consumir dinero en pura pérdida sin dar un paso para el futuro". Obstruido el camino de la transacción por la intransigencia del gobierno, Saraiva volvió a su primer pensamiento, el de imponer la paz. Seguía creyendo que sólo en Buenos Aires se resolvería esta cuestión, pues "aislados no

(4) De Saraiva a Dias Vieira, Montevideo, mayo 24, 1864, PRELIMINARES, p. 309.

(5) De Saraiva a Dias Vieira, Montevideo, mayo 25, 1864, CORRESPONDENCIA SARAIVA, pp. 21-24.

podremos con ventajas usar de los medios de represión". Sobre ese punto insistió con calor ante Dias Vieira, a quien expuso su opinión de que era muy conveniente inspirar confianza al general Mitre y que nada cabía recelarse por ese lado, pues "Buenos Aires no alcanzaría nunca a dominar al Estado Oriental, y menos ejercer una influencia funesta para el Brasil". Y agregaba con convicción:

Sin alianza, todo nos contrariará.
Con alianza de Buenos Aires todo será fácil.
Es preciso pues adquirirla o prepararnos para grandes sacrificios.

Expuesta así su opinión sobre la situación que creaba el rechazo de las reclamaciones brasileras solicitó Saraiva de su gobierno:

1º Emitirme su juicio sobre lo que conviene hacer en caso de rompimiento con el gobierno oriental.
2º Enviarme credenciales para entenderme, según fuera preciso, con el gobierno argentino acerca de cuanto interesa al Estado oriental, sea la paz, sea la ocupación del territorio de esta República.
3º Habilitarme para que pueda entenderme con el gobierno del Paraguay, pues de improviso pueden surgir por ese lado dificultades. V. E. sabe que el gobierno oriental hace mucho que hace vivas diligencias ante el presidente López y ha procurado su cooperación.
4º Informarme de la época en que probablemente estará preparada y pronta la fuerza de la frontera, así como la distribución que haya recomendado el señor ministro de guerra (6).

Tan seguro estaba de la autoridad que tenía ante su gobierno que dio por descontada la extensión de su cometido a Buenos Aires y así lo hizo saber a Pereira Leal:

Ahora me parece que mi misión se extenderá allí, pues si no es una farsa la respuesta que me dieron, no tengo esperanza de conseguir nada sino por medios fuertes, y el Brasil no llegará a ese extremo sin que se entienda con la República Argentina y procure, antes de todo, con ella, dar paz al Estado Oriental (7).

5.	Lo que acariciaba Saraiva era la imposición coactiva de la paz, en forma de una intervención militar combinada con la Argentina, sin entrar en previas negociaciones para la pacificación por la vía del acuerdo. No le entusiasmó nada, en consecuencia, la idea de Elizalde de trasladarse personalmente a Montevideo para entablar tratativas de paz, aun cuando fuera bajo los auspicios del Brasil tal como estaba informado por Pereira Leal. A su juicio, Aguirre, dominado por el partido exaltado, se entendería con el Brasil y pensaría en la paz únicamente si fuera compelido por el recelo de complicaciones serias con el Imperio, y éste no era el caso. Por todo esto, a la consulta de Pereira Leal contestó que dejara a Elizalde la libertad de seguir sus "generosas inspiraciones", pero

(6) De Saraiva a Dias Vieira, Montevideo, mayo 28, 1864, PRELIMINARES, pp. 317-321.
(7) De Saraiva a Pereira Leal, Montevideo, mayo 27, 1864, LOBO, I, p. 144.

que le adelantara su opinión de que nada conseguiría con su visita a Montevideo y que, antes que en ésto, debía pensar "en el modo de, combinado el gobierno argentino con el brasilero, imponer la paz a quien no la comprende y no la desea por sentimientos mezquinos" (8). A esta altura de su misión, Saraiva ya estaba persuadido: 1º de que buenamente nada obtendría del gobierno oriental; 2º que no restaba sino el camino de la intervención militar, y 3º que esto último sólo sería posible o conveniente con el acuerdo del gobierno argentino.

6. A fines de mayo de 1864 se conoció en el Río de la Plata un hecho que conmovió al continente americano. Fuerzas navales españolas, al mando del almirante Pinzón, ocuparon las islas Chinchas del Perú. Pinzón, en una proclama, alegó que desembarcaba a título de reivindicación: España no había reconocido hasta entonces la independencia del Perú y la paz que reinaba desde Ayacucho no era sino una tregua.

La inesperada reapertura de la guerra de la independencia produjo gran conmoción en los países hispanoamericanos. En Buenos Aires, como en todas las capitales americanas de habla española, hubo agitación popular. "Crudos" y "cocidos" olvidaron sus desavenencias y se presentaron juntos en manifestaciones populares y en campañas periodísticas, para pedir la solidaridad argentina con las naciones del Pacífico. Se consideró a la independencia americana en peligro: España, en consonancia con Francia que acababa de enviar una expedición a Méjico para apoyar al emperador Maximiliano, alentaba propósitos de restauración de su antiguo imperio colonial. En Montevideo también hubo manifestaciones populares y periodísticas del mismo jaez. Según informó a su gobierno el encargado de negocios de Francia, en una reunión efectuada el 5 de junio, Estrázulas denunció la connivencia entre España y Francia.

Otro ex ministro —sigue su informe— Don Joaquín Requena, yendo más lejos que el Dr. Estrázulas, se fundó en la inquietante actitud del Brasil hacia este país para darle también su papel en la vasta conspiración cuyo fin sería, en su opinión, monarquizar una después de otra a las repúblicas americanas. Pero blanquillo menos apasionado que el preopinante, no va a pedir quiméricos socorros a los clubs chilenos o europeos; propone golpear sencillamente a la puerta del vecino: ¿acaso el pueblo argentino no es el aliado natural e histórico del oriental contra las agresiones del imperio brasileño? (9).

7. Este temor también cundió en Buenos Aires, donde la misión de Saraiva despertaba recelos aún en los círculos más contrarios al gobierno oriental. De esta corriente de opinión no podían desentenderse fácilmente el presidente Mitre y su canciller Elizalde. El

(8) De Saraiva a Pereira Leal, Montevideo, mayo 27, 1864, Lobo, I, p. 157.
(9) De Maillefer a Drouyn de Lhuys, Montevideo, junio 12, 1864, en Maillefer, p. 339.

desenvolvimiento de la misión brasilera en el Estado Oriental quizás llevara a complicaciones que se agravarían más con el sesgo que
tomaban los sucesos del Pacífico. El presidente Mitre creyó necesario que los Estados "de esta parte del Atlántico" uniformaran su
conducta para el caso de que el gobierno español aprobara y res-
paldase la ocupación de las islas Chinchas. Para formar ese frente
común americano era de previa necesidad el arreglo de los dos problemas que conspiraban contra cualquier propósito de armoniza-
ción continental: la cuestión argentino-oriental y la brasilero-oriental,
las cuales, a su vez, reconocían un origen común, la sangrienta
anarquía en que se debatía la República Oriental. El primer paso
para zanjar aquellas dificultades debía consistir, por lo tanto, en la
solución pacífica del pleito oriental. Con esta persuasión, el canciller Elizalde impartió nuevas instrucciones a la legación argentina
en Río de Janeiro. Mármol debía señalar al gobierno imperial que
si la misión confiada a Saraiva se limitaba a hacer efectivas las reclamaciones "sería completamente estéril para los intereses brasileros en esa República y ajena al carácter elevado con que se ha
revestido".

Sería conveniente —agregaba Elizalde— que V. E. tratase de inducir al gobierno de S. M. a emplear toda la influencia de esa misión en favor de la solución pacífica de la lucha de la Banda Oriental por medio de un arreglo honorable entre los combatientes. La paz de esa República es el único medio no sólo
de garantir los intereses extranjeros comprometidos, sino también de evitar las
complicaciones exteriores que tanto por parte de la República Argentina como
del Brasil han amenazado producirse y que sólo han podido ser salvadas merced
a la extrema prudencia de los gobiernos respectivos. Puede V. E. asegurar al
gobierno de S. M. que el gobierno argentino le prestará su más decidida cooperación para obtener ese resultado, siempre que él pueda conseguirse por la interposición amistosa de sus gobiernos sin comprometer en nada el principio de no
intervención en los asuntos internos de esa República que el Argentino está decidido más que nunca a observar [10].

8. Sin esperar el resultado de las gestiones que debía promover Mármol en Río de Janeiro, Elizalde decidió jugar la carta con
la cual había alarmado tanto a Pereira Leal y que Saraiva recibió
tan desapaciblemente. El 3 de junio de 1864 convocó al ministro
brasilero en su despacho y le comunicó que el presidente Mitre, en
vista de la obstinación del gobierno oriental en negarse a concurrir
para la paz del Río de la Plata y viendo complicarse la cuestión
hispano-peruana, había aceptado su pensamiento de efectuar una
gestión directa en el Uruguay. Elizalde, en consecuencia, le anunció que se proponía trasladarse a Montevideo, en carácter individual,
con el objeto de convencer a Aguirre de la necesidad de dar paz
y tranquilidad "a estas Repúblicas".

(10)   De Elizalde a Mármol, Buenos Aires, mayo 23, 1864, CAILLET BOIS, p.
34-35.

Aunque Elizalde aclaró que previamente a toda gestión se entendería con Saraiva, y ratificó su anterior declaración de que el gobierno argentino, toda vez que el Brasil respetara la independencia oriental, bien lejos de poner el menor embarazo a la misión de Saraiva, concurriría en cuanto estuviera a su alcance para que ella lograra el resultado "que todos necesitan", Pereira Leal en ningún momento bajó la guardia. Lleno de recelos ante la extraordinaria decisión de Elizalde, se limitó a ratificar su "solemne declaración" de que los agentes del Imperio no habían tenido la menor participación, ni siquiera con la más ligera insinuación, en el viaje que se le comunicaba.

Mayor fue la sorpresa de Leal cuando supo que el canciller argentino llevaría como compañero al representante de un gobierno con el cual el Imperio tenía rotas las relaciones y así se lo dijo a Elizalde. El ministro del Brasil aludía al ministro inglés Edward Thornton que había intervenido, desde sus comienzos, en esta nueva negociación y que, a pedido del presidente argentino, se proponía acompañar a Elizalde a Montevideo. Elizalde aclaró que Thornton no viajaría como representante oficial sino como uno de los tantos amigos de la paz del Río de la Plata. Si Saraiva le recusaba, se abstendría de acompañarlo, no obstante ser uno de esos casos en que *o quod abundat no nocet* (lo que abunda no daña). De todos modos, Pereira Leal no dio el brazo a torcer [11].

9. Verdaderamente, el paso que estaba por dar Elizalde era extraordinario, si se tenían en cuenta las circunstancias políticas del Río de la Plata. A primera vista parecía inexplicable que precisamente la Argentina quisiera actuar como pacificadora en la República Oriental, rotas sus relaciones con el gobierno de Montevideo como resultado de las airadas imputaciones que éste le formulara de haber promovido la revolución. Y menos explicable era que el gobierno oriental asintiera prontamente a la mediación del gobierno que hasta entonces había considerado como el más eficaz protector del movimiento revolucionario del general Flores. Para un espíritu tan avisado como José María Paranhos no había ningún misterio en todo ésto y así lo diría en una sesión del Senado imperial efectuada poco después:

Una razón muy fuerte y superior debía actuar al mismo tiempo en los ánimos del gobierno de Buenos Aires, del ministro inglés y del gobierno de Montevideo; y esa razón predominante, a mi ver, no fue otra sino la desconfianza contra el Brasil, desconfianza de que nuestra misión especial no tenía solamente por fin los propósitos declarados, y si llevaba como mira consecuencias más graves para el Estado Oriental [12].

[11]   De Pereira Leal a Saraiva, Buenos Aires, junio 3, 1864, Lobo, t. I, pp. 195-196.

[12]   Discurso del 25 de julio de 1864, en Lobo, t. I, pp. 197-198.

Otro motivo, muy poderoso, también pesó en el ánimo de Mitre para dar este paso sensacional. La revolución llevaba más de un año de inútiles correrías por la campaña oriental sin una sola acción decisiva. A pesar de los socorros que recibía tanto del Brasil como de la Argentina, sus fuerzas, en vez de acrecentarse, iban debilitándose. La misión de Saraiva no revelaba hasta ese momento ninguna disposición a tomar bajo su patrocinio al desfalleciente ejército colorado que, si se arreglaban las diferencias brasilero-orientales, quedaría librado a su propia suerte. Mitre creyó hacer un buen servicio a su amigo Flores ayudándole a salir con honra del paso, mediante un acuerdo de conciliación. Así alejaría también los peligros de un nuevo Quinteros que cabía esperar si quedaba triunfante el gobierno de Montevideo dada la tremenda exacerbación de los ánimos. Elizalde, años más tarde, explicando su gestión, habría de decir:

> La revolución oriental encabezada por el general Flores, a pesar de los auxilios que había recibido del Brasil y de la República Argentina, que fueron insignificantes, estaba perdida e iba a concluir con otro Quinteros más horrible aún, si el Brasil se arreglaba con el gobierno de Montevideo [13].

10.   En el complejo de factores que se anudaban en torno del proyecto de Mitre de enviar a su canciller a apagar las llamas del incendio oriental, el conflicto del Pacífico, germen de graves complicaciones continentales, y el deseo de tenderle a Flores un puente de plata para salir con bien de su dudosa aventura, eran los motivos que salían a la superficie. Soterradamente, incentivaba la maniobra diplomática argentina otro objetivo no menos acuciante que los anteriores. Era el anhelo de reanudar las interrumpidas gestiones de aproximación entre Río de Janeiro y Buenos Aires con vistas a un problema que afectaba, por igual, a los dos países y que, en cualquier momento, podía hacer crisis. La pretensión del Paraguay de constituirse en factor determinante de la política del Río de la Plata, al ser desahuciada por Mitre, llevó a ese país a adoptar una postura de arisca prebeligerancia. Lo era por ahora sólo en relación con Buenos Aires. En cualquier momento como lógico desarrollo de los acontecimientos, el enojo paraguayo podía extenderse al Brasil. La actitud del general López presagiaba tormentas. Su tentativa de terciar entre Buenos Aires y Montevideo a guisa de oficioso protector de la independencia oriental, ¿no podía repetirse, con igual o peor reacción, ante los pasos que estaba dando el Brasil? ¿No era llegada la hora de concordar actitudes ante el común

(13)   *La República*, Buenos Aires, diciembre 21, 1869.

peligro, recogiendo el cable que tantas veces el Imperio había tendido para enfrentar juntos al quisquilloso vecino guaraní, al cual se le sabía ahora entregado a febriles preparativos bélicos? El viaje de Elizalde a Montevideo podía tener como objetivo buscar la pacificación oriental, pero también explorar hasta dónde quería llevar Saraiva sus ideas de un estrecho entendimiento con el gobierno argentino.

Porque a esta altura de los acontecimientos ya estaban definitivamente disipados los deseos de Mitre de un entendimiento cualquiera con el gobierno de Asunción. La incompatibilidad entre los dos regímenes, el uno muy liberal y el otro férreamente absolutista, lejos de haberse aminorado, como esperaba Mitre, con el advenimiento de Solano López, se había agravado. Notoriamente habían aumentado las distancias que el presidente argentino había tratado, en vano, de disminuir desde antes de iniciada su administración. Cuando se supo, en setiembre de 1862, que Solano López había sucedido a su padre por pliego testamentario, gran parte de la prensa de Buenos Aires predicó la necesidad de una guerra de liberación, Mitre salió, por intermedio de su vocero periodístico, al paso de la bélica idea, no por simpatías al nuevo gobernante paraguayo, sino estimulado por la esperanza de que éste se decidiera a fundar las instituciones democráticas y liberales que pusieran a su país a tono con el resto del Río de la Plata. Había dicho entonces *La Nación Argentina*:

Don Francisco Solano López es hoy el árbitro de los destinos de un pueblo. En vez de llamarle tirano en la primera hora de su poder, cuando aún no sabemos cómo lo ejercerá; en vez de precipitarle al mal, anticipando la condenación al delito; en vez de despertar el espíritu sombrío con el grito de la amenaza y el rumor de la guerra, hablemos a los nobles sentimientos del alma y descorramos el velo del magnífico porvenir que hoy se abre delante de un hombre.

La posición y las antiguas tradiciones del Paraguay lo hacen el aliado natural de las repúblicas americanas y el hermano de la República Argentina; pero la tiranía sería en todo tiempo un obstáculo insuperable para esa fraternidad y esa alianza. El Paraguay libre hace de su causa la causa común de todos los americanos. El Paraguay representando el despotismo en América, no puede contar con la simpatía de nadie...

La revolución de las ideas no reconoce límites que no salve; y hoy que la libertad golpea a las puertas de lo que se ha llamado República, el esfuerzo humano no puede mantenerlas por mucho tiempo cerradas. D. Francisco Solano López anticipándose a esa revolución inevitable de las ideas y poniéndose al frente de ellas, haría la obra más grande que pueda llevar a cabo un hombre de corazón y un hombre de estado (14).

Pero Solano López no había dado un solo paso en el sentido sugerido. Contrariamente su régimen se había tornado aún más

(14) *La Nación Argentina*, Buenos Aires, setiembre 28, 1862.

despótico, y ahora, con sus tentativas de incursionar en el Río de la Plata, se constituía en un serio peligro para el orden creado después de Caseros. ¿Qué de extraño tenía que, previendo acontecimientos y en resguardo de intereses argentinos, Mitre buscara, como en vísperas de Caseros lo hizo Urquiza, un entendimiento con el Imperio del Brasil, para evitar un nuevo Rosas en el Río de la Plata?

CAPÍTULO XIII

ELIZALDE EN EL URUGUAY

1. Una bomba en Montevideo. — 2. Desconfianza de Saraiva. — 3. Paraguay, peligro común. — 4. Entrando por el aro. — 5. Rápido acuerdo general. — 6. Las negociaciones con Flores. — 7. El protocolo de paz de Puntas del Rosario. — 8. La triple alianza contra el Paraguay. — 9. Carta de Flores a Aguirre. — 10. Satisfacción general.

1. El 5 de junio de 1864 los ministros Elizalde y Thornton se embarcaron para Montevideo a bordo de la cañonera inglesa *Tritón*. Les acompañó Andrés Lamas, por especial pedido de Herrera, que estuvo al tanto de esta gestión y adelantó su apoyo (¹). Al día siguiente, a las 16, estuvieron en la capital uruguaya. Después de dar los primeros pasos, Elizalde informó a Mitre:

Nuestra venida ha sido una bomba; cada cual la toma para su propia conveniencia, pero aunque no consigamos pacificar el Río de la Plata, todos nos aplauden, y harán justicia aunque no alcancemos todos nuestros propósitos (²).

A pesar de la agitación general que produjo la inesperada llegada de Elizalde, Saraiva no dio señales de vida. Le escribió entonces Elizalde una esquela remitiéndole una carta del ministro Pereira Leal y pidiéndole hora para verlo al día siguiente. Sólo entonces Saraiva envió a su secretario Tavares Bastos a cumplimentarlo con un billete en que le manifestaba hallarse enfermo, por lo cual "si quería pasar por las formas", le esperaba a almorzar al día siguiente. Elizalde aprovechó la visita de Tavares Bastos y de los "atachés" que le acompañaban para formular la tranquilizadora promesa de que los brasileros encontrarían en él "toda cooperación" para arre-

(¹) Sobre las gestiones de Elizalde, están sus cartas confidenciales en Archivo Mitre, t. XXVII, págs. 165-205, y en Correspondencia Mitre-Elizalde, pp. 98-138.
(²) De Elizalde a Mitre, Montevideo, junio 6, 1864, Archivo Mitre, t. XXVII, p. 166.

glar su cuestión con el gobierno oriental. Pero al ministro Herrera que también le visitó en su alojamiento, procuró quitarle "la aprehensión que estuviéramos contra ellos en la cuestión con el Brasil".

La afirmación de Elizalde de que las agresiones del almirante Pinzón en el Pacífico motivaban la gestión pacificadora, por la necesidad de apagar los focos de disidencia continental frente al peligro común, no convenció mucho ni poco a Saraiva. Contrariamente, éste vio en los pasos argentinos una prueba de la desconfianza que suscitaba la misión especial al otro lado del río. De ahí la descortesía que entrañaba su ausencia personal en la residencia del canciller argentino el día de su llegada. Los diplomáticos brasileros, maestros en urbanidad, no incurren en esas faltas por olvido de las reglas del protocolo. Obedecen a propósitos definidos. Y Saraiva se proponía significar a las claras cuánto le molestaba el insólito viaje, que no sólo venía a interferir la marcha de su misión, sino que podía agregar nuevos motivos de tensión en el ya enardecido panorama oriental.

2.   Pero Elizalde estaba decidido a no amilanarse ante nada. Ahora ya no se trataba de ganar la confianza de Mitre como lo quería Saraiva, sino la de este mismo, y para ese efecto, el canciller viajero no economizaría recursos de persuasión. Cuando, al día siguiente, al fin pudo conversar con él, le declaró, al comenzar la conferencia que no daría ningún paso sin previa y plena inteligencia con la misión brasilera. La respuesta de Saraiva fue bastante desabrida:

> Respondí al Sr. Elizalde —informó a Dias Vieira—, que mucho podríamos hacer en beneficio de esta república y de nuestros respectivos países, si fuese siempre muy cordial nuestro acuerdo. Que, si el general Mitre está convencido, como creo, de ser el Brasil completamente desinteresado en las cuestiones del Río de la Plata todo marcharía bien. Que, si al contrario, concibiese cualquiera desconfianza, era mejor no hacer nada, por cuanto en ese caso el resultado de nuestros esfuerzos no pasaría de una intriga (³).

Era lo que Paranhos, un mes después, habría de proclamar en el Senado: la universal desconfianza contra el Imperio reconocida por el propio Saraiva y que la misión especial había venido a agudizar, parecía guiar los pasos del ministro argentino en su desusada gestión. Correspondía a Elizalde persuadir al emisario imperial que no le importaban los recelos atávicos al meterse en el redil brasilero. Debía convencerle que razones muy poderosas aconsejaban al Brasil y a la Argentina ponerse de acuerdo, aplastando cualquiera suspicacia, para que la Banda Oriental en vez de ser nuevamente la manzana de discordia, se convirtiera en el aglutinante

---

(³) De Saraiva a Dias Vieira, Montevideo, junio 9, 1864, PRELIMINARES, pp. 326-332.

de los dos países. ¿La difusa amenaza que significaban para el continente americano las arrogancias de la escuadra española en el Pacífico, bastarían para desarmar los recelos y lanzar al Brasil en brazos de la Argentina? ¿Había una mente cuerda capaz de creer que España se propusiera reconquistar sus colonias perdidas? No con este cuento, bueno para discursos de barricadas en las luchas electorales porteñas, el sagaz estadista brasilero iba a dejarse adormecer.

3. Elizalde, encantador de serpientes, tenía reservada otra música para lograr que Saraiva saliera de su cesto y se pusiera a bailar como él quería. Si al Brasil le importaba poco la amenaza del Pacífico, en cambio mucho le convenía no desentenderse de lo que estaba pasando en el Paraguay, el inquieto, irascible y cada día más poderoso vecino, de cuya buena voluntad dependían enteramente las comunicaciones de la más grande provincia brasilera con el mundo y cuyo presidente era universalmente conocido como enconado enemigo del Imperio. Y Elizalde traía las pruebas de que el Paraguay se preparaba activamente para la guerra. El agente paraguayo en Buenos Aires estaba enviando gruesos giros a Europa para el pago de armamentos, y el doctor Lorenzo Torres, amigo del presidente Mitre, poseía cartas del canciller paraguayo José Berges en que se hablaba terminantemente de la decisión de llegar a la guerra. Todo porque el gobierno argentino negara al Paraguay el derecho a ingerirse en el pleito oriental y le desconociera como paladín de la independencia uruguaya y del equilibrio del Río de la Plata. ¿Ahora que el Imperio entraba en serias controversias con el gobierno oriental y amenazaba con la ocupación de su territorio si sus demandas no eran atendidas, la más elemental lógica no estaba indicando —*similia similibus curantur*—, que el Paraguay se consideraría igualmente obligado y con derecho a aplicar la misma fórmula? ¿Si la discutida ayuda proporcionada extraoficialmente a Flores desde territorio argentino provocó el pronunciamiento paraguayo contra el gobierno de Buenos Aires, cómo dudar que el desenvolvimiento de la gestión de Saraiva, al hacer previsible la invasión del Uruguay, aparejaría automáticamente una reacción análoga o mucho más enérgica del Paraguay frente al Imperio?

Estaba patente que el Brasil y la Argentina se hallaban al término de las desconfianzas paraguayas y que en Asunción germinaría fatalmente la convicción de que ambos países ya se habían dado las manos para proceder de común acuerdo en el Estado Oriental. Elizalde sabía que el gobierno de Montevideo estaba comisionando a Sagastume al Paraguay para buscar el apoyo de su gobierno contra el Brasil. Y según los informes que poseía la cancillería argentina, se suponía en Asunción que la acción del Brasil era, en parte, obra de la misión Mármol. Si hasta el momento, el gobierno paraguayo parecía reacio a aceptar la alianza que le ofrecía Montevideo, ¿se podía prever la misma resistencia en el futuro? ¿No se estaba produciendo un alineamiento de fuerzas en el Río de la Plata contrarias a Buenos Aires y al Brasil? ¿Urquiza, pese a todas sus promesas, no se dejaría arrastrar finalmente por su antibrasilerismo, resentido con el Imperio desde que le dio las espaldas y le retiró su apoyo, y por temor de que el triunfo de Flores colocara a su provincia entre dos fuegos? ¿Y frente a esa liga que las afinidades e intereses comunes estaban ajustando a ojos vista, debían permanecer indiferentes el Imperio del Brasil y la República Argentina?

Saraiva no podía mostrarse insensible a este planteamiento de la estrategia política del Río de la Plata, tal como era vista desde Buenos Aires y que encajaba perfectamente en el cuadro que se había trazado al iniciar su misión. También él estaba temiendo que del lado paraguayo surgieran dificultades en cualquier momento. Sabía que el gobierno oriental venía procurando la cooperación del presidente López. Por eso, había pedido a Dias Vieira que se le habilitara para entenderse con el gobierno del Paraguay. Pero lo que ahora Elizalde le sugería al oído estaba más conforme con las tradiciones de la diplomacia imperial que él, como prominente jefe liberal, se proponía restaurar en el Río de la Plata. Nada de entendimientos con un Paraguay que tan dura e insolentemente había tratado hasta entonces al Brasil sino con una Buenos Aires dispuesta a olvidar las rencillas del pasado para marchar aunadamente al encuentro de las comunes dificultades del porvenir. Hacía rato que Saraiva venía insistiendo ante su gobierno sobre la necesidad de la alianza con Buenos Aires. Apenas unos días antes había escrito a Dias Vieira:

> Sin alianza, todo nos contrariará.
> Con alianza de Buenos Aires, todo será fácil.
> Es preciso pues adquirirla o prepararnos para grandes sacrificios [4].

La alianza de que entonces hablara Saraiva era para llevar juntos, la República y el Imperio, la intervención militar al Estado Oriental, inevitable corolario del fracaso del "último reclamo amistoso", con el objeto de imponer por las armas un gobierno más accesible a las demandas brasileras. Ahora Elizalde venía a hablar de alianzas con objetivos mucho más amplios y con distintos procedimientos. El general Mitre no creía necesaria la intervención militar conjunta en el Estado Oriental. Entendía que la inteligencia argentino-brasilera debía desenvolverse sin necesidad de apelar a las armas haciendo valer sólo la poderosa influencia de los dos países asociados y avalados por Inglaterra, para obtener mediante negociaciones entre ambos contendores orientales, la terminación de la guerra civil y la solución del problema político. Logrado esto, el caso uruguayo ya no constituiría un factor negativo, ni para el Imperio, ni

[4]   De Saraiva a Dias Vieira, Montevideo, mayo 28, 1864, cit.

para la Argentina, en la gran estrategia del porvenir. Además, Elizalde opinaba que si fracasaba la tentativa pacificadora, su gobierno se prestaría a la intervención militar conjunta para el mismo objeto de imponer la paz. Saraiva, hombre de decisiones rápidas, no hesitó. Sus instrucciones no preveían el caso de una mediación entre gobierno y revolución, pero no vaciló en aceptar la promoción de diligencias para concertar la terminación de la guerra civil y, desde luego, convino con Elizalde en marchar en un todo de acuerdo con la Argentina.

4. Lleno de gozo por este primer éxito de su misión y ocultando cuidadosamente, las asperezas de Saraiva en la primera parte de su conversación, Elizalde informó a Mitre:

> El Sr. Saraiva me recibió con todo cariño, me mostró los papeles de su negociación y vi citadas las palabras de Ud. con mucha oportunidad. Estamos de acuerdo. Convinimos en que cedería casi todos sus reclamos, si había cesación de guerra, y a pesar de estar concluida casi su misión, obtuve que se prestara a ver al Sr. Aguirre. Está dispuesto a obrar de acuerdo con nosotros en todo (5).

El canciller argentino se trazó un plan estratégico. En primer lugar le pareció necesario trabajar la opinión en favor de la paz, para lo cual procuró la colaboración del influyente periodista Nicolás Calvo, que desde *La Reforma Pacífica,* podía ejercer positiva gravitación en la formación de una atmósfera favorable y que, desde luego, se comprometió a no escribir "nada contra el Brasil", anteriormente motivo de su particular y sistemática inquina. Estimulado, de tal suerte, el general deseo de transacción, Elizalde se proponía sugerir en seguida un armisticio y el nombramiento de comisionados para tratar las bases definitivas de paz. Pero hablar de las bases del arreglo le parecía todavía peligroso, según seguía informando a Mitre, "porque no hay combinación posible sin cambio de ministros y éstos se opondrían y Aguirre no iría hasta separarlos". Mejor le parecía someter al gobierno a un verdadero asedio a fin de que le fuera difícil negarse a las cosas por el orden en que se le pedirían, en primer lugar la suspensión de armas, para luego proponerle las bases de la paz, una por una, hasta llevarlo a la última: la organización de un nuevo ministerio, que sería el "salto mortal". Así, si la negociación se rompía sería por esto, "y los ministros, si se oponen, irán al diablo, con la responsabilidad y odiosidad con que cargarán". Por eso no quería hablar de "bases" sino de "arreglo", y haría escribir en la prensa que los que no lo deseaban eran "unos monstruos". El doctor Castellanos le ayudaría eficazmente cerca de Aguirre, colaboración que Elizalde deseaba mantener en el más impenetrable secreto, según le pedía a Mitre, ante quien no pudo menos que admirarse de su propia astucia con la cual

---

(5) De Elizalde a Mitre, Montevideo, junio 7, 1864, CORRESPONDENCIA MITRE-ELIZALDE, p. 100-101.

pensaba vencer a los enemigos que no deseaban el éxito de su difícil misión, "si su corazón (el del presidente Mitre) no cede a las inspiraciones del patriotismo" (⁶).

Una vez puesto de acuerdo con Saraiva, el canciller argentino visitó el día 7 al presidente Aguirre, quien le recibió "admirablemente", y a pesar de su mala voluntad para con el comisionado brasilero, aceptó una conferencia entre los tres, esa misma noche, sin los ministros, que eran, a juicio de Elizalde, el único obstáculo al paso de su gestión pacificadora. En esta primera conversación entre Elizalde y Aguirre no se habló de nada concreto, pero el presidente dijo que quería la garantía del gobierno argentino para cualquier arreglo. Mitre, desde la otra orilla, se enteró con júbilo, de las primeras satisfactorias noticias enviadas por Elizalde, y le felicitó por su actividad y el acierto de sus pasos, a todos los cuales dio su calurosa aprobación.

En tan corto tiempo —le decía— y dada la situación que se iba a modificar, no podía desearse más de lo que Ud. ha conseguido, haciendo atmósfera, acercando los extremos y poniéndose en vía de arreglar de un golpe todas las cuestiones, la argentina, la brasilera, la oriental, y de yapa la cuestión americana, en la que quedará englobada la del Paraguay.

Si a pesar de todo, no se consigue todo lo que deseamos, se habrá preparado convenientemente el terreno, y nosotros habremos ganado en crédito y autoridad moral, regularizando por lo que a nosotros respecta nuestra posición con los países amigos y limítrofes, cumpliendo con un deber por lo que respecta a los altos intereses de América (⁷).

El mismo día, 7 de junio, por la noche, tuvo efecto la concertada conferencia de Aguirre, con Elizalde y Saraiva. Estos dos, a una sola voz, significaron que la paz era la primera necesidad del gobierno oriental y el único modo de llegar a una solución amistosa de sus cuestiones con el Brasil y la Argentina. El presidente uruguayo advirtió la importancia del paso que mancomunadamente estaban dando los altos representantes y ya preparado su espíritu por Lamas, se manifestó dispuesto a convenir la terminación de la guerra. Sólo exigió que se respetara el principio de autoridad, a lo que accedieron sus dos visitantes. Elizalde agregó que si se llegara a la paz, la Argentina "pasaría la esponja sobre todo". Saraiva expuso que las reclamaciones y dificultades brasileras eran más serias y graves que las argentinas, pero que la paz, de por sí, resolvería la mitad de ellas. Se convino en promover otra nueva reunión, con el ministro Thornton que hasta entonces no había resollado, los ministros y algunas personas influyentes del país, para tratar el problema de la pacificación.

El día 8, en lugar de la citación para la conferencia, convenida

(⁶) De Elizalde a Mitre, Montevideo, junio 7, 1864, cit.
(⁷) De Mitre a Elizalde, Buenos Aires, junio 8, 1864, CORRESPONDENCIA MITRE-ELIZALDE, pp. 101-103.

en la reunión de la noche anterior, Elizalde y Thornton recibieron
una invitación de Herrera para allegarse al ministerio a fin de buscar un arreglo al pleito argentino-uruguayo, aún pendiente, de que
el ministro británico era mediador, y cuya solución había sido considerada por el gabinete de previa necesidad antes de entrar a estudiar las bases de la pacificación interna. Elizalde comprendió que
los ministros estaban torpedeando las intenciones pacificadoras del
presidente y, apoyado por Thornton, en una larga discusión que
mantuvo con los miembros del gobierno se negó resueltamente a
admitir esa antelación. Ni siquiera aceptó que al menos se deja-
se, "como prenda de paz para tranquilizar la opinión ultra", que
un buque pasase por Martín García. Después de tres horas de ago-
tador debate, los ministros se rindieron y se convocó una nueva
reunión para concretar definitivamente las bases de la pacificación.

Elizalde no ocultó su satisfacción. Había movido todos los resortes, incluso su amistad con los jefes militares a quienes escribió
profusamente exhortándoles a defender la causa de la paz, y creyó
tener al gobierno asediado por todos lados. Hombres importantes
de la situación, como Requena y Nin Reyes, cooperaron en su ofensiva verbal. Además, en todo momento, hizo ostentación de su entendimiento con la misión brasilera. A Herrera declaró explícitamente, cuando le invitó a abordar el pleito argentino-oriental, que
"no asistiría a conferencias ni adelantaría cosa alguna sino de acuerdo con el Brasil [8], y al informar a Mitre sobre los primeros resultados de su misión, le confesó:

Vamos a conquistar la amistad del Brasil por el servicio más distinguido que
ha sido posible hacerle, aunque no hubiese arreglo [9].

5.   En la reunión efectuada el día 9, con asistencia del ministro inglés y de los ministros de relaciones exteriores, Herrera, y del
interior, Lapido, se alcanzó éxito asombrosamente fácil y rápido.
Hubo general acuerdo sobre las bases de pacificación propuestas por
Herrera y Lapido: amnistía general y amplia; desarme mutuo; reconocimiento de los grados otorgados por Flores; reembolso de gastos revolucionarios. Elizalde que tenía "in peto" la otra condición,
que estimaba fundamental, el cambio ministerial que hiciese posible
la pacificación, no la mencionó en ningún momento, y declaró que,
en su convicción, Flores aceptaría las bases propuestas; si no lo hiciera, se ajustaría con el gobierno oriental, y le ofrecería el concurso
moral y aún material de la República Argentina. A su turno, Saraiva
encontró aceptables las bases y manifestó que si Flores insistiera en
condiciones impracticables, le responsabilizaría de la continuación
de la guerra, y daría al gobierno el apoyo moral posible. En cuanto

(8)   De Saraiva a Dias Vieira, junio 9, 1864, Preliminares, p. 330.
(9)   De Elizalde a Mitre, Montevideo, junio 9, 1864, Archivo Mitre, t.
XXVII, p. 170.

a la ayuda material, que Elizalde también había prometido, no la
podía asegurar, "por cuanto era cosa grave, e importaba una seria
modificación de la política imperial". Al dar noticia de todas estas
ocurrencias, escribió Saraiva a Dias Vieira:

> Espero que a V. E. no parezca extraño haber prometido nuestro apoyo moral,
> en el caso de que Flores exigiese condiciones impracticables. Sin esa declaración
> al menos, y sin esa promesa, el gobierno oriental concebiría desconfianzas de
> nosotros, y eso no conviene absolutamente en las circunstancias actuales [10].

Elizalde, por su parte, lleno de gozo, informó a Mitre que en la
"conferencia monstruo" todo había quedado convenido: cuestión internacional, cuestión brasilera, cuestión argentino-oriental. Sólo se
esperaba la resolución del presidente Aguirre que no se dudaba sería
satisfactoria, "porque hasta Lapido está conforme". Una vez producida esa aprobación, Elizalde, Saraiva y Thornton, saldrían en busca
de Flores para someterle las bases y volver con la persona que en su
nombre firmase con el gobierno el arreglo definitivo, "que puede
usted darlo por concluido", aseguraba Elizalde a Mitre, rebosante de
optimismo [11].

Pero la resolución que adoptó el gobierno no fue la que esperaba Elizalde. En vez de la aprobación de las bases, a fin de ser ellas
negociadas posteriormente con Flores, como se había convenido el
día 10, el gobierno dictó un decreto en que las condiciones de paz
quedaban establecidas unilateralmente, no restándole al jefe revolucionario sino someterse a ellas, porque así convenía al principio
de autoridad, que Aguirre tanto celaba. La furia de Elizalde estalló
e hizo de Lamas su víctima propiciatoria, según informó a Mitre:

> Delante de Thornton y Saraiva, al entrar en casa de éste, le dije a Lamas que
> consideraba lo que se hacía como un insulto sangriento a mi y al país que repre-
> sentaba, y que publicado el decreto me embarcaba inmediatamente sin ver a los
> hombres del gobierno, y que así como había hecho con un ardor inmenso cuanto
> había podido para pacificar este país, iba a poner cuanto medio estuviese a mi
> alcance para que mi gobierno y mi país hiciesen cuanto pudiesen para lavar la
> afrenta y combatir un gobierno que tales cosas hacía [12].

La brutal amenaza surtió su efecto. El gobierno ordenó la
suspensión de la publicación del decreto que tanto había indignado
a Elizalde y las cosas volvieron a su cauce anterior. Andrés Lamas
y Florentín Castellanos fueron designados comisionados para las
negociaciones que iban a entablarse con el general Flores a fin de
obtener la aceptación de las bases de paz. El día 12 de junio, los
ministros Elizalde, Saraiva y Thornton, y sus secretarios se pusieron

[10]   De Saraiva a Dias Vieira, Montevideo, junio 9, 1864, cit.
[11]   De Elizalde a Mitre, Montevideo, junio 9, 1864, ARCHIVO MITRE, t.
XXVII, p. 170.
[12]   De Elizalde a Mitre, Montevideo, junio 10, 1864, ARCHIVO MITRE, t.
XXVII, p. 172.

en marcha hacia el interior, en busca del movible cuartel general del jefe revolucionario. Les acompañaba, como comisionados del gobierno, Lamas y Castellanos, quienes llevaron la autorización de pactar un armisticio antes de iniciar las negociaciones. El optimismo de Elizalde era exultante. Escribió a Mitre:

> Ustedes comprenderán que prestándose este gobierno a lo que es racional, y llevando con los tres ministros, inglés, brasilero y argentino, a personas como Lamas y Castellanos, autorizados hasta para obtener una suspensión de hostilidades, ya no es posible dejar de hacer la paz.
> Después de esta campaña el gobierno (argentino) va a quedar muy bien, y la República Argentina altamente colocada.
> Imagínese si soy capaz de mover cielo y tierra para alcanzarlo [13].

6. Al cabo de penoso peregrinaje, el 16 de junio los comisionados dieron alcance a Flores en Puntas del Rosario y comenzaron las conversaciones. Como primera providencia se convino la suspensión de hostilidades desde el 19 de junio. En un principio, los mediadores encontraron que el general Flores no se ponía en un plano de transigencia. Estaba dispuesto a aceptar las bases propuestas por el gobierno, y, desde luego, a reconocer la autoridad del presidente Aguirre, pero a condición de un cambio ministerial que elevase a sus amigos al gabinete y a él mismo a la cartera de guerra y al comando de las fuerzas de campaña. Según el informe de Elizalde a Mitre:

> El general se prestaba a un arreglo, porque convenía en los peligros de la continuación de la guerra, y en la total ruina del país que era su consecuencia inevitable; pero decía cosas que en la forma y esencia hacían tan fácil el arreglo como tragarse a un elefante [14].

Los mediadores no aceptaron la condición de Flores, que equivalía prácticamente al triunfo de la revolución. Manifestaron que no habían ido para dar la victoria a uno de los partidos, sino para llamarlos a la concordia. Flores, después de consultar a los jefes militares, se rindió a esas observaciones. Aceptó firmar el protocolo propuesto, después de expresar que lo haría confiado en que el presidente Aguirre comprendería que la paz no sería segura si la nueva situación no fuera dirigida por hombres imparciales, capaces de garantizar elecciones libres. Los mediadores le dijeron que podría escribir al presidente una carta exponiéndole su pensamiento, y pidiendo garantías para su partido, a fin de que la paz no se redujera a una burla por la continuación de la política de exclusivismo. Para eso no podía contar con los buenos oficios de los tres ministros, Elizalde, Saraiva y Thornton, para persuadir al presidente Aguirre

[13] De Elizalde a Mitre, Montevideo, junio 11, 1864, ARCHIVO MITRE, t. XXVII, p. 174.
[14] De Elizalde a Mitre, Montevideo, junio 21, 1864, ARCHIVO MITRE, t. XXVII, p. 183.

sobre la necesidad de un cambio ministerial que significara amplias garantías para todos los orientales ([15]) .

Finalmente, Flores accedió al procedimiento sugerido, así como a una entrevista con Aguirre para sellar la reconciliación, y la carta al presidente fue redactada por el propio Elizalde. Los mediadores quedaron encargados de conducirla a destino y de procurar la satisfacción de la demanda en ella contenida, pero sin considerarla, en ningún momento condición "sine qua non" del arreglo, ni mucho menos, requisito previo para la ejecución de las medidas concertadas, aunque sí una de las consecuencias del arreglo ([16]) .

7. Allanadas todas las dificultades y con gran satisfacción general, el día 18 de junio, fue firmado el protocolo de las bases para poner término a la guerra civil. En el documento se consignó que los ministros de Argentina, Brasil y de S. M. Británica, "animados del vivo deseo de ver pacificada la República Oriental del Uruguay, se sirvieron indicar las siguientes condiciones para alcanzar tan importantes propósitos":

1ª Todos los ciudadanos orientales quedarán desde esta fecha en la plenitud de sus derechos políticos y civiles, cualesquiera que hayan sido sus opiniones anteriores.

2ª En consecuencia, el desarme de las fuerzas se hará en el modo y forma que el P. E. resuelva, acordando con el brigadier general don Venancio Flores el modo de practicarlo con las fuerzas que están bajo sus órdenes.

3ª Reconocimiento de los grados conferidos por el brigadier general don Venancio Flores durante el tiempo de la lucha, de aquellos que estuviesen en las atribuciones del P. E. conferir, conocer y la presentación al Senado, por parte del P. E. de la República, pidiendo autorización para reconocer los que necesitasen ese requisito por la constitución de la República.

4ª Reconocimiento como deuda nacional de todos los gastos hechos por las fuerzas del brigadier general don Venancio Flores, hasta la suma de quinientos mil pesos nacionales.

5ª Las sumas recaudadas por órdenes emanadas del brigadier general don Venancio Flores, procedentes de contribuciones, patentes o cualquier otro impuesto se considerarán como ingresadas al tesoro nacional ([17]) .

([15]) De Saraiva a Dias Vieira, Montevideo, junio 25, 1864, Preliminares, pp. 333-337.

([16]) De la extensa y minuciosa correspondencia de Elizalde con Mitre inserta en Archivo Mitre, t. XXVII, surge con meridiana evidencia que el cambio ministerial no fue considerado condición previa y esencial en las tratativas sino la consecuencia de los arreglos. Posteriormente se le dio aquel carácter, y en el mismo Archivo aparece una carta del 21 de junio en que así se expresa (pp. 180-181), pero evidentemente ésta fue antidatada, para dar fundamento a las argumentaciones posteriores. Ella ni siquiera es recogida en Correspondencia Mitre-Elizalde, que en cambio inserta, de esa misma fecha, 21 de junio, distinta carta (pp. 114-118, y Archivo Mitre, t. XXVII, pp. 183-187), que es el verdadero informe de Elizalde sobre lo tratado en Puntas del Rosario y que lejos está de confirmar otra de la misma fecha, que ni siquiera se menciona. Una carta del 22 de junio es aún más esclarecedora: "Como usted no desconocerá la organización del Ministerio es ahora la consecuencia de estos arreglos..." (p. 121-122).

([17]) Protocolo 18 junio 1864. Memoria, Mrea, 1865, Anexo E, pp. 33-34.

Firmaron, en primer lugar, los tres mediadores, Elizalde, Saraiva y Thornton. Al pie: "Aceptamos ad referendum: Andrés Lamas, Florentino Castellanos". "Acepto: Venancio Flores". La firma de Flores no tenía condición alguna.

8. No solamente las bases de la pacificación oriental fueron tratadas en Puntas del Rosario. Allí continuaron las conversaciones iniciadas en Montevideo con vistas al futuro y teniendo en cuenta el común peligro que representaban para el Imperio y para la República Argentina los designios atribuidos al presidente López y la alianza que, según todos los indicios, se estaba gestando entre el Paraguay, el general Urquiza y el partido blanco. A esa alianza habría que oponer la de los países afectados, con la adhesión del general Flores, que, dentro del acuerdo de pacificación, quedaba reconocido como un factor de primera importancia en la política oriental, con probabilidades de ingresar al poder por la vía de la recomposición ministerial. Pero de estas conversaciones no quedaron rastros en la correspondencia de Elizalde con Mitre, porque, como le decía aquél en la postdata del extenso informe que el 21 de junio le escribió sobre las negociaciones de Puntas del Rosario: "La más completa reserva es requerida para el éxito, *por causas que ni a escribir me atrevo*" [18]. Por su parte, Saraiva, aunque tampoco documentara en sus notas oficiales a Dias Vieira las misteriosas tratativas, años después públicamente reveló que fue en Puntas del Rosario, y no el 1º de mayo de 1865, en Buenos Aires, donde se asentó la Triple Alianza contra el Paraguay [19].

9. Las bases aceptadas en Puntas del Rosario, aparentemente representaban el triunfo del orden legal, condicionado a un generoso olvido de los hechos acaecidos y a las garantías necesarias para evitar desquites bárbaros y nuevos motivos de anarquía. La firma del jefe revolucionario al pie del documento no contenía condición alguna, pero en la carta que en la misma fecha dirigió al presidente Aguirre y que constituía, tanto como el protocolo un reconocimiento de la autoridad presidencial y el desistimiento de la actitud revo-

[18] De Elizalde a Mitre, Montevideo, junio 21, 1864, ARCHIVO MITRE, t. XXVII, p. 187.

[19] Escribió Saraiva en 1884: "Mi misión en Montevideo, en circunstancias ordinarias, habría sido un error y nos hubiera producido, de cumplirla como quería el gobierno imperial, disgustos con la República Argentina. Pero Dios inspiró al gobierno para hacer patentes los designios de López y la oculta alianza que se preparaba contra el Brasil, entre López-Urquiza y el partido blanco exaltado de Montevideo. Sagastume ataca mis instrucciones suponiendo que las ejecuté y queriendo ofenderme sin dirigir sus censuras al gobierno del Brasil, cuyas órdenes dejé por completo a un lado para tratar sólo de la paz del gobierno oriental con Flores, preparando por este medio las alianzas del Brasil contra el Paraguay, lo que conseguí, pues dichas alianzas se realizaron el día en que el ministro brasileño y el argentino conferenciaron con Flores en las Puntas del Rosario y no en el día en que Octaviano y yo, como ministro de Estado, firmamos el pacto" (NABUCO, *La guerra*, p. 46).

lucionaria, Flores declaró haber aceptado las cláusulas del convenio, convencido de que serían estériles y darían lugar a nuevas discordias si no prevaleciera en el ánimo del presidente, "la idea de que ellas necesitan como garantía de su fiel cumplimiento, la organización de un ministerio, que secundando la política de paz que iniciamos, aquiete los espíritus y prepare el camino de llegar a la libre organización de los poderes públicos que deben regir al país según nuestra Constitución". Para arreglar previamente esa garantía, el general Flores expresaba su disposición a entrevistarse con el presidente de la República en el lugar y día que Aguirre designase [20].

10. La satisfacción fue general. Parecía que, al fin, la paz volvía a la castigada campiña oriental y que se arrancaban de cuajo las causas de tantos disturbios en las relaciones internacionales. Con hechos positivos de cooperación y compañerismo, se habían desvanecido los mutuos recelos entre Saraiva y Elizalde. Ambos trabajaron en toda la emergencia con completa coincidencia de miras. Fue tan grande el concepto que el canciller argentino cobró en el ánimo del enviado especial del Brasil que éste solicitó su interposición amistosa para el arreglo de las diferencias entre el Imperio y la República Oriental. El gobierno uruguayo designó a Lamas para representarle en esas negociaciones, y tanto Lamas como Saraiva aceptaron las bases de arreglo propuestas por Elizalde [21]. Se convino someter las reclamaciones de carácter particular al arbitraje de un gobierno amigo, toda vez que las partes no llegaran a un advenimiento. También se consideró virtualmente arreglada la cuestión uruguayo-argentina. Lamas debía volver a Buenos Aires, investido nuevamente como ministro plenipotenciario, para protocolizar el arreglo basado en un amplio olvido de las contingencias pasadas. Saraiva, por su parte, terminada felizmente su misión, se proponía regresar por la vía terrestre, con el objeto de visitar la provincia de Río Grande do Sul, "calmar los ánimos, sondear el estado de la opinión y ganar prosélitos para el partido gubernista a que pertenece en el Brasil", según informó Brizuela a Berges [22].

En ningún momento de las gestiones pacificadoras, los múltiples negociadores, ni siquiera los blancos, hablaron de inmiscuir en ellas al Paraguay, a cuyo presidente, Lapido había prometido la parte más honrosa en cualquier arreglo del problema oriental. Pero de repente, el nombre paraguayo surgió con fuerza y fue para rechazar, de consuno todos, y a una sola voz, el gobierno oriental el primero de todos, la mediación que el presidente López acababa de ofrecer para resolver la controversia brasilero-uruguaya.

[20] De Flores a Aguirre, Puntas del Rosario, junio 18, 1864, MEMORIA, MREA, 1865, Anexo E, pp. 34-35.
[21] De Huergo a Balcarce, julio 2, 1864, AMREA, Copiador de notas. Legación en Francia, 1863-76, f. 82.
[22] De Brizuela a Berges, Montevideo, junio 30, 1864 AMREP, I, 30, 5, 15.

CAPÍTULO XIV

LOPEZ RECHAZADO COMO MEDIADOR

1.   La aceptación incondicional de las exigencias paraguayas para el arreglo del incidente del *Paraguarí* dio fuerzas al ministro Sagastume para insistir sobre la necesidad de que el Paraguay, se decidiera, de una vez por todas, a terciar en el pleito oriental en vista del carácter alarmante de los primeros pasos de la misión Saraiva y de la denunciada connivencia brasilero-argentina. Pero López se mantuvo impermeable a sus premiosas solicitudes, ni siquiera cuando le sugirió el envío de una misión análoga a la de Saraiva, también respaldada por fuerzas navales y militares, y que seguramente le depararía "mucha gloria, mucho provecho y pocos sacrificios", es decir cuanto aspiraba López.

Sin embargo, el presidente paraguayo no estaba dispuesto, ni mucho menos, a permanecer indiferente ante el nuevo desarrollo del drama uruguayo. Su decisión era hacer sentir nuevamente su voz y su presencia en los conflictos del sur. Lo que no quería era comprometerse en nada con el gobierno oriental. Desechando el procedimiento del pedido de explicaciones, de tan lamentables resultados en el caso de la República Argentina, le pareció a López más conducente al logro de sus propósitos de actuación internacional el ofrecimiento de una mediación para buscar pacífica solución al entredicho entre el Brasil y la República Oriental. Al decidirse por este paso, López tenía muy en cuenta las peculiaridades de sus relaciones con el Brasil de cuyo emperador estaba tratando, si bien por muy ocultos canales, de obtener resultados que podrían hacer variar la fisonomía política del Río de la Plata y quizás de la América del Sur.

2. El ofrecimiento de la mediación no tendría que ser interpretado por el Brasil como un acto inamistoso. El Paraguay no prohijaba la causa oriental; se ponía por encima de los antagonismos para procurar la solución de los problemas que separaban a Río de Janeiro y Montevideo. López podía suponer que el Imperio no temería parcialidad de parte de quien en esos mismos momentos estaba buscando sellar con su sangre una sólida e íntima alianza entre los dos países. Porque a esa altura de los acontecimientos, el presidente paraguayo estaba nuevamente esperanzado en el éxito de sus secretas diligencias. El emperador acababa de anunciar en el discurso del Trono de 3 de mayo ([1]), que el casamiento de las dos princesas tendría lugar en el correr del año. Ciertamente no había dado indicación alguna sobre las personas destinadas a ser sus futuros yernos, lo que tenía desazonados a los diplomáticos europeos en Río de Janeiro, entre ellos el ministro austríaco, quien el 9 de mayo informó a su gobierno:

A ese respecto se está aquí completamente a obscuras. El Emperador dirigió personalmente este negocio, no dejando transpirar a ninguno, ni aún en los círculos que le son más próximos ([2]).

¿Pero este secreto no era indicio de que el emperador se proponía dar una desusada solución al negocio matrimonial? Era lo que López podría suponer y de allí la esperanza renovada de que sus proyectos de monarquización, bajo tales auspicios y con tan formidable base, encontrarían el apoyo del Imperio. Fue así como en esos días se leyó en *El Semanario,* con motivo de ataques oratorios al Brasil en los mitines de Buenos Aires, una singular defensa del sistema monárquico, y del derecho de los pueblos a elegir esta forma de gobierno. Decía:

Hubo también quien lanzase una amarga filípica contra el Brasil, por el crimen de haber adoptado la forma monárquica. Idea tan poco feliz no ha sido patrocinada, ni aun por los más acalorados; pues que cuando se trata de levantar un sentimiento tutelar de la independencia, es un contrasentido evidente atacar la de cualquier pueblo para adoptar el gobierno que cuadre mejor a su voluntad o sus necesidades ([3]).

3. Con tales esperanzas se explicaba también que López se negara a otorgar la cooperación que Sagastume pedía como contrapartida de la aceptación incondicional de la solución del conflicto del *Paraguarí.*

En vano el ministro oriental procuró, insistentemente, la precipitación de actos por parte del gobierno paraguayo, que demostraran "su decisión de sostener y defender de consuno con el gobierno oriental las inmunidades en peligro, impusiese y fortificase

([1])   ANNAES, SENADO, 1864, t. I, p. 3.
([2])   LYRA, pág. 398.
([3])   *El Semanario*, Asunción, junio 25, 1864.

el respeto de sus sagrados derechos de nación independiente". Con ese propósito tuvo varias entrevistas con Berges para convenir finalmente que la manera más eficaz de ejercitar la influencia paraguaya en favor de los intereses comprometidos en la República Oriental, era la mediación. Sagastume no estaba autorizado a solicitarla. Lo hizo, persuadido de que ese paso fatalmente le llevaría al Paraguay a donde él debía conducirlo, según sus instrucciones: a abrazar la causa del gobierno oriental.

Con la actitud que asume el Paraguay —explicó a Herrera— y con la que, según confidenciales protestas, está dispuesto a asumir, en caso dado, me parece que se satisface el pensamiento que tuvo el gobierno oriental cuando me hizo el honor de encargarme la misión que desempeño.

Si la mediación paraguaya es aceptada por el Brasil, los intereses y el derecho de la República Oriental serán defendidos y sostenidos con el empeño del amigo resuelto a hacer triunfar la justicia.

Si el Brasil rehusa la mediación paraguaya este gobierno considerará ese hecho como un ultraje a su dignidad, y procederá en consecuencia, haciendo valer, si necesario fuera, los elementos bélicos de que dispone.

En cualquiera de ambos casos, la situación de mi gobierno en la actualidad creada por la misión Saraiva se fortifica y mejora notablemente (4).

La mediación fue solicitada oficialmente por la legación oriental el 13 de junio de 1864, con el objeto de "allanar amistosa y satisfactoriamente todas las dificultades que puedan surgir de injustificadas reclamaciones, y salvar en todo caso de toda pretensión atentatoria los respetos y los derechos de un pueblo libre, independiente y soberano". Se mencionaba, desde luego y como no podía ser menos, "el peligro que pueda quebrarse el equilibrio político del Río de la Plata" y en abono de sus aseveraciones Sagastume ponía en conocimiento del gobierno paraguayo las primeras comunicaciones cambiadas con el consejero Saraiva (5).

Antes de dar la respuesta convenida, el presidente López mandó llamar al cónsul del Brasil a quien preguntó la fecha de salida del primer paquete desde Montevideo a Río de Janeiro. El cónsul Santos Barbosa lo ignoraba y entonces López le informó que deseaba saberlo para abreviar la llegada del oficial que enviaría a la corte imperial con la oferta de su mediación en la cuestión del Imperio con la República Oriental y quizás principalmente para informarse sobre el terreno acerca de la suerte corrida por el proyecto matrimonial, de lo cual, por cierto nada habló el representante consular del Imperio. Este aprovechó la oportunidad que le deparaba la consulta de López para justificar la actitud de su gobierno: sólo exigía de la República Oriental el cumplimiento de sus compromisos y la seguridad de las vidas e intereses de los brasileros allí establecidos.

(4) De Sagastume a Herrera, Asunción, junio 17, 1864, AMREU, Legajo *Misión Vázquez Sagastume, 1864.*
(5) De Sagastume a Berges, Asunción, junio 13, 1864, AMREP, I-30, 23, 88.

S. E. díjome —informó el cónsul a su gobierno— que hacía justicia al gobierno imperial, pero que la paz era preferible a todo, porque de ella dependía el sosiego de sus vecinos.

Respondí que el gobierno imperial deseaba la paz con sus vecinos, para estar en buenas relaciones con ellos, pero que no podía, a cambio de esa paz, sacrificar su honra, ni sus intereses y vidas de los brasileros (6).

4. Al día siguiente de esta entrevista, Berges contestó la nota a Sagastume aceptando mediar "en las graves circunstancias en que se hallan las relaciones del gobierno oriental con el de S. M. el emperador". Decía la cancillería paraguaya:

El gobierno del infrascripto, que en todas las ocasiones ha manifestado un vivo interés por la paz y los intereses generales del Río de la Plata, mira con profunda pena el estado de relaciones entre el Brasil y el Estado Oriental; y en la esperanza de contribuir al restablecimiento de la armonía de dos pueblos vecinos y amigos acepta con placer el oficio de mediador que el gobierno de V. E. le ofrece (7).

En la misma fecha, el gobierno paraguayo comunicó al ministro de negocios extranjeros del Brasil la aceptación del encargo de mediación que le ofrecía el gobierno oriental para el arreglo de las cuestiones confiadas por el gabinete imperial al consejero Saraiva. La nota de Berges agregaba:

El gobierno imperial, justo apreciador del verdadero valor de los intereses bien entendidos de todos los ribereños del Plata y de sus afluentes, conoce también la imperiosa necesidad de amistosas relaciones entre todos ellos, y del arreglo de los intereses opuestos que puedan surgir. Esa convicción y la política de moderación que distingue al gabinete imperial, hacen esperar al gobierno del abajo firmado que el de su Majestad el emperador ha de resolver, de acuerdo con esa misma política, las diferencias que motivaron la misión extraordinaria de S. E. el señor consejero Saraiva.

El gobierno del abajo firmado se considerará muy feliz si, empeñando su cooperación puede contribuir a un resultado tan satisfactorio (8).

El ministro Berges se dirigió también a Saraiva avisándole que el gobierno del Paraguay, en el interés de alejar todo motivo de desavenencia entre dos naciones vecinas y amigas, había aceptado la prueba de confianza que le hizo el gobierno oriental (9). Para subrayar la importancia que se asignaba a esta gestión, fue comisionado especialmente a Montevideo y Río de Janeiro, como portador de las notas, uno de los edecanes del presidente López, el teniente Miguel Corvalán, quien debía también traer la contestación y presuntivamente los resultados de sus pesquisas sobre el plan matrimonial de López. Los agentes del exterior fueron informados del paso que acababa de darse. A Egusquiza se le dijo:

(6)   De Santos Barbosa a Dias Vieira, Asunción, junio 20, 1864, Ahi.
(7)   De Berges a Sagastume, Asunción, junio 17, 1864, Amrep, I, 22, 11, 1, Nº 356.
(8)   De Berges a Dias Vieira, Asunción, junio 17, 1864, Benites, t. I. p. 92.
(9)   Cit. en la del 30 de agosto de 1864, de Berges a Sagastume, Baez, t. II, p. 168.

Nuestro gobierno, que en todas ocasiones ha hecho esfuerzo para ver restablecida la paz interna y el orden del Estado Oriental, y que ha patentizado siempre su celo por los intereses generales de las repúblicas del Plata, hará su posible, para que una vez más, su voz justiciera, amistosa e imparcial, traiga la rama de oliva a una república amiga y hermana.

Espero que Vd., apreciando debidamente la política humanitaria de S. E. el señor presidente hará conocer a sus relaciones este nuevo paso que da con el fin de restablecer el orden y la concordia en el Río de la Plata (10).

Al encargado de negocios en Francia e Inglaterra, a quien no hacía un mes se le habían expuesto los peligros y designios bélicos que se cernían sobre el país, se le transmitió igual información que a Egusquiza, así como al coronel Alfredo Du Graty, encargado de negocios en Bruselas a quien también se le decía:

No sabemos la contestación que dará el gabinete imperial a esa resolución que ha tomado el gobierno paraguayo, en el deseo de restablecer la buena inteligencia y la armonía en el Río de la Plata. Entre tanto, esperemos que la moderación y una política equitativa y justa hagan comprender a los estadistas brasileros la necesidad de una medida pacífica, para resolver las cuestiones que abrazan intereses encontrados de estos países (11).

5.   Pero en Montevideo no había entonces ambiente muy favorable para el gobierno del general López. Después del fracaso de Lapido, la magnificación que se hacía del incidente del *Paraguarí* y el ningún éxito de Sagastume en sus primeras gestiones, tenían irritado vivamente a Herrera. Olvidando haberle colocado a López en los cuernos de la luna, se dedicaba ahora a vituperarlo acerbamente en su correspondencia privada y oficial con Sagastume. Le escribió el 29 de mayo, aludiendo al demasiado cordial discurso pronunciado en la entrega de credenciales.

Si la política de López no fuera en ciertos casos tan poco noble, tan de rencilla y de amor propio personal, el discurso del ministro oriental hubiera sido acto de política previsora y dábale al Paraguay una posición alta en los negocios que se debaten y preparan en el Plata. Pero han preferido bajar hasta el incidente del *Paraguarí* y hacer de él, en estos momentos, el motivo del discurso (12).

Tanto era el enojo de Herrera que ya no estaba dispuesto a conceder al Paraguay la menor intervención en los negocios del Plata. ¡Ya nada de pedir desgañitadamente la ayuda paraguaya! Volvió a escribir a Sagastume:

Que comprendan esos hombres que no está nuestra salvación en el Paraguay y que su conducta con nosotros puede hacernos obligatorio darle definitivamente las espaldas y buscar por otros caminos nuestros intereses. Por ahora —ya en contra orden de mi nota de anteayer— reserva completa sobre toda

(10)   De Berges a Egusquiza, Asunción, junio 17, 1864, REBAUDI, p. 104.
(11)   De Berges a Bareiro y Du Graty, Asunción, junio 21, 1864, AMREP, I-22, 12, 1, Nos. 367 y 364.
(12)   De Herrera a Sagastume, Montevideo, mayo 28, 1864, BRAY, p. 191.

comunicación de nuestros negocios con el Brasil y Buenos Aires. Que no sepan lo que pasa con Saraiva, y que comprendan que nuestro silencio y cese de confidencias se debe a la manera poco franca y amistosa con que nos están tratando, y aprovecha toda ocasión para hacer comprender que tu misión no se prolongará si ellos no adoptan otra conducta. Que vean resentimiento en nuestro misterio, pero no dolor (13).

La nueva posición de Herrera le ponía a Sagastume en un trance muy difícil. Por de pronto, tenía que explicar, tanto el arreglo del incidente del *Paraguarí,* como la aceptación de la mediación, a que se había adelantado sin instrucciones previas, y que disonarían, sin duda alguna, con el acre espíritu que se había formado ahora en Montevideo respecto del Paraguay. Explicó a Herrera:

> El general López, basándose en la creencia de que el Paraguay es un país poco conocido en el extranjero y mal apreciado el espíritu de su gobierno, no quería ingerirse en las complicaciones actuales de la política oriental sin tener una razón legal que justificase en el porvenir la posición hasta de beligerante que los sucesos podrían obligarle a tomar.

> Era, pues, necesario si se quería el concurso paraguayo, buscarle y no había medio más conducente, al efecto, que darle participación en la situación sin comprometer los intereses orientales ni quitarle a su gobierno la plena libertad de seguir el camino que juzguemos apropiado para servir sus propias conveniencias.

La mediación, en concepto de Sagastume, no era sino el pretexto que el Paraguay deseaba "para hacer oír su voz". Y como muy probablemente el Brasil no la aceptaría, el Paraguay vería en ese hecho un agravio a su dignidad y "apresuraría el tiempo en que tiene que romper con el Brasil para hacer causa común con la República Oriental" (14). Como de costumbre, Sagastume especulaba con la psicología de López.

6. Herrera se afirmó aún más en su hostilidad hacia el general López, cuando gracias a la triple mediación de Elizalde, Saraiva y Thornton, iniciada el 5 de junio, parecían resueltos satisfactoriamente todos los conflictos y ya ninguna necesidad se tenía del Paraguay y de satisfacer el "amor propio personal" de su presidente. Sin conocimiento todavía del ofrecimiento paraguayo de mediación, el gobierno oriental había adoptado una extrema resolución: rechazar el protocolo del 3 de junio que había puesto fin al incidente del *Paraguarí.* Recriminándole por haber invocado "órdenes expresas" del gobierno que nunca existieron, Herrera comunicó a Sagastume que no se aprobaba ni la forma ni el fondo del documento suscrito en Asunción, con el siguiente severo comentario:

> Los pretextos de enmienda para el futuro son verdaderamente bochornosos y deponen a los pies del vanidoso presidente López un pedazo de nuestra sobe-

(13)   De Herrera a Sagastume, Montevideo, junio 1º, 1864, BRAY, p. 191.
(14)   De Sagastume a Herrera, Asunción, junio 21, 1864, HERRERA, t. IV, pp. 474-477.

ranía. Lo que el Estado Oriental hizo, en ejercicio de derecho soberano indisputable en aguas nacionales y en relación a un buque de comercio, sin ninguna salvedad, es declarado mal hecho y se nos quiere hacer prometer no volver *jamás a repetirlo* (15).

Se cuidó mucho Sagastume de comunicar al gobierno paraguayo la airada desaprobación del acta del 3 de junio. La noticia le llegó justamente en los momentos en que celebraba gozoso lo que reputaba el mayor éxito de su misión; el ofrecimiento de la mediación paraguaya. Creyó que los renunciamientos consentidos para liquidar el caso del *Paraguarí* quedarían debidamente justificados con los triunfos que esperaba dimanar del desarrollo de la nueva gestión. Pero contra todas sus esperanzas, en vez de los plácemes que aguardaba, le llegó de Montevideo la comunicación de que su gobierno después de rechazar el arreglo del 3 de junio, tampoco aceptaba la mediación. Por una verdaderamente imprevisible concatenación de raras circunstancias, el Brasil en los mismos momentos en que se producía el ofrecimiento paraguayo de mediar en sus cuestiones en Montevideo estaba actuando como mediador entre el gobierno blanco y la revolución colorada. Interponer una nueva mediación entre el mediador y una de las partes, era tan absurdo como absurdo había sido que el gobierno de Montevideo aceptara como mediador precisamente a su antagonista. Pero los absurdos de la situación tenían que cortarse por lo más delgado, Así, tanto el gobierno oriental como el brasilero, a una sola voz, se dirigieron al Paraguay para rehusarle como mediador.

7. En términos durísimos Herrera desaprobó el 24 de junio de 1864 los pasos que Sagastume había dado en Asunción, sin autorización ni consulta, para obtener la mediación paraguaya. Le instruyó para informar al gobierno paraguayo, sin pérdida de tiempo, que habiéndose modificado esencialmente la situación, el Uruguay creía de su deber "no hacer uso, por ahora de la mediación concedida, pues que tiene fundada confianza en que los asuntos políticos que amenazaron crearle y le crearon a este país en relación al imperio una difícil situación, tendrán prontamente una solución amistosa". Hecha esta comunicación, el ministro oriental debía anunciar su retiro y embarcarse para Montevideo, con todo el personal de la Legación, dejando el archivo a cargo del cónsul Nin Reyes (16). Creyendo resuelto el pleito interno por la triple me-

(15) De Herrera a Sagastume, Montevideo, junio 15, 1864, BRAY, p. 192. Hay también una nota del 14 de junio extractada en la respuesta de Sagastume de julio 1º, 1864, AMREU, Legajo *Misión Vázquez Sagastume, 1864.*

(16) De Herrera a Sagastume, Montevideo, junio 24, 1864, HERRERA, t. III, pp. 359-360 (muy mutilada, con muchos puntos suspensivos que esconden la severa reprimenda a Sagastume y las instrucciones para retirar la Legación, que se repite en otra, de la misma fecha, en AMREU, Legajo *Misión Vázquez Sagastume, 1864).*

diación, Herrera ya no necesitaba la ayuda del Paraguay y decidía darle las espaldas. La respuesta de Saraiva, directamente consignada a Berges, aunque difería la resolución definitiva a su gobierno, equivalió también al rechazo de la oferta paraguaya. Decía:

Interin reciba las órdenes de mi gobierno, cúmpleme entretanto el deber de declarar a V. E. que alimentando las más fundadas esperanzas de obtener amistosamente del gobierno oriental la solución de las mencionadas cuestiones, me parece por ahora sin objeto la mediación del gobierno paraguayo, siempre apreciada por el gobierno de S. M. (17).

Apabullado por la reacción de su gobierno, que no esperaba, Sagastume se sumió en el más impenetrable silencio y nada comunicó a la cancillería paraguaya. Brizuela se encargó de informar a Berges acerca de la situación que se había creado, ya que la prensa montevideana, criticando acerbamente las gestiones de Sagastume no ocultó que el gobierno desaprobaba el acta del *Paraguarí* y rehusaba la mediación paraguaya, así como que había expedido la orden de retiro de la legación oriental.

El gobierno oriental —explicó Brizuela— no ha mirado con gusto la solicitud del Sr. Sagastume solicitando la mediación paraguaya, diciendo que ha procedido sin autorización de este gobierno, y que ha venido a comprometerlo con el Brasil, que le pedirá explicaciones por haber considerado los reclamos como un *casus belli*, cuando se anticipaba a pedir esa mediación, y que este paso le coloca en la necesidad de dar explicaciones al enviado brasilero.

De aquí toma pretexto el ministro Herrera para atacar el proceder del Dr. Sagastume en el incidente del *Paraguarí*, como V. E. lo verá por los diarios de esta capital, cada cual con más acritud y aún hiriéndonos alguna vez.

La mayor parte de los artículos que se han publicado contra el arreglo. son escritos por Don Laurindo Morales, oficial mayor del ministerio de hacienda, y hermano político del mismo Dr. Herrera. Es notorio que son escritos bajo la inspiración del mismo Dr. Herrera, que es quien más nos hostiliza (18).

Finalmente Sagastume ya no pudo menos que dirigirse a Berges públicamente para comunicarle en términos muy comedidos que su gobierno, "en la confianza fundada y en el interés de restablecer prontamente las cordiales relaciones con el Imperio del Brasil", creía cumplir un deber no haciendo uso, por el momento, de la mediación paraguaya (19).

8. No hubo alusión al desahucio del protocolo del 3 de junio ni menos a la orden de dejar vacante la Legación que equivalía a la suspensión de relaciones, pero el rechazo de la mediación bastó para hacer estallar incontenible la indignación de López, como se reflejó de amargos comentarios de la correspondencia de Berges con Brizuela:

(17)   De Saraiva a Berges, Montevideo, junio 24, 1864, BENITES, t. I, p. 93.
(18)   De Brizuela a Berges, Montevideo, junio 30, 1864, AMREP, I, 30, 5, 15.
(19)   De Sagastume a Berges, Asunción, julio 4, 1864, AMREP, I, 29, 33, 24.

Una vez más no hemos sido felices con el gobierno oriental, cuando el del Paraguay ha querido tender una mano amiga a esa vecina República, digna de mejor suerte por la magnanimidad y valor con que sus nobles hijos han soportado los horrores de la guerra civil.

Lamento sinceramente que el gabinete de Montevideo, no haya podido comprender nuestras puras y sanas intenciones, de consolidar la autonomía de ese país, con quien no tenemos intereses encontrados ni motivo alguno de disidencia.

Por desgracia, parece que sus hombres públicos desconfían de nuestros recursos, o de nuestras intenciones, pues cuando desde el principio de la administración del general López, nos hemos empeñado en sostener ardorosamente los intereses orientales, sus estadistas parece que se han complacido en contrariar nuestros trabajos.

En esa misma carta, Berges desnudó el pensamiento que había guiado la oferta de la mediación. Le decía a Brizuela:

No puede ocultarse a la penetración de V. E. el resultado que hubiera tenido la mediación paraguaya. Al menos, nos hallaríamos autorizados para tomar parte en la política, que actualmente se desenvuelve en el Río de la Plata, y cruzar, si es posible, la marcha del Brasil y de la República Argentina, que hoy quedan dueños de la situación [20].

No otra cosa perseguía el gobernante del Paraguay: intervenir en la política del Río de la Plata, no ser espectador sino protagonista y no para tomar partido en las controversias sino actuando como alto juez. Sagastume había calado hondo la psicología de López al suponer que antes que enviar sus ejércitos al sur, suspiraba por repetir las memorables jornadas de 1859. Y he aquí que, una vez más, al presidente paraguayo se le cerraban bruscamente las puertas. En octubre de 1863 fueron el gobierno oriental y la Argentina quienes se aunaron para decirle a López: "Vuelva Ud. a su desierto. No le permitimos que asome sus narices en el Plata", según la frase de Herrera [21]. Ahora, el gobierno oriental se conjuraba con el Brasil para repetirle lo mismo aunque en términos más corteses.

9.   Para López no eran las andanzas y las glorias de los grandes arreglos políticos en el Río de la Plata. Al Paraguay se le arrinconaba en sus selvas, y no se le permitía asomar sus narices siquiera para husmear las grandes cosas que, en esos momentos, se ventilaban en el sur. No sólo el honor de mediar entre los contendientes, ajeno a las luchas y por encima de ellas, se le negaba a López, sino el elemental derecho de hacer oír su voz. Una vez más se le vedaba toda ingerencia en los asuntos del Río de la Plata. Se le empujaba a su antiguo aislamiento. Se le tapiaba a cal y canto el acceso al apasionante torneo de la política platense que en esos momentos tenía por protagonistas al Brasil, con su misión Saraiva

[20]   De Berges a Brizuela, Asunción, julio 6, 1864, Amrep, I, 22, 12, 1, Nº 122.

[21]   De Herrera a Lamas, Montevideo, octubre 29, 1863, Agnu, Caja 111.

apoyada por imponente aparato naval y militar, a la República Argentina ayudando como siempre bajo cuerda a Flores y mirando expectante lo que hacía a su vez el Brasil en la otra orilla, y el Estado Oriental, lacerado por la interminable guerra civil, víctima doliente y pasiva de los acontecimientos y de sus propias inconsecuencias.

En el Río de la Plata nada se quería saber del Paraguay ni de su joven gobernante, ávido de acción y anhelante de gloria, que ahora tenía que rumiar, por tercera vez en menos de un año de actuación diplomática, las amargas yerbas de la humillación. Rodeado de sus soldados en el nuevo campamento de Cerro León, "el más grande de Sud América", ¿a dónde le conducirían sus tristes reflexiones? ¿Por cuánto tiempo más permitiría que se le impidiera el acceso a la alta política del Río de la Plata? ¿El emperador había desahuciado definitivamente sus secretas proposiciones? ¿O era que, realmente, como susurraban los blancos, el Brasil y la Argentina estaban conspirando de consuno contra la República del Paraguay? López hizo partícipe de sus cavilaciones a Egusquiza:

> Por más que allí se haya reunido el pueblo para hablar sobre los negocios del Pacífico y la conducta del almirante Pinzón, en otros motivos debe buscarse las explicaciones de los sucesos que se desarrollan en la Banda Oriental, por parte del Brasil y de la República Argentina. El suceso de la isla de Chinchas no debe considerarse sino como una circunstancia venida a propósito para el desarrollo ostensible de planes previamente combinados [22].

10. ¿Acaso se acercaba la hora de que el Paraguay, con todo su poderío que parecía ponerse en duda, cruzara la marcha del Brasil y la Argentina, que quedaban dueños de la situación? Pero las armas encargadas en Europa aún no habían sido despachadas. López ordenó a Egusquiza que comprara cuantas encontrara en venta en Buenos Aires. No eran muchas, apenas si 1.200 fusiles y 408 rifles, y seguramente no de modelos muy modernos [23]. Y pocos días después se adoptó otra importante resolución: el 21 de julio de 1864 se encomendó a la firma Blyth de Londres la construcción, armamento y equipo de un buque acorazado, al propio tiempo que López encarecía a Bareiro la pronta y asidua atención del pedido, sobre la base de los planos enviados el 23 de mayo anterior con algunas modificaciones detalladas en una comunicación del Ministerio de Guerra y Marina [24]. Escribió López a Bareiro:

> Mi deseo es que se aproximen en cuanto sea posible a las condiciones y observaciones constantes en aquella comunicación, y que desde luego, una vez

[22] De López a Egusquiza, Asunción, julio 6, 1864, BRAY, p. 195.
[23] De V. López a Egusquiza, Asunción, julio 6, 1864, AGNP, *Lib. cop.*
[24] De V. López a Blyth, Asunción, julio 21, 1864, AGNP, *Lib. cop.* ff. 64-65.

arreglados los planos y el precio definitivo y el tiempo de construcción, mande Ud. proceder a su más rápida ejecución sin esperar nueva resolución. Así lo demanda la urgente necesidad de tal elemento [25].

¿Sólo a fines de julio de 1864 el general Francisco Solano López cayó en la cuenta de la "urgente necesidad" del buque acorazado? ¿Estaba seguro de que los acontecimientos podían manejarse de tal suerte que dieran tiempo para la obligadamente morosa construcción de tan indispensable elemento y para que fuera posible su navegación desde sus lejanos astilleros por aguas controladas por el Brasil y la Argentina, presuntivamente aliados contra el Paraguay? Y en esos momentos los acontecimientos volvían a tomar cariz alarmante en el Río de la Plata. La mediación tripartita había naufragado estrepitosamente y de nuevo colorados y blancos disputaban supremacías en las cuchillas orientales.

[25]   De López a Bareiro, Asunción, julio 21, 1864, BENITES, t. I, pp. 135-136.

Capítulo XV

FRACASO DE LA MEDIACION TRIPARTITA

1. Desazones de Saraiva. — 2. El Imperio no cede. — 3. Regreso y pesimismo de Mármol. — 4. El cambio ministerial impuesto a Aguirre. — 5. Flores, no. — 6. Lamas, sí, — 7. Agitación en Montevideo. — 8. Un gabinete inaceptable. — 9. Ruptura de negociaciones. — 10. Otra vez el Paraguay.

1.   No todo era de color de rosa en la mediación tripartita que creyó asegurada la paz oriental. Algo estaba fallando. Saraiva se había apartado demasiado de su verdadero cometido. Confiado en el respaldo de su sólida posición política y también en el éxito de las gestiones pacificadoras, resueltamente puso de lado sus muy estrictas instrucciones. Ahora, ya no sólo había convertido su misión especial en misión de paz, sino que se comedía a aceptar un arreglo de las reclamaciones que no contemplaba las aspiraciones de Río de Janeiro, y menos las del Río Grande, completamente olvidadas. El gobierno le dio autorización para hacer de la paz uno de los medios primordiales de su misión más por la confianza que se depositaba en su persona que por persuasión de las razones invocadas. Pero la autorización de Dias Vieira para proceder, como juzgara "mejor y más acertado, según los consejos o las exigencias de las circunstancias" en realidad no era una carta blanca. El gobierno imperial no perdió de vista, en ningún momento, la satisfacción de las reclamaciones como objetivo final de la misión especial. Aceptó la paz sólo como un camino o una etapa previa para obtener ese resultado.

Si como V. E. piensa —le escribió Dias Vieira a Saraiva—, y el gobierno imperial cree, puede la paz traer en gran parte ese resultado, claro es que todos los medios y esfuerzos legítimos, que se emplearan para tal fin, han de recibir el apoyo y aprobación del mismo gobierno.

En el uso, pues, de ese recurso, al que llamaré preliminar y no excluye la indeclinable realización, hasta todas sus consecuencias, de la misión de V. E., el gobierno imperial confiere a V. E. los más amplios y plenos poderes.

Y de que estos amplios y plenos poderes no eran tales, volvió a ponerse de resalto en el mismo despacho, cuando después de comunicarle a Saraiva el envío de las solicitadas cartas credenciales ante la Argentina y el Paraguay, Dias Vieira resumió la posición del gobierno brasilero con palabras que no admitían dos interpretaciones:

> La verdad es, entretanto, que en último análisis, nuestra posición fue y está muy claramente definida, y no nos es permitido retroceder.
> Si los medios pacíficos no prosperan; si el gobierno oriental persiste en su negativa retrasando o eludiendo nuestros últimos llamamientos amistosos será forzoso e imprescindible seguir adelante, haciéndonos justicia por nuestras manos, sean cuales fuesen las consecuencias [1].

2. En ningún momento, el gobierno imperial se apeó de esta posición. Cuando Saraiva comunicó la llegada de Elizalde, Thornton y Lamas, y la resolución que tomó, de acuerdo con los mismos, de tentar la pacificación de la República sin esperar la autorización de Río de Janeiro, Dias Vieira aprobó su conducta con las mismas categóricas reservas, apenas endulzadas por las habituales protestas de confianza en las altas y elogiadas calidades personales del emisario imperial:

> También aprueba plenamente el gobierno imperial el procedimiento de V. E. en esta parte, porque teniendo por garantía su tino y perspicacia, está cierto que V. E. en el teatro de los acontecimientos, y en contacto con los hombres de la situación, tiene razones fundadas y positivas para creer que la paz traerá como resultado el éxito de su misión, cuyo objeto es la solución satisfactoria y completa de nuestras justas reclamaciones al gobierno de esa República.
> Y fue sin duda esa esperanza que llevó a V. E. a decir al señor presidente Aguirre que "el gobierno imperial sería condescendiente con el de la República, si éste, en el deseo de poner término a sus propias dificultades, enarbolase la bandera de la paz, como la única que puede resolver las dificultades del presente"; pues a no ser así, podíase inferir de esas palabras que, obtenida la paz, el gobierno imperial cedería en parte sus reclamaciones, lo que seguramente no estaba en las intenciones de V. E. ni está en las del gobierno de Su Majestad [2].

El Imperio no cedía un ápice de su actitud. La mantenía incólume. Mármol, en vísperas de su viaje a Buenos Aires, recogió de labios de Dias Vieira la persuasión de que el gobierno brasilero no retrocedería en el camino que emprendiera al enviar la misión del consejero Saraiva. El ministro de relaciones exteriores no le dejó al respecto la menor duda:

> ...era un punto decidido en el gobierno de S. M. el no retroceder de la posición que había asumido... la misión de... Saraiva no podía ni debía quedar desairada, y... el Brasil emplearía todos sus recursos para sostenerla.

[1]   De Dias Vieira a Saraiva, junio 7, 1864, PRELIMINARES, pp. 322-323.
[2]   De Dias Vieira a Saraiva, junio 22, 1864, PRELIMINARES, pp. 297-298.

Al final de la conversación, Dias Vieira le dijo claramente a Mármol que el gobierno brasilero estaba ya persuadido de que Saraiva nada conseguiría y que bajo esa creencia se le ordenaba pasar a Buenos Aires para "coordinar los medios de ofrecer la mediación colectiva a los beligerantes". Aun se ignoraba la aparición de Elizalde en Montevideo, y Mármol, pesando las palabras de su interlocutor, extrajo la conclusión de que el gobierno de Don Pedro II reconocía "ya lo insostenible de una política improvisada en los negocios orientales" y que buscaba "como salir cuanto antes de una posición la más desventajosa posible y del modo menos difícil" (³).

3. La opinión que se formó Mármol fue terminante; fracasada la misión de Saraiva, el Brasil, para salir del atolladero en que se había atascado, buscaba la cooperación argentina que al principio despreciara y que ahora encontraba indispensable. Con esa convicción, emprendió viaje a Buenos Aires. Por eso fue grande su sorpresa y desazón cuando, de paso por Montevideo, se enteró del nuevo rumbo que tomaban las cosas con la triple mediación provocada por Elizalde y la inminente conclusión de la guerra civil sobre la base de la permanencia del gobierno de Aguirre. Antes de seguir viaje a Buenos Aires, a bordo del *Mercey*, escribió a Elizalde, en esos momentos en la campaña en penosa búsqueda del campamento de Flores, para darle a conocer sus reflexiones:

> No puedo comprender la resolución diplomática en que te veo figurar en primera línea.
> Este gobierno estaba en el suelo. Desairada la misión de Saraiva, el gobierno imperial buscaba nuestro auxilio para no ir al recurso extremo de la guerra, y entonces los dos gobiernos unidos no habrían tenido que hacer sino cerrar un poco los ojos para que se agruparan en favor de Flores los elementos necesarios a su triunfo.
> Desairada aquella misión, no comprendo que el gobierno imperial acepte por la base de la transacción que se busca la permanencia del gobierno que la desairó; y no comprendo tampoco la conveniencia del general Flores de dejar la dirección de las elecciones al gobierno que quedará con la fuerza, la plata y el prestigio de la autoridad.
> Yo creo que tu pensamiento será el de la formación de un gobierno mixto, como base de toda negociación; y si esto no fuera así, desde ahora me atrevo a pronosticarte que la negociación fracasará en los detalles, porque ellos son aquí lo importante (⁴).

Mitre no participó del pesimismo de Mármol, quien desde su arribo a Buenos Aires había pronosticado el fracaso de la negociación, llegando a alarmar al propio ministro brasilero Pereira Leal. El presidente argentino atribuyó la actitud de Mármol a

(³)   De Mármol a Elizalde, Río de Janeiro, junio 6, 1864, CAILLET-BOIS, pp. 31-32 (extracto).

(⁴)   De Mármol a Elizalde, Montevideo, junio 13, 1864, CARTAS POLÉMICAS, p. 373.

despecho, y así se lo dijo a Elizalde, al felicitarle por el éxito de su laboriosa gestión:

Mármol está celoso. Es Vd. su Milcíades: sus laureles le quitan el sueño. Cuando supo su misión a Montevideo, se quedó frío; y empezó a augurar desgracias. Después que llegó aquí siguió hablando en el mismo sentido, al punto que un día asustó a Leal, que vino a verme, quien después de mis explicaciones quedó tranquilo. Decía que la paz no se haría, y es él que aseguraba haber visto las bases que han sido tema de la discusión de los diarios. Esta vez ha sido el diplomático sin saberlo de Scribe (⁵).

Pero Mármol no estaba equivocado. Traía las impresiones de la fuente directa de los impulsos que recibía Saraiva. En Río de Janeiro no se creía ni se deseaba una paz que tuviera como garante al gobierno blanco. El emisario imperial había avanzado demasiado fuera de sus instrucciones al homologar los resultados de una negociación en que no encontraba cabida sino como probabilidad remota la aceptación de los reclamos brasileros; debía hacer marcha atrás. Pronto los acontecimientos demostrarían que no eran los celos lo que hacía ver todo negro a Mármol.

4. La negociación pacificadora, tan halagüeñamente concluida al parecer, entró súbitamente en tirabuzón. El gobierno había otorgado su aprobación al acuerdo, después de aclarar el alcance que confería a las cláusulas sobre ascensos, reconocimientos de grados y amnistía (⁶). Nada fue objetado por los mediadores, que se propusieron entonces arreglar una entrevista entre Aguirre y Flores para ajustar estos últimos los detalles y firmar el convenio definitivo. Elizalde no cabía en sí de contento: la obra de la paz había sido obra casi enteramente suya y ella redundaba en prestigio para el gobierno argentino. Eufórico, escribió a Mitre:

Usted no se imagina cuánto hemos ganado en la opinión y cómo su política gana prosélitos y admiradores. Aquí el Gobierno, el pueblo, el cuerpo diplomático y el señor Saraiva, blancos y colorados, nos hacen justicia y nos estiman, y puede usted creer sin lisonja que usted es una garantía del orden, de la paz y del progreso de estos países, y que puede contar con el más poderoso concurso de tantas fuerzas para llevar adelante su elevada y noble política (⁷).

Pero nada de esto podía satisfacer a Saraiva por más que Mármol le afiliara entre los admiradores de la brillante diplomacia argentina. El emisario brasilero se veía en una posición desairada y se propuso torpedear un arreglo que dejaba al Imperio sin laureles y con su influencia retaceada. Elizalde y Thornton se habían trasladado al campamento revolucionario para obtener de Flores

(⁵) De Mitre a Elizalde, Buenos Aires, junio 23, 1864, CORRESPONDENCIA MITRE-ELIZALDE, p. 122.
(⁶) De Herrera a Elizalde, Montevideo, junio 23, 1864, ARCHIVO MITRE, t. XXVII, p. 192.
(⁷) De Elizalde a Mitre, Montevideo, junio 29, 1864, ARCHIVO MITRE, t. XXVII, p. 196.

la aceptación de las aclaraciones recabadas por el gobierno y para concertar la entrevista con Aguirre. Cuando regresaron a Montevideo, jubilosos por el rápido éxito en esta nueva gestión, se encontraron con que Saraiva hacía cuestión previa de la organización de un nuevo ministerio. La necesidad del cambio ministerial había sido contemplada desde el primer momento, como una consecuencia necesaria de la paz, pero no como condición previa e impuesta, estimada inaceptable por los mismos mediadores. El punto era tan delicado, habida en cuenta la especial situación del elenco gubernamental con un ala extremista dispuesta siempre a encontrar pelos en la leche, que el presidente Aguirre, aunque conforme con reorganizar su ministerio una vez hecha la paz, había reservado de sus más íntimos colaboradores el conocimiento de la carta de Flores en que se sugería el cambio y su propósito de acceder al pedido en ella formulado. Reconocida y acatada la autoridad del presidente de la República, en la letra de los acuerdos, en realidad se la lesionaría gravemente si la mudanza ministerial apareciera crudamente como una imposición. Por eso, Aguirre y Flores estaban de acuerdo en hacerla "dignamente y convenientemente" en el momento oportuno. Ahora Saraiva quería colocar la carreta delante de los bueyes. Y hacer de la sustitución ministerial requisito previo para la paz, era condenar deliberadamente todo lo alcanzado al fracaso.

Naturalmente, cuando el 2 de julio de 1864 se le comunicó a Aguirre que la reorganización de su gabinete era condición esencial para la pacificación, se mostró muy sorprendido e incomodado. Dijo que nunca se persuadió que la carta del general Flores contenía un requisito *sine qua non*. Pensaba reorganizar su ministerio después de concluido todo. Aparte de que el principio de autoridad quedaría quebrantado, habría el peligro de una revolución de sus propios partidarios si removía el gabinete antes de desmovilizar las tropas lo que efectuaría, conforme a lo convenido, tan pronto se firmara la paz. Saraiva, que llevaba ahora la voz cantante, se opuso terminantemente a esta prelación. Consideraba al gobierno sin fuerzas suficientes para cumplir sus promesas. Insistió en que antes de nada, el presidente Aguirre debía constituir un ministerio superior a las facciones. Si así se hiciera y si se le aseguraba por escrito que ese gabinete permanecería hasta la completa organización del país, prometería también prestar a ese gobierno "el apoyo moral y material de que carecía para evitar la anarquía". Saraiva dirigiéndose a Castellanos, a quien se sindicaba como el más habilitado para presidir la nueva organización ministerial, le dijo:

"Si V. E. organizando un ministerio, mostrara con una política fuerte y esclarecida que los brasileros encuentran garantías satisfactorias en la República, y que ningún abuso de autoridad quedará sin pronto castigo, podrá cada día más contar con el apoyo de un país vecino, que está convencido de que sus reclamaciones no podrán ser atendidas eficazmente y con provecho, sino por un gobierno compenetrado de su misión y fuerte para combatir los desmanes de los partidos. Mis instrucciones me ordenan que reclame del gobierno oriental justicia para los brasileros. Estoy convencido de que los actuales ministros son incapaces de hacer justicia a sus compatriotas y a los extranjeros" (8).

De este modo, Saraiva entendía salir del callejón a que le habían arrojado las contradicciones entre sus gestiones pacificadoras y las instrucciones de su gobierno. Anteriormente consideraba que la paz era la condición previa para obtener la satisfacción de sus reclamaciones. Hacía ahora una vuelta completa: el asentimiento a sus demandas se convertía en la condición necesaria para la paz. Porque no a otro motivo obedecía su premiosa presión sobre Aguirre para que disolviera su ministerio y constituyera otro que quisiera inclinarse ante las reclamaciones. Aunque se conservara nominalmente a Aguirre al frente del Estado, como extrema concesión al principio de autoridad, la verdad era que Saraiva estaba exigiendo la constitución de un nuevo gobierno. Con toda franqueza se expidió en su correspondencia con Dias Vieira:

Con el gobierno actual llegaremos a los medios extremos, sin resultados profícuos para el Imperio.

Nuestra política pues no puede ser ahora sino hacer salir de las propias complicaciones internas de la República un gobierno sensato, que comprenda la situación y nos haga entera justicia.

Es preciso hacer sacrificios, si es necesario, para habilitar al propio gobierno de la República a salir de sus dificultades.

Organizando un ministerio de hombres razonables y prestigiosos, fácil será alcanzar una solución satisfactoria de nuestras reclamaciones y calmar la irritación de los brasileros contra el actual gobierno de Montevideo (9).

Ese nuevo gobierno presidido por Castellanos, pero cuyo hombre principal sería Lamas, que llenaría toda la escena, podía contar con el apoyo material del Brasil. La Argentina por su parte, según prometió Elizalde que debió asentir a todo, "no dejaría al Brasil aislado en el empeño de salvar al país de la anarquía, si el presidente tuviese a su lado, una administración capaz". Saraiva encareció a su gobierno la necesidad y las ventajas de la promesa que formuló a Castellanos:

Empleando nuestra fuerza de la frontera en apoyar un gobierno bien organizado contra las facciones que lo asaltaren, creo que podemos alcanzar todas las ventajas sin comprometer al país en los males de una guerra, o en la elevación de un partido que, saliendo del campo de la rebelión, no podrá dar a la República días de paz y de prosperidad (10).

5. Resueltamente ahora Saraiva se negaba a prohijar la ascensión de Flores al poder. En la primera entrevista de Puntas del

(8)   De Saraiva a Dias Vieira, Montevideo, julio 5, 1864, PRELIMINARES, pp. 245-349.
(9)   Idem.
(10)   Idem.

Rosario se opuso, de entrada y enérgicamente, a la fórmula colorada: bajo la presidencia de Aguirre, un ministerio colorado, con Flores en el ministerio de guerra y en el comando de las fuerzas de campaña. Saraiva reputó exagerada esa pretensión que solamente en apariencias salvaba el reconocimiento de la presidencia de Aguirre, es decir del principio de autoridad, aceptado como condición básica del arreglo. En consuno con Thornton, que hacía de coro, expresó entonces a Flores que semejante pretensión "era el triunfo de la revolución; que nosotros no habíamos ido allí para dar la victoria a uno de los dos partidos, sino para llamarlos a la concordia, en nombre de los más elevados intereses del país y de las nacionalidades vecinas" ([11]). Por mayores simpatías que tuviera Flores entre los riograndenses, no gozaba de mucha en las altas esferas brasileras, donde se veía en él a uno de los representantes típicos del "gauchaje" que tanto abominaban. "Tipo acabado del general de las pampas" no se creía que constituyera una garantía para el Brasil. En la sesión del 5 de abril el diputado Barros Pimentel le había acusado de "infiel a los compromisos" y el diputado Neri dijo que "cuando estuvo en el poder no fue mejor que los otros" ([12]) Además sus relaciones demasiado íntimas con los políticos de Buenos Aires y su calidad de general del ejército argentino, tenían, de por fuerza, que suscitar recelos en los gobernantes brasileros. Y finalmente, en ocasión de las gestiones pacificadoras, Saraiva pudo comprobar la intimidad entre Flores y Elizalde, así como la autoridad que tenía Mitre sobre su antiguo subordinado de Pavón. Flores en el gobierno no sería sino hechura de Buenos Aires. ¿Convenía ello al Imperio, por mucho que se hubiera adelantado en el camino de una mejor comprensión entre los dos países y del apaciguamiento de los seculares recelos?

6. Si Flores no gozaba de las simpatías de Saraiva, en cambio Andrés Lamas la tenía, y en muy alto grado. Representaba lo contrario de Flores: hombre civilizado, amigo de Don Pedro II por las comunes aficciones humanistas y con amplias ideas de gobierno, sustentó durante mucho tiempo la doctrina que colocaba en el Brasil el centro de apoyo de la política oriental, y luego fue de los que sugirieron sustituir esa política, por otra cuya base era el entendimiento entre los dos poderosos vecinos. Poco tiempo después explicaría su nuevo planteamiento de la estrategia oriental.

Nuestro rol internacional nos lleva a buscar el apoyo del Brasil cuando el peligro que nos amenaza viene de parte de la República Argentina; y viceversa, el apoyo de la República Argentina cuando el peligro viene del Brasil.
Lejos de fomentar esas rivalidades, el Estado intermediario y relativamente débil, debe empeñarse en extinguirlas y en concurrir a que sus dos limítrofes vivan en la más cordial inteligencia.

([11])   De Saraiva a Dias Vieira, Montevideo, julio 25, 1864, cit.
([12])   ANNAES DIPUTADOS, 1864, t. IV, p. 40.

Esta es la más sólida garantía de nuestra paz y de nuestra verdadera independencia, porque el Brasil y la República Argentina no pueden estar de acuerdo respecto al Estado Oriental, sino bajo la base de la independencia perfecta y absoluta de aquel Estado.

Cuanto más íntimas y sinceras sean las buenas relaciones de la República
Argentina y del Brasil, tanto mejor para el Estado Oriental, porque tanto más
sólida es la garantía que en ellas encontrará nuestra autonomía y nuestro
bienestar [13].

También eran muy conocidas las ideas de Lamas sobre el Paraguay y se sabía cuánto se había opuesto a la admisión de la tercería de López en el pleito oriental señalando lo absurdo de la
pretensión de Herrera de sustituir Río de Janeiro por Asunción
como base de la política de Montevideo. En ese momento particular, un hombre con tales ideas podía constituir el nexo de unión
entre el Brasil y la Argentina, para precautelar al Imperio contra
repercusiones desagradables de su política en la otra orilla del Río
de la Plata y para las ulterioridades del porvenir con vistas al Paraguay, tal como quedaron planeadas en Puntas del Rosario. Porque Lamas no era de los que atribuían al Brasil siniestras intenciones en el Río de la Plata. Y en él se podía confiar para secundar
la política de empuje.

Yo tengo —diría después— ilimitada confianza, y no puedo dejar de tenerla,
en las intenciones del gobierno imperial.

No creo, ni puedo creer, en ninguno de los planes de política tradicional
que se le atribuyen [14].

Lamas distinguía entre la política del Brasil y las aspiraciones
peculiares de Río Grande que aunque dominadas por la política
imperial, podían aprovechar los resultados del conflicto para levantar cabeza y resucitar el separatismo.

Yo veía —seguía pensando— una parte, aunque pequeña, de la población
brasileña en armas en las filas del general Flores, el resto la provincia entera
de Río Grande, agitada seriamente, y el gobierno imperial en la necesidad de
atender y de calmar esa agitación.

La cuestión no estaba en la más o menos justicia de las reclamaciones que
cubría el expediente diplomático.

Para mí la cuestión era, pura y netamente, la siguiente:

"El gobierno imperial necesita nuestra paz para mantener la paz de Río
Grande" [15].

Esta opinión era la que mejor correspondía a la posición de
Saraiva quien seguramente tampoco estaba muy convencido de la
veracidad y de la justicia de los reclamos que debía sustentar. Lamas se hallaba dispuesto a satisfacer las demandas brasileras tampoco persuadido de su justicia —y no lo podía por cuanto él,

[13]   LAMAS, p. 19.
[14]   LAMAS, p. 28.
[15]   LAMAS, p. 29.

como ministro de su país en Río de Janeiro, había tenido ocasión
de ventilarlas y rechazar muchas de ellas, por falsas o exageradas—,
pero se allanaba a atenderlas, independientemente de su "más o
menos justicia", por no ver otro camino para mantener la paz de
Río Grande, vale decir la unidad del Imperio. La paz oriental era
el pivote de todo este complicado armaje de motivaciones. Esa
paz, sobre la base de la satisfacción de las exigencias brasileras,
podía ser otorgada sólo por un gobierno del cual el hombre principal fuera Lamas y que contara con el apoyo militar de uno y
otro vecino para sobreponerse a cualquiera previsible reacción interna contra el único arreglo posible de la cuestión brasilera: la
entera satisfacción de las reclamaciones.

7. En tanto, las cosas presentaban mal cariz en Montevideo.
La prensa blanca, sobre todo la extremista, se había apoderado
de la cuestión del cambio ministerial. Agitándola apasionadamente,
la presentó como una imposición exorbitante y desleal del "gaucho"
Flores, acogida por Elizalde y Thornton con una complacencia poco
honorable. Circularon rumores siniestros: el partido blanco no se
rendiría sin combatir, la guardia nacional iba a pronunciarse; estaban rotas las negociaciones y los negociadores volvían furiosos a
Buenos Aires, según iba anotando el representante diplomático de
Francia en el habitual informe a su gobierno, donde opinó:

> Se comprende la repugnancia del gobierno blanquillo hacia un arreglo que
> de concesión en concesión, bajo los auspicios del extranjero, depone de una plu-
> mada al partido dominante, y hace de una amnistía un triunfo evidente del
> partido contrario.
> Sin embargo es necesario que Sr. Aguirre se decida y además que se decida
> pronto, pues me entero de que la suspensión de armas, denunciada por Flores,
> expirará mañana por la mañana a las 10 y media, y ya dije que marchaba
> sobre Montevideo. ¿Será un argumento más que le habrán sugerido sus ilustres
> compadres? ¿Y presionado de esta manera de todos lados a la vez, es posible
> que este desgraciado gobierno acaricie la idea, como se sospecha, de encontrar
> refugio en la lejana y tardía intervención del Paraguay? [16].

Aguirre resistió algún tiempo la triple ofensiva diplomática
y la presión de los elementos moderados, hasta que al fin cedió.
En la noche del 5 al 6 de julio hubo una acalorada asamblea de
notables en la casa del presidente de la república. De ella, a las
2 de la madrugada, salieron Lamas y Castellanos y fueron al domicilio de Saraiva, que aguardaba con los otros mediadores, con la
noticia de que el presidente "después de madura reflexión... había
determinado, de acuerdo con los deseos del general Flores... y en
homenaje a la pacificación del país, aceptar la renuncia de sus ministros y nombrar otros mejores adaptados al nuevo estado de
cosas". Aguirre citó a los mediadores para el día siguiente, 7 de

(16) De Maillefer a Drouyn de Lhuys, Montevideo, julio 5, 1864, en MAI-
LLEFER, pp. 352-353.

julio, a las 11 a fin de discutir el asunto y decidir acerca de las personas que podrían ocupar el gabinete "sin que fueran rechazadas por el general Flores" (17). Ese mismo día Saraiva despachó un vapor de la escuadra brasilera a Río de Janeiro con la importante noticia.

El día 6 fue de gran agitación popular. Por la tarde, una manifestación popular se trasladó hasta la residencia presidencial y Aguirre, desde lo alto de su balcón, luego de algunas conversaciones con los dirigentes de la multitud, dio la seguridad de que "no haría ninguna concesión perjudicial a la dignidad y a la independencia de la República" (18). Por la noche hubo otra reunión, de los más violentos partidarios del gobierno, quienes nombraron una comisión encargada de visitar nuevamente al presidente "y apremiar a Su Excelencia a no ceder a ninguna coacción de parte del general Flores o de los agentes extranjeros, con respecto a un cambio de gabinete" (19).

8. Sin fuerzas para sobreponerse a la acerba y explosiva exaltación de sus correligionarios, Aguirre eligió un procedimiento original para zafarse del compromiso con los mediadores. Cuando el 7 de julio, a las 11, concurrieron los ministros mediadores a la casa del presidente, éste confirmó su propósito de cambiar su gabinete e indicó los nombres de los nuevos ministros: los señores Sienra, Pinilla, Reguera y Leandro Gómez. La lista produjo a Saraiva una "extraordinaria sorpresa", pues, a su juicio, los nombres indicados representaban tal vez más que los antiguos, la política intransigente del partido dominante.

S. E. —informó Saraiva a su gobierno— nos manifestó la convicción en que estaba de no tener la seguridad de alcanzar una paz duradera, sin escoger a sus ministros dentro de los hombres de la situación (20).

Los mediadores no aceptaron la lista y significaron a Aguirre que en el seno de su propio partido y entre sus amigos podría escoger para su ministerio mejores partidarios de la paz y que ésta sería imposible sin dar garantías a todos y sin asegurar "la legítima intervención en los negocios públicos a los hombres influyentes de ambos partidos políticos". A la lista de candidatos de Aguirre, enteramente "blanquilla", los mediadores opusieron otra. Según el encargado de negocios de Francia, ésta era "enteramente colorada", formada por Castellanos, Villalba, Andrés Lamas, Miguel Martí-

(17) De Thornton a Russell, Buenos Aires, julio 8, 1864, HORTON BOX, p. 153.

(18) De Maillefer a Drouyn de Lhuys, Montevideo, julio 14, 1864, MAILLEFER, p. 355.

(19) De Thornton a Russell, Buenos Aires, julio 8, 1864, HORTON BOX, p. 153.

(20) De Saraiva a Dias Vieira, Buenos Aires, julio 10, 1864. PRELIMINARES, p. 350.

nez y Herrera y Obes, "dejando al Sr. Aguirre la facultad de elegir entre estos candidatos a cuatro, tres o aún dos solamente para instalar una administración provisoria, que luego se completaría a gusto de los elegidos".

Aguirre, desde el principio y sabiendo que contrariaría la opinión de sus correligionarios exaltados, había aceptado la formación de un nuevo gabinete, pero como acto de voluntad suya y no como resultado de una presión extraña, que lesionaría gravemente el principio de autoridad. Ahora la extorsión le parecía demasiado evidente para que, sin desmedro de la dignidad presidencial y de la soberanía de la república, pudiera someterse al dictado, por tres agentes extranjeros, de los hombres que debían integrar su gabinete. Pensó que no le cabía sino afirmarse en su actitud. Aguirre se mantuvo en su negativa a aceptar la coacción y rechazó la lista de candidatos que se le quería imponer. Los ministros declararon entonces que su misión de mediadores oficiosos había terminado y sin siquiera consultar previamente con Flores, consideraron rotas las negociaciones de paz y reanudadas las hostilidades. La voluntad de Saraiva se había impuesto finalmente. Después de salvados peores escollos la mediación venía a naufragar cuando ya entraba en el puerto de la paz.

9.   En la tarde de ese día, 7 de julio, el gobierno recibió de los ministros argentino, inglés y brasilero, tres notas idénticas anunciando la ruptura de las negociaciones de paz. Elizalde, sin esperar la entrega de las notas y sin despedirse de los miembros del gobierno oriental regresó a Buenos Aires ese mismo día, acompañado del ministro inglés y en el barco *Tritón* que le había traído un mes antes. Y para aumentar el efecto de esta súbita retirada, también partió el día 8 el consejero Saraiva hacia la metrópoli argentina con el almirante Tamandaré y escoltado aparatosamente por cuatro navíos de la escuadra imperial, luego de haber declarado al presidente Aguirre "que iba a entenderse con el gobierno del general Mitre sobre las eventualidades que pudieran producirse en este país" [21].

Las hostilidades se reanudaron. Nuevamente comenzaron a chocar sangrientamente blancos y colorados. Nuevamente se pusieron frente a frente Montevideo y Buenos Aires; Montevideo y Río de Janeiro. Y más que nunca los ánimos enconados por el fracaso ruidoso de la mediación, por las mutuas imputaciones de deslealtad entre los contendores y por las amargas desconfianzas que quedaron como saldo de la inextricable confusión de intereses internacionales en juego. El Río de la Plata, la América del Sur estaban al borde de una conflagración.

10.   En todo el transcurso de la ardua negociación, el nombre

(21)   De Maillefer a Drouyn de Lhuys, Montevideo, 14 de julio, 1864, cit.

del Paraguay sólo fue pronunciado una vez, para rechazar el Brasil y el Uruguay la mediación del presidente López. La oferta llegó en el momento menos oportuno, cuando parecían resueltas las dificultades, tanto las internas como las externas. Ciertamente, el gobierno brasilero había accedido a la solicitud de Saraiva de que se le habilitara a entenderse con el Paraguay, lo mismo que con la Argentina. Se le envió cartas credenciales ante los jefes de uno y otro Estado, pero Dias Vieira dejó librado al criterio del enviado especial del Imperio "el modo práctico de ejercer en el Estado Oriental la acción conjunta con ambas o con cualquiera de aquellas repúblicas" (²²). Como después de sus conversaciones con Elizalde, nada estuvo más lejos del pensamiento de Saraiva que traer al Paraguay al circo platense, no utilizó semejante autorización. En ningún momento pensó agregar al presidente López a la acción pacificadora en que se había empeñado. Tampoco ello estuvo en el ánimo de los blancos. De labios de éstos no partió la más leve insinuación de apelar al Paraguay, como mediador, como aliado, o de cualquier modo amistoso. Contrariamente, cuando creyó resuelto el problema y las cuestiones con la Argentina y el Brasil, repentinamente se sintió herido el gobierno de Montevideo por la "inútil humillación" del arreglo del *Paraguarí*. Desautorizó a Sagastume y decidió dejar vacante la Legación en Asunción. Por su parte, la prensa montevideana comenzó a atacar con acritud al negociador y removió nuevamente el conflicto de la rada de Montevideo con alusiones nada amables para el gobierno del Paraguay. "Pasado el peligro, ¡adiós el santo!", exclamó el Encargado de Negocios de Francia (²³).

El peligro volvió y más negro que nunca. Y nuevamente el menospreciado santo fue puesto en el altar. Apenas los fracasados mediadores Elizalde, Saraiva y Thornton abandonaron el puerto de Montevideo, se resolvió enviar al Paraguay, al más fanático, intransigente y temible de los blancos, el famoso doctor Antonio de las Carreras, con la misión de convencer a López que la alianza del Brasil y de la Argentina contra el Uruguay y el Paraguay era un hecho, que había llegado la hora de desenvainar la espada y que sólo a él y a su poderoso ejército correspondía salvar a paraguayos y orientales de la ruina que les amenazaba...

Pero simultáneamente, el presidente Aguirre decidió destacar a Buenos Aires a Joaquín Requena para significarle al general Mitre que el gobierno oriental sólo anhelaba la paz, en tanto Saraiva rondaba en torno del presidente argentino, empeñado en arrastrarlo, de una vez por todas, a la órbita de los intereses del Imperio.

(²²) De Dias Vieira a Saraiva, Río de Janeiro, junio 7, 1864, PRELIMINARES, pp. 322-323.
(²³) De Maillefer a Drouyn de Lhuys, Montevideo, junio 29, 1864, cit. p. 349.

CAPÍTULO XVI

SARAIVA EN BUENOS AIRES

1. Mitre opuesto a la intervención conjunta. — 2. Saraiva insiste. — 3. Las castañas del fuego. — 4. Otra vez, un callejón sin salida. — 5. Urquiza, opuesto a la intervención. — 6. Requena en Buenos Aires. — 7. Nueva misión oriental al Paraguay. — 8. Instrucciones a Antonio de las Carreras. — 9. Se le aclara el horizonte a Saraiva. — 10. Hacia la conflagración general.

1. Fracasada la mediación tripartita, y provisto ya de credenciales ante el gobierno argentino, Saraiva se trasladó a Buenos Aires para discutir "el medio más seguro de hacer la paz", única forma de remover las dificultades con que luchaban todos y que "podían tal vez comprometer al Río de la Plata en una lucha general" según informó a su gobierno. Su viaje no tendría otro objeto que discutir los procedimientos pues daba como un hecho el entendimiento argentino-brasilero:

Felizmente —aseguraba— para nosotros, en la presente coyuntura los intereses del Brasil son los más homogéneos con los de la República Argentina. Nuestra misión nos habilitará para restablecer la paz en el Estado Oriental. Lo que nos cumple es estudiar el mejor medio y el más acomodado a los tratados, si la presión moral de ambos países ahora fuese ineficaz (¹).

La verdad era que Saraiva ya había conversado en el Uruguay con Elizalde sobre lo que correspondía hacer una vez fracasada la acción pacificadora. Según lo que el ministro Thornton informó al presidente Aguirre el 4 de julio, Elizalde y Saraiva se estaban combinando para una intervención conjunta en el Uruguay, encaminada a reprimir los disturbios domésticos (²). Y cuando el 11 de julio, ya en Buenos Aires, Saraiva celebró su primera conferencia con el presidente argentino, en presencia del gabinete y del minis-

---

(¹) De Saraiva a Dias Vieira, Montevideo, julio 5, 1864, PRELIMINARES, p. 349.

(²) De Thornton a Russell, Montevideo, julio 5, 1864, HORTON BOX, p. 152.

tro británico, de entrada propuso que el Brasil y la Argentina realizaran por un tiempo limitado, una intervención armada conjunta en el Uruguay, con la finalidad de obligar a los beligerantes a deponer las armas, presidir imparcialmente elecciones libres y apoyar al gobierno que surgiera de ellas, durante el tiempo necesario. Aunque Saraiva creía contar con el apoyo de Elizalde, desde sus conversaciones en Montevideo, convenido, con gran sorpresa se encontró con que el presidente no aceptaba la proposición.

Mitre expresó que una intervención directa y conjunta era opuesta a las convenciones, aparejaría mucha animadversión, daría el predominio a uno de los partidos de Montevideo, y "en cierto modo responsabilizaría a la potencia interventora de cualesquiera errores o excesos que pudieran subsecuentemente cometerse y que el gobierno del partido predominante", así como implicaría gastos que el gobierno argentino hallaría difícil justificar (³). El presidente era partidario de los medios indirectos: que el Brasil prosiguiera en sus exigencias para obtener la satisfacción de sus reclamos y que la República Argentina continuara manteniendo el *statu quo* en sus relaciones con el gobierno oriental, todo lo cual obligaría a los recalcitrantes blancos a entrar resueltamente en el camino de la paz.

Agregó S. E. —informó Saraiva a su gobierno— finalmente, que podía asegurar al Brasil que para mantener la unión de los dos estados en las circunstancias actuales, el gobierno argentino se obliga a no ajustar con el gobierno oriental la respectiva cuestión pendiente, sin que conjuntamente fuesen atendidas las reclamaciones del gobierno brasilero, y a prestar al Imperio su apoyo moral, no viendo en el proceder de éste para con el gobierno de Montevideo designios que no sean justos y compatibles con las convenciones garantizadoras de la independencia e integridad del Estado Oriental.

2. Sin expedirse sobre este ofrecimiento de una "entente" pacífica que estaba lejos de cumplir los requisitos por él imaginados para una acción combinada de los dos países, pidió Saraiva a Mitre aclaraciones sobre lo que llamaba "medios indirectos". El presidente argentino le explicó que serían la guerra, las represalias y la entrada de fuerzas por la frontera para apoyar las reclamaciones del Brasil y garantizar a sus nacionales. A Saraiva le pareció que todo esto asumiría el carácter de una intervención clara y directa. Y a igual que Mitre, la juzgaba justificada sólo en casos supremos y además que no debía ser tentada aisladamente por el Imperio para evitar nuevos desvíos de la opinión pública acerca de las intenciones del gobierno brasilero... Mitre le repuso que aún procediendo aisladamente el Brasil sería juzgado con justicia por todos "desde que después de hecho el beneficio, tuviese, como no era lícito dudar, la nobleza de contentarse con la gloria de con-

(³) De Thornton a Russell, Buenos Aires, julio 12, 1864, HORTON BOX, p. 155 (extr.).

currir a la prosperidad de esa nacionalidad, como aconteció en 1851 para con la República Argentina que siempre guardará de eso preciosa recordación".

Reconoció Saraiva que para los hombres ilustrados las intenciones del gobierno imperial serían siempre puras, pero que "en medio de las pasiones que se debaten violentamente en el Río de la Plata, era arriesgada la política que saliese del terreno del propio interés nacional para hacer un bien que no se le agradecería". Concluyó Saraiva diciendo que su gobierno se resolvería por esa posición, sólo en caso de extrema necesidad y "combinando su acción con la República Argentina, como él interesada y como él comprometida en la independencia del Estado Oriental".

Pero Mitre no dio el brazo a torcer. No se mostró dispuesto a acceder de primera intención a los deseos del Imperio. Elizalde tuvo que mantener cerrada la boca en la larga conferencia y nada hizo para defender su anterior posición. Nada satisfecho por esta nueva e insospechada contrariedad, Saraiva después de relatar minuciosamente a su gobierno el desarrollo de la estéril discusión, resumió sus impresiones con una sola frase:

De esa conversación, V. E. habrá ciertamente deducido que el deseo del general Mitre es que el Brasil haga más de lo que la Confederación en pro de la República Oriental (4).

3.   La Argentina quería que el Brasil sacara las castañas del fuego. Pimenta Bueno, tiempo después, incriminó duramente al gobierno brasilero por no haber querido en el primer momento encarar la intervención conjunta, "juzgándose poderoso de sobra", y por haberla solicitado sólo cuando "vio complicarse la cuestión, tomar una importancia inmensa, en lo que no se había querido pensar; vio la repercusión en el Paraguay", lo que justificó la negativa de Mitre, "más hábil que el ministerio brasilero", y que ya no quiso esa alianza, pues ya no le era necesaria. Hablando en el Senado, Pimenta Bueno justificó la actitud de Mitre.

Si el Brasil —dijo— prefería ir solo, con sus recursos de sobra, para restablecer la paz y el orden general en beneficio suyo; si ese restablecimiento por la naturaleza de las cosas, redundaba también en beneficio de la Confederación, ¿para qué la Nación Argentina se sacrificaría, cuando podía obtenerlo sin ello? (5).

No eran, sin embargo, tan egoístas y maquiavélicos los motivos de la actitud de Mitre, aunque fuera, en el fondo, exacta la apreciación de los hechos que formularan tanto Saraiva como Pimenta Bueno. Aunque el presidente argentino ansiara el desplazamiento del partido blanco, para que gobernaran sus amigos

(4)   De Saraiva a Dias Vieira, Buenos Aires, julio 12, 1864, CORRESPONDENCIA SARAIVA, pp. 67-69.

(5)   Discurso de junio 12, 1865, ANNAES SENADO, 1865, t. I, Apéndice, p. 62,

políticos los colorados, con vistas a la situación política general de
la República Argentina, la actitud de Urquiza, exteriorizada con
motivo de la misión Requena, le obligaba a la prudencia. Saraiva,
durante su permanencia en Buenos Aires, se percató de las estrechas
conexiones entre los partidos políticos de una y otra orilla.

> Los partidos que hoy gobiernan la provincia de Buenos Aires y la Repú-
> blica Argentina —escribió a Dias Vieira—, ven en el triunfo del partido colo-
> rado, en Montevideo, una garantía y una comunidad de ideas que puede ase-
> gurar la permanencia de su régimen en ambas márgenes del Plata.
>
> En oposición a esto, el partido federal, hoy sin gran influencia en la Con-
> federación, simpatiza con los blancos de Montevideo, y éstos no esperando auxi-
> lios de la situación dominante en ésta, lo procuran del Paraguay, para donde
> acaban de enviar un nuevo emisario (el Sr. Carreras), y nada esperan del Bra-
> sil, cuya misión especial recibieran con desconfianza, atribuyendo al Imperio el
> designio de proteger la causa de Flores para corresponder a las simpatías que
> el partido colorado encuentra en la frontera del Río Grande del Sud en la
> población brasilera establecida al norte del Río Negro [6].

La conexión de los intereses partidarios, efectivamente, se ponía de relieve con la ayuda que Flores recibía de Buenos Aires y
con la actitud que estaba asumiendo Entre Ríos. Mitre no podía dejar
de tener en cuenta que Urquiza, haciéndose eco de las aprensiones
que concitaba la actitud brasilera, había manifestado claramente su
oposición a la ingerencia argentina en la intervención armada que
propiciaba el Imperio. El señor de San José continuaba siendo muy
poderoso en el interior para que el gobierno argentino se permitiera el lujo de desafiarlo abiertamente en un asunto en que él
mismo no estaba demasiado convencido. En el cruce de tan anta-
gónicos intereses, deseos y sospechas, la actitud que mejor cuadraba
al gobierno de Mitre era la que éste articuló en sus primeras conversaciones con Saraiva: la Argentina no participaría en ninguna
intervención pero no opondría obstáculos a la acción del Brasil.
Era la única ayuda que Mitre podía prestar a sus amigos colorados
sin entrar en conflicto con Urquiza, cuya amistad le era indispensable para mantener a raya a los restos del antiguo partido federal.

Dada la porfiada intransigencia del sector que dominaba en
Montevideo, eran muy remotas las posibilidades de que, como co-
ronamiento de la actuación brasilera surgiera un nuevo gobierno
blanco, y menos que su figura dominante fuera Lamas. En cambio,
cabía vaticinar que el Imperio al final se decidiría a apoyar el
triunfo de Flores, el único dispuesto a satisfacer sus reclamaciones
toda vez que se le diera la mano para forzar la suerte de las armas,
hasta entonces tan indecisa. En resumen, a Mitre no le repugnaba
nada que otras manos sacaran las castañas del fuego.

4. Con la negativa de Mitre a aunar esfuerzos para la intervención militar en el Uruguay, Saraiva se encontró una vez más

---

(6) De Saraiva a Dias Vieira, Buenos Aires, julio 25, 1864, CORRESPONDEN-
CIA SARAIVA, pp. 74-77.

en el curso de sus gestiones en un callejón sin salida. Las últimas instrucciones de Río de Janeiro le conminaban a no retroceder un paso. Se le aprobaba el arbitrio de la pacificación sólo como un camino para la mejor obtención de sus objetivos. Fracasada la gestión conciliadora ahora también fracasaban sus esfuerzos para arrastrar a la Argentina a la política de violencias. Y en su opinión, claramente expuesta al gobierno de Río de Janeiro, la alianza con Buenos Aires le era indispensable al Brasil para las finalidades de su misión.

¿Qué hacer? Saraiva, temeroso del fracaso de su misión, que podía repercutir terriblemente en su carrera política, se dirigió a su gobierno al día siguiente de la entrevista con Mitre y el gabinete, en procura de instrucciones definitivas, como si las que ya tenía no le bastaran.

Con este oficio —escribió al ministro de negocios extranjeros— tengo por fin provocar del gobierno imperial la última palabra que debo significar al gobierno oriental y las explicaciones que V. E. entiende conveniente darme para la ejecución del pensamiento del gobierno imperial. Me parece necesario que el despacho de V. E. sea explícito y que por él pueda el cuerpo diplomático y el propio gobierno oriental conocer hasta dónde llegará nuestra acción y cuáles las circunstancias que nos disuadieron de continuar las represalias.

Saraiva estaba lejos de tomar en serio la carta blanca que se le había otorgado. Le pareció indispensable que el gobierno imperial deliberara "clara y positivamente" sobre el uso de las represalias y fuera quien expidiera las correspondientes órdenes a las autoridades de Río Grande. Quería arrojar lejos de sí toda participación en la suprema responsabilidad de decir la última palabra. Pero al mismo tiempo dio a conocer, con ciertos remilgos, las muy serias dificultades que a su juicio encontraría el cumplimiento estricto de las instrucciones hasta sus últimas consecuencias. Su opinión era contraria a la permanencia, dentro del territorio uruguayo, de las fuerzas que ingresaran en él para ejecutar las represalias —si ellas eran confirmadas desde Río de Janeiro—, pues todo cuanto pareciera ocupación territorial acarrearía "graves inconvenientes". Solamente sería justificada mediando declaración de guerra, "y ésta no la debemos hacer, porque la guerra al Estado Oriental en las circunstancias actuales sería la guerra a nuestro comercio y a nosotros mismos, y traería tal vez mayores complicaciones". Estaba también cierto Saraiva de que con solo las fuerzas de Río Grande no cabía intentar la guerra, "excepto si quisiéramos apoyarnos en un partido, y elevarlo al poder, lo que sería también un gran mal para nuestros intereses futuros" ([7]).

¡Pobre Saraiva! En Río de Janeiro le habían colocado en las valijas una bomba. El mismo había encendido la mecha, confiando

([7])   De Saraiva a Dias Vieira, Buenos Aires, julio 13, 1864, CORRESPONDENCIA SARAIVA, pp. 71-73.

demasiado en su ligereza de manos para apagarla a tiempo. ¡La tenía ahora en las manos, a punto de estallar y no sabía qué hacer con ella!

5. La actitud de Mitre estaba lejos de satisfacer al general Flores. El presidente argentino no solamente rechazaba la intervención conjunta propuesta por Saraiva, sino que no deseaba ir muy lejos en la política de ayuda subrepticia de la revolución. La verdad era que, reanudadas las hostilidades, el equilibrio de fuerzas que venía manteniéndose con mayor o menor fortuna para los beligerantes, sólo podía ser roto a favor de Flores mediante una enérgica y sustantiva cooperación externa, y a ello Mitre se negaba resueltamente. El jefe revolucionario decidió destacar a Buenos Aires al coronel Acosta con la misión de solicitar aclaraciones definitivas, al propio tiempo que se dirigía oficialmente al ministerio de relaciones exteriores de la República Argentina en procura de análoga definición frente a la ruptura de las negociaciones de paz por culpa del gobierno blanco. Acosta llevaba una carta a Mitre que decía:

> Mi carta, General, tiene por objeto recabar de usted una contestación franca y categórica, para conocer, como lo digo en la nota oficial que dirijo al doctor Elizalde, cuál será la política del gobierno argentino en presencia del rechazo manifiesto del gobierno de hecho de Montevideo cuando no sólo se trata de los intereses particulares de este país, sino de los íntimamente ligados entre ésta y esa República, mas hoy que se ve la amenaza sobre la América toda. Por mi parte, General, estoy decidido a contestar enérgicamente el grito de guerra lanzado por el partido blanco; pero siempre, en cualquier momento, dispuesto en obsequio de la paz; si bien debo declarar que después de la decepción que me han hecho sufrir los blancos, mis condescendencias serán otras y otras mis exigencias [8].

El gobierno argentino no contestó la nota revolucionaria desde el momento que no había beligerancia reconocida oficialmente. Mitre dio también la callada por respuesta al exabrupto. Y para mayor complicación, en ese punto el general Urquiza resolvió dar a conocer a Mitre su opinión adversa, ya conocida, pero ahora oficializada, a toda intervención armada en la República Oriental. La ocasión fue el envío por Aguirre de Joaquín Requena como comisionado confidencial ante Mitre. Previamente, Requena se había dirigido a Urquiza solicitando su cooperación en las gestiones que debía empeñar ante el presidente argentino con el objeto de evitar que se llegara al recurso de la intervención armada.

> El gobierno oriental —decía la carta de Requena— me honra con una misión confidencial cerca de este señor (Mitre), y una carta de V. E. dirigida a él, me facilitaría el fin que me propongo y que es el de alejar de los medios de pacificación la intervención armada dando preferencia a otros medios pací-

(8)   De Flores a Mitre, Tala, julio 12, 1864, Archivo Mitre, t. XXVII, pp. 156-157.

ficos que pueden encontrarse buscándolos con buena fe y consultando los verdaderos intereses de estos países, vinculados en el respeto a sus instituciones y
a su independencia (9).

Prontamente, Urquiza accedió a la solicitud y escribió a Mitre
una expresiva carta. Le decía que sabedor de que Requena era
enviado por el presidente Aguirre "con objeto de procurar que se
aleje la desgraciada idea de una intervención armada, cuyas consecuencias nadie podría prever", le instaba a que le escuchara con
interés y que aprovechara la oportunidad para encontrar un modo
pacífico de obtener la terminación de la lucha oriental:

> Los numerosos amigos que tengo entre los que combaten allí, la suerte de
> ese país, tan ligado al nuestro, de manera que sus desgracias nos afectan; el
> peligro de que cualquier complicación extraña nos envuelva, todo me impulsa
> a decir a V. E. con toda la sinceridad de mi fe en sus nobles intenciones, en
> su alta inteligencia y en su patriotismo, que espero que V. E. no desistirá de
> hallar un camino, de hacer un esfuerzo más en el sentido de la conciliación,
> y de evitar que la intervención de las armas, cualquiera que sea su forma, sea
> llamada a decidir esa cuestión entre nuestros hermanos.

Si los servicios personales de Urquiza podían serle útiles en
virtud de sus amistades en uno y otro bando, se ponía a disposición de Mitre, "cuidando de que todo recaiga en su mayor gloria
personal". Terminaba la carta aludiendo a los males que resultarían para la Argentina de la prolongación de la lucha oriental y
de la participación de los vecinos en ella, "sentándose un precedente que más tarde podría pesar sobre nuestro país", y con este
pedido:

> Espero de V. E. algunas palabras que me tranquilicen, y la seguridad de
> que está persuadido de mi lealtad hacia V. E. y de mi deseo por su mayor
> gloria y la paz y la prosperidad de mi país (10).

6.   En un principio, Requena fue bien acogido en Buenos
Aires. Llegó provisto no sólo de la recomendación de Urquiza,
sino también de una carta de Aguirre en que se le presentaba como
"ciudadano de ideas consideradamente moderadas y favorables a
la política de unión y fraternidad de las Repúblicas del Plata" (11).
Mitre insistió en que el medio más conducente para evitar las peligrosas ulterioridades temidas por Urquiza, era que el gobierno
de Montevideo aceptara el acuerdo de Puntas del Rosario y ofreciera las garantías que la nueva situación requería mediante la
formación de un ministerio "simpático a la paz". El emisario confidencial se mostró dispuesto a apoyar esta solución y prometió

(9)   De Requena a Urquiza, Montevideo, julio 12, 1864, Agna, Archivo
Urquiza, Legajo 64.
(10)   De Urquiza a Mitre, San José, julio 16, 1864, Archivo Mitre, t. II,
pp. 72-74.
(11)   De Aguirre a Mitre, Montevideo, julio 13, 1864, Archivo Mitre, t. XXVII,
p. 208.

esforzarse ante su gobierno en favor de los medios sugeridos por Mitre para terminar la situación violenta en que se encontraba la República Oriental. Con alguna esperanza en el resultado de esta interposición, Mitre contestó la carta de Aguirre, para reiterarle su opinión de que la prolongación de la guerra civil, a la vez de ser un peligro para todos, no resolvía nada de las cuestiones internas, traería aparejadas complicaciones externas y daría, al fin, como único resultado, "la ruina de ese hermoso país". Fuera de esa solución no veía nada posible, sólido y eficaz, por lo cual insistía:

> Por lo tanto, pienso que la única solución de todas las cuestiones que nos dividen o pudieran dividirnos más adelante, el único camino de salvación que hoy se presenta para ese país, la combinación que más eficazmente puede disipar todos los peligros externos, restituyendo el sosiego a los orientales, es la paz en los términos ya convenidos, procurando dar a ese hecho todas las garantías que fuesen convenientes y necesarias, salvando el principio de la autoridad y sin interrumpir la tradición constitucional de esa República [12].

Del resultado de sus conversaciones con Requena, Mitre informó a Urquiza, pero en la carta que con tal motivo le escribió no quiso adelantarle seguridades definitivas sobre la actitud que tomaría el gobierno argentino en el futuro, como le instaba el estadista de Entre Ríos.

> Por lo demás —le decía—, V. E. comprenderá bien que la política que corresponde adoptar al gobierno argentino por lo que respecta a los sucesos de la República Oriental, no es posible trazarla desde el momento. Ella será aconsejada por el desarrollo de los mismos sucesos y por la posición que asuman otras naciones, así como por los deberes a que se halla ligado con aquel país, pero en todo caso puede V. E., estar cierto de que sea cual fuere la política que adopte, ella ha de ser siempre de acuerdo con los principios que caracterizan la administración que presido, y en consonancia con los intereses del país y con sus honores y derechos.

También le agradeció a Urquiza la cooperación que le ofrecía para cualquiera negociación de paz. De ese ofrecimiento haría uso más adelante si fuera necesario, pero desde luego le sugería que se anticipara a poner en juego sus amistades en ambos bandos para hacerles comprender que "el mejor medio de arribar a la paz es un ministerio imparcial, que dé garantías a todos, reabra las negociaciones... y presida al país desde el interinato hasta verificadas las elecciones y establecidos definitivamente los poderes públicos, legalmente compuestos con arreglo al voto del pueblo" [13].

7. Pronto se apagó la pequeña vislumbre de entendimiento que motivó inicialmente la misión de Requena y el importante

---

[12]   De Mitre a Aguirre, Buenos Aires, julio 18, 1864. ARCHIVO MITRE, t. XXVII, pp. 208-210.

[13]   De Mitre a Urquiza, Buenos Aires, julio 19, 1864, ARCHIVO MITRE, t. II, pp. 74-76.

apoyo de Urquiza que, al fin parecía salir de su indecisa posición de mucho tiempo para expedirse abiertamente contra una intervención armada en el Uruguay y en favor de la paz. Cuando se supo en Buenos Aires que el famoso Antonio de las Carreras, el "tigre de Quinteros", era comisionado al Paraguay con intenciones nada afines a las que animaban al enviado ante el gobierno argentino, Mitre se negó a continuar discutiendo con Requena en tanto Aguirre no esclareciera su posición. Requena, completamente desilusionado, escribió a Urquiza:

La misión del señor Carreras al Paraguay ha desagradado bastante al señor general Mitre, y según este señor ha casi anulado la misión que se me ha encomendado a mí.

S. E. el general Mitre encuentra tanta contradicción entre las misiones como entre las ideas y los sentimientos de los comisionados. Rehusa, pues, S. E. discutir directamente los medios pacíficos mientras no exprese el Sr. presidente Aguirre cuál es la política que definitivamente se propone seguir.

Esa circunstancia y la que producirá la actitud del ministro Saraiva así que lleguen las órdenes que espera de su gobierno, harán más indispensable la inteligencia entre los orientales para producir la paz tan deseada por todos [14].

En realidad, la misión de Requena no respondía a los sentimientos dominantes en Montevideo. El fracaso de la mediación colectiva llevó al gobierno a poner su vista, una vez más, en el Paraguay y era allí, no en Entre Ríos, donde radicaban nuevamente todas las esperanzas. El 14 de julio de 1864, cuando Requena aún no había cumplido su misión, se decidió en Montevideo el envío a Asunción, en misión confidencial, del jefe del sector "ultra" del partido blanco, el doctor Antonio de las Carreras, famoso en el Río de la Plata por estar ligado su nombre de un modo muy particular a la matanza de Quinteros. Al mismo tiempo se determinó la aprobación incondicional de las actuaciones del ministro Sagastume en el arreglo del incidente del *Paraguarí*, dejar sin efecto el anunciado envío de la carta de retiro, y remitirle, en cambio plenipotencias especiales para firmar con el gobierno paraguayo el acuerdo que resultara de las negociaciones a promoverse por Carreras [15].

8.   La misión confidencial de Antonio de las Carreras, era directa de presidente a presidente, pero las instrucciones le fueron expedidas por el ministerio de relaciones exteriores. Según ellas, en la situación que se presentaba por la actitud que el Brasil y la Argentina estaban concertando respecto del Uruguay, el gobierno necesitaba saber definitivamente, cuál sería el género de apoyo que debía esperar del gobierno del Paraguay y cuál el auxilio que, llegado el caso de obrar, estaría resuelto a prestarle.

(14)   De Requena a Urquiza, Buenos Aires, julio 21, 1864, AGNA, Archivo Urquiza, Legado 64.

(15)   De Herrera a Sagastume, Montevideo, julio 15, 1864, AMREU, Legajo *Misión Vázquez Sagastume, 1864.*

Hasta hoy —seguían las instrucciones— el gobierno de la república en las varias ocasiones en que se ha empeñado por traer al Paraguay a tomar parte activa en los sucesos políticos del Plata, no obstante haber alcanzado declaraciones sucesivas favorables a los intereses de este país, los cuales reconoce S. E. el general López hermanados con los del Uruguay, y también algunos actos diplomáticos, no sin alcance, ya respecto de la actitud asumida por el gobierno argentino, ya últimamente respecto del Brasil a quien ha notificado su disposición de ser mediador, hasta hoy, digo, el Paraguay no parece ver cercanos para él los peligros, se ha mostrado meticuloso y esquivo cuando, con su simple actitud resuelta hubiera podido pesar poderosamente en los negocios que tienen a este país en amenaza y lucha armada.

Conviene, que, sobre todo en la actualidad, se pronuncie francamente el gobierno del Paraguay, abandonando indecisiones que a él, como a nuestro país, pueden llegar a ser fatales.

El Paraguay podía ayudar al Uruguay a sostener la lucha, tomando su puesto en las cuestiones internacionales. Para ello, tenía que imprimir a su acción diplomática un carácter más decidido y vigoroso, declarando al Brasil y la Argentina, categóricamente, "que en cuanto asuman actitud hostil, directa o indirecta, hacia el gobierno oriental, el gobierno del Paraguay tomaría parte activa en los sucesos y se constituiría en sostén de los derechos del gobierno oriental y en defensor de la soberanía e independencia de la república". Era posible que los sucesos se precipitasen y no dieran tiempo a que el Paraguay ejercitase su acción diplomática. En tal caso, el deseo del gobierno oriental era que "producido el ataque, el Paraguay operase ya, sin más espera, sobre territorios limítrofes argentinos y brasileros, simultáncamente con el envío de fuerzas al Plata que pudiesen operar de acuerdo y concierto con los orientales". Así expuesta la oferta de protectorado y alianza que Carreras debía formular, instaba Herrera:

Lleva usted, señor doctor Carreras, encargo especial de S. E. el presidente de la república de concentrar toda su atención y su esfuerzo inteligente a objeto de comprometer al gobierno paraguayo, a que llegado el caso de atentarse contra este país, él tome decididamente la ofensiva, penetrado, como debe a la hora presente estar de que la coalición que ya nos oprime aquí ha de ir a golpear sus fronteras, en ofensiva tanto más vigorosa cuanto que, por habérsenos dejado solos, habremos sido vencidos sin haber salido de simples teorizaciones nuestros propósitos de alianza en defensa de intereses comunes.

Carrera debía también prever la eventualidad de que el Brasil y la Argentina con preferencia a la hostilidad directa, optaran por insistir en los medios indirectos, fomentando en sus fronteras los auxilios a la revolución. "Para evitar esto —se preguntaba Herrera para que Carreras fomulara la misma pregunta en Asunción—, ¿no se prestaría el Paraguay, como ya se la había solicitado, a concurrir con tres o cuatro mil hombres, o con alguna fuerza marítima, al triunfo del gobierno?". Y decía la parte final de las instrucciones:

Sea de esto lo que fuere, señor comisionado, nos interesa grandemente saber de manera perentoria a qué atenernos en lo que haya de esperar de estas negociaciones que ya van siendo sin término.

Dependiendo de vaguedades y de medios términos, no nos será posible mantener por más tiempo nuestra conducta. O se afronta la situación internacional del Plata y Brasil con toda la entereza necesaria, irguiéndose mancomunadas las nacionalidades en peligro, o se deja a los acontecimientos libre paso hacia el definitivo desarrollo que no habremos sabido estorbar; y bueno será que, al hacerlo así sentir en la Asunción haga comprender que, elegido que sea este último temperamento, dispuestos estamos a concretarnos, por adverso que sea el desenlace, a que salve la nación y su gobierno, su dignidad y su decoro llenando por completo y sin vacilaciones, en lo diplomático y en lo militar, los deberes que imponen las patrias tradiciones [16].

9. El paso de Antonio de las Carreras por Buenos Aires, en viaje al Paraguay, introdujo algunas variantes en el pesimismo con que, hasta ese momento, Saraiva enfrentaba a la situación. Carreras había dicho que su misión era de guerra [17]. Con ese motivo Saraiva escuchó de labios de Mitre manifestaciones que le llenaron de esperanzas. El presidente argentino se hacía cruces ante las contradicciones de Aguirre. Al par de enviar a Buenos Aires a Joaquín Requena para trabajar por la paz, mandaba al Paraguay "un comisario de guerra" como parecía serlo Carreras, "tan conocido por su participación directa en Quinteros". Mitre hacía algunos vaticinios que Saraiva se apresuró en transcribir literalmente a Dias Vieira:

¿Cuáles serían las intenciones del gobierno oriental procurando la alianza del Paraguay? Naturalmente oponerse al Brasil y a la República Argentina, cuya liga sincera es fundada en intereses recíprocos. Así, agregó, prepáranse acontecimientos graves, en los cuales la República Argentina tomará con el Brasil la posición que los hechos le aconsejan [18].

Era, por primera vez, que Saraiva escuchaba a Mitre hablar de la "liga" entre el Brasil y la Argentina contra el Paraguay que Elizalde le había soplado al oído en el Uruguay. Pero esa liga se haría afectiva sólo si Carreras alcanzaba éxito en su misión en el Paraguay. Y precisamente el éxito de Carreras dependía de que fuera realidad lo que hasta entonces no lo era: la alianza argentino-brasilera. Era un círculo vicioso que a Saraiva se le hacía difícil romper. Por de pronto no tenía intención de trasladarse a Asunción, como lo pensara un tiempo atrás y para lo cual ya estaba provisto de las credenciales necesarias.

10. En cambio, a Mitre se le ocurrió un procedimiento para salirle al paso de Carreras y anular sus bélicos propósitos, único

[16] De Herrera a Carreras, Montevideo, julio 14, 1864, HERRERA, t. III, pp. 362-368.

[17] De Egusquiza a Berges, Buenos Aires, julio 30, 1864, AMREP, I, 30, 1, 88.

[18] De Saraiva a Dias Vieira, Buenos Aires, julio 26, 1864, CORRESPONDENCIA SARAIVA, pp. 81-83.

modo de evitar que la Argentina se viera envuelta en un vasto
conflicto, atada como ya estaba por sus promesas a Saraiva de "liga
sincera": que el ministro británico, Edward Thornton, también
acreditado ante el gobierno paraguayo, se trasladara a Asunción
para desvanecer recelos y poner en claro las respectivas posiciones.
La atmósfera del Río de la Plata estaba ya, por entonces, tan
enrarecida que el anunciado viaje de Thornton, siguiendo los pasos de Carreras y la presencia de un ministro de Bolivia en Buenos
Aires, fueron vistos por Maillefer, el diligente y caviloso representante diplomático francés en Montevideo, como nuevos avances
hacia la conflagración general sudamericana que le parecía inevitable por natural desarrollo de los sucesos en curso. Informó a su
gobierno:

> El Sr. Thornton se dispone a salir para la Asunción, donde, me ha dicho
> personalmente, el susceptible López II puede quejarse de la tardanza que ha
> puesto en presentar sus credenciales. ¿No tenemos derecho para conjeturar que
> usará allí todos los medios para obstaculizar la misión del Dr. Carreras, cuyo
> objeto es probablemente solicitar la alianza y la cooperación activa del
> Paraguay, tan interesado en no dejar interceptar por los argentinos y los brasi-
> leños las únicas vías de comunicación que tienen con el mundo exterior? He ob-
> servado que un encargado de negocios de Bolivia acaba de ser recibido oficial-
> mente en Buenos Aires; ahora bien, también Bolivia puede entrar en una liga
> contra el presidente López, en razón de las pretensiones, abiertamente decla-
> radas en otro tiempo, por esta república de llegar hasta la ribera occidental
> del Paraguay.
>   Desde las Cordilleras hasta la embocadura del Plata y hasta Río de Janeiro,
> todo este continente pudiera pues verse envuelto en la lucha que ha provocado
> la empresa revolucionaria de Flores sostenida por las pasiones argentinas y
> por las codicias brasileñas; y eso constituiría, aún suprimiendo el elemento
> boliviano, una inmensa perturbación para todos los intereses, pues, alentado
> por la intervención armada de López, no es improbable que el Gral. Urquiza,
> amenazado también en sus últimas trincheras, se decida al fin a entrar nueva-
> mente en la lid con la escolta de todo el partido federal, todavía muy vivaz y
> turbulento en el interior de la Confederación (19).

En esta atmósfera cubierta de densos y relampagueantes nubarrones que cubrían todo el ancho del continente arribó Antonio de
las Carreras a Asunción, trayendo en sus valijas nuevos combustibles, altamente inflamables, con que recargar aún más, el ya reseco
polvorín sudamericano a punto de estallar.

(19) De Maillefer a Drouyn de Lhuys, Montevideo, julio 29, 1864, MAILLE-
FER, p. 363.

Capítulo XVII

CARRERAS EN ASUNCION

1. El "extraño documento". — 2. Acogida poco cordial. — 3. Ásperas respuestas a Estrázulas. — 4. Proceso de la conducta oriental. — 5. Informes de Brizuela. — 6. Noticias de Buenos Aires. — 7. Cavilosidades de López. — 8. El Semanario rompe su silencio. — 9, Optimismo de Carreras. — 10. Cautela de Sagastume.

1.   Antonio de las Carreras llegó a Asunción el 1º de agosto de 1864. Sin pérdida de momento, ese mismo día, presentó al ministro de relaciones exteriores, José Berges, un extenso memorial. Según el "oficio particular" (así lo calificó) anexo, el documento contenía "la exposición de los peligros que amenazan la suerte futura de estos países con la ruptura del equilibrio político del Río de la Plata, si la causa de la legalidad llega a sucumbir en la República Oriental del Uruguay" (¹). Pero a esto no se reducía el memorial. Había mucho más. La "exposición de los peligros" no era sino el exordio.

Comenzaba el documento de Carreras refiriéndose al interés que los gobiernos de la República Argentina y del Brasil tenían en dar a la cuestión que se debatía en el Uruguay una solución favorable al bando de Flores. Obedecían así a una tradición y perseguían la realización de "un pensamiento funesto a la paz y el equilibrio político del Río de la Plata". En lo que respecta al general Mitre, ese pensamiento no era otro que el de la reconstrucción del antiguo virreinato. No por simpatías ni por recompensa de servicios, Buenos Aires apoyaba el movimiento revolucionario, sino por el pensamiento "que ha tiempo halaga el espíritu del general Mitre y de los que acompañan en esos locos ensueños de extender los límites de la República Argentina hasta las fronteras de Brasil y de Bolivia".

(¹)   De Carreras a Berges, Asunción, agosto 1º, 1864, HERRERA, t. III, p. 370.

Y si antes ha podido mirarse con desprecio semejante idea, como el parto de una imaginación exaltada, hoy, que el incendio comienza a allanar el camino, es deber de los gobiernos amenazados aunar sus esfuerzos para contenerlo y salvar su existencia rechazando la agresión que se lanza sobre ellos.

La base fundamental para el cumplimiento de ese plan era la anexión del Estado Oriental, si no ostensiblemente al menos con el establecimiento de un gobierno dócil, para procurar, desde allí, el aniquilamiento del poder y la influencia del general Urquiza en las provincias argentinas, especialmente en Entre Ríos y Corrientes, sin cuya primera empresa fracasaría aquel plan. Por estos y otros antecedentes "como la tolerancia con que el gobierno de Buenos Aires miró los trabajos que comenzaron a hacerse allí para convulsionar la República del Paraguay", no se podía dudar que la política del general Mitre miraba en último término a este país. con el cual existía una cuestión de límites, aplazada tal vez por impotencia para imponer sus pretensiones y que serviría de pretexto para comenzar la obra trayendo una agresión combinada.

El Paraguay entra en sus aspiraciones de absorción; la carta geográfica perdió por la voluntad, el esfuerzo y el interés de los pueblos la forma que tuvo en los tiempos de la dominación española, y es necesario, han dicho, reconstruirla cambiando sólo la bandera, porque es probable que el sistema se restableciese.

¿Y cuál era la actitud del Brasil frente a las pretensiones argentinas? Esa actitud hacía aún mayor el peligro que amenazaba tanto al Uruguay como al Paraguay por cuanto el gobierno del Brasil, encontrando propicia la ocasión para satisfacer pretensiones de idénticas o análoga naturaleza, "lanza la careta con que se cubría", para formular al oriental exigencias exorbitantes, a fin de obligarle a ceder el campo a la rebelión, "la que le dejaría a su vez adelantar las fronteras hasta el río Negro". Terminado el plazo de seis años concertado en 1856 entre el Brasil y el Paraguay para el ajuste definitivo de límites y conocida "la insidiosa política del gabinete brasilero", era lógico suponer que no desaprovecharía la ocasión para llegar a un concierto con el gobierno del general Mitre, a fin de tentar en común la solución de las cuestiones pendientes "en la esperanza de lograr mayores ventajas". Era notorio que eso había perseguido. Saraiva en su última visita a Buenos Aires, y aunque se declaró "fuera de oportunidad un concierto en ese sentido", era muy probable que más tarde se entendieran los dos gobiernos acordando previamente los medios de cambiar el estado de cosas en el Uruguay con el triunfo de la rebelión.

Y aún cuando parezca difícil o imposible un acuerdo entre esos dos gobiernos, por la dificultad de dividirse la presa, la importancia que respectivamente dan a la cuestión paraguaya, ya por lo que toca al arreglo de límites, ya por el temerario pensamiento que acaricia hace tiempo el jefe argentino, pesa bastante en la balanza de sus intereses para que lleguen a entenderse cediéndose recíprocamente lo que cada uno desearía para sí solo.

Realizada la inteligencia sobre la Banda Oriental, con el de su territorio, y "ligados por la comunidad del crimen", los gobiernos argentino y brasilero, vendrían luego al Paraguay "a buscar la satisfacción de sus respectivas pretensiones". El peligro que amenazaba a la República Oriental era, pues, común a la del Paraguay, y ese peligro subsistiría mientras Buenos Aires conservara la posición de dominio que tenía sobre las demás provincias argentinas. Era por eso necesario procurar, en primer término, aniquilar el "maléfico poder" de Buenos Aires, y eso sólo se conseguiría con la segregación de la provincia, dejando a las demás que constituyera un cuerpo separado. Las provincias de Entre Ríos y Corrientes serían las primeras que darían "el grito de independencia", tan luego como hallasen el menor apoyo. En la misma provincia de Buenos Aires, el partido separatista (autonomista) podía llegar a ser un cooperante indirecto y poderoso de las provincias sublevadas.

Una liga entre el Paraguay y las provincias de Entre Ríos y Corrientes y las demás que se adhiriesen a esa idea regeneradora, tendría todo el prestigio de la opinión y ofrecería un conjunto de elementos de poder nunca visto en el Río de la Plata. La pacificación del Estado Oriental se verificaría inmediatamente al solo anuncio de esa combinación; los peligros que hoy amenazan la paz y el engrandecimiento del Río de la Plata desaparecerían completamente y el equilibrio político de esta parte de la América del Sud vendría a reposar, entonces, sobre bases más firmes, más justas y convenientes.

El año anterior el mismo pensamiento ya había preocupado al gobierno oriental pero las intrigas de Lamas, "traicionando sus deberes y sirviendo sólo los intereses argentinos", obstaron al éxito de los trabajos de la misión Lapido.

El general Urquiza, respondiendo al voto de la opinión de las provincias de Entre Ríos y Corrientes, aplaudió el pensamiento y se manifestó dispuesto a concurrir a su realización. Todo habría ya terminado sin la traición del señor Lamas que encontró, ¡triste es decirlo!, ancho campo de acción en la política vacilante y meticulosa del gobierno oriental de aquella época.

La situación presentaba en la actualidad una faz favorable para ese plan, por lo cual el presidente Aguirre, penetrado de la importancia del pensamiento se mostraba enérgicamente decidido a llevarlo a efecto, "y es con ese objeto que ha enviado cerca de S. E. el presidente López una misión confidencial y privada para que le explique los últimos acontecimientos y el cambio de política a que se ve inclinado para buscar pronta y provechosa solución a las cuestiones que se relacionan con la que se debate en el territorio oriental".

Hasta esta altura del extraordinario documento, Carreras no concretaba nada, limitándose a tejer conjeturas en torno de los peligros y posibilidades que se dibujaban en el horizonte político de esta parte de la América, sin recordar para nada, ni siquiera de paso, el verdadero objetivo de su misión según las instrucciones que

le había extendido Herrera; saber, de una vez por todas, qué era
lo que el Paraguay se proponía hacer. Y lo que el Estado Oriental
quería que el gobierno paraguayo hiciera, fue expuesto por Carreras en la misma forma en que ello estaba registrado en sus instrucciones, lo único en que las tuvo en cuenta: 1º un subsidio mensual
durante ocho meses; 2º una declaración oficial a los gobiernos argentino y brasilero de que el Paraguay se constituía en defensor de
la soberanía y de la independencia del Uruguay; 3º aproximación
simultánea de un ejército poderoso a la frontera brasilera; y 4º envío, también simultáneo, de fuerzas paraguayas al Plata para operar
de acuerdo con las orientales. Con todas esas medidas, no cabía
dudar "que quedaría parado el primer golpe para tomar el tiempo
necesario a prepararse a la gran cruzada que deberá asegurar el
porvenir de los estados del Plata y sus afluentes". Terminaba el documento:

> Haciendo el gobierno oriental plena justicia a la ilustración y elevadas
> miras políticas de S. E. el presidente López, espera confiadamente que apre-
> ciando del mismo modo las consideraciones precedentes y la gravedad y pre-
> mura con que reclaman los sucesos una solución que los encamine en sentido
> favorable a los intereses legítimos de estos países, no trepidará en tomar ya
> definitivamente el puesto que debe ocupar en las cuestiones internacionales
> suscitadas en el río de la Plata, que tienen un carácter tan trascendental para
> los intereses políticos y económicos del Paraguay (²).

2.   Con poco disimulado fastidio Berges acogió el memorial de
Carreras, que encontró *raro* y de "lenguaje acre y peculiarmente
suyo", con "pretensiones exageradas" que excedían "en mucho" a las
que expuso Lapido, como lo habría de calificar poco después en su
correspondencia con los agentes en el exterior. Pero de momento,
antes de expedirse sobre el fondo de las proposiciones, Berges planteó a Carreras una nimia cuestión de protocolo. ¿Hasta qué punto
un enviado confidencial estaba habilitado a tratar cuestiones políticas de alto vuelo? Algunos meses antes el gobierno paraguayo
se había negado resueltamente a admitir la misión de tal carácter
que insinuaba el presidente de la Argentina. ¿Debía ahora sobreponerse a la repugnancia que López tenía de tratar problemas importantes con quienes no estuvieran alta y suficientemente acreditados para sellar los eventuales resultados de una negociación?

Después de estudiada espera de cuatro días, Berges repuso a Carreras que su exposición se contraía a solicitar resoluciones de un
carácter tan serio y grave, "que por estas calidades serían más conformes con las negociaciones oficiales de un orden de primera importancia que de una misión confidencial y privada", por lo cual
deseaba conocer hasta qué punto debía atribuirse "oficialidad" al
documento y a los actos propuestos, y a la legación oriental parti-

(²)   Memorándum de agosto 1º, 1864, HERRERA, t. III, pp. 371-384.

cipación en ellos, para que el gobierno paraguayo pudiera tomar en consideración el memorándum y sus objetos (³). Carreras aclaró que no había pretendido atribuir a su memorándum otro carácter que el de "un simple acto privado", y que tendiendo su misión a preparar el terreno para las negociaciones que su gobierno deseaba entablar con el Paraguay, no podía prescindir de exponer los medios conducentes a salvar las dificultades del presente y a garantizar el porvenir. Tal era la razón que justificaba, a su juicio, la extensión y términos de su memorándum, que ofrecía anticipadamente el conocimiento de las vistas de su gobierno para el caso de llegarse a una negociación. Agregó que el ministro residente en Asunción, José Vázquez Sagastume, se hallaba autorizado para abrir negociaciones en el sentido de las ideas contenidas en el memorándum, "toda vez que S. E. el general presidente López convenga en la utilidad de un acuerdo con el gobierno oriental para conjurar los peligros allí expuestos" (⁴).

Pero López estaba demasiado resentido con los hombres de Montevideo para querer tratar siquiera con sus representantes oficiales o confidenciales, sangrantes como estaban las anchas heridas que le infirieran con el doble rechazo de su ofrecida mediación, y del protocolo del 3 de junio, y las públicas censuras que había merecido en Montevideo el arreglo del incidente del *Paraguarí*. Un anuncio de la acogida que tendría la nueva misión se transparentó en la breve referencia que hizo *El Semanario* de la llegada de Carreras y en el comentario que, a ese respecto, bordó el órgano oficial:

> El empeño que parece descubrirse de parte de miembros influyentes en el gobierno oriental es excusar en lo posible los trabajos que ofrece el gobierno del Paraguay en bien de ese país, le pone en situación de no poder dar el giro conveniente a los buenos deseos que le animan (⁵).

3. Otro anticipo de la reacción paraguaya fue adelantado a Jaime Estrázulas uno de los blancos "ultras" del sector de Carreras que motivaron el incidente del *Paraguarí*. Desde Montevideo, había escrito a Berges dos cartas, una detrás de otra. En la primera le informaba que en las nuevas circunstancias producidas por la ruptura de las negociaciones pacificadoras, sus amigos políticos se habían acercado al presidente Aguirre para significarle la necesidad de un cambio ministerial y "la alta conveniencia de estrechar nuestras relaciones con el gobierno del Paraguay, para con su auxilio impedir la intervención argentino-brasileña, poner a raya sus pretensiones, y dominar decididamente la rebelión interna en la próxima

(³) De Berges a Carreras, Asunción, agosto 4, 1864, HERRERA, t. III, pp. 384-385.
(⁴) De Carreras a Berges, Asunción, agosto 5, 1864, HERRERA, t. III, p. 385.
(⁵) *El Semanario*, Asunción, agosto 6, 1864.

estación" (⁶). En la segunda carta, del día siguiente, producido ya
el nombramiento de Antonio de las Carreras, Estrázulas decía a Berges que acababa de oir de labios del nuevo comisionado a Asunción
"que, al fin, bajo la seguridad de que se entrará en una nueva política", había aceptado la misión confidencial. Y después de referirse
a las calidades personales de Carreras, "uno de los más notables hombres de esta República", terminaba Estrázulas:

> Permítame V.E. que le felicite por el cambio que aquí hemos logrado hacer
> en las ideas tendientes a estrechar los vínculos políticos con la importante Re-
> pública Paraguaya, y permítame también que le suplique se digne hacer pre-
> sente mis respetos y mis votos a S.E. el señor presidente, cuyas bondades y dis-
> tinciones recuerdo siempre con placer (⁷).

Singularmente áspera fue la respuesta de Berges. Sobre la noticia de un próximo cambio de ministerio "por otro que sea apto
para proseguir la guerra", Berges declinaba toda opinión, "puesto
que él (el cambio) pertenece exclusivamente a la confianza del Sr.
presidente Aguirre". Y en cuanto a la nueva política anunciada por
Estrázulas le decía el canciller paraguayo "que de las ideas no pueden juzgar los hombres sino de los hechos, y éstos no abogan por los
hombres que actualmente componen el gabinete de Montevideo".
Y venía luego una exposición de los agravios paraguayos:

> Esos mismos hombres son los que trajeron el conflicto del vapor *Paraguarí*
> y trataron de sostener a toda costa el agravio hecho al pabellón paraguayo.
> Que vieron con tanto disgusto, e hicieron atacar por la prensa oficial al
> Dr. Sagastume, que ponía a salvo nuestra dignidad nacional y reanudaba nues-
> tras buenas relaciones.
> Los mismos hombres, que de acuerdo con el consejero Saraiva desecharon
> la mediación de este gobierno, tan amistosamente ofrecida al del Estado Oriental.
> Los mismos hombres, en fin, que en todas ocasiones rechazaron con desdén
> las demostraciones de interés que este gobierno ha manifestado por la paz y
> tranquilidad de la República Oriental.

A continuación reproducía Berges lo que ya manifestara a Brizuela cuando el rechazo de la mediación. Una vez más no se había
sido feliz con el gobierno oriental, cuando el Paraguay le quiso tender una mano amiga. No podía olvidarse del resultado que cabía esperar de la mediación: le hubiera autorizado al Paraguay a tomar
parte de la política del Río de la Plata "a la par del Brasil y de la
República Argentina, que combinando hoy su política y tal vez sus
recursos, quedan dueños de la situación". Berges, lamentando que
el gobierno oriental no hubiera podido comprender las intenciones
paraguayas, terminaba su amarga requisitoria:

> Desde el principio de la administración de S.E. el general López nos he-
> mos empeñado en sostener ardorosamente los intereses orientales, pero sus es-
> tadistas parece que se han complacido en contrariar nuestros trabajos (⁸).

(⁶)   De Estrázulas a Berges, Montevideo, julio 13, 1864, AZEVEDO, Nº 81.
(⁷)   De Estrázulas a Berges, Montevideo, julio 14, 1864, AZEVEDO, Nº 81.
(⁸)   De Berges a Estrázulas, Asunción agosto 6, 1864, BAEZ, t. II, pp. 150-151.

Toda referencia a la misión de Carreras fue omitida seguramente para no oficializar su existencia ni siquiera por la vía epistolar.

4. Pero con el agente en Buenos Aires, Berges fue más explícito pues, aprovechó la oportunidad para un severo proceso de la política oriental tanto como del documento que acaba de presentar Carreras. Escribió a Egusquiza:

> Ud. conoce la marcha poco delicada que ha seguido respecto a nosotros el gobierno oriental, hasta el último caso de desechar la mediación ofrecida por este gobierno para el arreglo de sus cuestiones con el Brasil.
>
> Este paso inesperado nos ha cerrado el camino para tener ingerencia en los sucesos del Estado Oriental. Sin embargo, el doctor Carreras ha presentado un extenso memorándum, con el título de particular, y que en un lenguaje acre y peculiarmente suyo, pondera el peligro que amenaza a la República Oriental, por el plan de absorción combinado entre los gobiernos argentino y brasileño.
>
> No pierde ocasión de indicar que este peligro es común a la República del Paraguay, con quien el Brasil y la República Argentina tienen cuestiones pendientes de límites; y a más, ha sido parte del Virreinato de Buenos Aires, que se trata de reconstruir con el simple cambio de bandera.

Seguía Berges dando a conocer indirectamente los pormenores más embarazosos del memorándum de Carreras, incluso el plan de segregar Buenos Aires; el pensamiento de alianza entre el Paraguay, el Estado Oriental y las provincias de Entre Ríos y Corrientes; el apoyo que Urquiza había prestado a estos planes, suspendiendo el relato del "extraño documento", sólo para recordar, como lo hiciera a Estrázulas, que los mismos hombres de entonces, los que según Carreras se prestaron a la "traición de Lamas" cruzando los trabajos de Lapido, seguían componiendo el gobierno oriental, los mismos que tanta mala voluntad al Paraguay demostraron con motivo del incidente del *Paraguarí*, que de acuerdo con Saraiva desecharon la mediación paraguaya y que en ocasiones habían mirado "con descuido" el interés del Paraguay en favor de la República Oriental. A continuación de este amargo comentario, pasaba Berges a referirse las "exageradas pretensiones (de Carreras) que exceden en mucho a lo que pidió el doctor Lapido", y luego de adelantar la respuesta que se daría al "clásico documento", terminaba Berges:

> Después de los últimos sucesos, este ministerio no podría obrar de otra manera, mucho más cuando nuestro gobierno ha declarado como un principio de su política, la inconveniencia de tratar confidencialmente las negociaciones que por su naturaleza son oficiales (9).

Y para que en el Río de la Plata no quedara la menor duda acerca del estado de ánimo del gobierno paraguayo, en los mismos términos, con ligeras variantes, fue informado el agente en Montevideo (10). Al cónsul en Paraná le fue proporcionada una reseña más escueta pero bastante ilustrativa con el siguiente comentario:

---

(9)   De Berges a Egusquiza, Asunción, agosto 6, 1864, REBAUDI, pp. 105-107.

(10)   De Berges a Brizuela, Asunción, agosto 6, 1864, AMREP, I, 22, 11, Nº 133.

Estos señores que componen el gabinete oriental, después de haber traído el conflicto del vapor *Paraguarí* y procurando desvirtuar la declaración del Dr. Sagastume sobre ese incidente, que ha salvado nuestra dignidad nacional; después de haberse puesto de acuerdo con el ministro brasilero Saraiva para rechazar la mediación que amistosamente le fue ofrecida por este gobierno, hoy que por la ruptura de la negociación con los ministros mediadores Elizalde, Saraiva y Thornton, y por los sucesos del 6 de julio ppdo., se ven en apuros, solicitan que el Paraguay les preste su apoyo, pronto y eficazmente con *el prestigio de su palabra oficial, con sus elementos de guerra y con un subsidio,* que basta a desembarazarlos de las dificultades pecuniarias que tocan" (11).

En estas comunicaciones estaba dicho todo el pensamiento paraguayo. El gobierno de Asunción no tenía fe en los hombres del gobierno de Montevideo. Eran los mismos que tantas decepciones y amarguras le venían ocasionando y que en tanto menosprecio tenían al Paraguay. Correspondía darles las espaldas. Olímpicamente, sin detenerse a examinar el fondo del "extraño documento" el 10 de agosto de 1864 el ministro Berges cursó una escueta nota a Antonio de las Carreras, para informarle que el gobierno se desobligaba de tomar en consideración el memorándum en vista de carecer de carácter oficial, y que toda cuestión atinente a las relaciones entre los dos países sería tratada en lo sucesivo solamente por intermedio de la legación oriental (12). Después de tan abrupta respuesta, no le restó a Carreras otra cosa que preparar sus valijas mientras López trataba de paliar con atenciones sociales la amargura de un fracaso tan rotundo.

5. Si Carreras se propuso persuadir a López y a Berges de la existencia de la alianza argentino-brasilera, enderezada rectamente, en última instancia, contra el Paraguay, las informaciones que, por ese tiempo, venía transmitiendo el agente en Montevideo, Juan José Brizuela, indicaban muy otra cosa. Brizuela había estado ausente un mes, llamado por el gobierno paraguayo para explicar su conducta en el zarandeado caso del *Paraguarí.* Desde su regreso, a mediados de abril, sus informes a Berges se significaron por la precisión y calidad de los detalles, sin las vaguedades y apasionadas interpretaciones de los otros corresponsales paraguayos, Egusquiza desde Buenos Aires y Caminos desde Paraná, y estuvieron lejos de corroborar las denuncias de los diplomáticos orientales. Las versiones que llegaron a Asunción, anteriormente transmitidas entre otras por el mismo Brizuela, de que Mármol había llevado a Río de Janeiro la misión de concertar una acción argentina-brasilera contra el Paraguay, quedaban rectificadas en los nuevos datos del agente en Montevideo recogidos, al parecer, en fuentes muy autorizadas.

(11) De Berges a Caminos, Asunción, agosto 6, 1864, AMREP, I, 22, 12, 1, Nº 134, subrayado en el texto.
(12) De Berges a Carreras, Asunción, agosto 10, 1864, AMREP, I-2, 11, 1, Nº 401.

Brizuela sabía ahora y así se lo hizo conocer a Berges que Mármol se había alarmado, desde su arribo a Río de Janeiro, por la actitud del Brasil respecto del Uruguay y había adoptado, desde el primer momento, una actitud que nada concordaba con las sospechas que le habían acompañado en su misión. Lejos de buscar la alianza argentino-brasilera, el ministro Mármol, según los informes que ahora transmitía Brizuela a Asunción, vio en las explicaciones que le proporcionó Dias Vieira sobre los móviles de la misión Saraiva, "la idea de una coacción o de una violencia premeditada contra los derechos e integridad de un país y de un gobierno débil y asediado de conflictos que en si mismo arrastraba ulterioridades alarmantes". A Mármol no se le escapó que una vez rechazadas las reclamaciones, como no podía dejar de serlo, "se desarrollará el pensamiento imperial de ocupar entonces los territorios fronterizos y renovar entonces las escenas de la antigua Provincia Cisplatina, del mismo tiempo que conseguía refrenar los intentos demasiado conocidos de los republicanos de Río Grande con la presencia de un ejército respetable en el corazón de su territorio". Y seguía transmitiendo Brizuela:

> El gobierno argentino que alcanzó a penetrar el espíritu de esas medidas, que iban a consumarse por lo que respecta a este país, sin previo acuerdo, obrando el Brasil con absoluta independencia en cuestiones en que debían ser solidarios, según el espíritu del pacto de 1828, vio, repito, un peligro inminente para la independencia de la misma República, y un nuevo conflicto para la Confederación Argentina.

El ministro Mármol, convencido de que la política imperial no buscaba ninguna afinidad con su gobierno, consideró que su misión quedaba de hecho paralizada y que su deber era inducir a su gobierno a prepararse "al nuevo rol que iba a jugar en el Río de la Plata". Los temores se corroboraron con la nota "verdaderamente conminatoria" con que Saraiva inició su misión. Mitre alarmado por el peligro inminente en que se había colocado el gobierno oriental, comprendió que la República Argentina no podía aparecer impasible "en una cuestión que interesaba tan de cerca sus deberes internacionales". Providencialmente vinieron en su ayuda los sucesos del Pacífico, "que poniendo en peligro la independencia americana, corroboraba los datos que ya tenía de los planes fraguados en las cortes europeas para encarar el antiguo propósito de monarquizarlas".

> Vio éste (Mitre) entonces que debía apresurarse a apagar sin demora los disturbios del Estado Oriental, promover el restablecimiento de sus recíprocas relaciones, coartar las pretensiones del Imperio, calmar los partidos internos, como acababan de hacerlo los que le rodeaban, y uniformar por último la opinión y los esfuerzos de las Repúblicas del Plata para conjurar los comunes peligros que a todos amagaba.

Con este propósito y sin perder instante mandó a su ministro de relaciones exteriores para que posponiendo los pasados motivos de desaveniencia "se contrajese exclusivamente a hacer desaparecer por medio de una transacción honorable, las asechanzas con que el Brasil le amagaba", al mismo tiempo que buscar la cesación de los disturbios civiles y el sometimiento de la rebelión a los poderes constituidos. Así expuesta la génesis de la mediación colectiva, donde no encontraba cabida la idea de que el Paraguay fuera la meta final de estos manejos, Brizuela reseñaba minuciosa y bastante exactamente, los pasos de la negociación, que daba, como todo el mundo, por triunfante en el momento de cerrar su despacho, el 17 de junio (13).

Más adelante, informó Brizuela sobre los objetivos de la misión Requena en Buenos Aires, que consideró satisfactoriamente cumplidos, transcribiendo en abono de su creencia, una carta del propio Requena donde se aseguraba que la intervención no se realizaría y que se contaba con la cooperación decidida de Urquiza para los trabajos de pacificación. Esta vez también las informaciones de Brizuela incursionaban en el campo argentino, de un modo mucho más explícito que lo que le permitía a Egusquiza sus cortos alcances. Según sus datos, los hombres más conspícuos del partido moderado de la República Argentina, pensaban que era *suicida* permitir al Brasil desenvolver sus pretensiones en el Estado Oriental y abrigaban la esperanza de que el gabinete argentino no constituyese un obstáculo para el éxito de Requena. El gobierno de Mitre había respondido a esa esperanza, mostrándose firme en su propósito de hacer que los orientales se entendieran entre sí, llegando en familia a un arreglo razonable, "que quite al Brasil todo pretexto para ingerirse en los negocios internos y evite las alarmantes consecuencias de la intervención armada que se propone llevar a cabo". Arribar a esa transacción, con el apoyo tanto de la Argentina como del Brasil, fue el objetivo primordial de la misión Requena. Y aquí venía una alusión a los propósitos de la misión Carreras en el Paraguay:

Para el caso de que esos esfuerzos fueran desgraciadamente ineficaces, y que el Brasil, sea por sí solo, o ya secundado por el gobierno de Buenos Aires se lanzase a las vías de esa injustificable intervención, conculcando los fundamentos de la existencia política de este Estado y amenazando a las demás vecinas, con quienes sus relaciones no son firmes todavía, con la omnímoda influencia que le darían sus propios avances, es que fue calculada la misión Carreras, para llevar los anuncios de esos peligros y buscar el concurso del gobierno de la República para conjurarlos, dada la realización de aquella desgraciada hipótesis.

Y refiriéndose finalmente a otras cartas de Requena, seguía diciendo Brizuela que "parece cosa decidida que el gobierno argentino no acompañará al Brasil en sus propósitos, y que el concurso de respetables y numerosas influencias se combinarán para volver a ese

(13)   De Brizuela a Berges, Montevideo, junio 17, 1864, AMREP, I-30, 2, 74.

gabinete a las vías pacíficas y conciliatorias, trayendo a ellas al mismo representante del Imperio, venciendo las resistencias que aún opone a ese empeño" [14].

Unos días más tarde, Brizuela volvió a insistir en que el sentimiento de la pacificación oriental ganaba terreno en la República Argentina, desde que el partido de gobierno, la mayoría del Congreso y la opinión de los hombres de mayor influencia, la creían conveniente para la propia conservación de la paz del Imperio con las repúblicas vecinas. Ese pronunciamiento de opiniones no había aún recibido forma conocida, pero se le había agregado el prestigio y la fuerza del general Urquiza, que se mostraba muy preparado, y le decía a todos, "para combatir las pretensiones brasileras y no permitir que se atente contra la soberanía de este Estado". Se creía que Urquiza no omitiría medio alguno para tomar una posición influyente y respetable a fin de paralizar los manejos de la temida intervención, y aún se pensaba que el general Mitre participaba de sus mismas disposición, pues "uno y otro temen que el triunfo de Flores en este Estado dé demasiado alas al partido ultra de Buenos Aires que hostiliza a ambos, y muy especialmente al general Urquiza". Creía ahora Brizuela en la buena fe de la reciente mediación de Elizalde y que su verdadero propósito no fue asegurar la supremacía colorada, sino buscar en familia un desenlace pacífico "para cruzar de golpe las tendencias brasileras, y evitar la República Argentina nuevos y peligrosos conflictos, que emanarían indispensablemente si ella llega a desarrollarse de ese modo". Así, desde los primeros pasos de la misión Requena, según Brizuela, tanto Mitre como Elizalde habían declarado que el partido más expeditivo y conciliador era reanudar las negociaciones pacificadoras para revivir a todo trance la solución frustrada, "y que esto era tanto más urgente cuando que el gobierno argentino no podía entrar en ningún género de arreglo que renovara su interferencia en los negocios de este país, en tanto no fueran conocidas las últimas disposiciones del mismo gobierno del Janeiro, en vista de las consultas hechas por el ministro (Saraiva)". Brizuela, aunque recogió también la versión de que Saraiva había recibido instrucciones de presentar un ultimátum y que la atmósfera que se respiraba en el Río Grande era de guerra, seguía alentando esperanzas en el éxito de la misión Requena [15].

6. Por su parte, Egusquiza escuchó en Buenos Aires de labios del ministro británico Edward Thornton, que preparaba su viaje a Asunción para presentar credenciales, informaciones tranquilizadoras sobre las intenciones del Brasil y de la República Argentina con respecto del Uruguay y del Paraguay, cuya independencia

[14]   De Brizuela a Berges, Montevideo, julio 27, 1864, AMREP, I-30, 7, 65.
[15]   De Brizuela a Berges, Montevideo, agosto 2, 1864, AMREP, I-30, 7, 65.

iban a respetar en todos los casos. Y del propio Mármol, el agente paraguayo obtuvo noticias concretas sobre los objetivos perseguidos durante su reciente misión en Río de Janeiro, que no fueron otros que procurar una renovación del tratado provisorio de 1828, que hasta el momento, pese a tanto tiempo transcurrido aún esperaba el tratado definitivo. Nada pues, había ido Mármol a tramar contra el Paraguay y nada tampoco tramaron, según Thornton, la Argentina y el Brasil cuando Saraiva y Elizalde se encontraron en los campamentos de Flores. Así también Egusquiza dio cuenta de las noticias que circulaban en Buenos Aires acerca del próximo envío al Paraguay de una misión oficial para buscar arreglo a los problemas pendientes, renovando las negociaciones abruptamente cortadas el año anterior.

Y junto a estas noticias tranquilizadoras, otra que ya no lo era y que procedía de fuente no tan autorizada, aunque respetable: el general Guido le había asegurado a Egusquiza que el Brasil y el gobierno argentino, algo estaban tramando contra el Uruguay y el Paraguay, de lo cual se apresuró a informar al presidente López [16]. De las noticias de Brizuela, convertido en el principal informante del gobierno paraguayo, y de las provenientes de Mármol y Thornton transmitidas por Egusquiza no cabía deducir precisamente que en la penumbra de las cancillerías de Buenos Aires y de Río de Janeiro se estuviera gestando el siniestro plan de reconstrucción del Virreinato del Río de la Plata, denunciado por Carreras en Asunción. En cambio, surgía de sus informes que lejos de haber llegado aquellos gobiernos a un acuerdo cualquiera para llevar juntos la intervención al Uruguay, la Argentina estaba buscando el modo de hurtar el cuerpo, y así también que una influencia tan importante como la de Urquiza, que Mitre debía contemplar forzosamente, se manifestaba contraria a toda cooperación en planes de violencia internacional en la República Oriental.

7. Las aseveraciones del "extraño documento" de Carreras no se basaban, al parecer, en hechos de la actualidad, pero ellas venían a remover en el espíritu paraguayo ancestrales prevenciones, tan viejas como la vida misma de la nación. Si la denuncia de los peligros argüidos por Carreras carecía de fundamentos en el momento, como cabía deducir de los informes de Brizuela, en cambio ¡cuán certera y agudamente despertaba seculares, arraigados y siempre latentes temores y recelos! Podían ser exactos los informes de Brizuela, pero también frutos de su candidez, ya puesta de resalto cuando el episodio del *Paraguarí*. Egusquiza también pudo haber sido engañado por Thornton. Sus informaciones no bastaban para calmar las inquietudes de López. A su juicio ninguna de las

(16) Carta de Egusquiza, referida en la respuesta de López, de agosto 7, 1864, Bray, p. 197-8.

incógnitas habían sido develadas. ¿Qué había ido a buscar Mármol a Río de Janeiro? ¿Y qué tramaron juntos Elizalde, Saraiva y Flores en Puntas del Rosario? ¿Y qué eran esos viajes de Saraiva y Tamandaré a Buenos Aires? ¿Y qué tantas conferencias entre Mitre, su gabinete y el emisario del Imperio? La cavilosidad de López tenía ancho campo donde refocilarse. Carreras no obtuvo que se accediera a ninguna de sus insólitas pretensiones, no consiguió calmar los resentimientos ocasionados por las inconsecuencias y contradicciones de su gobierno, nada alcanzó que significara arrastrar al Paraguay a la órbita del partido blanco, pero obtuvo mucho más: agitar en el espíritu de López, las tremendas prevenciones contra el Brasil y Buenos Aires, heredadas de su padre y del dictador Francia, y de las cuales participaban todos los paraguayos en menor o mayor grado.

Y en esa tarea no estuvo solo. Vino en su ayuda la extraordinaria información, proveniente nada menos que del general Guido, el viejo amigo de Don Carlos Antonio López, referente a los propósitos de los gobiernos argentino y brasilero sobre las dos repúblicas, la Oriental y la del Paraguay. López, al acusar recibo de esta noticia a Egusquiza, la dio como "más probable" que las versiones que corrían en Buenos Aires acerca del envío próximo de una misión argentina a Asunción, y que las seguridades dadas por el ministro Thornton sobre las verdaderas intenciones del Brasil y la Argentina con respecto de la República Oriental y del Paraguay. Nada creía, por lo demás, acerca de los objetivos atribuidos a la reciente misión de Mármol en Río de Janeiro, de que Brizuela y Egusquiza se hicieron eco.

Mucho he oído hablar —le decía a Egusquiza— de las explicaciones y definiciones del tratado del año 28, pero nada he visto realizado al respecto y más que probable es que la misión Mármol ha tenido un objeto más latente.

Estando allí el señor Saraiva y marchando los sucesos en el tren que llevan, no hemos de pasar mucho tiempo, sin que veamos algo de claro [17].

8. *El Semanario* iba a ser el público portavoz de las desazones que en esos momentos agitaban al gobernante del Paraguay. Hasta entonces el órgano oficial venía manteniendo frente a los sucesos del Río de la Plata una actitud objetiva y circunspecta. Limitándose a recoger las informaciones de sus corresponsales, *El Semanario*, nunca había formulado opinión sobre los sucesos, pero he aquí que el 13 de agosto de 1864, por primera vez en mucho tiempo, casi desde que el general López asumiera la presidencia, se expidió franca y extensamente sobre los sucesos del sur. En forma editorial, bajo el título de "Negocios del Plata" abordó el siguiente análisis de la situación:

[17] De López a Egusquiza, Asunción, agosto 7, 1864, BRAY, p. 198.

Los diarios que hemos recibido con nuestras correspondencias de las dos riberas del Plata, nos ponen en actitud de juzgar que la cuestión oriental nada ha adelantado y que continúa el deplorable estado de la guerra civil.

Parece además que el pensamiento de los gobiernos brasileros y argentino no se limita a la cuestión interna del Estado Oriental.

La política brasilera en aquella emergencia, según la prensa oriental, no armoniza con los principios salvadores de difíciles situaciones de los pueblos libres e independientes.

Se pone en transparencia un hecho de alcance en la actualidad con la exhibición de las palabras dirigidas al presidente del Estado Oriental, por el representante del gobierno imperial del Brasil, de que al exigir el pretendido cambio de ministerio lo hacía exclusivamente en el interés brasilero, estableciendo así por el hecho la pretensión un protectorado sobre aquella República.

...Nosotros no esperamos que el gobierno argentino preste su aquiescencia para la absorción del Estado Oriental por el Imperio del Brasil, ni tampoco podemos creer que el Brasil quiera trabajar en el sentido de procurar a la República Argentina un aumento de poder, porque esto sería incompatible con los principios de su política.

En tales circunstancias, se nos hace incomprensible el objeto de una alianza entre los dos gobiernos, a menos que envuelva una segunda intención.

...no queremos consentir que el gobierno argentino pesando en la balanza de los intereses bien entedidos de los pueblos vecinos, quiera acometer una empresa de que no puede esperarse los bienes a que aspiran los pueblos. Y lo decimos porque la ilustración del gobierno argentino no puede ponerse en duda. Sin embargo, se emiten opiniones de que la actitud que despliega el Brasil respecto a la Banda Oriental, servirá de norma para la diplomacia argentina que se supone deseosa de uniformar sus manifestaciones con las del Imperio.

...Si la República Oriental se anexa a algunos de los Estados vecinos, se pierde el equilibrio, en razón de que esa nación favorecida puede asumir la preponderancia con respecto a sus vecinos.

¿Si el Brasil o la Confederación, por ejemplo, absorbiese el Estado Oriental, no sería por ventura un atentado contra ese principio, una ruptura del equilibrio de estos Estados?

Sin profundizarse demasiado en la materia, no puede menos que confesarse la verdad del caso.

...Muchos suponen que el Brasil recela de la ingerencia del Paraguay en las cuestiones de sus vecinos y que mira con inquietud el desarrollo del poder y riqueza de la República.

Las prevenciones del Brasil contra el Paraguay datan de tiempo atrás, y puede decirse que son sistemadas y trascienden desde la época anterior a la emancipación de los dominios europeos.

Pudiera decirse también algo en este sentido de la Confederación Argentina que por una fatalidad lamentable ha acreditado sentimientos contrarios a los que animan al Paraguay hacia los pueblos hermanos que la componen.

¿O ser ácaso que la unificación pretendida o efectuada de la República Argentina y del Imperio tenga por objeto arreglar topográficamente los dos Estados soberanos del Uruguay y del Paraguay, esto es fundándose en la absorción de ambos?

Nos parece imposible la existencia de un pensamiento semejante que sería un absurdo por ser un imposible real, pero suponiéndose por un momento la realización de esa temeraria idea ¿cuál podría ser la ventaja a sacar por la República Argentina de ese contrato leonino?

Empero, sea como fuese, el Paraguay está tranquilo... Ama la paz y justicia que blasonan su bandera y si estos preciosos dones demandaren en su auxilio nuestra defensa, sabremos dar testimonio al mundo de que en el Paraguay hay verdadero amor a la Patria y también una adhesión a los principios en que se fundan la existencia y bienestar de los pueblos libres e independientes [18].

9. Las informaciones de Brizuela y de Egusquiza no habían convencido ni a López ni a Berges. Antonio de las Carreras no podía considerar fracasada su misión después de la lectura de este editorial de *El Semanario*. Si los arbitrios reclamados por Montevideo, ni siquiera fueron objeto de discusión, secamente descalificada su aptitud para negociarlos, en cambio las ideas de su "extraño documento" habían caído en terreno fértil y estaban brotando con fuerza vigorosa. ¿Las puertas que ni Lapido ni Sagastume habían logrado franquear pese a tantos esfuerzos, adulaciones y humillaciones, estaban ahora abiertas gracias a las mágicas palabras del memorándum de Carreras? Por la voz de *El Semanario* estaba hablando López y el mensaje que irradiaba hacia el mundo entero decía de las incertidumbres y temores que trabajaban su espíritu en esos momentos de crisis general en el Río de la Plata. Ya no solamente el amor propio herido y la dignidad nacional afrentada dictaban palabras destinadas al exterior, sino también preocupaciones muy hondas sobre el destino de la nacionalidad paraguaya.

Carreras se consideró a un paso de la meta. ¿Cómo hacer que esas palabras se tradujeran en hechos? ¿De qué modo desarmar tantos resentimientos como eran los que trababan el irrefrenable deseo de López de aparecer ante el mundo como el defensor del equilibrio del Río de la Plata que ahora, con las inquietudes que Carreras logró resucitar, se conectaba directa y estrechamente con la causa de la independencia paraguaya? ¿Los terribles dicterios contra los "hombres de Montevideo", tan complacidos en contrariar los trabajos paraguayos, no estaban diciendo que López deseaba ver a otros hombres en la defensa de los derechos orientales y en las negociaciones con el Paraguay? ¿No podía ofrecer él mismo, Antonio de las Carreras, desde el gobierno, la "base de garantía" que Paraguay exigía para tomar la actitud y posición que los sucesos reclamaban del Paraguay? [19]. Persuadido Carreras de que un rápido cambio ministerial que le elevara a él y a sus amigos del círculo intransigente del partido blanco al manejo de las relaciones exteriores, era la condición que ponía el general López para echar de una vez por todas su cuarto de espadas en el lío oriental, se embarcó para Montevideo llevando en sus valijas un montón de esperanzas e ilusiones y creyendo que estaba sonando la hora de su destino.

10. No tan ilusionado, el ministro Sagastume consoló débilmente a Herrera asegurándole que la misión de Carreras había sido

[18]   *El Semanario*, Asunción, agosto 13, 1864.
[19]   Véase posterior cambio de correspondencia entre Carreras y López.

bien recibida; esperaba de ella "algún resultado favorable" pero confesaba que no se llegó a ningún acuerdo a que dar forma oficial, por lo cual no llegó el momento de usar sus plenipotencias. Admitía, no obstante, que se mantenía en pie la disposición del gobierno paraguayo a coadyuvar con la República Oriental "en la salvación de los principios amenazados en el Río de la Plata por la agresiva política argentino-brasileña y defendidos con gloria y decisión por el gobierno oriental". Pero era tan débil la convicción de Sagastume en ese sentido, que habiéndole instruido Herrera el 3 de agosto para revivir la mediación paraguaya, informó a su canciller haber creído más conveniente hacer ese pedido "por ahora verbalmente" [20].

Antonio de las Carreras abandonó Asunción el 21 de agosto de 1864. Tres días después, llegaba a la capital paraguaya, la sensacional noticia de que Saraiva, en nombre del Imperio del Brasil, acababa de presentar un "ultimátum" al gobierno oriental, bajo la presión de la agitada tormenta que había desencadenado en Río de Janeiro el ruidoso fracaso de la mediación tripartita.

---

[20] De Sagastume a Herrera, Asunción, agosto 21, 1864, AMREU, Legajo *Misión Vázquez Sagastume, 1864.*

CAPÍTULO XVIII

CRITICAS EN RIO DE JANEIRO

1. Los ingratos rioplatenses. — 2. Interpelación en el Senado. — 3. Intervención de Paranhos. — 4. Explicaciones de Zacharías. — 5. Nuevas instrucciones a Saraiva. — 6. Ordenes a las fuerzas navales y terrestres. — 7. Desesperación de Lamas. — 8. Mediación del ministro Barbolani. — 9. Entre Lamas y Castellanos. — 10. Acuerdo entre Mitre y Saraiva.

1.   El fracaso de la triple mediación, unido al ningún éxito alcanzado hasta entonces por la misión Saraiva, produjo en Río de Janeiro malestar y disgusto. *O Espectador da America do Sul* recriminó duramente a Saraiva por haberse apartado de sus instrucciones al intervenir en la tentativa pacificadora, precisamente con el ministro de un país cuyas relaciones con el Imperio estaban rotas. El ministro de relaciones exteriores aprobó los pasos de Saraiva en favor de la paz, pero con motivo del fracaso de la mediación, dio rienda suelta a sus sentimientos respecto de las anarquizadas repúblicas del sud, a todas las cuales englobó en la responsabilidad de la frustración de los esfuerzos de conciliación, que confirmaba "la dolorosa y nunca desmentida experiencia del pasado":

Desde la emancipación de esas repúblicas, la experiencia diaria ha demostrado que nada hay allí de estable y de seguro, nada que pueda inspirar confianza aún cuando esté solemnemente ajustado en tratados; que el momento de la celebración del compromiso es, por así decir, el precursor de la violación y desprecio del compromiso; que, en fin, la deslealtad, la lucha y la anarquía son las características más prominentes de esas sociedades infelices, que parecen condenadas a un suicidio constante (1).

Si Dias Vieira quería desviar la culpa de los fracasos hacia los ingratos rioplatenses "que se mostraban sordos a la voz de la razón, y envenenando las intenciones más puras pagaban siempre con

(1)   De Dias Vieira a Saraiva, Río de Janeiro, julio 21, 1864, LOBO, I, pp. 204-206.

ingratitud los beneficios que se les hacía", en el Senado enfiló hacia otros rumbos el malhumor general cuando el 21 de julio, Silveira da Motta pidió explicaciones sobre lo que había ocurrido.

2. El Senado discutió el tema en tres sesiones, bajo la penosa impresión, de la cual no pudieron escapar ni siquiera los partidarios del ministerio, del papel poco airoso desempeñado por el Imperio en las recientes negociaciones. Si bien los conservadores aprovecharon la oportunidad para tomar desquite contra los liberales que tanto les habían acusado de imprevisión y pusilanimidad en sus gestiones en el Río de la Plata, tampoco los liberales le fueron en zaga. Silveira da Motta dijo que la misión especial infelizmente había naufragado en sus primeros pasos. Se quejó de que después de despacharse una misión "con tanta solemnidad como para dictar el destino de ese país limítrofe", Saraiva fuera al final a colocarse mansamente en la "cola" del ministro inglés, y de que "no era este el papel grande que cabría al enviado del Brasil en las cuestiones de Montevideo". Se lamentó también de la falta de información y de asesoramiento:

Para que el gobierno marche con paso seguro en una negociación tan infeliz es preciso que tome consejo, es preciso que sepa con qué medios cuenta, es preciso que la opinión del país le pueda animar a pasos ulteriores, y que no vaya a comprometer la suerte del Imperio por alguna susceptibilidad ofendida, por algún capricho individual, en beneficio del cual se tengan que sacrificar las vidas de los brasileros y los recursos del tesoro. Este es el recelo serio que tengo de las complicaciones de las cuestiones del Estado Oriental, y que por fin después de muchos celos, muchos desaciertos habremos de llegar a una fase de capricho y de veleidad en que se ha de querer apelar a los bríos de la nación brasilera para sustentar intereses que no son verdaderos, que no merecen el sacrificio de la nación (2).

En la sesión del 23 de julio el presidente del consejo, Zacharías, replicó a Silveira da Motta. Alegando la inoportunidad del debate, se negó a proporcionar la correspondencia de la fracasada tentativa de pacificación, que solicitara el senador interpelante, pero indicó que la mediación no fue sino un incidente; su malogro no era el de la misión que no había ido para buscar la paz sino para obtener la satisfacción a los reclamos del Brasil, con cuyo propósito reanudaría sus diligencias. Declaró solemnemente que se apelaría a las represalias en territorio oriental por las fuerzas del Imperio si el gobierno oriental se negaba a acceder y agregó:

Es posible que los acontecimientos se precipiten, llegando al extremo de la guerra. Pero lo cierto es que la guerra no está en las intenciones del gobierno brasilero, el cual sólo siendo compelido la aceptaría.

Silveira da Motta insistió en que el Brasil había sido desairado en la mediación. Aseguró que, previamente y sin conocimiento de

(2) ANNAES, SENADO, 1864, t. III, p. 111.

Saraiva, Thornton y Elizalde se entrevistaron con Flores, a bordo de una cañonera inglesa. Saraiva había actuado en toda la emergencia como un simple "ayudante de órdenes". Repitió que "no era este el papel grande que cabía al enviado del Brasil . .", y sostuvo que al Imperio no le convenía una pacificación que fortalecería al gobierno al cual debía exigir satisfacciones. Afirmó que invadir el territorio oriental, aún a título de represalia, era la guerra. Esto último fue apoyado por el senador Ferraz quien sostuvo que "las represalias son siempre comienzo de guerra". El canciller Dias Vieira intervino para defender la tentativa de pacificación. Con ese motivo se produjo el siguiente diálogo:

> *Dias Vieira*: Si el gobierno oriental es débil, incapaz de hacer valer los preceptos de su autoridad en la campaña y en muchos lugares de la República, ¿qué ventaja sacaba el Brasil de constreñirle por vía de armas a una satisfacción?
>
> *Silveira da Motta*: ¿Entonces para qué mandaron pedir satisfacciones a un gobierno débil?

El senador Pimenta Bueno criticó que se hubiese aceptado cooperar con los otros dos mediadores, sin asegurarse previamente que, alcanzada o no la pacificación, las reclamaciones del Brasil serían atendidas. "Por falta de esa previsión", añadió, "perdimos tiempo, dinero, y lo que es peor, fuerza moral". El senador Ferraz llevó otra arremetida, denunciando que en las filas de Flores servían oficiales brasileros a sueldo del tesoro imperial y que en la frontera un individuo, perseguido por los revolucionarios, fue devuelto por el comandante brasilero, y en su presencia degollado. Sostuvo que en la correspondencia de la misión especial se admitía que eran exageradas las reclamaciones, no justificándose tanto aparato. "No hay ejemplo de una misión tan aparatosa", no obstante, lo cual ella había fracasado como tendría que fracasar todo intento de evitar los desmanes, propios de los países rioplatenses. Recordó que cuando la campaña contra Rosas, el general Caxías no pudo evitar los crímenes que se cometían a su vera ("Es verdad", acotó Caxías que también era senador). Con todo, Ferraz terminó sosteniendo que el gobierno debía mostrarse fuerte y que dado el primer paso era preciso "con dignidad sostenerse en la posición y no retroceder". Pimenta Bueno preguntó si había gestiones para una acción común con la Argentina. Dias Vieira repuso que las versiones al respecto no tenían fundamento y que el propósito del gobierno "es obrar solo", y terminó:

> El gobierno no puede ni indicar desde ahora las medidas que va a tomar, ni traer al conocimiento de la casa muchas circunstancias que pueden, de un momento a otro, alterar su modo de pensar [3].

[3] ANNAES, SENADO, 1864, t. III, pp. 126-140.

3.   El 25 de julio continuó el debate. El presidente Zacharías no ocultó su desagrado ante la prolongación y el fondo de las discusiones que estimaba inoportunas e inconvenientes para los intereses del Imperio. No lo creyó así el senador Paranhos que pronunció una de sus piezas magistrales. Elevando el nivel del debate y sin adoptar la actitud intransigente de los demás opositores planteó el problema en un terreno nuevo que implicaba un sereno proceso de la gestión ministerial. Recordó que cuando se discutió el envío de la misión se impuso "la mayor reserva" al Senado y que hubo el tácito consentimiento de dar libertad de acción al gobierno. Sostuvo que habiendo desaparecido los motivos de esa cautela, la discusión lejos de ser inconveniente, como pensaba Zacharías, era indispensable. Dijo que la mediación se había originado en la universal desconfianza que suscitara en el Río de la Plata el envío de la misión especial, y que no se podía dejar de concurrir a ella, lamentando sólo que la iniciativa no hubiera partido del Brasil. Y refiriéndose a las explicaciones dadas sobre el estado de las gestiones principales, opinó que no era forzoso recurrir a la violencia:

No estamos obligados a recurrir a la fuerza: podremos ser llevados a ese extremo, pero no es incompatible con la dignidad del Imperio renunciar a ese medio, o postergar su empleo conforme convenga más a nuestros intereses.

A juicio de Paranhos la apelación a los medios materiales que podría llevar a la guerra o a una intervención armada en las disensiones intestinas de la República Oriental, no debía ser la consecuencia necesaria de la posición que había tomado el Imperio ante el gobierno oriental. El Imperio, manteniendo su libertad de acción, y no teniendo por qué considerar una cuestión de honra el recurso a esos medios, debía ponderar lo que más convenía: si las represalias, "cuyo efecto necesario será el triunfo de la causa revolucionaria", o una intervención armada franca, teniendo por fin pacificar la República, no en interés de uno de los dos partidos, sino de todos los orientales y de los neutrales. Paranhos confesaba haberse asociado hacía tiempo al pensamiento de los estadistas del Imperio que recomendaban abstención en las cuestiones internas de los vecinos, pero reconocía que no se podía decir en términos absolutos: "nunca intervención, nunca represalias".

Hay circunstancias que nos pueden llevar a esos extremos. Cuando la dignidad y los intereses del Imperio exigen, es forzoso que nos sujetemos a tales consecuencias, por contrarias que sean a los principios normales de nuestra política, a nuestras disposiciones pacíficas y a nuestros intereses internos.

Paranhos protestó contra quienes mantenían prevenciones contra la República Argentina: no era de aquellos que creían que "nuestros vecinos faltan a todos sus compromisos, que serían inútiles los ajustes que con ellos se celebren", alusión a conceptos de Dias Vieira en su despacho del 21 a Saraiva. Y con ese motivo for-

muló una enérgica defensa de la política de acercamiento con la
Argentina en que él, desde el gobierno, tanto se había empeñado:

Estoy convencido —dijo— de que las buenas relaciones entre el Imperio y
la República Argentina son de la mayor conveniencia. La República Argentina
está en condiciones muy diversas a aquellas en que desgraciadamente se halla
el Estado Oriental. La República Argentina está destinada a representar con
el Imperio un papel importante en el Río de la Plata, y se ha mostrado, más
de una vez, deseosa de cultivar con nosotros relaciones amistosas y estrechas.
El actual presidente de aquella república, el general Mitre, ha manifestado,
con mucho tino y prudencia, las mejores disposiciones para nosotros. No aconsejaría al gobierno imperial que se deje dominar por esas prevenciones y caiga
en las redes de aquellos que procuran por diversos modos apartar a los dos gobiernos y pueblos uno del otro, impedir una perfecta inteligencia y amistad
entre ellos. Es mi convicción que no sólo en relación con las circunstancias
actuales del Estado Oriental del Uruguay, sino también teniendo en vista los
intereses permanentes del Imperio y de sus vecinos, esas buenas relaciones
son necesarias (4).

4. En la misma fecha, el presidente del consejo, Zacharías de
Goes, dio las informaciones solicitadas por Paranhos y replicó
algunos de sus juicios. Estuvo conforme en que la situación en
Montevideo no era de extrema gravedad. Aún no se había recurrido a la fuerza y era posible que no se la empleara, pero si las
circunstancias la imponían, no a la guerra sino a las represalias
recurriría el gobierno imperial para obtener sus objetivos.

Supuesta la hipótesis de no ser atendidas nuestras reclamaciones, de continuar siendo ofendida atrozmente en sus derechos la gran porción de brasileros que reside en territorio de la República, el Brasil no ha de cruzar impasible los brazos; ha de practicar lo que en tales casos practican los pueblos
civilizados; ha de aproximar las fuerzas al teatro de los acontecimientos, y allí
si el gobierno oriental no quiere o no puede hacernos justicia, debemos hacerla por nuestras propias manos... El gobierno del Brasil no puede ser indiferente al clamor de 40.000 ó 50.000 compatriotas que residen en la Banda
Oriental.

En cuanto a la opinión de Paranhos de que era preferible una
intervención armada franca, respondió Zacharías que esa intervención no sería tolerada por el derecho internacional en las circunstancias del momento. Y se explicó:

La intervención armada, en efecto, es permitida por el derecho de gentes,
cuando la propia seguridad del estado interventor la reclama, o cuando éste,
en presencia de la guerra civil de otro país, resuelve apoyar y proteger aquel
de los beligerantes que le parece tener más razón. Ahora, la seguridad del imperio por cierto no reclama ni autoriza que intervenga en las disensiones de
Montevideo para preferir allí a uno de los dos contendores y ayudarlo a triunfar.

Antes de finalizar su discurso, insistió el presidente del consejo
en aclarar que aunque no pensara en intervenciones o en guerras,
no quería decir que cambiadas las circunstancias "el gobierno

(4) ANNAES, SENADO, 1864, t. III, p. 145.

imperial hesite en cumplir sus deberes, si fuese arrastrado a la necesidad de la intervención armada o de la guerra; son derechos que la ley de las naciones reconoce, y de que ningún pueblo puede, en ciertos casos, prescindir" (⁵).

Terminó así el extenso debate con la sensación clara de que el gabinete, pese a los consejos de moderación de Paranhos, y a las severas críticas que mereció la gestión de Saraiva en el caso oriental, se proponía llevar adelante el empeño en que se había comprometido, y que no vacilaría en recurrir a los más extremos medios, incluso a la guerra, para imponer sus puntos de vista al gobierno oriental.

5. Al día siguiente de cerradas las discusiones en el Senado, el 26 de julio de 1864, el ministro de relaciones exteriores, envió a Saraiva nuevas y definitivas instrucciones, en completa consonancia con las declaraciones formuladas por Zacharías en el Senado. Dias Vieira le decía a Saraiva, a quien sabía en Buenos Aires, que en vista del fracaso de los esfuerzos pacificadores y cierto de que el gobierno argentino no dudaba de las intenciones del Brasil, no le restaba al emisario del Imperio sino regresar a Montevideo, y allí marcar al gobierno oriental un plazo más o menos breve, para proporcionar las satisfacciones exigidas, bajo la conminación de pasar a hacerse el Brasil por sus propias manos la justicia que le era negada, en vista de no haber otro recurso "y no ser posible al gobierno imperial tolerar por más tiempo los vejámenes y persecuciones hechas a los súbditos de su nación". El *ultimátum* tenía que ser comunicado al cuerpo diplomático y, expirado su plazo, el emisario especial debía retirarse, después de haber manifestado al gobierno oriental el comienzo de las represalias, dando aviso de ello a las autoridades de la frontera. La legación a cargo de Loureiro, debía permanecer en Montevideo, aún después del rompimiento de las represalias, por no significar éstas necesariamente la guerra, "caso único en que debe verificarse la retirada de la misma legación, porque importa la interrupción de las relaciones diplomáticas" (⁶).

6. En el mismo día en que fueron despachadas las instrucciones a Saraiva, el gobierno imperial expidió órdenes al comandante de las fuerzas navales y a las tropas estacionadas en la frontera, acerca del modo cómo debían cumplirse las represalias, llegado el caso. Las instrucciones al almirante Tamandaré, impartidas por el ministro de marina, ordenaban:

1⁹ Dar protección a los brasileros, defendiéndolos aún por la fuerza, contra las persecuciones de que fueron objeto, y auxiliando con los recursos a su

(⁵)   ANNAES, SENADO, 1864, t. III, p. 148.
(⁶)   De Dias Vieira a Saraiva, Río de Janeiro, julio 21, 1864, LOBO, t. I, pp. 230-232.

disposición, las requisitorias que le dirigieran nuestros agentes diplomáticos y consulares.

2º Estacionar en Salto, Paysandú y Maldonado, o en cualquier otro punto, las cañoneras que fuesen necesarias para prestar el más eficaz amparo y protección a los súbditos del Imperio y apoyar la acción de las fuerzas encargadas de las represalias en la frontera del Chuí y del Quaraí [7].

En las instrucciones a las fuerzas de la frontera, enviadas por intermedio del presidente de Río Grande del Sud, se estipuló que la división situada en Bagé debía estar lista "para expedir fuerzas en todas las direcciones de nuestra frontera y preparada para marchar sobre la República Oriental si sucediera que alguna fuerza considerable de la misma República amenazara algún punto de nuestra frontera". A los comandantes de frontera debían expedirse las necesarias órdenes "para obrar repentinamente", según los casos, en las siguientes hipótesis: a) policiar la frontera; b) repelir cualquier invasión; c) ejecutar represalias. Las represalias debían consistir: a) en la aprehensión de los individuos reconocidos como criminales contra las personas y propiedades de los brasileros, aunque fueran autoridades o comandantes de fuerzas, o aunque permanecieran bajo la protección de éstos; b) en la persecución y captura de los que cometieran nuevos atentados, cualquiera fuera su calidad civil o militar. Consumadas las represalias, las partidas, que las hicieran tenían que recogerse inmediatamente al territorio brasilero. La esfera de su acción debía ser los departamentos cercanos a la frontera terrestre, "no sólo porque en ellos son considerables los intereses brasileros, como porque no conviene extender a larga distancia la acción de pequeñas fuerzas aisladas" [8].

7.   Mientras, a marchas forzadas, volaban las nuevas instrucciones, Lamas se desesperaba en Buenos Aires por atajar los males que veía sobrevenir a pasos agigantados. No encontraba otro remedio que la pacificación, una pacificación que permitiera al Uruguay inclinarse con dignidad ante las demandas brasileras, quitándole al Imperio el pretexto de la intervención militar. Escribió a Castellanos invitándole a aunar esfuerzos para obtener la resurrección del acuerdo periclitado.

Las circunstancias de este país, la opinión del Congreso y la índole de la política del general Mitre inducen a éste a repugnar una intervención armada, o sea la guerra.

Supongo que este pensamiento coincide con el del gobierno imperial.

Pero ahí está el Río Grande. El Río Grande va a obrar; no lo duden estos gobiernos porque es cosa que ya no cabe duda.

El Río Grande arrastrará al gobierno imperial. ¿Para qué hacerse ilusión?

Y desde que la acción brasilera intervenga, las dificultades del gobierno argentino se subordinarán a las conveniencias de no dejarla sola.

[7]   Instrucciones de julio 21, 1864, Tasso Fragosso, t. I, p. 130.
[8]   Instrucciones de julio 21, 1864, Tasso Fragosso, t. I, pp. 129-130.

Es por eso que dije a V. que la intervención será colectiva, y en el caso ésto será lo menos malo.

Por honor y por interés debemos hacer todo cuanto nos sea posible para evitar ese caso.

¿Qué es lo que lo evitaría? La pacificación interior (9).

8. En la otra orilla, Aguirre dándose también cuenta de la gravedad de la situación parecía dispuesto a reanudar las tentativas de paz. El ministro de Italia, Ulisses Barbolani, después de consultar con sus colegas del cuerpo diplomático, obtuvo la aceptación del presidente oriental para negociar nuevamente sobre las bases concertadas por la mediación tripartita, y ya con vistas a la formación de un nuevo ministerio, del cual formarían parte Castellanos y Villalba, con la sugestiva exclusión de Lamas. Conseguido el asentimiento de Aguirre, Barbolani le pidió que, aún antes de negociar con Flores, procediese a modificar el ministerio:

Si V.E. —le escribió— libre cual está ya de toda presión externa, se dignase entrar en este orden de ideas, nosotros nos comprometeríamos a hacer aceptar tal combinación por el general Flores, el cual ciertamente no querría ni podría, rehusándose, asumir la tremenda responsabilidad que pesaría sobre él (10).

Aguirre tampoco accedió esta vez a modificar su gabinete antes de todo acuerdo, pero se manifestó dispuesto a hacerlo simultáneamente con el arreglo de paz. Barbolani se trasladó a Buenos Aires para procurar que Elizalde, Saraiva y Thornton coadyuvasen en la reanudación de las tratativas, e influyesen para que Flores aceptara las condiciones ya conocidas, sobre la base de la organización de un ministerio imparcial como el propuesto en el curso de la mediación, entonces rehusado por Aguirre y ahora admitido. Saraiva que ya había recibido las últimas y terminantes instrucciones de su gobierno que no dejaban margen para nuevas negociaciones pacificadoras rechazó de plano, de acuerdo con Elizalde, las sugestiones del diplomático italiano.

La respuesta que dimos al Sr. Barbolani —informó a su gobierno— fue que no podíamos encargarnos más de semejante tarea, no sólo por dignidad propia, sino porque no confiábamos en la sinceridad del gobierno de Montevideo, ni nos sentíamos habilitados para alcanzar del mismo general la adhesión a ese ministerio, que organizado un mes antes, hubiera efectuado la paz, pero que hoy no correspondería a las necesidades de la situación, modificada por la profunda desconfianza que la ruptura de las negociaciones originara en los espíritus (11).

9. Sin embargo, Lamas siguió bregando para urgir la organización de un nuevo ministerio que paralizara la inminente acción

(9) De Lamas a Castellanos, Buenos Aires, julio 23, 1864, AGNU, Caja 92, 16.

(10) De Barbolani a Aguirre, Montevideo, julio 20, 1864, DOCUMENTOS BARBOLANI; pp. 3-4.

(11) De Saraiva a Dias Vieira, Buenos Aires, agosto 3, 1864, LOBO, t. I, pp. 234-235.

brasilera. El 1º de agosto adelantó al gobierno oriental, por intermedio de Castellanos, que Saraiva estaría en Montevideo, dos o tres días después, para presentar, en cumplimiento de las órdenes que acababa de recibir, un ultimátum en que exigiría la satisfacción, en breve plazo, de todas las exigencias anteriormente formuladas. Lamas aseguraba que si bien este camino repugnaba a Saraiva, no podía dejar de seguirlo. Sus órdenes eran terminantes, y tanto más cuando que los términos en que estaban concebidas implicaban la desaprobación de los medios conciliatorios anteriormente empleados. Pero aunque fuera presentado, como parecía inevitable, el ultimátum, Lamas juzgaba que no todo estaba perdido, si antes de contestarle se iniciara la pacificación sobre las bases de Puntas del Rosario, aceptadas por Saraiva en consorcio con los ministros argentinos e inglés. Como medio de habilitar al gobierno a satisfacer las demandas brasileras en todo lo que fuera de justicia, Lamas juzgaba indispensable la mudanza ministerial. Herrera, después de las contestaciones dadas no podía dejar de repeler *in limine* el ultimátum. Tenía, pues, que ser eliminado. Una respuesta al ultimátum por otro ministro que inspirase confianza sería el medio más eficaz, y único, en el momento: 1º de paralizar la acción brasilera; 2º de volver al camino de la mediación eficaz, esto es "de lo que puede poner a raya pretensiones exageradas". Muchas razones militaban, según Lamas, en favor del urgente cambio ministerial, entre ellas la de que tanto Saraiva como Mitre estaban ahora persuadidos de que el actual ministerio "les promovía complicaciones en el Paraguay". El cambio podría iniciarse designándose un solo ministro, y tendría que efectuarse antes de la llegada de Saraiva, para que el acto no perdiera eficacia ni aún pudiera parecer desdoroso [12].

Castellanos contestó a Lamas proponiendo otro arbitrio. El pensamiento fue transmitido a Mitre, quien dio a conocer su opinión por escrito, respuesta que Lamas envió a Castellanos, con condición de reserva y devolución [13], insistiendo en la necesidad de decidirse inmediatamente por los medios propuestos. Sabía que Saraiva tenía la idea de regresar a Río de Janeiro, en pocos días, "y luego que eso suceda todo irá mal", pues poco era lo que podía el gobierno imperial "arrastrado, como está, por el Río Grande". Y le decía finalmente, muy atribulado:

Creo, mi querido señor, que casi no puedo dominar la tristeza que me inspira todo lo que veo en el tristísimo futuro que nos estamos preparando [14].

[12]   De Lamas a Castellanos, Buenos Aires, agosto 1º, 1864, PALOMEQUE, pp. 98-105.

[13]   PALOMEQUE hace mención de estas cartas sin referir el contenido de las de Castellanos, por no haber conseguido su texto; de las de Lamas ofrece los extractos.

[14]   De Lamas a Castellanos, Buenos Aires, agosto 3, 1864, PALOMEQUE pp. 107-109.

La carta estaba escrita desaliñadamente, en el apuro de Lamas, en ocasiones normales muy puntilloso en el estilo, para que llegara a Montevideo el mismo día que Saraiva y así prevenido Castellanos se pusiera a la obra "y aquellos hombres no conversaran, sino que entraran en el terreno de la acción, dirigiendo al diplomático brasileño la nota que, firmada por un ministro de confianza, destruyera todo el plan de la intervención extranjera" [15].

10. ¿Procedía Lamas por su cuenta, como patriota oriental angustiado por el destino que esperaba a su país, cuando de este modo trataba de interferir el plan de la intervención extranjera? ¿O estaba actuando como gestor oculto de Saraiva ayudándole a salvar la difícil situación que se le crearía si optaba por el cumplimiento estricto de las instrucciones de Río de Janeiro? Porque la verdad era que Saraiva no se mostraba muy satisfecho con el giro que tomaban los acontecimientos. Le preocupaban tanto las complicaciones que preveía si llevaba adelante las disposiciones de su gobierno como el hecho de que, hasta ese momento, no se había completado la preparación de las fuerzas de la frontera, encargadas de correr con la ejecución de las represalias.

Mientras tanto, había un hecho reconfortante. A pesar de no haber logrado Saraiva vencer la resistencia argentina a la intervención militar colectiva, eliminada esta eventualidad, que, desde luego, las nuevas instrucciones de Río de Janeiro no contemplaban y las declaraciones ministeriales en el Senado desautorizaban, en todo lo demás había perfecto acuerdo entre el gobierno argentino y el emisario especial. Así, en vísperas de su viaje a Montevideo para presentar el ultimátum que Dias Vieira le ordenaba, pudo escribir Saraiva a Río de Janeiro:

Debo agregar a V.E. que el gobierno de la República Argentina continúa procediendo en la más perfecta armonía con nosotros y que se ha distinguido por la entera franqueza con que lo hace. Esta armonía, que es el mayor elemento de paz en el Río de la Plata, es ahora de inmediato provecho para nosotros, en relación con la República del Uruguay, respecto de la cual sabe aquel gobierno que no tenemos sino intenciones muy confesables, y esa armonía inutilizará todas las intrigas del género de aquella de que en este oficio doy conocimiento a V.E. [16].

La intriga aludida era la que Saraiva atribuía a Aguirre al apoyar la mediación de Barbolani. El objeto real de esta nueva mediación era, según opinaba, embarazar los pasos de la misión especial haciendo creer que la amenaza de los medios coercitivos impediría nuevos intentos de pacificación y que los agentes diplomáticos europeos acreditados en Montevideo estorbarían la acción del Brasil. Para salir al paso de "esa nueva intriga" Saraiva declaró a Barbolani, que el Brasil "no retrocedería delante de nin-

[15]   Idem, p. 109.
[16]   De Saraiva a Dias Vieira, Buenos Aires, agosto 3, 1864, cit.

guna amenaza" y que disponía de medios para hacer efectiva la
protección de sus nacionales, sin admitir obstáculos de las potencias extranjeras. Esto fue dicho en presencia y con aprobación de
Elizalde. Su asentimiento indicaba a las claras el grado de acuerdo
entre Argentina y Brasil frente al caso oriental. De que era así,
el mismo Elizalde se encargó de hacer saber, al día siguiente, al
ministro argentino en París:

Estamos de completo acuerdo con el Brasil y nada hay que temer de su acción en la República Oriental, pues todo será arreglado con nosotros (17).

Y en la misma fecha en que Elizalde cursaba este despacho,
Saraiva presentaba su tan anunciado ultimátum al gobierno
oriental.

(17)   De Elizalde a Balcarce, Buenos Aires, agosto 4, 1864, AMREA, Caja 105.

Capítulo XIX

EL ULTIMATUM

1. El ultimátum del 4 de agosto de 1864. — 2. Nuevo apartamiento de las instrucciones. — 3. Saraiva se defiende por anticipado. — 4. Enérgico rechazo del ultimátum. — 5. Terminante réplica. — 6. Saraiva pone fin a su misión. — 7. La Nación Argentina aclara. — 8. Nuevas gestiones de Barbolani. — 9. Batallas de Lamas. — 10. Aguirre desfallece.

1. El 4 de agosto de 1864, a las 9, desembarcó Saraiva en Montevideo. Antes de las 10 envió al Fuerte, sede del gobierno, su esperado ultimátum, "redactado evidentemente en la otra ribera, y concertado, según las apariencias, con el Dr. Elizalde", como anotó el diplomático francés (¹). En su primera parte la extensa nota, escrita en términos severos, reseñaba el desarrollo de la misión que había traído Saraiva a Montevideo; su propósito de formular un último llamamiento amigable para conseguir que medidas enérgicas y preventivas obstasen a la reproducción de los crímenes que sufrían los súbditos brasileros; el empeño de la prensa oficialista en encender los prejuicios populares contra la política del Imperio; la prudencia que tuvo Saraiva para superar los embarazos creados por esa prensa; la nota del 18 de mayo, de moderado lenguaje en que no se hacían consideraciones que pudiesen perturbar la calma; la respuesta del 24 de mayo, con que el gobierno prefirió oponer a los reclamos del Brasil "las acusaciones vulgares de la prensa desvariada, imputando al Brasil y a la República Argentina la responsabilidad de la presente guerra civil"; la réplica del 4 de junio en que, en vez de responder con un ultimátum lacónico y decisivo la negativa uruguaya, se formulaban consejos amistosos que hicieran comprender al gobierno oriental "la fatalidad de sus preocupaciones y los peligros de su procedimiento"; los esfuerzos hechos en acuerdo con el ministro de relaciones exte-

(¹)   De Maillefer a Drouyn de Lhuys, Montevideo, agosto 14, 1864, Maillefer, p. 367.

riores de la República Argentina y del ministro británico, para la pacificación del Uruguay que, si fracasaron, habían probado: 1º las buenas intenciones de los gobiernos de los dos pueblos vecinos; 2º que la guerra civil ofendía los intereses de esos mismos países; las últimas órdenes que Saraiva había solicitado de su gobierno, desvanecidas las esperanzas de paz interna, a consecuencia de cuya solicitud, el emisario del Imperio articulaba su demanda final con el siguiente ultimátum:

He agotado, por lo tanto, señor ministro, los esfuerzos posibles para conservar a mi misión el carácter amigable que le diera el gobierno de Su Majestad, como lo exigen los verdaderos intereses del Imperio y de la República.

Ahora no me cabe otro arbitrio sino cumplir las órdenes de mi gobierno. En virtud de ellas, vengo a notificar a V.E. el último llamamiento amistoso que el gobierno de Su Majestad el emperador del Brasil dirige al gobierno de la República Oriental del Uruguay, solicitando las satisfacciones pedidas en mi nota del 18 de mayo, en la forma en ella contenida y arriba transcripta.

Y si dentro del plazo improrrogable de seis días, contados de esta fecha, no hubiera el gobierno oriental atendido los reclamos del gobierno imperial, no pudiendo éste tolerar por más tiempo los vejámenes y persecuciones que sufren sus conciudadanos, y teniendo la indeclinable obligación de garantizarlos por cualquier modo, estoy habilitado a declarar a V.E. lo siguiente:

Que las fuerzas del ejército brasilero, estacionadas en la frontera recibieron órdenes para proceder a represalias, siempre que fueran violentados los súbditos de Su Majestad o fuera amenazada su vida y seguridad, incumbiendo al respectivo comandante providenciar, en la forma más conveniente y eficaz, en bien de la protección de que ellos carecen;

Que también el almirante barón de Tamandaré recibirá instrucciones para proteger del mismo modo, con la fuerza de la escuadra a sus órdenes, a los agentes consulares y a los ciudadanos brasileros ofendidos por cualesquiera autoridades o individuos incitados a desacato por la violencia de la prensa o a instigación de las mismas autoridades.

Saraiva dejaba expresa constancia de que las represalias y demás providencias indicadas, no serían actos de guerra y pedía que el gobierno de la República, para no aumentar la gravedad de las medidas, impidiera sucesos lamentables "cuya responsabilidad pesará exclusivamente sobre el mismo gobierno". Terminaba la nota:

Cumple al gobierno oriental ponderar los embarazos y mediar los resultados de la posición que asuma.

Cumple reflexionar que cualesquiera sean las consecuencias sobrevinientes, únicamente de sí mismo deberá quejarse, y de la pertinacia con que ha querido desconocer la gravedad de la situación de su país (²).

2. Se apartaba, una vez más, Saravia del tenor de sus instrucciones, que le mandaban intimar el comienzo de las represalias a la expiración del plazo que fuera otorgado, a cuyo efecto debía expedir el aviso correspondiente a las autoridades militares de la frontera. Pero Saraiva no confirió carácter automático a la adopción

(²) De Saraiva a Herrera, Montevideo, agosto 4, 1864 DOCUMENTOS SARAIVA, pp. 66-71.

de las represalias. Ellas se cumplirían sólo si nuevos hechos pusieran en peligro a los súbditos brasileros. Las órdenes que en ese sentido expidió a Tamandaré, a las fuerzas de la frontera y a los cónsules del Brasil, conforme a ese nuevo planteamiento, le parecían contener los medios más adecuados "para coaccionar al gobierno de Montevideo a hacernos justicia sin provocar contra nosotros la verdadera opinión pública del Río de la Plata". No tenía interés "en constituir en enemigos nuestros sino aquéllos que nos hacen mal", según informó Saraiva a su gobierno, y prometió dar las explicaciones que fueran necesarias para justificar el modo como redactó las conclusiones del ultimátum. Saraiva juzgaba garantizados a los brasileros en cuanto estuviera suspendida la espada que acababa de levantar sobre la cabeza del gobierno de Montevideo y cualesquiera fuera la parcialidad que gobernara. La nota explicatoria de Saraiva confesaba el temor de graves complicaciones si tuviera que darse un carácter más extremo a las represalias anunciadas:

> Nuestras relaciones con esta República son muy especiales; nuestros intereses están de tal modo ligados a la prosperidad del país y a la consolidación de sus instituciones, que todo cuanto hagamos para no llegar a los medios extremos sino después de agotados todos los recursos pacíficos, es una necesidad y un deber.
> La política que no atienda esta particularidad y no procure destruir las prevenciones subsistentes contra las intenciones del Imperio, aun cuando tuviéramos que vindicar injurias y reclamar contra injusticias patentes, verá salir a su encuentro obstáculos: removerlos antes que arrastrarlos me parece el mejor de todos los arbitrios (3).

3.   Adelantándose a críticas como las que se escucharon en el Senado, en el mismo oficio Saraiva defendió su posición contra posibles objeciones, en vista de este nuevo olvido de sus instrucciones. Si su proceder hubiera sido distinto, su situación en el momento del ultimátum no aparecería ni tan seria ni tan segura. No tendría seriedad porque la acusación de que el Brasil pretendía proteger a un partido político podría parecer verosímil a los espíritus imparciales, y no sería tan segura porque tal vez se encontraría aislado. Y luego venía muy clara insinuación de que un ultimátum así redactado, sin las aristas peligrosas con que en Río de Janeiro querían agudizarlo, era la condición necesaria para el acuerdo con el gobierno argentino.

> Y me persuado —decía— de que el gobierno imperial, a despecho de las opiniones emitidas recientemente en el senado por algunos oradores poco enterados de la actual situación del Río de la Plata y de la política que ella aconseja, no dejará de considerar como la más sólida condición de paz y de la

(3)   De Saraiva a Dias Vieira, Montevideo, agosto 4, 1864, PRELIMINARES, pp. 355-356.

seguridad para todos los intereses legítimos, la armonía que felizmente existe hoy entre el Imperio y la República Argentina (3 bis).

Si tales razones explicaban la relativa blandura del ultimátum, había también otra que Saraiva no confesaba y que figuraba tal vez, entre las que se proponía explicar personalmente en Río de Janeiro: hasta el momento no estaban preparadas las fuerzas de la frontera para operaciones de envergadura, ni siquiera para los merodeos que debían realizarse dentro del plan esbozado en el ultimátum. Los 40.000 riograndenses del general Netto continuaban brillando por su ausencia. Ni entonces, ni meses después, el Brasil se hallaría en condiciones de invadir el territorio oriental, como habría de recordarlo Paranhos más adelante en el Senado:

> En verdad el ejército destinado a las operaciones del Estado Oriental no tenía fuerza suficiente para la empresa que le estaba destinada. Estaba débil en el arma de infantería y debiendo atacar plazas, no tenía artillería de campaña. Su estado mayor era deficiente y no contaba con un solo ingeniero (4).

4. Si Saraiva reputó, por contraste con sus últimas instrucciones, demasiado blandos los términos del ultimátum, en el seno del gobierno oriental privó un parecer muy distinto. Casi sin deliberación previa, el mismo día en que fue entregado el ultimátum al gobierno, en pomposo acuerdo firmado por el presidente y todos los ministros sin discrepancias, acordó su devolución, "por inaceptable en la forma y en el fondo" y porque ese documento no podía permanecer en los archivos orientales (5). Las desesperadas rogativas de Lamas para contestar el ultimátum con un cambio ministerial que permitiera detener la furia vengadora del Imperio ni siquiera fueron escuchadas. El ultimátum de Saraiva, además dejaba un resquicio, pequeño ciertamente, pero bastante para introducirse por él a fin de detener la maquinaria que se ponía en movimiento: las represalias dependerían de futuros actos. Con la devolución airada del documento se cegaba esa esperanza.

¿Qué impulsaba a "ese grupo de hombres perdidos y desesperados"? (6) No podía ser la esperanza en el Paraguay, donde nada permitía suponer que Carreras obtendría lo que ni Lapido ni Sagastume habían conseguido en un año de angustiosas apelaciones. No era sino el viejo y ancestral recelo platense que borbotaba impetuosamente del suelo ensangrentado por la discordia civil al golpe de la pica imperial. Sin medir las consecuencias, dejándose guiar por impulsos irreprimibles, Herrera adoptó un enérgico tono polémico al comunicar a Saraiva esa decisión, en una extensa nota, en que después de rebatir los argumentos del ultimátum, se expresaba:

(3 bis)   De Saraiva a Dias Vieira, Montevideo, agosto 4, 1864, cit.
(4)   Discurso del 5 de junio de 1865, ANNAES, SENADO, 1865, App. p. 2.
(5)   Acuerdo de agosto 4, 1864, DOCUMENTOS SARAIVA, p. 60.
(6)   HORTON BOX, p. 159.

Penosa fue la impresión recibida por S.E. el Sr. Presidente de la República al tomar conocimiento de la nota de S.E. el Sr. consejero Saraiva.

En su concepto, no son aceptables los términos que se permitió V.E. emplear al dirigirse al gobierno de la República, ni es aceptable la conminación.

Para el gobierno de la República es siempre la misma la razón y la justicia, y tanto las respetará y sustentará en la discusión, como ante la fuerza y la amenaza.

Atendiendo a esto, recibí orden de S.E. el Sr. Presidente de la República de devolver a V.E., por inaceptable, la nota ultimátum que dirigió al gobierno.

Ella no puede permanecer en los archivos orientales.

Aducía, sin embargo, Herrera, que no obstante la convicción de que era inoportuna la ocasión para satisfacer reclamaciones hechas doce años antes y que se presentaron para justificar a quienes se encontraban con armas en las manos combatiendo a las instituciones de la República, el gobierno oriental proponía el sometimiento de las diferencias al arbitraje de una o más potencias de las representadas en Montevideo: España, Italia, Portugal, Rusia e Inglaterra, a fin de que los árbitros decidieran sobre la oportunidad de las reclamaciones y luego, si ella fuera declarada, proponer los medios prácticos de proceder al examen y satisfacción de las reclamaciones recíprocas pendientes. Habiendo el gobierno imperial aceptado los principios del Congreso de París, y hécholos valer con una de las grandes potencias signatarias de aquel Congreso (alusión al arbitraje que el Brasil propuso a Inglaterra en el caso Christie), el gobierno oriental esperaba que Saraiva no recusara la propuesta (7).

5. La réplica de Saraiva, rápida y terminante, consistió en devolver también la nota uruguaya, no sólo por la misma razón que invocó Herrera para justificar igual procedimiento, "esto es por estar formulada en términos que no deseo calificar", sino por contener "extrañas inexactitudes de hecho, que inútil sería dilucidar". En cuanto al arbitraje propuesto, Saraiva lo consideró "un expediente que elude la cuestión o posterga la dificultad", siendo, contrariamente, urgente la necesidad de providenciar en pro de la seguridad de la vida y propiedad de los brasileros domiciliados en los departamentos interiores, y "en manifiesto peligro en medio de las perturbaciones de este país, que desgraciadamente se agravan y prolongan". Por esta razón Saraiva anunciaba que iban a ser expedidas instrucciones al almirante Tamandaré y al comandante del ejército estacionado en la frontera para proceder a las represalias y emplear las medidas más convenientes "en orden a tornar efectiva por sí mismos la protección a que tienen derecho los súbditos brasileros, y que no puede asegurarles el gobierno

(7) De Herrera a Saraiva, Montevideo, agosto 9, 1864. DOCUMENTOS SARAIVA, pp. 66-71.

oriental". De esta manera, Saraiva daba por terminada su misión especial y así lo comunicaba a Herrera (8).

6. Sólo al comandante de la escuadra se le expidieron las instrucciones a que aludía Saraiva. Pasándole copia de las conclusiones de su ultimátum, Saraiva creía habilitar a Tamandaré "para comprender y cumplir" las órdenes del gobierno imperial. Le pareció a Saraiva conveniente que se estacionasen navíos de guerra frente a Paysandú, Salto y Colonia, para impedir que barcos gubernistas llevaran tropas a esos puntos, en cuanto no juzgase preciso apresurar la ejecución de las represalias o dar otro destino a esos navíos. Tan latas y flexibles instrucciones terminaban:

> Juzgo ocioso decir más porque el patriotismo y la ilustración de V.E. dispensan cualquier esclarecimiento (9).

Escritas estas instrucciones, y considerando cumplida su misión en Montevideo, Saraiva se embarcó para Buenos Aires. Desde ese momento, quedó como árbitro de la situación el almirante Tamandaré, convertido en "director de la guerra"; de él dependía el modo y momento de la ejecución de las represalias. Comentó el encargado de negocios de Francia:

> El almirante Tamandaré se queda por el momento aquí, esperando refuerzos y anunciando a sus visitantes que va a efectuar represalias... ¿Represalias de qué y contra qué? ¿Será en serio lo de las 60 reclamaciones particulares contrabalanceadas por las 51 reclamaciones orientales igualmente pendientes? ¿Será contra los dos débiles vapores armados en guerra por el gobierno montevideano, o contra el pontón que sirve a la policía de la rada, o contra el cabotaje que se hace necesariamente bajo pabellón oriental, pero en realidad pertenece a comerciantes de todas las naciones o a patrones en su mayoría italianos? ¿Será apoderándose de los pequeños puertos de Maldonado, de Salto o de Paysandú, a riesgo de enfrentarse allí con poblaciones extranjeras, generalmente hostiles al nombre brasileño, e irritar las celosas susceptibilidades que en la otra ribera ya se alarman por la extraña connivencia del general Mitre con ese peligroso vecino de siete repúblicas?
> Del lado de la frontera, nada más fácil ciertamente que penetrar aún hasta el río Negro por comarcas desiertas o entregadas a la anarquía pero permanecer ahí sin correr el riesgo de levantar contra sí a todo el mundo, ese es el asunto (10).

Y por cierto, Saraiva no expidió nuevas órdenes a las fuerzas de la frontera, hasta ese momento inexistentes como cuerpo organizado para operaciones de envergadura como la que tendrían que realizar si traspasaran las fronteras. Una vez en Buenos Aires, encontró el ambiente agitado por las repercusiones de los debates

---

(8) De Saraiva a Herrera, Montevideo, agosto 10, 1864, DOCUMENTOS SARAIVA, p 72.

(9) De Saraiva a Tamandaré, Montevideo, agosto 11, 1864, CORRESPONDENCIA SARAIVA, p. 191.

(10) De Maillefer a Drouyn de Lhuys, Montevideo, agosto 14, 1864, MAILLEFER, p. 369.

del mes de julio en el Senado imperial. Informó entonces a su gobierno:

Las discusiones del senado brasilero produjeron mal efecto en este país, por cuanto convencidos de que la pacificación del Estado Oriental es el modo más noble y el medio más práctico de resolverse las cuestiones pendientes, evitándose sucesos imprevistos, no comprenden como no puede ser ella el primer deseo del Imperio.

Esto excita la curiosidad de algunas personas que juzgan necesario verificar la exacta posición del Brasil y cuáles sus designios; entre tanto que, por otra parte, amigos del gobierno de Montevideo; procuran *torturar* nuestras intenciones y agitan el arma bien conocida de sospechas e intrigas contra el Imperio (11).

7. A ojos vistas, la opinión argentina comenzaba a agitarse. Los viejos recelos contra el Imperio estaban asomando la nariz. El diputado por Entre Ríos, Ruiz Moreno, pariente y allegado de Urquiza, anunció una interpelación al ministro de relaciones exteriores sobre la política del gobierno argentino, tanto con respecto del Uruguay como del Brasil. En la prensa de Buenos Aires se levantaron algunas voces para sostener que la República Argentina en defensa de los principios republicanos y de la República Oriental debía salir al encuentro del Imperio del Brasil. El órgano oficioso del gobierno, *La Nación Argentina,* creyó necesario emitir una clarificadora opinión al respecto. El 13 de agosto dijo que los hombres de Montevideo, viéndose perdidos "han apelado hoy al gran recurso de sublevar el antagonismo de las instituciones y las rivalidades antiguas para llegar a un resultado cuya monstruosidad se percibe apenas". La "idea monstruosa" era que el gobierno argentino protegiera a los blancos; esa idea cundía extraordinariamente en Montevideo, "y lo que es más extraordinario aún, hay en Buenos Aires algunos que piensan que debemos salir al encuentro del Brasil". Y preguntaba el órgano oficial:

¿Podría alguno esperar que, después de todo lo que ha hecho el gobierno de Montevideo abrigue la pretensión de que la sangre argentina se derramara en una guerra formidable para sostener sus quijotadas?

¿Podría esperarse que el gobierno argentino cometiese la aberración de hacer una alianza de guerra con el partido blanco, para salvarlo, cuando él tiene en las manos el medio de salvarse y no lo quiere?

La Nación Argentina negaba al gobierno oriental el derecho de invocar la causa republicana. El Brasil por ser imperio, no estaba fuera de la ley de las naciones. Los reclamos internacionales no podían resolverse según la forma de gobierno de los reclamantes, sino por la justicia que tuvieran. Y después de acusar al gobierno oriental de ser culpable de todas sus dificultades terminaba:

(11)   De Saraiva a Dias Vieira, Buenos Aires, agosto 13, 1864, CORRESPONDENCIA SARAIVA, pp. 89-92.

Creemos, pues, que la República Argentina no debe aliarse al gobierno de Montevideo, porque es un delirio y un crimen.

Creemos que ella debe limitarse a obtener la seguridad de que la independencia de la República Oriental no peligra: si para ello fuese necesario intervenir conjuntamente con el Brasil para obtener la satisfacción que se debe a ambos gobiernos, que así se haga; pero intervenir para salvar la impunidad del gobierno de Montevideo, eso jamás.

El interés mismo de la pacificación del Río de la Plata aconseja que, garantida la independencia del Estado Oriental se deje al actual gobierno de la ciudad bajo la presión de las dificultades que él mismo se crea; para obligarlo a aceptar la solución pacífica que tan imprudentemente ha rechazado.

Si el gobierno oriental quiere librarse de complicaciones que haga lo que le aconsejan la humanidad y la razón, que haga la paz y cesarán todos los inconvenientes.

Pero que él ha de cometer toda clase de excesos, que ha de continuar estúpidamente una guerra inhumana, que se ha de negar a todo arreglo honorífico, para que nosotros nos hagamos responsables y solidarios de sus desaciertos, es cosa que no podrá admitirse jamás.

Cualquier tentativa contra la independencia del Estado Oriental, tendría en su contra a la Argentina, al Paraguay y al mismo general Flores, que hoy domina con las armas la campaña de su país.

Pero, en nombre de una tentativa que no existe, no puede pedirse que nos hagamos los paladines o editores responsables del gobierno de Montevideo (12).

En este artículo estaban nítidamente diseñadas las orientaciones fundamentales del gobierno de Mitre. Lamas, para desvanecer las esperanzas de algunos sectores orientales de que la Argentina impediría al Brasil llegar a las vías de hecho, envió recorte del artículo a Castellanos, asegurándole que traducía "las ideas y resoluciones del gobierno argentino en la cuestión con el Brasil". Trató también de persuadir que Mitre, según le había repetido, prestaría su concurso a toda nueva tentativa de pacificación oriental "y con él puede contar la del señor Barbolani" (13).

3. El ministro italiano Barbolani, en efecto, había reanudado sus gestiones después de la presentación del ultimátum. Volvió a Montevido y antes de conferenciar con Flores, como era su propósito, se aseguró previamente, por escrito, de que el presidente Aguirre mantenía las bases promulgadas en el decreto del 10 de junio y en la nota del 23 del mismo mes dirigida a los mediadores. También se hizo confirmar que en el caso de efectuarse la pacificación, "libre ya de toda presión extranjera" se organizaría un ministerio que respondiera mejor a las exigencias de la nueva situación, con Florentino Castellanos para los departamentos del Interior y de Relaciones Exteriores y Villalba en los de Finanzas y Guerra (14). Aguirre confirmó por escrito estas promesas (15).

(12) *La Nación Argentina*, Buenos Aires, agosto 13, 1864.

(13) De Lamas a Castellanos, Buenos Aires, agosto 13, 1864, PALOMEQUE, pp. 109-110.

(14) De Barbolani a Aguirre, Montevideo, agosto 13, 1864, DOCUMENTOS BARBOLANI, p. 5.

(15) De Aguirre a Barbolani Montevideo, agosto 16, 1864, DOCUMENTOS BARBOLANI p. 6.

Estaba dispuesto a aceptar la paz propuesta por la triple mediación, pero sin los tres mediadores y sin Andrés Lamas...

Al tomar esta resolución el presidente Aguirre tuvo en cuenta los nada alentadores informes que acababa de recibir del Paraguay, donde Antonio de las Carreras ni siquiera había logrado entrar en negociaciones. El ministro Barbolani logró ponerse en contacto con Flores, y le propuso revivir las bases aprobadas en Puntas del Rosario, pero el jefe revolucionario alegó que ya habían ellas perdido su oportunidad. Formuló en cambio otras proposiciones, según las cuales Aguirre continuaría en la presidencia hasta el 1º de marzo de 1865, nombrando un ministro general que sería el propio Flores [16].

Apenas conocidas, el gobierno rechazó de plano estas bases, pero Barbolani no cejó, y preguntó a Aguirre, directamente, pasando por encima de Herrera, si no consentiría en designar a Flores, ya que no ministro general, su ministro de guerra, como ya lo había prometido aceptar en una audiencia particular [17]. Para sorpresa de Barbolani la respuesta de Aguirre fue afirmativa:

> Por razón muy especial de aquellas complicaciones, y porque en ellas veo y temo grandes infortunios para mi país que vivamente anhelo no ver humillado, ni por el extravío de aquellos de sus hijos que prestan sus armas a las ambiciones extrañas, yo, haciendo uso de prerrogativa constitucional, pero sin entender restringirla en el futuro, nombraré a D. Venancio Flores ministro de guerra, siempre que por este acto de acatamiento y respeto a la autoridad que invisto, se coloque en condiciones de sumisión y obediencia siempre que se subordine a la presidencia de la República [18].

Con esta nota en mano envió Barbolani al cónsul Raffo en procura del huidizo campamento de Flores para transmitirle la extraordinaria proposición de Aguirre y haciéndole responsable de la continuación de la guerra civil, si la rechazaba [19].

9. Entre tanto, en la otra orilla, Andrés Lamas también estaba empeñando, una vez más, una batalla para detener, mediante la pacificación oriental, la acción brasilera. Seguía creyendo indispensable un cambio en el ministerio, pero no le parecía factible ni aconsejable por manos de diplomáticos europeos. A su juicio, todo arreglo tendría que concertarse en Buenos Aires. Transmitió sus impresiones a Castellanos y éste le sugirió un viaje a Montevideo para actuar directamente sobre el presidente Aguirre. Pero

[16] De Flores a Barbolani, Montevideo, agosto 21, 1864, DOCUMENTOS BARBOLANI, p. 8.

[17] De Barbolani a Aguirre, Montevideo, agosto 22, 1864, DOCUMENTOS BARBOLANI, p. 11.

[18] De Aguirre a Barbolani, Montevideo, agosto 22, 1864, DOCUMENTOS BARBOLANI, pp. 11-12.

[19] De Barbolani a Flores, Montevideo, agosto 22, 1864, DOCUMENTOS BARBOLANI, p. 13.

Lamas insistió en que no se traería el problema a términos racionales, sin que pesara la influencia directa del general Mitre y sin que se detuviera la acción del Brasil, lo cual no podía alcanzarse sino en Buenos Aires. Sólo en Buenos Aires, donde Mitre y Saraiva estaban en continuas conferencias, radicaba el centro de gravedad del problema. "El general Mitre pesará en buen sentido. Respondo de ello", aseguró Lamas a Castellanos, al mismo tiempo que le pidió que obtuviera para él credenciales de Aguirre, a fin de entenderse en Buenos Aires con comisionados de Flores que a invitación de Mitre vinieran a negociar la paz. Como Saraiva pensaba embarcarse el 26 de agosto, Lamas deseaba que antes de esa fecha se procurase el arreglo salvador. Escribió a Castellanos con nerviosa premura:

> Esto es de extrema importancia. Hasta ahora hemos conseguido que no se mueva nada en Río Grande y eso podemos conseguir aún si demoramos aquí a Saraiva. Pero, en el momento en que se embarque, se nos escapó el hilo del Brasil, y entonces —créame Usted, créanos el señor Aguirre— ya el Río Grande no tiene barreras y el desastre será inmenso. Buenos Aires no se opondrá. El Paraguay no hará nada. Los otros nada pueden hacer seriamente. La única chance de evitar la invasión riograndense es detener a Saraiva. Y a Saraiva no podemos tener ni esperanza de detenerlo, sin que Mitre lo convide formalmente, cosa que no hará sin que algo muy importante esté iniciado aquí (20).

10. Las credenciales solicitadas no le fueron enviadas, pero Lamas persistió en su empeño, encontrando en Aguirre inocultable predisposición a llegar a la paz por cualquier modo. El presidente oriental que nada dejó traslucir acerca de la proposición que estaba diligenciando Barbolani, manifestó a Castellanos que "arrepentido de la marcha de su gobierno y de no haber hecho la paz cuando ello era fácil", había recordado a Lamas para encargarle la formación de un nuevo ministerio capaz de promover la paz y ajustar las cuestiones con el Imperio y la República Argentina, "pues siendo el señor Lamas muy relacionado con ambos países, era el más competente para la solución de las respectivas cuestiones pendientes". La paz tendría que salir de cualquier lado: con Flores o con Lamas en el ministerio.

Pero Lamas se dirigió directamente al presidente Aguirre para decirle que no podía encargarse de formar el gabinete si previamente no se hacía la paz. Insistió en el envío a la otra orilla de una persona de confianza, plenamente autorizada, para tratar con otra enviada por el general Flores, pues sólo en Buenos Aires, con el concurso de Saraiva y de Mitre, podría procederse a un arreglo completo, de donde resultase una paz duradera y el restablecimiento de las buenas relaciones con los dos estados vecinos (21).

(20) De Lamas a Castellanos, Buenos Aires, agosto 21, 1864, PALOMEQUE, pp. 112-121.
(21) De Saraiva a Dias Vieira, Montevideo, agosto 28, 1864, LOBO, I, p. 249.

Aguirre se dejó persuadir. Ya habían sido entregadas las contra-propuestas de paz a Barbolani. Quiso retirarlas para confiar el negocio a Lamas, pero el ministro italiano ya había despachado al cónsul Raffo al campamento de Flores, quedando, por este hecho, interrumpida la combinación entre Aguirre y Lamas a la espera de la respuesta del jefe revolucionario en que el primero cifraba ahora todas sus esperanzas.

Y entre tanto se entrecruzaban estas confusas negociaciones Antonio de las Carreras regresaba del Paraguay y en lo que traía como fruto de su viaje cifraban también todas sus esperanzas los blancos partidarios de la prosecución de la guerra sin cuartel, y todos sus temores Mitre y Saraiva que, viendo perfilarse la alianza paraguayo-oriental, comenzaron a concordar que era llegada la hora de afirmar el entendimiento brasilero-argentino.

CAPÍTULO XX

EL PROTOCOLO DEL 22 DE AGOSTO DE 1864

1. Vientos contrarios en la Argentina. — 2. Interpelación en Diputados. — 3. Nueva política proclamada por Elizalde. — 4. Oposición de Ruiz Moreno, Mármol y Alsina. — 5. Alarma de Saraiva y de Mitre. — 6. Firma del protocolo de "entente". — 7. Las dos últimas cartas. — 8. La escuadra brasilera en acción. — 9. Las atractivas perspectivas. — 10. Nuevos empeños de Lamas.

1. Grande era la agitación en la República Argentina ante el sesgo de los acontecimientos. Soplaban vientos contrarios. De diverso modo comentó la prensa el ultimátum brasilero al gobierno oriental; la de Buenos Aires lo aplaudió pero la de las provincias, sobre todo en Entre Ríos, lo vituperó severamente. En el gobierno había inquietud respecto de los resultados de la misión de Carreras en el Paraguay y se esperaba, de ese lado, peligrosas derivaciones. Mitre se disponía a luchar abiertamente porque se aceptara, de una vez por todas, la mano que le estaba tendiendo Saraiva, cada día más insistente en sus reclamos para una acción solidaria entre los dos países. Pero la opinión pública no estaba preparada; demasiado arraigadas eran las prevenciones que suscitaba el Imperio al calor de los recuerdos históricos y de su actitud presente en la República Oriental. Además, el fracaso de la mediación tripartita no dejaba de causar resquemor en algunos círculos, donde se tildaba de imprudente la conducta de Elizalde al iniciar una gestión pacificadora antes de haber obtenido el gobierno argentino las satisfacciones reclamadas desde las anteriores controversias. La interpelación en la Cámara de Diputados, a cargo del diputado por Entre Ríos, Martín Ruiz Moreno, iba a dar al gobierno la oportunidad de exponer los lineamientos de la política que se proponía desarrollar en el orden internacional.

2. La interpelación se efectuó el 17 de agosto de 1864 y ella versaba sobre el estado de las relaciones con el gobierno oriental,

los motivos que impulsaron a iniciar la mediación y las causas de su fracaso.

En su discurso inicial, Ruiz Moreno se refirió al largo tiempo transcurrido desde la nota del 15 de noviembre de 1863 en que el gobierno argentino reclamó al oriental satisfacciones por "atentados gravísimos", sin que nada se hubiera hecho para arreglar las cuestiones desde la misión Mármol de diciembre del mismo año. Tomando como base los antecedentes que apuntó, el diputado por Entre Ríos juzgó desfavorablemente la política seguida por el gobierno y consideró de lo "más incomprensible" la mediación ofrecida antes de obtenidas las satisfacciones reclamadas.

En esto hay algo de misterioso; algo de inconciliable con la franqueza y lealtad de un gobierno republicano y demócrata.

O las injurias irrogadas por el gobierno oriental son ciertas y tan graves como se consignan en los documentos que se leen en la memoria del ministerio de relaciones exteriores y en tal caso la mediación no ha debido ofrecerse; o no son tales. Y entonces el Poder Ejecutivo merece el más fuerte cargo, por no haber aceptado el medio de arreglo que ha propuesto el gobierno oriental. En uno y otro caso la dignidad de la República se halla seriamente comprometida.

Un suceso que ha tenido lugar en el Pacífico, la injustificable ocupación de las islas de Chinchas por un jefe de la marina española, ha venido a hacer más remarcable la necesidad sentida de que los gobiernos de las repúblicas de la América transen sus diferencias; y hoy esa necesidad se hace más sensible respecto de la República Argentina y del Estado Oriental, vista la actitud amenazante que toma el gobierno del Imperio Brasilero.

El canciller Elizalde en su primera respuesta, escuchada con gran expectación por la sala y la numerosa barra, expuso los antecedentes de la cuestión oriental. Recordó que cuando se organizó el gobierno nacional (después de Pavón) había cuestiones difíciles y complicadas con todos los vecinos; las relaciones con el gobierno oriental, lejos de ser amistosas, eran casi hostiles. No obstante no se perdió oportunidad de hacerle ver que la política argentina sería de paz, conciliación y amistad. Se le señalaron los peligros para su país y para la tranquilidad del Río de la Plata, emanados de la posición que asumía el oficialismo con el partido Colorado. El gobierno de Montevideo accedió a entrar en conferencias sobre la manera de hacer desaparecer esa situación, pero fueron desoídas las opiniones del gobierno argentino " y los males que preveíamos se produjeron". Sobrevino la invasión de Flores. A pesar de las declaraciones de neutralidad del presidente Mitre, el gobierno de Montevideo persistió en sostener que esa invasión era "la obra exclusiva" del gobierno argentino "con una tendencia a la anexión". El gobierno del Brasil, como otros extranjeros, había sido incitado a pedir explicaciones "sobre nuestra tendencia a absorber la República Oriental del Uruguay". Acreditó una misión confidencial (la de Loureiro), a la cual el gobierno argentino dio explicaciones, reconociendo en el gobierno brasilero el derecho de pedirlas, pero no así a las Legaciones de Francia, Inglaterra, Italia y Portugal. (Elizalde eludió toda mención a los pedidos de explicaciones del Paraguay). Los actos del gobierno oriental redundaron en su daño. No le fue difícil al argentino evidenciar la sinceridad de sus procedimientos. Esto dio por resultado "el principio de un acuerdo entre el gobierno argentino y el brasilero", aceptando este último las explicaciones. Las complicaciones vinieron después con el Brasil, "por causa de las ideas de que estaba imbuido el gobierno de Montevideo".

Siguió después Elizalde el relato de los sucesos: los incidentes del *Salto* y de las islas; la ruptura de las relaciones; las medidas coercitivas; la primera mediación de Thornton; la acción del Brasil; la triple mediación, sobre la cual estaban publicados todos los documentos, donde se habría visto "que el gobierno ha hecho todo lo que era posible hacer en ese caso". Con esta relación, Elizalde creyó dadas las explicaciones solicitadas por el diputado interpelante. Agregó algunas consideraciones. Así como el Brasil había aceptado, en el caso de Martín García, el derecho de la Argentina de hacer, si deseara, la guerra, con la sola condición de respetar la independencia oriental, el gobierno argentino reconocía al Brasil, igual derecho. Sin embargo, como la paz del Río de la Plata interesaba particularmente a la República Argentina, estaba decidido el gobierno a seguir trabajando para mantenerla. Como prueba de que hasta el gobierno de Aguirre reconocía esta sinceridad de miras, mencionó la misión confidencial de Requena. Refirióse luego a los intentos de pacificación del ministro italiano Barbolani, a los cuales no había querido asociarse "porque pensaba que sería un embarazo al éxito mismo de la misión", pero había ofrecido y dado cuanto era posible. Si surgía alguna dificultad en esa negociación, y algo pudiera hacer el gobierno argentino en el sentido de la paz, lo haría sin trepidar, porque creía que la pacificación interna de la República Oriental, era la "única solución que tiene la cuestión de ese Estado con la República Argentina y con el Brasil". Abonando esta última afirmación terminó su exposición con estas palabras:

> Nada útil podríamos hacer si eso no se lograba porque las dificultades que hoy se arreglasen, mañana volverían a surgir con más fuerza, porque es la consecuencia forzosa de la guerra, y aunque el gobierno oriental no tiene toda la responsabilidad de los sucesos que en aquel país se desenvuelven, y el pueblo oriental tiene el derecho de acudir a la guerra civil, sin que los poderes extraños puedan coartarlo; los intereses son de tal naturaleza que si aumentasen en adelante esos males, el gobierno argentino con el concurso del Congreso, se creerá autorizado para influir más directamente en los medios de obtener esa pacificación.

El diputado Ruiz Moreno declaró que las explicaciones del ministro no le dejaron satisfecho "de ninguna manera". Elizalde había historiado los acontecimientos, pero no explicaba las causas que impedían el arreglo de las cuestiones pendientes entre Buenos Aires y Montevideo, ni el rechazo de la propuesta oriental del 4 de diciembre de someter las diferencias a un árbitro designado por el mismo gobierno argentino. Contestó Elizalde este punto alegando que no se había hecho el arreglo porque el gobierno oriental no lo quería; la idea del arbitraje había sido aceptada por la Argentina en el protocolo del 20 de octubre de 1863 designándose árbitro al Emperador del Brasil, el cual fracasó por la insistencia uruguaya en hacer árbitro al presidente del Paraguay, cuando aquel acto ya estaba concluido.

Se particularizó luego el debate en las causas del fracaso de la mediación tripartita. Explicó Elizalde los pormenores de las gestiones ante Flores y Aguirre para la formación de un nuevo ministerio. Ruiz Moreno tampoco se declaró satisfecho, y pasó luego a ocuparse de la cuestión promovida por el Brasil al gobierno oriental. Sostuvo que el artículo 3º de la Convención del 27 de agosto de 1828 y los 3º y 4º del Tratado de 1856, obligaban a la República Argentina a garantizar la integridad y la independencia de la República Oriental, y que el artículo 4º especificaba una de las causas en que debía hacerse efectiva la garantía:

> En caso de conquista declarada, cuando alguna nación extranjera pretendiese mudar la forma de gobierno o designar o imponer la persona o personas que hayan de gobernarlo.

Estas estipulaciones, según Ruiz Moreno, establecían para el gobierno argentino la obligación de inquirir las causas que movían al Brasil a hacer la guerra a la República Oriental. Las reclamaciones presentadas eran "completamente infundadas", o con fundamentos insuficientes para declarar la guerra sobre la base de una negativa momentánea. El gobierno brasilero se arrogaba una facultad que no se justificaba en el derecho de gentes ni se conciliaba con la soberanía e independencia de la República Oriental. Finalizó esta parte de su exposición el diputado Ruiz Moreno concretando su requisitoria al representante del Poder Ejecutivo:

> Fundado en tales consideraciones es que he preguntado al señor ministro si el poder ejecutivo ha averiguado cuáles son las verdaderas causas que mueven al Brasil a traer la guerra a la República Oriental.
> Este punto, no obstante que para algunos parezca que el gobierno argentino no debe ocuparse de él, lo considero importante, esencial para descubrir la verdad del procedimiento del gobierno brasilero.
> Deseo oir al señor ministro sobre el particular, y especialmente ruego al señor ministro se sirva decirme cuáles serán las medidas de precaución que tomará el Poder Ejecutivo, luego que el gobierno brasilero produzca hechos que importen un preliminar de guerra; y cuál será la actitud en el caso de que las tropas brasileras entren al territorio oriental.

3. Elizalde aprovechó la oportunidad que le deparaba la respuesta a estas preguntas —que no estaban en el cuestionario inicial

de la interpelación— para proclamar la nueva política argentina en
sus relaciones con el Imperio del Brasil y, en general con todo el
Río de la Plata:

> Nosotros hemos estado atados por mucho tiempo a una política que tenía
> su razón de ser; pero que la civilización y el nuevo cambio que se ha produ-
> cido en estos países, hace que exista aún, nada más que por tradición, es decir
> como una idea vieja que tiene la sanción del tiempo, y que sólo ha de des-
> aparecer a medida que los espíritus vayan despreocupándose, hasta abandonarla
> completamente. Me refiero a la política de antagonismo entre las razas portu-
> guesa y española que hemos heredado de las colonias después de nuestra eman-
> cipación. Así es que el gobierno actual, no solamente pretende concluir para
> siempre con una política tan equivocada y perjudicial, sino levantar por el con-
> trario una política de fraternidad, cultivando la más sincera amistad con el
> gobierno imperial, porque cree que unidos estos dos países, regidos igualmente
> por instituciones libres, cualquiera que sea su forma de gobierno, están desti-
> nados a auxiliarse y propender de una manera la más prodigiosa al rápido pro-
> greso que depende en gran parte de la unión de pueblos que están tan ínti-
> mamente ligados como estamos nosotros con el Brasil.
> Partiendo de esta base, el gobierno argentino piensa, aprovechando esta
> disposición amistosa en que se encuentra el gobierno imperial, amistad que a
> su vez le profesa el gobierno argentino, inaugurar una nueva política.

Prescindiendo de esta nueva situación amistosa y mirando sólo
al Brasil como una nación obligada a respetar los pactos, Elizalde
adujo que éstos no autorizaban a la República Argentina a pedirle
cuenta de lo que hiciera o pretendiese hacer en sus relaciones con
la República Oriental. A la Argentina le bastaba la seguridad de
que la soberanía, la independencia y la integridad territorial de
ese país no serían "atenuadas ni amagadas" como consecuencia de
sus problemas con el Brasil. La República Argentina no podía erigirse en juez de la cuestión, ni pedir explicaciones, no porque
el Brasil no las quisiera dar —Elizalde estaba seguro de que las daría
aún prescindiendo de los tratados—, sino para no sentar un mal
precedente. El gobierno argentino había sostenido que no tenía por
qué dar cuenta a nadie de sus relaciones con el oriental. Sostener
ahora lo contrario importaría admitir que la República Argentina
no era una nación soberana e independiente. Y terminó:

> Así es que si el gobierno argentino pretendiese pedir algunas explicacio-
> nes, sólo le sería permitido hacerlo por medio de las relaciones amistosas que
> cultiva con el gobierno del Brasil; pero de ninguna manera podría hacerlo
> usando de esa política de antagonismo entre las razas que hemos heredado del
> coloniaje y que el gobierno condena y repudia. Así es que el gobierno no le
> dirá al Brasil, ni a nadie, lo que ha hecho, porque no tiene derecho de pedir-
> nos cuenta, lo mismo que nosotros no tenemos derecho a pedirle cuenta al
> Brasil.

4.   El diputado Ruiz Moreno expresó su desacuerdo con la
opinión del canciller de que bastaba la palabra brasilera para des-
cansar tranquilos en lo que respecta a las obligaciones consignadas
en los tratados de 1828 y 1856 sobre la integridad y la independencia
de la República Oriental.

Para mí, la palabra del gobierno brasilero debe sernos sospechosa; sus antecedentes respecto de la República Oriental me obligan a pensar así.

Y el gobierno argentino, teniendo derecho en virtud de tratados preexistentes no sólo para pedir y obtener explicaciones, sino para exigir también una sólida garantía respecto de la sinceridad de las explicaciones dadas; teniendo derecho para esto, digo, y no haciéndolo, lleva una erradísima política que pronto vendrá a comprometer seriamente el honor, y tal vez los intereses mismos de la República Argentina.

Sostuvo el diputado interpelante que al gobierno argentino le asistía el derecho, no sólo de pedir explicaciones, sino también de tomar precauciones para el caso de que aquellas fueran desmentidas por los hechos. Por el artículo 4º del tratado de 1856 era claro el derecho argentino de exigir garantías. No bastaban las explicaciones y protestas de amistad. No era de imaginarse que si el Brasil pretendiera imponer las personas que debían gobernar al Estado Oriental, manifestara sus verdaderas intenciones. Y para hacer efectiva esa garantía era de necesidad que el gobierno argentino conociera la verdadera causa por la cual el Brasil se decidía a traer la guerra a la República Oriental.

Es indudable, señor, que la paz y la independencia de la República Oriental del Uruguay es una condición del equilibrio político del Río de la Plata.

El poder ejecutivo no puede desconocer esta verdad; y sin embargo se muestra prescindente por su excesiva confianza en la cuestión promovida por el gobierno brasilero.

Mucho temía el diputado Ruiz Moreno que todo viniera a convertirse en "cuestión de República y Monarquía", sobre todo después de los sucesos del Pacífico. Las seguridades dadas por el Brasil no eran garantías en que se podía confiar, "sobre todo en estos momentos verdaderamente críticos porque atraviesa la América demócrata". Juzgaba Ruiz Moreno innecesario historiar las pretensiones del Brasil respecto de la República Oriental, porque nadie dudaba que las causas que le estaban moviendo a pisar el territorio uruguayo eran idénticas, los mismos pretextos, "que lo impulsaron a invadirlo en 1816, cuando era aún una provincia argentina". Y terminó:

¿Y alegándose hoy las mismas causas, o mejor dicho, valiéndose de los mismos pretextos, cómo es posible que la sola palabra de aquel gobierno sea para nosotros una garantía?

José Mármol que, al mismo tiempo que ministro plenipotenciario ante el gobierno de Río de Janeiro, era diputado de la nación, terció en el debate. Sostuvo vigorosamente el derecho argentino a pedir explicaciones, sin que esto significara erigirse en juez como sostenía Elizalde:

El señor ministro agregó en el calor de su discurso: el gobierno argentino no tiene derecho de pedir explicaciones al del Brasil, sobre el alcance político de sus medidas militares, sobre la República Oriental; y aquí me permitirá el señor ministro que haga la siguiente rectificación: el gobierno argentino tiene derecho pleno por su derecho convencional con el Brasil, a solicitar explicaciones del Imperio, toda vez que aparezca ejerciendo, o en disposición de ejercer un acto hostil en la República Oriental. Nuestro derecho nace no sólo de los términos de la convención, sino de la naturaleza misma de ella.

También intervino el diputado Adolfo Alsina para criticar acerbamente a los tres ministros mediadores que se habían convertido en "corchetes del general Flores" al llevar la carta al presidente Aguirre en la cual se le imponía un cambio de ministerio. Y agregó:

Ya que el señor ministro ha hablado de soga y de ahorcado, diré que quien ha empezado a trenzar la soga con que tal vez se nos ahorque es el gobierno argentino con su última mediación.

Yo creo que lo más impropio y lo más impolítico que ha podido hacer el gobierno argentino es ir a mediar en la República Oriental.

Por grande que sea la fe que todos tengamos en la estabilidad del orden en la República, debemos convenir, si la pasión no nos ciega, que ese orden no es inconmovible; y temo, pues, señor presidente, que perturbada por desgracia la tranquilidad del país, se ofrezcan mediadores que nos traigan también la soga.

Temo que, dada esa situación, entren a mediar el Brasil y la República Oriental, y se encarguen sus enviados de poner en manos del general Mitre alguna carta del jefe revolucionario, pidiendo tal vez que deje la cartera el señor ministro de relaciones exteriores.

Este es el antecedente que ha venido a fundar el gobierno con su política extraviada; esa es la soga que él mismo ha trenzado para que con ella tal vez nos ahorquemos.

Con una breve aclaración de Elizalde de que, cuando dijo que la República Argentina no era juez de la cuestión, no desconocía el derecho de pedir explicaciones, y tanto que las había pedido y obtenido, así como se las había dado, en el mismo sentido, al Brasil, terminó la resonante interpelación [1]. Su saldo neto fue la proclamación pública de la nueva política de íntima amistad que la República Argentina estaba siguiendo con el Imperio del Brasil en relación con los problemas del Río de la Plata.

5. Sin embargo, a Saraiva no dejó de alarmar este debate, sobre todo la intervención del personero principal de Urquiza. No sabía si esa circunstancia denunciaba el pensamiento íntimo del jefe de Entre Ríos, pero el hecho le dio ocasión para varias reflexiones, sobre todo en relación con la actitud que en esos momentos estaban tomando los representantes de las potencias europeas en Montevideo. Estos habían solicitado explicaciones sobre el alcance de las represalias anunciadas [2], despertando grandes esperanzas en el gobierno blanco. Saraiva escribió a Dias Vieira:

[1] DIARIO DIPUTADOS, 1864, pp. 345-372.
[2] De Maillefer a Drouyn de Lhuys, Montevideo, agosto 14, 1864, cit. p. 370.

Los diarios de Montevideo revelan el modo cómo el gobierno oriental aprecia las cosas, y que su plan político se reduce a implorar protección al Paraguay, al mismo general Urquiza y a los ministros de las potencias europeas, y a concitar la opinión de las provincias argentinas contra el presidente Mitre, que está, según insinúan aquellos diarios, favoreciendo la política de absorción del gobierno imperial.

No creo que el Paraguay se entrometa en un conflicto, en que no está empeñado ningún interés suyo.

No creo que las potencias europeas se resuelvan a embarazar al Brasil en negocio extraño a ellas, creando así un derecho internacional nuevo.

No se puede esperar que el general Urquiza se aparte ahora del presidente de la Confederación cuyo acuerdo ha parecido cultivar cordialmente.

No obstante este descreimiento, Saraiva aconsejó a su gobierno contemplar todas las hipótesis como posibles ([3]). Mitre y Elizalde, sobre todo este último, también se inclinaron a suponer la verosimilitud de cualquiera de esas eventualidades o de todas juntas. Había evidencias de que las naciones europeas recelaban y de Urquiza se tenía pruebas directas de su inquietud ante la actitud enérgica del Brasil, al cual profesaba inocultable antipatía, como se comprobara con su intervención a favor de Requena y por la interpelación promovida por su personero Ruiz Moreno. En cuanto al Paraguay, si bien las aclaraciones de Lorenzo Torres disiparon los equívocos del año anterior y parecía cierto que nada de concreto habían logrado hasta el momento las sucesivas misiones a Asunción, El Semanario acababa de expedirse sobre la situación internacional en una forma que no daba lugar a dudas acerca de su propensión invencible a reputar ciertos los planes contra la independencia o integridad territorial de la República mediterránea, que la diplomacia blanca venía susurrando en los sensibles oídos del presidente López. La insistencia del gobierno del Brasil en poner en obra su designio de arrancar de cualquier modo las satisfacciones reclamadas al gobierno de Montevideo podía llevar a una crisis mucho más grave de la que se estaba sufriendo hasta el momento. Había en el ambiente la sensación de que bastaba una chispa para que se incendiara, ya no sólo el Río de la Plata, sino todo el continente. La voz agorera de Maillefer, el representante de Napoleón III, volvió a levantarse para señalar a las Tullerías la inminencia de una conflagración general:

Desde las cordilleras hasta la embocadura del Plata y hasta Río de Janeiro, todo este continente bien pudiera pues verse envuelto en la lucha que ha provocado la empresa revolucionaria de Flores sostenida por las pasiones argentinas y las codicias brasileñas; y eso constituiría, aún suprimiendo el elemento boliviano, una inmensa perturbación para todos los intereses, pues, alentado por la intervención armada de López, no es improbable que el general Urquiza, amenazado también él en sus últimas trincheras, se decida al fin a entrar nue-

(3) De Saraiva a Dias Vieira, Buenos Aires, agosto 13, 1864, CORRESPONDENCIA SARAIVA, pp. 89-92.

vamente en la lid con la escolta de todo el partido federalista todavía muy
vivaz y turbulento en el interior de la Confederación ([4]) .

A Saraiva, menos que a nadie, se le escapaba la gravedad de la
situación y los peligros inmensos que se estaban orillando. Ya el 5
de julio de 1864 vaticinaba que las dificultades con las cuales tro-
pezaba su misión "podían tal vez comprometer al Río de la Plata
en una lucha general" ([5]) . También advirtió desde el primer momento que le era indispensable el apoyo argentino en lo cual se
empeñó grandemente. Apenas iniciada su misión, trató de llenar
un claro muy sensible en sus instrucciones escritas que no preveían,
para nada, la actitud de Buenos Aires, y su mayor empeño consistió
en obtener la alianza del gobierno del general Mitre. No logró Saraiva arrancar del gobierno argentino compromisos de alianza,
aunque sí muchas palabras y promesas de apoyo moral. Argentina
no quería bajar a la arena de la lucha. Prefería acompañar con sus
aplausos al Brasil y con su subrepticia ayuda a los que lidiaban por
el triunfo de la revolución. Pero en agosto de 1864 la situación tendía a empeorar rápidamente. Se perfilaba en el escenario sudamericano una peligrosa alineación de fuerzas contrarias a la política brasilera que Buenos Aires apoyaba. Parecían integrar esa combinación
los blancos, las provincias que respondían a Urquiza y, desde luego,
la potencia amenazante del Paraguay, cuyo gobernante aún respiraba por la herida desde su fracasada tentativa de intervenir en
la política del Río de la Plata. Fácil les era a Saraiva y Mitre
coincidir en que había completa homogeneidad de intereses e identidad de peligros entre Río de Janeiro y Buenos Aires. La misión
de Carreras al Paraguay fue el mayor campanazo de alarma. Las
declaraciones que entonces escuchó Saraiva ¡de labios de Mitre
fueron terminantes: La República Argentina estaba dispuesta a tomar con el Brasil la posición que los hechos aconsejaban ([6]) .

Cuando Mitre le formuló tan importante declaración, Saraiva
no pudo adelantar un paso más. La espejeada contingencia de
la alianza argentino-brasilera estaba condicionada al éxito de la
misión Carreras al Paraguay. De esto nada se sabía, salvo que las
relaciones paraguayo-orientales no parecían muy ·cordiales desde
que fuera desaprobado el arreglo del caso del *Paraguarí*. Un mes
después, aún se ignoraba la suerte de las gestiones del "tigre de
Quinteros", pero valía por una definición del gobierno del Paraguay el editorial de *El Semanario* del 13 de agosto de 1864.

6. Ni Mitre ni Elizalde dudaron más: evidentemente estaban
ligados Montevideo y Asunción. Era necesario anteponerles otra
liga, la misma que Elizalde había prometido o concertado en Pun-

([4]) De Maillefer a Drouyn de Lhuys, Montevideo, julio 29, 1864, cit. p. 363.
([5]) De Saraiva a Dias Vieira. Montevideo, julio 5, 1864, cit.
([6]) De Saraiva a Dias Vieira, julio 26, 1864, cit.

tas del Rosario. Saraiva fue invitado a firmar un pacto y ni corto
ni perezoso se avino a lo que era la concreción de sus anhelos. El
22 de agosto de 1864 el representante del Imperio y el ministro de
relaciones exteriores de la República Argentina suscribieron un
Protocolo. En él se consignó que reunidos con el fin de conferenciar acerca "de las eventualidades posibles en el Río de la Plata
por causa de la Cuestión Oriental", acordaban protocolizar, en
nombre de sus respectivos gobiernos, que en cumplimiento de los
tratados vigentes "tienen el deber y el interés de mantener la independencia, integridad y la soberanía de la República Oriental
del Uruguay", las siguientes declaraciones:

1º Reconocen que la paz de la República Oriental del Uruguay es la condición indispensable para la conclusión completa y satisfactoria de sus cuestiones y dificultades internacionales con la misma República, y que auxiliando y
promoviendo esa paz, siempre que esto sea compatible con el decoro de sus respectivos países y con la soberanía de la República Oriental, creen hacer un acto
no sólo provechoso a esta República, sino también a los países limítrofes que
se hallan en relaciones muy especiales con ella.

2º Tanto la República Argentina como el Imperio del Brasil en la plenitud de su soberanía como Estados independientes pueden en sus relaciones
con la República Oriental del Uruguay, igualmente soberana e independiente,
proceder en los casos de desinteligencia como proceden todas las naciones, usando de los medios para dirimirlas que reconocen lícitos por el derecho de gentes,
con la sola limitación de que cualquiera que sea el resultado que el empleo de
estos medios produzca, siempre tienen que ser respetados los tratados que ga-
ranten la independencia, integridad territorial y la soberanía de esta República.

3º Propenderán los gobiernos argentino y de S. M. el emperador del Brasil, al arreglo de sus respectivas cuestiones con el gobierno oriental, auxiliándo-
se mutuamente por medios amistosos, como una prueba del sincero deseo de ver
concluida la situación actual que perturba la paz del Río de la Plata (⁷).

No era aún la alianza militar que tan empeñosamente buscaba
el Brasil, sino una declaración de política común. No había en el
protocolo nada que tuviera que ser ocultado. Sin embargo, no fue
dado a publicidad. Aparentemente no estaba dirigido contra el
Paraguay, al cual ni siquiera se mencionaba. Más aún: se trataba
de un acto al cual podía ser invitado el Paraguay, como todos los
países interesados en la paz del Río de la Plata. Nadie pensó en
ello. Porque no eran las cláusulas escritas las que tenían más fuerza,
sino aquellas que no figuraban en el protocolo y que no había necesidad de estipular en instrumento aparte: el acuerdo que acababa
de concertarse entre el Brasil y la Argentina tenía en vista un peligro común. Entre las "eventualidades posibles en el Río de la
Plata por causa de la Cuestión Oriental", que motivaban el Protocolo del 22 de agosto, la principal de todas era, sin duda, el peligro de que de repente se despeñara desde el norte el alud paraguayo. En esos días escribió Maillefer a las Tullerías:

(⁷) Protocolo de agosto 22, 1864, MEMORIA, MREA 1865. Anexo F. pp. 97-98.

Parece más y más probable que el Paraguay, que es actualmente la tabla de salvación del partido blanco y el espantapájaro de sus adversarios, es el principal objeto de la coalición porteño-brasileña y el árbitro de la situación (8).

La situación configuraba todas las características de vísperas de conflagración general. El nudo gordiano estaba en la cuestión oriental. La paz del Río de la Plata pendía de la paz uruguaya. Así lo comprendió el general Mitre que creyó de su deber tentar todos los recursos para alejar el peligro de un conflicto general y decidió emprender otra tentativa de pacificación, obrando directamente sobre el general Flores. Le escribió el mismo día en que se suscribió el protocolo una carta en que con vehemencia desacostumbrada en él, le instaba a aceptar negociaciones en Buenos Aires con comisionados del gobierno oriental, para tratar la cuestión interna, "que no tiene otra solución inmediata y benéfica y diré posible. si no es la de la paz".

Todo otro medio —seguía diciéndole— que no sea éste puede dar más o menos triunfos militares, puede al fin hacer prevalecer una fuerza sobre otra fuerza, pero será sobre las ruinas del país y sobre la desgracia de todos sus hijos, sin resolver siquiera las principales cuestiones políticas que hace tantos años traen dolorosamente agitada su patria, agregándose a esto otros males que serán otras tantas dificultades serias para consolidar un gobierno y asegurar el orden en lo futuro.

Por eso digo a usted con toda convicción y entera franqueza, que lo único por que trabajaré de todo corazón será para que se arregle una paz digna y honrosa para todos, y que en tal sentido no dejaré de hacer cuanto esté en mi mano para arribar a tal resultado, que además de ser benéfico para el país, será glorioso para su nombre de usted, y le dará tanto más de lo que puede darle un triunfo militar, evitando a su patria inmensos males que cada día han de ser más grandes.

Con estas ideas, usted no extrañará que a pesar de sus últimos triunfos, le aconseje siempre como amigo, que proceda con moderación y altura, y que no abandone la idea de la paz, que es la única idea popular en todos los habitantes del Estado Oriental y la única que ofrezca un horizonte y una esperanza de salvación para todos (9).

Pero el general Flores dejó pasar los días sin dar respuesta al clamoroso llamamiento de su amigo el presidente Mitre. Todas sus esperanzas giraban ahora en torno de las andanzas del consejero Saraiva, que en esos mismos momentos estaba procurando dar nuevo sesgo a los acontecimientos.

7. Era propósito de Saraiva embarcarse el 30 de agosto de regreso a su país, convencido del fracaso de su misión en tanto ella dependiera del cumplimiento de las amenazas militares con tanto aparato propaladas. Confrontaba una poco airosa situación. Dada estaba, frente al gobierno oriental, la última palabra y las satisfacciones no habían sido concedidas ni había la menor pers-

---

(8) De Maillefer a Drouyn de Lhuys, Montevideo, agosto 14, 1864, cit.
(9) De Mitre a Flores, Buenos Aires, agosto 22, 1864, ARCHIVO MITRE. t. XXVII, pp. 157-158.

pectiva de obtenerlas como no fuera por la vía de un cambio ministerial cada vez más problemático. No restaba sino poner en marcha a los ejércitos que ya debían estar en la frontera listos para cumplir el ultimátum. ¡Y esos ejércitos aún no existían! Las imprecaciones de Netto habían sido pura fanfarronada. El levantamiento de los 40.000 riograndenses con que hizo temblar a la prensa y al parlamento brasilero y que ahora era el cuco que asustaba a Lamas, continuaba en el terreno de las fantasmagorías. Nada podía moverse en Río Grande, contrariamente a lo que creía Lamas, porque nada había. Saraiva comprendió que la negociación propiciada por Mitre podía ser una elegante salida para tan enojoso enredo, lindante con el ridículo, pero redundaría en beneficio exclusivo de la República Argentina que quedaría dueña de la situación. Flores se mostraba inclinado a aceptar la propuesta de una nueva tentativa de pacificación que le permitiera también salir con bien del estancamiento de una guerra que en diez y seis meses no había logrado tomar uno solo de los puntos vitales de la República. Amoscado por el poco calor que puso Saraiva en Puntas del Rosario en favor de sus puntos de vista, nada le costaría olvidar sus resentimientos con Mitre y entrar decididamente en su órbita siguiendo la estela que el presidente argentino quería trazar y que le llevaría a una paz que todo lo resolvería.

Aunque mucho habían avanzado Mitre y Saraiva en el camino del entendimiento entre sus dos países, sobre todo después de la firma del protocolo del 22 de agosto, el emisario imperial no perdía de vista, en ningún momento, los intereses y la política tradicional de su país, por lo cual decidió apelar a un procedimiento que llevaría indefectiblemente a volcar la opinión de Flores en favor del Brasil. Ya que se carecía de tropas con que cumplir las represalias, desde las fronteras se podía apelar a la escuadra, inmovilizada en el estuario y que estaba en condiciones de suplir, en consuno con Flores, la inanidad militar. La escuadra recibió órdenes de bloquear los puertos del litoral, Paysandú, Salto y Colonia, y de inmovilizar los barcos armados en guerra con que el gobierno de Montevideo mantenía el control del río Uruguay. De este modo, se le facilitaría a Flores la captura del litoral y dominada toda la campaña por sus fuerzas, el Imperio recibiría de él las satisfacciones que la otra parte le rehusaba conceder.

8. En ejecución del plan, y como primera providencia, el comandante de la flota, almirante Tamandaré, exigió del gobierno oriental la inmovilización y desarme del *General Artigas,* que estaba en Montevideo imposibilitado de todo movimiento desde que el gobierno argentino vedó el paso por la isla Martín García. La conminación se hizo bajo el pretexto de "no ser tomado (el *General Artigas*) como represalia por nuestra fuerza, ...no captu-

rándolo para no humillar al pabellón oriental" ([10]). Aguirre no
encontró humillante esa exigencia y accedió a ella. El *General Artigas* ya no pudo ser utilizado para fines de guerra, pero restaba
el *Villa del Salto.* Aunque sólo armado con un cañón era más veloz
que cualquiera de los navíos brasileros y se hallaba apostado en
Paysandú.

Tamandaré despachó el 24 de agosto de 1864 las cañoneras
Araguahy y Jequitinhona, a las cuales debía agregarse la *Belmonte,*
todas bajo el mando superior del capitán Juan Francisco Pereira
Pinto, a quien impartió instrucciones para allegarse a Paysandú y
exigir de las autoridades, aparte de las garantías para los brasileros y sus propiedades, y la libertad de los que hubieran sido en-
ganchados, que "el vapor *Villa del Salto* y las embarcaciones menores que allí sirven, sean inmovilizados y desarmados", del mismo
modo como el gobierno de Montevideo buenamente había hecho
con el *General Artigas.* Al mismo tiempo, Flores aproximaba sus
fuerzas al litoral y después de haberse apoderado de Florida se dirigió hacia Mercedes, sobre el río Negro, de importancia estratégica para las futuras operaciones contra Paysandú, todo ello en
combinación con los movimientos de la escuadra brasilera.

9. Mientras Pereira Pinto cumplía su misión, Saraiva explicó
a su gobierno la atractiva perspectiva que se abriría si, como se
esperaba, en poco tiempo Flores dominaba la campaña, para la
solución a las dificultades que entrañaban la debilidad militar en
la frontera.

En tales circunstancias —anotó en su informe a Dias Vieras— nuestra posición queda notablemente modificada en relación a la protección a los súbditos
brasileros, y tendremos necesidad de entendernos con Flores acerca de esa protección.

En la hipótesis de que Flores predominara en la campaña, como, según Saraiva, su interés era mostrarse amigo del Brasil, no
cabía dudar que entonces los brasileros encontrarían toda la protección posible. La consecuencia que el emisario especial infería de
esa posibilidad era que el ejército brasilero no tendría necesidad
de penetrar en el Estado Oriental, ya que no sería difícil obtener de
Flores garantías para los brasileros así como el castigo de los crímenes que merecían ser punidos. Y Saraiva daba, al fin, rienda
suelta a sus verdaderos sentimientos, los mismos que había venido
reprimiendo desde el comienzo de su misión:

La guerra, o las represalias que a ella se parezcan, nada resuelve definitivamente, ni puede satisfacer nuestro orgullo nacional, que no gana nada con
combatir a un Estado débil e incapaz de resistirnos.
Para ser profícua la guerra transformaríase en una intervención disfrazada,
y parece más digno intervenir claramente con el fin de realizar la paz.

([10]) De Tamandaré a Pereira Pinto, agosto 22, 1864, Lobo, t. II, pp. 12-13.

Pero el triunfo de Flores en la campaña aún no sería la paz. Continuaba opinando Saraiva que ella tenía que ser impuesta, tarde o temprano, por el Brasil y la Argentina. Podía serlo sólo por el Brasil, pero no lo juzgaba conveniente.

Es preciso también interesar a este país (la Argentina), en la paz, asociarlo al Imperio en todos los beneficios que hagamos al Río de la Plata, y en esta forma cimentar una unión que nos conviene por todos los motivos, no solamente a causa de las cuestiones con nuestros vecinos, sino principalmente para que estemos siempre en posición de no consentir que los agentes europeos continúen en el sistema de ingerirse en nuestras cuestiones y hacer hasta ostentación de obstaculizarnos.

La forma de la intervención, según Saraiva, sería indicada por los acontecimientos; entre tanto, le parecía conveniente una acción combinada sobre los dos combatientes para hacerles llegar a ajustes pacíficos. Así se conseguiría lo que más tarde habría que buscar por medio de "una intervención disfrazada (la guerra)", o por una intervención clara, "que prescindiendo de los tratados, proceda en virtud del derecho incontestable que tienen todos los pueblos de no ser incomodados por una anarquía, como aquella de que es actualmente víctima el Estado Oriental". Y enunciada tan original teoría, Saraiva exponía a Días Vieira sus conclusiones finales en forma de un plan concreto que ya nada tenía que ver con sus instrucciones, ni con el ultimátum, ni con nada que no fuera la necesidad de salvar al Imperio del fracaso de unas represalias que no estaba en condiciones de ejecutar:

1º Que el ejército debe estar preparado para marchar hasta Montevideo si el gobierno imperial sintiera más tarde, como yo, la necesidad de pacificar el Estado Oriental por cualquier modo.

2º Que no debemos entrar en el Estado Oriental para ejercer represalias en la frontera, si Flores dominase la campaña y fuesen los brasileros protegidos y garantizados por él.

3º Que antes de entrar nuestro ejército con ese destino, debemos tentar la pacificación del país por una acción combinada con la República Argentina, y por medio de declaraciones que hagan sentir a los combatientes el propósito en que estamos de terminar la lucha en cualquier forma.

4º Que V. E. debe autorizar a nuestros ministros residentes a cooperar para la paz, sin que en caso alguno sean suspendidas las medidas adoptadas para constreñir al gobierno de Montevideo, y que no deben ser levantadas mientras no se organice un gobierno regular que se muestre dispuesto a hacer justicia y a interesarse por la suerte de los brasileños [11].

10.   Saraiva decidió el 27 de agosto permanecer dos semanas más en el Río de la Plata. La postergación del regreso del emisario imperial, presentada por Lamas como éxito alcanzado por él y por Mitre, motivó, de su parte, nuevos empeños ante Castellanos para

[11] De Saraiva a Días Vieira, Buenos Aires, agosto 28, 1864, Lobo, t. I, pp. 249-253.

que insistiera en sus gestiones cerca del presidente Aguirre en favor
de una reorganización ministerial capaz de detener la acción del
Imperio. Escribió:

> Ayer conseguimos, al fin, que el señor Saraiva desistiera de su viaje, y se
> quedase aquí por un par de semanas, cuando menos. Mitre, lo mismo que yo,
> estamos muy empeñados en obtener ese resultado, porque los dos sabíamos que
> deteniendo a Saraiva deteníamos la acción material de Río Grande y podíamos
> volver a tener en el señor Saraiva una cooperación importante para la obra
> de la paz, de la paz verdadera, que sólo se puede obtener moderando las pre-
> tensiones exageradas y organizando al lado del señor Aguirre un ministerio que
> dé garantías a todo y a todos, para lo cual debe ser ulteriormente apoyado. Esa
> opinión mía, es la de Mitre, y éste, como he dicho a V. está dispuesto, con
> todo su peso, en ese sentido. Acabo de hablar con Saraiva, y podemos también
> contar con él (12).

Pero si Saraiva no se atrevía a nada, ni a cumplir el ultimátum ni a regresar a su país, era porque, en esos momentos, se des-
arrollaba en Río de Janeiro una tremenda crisis política en la cual
estaba en cuestión el porvenir de su misión y hasta el suyo propio
como jefe de partido.

(12)   De Lamas a Castellanos, Buenos Aires, agosto 28, 1864, Agnu, Caja
92-16.

Capítulo XXI

RETROCESO EN RIO DE JANEIRO

*1. Malestar político. — 2. Acoso parlamentario. — 3. Críticas de Fe-
rreira da Veiga. — 4. Las puertas de Jano. — 5. El senador Ferraz y
el Paraguay. — 6. Un empeño de honra. — 7. Sensacionales revelaciones de Neri. — 8. Crisis ministerial: Furtado en el gobierno. — 9. Paz
con honor. — 10. — Nuevas instrucciones a Saraiva.*

1. El mes de agosto de 1864 fue de intenso malestar político
en Río de Janeiro. La brillante y compacta mayoría liberal con
que al comienzo del año inició sus sesiones el parlamento, había
ido desgranándose poco a poco. Al golpe de sucesivas deserciones
la base del gabinete Zacharías en la cámara de diputados fue tor-
nándose cada día más pequeña, incierta y vacilante. Los conservadores, que por algún tiempo quedaron aplastados por los resultados de la consulta electoral, comenzaron nuevamente a levantar cabeza, animados sobre todo por el sesgo nada favorable para
el gobierno que tomaban las cuestiones del Río de la Plata. El disgusto general que ocasionó la parte poco airosa que le cupo a Saraiva en las gestiones pacificadoras del Estado Oriental, influyó
en no escasa medida para desgastar el prestigio ministerial y alimentar los bríos de la oposición.

2. La discusión del presupuesto del ejército que se inició el
4 de agosto dio ocasión a que arreciaran las críticas a la gestión
ministerial, en que ya no sólo participaron los conservadores sino
también algunos liberales. Los partidarios del gabinete, para animar a la cámara a votar el aumento de la dotación del ejército
a 12.000 plazas de cuerpos móviles y 6.000 de guarnición, trazaron
un cuadro nada halagüeño de la situación militar del Imperio, que
contrastaba ariscamente con la pujanza con que se había iniciado
la nueva política exterior. Carneiro de Campos, Brandao y Salus-
tiano Soutto, los tres liberales, denunciaron que el ejército no estaba organizado con método y sistema, ni conforme con los mejores progresos técnicos modernos, relativos a armamento, disciplina

e instrucción militar. De este modo, el gato muerto era cargado
en las espaldas de los conservadores, hasta ayer en el gobierno. El
diputado Bezerra Calvacanti, conservador, proclamó el fracaso del
gobierno liberal en todos los órdenes, y sobre todo en la cuestión
del Río de la Plata:

> Vemos infelizmente que la política externa se halla gravemente comprome-
> tida, y que la administración interna está fuera completamente de eje, cavando
> a incesantes golpes la ruina del Imperio.

> Respecto de la cuestión del Río de la Plata, el país ya sabe la marcha que
> ha seguido y no me detendré a apreciarla, limitándome a consignar que se
> hallan desgraciadamente desvanecidas las grandes esperanzas que concibió el
> partido progresista de recoger grandes laureles con una solución pronta y ven-
> tajosa (1).

El ministro de marina, e interino de guerra, Brusque, formuló
en la sesión del 10 de agosto la defensa del gobierno. En cuanto al
estado de los negocios del Plata, dijo:

> Reanudada la negociación que entablara nuestra misión especial, esperamos
> aún la última palabra. Si el último llamado amistoso que hicimos no fuese
> atendido, no dejaremos expuesta la dignidad del Imperio a los azares del tiem-
> po. La Cámara ya conoce todo nuestro pensamiento; procuraremos justicia por
> nuestras manos, ya que la cordialidad de nuestros sentimientos para nuestros
> vecinos y la justicia de nuestras moderadas pretensiones nada consiguen (2).

En la sesión del 11 de agosto el diputado Urbano, liberal, dijo
que su partido no dependía del ministerio, cuyos errores sólo com-
petían a sus componentes, e instó a que se formara otro, para que
la mayoría "abatida, desanimada, inerte, dividida" volviera por
sus fueros y superara la crisis. El presupuesto militar fue aprobado
y en la sesión del día siguiente comenzó el examen del presupuesto
naval, según el cual "la fuerza naval activa para el año financiero
constará de los navíos que el gobierno juzgue necesario armar",
con 3.000 plazas para circunstancias ordinarias y 5.000 para las extraordinarias.

3. El 16 de agosto, el diputado Ferreira da Veiga, con motivo de la discusión del proyecto, formuló una enérgica requisitoria
contra la actuación del gobierno en el Estado Oriental. Dijo que la
situación de los brasileros, que él había denunciado en la famosa
sesión del 5 de abril, se había agravado "por la política mezquina
del ministerio actual que parece tener en vista eludir la confianza
del país por medio de lances incomprensibles o desorientar a todos
con la profunda sabiduría de sus evoluciones diplomáticas". Y señaló a continuación la importancia extraordinaria que había asumido el problema oriental:

(1) ANNAES, DIPUTADOS, 1864, t. IV, p. 61.
(2) ANNAES, DIPUTADOS, 1864, t. IV, p. 101.

No puedo ser censurado por ocuparme de esta cuestión porque es una de las más importantes que se agitan en la actualidad; tiene embargada la atención pública e interesa a todo el país, sin distinción de principios políticos que aquí nos dividen, porque esta cuestión está íntimamente ligada a la honra y a la gloria nacional.

Ferreira da Veiga que, en tan gran medida contribuyera con su incendiario discurso del 5 de abril al envío de la misión especial, se limpió las manos de toda responsabilidad. El no había emitido opinión sobre la conducta que el gobierno debía seguir: se limitó a denunciar las atrocidades que sufrían los brasileros, sin siquiera estar seguro de la exactitud de las denuncias. No concurrió en nada para ese movimiento oficial "que el país presenció más admirado que satisfecho":

La *gloria* pues de esa misión extraordinaria pertenece toda al ministerio actual; pertenece particularmente al noble ministro de negocios extranjeros; quede S. E. con toda esa *gloria;* de ella no quiero ni un ápice.

No se explicaba el orador que el gobierno hubiera hecho publicar en el *Jornal do Commercio* oficios del cónsul en Paysandú, en que eran negados muchos de los hechos denunciados en la cámara en la sesión del 5 del abril, y se atenuaba la gravedad de los otros. "¿Si no eran verdaderos esos hechos, esos atentados cometidos contra súbditos del Imperio, para qué esa misión especial?", preguntaba a continuación. Pero según sus informes, estaban confirmados los horrores que él y Neri habían expuesto y nada, en realidad, el gobierno había hecho para remediar la crítica situación de los brasileros del Estado Oriental. Dirigió luego sus críticas abundantes en sarcasmos, a la metamorfosis que había sufrido la misión, convirtiéndose de reclamadora en pacificadora, y para peor dirigida por el ministro inglés. Sostuvo que la pacificación era contraria a los intereses del Imperio y sólo podría ser conveniente a la influencia de la República Argentina "que la promovió y fue el alma del pensamiento y que para ese fin contra todas las reglas diplomáticas, contra los usos establecidos, fue de Buenos Aires, el señor Thornton con el señor Elizalde, cuando hay un ministro inglés junto al gobierno de Montevideo". Y terminó su crítica a la gestión exterior:

Pero como el gobierno ya declaró que mandaba hacer represalias, ocupando las fuerzas brasileras una parte del territorio de la república para constreñirlo a atender nuestras justas reclamaciones, yo, dejando esta parte de mi discurso, diré que no sé si este medio debía o no ser preferido a una formal intervención, como parece opinar en el senado el honrado señor consejero Paranhos. No estoy habilitado para juzgar cuál de estos dos arbitrios es mejor, pero mucho recelo del buen éxito de ese medio belicoso, como hoy muchos motivos tengo para lamentar los malos resultados de los medios diplomáticos [3].

[3] ANNAES, DIPUTADOS, 1864, t. IV, pp. 130-138.

4. El diputado Junqueira no fue menos enérgico que los anteriores en la crítica de la actuación en el Río de la Plata. Fustigó abiertamente el procedimiento de las represalias que, a su juicio, no garantizarían la seguridad de los brasileros y darían motivo a actos de vandalismo. Además, **pendiente la cuestión con** Inglaterra "no debíamos proferir siquiera esa palabra infeliz". Entendía que Saraiva se había metido en un callejón sin salida pero confiaba en que procuraría salvar el crédito del país. Señaló con especial énfasis la necesidad del debate político. El parlamento estaba por entrar en receso, que duraría ocho meses, y "entre tanto yo veo que las puertas de Jano están por abrirse". **Las últimas votaciones** habían indicado una mayoría ministerial muy pequeña y vacilante, por lo cual creía necesario que el gabinete planteara la cuestión de confianza:

> Es, cierto que ante las dificultades del exterior todos nos debemos levantar como un solo hombre; porque todos somos brasileros (*apoyados*) pero es preciso que el gobierno, si quiere representar con dignidad al país en el exterior, obtenga del parlamento un voto de confianza muy explícito para que pueda atravesar el interregno parlamentario [4].

El presidente del consejo, Zacharías, intervino en la sesión del 17 de agosto para decir que la votación del presupuesto naval, aunque no se declarara cuestión de confianza, serviría al ministerio para comprobar si seguía gozando del apoyo de la cámara. Y en cuanto al recurso de represalias que el diputado Junqueira había repudiado en la sesión anterior por contrario al derecho de gente actual, dijo que no solamente era reconocido por Grocio, sino "por el torrente de escritores modernos", de los cuales mencionó Wheaton y Ortolan. No importaba necesariamente ese recurso bombardear ciudades y talar campos, como imaginaba Junqueira, aunque se hubiera abusado alguna vez de ese derecho, como de cualquiera otro se podía abusar. Las represalias autorizadas por el gobierno con relación al Estado Oriental no incurrirían en esa censura. Y agregó:

> La mente del gobierno es hacer aproximar a sus fuerzas de mar y tierra al teatro de los acontecimientos, en orden a que en un momento dado, puedan proteger los derechos e intereses de nuestros conciudadanos residentes en aquel país. Es evidente que si las fuerzas navales no salieran nunca de los navíos, o si las de tierra no transpusieran jamás las fronteras, el fin propuesto de proteger a nuestros conciudadanos no se conseguirá. Pero, entre tanto, no piensa el gobierno ocupar territorio extraño, bombardear ciudades, ni talar campos, horrores que tanto impresionaron la imaginación del noble diputado por Bahía (Junqueira), y que están muy lejos del pensamiento del gobierno brasilero [5].

5. También en el Senado imperial repercutió la situación creada en el Río de la Plata. En la sesión del 16 de agosto de 1864

---

(4) ANNAES, DIPUTADOS, 1864, t. IV, p. 138.
(5) ANNAES, DIPUTADOS, 1864, t. IV, p. 155.

Paranhos pidió explicaciones al ministerio sobre los últimos pasos de la misión Saraiva y por anticipado lanzó una sutil estocada:

> En este momento apenas haré una ponderación al gobierno de mi país y viene a ser que debemos tener muy en vista el conflicto que ocurrió en esta Corte a fines de 1862, el conflicto entre el gobierno imperial y la legación de Su Majestad Británica, a fin de que nuestro procedimiento en el Estado Oriental no dé, ya no digo razón, ni siquiera pretexto para que se encuentre semejanza entre uno y otro hecho, entre nuestro procedimiento y el del gobierno británico (6).

Al día siguiente, 17 de agosto, concurrió al Senado el canciller Dias Vieira a proporcionar las informaciones solicitadas por Paranhos. Previamente, el senador Ferraz hizo sensacionales revelaciones sobre el fracaso de los preparativos militares en la frontera. La gente de Río Grande estaba cansada del servicio a pesar de ser "toda colorada". Había una deserción extraordinaria. Los riograndenses negábanse a servir al país, prefiriendo presentarse a Flores aquellos que estaban con ánimo de combatir. Para peor, los cuerpos de líneas marcharon a la frontera en pésimas condiciones, sin barracas ni abrigos y faltos de recursos, bajo un invierno riguroso y padeciendo mortíferas epidemias. Además, se habían suscitado serias divergencias entre los jefes del ejército y de la guardia nacional. El senador Ferraz comprendía que sobre el *ultimátum* habría que guardar reserva en esa sesión, pero en el futuro, en nuevas discusiones, algún historiador "condenará muchas de las medidas que se han tomado sin necesidad urgente". E inopinadamente, el orador trajo al debate el tema del Paraguay:

> El Paraguay, sin necesidad, sin razón alguna plausible, toma la actitud de una potencia militar muy fuerte, y cada día, sea por esa razón, sea por su progreso material, esa posición va tomando un lugar muy importante. Estoy persuadido de que no debemos recelar nunca del espíritu de conquista de un estado que tiene la forma representativa, pero el ejemplo de los Estados Unidos en relación con México y el ejemplo de algunos estados que se gobiernan dictatorialmente como el Paraguay me parece que nos debe poner sobre aviso. No deseo jamás la guerra; mi país no puede florecer en el estado de guerra, pero no debemos ser tan descuidados, tan indiferentes al progreso militar de ese país y al progreso de sus vías férreas que según me consta y se puede reconocer, tienen especialmente un fin estratégico. Al par de esto es también reconocido el progreso de su marina militar, y estoy cierto que su posición, si ya no lo es, será formidable para cualquiera de los otros países limítrofes, y nosotros no debemos recelar sólo por nosotros, debemos recelar por aquellos que se hallan ligados con nosotros por tratados; no es del interés y obligación del Brasil mantener la independencia de algunos de los estados del Plata, sino de todos aquellos estados.

> *Pimenta Bueno:* ¡Y pensar en el futuro! (7).

El ministro Dias Vieira ocupó la tribuna para dar los infor-

---

(6) ANNAES, SENADO, 1864, Apéndice, p. 89.
(7) ANNAES, SENADO, 1864, t. IV, p. 99.

mes solicitados, que versaron sobre la presentación del ultimátum al gobierno oriental. Y agregó:

No tenemos fundamentos, al menos razonables, para poder conocer cuál será la respuesta del gobierno oriental, y bien puede ser que dentro de poco la posición del Brasil en el Río de la Plata tome un carácter más serio y que exija de parte del gobierno del país, mayores sacrificios. En esa hipótesis, con la franqueza que le corresponde, vendrá el mismo gobierno a pedir al parlamento los medios necesarios para mantener la dignidad y honra de nuestro país.

Y en cuanto a las referencias que el senador Ferraz dedicara al Paraguay y los recelos que le suscitaba su poderío militar, Dias Vieira se limitó a declarar:

Debo declarar al noble senador que nuestras relaciones con el Paraguay persisten en el mismo pie amistoso que antes, y hace poco tiempo, este gobierno se dignó ofrecer su mediación para restablecer nuestras relaciones con la República del Uruguay, lo que no haría por cierto si por ventura nutriese el mínimo sentimiento de prevención o de hostilidad contra el gobierno brasilero [8].

6.   En la sesión siguiente del 18 de agosto, el senador vizconde de Jequitinhona trajo nuevamente al debate la cuestión internacional, que caracterizó del siguiente modo:

El gobierno tomó sobre sí un empeño de honra de gran alcance. Nuestra cuestión con la República Oriental es una cuestión absolutamente ligada con la honra nacional; no deseo con mis observaciones ni debilitar el pensamiento del gobierno, ni tampoco estimular al gobierno a que vaya más allá de lo que es indispensable para salvar la dignidad del país (apoyados) y al presente, señores, no se trata ni se puede tratar de saber si nos debemos embarcar en esa gran cuestión, porque el gobierno ya lo hizo; al presente lo que se trata de saber es cómo tendremos que salir de ella, y, ¿ha de ser el cuerpo legislativo el que ha de indicar el modo cómo el gobierno salga de esa cuestión de honra? Ciertamente no [9].

Cuando ese mismo día volvió a reunirse la cámara de diputados ya era del dominio público que el gobierno oriental no solamente rechazó el *ultimátum* presentado por Saraiva sino que había devuelto airadamente la nota en que fuera formulado. La impresión que esto produjo en Río de Janeiro y especialmente en los pasillos parlamentarios, fue profunda y agregó un motivo más de agitación en el ya revuelto panorama político. Pero los conservadores, a quienes se habían aliado no pocos liberales en su oposición al gabinete, no quisieron sacar provecho del malestar. Ya fuera porque consideraban que la gravedad de la hora imponía una tregua política, o porque creyeran, como el senador Jequitinhona, que en la cuestión de honra para el Imperio incumbía sólo al gobierno que la había provocado encontrar la salida, debiendo los liberales apechugar ellos solos la crisis que se planteaba, desis-

(8)   ANNAES, SENADO, 1864, t. IV, p. 102.
(9)   ANNAES, SENADO, 1864, t. IV, p. 112.

tieron de promover la cuestión de confianza. El diputado Casimiro
Madureira, de la oposición dijo:

> Ahora, dada la emergencia del Río de la Plata, no creo que fuese patrió-
> tico de nuestra parte provocar al gabinete a experimentar el estado de la cáma-
> ra para retirarse. No, señores, cualquiera fuese mi opinión respecto del minis-
> terio actual, yo quisiera que él se conservase para rendirnos cuenta de la cues-
> tión en que se halla envuelto. Parece, desde luego, que en un país bien consti-
> tuido no se podría formar un ministerio para sustituir al actual en estas cir-
> cunstancias...
>
> *Lopes Netto:* Inició una política, debe acabarla.
>
> *Madureira:* Es de honra del ministerio no retirarse sin dar cuenta al país
> de asunto tan delicado e importante. Es de patriotismo de la cámara sustentar
> al ministerio para que pueda desempeñar la misión de que está encargado [10].

7. Continuó la discusión en torno al presupuesto naval y
hubo el tácito acuerdo de no debatir los nuevos aspectos de la situación internacional para no embarazar la actuación oficial en la
grave crisis. Pero en la sesión del 26 de agosto, la última que la
cámara dedicó al asunto, el diputado Neri dio la nota sensacional.
Apartándose ruidosamente de la mayoría gubernamental con sus
compañeros liberales de Río Grande do Sul, denunció la desidia
con que el gobierno había procedido en los preparativos militares
de la frontera. Sintiéndose muy responsable del envío de la misión
especial, por su discurso del 5 de abril y habiendo sido quien más
vehementemente solicitara la adopción de medidas radicales, Neri
se enteraba ahora que, al cabo de cuatro meses, el gobierno no
había podido organizar el ejército de 5.000 a 6.000 hombres que
se requerían para entrar en operaciones. ¡Los primeros pertrechos
habían llegado a Río Grande el 4 de agosto! ¡No había cómo
cumplir las represalias!

> ¿Por acaso el ministerio no había comprendido la magnitud de la situación
> que se desencadenaba? Nuestro enviado especial hizo una última y solemne
> intimación al gobierno oriental con plazo perentorio y fatal, apelando si no
> a la última razón de los hechos. El gobierno oriental le denegó toda satisfac-
> ción, aceptó el cartel del Imperio. Nuestro ministro correspondió a la arrogancia
> oriental despachando un vapor con pliegos para nuestra provincia; pero en mi
> provincia las fuerzas no están organizadas, nada está prevenido para entrar
> en acción; pregunto yo: ¿qué respuesta podría haber dado a nuestro diplomá-
> tico el hábil y bravo general (Menna Barretto) a quien está confiada esta mi-
> sión en la frontera? ¡No bastó cuatro meses para preparar el ejército de opera-
> ciones! Pregúntanme: ¿cómo quería que declaremos la guerra si no estábamos
> preparados para éso? Pues bien, responderé que en 1851 cuando hubo una vo-
> luntad enérgica y sincera, mucho menos tiempo de éste fue bastante para pre-
> parar un ejército, no de 5.000, sino de 10.000 hombres, y dar en tierra con el
> poder de Rosas y Oribe.

El ministro del Imperio, José Bonifacio, apenas si pudo bal-
bucear una defensa de la atacada gestión gubernamental, apelando

---

(10)   ANNAES, DIPUTADOS, 1864, t. IV, p. 167.

al patriotismo y al brío de todos los brasileros. Con ese motivo se produjo un dramático debate que los *Annales* reprodujeron:

Ministro del Imperio: Tenemos fe en los bríos nacionales; hemos empleado todos los esfuerzos posible para organizar nuestras fuerzas; estamos preparados y no desprevenidos; sustentaremos con energía y prudencia los derechos del país *(apoyados)* y confiamos bastante en nuestros soldados y en el pueblo brasilero para saber que en cualquiera posición podremos defender la honra y dignidad nacional *(muchos apoyados).*

Neri: ¡La cuestión es si el pueblo brasilero confía en vuestras excelencias! *Muchos diputados:* ¡Oh! ¡Oh! ¡Oh!

Saldanha Marinho: En esta cuestión no hay sino un partido en el Brasil *(numerosos apoyados).*

Paranaguá: Esto es más patriótico *(muchos apoyados)* (11).

8. El ministerio estaba muerto. El presupuesto naval fue aprobado por unanimidad el 27 de agosto, pero después de la sesión siguiente, que fue el 29, pretextando la postergación del estudio de la lista civil de las princesas reales —cuestión nimia que no había sido presentada como de confianza— Zacharías de Goes e Vasconsellos se apersonó en el palacio del emperador y presentó la renuncia colectiva del gabinete. Don Pedro II hizo las consultas de práctica. Los conservadores, ni aún con el apoyo de los liberales que disentían con la política de Zacharías, querían cargar sus espaldas con la pesada herencia. Los liberales tenían la obligación de buscar la salida del callejón en que habían introducido al Imperio. Por sucesivas eliminaciones de las principales figuras de la mayoría parlamentaria que rehuyeron asumir la tremenda responsabilidad, la formación del nuevo ministerio fue encargada por el emperador a una figura secundaria del elenco liberal, que nunca había ocupado anteriormente la jefatura del gobierno, pero que tenía fama de habilidoso y expeditivo y además no era amigo de Saraiva: el consejero Francisco José Furtado.

El 31 de agosto de 1864 quedó formado el nuevo ministerio cuya misión estaba claramente señalada por los acontecimientos: salir con honra del atolladero en que estaba atascado el Imperio, salvar la dignidad nacional lastimada por el arrogante rechazo del *últimátum* y la imposibilidad material de cumplir las amenazas tan solemnemente proferidas. El Imperio había tomado sobre si un empeño de honra de gran alcance y la cuestión consistía ahora en encontrar el modo de salir del paso, sin mengua del honor brasilero, como dijo el vizconde de Jequintinhona desde la tribuna del Senado.

9. El 1º de setiembre de 1864 el nuevo gabinete hizo su presentación al parlamento, dando a conocer al senado y a la cámara, su programa de gobierno. En relación con los problemas extranjeros, el documento ministerial contenía el siguiente sugestivo párrafo:

(11)   ANNAES, DIPUTADOS, 1864, t. IV, p. 234.

En cuanto a relaciones exteriores, la política del nuevo gabinete se resume en una palabra —paz—, pero no paz a todo trance. Pondrá el mayor esmero en cultivar las mejores relaciones con todas las naciones, pero sin sacrificio de los intereses brasileros, sin la menor quiebra de la dignidad nacional [12].

El diputado Dantas encontró extraño que el nuevo gabinete viniera con un programa de paz en los momentos en que tal vez "los cañones brasileros podrán estar hablando en las aguas del Río de la Plata en sustentación de la honra, de la dignidad del país y de graves intereses de millares de nuestros conciudadanos", y preguntó si por ventura la política programada divergía de la del ministerio cesante. Con ese motivo, se produjo la siguiente discusión:

Dantas: El noble presidente del consejo limitóse a decir, en cuanto a negociaciones exteriores: "Nuestra política es de paz".

Presidente del consejo: Pero no la paz a todo trance.

Dantas: ¿Esas palabras del noble presidente del consejo no deben llevar al parlamento a creer que el gabinete quiere una mudanza en la política seguida hasta hoy en la Banda Oriental? *(Apoyado).* ¿Podrá, por ventura, el gobierno de nuestro país, después del ultimátum de que tenemos conocimiento, venir al parlamento a decir simplemente: nuestra política es de paz?

Carlos Ribeiro: No dice solamente eso: agregó alguna cosa más.

Dantas: Agregó que no quiere la paz a todo trance; pero de las palabras del noble presidente del consejo, ¿qué se debe deducir? Si estuviéramos en una situación en que ningún acontecimiento hubiese ocurrido a nuestra política exterior, tendrían explicación esas palabras; pero después de los acontecimientos de que estamos informados, después de haber presentado la misión extraordinaria del Brasil ese ultimátum conminatorio; después de estar entregada la solución de la cuestión a nuestras fuerzas de mar y tierra; después de haber declarado el gabinete anterior en una y otra casa del parlamento, que se hallaba perfectamente preparado para hacer justicia por nuestras manos, visto como fuera negada por el gobierno de la Banda Oriental, después de todo eso, señor presidente, las palabras breves y simples del noble presidente del consejo "nuestra política es de paz" ¿qué significan? Pregunto: ¿no querría esto decir también que el gabinete actual por estas palabras solemnemente proferidas tiene en vista condenar *(apoyados)* la política que entonces fuera adoptada? *(No apoyados)* [13].

Puesto en el brete, el nuevo presidente del consejo, consejero Furtado, trató de escapar por la tangente, eludiendo el debate. Pero su respuesta implicó, bien escuchada, una confirmación de las presunciones del diputado Dantas: que el nuevo gabinete se proponía, si no condenar, por lo menos rectificar la política seguida por el anterior en relación con el caso oriental, preocupándole sólo que no quedara lastimada la honra nacional. Dijo Furtado:

S. E. se mostró como desconfiado de que el ministerio actual pretenda adoptar con relación a los negocios exteriores una paz sin dignidad para el país

[12] ANNAES, DIPUTADOS, 1864, t. IV, p. 279; ANNAES, SENADO, 1864, t. IV, p. 232.

[13] ANNAES, DIPUTADOS, 1864, t. IV, p. 280.

y cambiar la política del Río de la Plata. Debo decir al noble diputado que
el gobierno no juzga conveniente en este momento discutir esa política, aun
cuando puede ya asegurar al noble diputado que el gabinete actual, como el
pasado, no consentirá que la honra nacional sufra el menor desaire. El noble
diputado sin duda no entendió bien mis palabras que fueron: la política del
gabinete con respecto a las relaciones exteriores se resume en una sola palabra: la paz, no la paz a todo trance, pero sí una paz honrosa. Pondrá todo
cuidado en mantener y cultivar las mejores relaciones con todas las naciones,
sin perjuicio de nuestros intereses y sin el menor desaire (14).

10. Ya decidido el ministerio Furtado por la política de "paz
con honor", sólo hesitaba en el procedimiento a seguir para no
herir la susceptibilidad ni el prestigio del jefe de la misión extraordinaria en el Río de la Plata, que ocupaba un lugar tan principal dentro del partido gobernante. Del difícil trance vino a sal-
varle su nota confidencial del 28 de agosto de 1864 en que el emisario imperial confesaba cabizbajo y paladinamente la sin razón
de la política de fuerza por su esterilidad, no porque fuera imposible ejecutarla sino por una razón de dignidad, y señalaba como
único camino posible para alcanzar la satisfacción de los reclamos
brasileros, la pacificación, por el triunfo de Flores discretamente
ayudado, por la mediación Barbolani, o por una intervención militar directa hecho en consuno con la República Argentina. Las
palabras de Saraiva parecían un eco de las pronunciadas por Paranhos y otros críticos parlamentarios y traducían la general impresión acerca del error en que se había incurrido al embarcarse
irreflexivamente en una política de violencias sin preparar los instrumentos con que descargarlas en el momento oportuno, pero sin
confesar la verdadera razón de esta nueva apreciación de esa política:

La guerra, o represalias que a ellas se parezcan, nada resolverá definitivamente, ni puede satisfacer nuestro orgullo nacional, que nada gana combatiendo con un estado débil e incapaz de resistirnos (15).

Tamaña palinodia habilitaba al nuevo gabinete a enmendar
los yerros sin incurrir en el desagrado de tan importante personaje.
El ministro interino de relaciones exteriores, Carlos Carneiro Campos, expresó las nuevas directivas a que debía sujetarse la misión.
En nota fechada el 6 de setiembre dirigida al emisario en el Río
de la Plata, con los propios argumentos de Saraiva, se rechazaron
hábilmente sus proposiciones y se confinaba el plan de represalias
al ámbito más estrecho. Se le señaló a Saraiva lo incoherente y poco cauteloso que sería el gobierno con los principios de abstención
proclamados desde tiempo atrás en los negocios internos del Uruguay, si se decidiera a intervenir directamente para alcanzar la paz
sin adquirir la certeza previa de que, obtenida ella, serían también

(14)   ANNAES, DIPUTADOS, 1864, t. IV, p. 282.
(15)   De Saraiva a Dias Vieira, Buenos Aires, agosto 28, 1864, cit.

atendidos los reclamos. Por tal razón, entendía el gobierno que la intervención directa para imponer la paz en el Estado Oriental "sólo debería ser tentada como extremo recurso y garantiéndonos con la precisa solemnidad la satisfacción de la justicia que nos asiste y que nos autorizó a tomar la posición que tomamos". Y para la realización de esa hipótesis juzgaba el gobierno imperial, lo mismo que Saraiva, que sería muy conveniente el concurso del gobierno argentino. De otro modo, al gabinete imperial le parecía más aconsejable "conservar la actitud actual", que si no cumplía todos los anhelos del Brasil, por lo menos los satisfacía en gran parte, "ya protegiendo eficazmente a los súbditos brasileros allí residentes, o demostrando el propósito deliberado en que estamos de conseguir las reparaciones que nos son debidas sea cual fuere el partido que ocupe el poder". No obstante, el nuevo ministerio contemplaba la posibilidad de ejercer represalias, pero de antemano las circunscribía dentro de límites y de su ejecución sólo se encargaba a las fuerzas navales, sin intervención de las terrestres, quedando, en consecuencia, eliminada la necesidad de la invasión territorial. Lo capital de las nuevas instrucciones a Saraiva estuvo contenido en los párrafos finales:

En estas circunstancias, piensa el gobierno imperial que por ahora no deben nuestras fuerzas ejercer sino las represalias que fueran indispensables, no perdiendo ocasión de hacerlas; evitando, sin embargo, chocar con intereses extranjeros que puedan traernos complicaciones internacionales y aún perjudicar los intereses de los particulares inofensivos. En otras palabras, la represalia debe ser activa y solamente recaer sobre objetos pertenecientes al Estado (16).

Con este pinchazo quedaba desinflado el enorme globo. Las instrucciones, en la parte relativa a las represalias, fueron comunicadas solamente al jefe de las fuerzas navales estacionadas en el Río de la Plata. A ellas incumbiría ejercer las represalias "que fueran indispensables" y que debían recaer exclusivamente "sobre objetos pertenecientes al Estado". Ninguna tarea correspondía al ejército de Río Grande, porque ese ejército aún no existía. En cuatro meses de alharacas no se había logrado reunir ni 1.500 soldados. Los 40.000 ó 50.000 del general Netto que en abril estaban listos para hacerse justicia con sus propias manos, no habían dado ni siquiera para un batallón. Fue por tal razón, más que por cualquiera otra, que el Imperio se veía ahora en el amargo trance de frenar el ímpetu avasallador con que se había hecho presente en el Río de la Plata en esta nueva etapa de su política exterior.

(16) De Carneiro Campos a Saraiva, Río de Janeiro, setiembre 6, 1864, LOBO, t. I, pp. 258-259.

Pero en los mismos momentos en que el gabinete Furtado hacía volar hacia el Río de la Plata las nuevas instrucciones de paz, los barcos del almirante Tamandaré disparaban en el río Uruguay, el primer cañonazo de guerra, el plenipotenciario Saraiva enviaba órdenes a la frontera para iniciar de cualquier modo las represalias en territorio uruguayo, y el Paraguay anunciaba que no consentiría que el Brasil cumpliera sus amenazas...

CAPÍTULO XXII

EL PRIMER CAÑONAZO

*1. Regreso de Carreras. — 2. Todas las esperanzas en el Paraguay. —
3. Gallarda respuesta de Leandro Gómez. — 4. Cañoneo del "Villa
del Salto". — 5. Indignación y ruptura de relaciones. — 6. Definitivo
fracaso de Barbolani. — 7. Saraiva ordena la invasión. — 8. Instrucciones para la escuadra. — 9. Brecha entre Mitre y Flores. —
10. Saraiva abandona el Río de la Plata.*

1. Mientras Pereira Pinto remontaba el río Uruguay buscando la guerra y Barbolani vagaba por los campos orientales buscando la paz, Antonio de las Carreras en su viaje de regreso del
Paraguay venía esparciendo en el trayecto la noticia de que retor-
naba con grandes novedades que tanto podían significar la guerra
como la paz. En Buenos Aires, Egusquiza recogió la versión de que
Carreras decía haber combinado con López "un plan político que
iba a presentarlo a su gobierno, quien en caso de aceptarlo lo lla-
maría a formar parte del ministerio" (¹). Pero Lamas no se dejó
engañar. Sabía que Carreras había fracasado rotundamente, nueva
prueba, a su juicio, de la incapacidad política de los consejeros de
Aguirre.

Mandaron denunciar —escribió a Castellanos— al Paraguay que el Brasil
y la República Argentina se habían unido para absorber, etc., etc., y todos
menos ellos debieron esperar lo que ha sucedido, esto es que al Paraguay le
parecerá demasiado aventurado meterse en camisas de once varas. Manifestaron así el prurito de crearles dificultades a sus dos vecinos y solo alcanzaron que el Paraguay se dirija hoy (este es el hecho) a esos mismos vecinos
para evitar *todas* dificultades con ellos por parte suya (²).

(¹)   De Egusquiza a Berges, Buenos Aires, setiembre 2, 1864, AMREP, I-30,
2, 5.

(²)   De Lamas a Castellanos, Buenos Aires, agosto 28, 1864, AGNU, Caja
92, 16.

Carreras llegó a Montevideo el 27 de agosto en medio de gran espectativa. Se mostró, de entrada, muy satisfecho de los resultados de su misión, y "sea como acto de mera ligereza, sea como plan de su política", según informó Brizuela, dio "las mayores seguridades respecto al Paraguay en esta cuestión, llegando hasta decir que todo estaba arreglado y que sólo faltaba alguna pequeña dificultad que vencer, como queriendo hacer entender que llegando él al ministerio, todo sería hecho". Pero el escepticismo acerca de la tan cacareada ayuda paraguaya era tan generalizado que ni los mismos amigos de Carreras se dejaron persuadir. Nadie quería creer que hubiera obtenido del gobierno paraguayo otra cosa que buenas palabras. No obstante, en la noche del 29 de agosto, una comisión del sector extremista pidió abiertamente al presidente Aguirre la constituición de un *ministerio Quinteros*, capaz de conjurar los peligros de la situación, mediante una política extrema de guerra, sin perdonar sacrificios, y del cual formara parte Antonio de las Carreras en primer término. Según los informes de Brizuela, Aguirre no opuso formal negativa; antes de decidirse deseaba conocer los resultados de la mediación Barbolani. Si ésta fracasaba, con seguridad Carreras sería llamado al gabinete.

Aquel cambio en el gobierno —comentó Brizuela— no mejorará sin embargo, de un modo eficaz y práctico, la actualidad, porque esa fracción, sobre todo las entidades del ministerio solicitado, tienen contra sí no sólo una gran oposición en el mismo partido, sino lo que es más, las antipatías generales del elemento extranjero, sin excluir la de los agentes diplomáticos (3) .

2. El ministro de Francia consideró que la vuelta de los "amapolas" al poder haría más difícil cualquier transacción, y atribuyó grave significación a las probables ulterioridades de la misión cumplida por Carreras en Asunción, en donde estribaba, según su criterio, el nudo de la cuestión. Escribió Maillefer a su gobierno:

Anteayer les llegó (a los "amapolas") un refuerzo con el Dr. Carreras, que vuelve de la Asunción, encantado, según parece, de la cordial acogida que le ha sido hecha; pero, en suma, ¿qué trae en materia de mediación o de alianza? Ahí está en definitiva el nudo de la cuestión. Algunos vapores de guerra, algunos millares de soldados paraguayos podrían inclinar de repente la balanza hacia el lado más imprevisto, aún obrando desde muy lejos sobre las espaldas de la Confederación o del inmenso Imperio brasileño, cuyas salidas domina Solano López; y una vez hecha la feliz demostración de sus fuerzas el Paraguay sería la primera potencia militar del continente meridional. (4).

Con tales grandiosas espectativas puestas en la futura primera potencia militar sudamericana, Brizuela fue objeto de un acucioso asedio. Todos procuraban sondearle las intenciones de su gobierno, pero el agente paraguayo se mantuvo impenetrable. Palpaba en

(3)   De Brizuela a Berges, Montevideo, agosto 31, 1864, AMREP, I-30, 3, 52.
(4)   De Maillefer a Drouyn de Lhuys, Montevideo, agosto 29, 1864, MAILLEFER, p. 37.

todas partes, menos en los círculos adeptos a Carreras, ardientes
anhelos de paz. La ciudad, el país estaban cansados de la guerra.
La situación del gobierno era muy delicada. Así lo hizo saber a
Berges:

> En medio de la grave y más comprometida que nunca situación porque
> pasa este país... es notabilísimo el unánime sentimiento de paz. Todo el
> mundo la desea, menos los exaltados, aún los hombres más comprometidos por
> su opinión desean la paz; y en cuanto al elemento extranjero la paz es un
> voto general. Esto por una parte y por otra los descalabros que sufre el go-
> bierno, hacen casi imposible que la situación pueda encontrar levante. Esta
> convicción me hace creer que quizás muy pronto el gobierno se vea reducido
> a la sola defensa de la capital; pues ni moral ni materialmente podrá llevar
> a cabo la resistencia, porque es muy grave la crisis, y sobremanera abruman-
> tes las complicaciones que se agrupan en el horizonte político del país, casi
> exhausto en sus recursos y moralmente decepcionado con el infortunio que
> sobre él pesa [5].

3.   Las desfallecientes fuerzas del gobierno oriental se galvani-
zaron súbitamente no como resultado de la misión de Carreras, sino
del desarrollo del plan que la escuadra brasilera fue a cumplir en
el río Uruguay. Llegados los barcos de la expedición a Paysandú,
el capitán Pereira Pinto intimó, conforme a sus instrucciones, al
comandante de la plaza, coronel Leandro Gómez, a inmovilizar y
desarmar al *Villa del Salto,* así como las demás embarcaciones sur-
tas en el puerto. Gómez "jefe de prestigio incontestado entre los
blancos, de probado coraje e inflexible intransigencia" (Helio Lobo), contestó gallardamente:

> Si yo hubiese de ejercer una autoridad suprema en la República Oriental,
> ciertamente que V. E. recibiría contestación más terminante y más digna de
> un hombre de honra, que da el valor debido a tamaño y tan terrible ultraje,
> tanto más notable cuando parte del jefe que comanda fuerzas considerables
> relativamente a las que tengo a mis órdenes, lo que equivale a declarar tácI-
> tamente, como declaro, que ese abuso de fuerza material que pretenden ejer-
> cer las armas del Imperio contra las de la República Oriental, van a autorizar
> lógicamente a sancionar actos idénticos de cualquier nación más poderosa con-
> tra el Imperio; pero, en mi calidad de autoridad dependiente del gobierno
> supremo de la República, tengo que manifestar a V. E. que, por el primer
> vapor, le daré cuenta del contenido tanto de la nota que se dignó dirigirme,
> como de la copia del párrafo de sus instrucciones; y en tanto no reciba órde-
> nes de mi gobierno que me designen la línea de procedimiento que debo
> seguir, relativamente a la referida pretensión, tanto el vapor de guerra nacio-
> nal *Villa del Salto,* como las embarcaciones menores que tengo a mis órdenes,
> han de conservarse armados y prontos a cumplir las órdenes que tenga que
> expedirles.
>
> No será extraño, señor comandante, que en el acto de querer apresar al
> vapor de guerra nacional *Villa del Salto,* las aguas del río Uruguay se tiñan
> de sangre oriental y brasilera, porque el pabellón de la República no ha de
> ser humillado impunemente, asistiéndome la confianza, que asiste, de que se

(5)   De Brizuela a Berges, Montevideo, agosto 31, 1864, cit.

han de cumplir por el jefe del aquel navío las terminantes y enérgicas instrucciones que le expedí en la situación actual (6).

4. Efectivamente, el *Villa del Salto* despreciando la intimación brasilera partió de Paysandú conduciendo refuerzos a Mercedes, amagada ya por las fuerzas de Flores. El 27 de agosto lo avistó, cerca del río Negro, la escuadra brasilera y el capitán Pereira le intimó que se detuviera. No lo hizo y entonces disparó el *Araguahy* un cañonazo sin bala. Como tampoco se detuviera, y continuara el *Villa del Salto* velozmente aguas abajo, el barco brasilero le hizo tres disparos, esta vez con bala, pero sin darle alcance. El vapor oriental, más veloz, sin contestar el fuego brasilero, ganó la orilla argentina, cerca de Concordia. El mismo día en que el *Villa del Salto* era cañoneado, Mercedes, abandonado por su guarnición, que esperaba ser salvada por los refuerzos que conducía aquel barco, cayó en poder del ejército de Flores.

Aunque las aguas del río Uruguay no se tiñeron de sangre brasilera y oriental, se había disparado el primer cañonazo en el Río de la Plata en acción internacional.

5. Las noticias del cañoneo del *Villa del Salto* y de la caída de Mercedes llegaron simultáneamente a Montevideo y concitaron gran indignación popular en que participaron todos los sectores. Se consideró insultado el pabellón nacional. El ataque del *Araguahy* no era efecto de la desatención de las intimaciones de Saraiva, ni realizado en salvaguarda de ningún interés o en protección de la persona de algún brasilero. La declinante energía de Aguirre fue galvanizada por la electrificación de la opinión pública. Adelantándose a cualquiera maniobra del sector exaltado —que quedó confundido en la general agitación— el gobierno resolvió el día 30 de agosto de 1864, apenas conocidos los hechos, enviar los pasaportes al ministro del Brasil, Juan Alves Loureiro, conminándole a abandonar el país en el plazo perentorio de veinte y cuatro horas.

En vista de estos hechos —decía la nota de Herrera— habiendo el gobierno del Brasil disparado el primer cañonazo en el Plata, S.E. ministro residente de S. M. Imperial cerca del gobierno de la República, comprenderá que es inútil su permanencia diplomática en territorio nacional (7).

Rotas de este modo las relaciones con el Imperio, a pesar de la tremenda exacerbación del ánimo popular no creyó Aguirre llegada la hora de llamar a Carreras. El 4 de setiembre hubo una asamblea popular. Antonio de las Carreras presentó nuevamente su candidatura ministerial, blandiendo la vieja bandera de los

(6) De Gómez a Pereira Pinto, Paysandú, agosto 25, 1864, LOBO, t. II, pp. 14-15.
(7) De Herrera a Loureiro, Montevideo, agosto 30, 1864, RELATORIO, 1865, Anexo I, pp. 84-85.

Treinta y Tres Orientales, y "convidando a todo el mundo, colorados, blancos y aún extranjeros, a la defensa de la independencia oriental, amenazada por los brasileños, y por el traidor Flores, su cómplice" según informó Maillefer a su gobierno [8]. Pero Aguirre se mostró impermeable una vez más. Carreras no fue llamado.

6. Mientras tanto, el cónsul Raffo al fin había dado alcance a Flores, entregándole la nota de Barbolani en que éste le trasmitía la propuesta de paz de Aguirre y le responsabilizaba de la continuación de la guerra civil si la rechazaba [9]. Pero para entonces, Flores ya tenía conocimiento de la ruptura de las hostilidades por la escuadra brasilera y de la inminente invasión terrestre. Apreciando el valor estratégico, para sus futuras operaciones, de la eliminación de la escuadrilla gubernamental como fuerza combatiente en las aguas del río Uruguay, y de la ayuda militar que le vendría del Brasil, rechazó con énfasis la oferta de Aguirre y también la imputación de responsabilidad que le formulaba Barbolani. Después de esta respuesta, el ministro de Italia dio por terminada su gestión pacificadora [10] el mismo día en que el *Villa del Salto*, nuevamente cañoneado, después de haber intentado pasar a aguas uruguayas, era incendiado y abandonado por su tripulación. Comentó el ministro de Francia la conclusión de las gestiones de Barbolani:

Por mi parte no me sorprendió nada este fracaso, sobre todo cuando supe por los señores Barbolani y Raffo, que el general Flores había mostrado a este último una carta recién recibida de Buenos Aires, en la que se le recomendaba no aceptar ningún arreglo, pues las cañoneras del almirante Tamandaré bastaban para librarle de toda inquietud del lado del río Uruguay, y el señor Saraiva se comprometía a procurarle el refuerzo de 1.500 voluntarios de Río Grande, que pasarían la frontera con la divisa colorada. ¿Sería esta carta del enviado extraordinario imperial en persona, como el señor Raffo creyó en el primer momento, y como cree aún el público? Me parecía improbable una imprudencia tal; y según la versión del señor Hernández, secretario de la legación de España, también presente en la entrevista, el general Flores se habría limitado a decir: "He aquí lo que me anuncian de parte de Saraiva" [11].

7. Si Saraiva probablemente no cometió semejante imprudencia, lo que él decidió, casi al mismo tiempo que Barbolani ponía término a su gestión, equivalió prácticamente a lo mismo que Flores aseguraba que le había prometido como estímulo a su in-

[8]   De Maillefer a Drouyn de Lhuys, Montevideo, setiembre 14, 1864, "Revista Histórica", t. XXII, p. 385.

[9]   De Barbolani a Flores, Montevideo, agosto 22, 1864, DOCUMENTOS BARBOLANI, p. 13.

[10]   De Barbolani a Herrera, Montevideo, setiembre 6, 1864, DOCUMENTOS BARBOLANI, p. 12-13.

[11]   De Maillefer a Drouyn de Lhuys, Montevideo, setiembre 14, 1864, MAILLEFER, p. 383.

transigencia. Desde el cañoneo del *Villa del Salto* y la entrega de pasaportes a Loureiro, Saraiva consideró que había llegado la hora de la guerra. La vorágine de los acontecimientos barrió con toda su habitual moderación. El 7 de setiembre de 1864 expidió terminantes instrucciones al presidente de la provincia de Río Grande do Sul, J. M. de Souza Gonzaga, para iniciar cuanto antes la invasión del territorio oriental, y sin importarle ya que se hubieran completado o no los preparativos militares. Esas instrucciones que esbozaban todo un plan de guerra, decían:

1º Que el ejército brasilero entre en el territorio de la República con el fin de expulsar de Cerro Largo, Paysandú y Salto a las fuerzas del gobierno de Montevideo que existen en esos puntos y amenazan ejercer represalias sobre nuestros ciudadanos:

2º Que la división que haya de efectuar operaciones militares contra Paysandú y Salto debe tener gente y material para sitiar y tomar a viva fuerza si fuera necesario, la ciudad de Paysandú, donde hay una guarnición un poco inferior a mil plazas, y más de 20 piezas de campaña bien colocadas:

3º Que conviene atacar primero Salto, que tiene menor guarnición, para después seguir con toda la fuerza para Paysandú:

4º Que los comandantes de las divisiones deben entenderse con los de la escuadra, que ha de conservarse en frente de Paysandú y Salto, a fin de verificar, por medio de un sitio regular, e interceptadas todas las comunicaciones por tierra y por río, la capitulación de aquellos dos puntos sin derramamiento (de sangre), lo que se podrá conseguir adoptadas las providencias convenientes:

5º Que la división que se dirigirá a Cerro Largo debe procurar incorporarse la fuerza del mayor Fidelis, que, seguramente, en las nuevas circunstancias actuales, no dejará de auxiliar al ejército de su país:

6º Que si no disponemos ahora de bastante fuerza para operaciones militares en diversos puntos, debemos tentar solamente al ataque de Salto y Paysandú, dejando para después el de la Villa de Cerro Largo:

7º Que los comandantes militares deben recibir orden para no ofender ni hostilizar, de ningún modo, a fuerza alguna perteneciente al general Flores, el cual no nos ha agraviado, y antes procura garantir a los brasileros, tanto cuanto le es posible, en los lugares que ocupa:

8º Que, tomada cualquiera de las poblaciones indicadas y desarmadas las respectivas guarniciones, luego que en ellas fueron constituidas nuevas autoridades nombradas por el general Flores, y dando éste seguridades de proteger a los brasileros residentes hasta tanto se organice el gobierno legal de la república, deben nuestras tropas salir de los puntos indicados, y aún del territorio de la república, si no recibieran órdenes del gobierno Imperial de marchar hasta Montevideo:

9º Que las operaciones militares deben limitarse, hasta nuevas órdenes del gobierno imperial, a los puntos designados (Salto, Paysandú y Cerro Largo), y de manera que nuestras fuerzas obren coadyuvadas y auxiliadas por la escuadra, la que deberá recibir, por Uruguayana o Santa Rosa, las comunicaciones necesarias;

10º Que no se deben imponer contribuciones de guerra, y por el contrario se debe pagar todo cuanto se tome para el abastecimiento del ejército, recomendando que todos los jefes militares procedan con mucha atención a la siguiente recomendación: Que no hacemos ni queremos hacer mal a la

República Oriental, y sólo hostilizamos al actual gobierno de Montevideo y a sus agentes, únicos responsables de la desgraciada situación en que se hallan sus coterráneos y los extranjeros pacíficos residentes en el país [12]

8. Las nuevas instrucciones que, al mismo tiempo envió Saraiva al almirante, acompañadas de copia de las destinadas al Presidente de Río Grande del Sud, eran, asimismo, órdenes de guerra. Inmovilizado en Montevideo el *General Artigas*, e incendiado el *Villa del Salto*, la escuadra ya no tenía misión naval que cumplir, como no fuera cooperar con las fuerzas terrestres, dentro del plan de guerra esbozado por Saraiva, cuya carta a Tamandaré decía:

V. E. sabe que no tenemos sobre qué ejercer represalias u otros actos de fuerza por medio de nuestros barcos de guerra; es, pues, conveniente que nuestras vistas se concentren en el Uruguay, y que procuremos expulsar del litoral de ese río a las fuerzas del gobierno de Montevideo. Juzgo que V. E. deberá entenderse con las autoridades que el general Flores tuviera en los puertos del Uruguay que fuesen ocupados; conviniendo que sean tratados con deferencia en cuanto protejan, como es propósito demostrado por diversos actos, a nuestros compatriotas. No necesito agregar más. Estoy seguro de que V. E. comprende, ejecuta y ha de ejecutar las órdenes del gobierno imperial en la forma más conveniente y honroso a nuestro país. [13]

9. Por supuesto, el nuevo plan de Saraiva, que bien podía romper definitivamente el equilibrio de fuerzas, liberó a Flores de sus incertidumbres. Desde ese momento, vislumbrando ahora otros horizontes para su movimiento revolucionario, ya nada quiso saber de nuevas negociaciones pacificadoras. Había dejado sin respuesta el clamoroso llamamiento de Mitre en favor de una nueva conferencia, esta vez en Buenos Aires. Ahora, le escribió para decirle que estaba conforme con el contenido de su carta del 22 de agosto, y que siempre le encontraría dispuesto en favor de su idea de paz, pero condicionándola a términos que la volvían impracticable; aparte de negarse redondamente a llevar a Buenos Aires la sede de posibles negociaciones.

Comprendo que para nuestra patria, —le decía— sería más ventajoso un mal arreglo que para mi propia causa el más completo triunfo. Pero también creo que debemos esquivar un mal arreglo que no deje bien guardado el equilibrio político, dejando para el porvenir mayores peligros y males que aquellos que desafortunadamente hemos pasado y pasamos aún.

Aceptando sus ideas de lleno, sólo tengo que advertir a usted, que dependiendo este asunto de la voluntad suprema de los amigos que me rodean en este campo y que en otros puntos y en toda la república combaten por mi propia causa, cualquier deliberación que sobre esta materia se haga deberá hacerse en este campo y no fuera de aquí y por medio de comisionados [14]

[12] De Saraiva al Pte. de R. Grande, Buenos Aires, setiembre 7, 1864, LOBO, t. II, pp. 45-47.

[13] De Saraiva a Tamandaré, Buenos Aires, setiembre 7, 1864, LOBO, t. II, p. 48.

[14] De Flores a Mitre, Cuartel general, setiembre 4, 1864, ARCHIVO MITRE, t, XXVII, p. 159.

A Mitre le hirió más que nada la altanera negativa de Flores a negociar en Buenos Aires. En tono cortante le anunció que dejaba sin efecto su iniciativa y que en lo sucesivo se abstendría de nuevas tentativas de avenimiento, si bien le hallaría siempre dispuesto a trabajar por la paz toda vez que pudiera hacerlo con un carácter serio y con probabilidades de éxito. Le explicó los motivos de su frustrada interposición, descargándose de paso de toda responsabilidad por lo que iba a ocurrir y que era fácilmente previsible:

Al dirigirme, pues, a usted en tal sentido, lo hice en el interés de su país y de su propia gloria, consultando indirectamente los intereses del pueblo argentino, al que no puede ser indiferente la paz de un país vecino y hermano. Al obrar así lo hacía con el perfecto conocimiento que tengo de la situación, del alcance y de las consecuencias de la guerra, y de las complicaciones futuras que pueden sobrevenir, tomando oficiosa y desinteresadamente parte en una cuestión que si bien no puede serme indiferente, no es una cuestión mía, y que es a los orientales y a usted a quienes interesa más que a mí, como que ella ha de decidir de su suerte presente y destinos futuros, y como que la responsabilidad de lo que suceda es puramente de ustedes (15).

Por lo menos un éxito había cosechado Saraiva al cabo de su azarosa misión. Una brecha se había abierto entre el general Mitre y su antiguo subordinado de Pavón. El mismo Flores se asustó de su actitud tan poco cortés con el presidente de un país de cuyos socorros dependía en gran parte la suerte de la revolución y en momentos que su entrega al Brasil le suscitaba agudas punzadas en su conciencia. Dio marcha atrás y envió a su secretario J. C. Bustamante con instrucciones de promover las negociaciones en Buenos Aires que Mitre sugería, a quien escribió:

No puede usted, no debe manifestarse indiferente por más que quiera parecerlo; y yo espero que en este momento supremo en que hago mi último y más grande esfuerzo por conseguir lo que los dos deseamos, haga por su parte cuanto pueda, poniendo en juego su influencia toda (16).

10.   Cuando Bustamante se disponía a cumplir su misión, Saraiva ya se había embarcado rumbo a Río de Janeiro. Dejaba encendida la mecha de las instrucciones expedidas a las tropas de la frontera para el comienzo inmediato de las operaciones militares. Ignoraba que en esos mismos momentos volaban desde Río de Janeiro contraórdenes que convertían su misión de guerra en misión de paz. E ignoraba también que el Paraguay acababa de declarar *urbi et orbe* que no consentiría, bajo pretexto alguno, que el Imperio ocupara un pedazo de tierra cualquiera del territorio oriental.

(15)   De Mitre a Flores, Buenos Aires, setiembre 6, 1864, ARCHIVO MITRE, t. XXVII, pp. 160-161.

(16)   De Flores a Mitre, Frente a Paysandú, setiembre 10, 1864, ARCHIVO MITRE, t. XXVII, pp. 161-162.

CAPÍTULO XXIII

LA PROTESTA

1. El 24 de agosto de 1864 fue de grandes acontecimientos en el Paraguay. Ese día atracó en los muelles de Asunción el paquete *Paraguarí*, trayendo importantes pasajeros y no menos importantes noticias. Entre aquéllos estaban el nuevo ministro del Brasil, César Sauvan Vianna de Lima, que cayó "como caído de la luna", según expresión de Berges, pues de su viaje no se tenía la menor noticia previa, y el ministro de Inglaterra, Edward Thornton, que aunque esperado, venía precedido de informes nada halagüeños del agente paraguayo en Buenos Aires. Con ellos llegaron cartas y diarios de Montevideo y de Buenos Aires con la sensacional noticia de la presentación de un ultimátum brasilero al gobierno oriental, de su terminante rechazo y de las disposiciones tomadas por el Imperio para cumplir sus amenazas. Todo esto era como para conmover el ya removido avispero paraguayo.

Antes de transcurridas 24 horas, el ministro oriental Sagastume puso oficialmente en conocimiento del gobierno paraguayo el ultimátum de la misión especial del Brasil y la respuesta oriental, y solicitó, en nombre de su país, la interposición del Paraguay mediante su mediación o por la concertación de medios de consuno para salvar los derechos de la República Oriental. Decía la nota:

Los sucesos políticos que actualmente pesan sobre la República Oriental han vuelto a tomar un carácter verdaderamente amenazante a la independencia y soberanía nacional.

Los esfuerzos consumados por mi gobierno en la noble esperanza de resolver pacífica y amistosamente las graves cuestiones suscitadas por el Brasil y la

República Argentina, sólo han producido el resultado de poner más en transparencia el pensamiento agresivo que abrigan contra la autonomía de la República.

Después de fracasar, por las razones que V.E. conoce, la misión que desempeñaban en Montevideo los señores ministros Elizalde, Thornton y Saraiva, han renacido, por declaraciones solemnes del representante brasilero, las complicaciones internacionales que indujeron a esta legación a pedir la valiosa mediación del gobierno de V.E., para allanar amistosa y satisfactoriamente todas las dificultades que pudieran surgir de las injustificadas reclamaciones.

Por los documentos que en copia legalizada tengo el honor de acompañar a V.E., V.E. apreciará el verdadero estado de nuestras relaciones con el Imperio del Brasil.

Separadas del terreno tranquilo de la discusión las cuestiones suscitadas por el enviado extraordinario del Imperio, mi gobierno considera llegada la oportunidad de usar la valiosa interposición paraguaya tan noble y amistosamente aceptada por el gobierno de V.E.

Las amenazas que con el nombre de represalias hace al gobierno oriental el Sr. consejero Saraiva, y que pueden tener ejecución en cualquier momento, producirán, si se realizan, un inevitable *casus belli*, y derramada la primera gota de sangre en una lucha abierta con el Brasil, V.E. comprende que de ambas partes será muy difícil, sino imposible un avenimiento justo y amistoso.

Para evitar esta extremidad, mi gobierno cree que será eficaz se hiciera sentir ya, antes de que se produjese el primer conflicto, la benéfica influencia del gobierno del Paraguay; y dada la hipótesis, no probable, de que el Brasil desatendiese la justicia con que impulsado por exigencias de alta política, interviene en esa grave cuestión, procurar de consuno los medios de salvar, en todo caso, de toda pretensión atentatoria, los respetos y los derechos de un pueblo libre, independiente y soberano (¹)

Juntamente con la información que proporcionaban los documentos oficiales transmitidos por Sagastume, para completar su juicio sobre la crítica situación del Río de la Plata, López y Berges contaron con los despachos que, con el mismo correo, enviaron el agente en Montevideo, Juan José Brizuela y el cónsul en Paraná, José Ruffo Caminos. Según Brizuela, después del ultimátum de Saraiva, el gobierno oriental estaba a un paso del colapso. El panorama que presentaba el agente en Montevideo, del estado espiritual reinante en la población montevideana discordaba bastante con el que resultaba de la bélica prestancia de los documentos y de la prensa oficialista. Según Brizuela todos clamaban por la paz, y el triunfo de la rebelión solo dependía del Brasil:

Nunca ha sido más crítica la situación. La fuerza material del gobierno disminuye por falta de organización vigorosa; los elementos para continuar la guerra se ven casi agotados; y la moral de los mismos hombres comprometidos, y en armas, se encuentra decaída.

La paz es el desiderátum íntimo de todos. ¿Cómo y por qué medios? Nadie lo ve ni lo sabe; pero lo que todos temen es que si siguen así las cosas y au-

(¹) De Sagastume a Berges, Asunción, agosto 25, 1864, AMREP, I-29, 33, 25.

mentan los reveses para el gobierno, el triunfo de la rebelión no será dudoso, sobre todo, si como es de presumir pueda ella de aquí adelante ser más protegida y auxiliada aún por el Brasil, que no necesitará más represalias, que las de darle al caudillo Flores, como lo hará sin duda, algunos escuadrones más y el correspondiente auxilio de fondos, a trueque de recuperarlo más tarde por los medios habituales de algunas leguas más de territorio.

Después de esbozar tan lúgubre cuadro, Brizuela planteaba las interrogantes que emergían de la crítica situación, no para dar sobre ellas su opinión, sino para que Berges las pesara con su "recto juicio":

¿Concluirá la crisis interna de esta República por una pacificación más o menos honrosa y duradera?

¿Será imposible la paz y el Brasil dando eficaz protección a Flores lo llevará al poder, derrocando la legalidad del gobierno?

¿Cuál será la actitud de la Confederación Argentina, caso que ni lo uno ni lo otro suceda, y que el Brasil se posesione del Estado Oriental?

¿Qué harán ante una y otra eventualidad los agentes de las potencias extranjeras?

Cuestiones son todas estas de gravísima trascendencia para el porvenir del Río de la Plata y que no pueden dejar de afectar de un modo más o menos directo a nuestro país (2)

2. No solamente pasajeros y correspondencia trajo el *Paraguari* en su viaje que terminó el 24 de agosto de 1864 en los muelles de Asunción. Venía también una información que nada significaba para el pueblo paraguayo pero que para Solano López era de importancia trascendental. ¡Ya estaba concertado el matrimonio de las dos hijas del emperador Don Pedro II! Los novios eran dos príncipes europeos: Gastón de Orleáns y Augusto de Saxe, que a la fecha estaban cruzando el océano rumbo a Río de Janeiro, donde a su llegada, en los primeros días de setiembre, se anunciarían oficialmente las próximas bodas (3). La noticia, hasta entonces celosamente guardada, ya era del conocimiento público en Río de Janeiro. La reserva que velaba el casamiento de las princesas y que tanto desazonaba a los diplomáticos europeos ante la Corte de San Cristóbal, había desaparecido. De un golpe, brutalmente, las esperanzas de Solano López quedaban destrozadas. El Brasil y su emperador nada querían saber de él. La princesa Leopoldina no sería la emperatriz del Paraguay, ni el Paraguay resolvería por la vía de su monarquización y de la unión dinástica con el Brasil, sus problemas políticos, internos y externos. Aunque el rechazo no adquiría, por el momento, la categoría de un desaire público, como que todo el asunto se había tramitado muy secretamente y de él no se

(2) De Brizuela a Berges, Montevideo, agosto 17, 1864, AMREP, I-30, 5, 73.

(3) De Caminos a Berges, setiembre 5, 1865.

sabría nada en el Río de la Plata sino meses después (⁴), he aquí una nueva y muy dolorosa herida que se infería al orgullo y al amor propio del presidente-general.

En esa hiperestesiada atmósfera encontrarían entonces especial resonancia los consejos que el cónsul en Paraná, José Ruffo Caminos, enviaba por conducto del canciller Berges. El viejo funcionario sugería que el Paraguay saliera francamente al encuentro de los acontecimientos, único modo de impedir la extinción del Estado Oriental y de conjurar la tormenta que se preparaba sobre el Paraguay tanto del lado brasilero como del argentino:

Si las consecuencias que se preven de la situación del Estado Oriental no fuesen tan graves y trascendentales hasta para nosotros, yo nunca opinaría ingerirnos en estas cuestiones, y los dejaría a merced de su destino, porque los orientales, son versátiles y desleales; pero desgraciadamente los incendios se transmiten al menor soplo, y es necesario salirles al encuentro, mucho más cuando que los que llevan la tea incendiaria, tienen siempre puesta su vista en la casa del vecino para en un descuido hacerlo partícipe de la voracidad. Y yo creo que es este el caso en que nos hallamos, considerando por lo tanto necesario que antes que veamos la extinción completa de este débil Estado que hoy nos sirve de barrera, debemos salir en tiempo a conjurar la tormenta que se prepara sobre nosotros de uno y otro lado, porque tan pérfido es el gabinete imperial, como lo es el argentino, y ambos con desmedidas pretensiones sobre nosotros, que ellos sabrán conciliar, si no lo tienen ya todo coordinado, como es de esperarse y yo lo infiero (⁵).

3. De que el Paraguay ya no estaba dispuesto a permanecer con los brazos cruzados y de que los consejos de Caminos adivinaban el pensamiento que en esos momentos bullía en la mente del gobernante paraguayo dio buena cuenta el extenso editorial que El Semanario —el segundo de la serie— dedicó en su edición del 27 de agosto a la situación internacional, ya digeridas las noticias que vinieran del sur. Poniéndose por encima de los episodios, el órgano que interpretaba el modo de pensar del presidente López, analizaba el conjunto de los acontecimientos para abrir inquietantes interrogaciones acerca de las intenciones y propósitos que cabía deducir, no tanto de lo que decían los documentos como de los antecedentes históricos y de las aprensiones paraguayas. Al buscar El Semanario una explicación a la actitud del Brasil y de la Argentina que, por primera vez, olvidaban sus viejas rivalidades para marchar de acuerdo en la crisis oriental, y al atribuir a los dos países propósitos obscuros, el órgano oficial tentaba, sin duda, antes que fundamentar las propias conclusiones ya muy evidentes, provocar alguna aclaración de parte del nuevo ministro del Brasil,

(⁴) El primero que se refirió al frustrado plan matrimonial fue Manuel Pedro de la Peña, en carta del 30 de enero de 1865, a El Nacional, de Buenos Aires.
(⁵) De Caminos a Berges, Paraná, agosto 18, 1864, AMREP, I-30, 3, 67.

recién llegado y en actitud, por lo tanto, de esclarecer las vistas de su país. Porque la lógica de los supuestos sólo podía ser destruida por la lógica de las palabras y en el caso, estaba en manos del representante del Imperio salir al paso de las inquietudes paraguayas, dando respuesta a las preguntas que formulaba *El Semanario* y que en realidad a nadie sino a él estaban destinadas:

¿Qué es lo que el Brasil pretende en estas circunstancias? Se dice que viene a reparar ofensas inferidas por el gobierno oriental. Pero en el prolongado lapso de tiempo que mide doce años, fecha desde la cual se hacen las reclamaciones, ¿no ha habido situación más propicia que en la que se encuentra la Banda Oriental para exigirle los cargos y reclamos que se le hacen? Esta circunstancia, muy digna de notarse, así como los antecedentes históricos del Imperio con el Uruguay, y sus tendencias políticas y tradicionales, hacen conjeturar que hay más que simples reclamaciones en el ánimo del gobierno del Brasil.

Porque si fuese el Brasil, como se muestra ahora, tan celoso de los derechos de los súbditos del Imperio, no hubiera podido hacer pasar sin reparo cualquier ofensa hasta la época actual, sin darse hasta hoy amigo del Uruguay.

O las ofensas inferidas no han sido de gravedad, o se vale el gabinete imperial de la situación para exigir del Estado Oriental lo que no pudiera conseguir en circunstancias normales.

Ambas cosas no queremos suponer, porque en el primer caso no se niega el gobierno oriental de prestarse en tiempo oportuno a los reclamos que se le hacen, y en cuanto al segundo, no sería propio juzgar que un Imperio, digno y fuerte como el Brasil se sirviese de medios tan rastreros para obtener lo que no es conforme con las prescripciones de la equidad y del derecho.

En tal caso es preciso pensar que el Brasil tiene otras vistas sobre el Uruguay, vistas a que no podemos ahora designar un horizonte fijo, pero que debe inspirar serios temores en cuanto al equilibrio de las Repúblicas del Plata.

Y si esto no fuera de suponerse por la conveniencia que se cree haber en la dirección de las operaciones sobre el Estado Oriental con la República Argentina, porque tal pensamiento no pudiera de ninguna suerte convenir a los intereses de ésta, es preciso entrar en un orden de consideraciones más serio para el Paraguay.

Porque en tal caso el gobierno argentino tendría asegurado un premio que le garanta sus intereses, o hay alguna segunda intención contra un tercero que aún no tiene arreglados con ambos, cuestiones muy vitales.

Estas reflexiones se desprenden del aspecto que presentan los negocios que se desenvuelven rápidamente en el Plata, y que saliendo de la atmósfera tranquila de la discusión, entra ya en la región de la fuerza.

En conclusión, *El Semanario,* consideraba de grande significación para los intereses vitales del Paraguay, "ese embrión de planes misteriosos en la vecindad, que no tardarán en develarse", en los mismos momentos en que la prensa de Buenos Aires no se cansaba de "injuriarle en sus leyes, costumbres y gobiernos", y cuando existían pendientes cuestiones de límites con vecinos que ya habían manifestado "exageradas pretensiones", por todo lo cual "sería nimiedad pueril esperar con los brazos cruzados la feliz terminación de este estado de cosas, sería el colmo de la nulidad o de la im-

prudencia y hasta falta de patriotismo, dejan de emplear el tiempo
en aprestos que nos pongan a cubierto de las contingencias" [1].
Pero el ministro del Imperio no recogió las alusiones. De él
no partió ninguna respuesta a las preguntas de *El Semanario*.

4. De los aprestos febriles del Paraguay en el orden militar
a que aludía *El Semanario*, nadie hacía misterio. La militarización
del país proseguía a marchas aceleradas. El Paraguay estaba convirtiéndose en un vasto campamento. Lo que el órgano oficial no
dejaba traslucir era el próximo paso del gobierno paraguayo. Sería conforme a las sugestiones de Sagastume? El plan propuesto
por el ministro oriental preveía dos etapas. Primero, el Paraguay
reviviría la oferta de mediación y, luego, desechada ella por el
Brasil, como cabía vaticinar, se concertaría la alianza con la República Oriental para aunar esfuerzos en la lucha por la causa común. ¿La mediación? Demasiada cercana estaba la amarga experiencia de la suerte corrida por la oferta de mediación del mes de
julio, frustrada no sólo por la negativa del Brasil sino también por
la del Uruguay a pesar de haber partido la iniciativa de su representante diplomático en Asunción. ¿La alianza? ¿Con el gobierno
oriental, tan versátil e inconsecuente que tantas pruebas de mala
voluntad diera al Paraguay, al cual sólo recordaba cuando los peligros arreciaban para dejarlo en la estacada cuando ellos desapa-
recían? Semejante alianza continuaba ausente del pensamiento del
presidente López pero su voluntad era comenzar a actuar, sin necesidad de atar sus manos con compromiso alguno, en acción, independiente y cuanto antes, porque los acontecimientos podían precipitarse en el Río de la Plata y en ellos no podía ni debía estar
ausente el Paraguay.

Porque López había tomado una trascendental determinación:
hacerse presente en el Río de la Plata de una vez por todas, no
solamente con su voz sino también con los hechos, para impedir
que el Brasil consumara su plan de ataque al Estado Oriental. Al
grito de guerra de Saraiva en Montevideo, el Paraguay responde-
ría con otro grito de guerra lanzado a la faz del Imperio del Brasil,
para hacer honor al papel que se había asignado de garante y protector del equilibrio del Río de la Plata. Desde su nota al gobierno
argentino del 6 de setiembre de 1863 y la circular al cuerpo diplomático del 21 de octubre del mismo año, el mundo sabía, y el Imperio no podía ignorarlo, que el Paraguay reputaba la independencia del Estado Oriental como una condición del equilibrio y de
la paz de todos los estados del Río de la Plata, y que no permitiría
la ruptura de ese equilibrio, fundamento de la propia independencia nacional. Cuando el Paraguay enunció esta doctrina fue a
la vista de las quejas orientales contra Buenos Aires, acusada de

(6) *El Semanario*, Asunción, agosto 27, 1864.

promover una invasión con finalidades anexionistas. Ahora las quejas iban dirigidas al Imperio del Brasil, y ya no se basaban en ocultos apoyos al movimiento revolucionario, sino en documentos oficiales que comprobaban la decisión brasilera de invadir el territorio oriental, no subrepticiamente, sino a banderas desplegadas, y con el propósito de anonadar la autonomía nacional, según la denuncia que acababa de pasar la legación oriental.

¿Correspondía pedir, previamente a todo pronunciamiento sobre el fondo de la grave acusación, explicaciones al gobierno imperial acerca de sus verdaderas intenciones, como se hicieran con la Argentina? Ahora, presente en Asunción un ministro del Imperio, que acababa de llegar directamente de Río de Janeiro, la ocasión, sin duda, era propicia para abrir esta instancia diplomática, antes de dar ningún paso irreparable, y siquiera para completar y mejorar los preparativos militares. Pero el general López no creyó que fuera el momento de repetir su desgraciada experiencia con el gobierno argentino, al cual durante seis meses había tratado inútilmente de arrancar explicaciones sobre sus designios en la República Oriental. López no quiso exponerse nuevamente a amargos desaires y consideró que era aplicable al caso la norma enunciada el 6 de febrero de 1864 como final de polémica con el gobierno argentino: que el Paraguay "en adelante atenderá sólo a sus propias inspiraciones sobre el alcance de los hechos que pueden comprometer la soberanía e independencia del Estado Oriental; a cuya suerte no le es permitido ser indiferente, ni por la dignidad nacional ni por sus propios intereses en el Río de la Plata". (7)

El Paraguay juzgaba por sí solo los hechos denunciados por la legación oriental y en su concepto los documentos de la misión Saraiva, sobre todo el ultimátum del 4 de agosto, hacían superfluo cualquier esclarecimiento. De ellos se desprendía indubitablemente la intención del Brasil de ocupar el territorio oriental si sus reclamos no eran atendidos, y el Paraguay tenía que considerar esta ocupación, aunque fuera temporaria, como un atentado al equilibrio de los países del Plata, que era, a su vez, dentro de sus nuevas concepciones políticas, condición de la independencia paraguaya. En consecuencia, había llegado la grave hora de plantarse frente al Imperio y decirle que el Paraguay no consentiría la consumación del atentado. Si el Brasil desenvainaba su espada para imponer su voluntad a la República Oriental, no lo haría sin que se interpusiera entre ambos la República del Paraguay, convertida en el paladín de la independencia oriental y del equilibrio del Río de la Plata. No una sino varias veces el Imperio había hecho en el pasado lo mismo que ahora se proponía, sin que el Paraguay se conmoviera ni reputara en peligro el equilibrio general y la independencia nacional.

(7)   De Berges a Elizalde, Asunción, febrero 6, 1864, CARDOZO, p. 306.

cional. Pero esta vez, el general López había proclamado una doctrina y el mundo vería que el Paraguay estaba dispuesto a verter su sangre para que ella no fuera burlada.

5. La determinación adoptada fue comunicada el 30 de agosto de 1864 por el ministro de relaciones exteriores, José Berges, al ministro del Brasil, César Sauvan Vianna de Lima. La nota tenía la forma de una Protesta y con ese nombre habría de ser conocida en la historia, pero su contenido abarcaba mucho más, hasta asumir el carácter de un verdadero contraultimátum. En ella no se discutía ni se argumentaba, sino que se enjuiciaban hechos y se anunciaban sus consecuencias. Comenzaba con una referencia a la comunicación hecha por el ministro oriental de la última correspondencia cambiada entre el gobierno de Montevideo y el enviado especial del Imperio, para luego entrar de lleno al desarrollo de la idea que animaba al Paraguay a dar este paso:

El importante e inesperado contenido de estas comunicaciones ha llamado seriamente la atención del gobierno del abajo firmado, por el interés que le inspira el arreglo de las dificultades con que lucha el pueblo oriental, a cuya suerte no le es permitido ser indiferente, y por el mérito que puede tener para este gobierno la apreciación de los motivos que pudieran haber aconsejado tan violenta solución.

La moderación y previsión que caracterizan la política del gobierno imperial, autorizaron al del Paraguay a esperar una solución diferente en sus reclamaciones con el gobierno oriental, y esta confianza era tanto más fundada cuanto que S.E. el señor consejero Saraiva y hasta el mismo gabinete imperial al declinar la mediación ofrecida por este gobierno para el arreglo amistoso de esas mismas reclamaciones a solicitud del gobierno oriental, calificaron como sin objeto por el curso amigable de las mencionadas cuestiones.

El gobierno del abajo firmado respeta los derechos que son inherentes a todos los gobiernos para el arreglo de sus diferencias o reclamaciones, una vez denegada la satisfacción y justicia, sin prescindir del derecho de apreciar por si el modo de efectuarlo, o el alcance que pueda tener sobre los destinos de todos los que tienen intereses legítimos en sus resultados.

La exigencia hecha al gobierno oriental por S.E. el Sr. consejero Saraiva en sus notas del 4 y 10 de este mes, es de satisfacer a sus reclamaciones dentro del improrrogable término de seis días bajo la amenaza de usar represalias, en caso contrario, con las fuerzas imperiales de mar y tierra reunidas de antemano sobre las fronteras de la República Oriental y de aumentar la gravedad de las medidas de la actitud asumida; lo que significa una próxima ocupación de alguna parte de aquel territorio, cuando su gobierno no se niega a atender y satisfacer las reclamaciones presentadas, como consta de la nota de S.E. el ministro de relaciones exteriores del 9 de este mes.

Este es uno de los casos en que el gobierno del abajo firmado no puede prescindir del derecho que le asiste de apreciar este modo de efectuar la satisfacción de las reclamaciones del gobierno de V.E. porque su alcance puede venir a ejercer consecuencias sobre los intereses legítimos que la República del Paraguay pudiera tener en sus resultados.

Penosa ha sido la impresión que ha dejado en el ánimo del gobierno del abajo firmado la alternativa del ultimátum consignado en las notas de S.E. el Sr. consejero Saraiva del 4 y 10 de este mes al gobierno oriental, exigiéndole un imposible por el obstáculo que opone la situación interna de esa República, y para cuya remoción no han sido bastante ni el prestigio de SS.EE. los Sres. Thornton, Elizalde y Saraiva, ni el concurso y la abnegación del gobierno oriental.

No menos penosa ha sido para el gobierno del abajo firmado la negativa de S.E. el consejero Saraiva a la proposición de arbitraje que le fua hecha por parte del gobierno oriental, mucho más cuando este principio había servido de base al gobierno imperial en sus reclamaciones con el gobierno de Su Majestad Británica.

El gobierno de la República del Paraguay deplora profundamente que el de V.E. haya creído oportuno separarse en esta ocasión de la política de moderación en que debía confiar ahora más que nunca, después de su adhesión a las estipulaciones del Congreso de París, pero no puede mirar con indiferencia, ni menos consentir que en ejecución de las alternativas del ultimátum imperial las fuerzas brasileras ya sean navales o terrestres, ocupen parte del territorio de la República Oriental del Uruguay ni temporaria ni permanentemente, y S.E. el Sr. Presidente de la República ha ordenado al abajo firmado declare a V.E. como representante de S.M. el Emperador del Brasil: que el gobierno de la República del Paraguay considerará cualquiera ocupación del territorio oriental por fuerzas imperiales, por los motivos consignados en el ultimátum del 4 de este mes, intimado al gobierno oriental por el ministro plenipotenciario del emperador en misión especial cerca de aquel gobierno, como atentatorio al equilibrio de los estados del Plata que interesa a la República del Paraguay como garantía de su seguridad, paz y prosperidad, y que protesta de la manera más solemne contra tal acto, descargándose desde luego de toda responsabilidad de las ulterioridades de la presente declaración [8].

6. La neta paraguaya era clarísima. No podía ser interpretada de dos modos. El Paraguay no iba a consentir que el Brasil ocupara, ni siquiera temporalmente, porción alguna del territorio de la República Oriental del Uruguay. Era más que una protesta una conminación al Brasil para que se abstuviera de llevar adelante las amenazas de su ultimátum del 4 de agosto. No se decían cuáles eran las medidas que adoptaría el Paraguay si su intimación no fuera atendida y el Brasil ocupara territorio oriental, pero la protesta evidenciaba que si tal ocurría el Paraguay no se quedaría quieto, con los brazos cruzados. No consentir que el Brasil invadiera tierras orientales, si hubiera imposibilidad material de cumplir literalmente la amenaza, no significaría para el Paraguay la carga de constituirse en guardián armado de las fronteras uruguayas. Pero con extensas fronteras comunes y en sus manos la llave de la navegación a Matto Grosso, no carecería el Paraguay de medios para ejercer sobre el Imperio su voluntad coercitiva. Al anti-

(8)   De Berges a Vianna, Asunción, agosto 30, 1864, DOCUMENTOS RUPTURA, pp. 6-9.

cipar que no permitiría la ocupación del territorio oriental, y al
descargarse de toda responsabilidad por las ulterioridades de su declaración, el Paraguay quedaba técnicamente autorizado a responder con hechos a los próximos hechos del Brasil, si ellos significaban el desconocimiento de su protesta. Entre la República y el
Imperio, desde que fue cursada la nota del 30 de agosto de 1864,
estaba creada una situación que ya no admitía solución política,
salvo que una u otra de las partes retrocediera de su posición, o
que se interpusieran entre ambos países recursos diplomáticos a
cargo de naciones extrañas al conflicto. Si no ocurría el retroceso
brasilero, el desistimiento paraguayo, o la mediación extranjera,
la litis estaría tratada irremediablemente en el terreno de los
hechos.

¿Retrocedería el Brasil? ¿Dejaría sin efecto su ultimátum del
4 de agosto de 1864 al gobierno oriental? ¿Abandonaría su pretensión de tomar por sus propias manos las satisfacciones que la República Oriental le negaba. ¿Daría órdenes para que se suspen-
diera la acumulación de fuerzas en la frontera, y para que la
escuadra abandonara el río de la Plata, todo porque el Paraguay
declaraba que no consentiría la invasión siquiera temporaria del
territorio oriental?

El ministro del Imperio, Vianna de Lima, no necesitaba
recabar instrucciones especiales de su gobierno para dar respuesta
a estas interrogantes y proceder en consecuencia. Decidió, por su
propia cuenta rechazar la protesta al día siguiente de formulada.
Su respuesta era la única posible para un representante del Imperio que no querría ver a su patria humillada y derrotada antes de
disparar un tiro. Ninguna consideración detendría a su país, expresó a Berges el 1º de setiembre de 1864 en una nota en que, después de informar que había pasado la comunicación al conocimiento
de su gobierno, formulaba consideraciones sobre la protesta paraguaya. Lamentó que el gobierno de Asunción nutriera recelos sobre
las intenciones del suyo, "y vea en la actual coyuntura peligros que
no existen para la independencia e integridad del Estado Oriental". Le era lícito suponer que pruebas reiteradas de franqueza y
lealtad hubieran bastado para separar del ánimo del gobierno del
Paraguay cualquiera aprensión que pudiera tener sobre "la resolución a que fue obligado (el Brasil) a tomar en presencia de la
constante denegación de justicia a las reclamaciones que desde largo tiempo ha dirigido infructuosamente al Estado Oriental". El
hecho de enviar una persona de las calidades del consejero Saraiva,
dio nuevas pruebas de su moderación, y los esfuerzos de este diplomático habían sido frustrados sólo por la resistencia sistemática
que le opusiera el gobierno oriental, a pesar de que nada pidió
el Brasil que no pudiera y debiese ser atendido. En cuanto a la
mediación del Paraguay observaba Vianna de Lima que, atento al

propósito firme del gobierno oriental de no atender las reclamaciones brasileras, "cualquier mediación en la actual controversia sólo serviría para crear nuevas dilaciones". Y terminaba:

El gobierno imperial ha explicado repetidas veces en varios documentos, que están hoy en el dominio del público, los justos fundamentos de sus quejas contra el gobierno oriental, comprobado con el testimonio irrecusable de los hechos, su respeto por la independencia y la autonomía de aquel Estado, dando exhuberantes pruebas de longanimidad y moderación, mas viendo frustrados los esfuerzos últimamente empleados para llegar a un acuerdo amistoso, recurre a los medios coercitivos que el derecho de gentes autoriza a fin de conseguir aquello que no puede obtener por los medios persuasivos. De cierto, ninguna consideración lo hará cesar en el desempeño de la sagrada misión que le incumbe de proteger la vida, honra y propiedad de los súbditos de S.E. el Emperador.[9]

Una nueva nota de Berges motivó esta comunicación del ministro del Brasil, en primer término para aclarar los alcances de la mediación de junio a que aludió en la nota del 30 de agosto. Nada había tenido que ver esa mediación con la tripartita llevada a cabo para el arreglo de la cuestión intestina, y había buscado evitar a los gobiernos del Brasil y del Uruguay la actitud en que entonces se hallaban y que le obligaba al Paraguay a dirigir la solemne protesta del 30. Berges declaraba que no estaba en el ánimo de su gobierno ofrecer ahora mediación alguna en el estado a que llegaron las cosas, lamentando no haberse quitado la presión a que se refería Vianna de Lima, ante la "actitud amenazadora y hostil" creada por el ultimátum del consejero Saraiva, y terminaba:

No alterando en nada el, nota de V.E. in[...]situación que ha motivado el solemne declaración del gobierno del abajo firmado, queda éste motivado de que, de cierto, ninguna consideración hará cesar al gobierno de V.E. en los cesos esenciales y el pedido de explicaciones que, con ese motivo, dirigió a la Argentina, tuviera que manifestar que[...] el pesar de hacerla efectiva[...], tendrá el pesar de hacerla efectiva[...], los hechos allí men[...]cionados vengan a confirmar la seguridad[...]

8. No se limitó el gobierno de Asunción a lanzar el 30 de agosto de 1864 su protesta a la faz del Imperio del Brasil. Ese mismo día produjo un extenso documento destinado a denunciar todos y cada uno de los manejos de la diplomacia oriental para arrastrar al Paraguay a las contiendas del sur. La nota del Ministerio de Relaciones Exteriores dirigida a la legación oriental y publicada en Buenos Aires, sin importarse de dar conocimiento de ese[...]

[9]. De Vianna a Berges, Asunción setiembre 1º, 1864, DOCUMENTO RUPTURA, pp. 11-12.

[10]. De Berges a Vianna, Asunción, setiembre 3, 1864, DOCUMENTO RUPTURA, pp. 13-15.

blicada inmediatamente en *El Semanario*, juntamente con la Protesta al Brasil, tenía por objeto aparente explicar y justificar la resolución paraguaya de no intermediar, como el ministro Sagastume había solicitado el 25 de agosto, en las dificultades surgidas entre el Uruguay y el Brasil, y declarar que siendo los derechos y la soberanía del pueblo oriental "condición necesaria del equilibrio del Río de la Plata y este principio condición de su política y prosperidad", el gobierno paraguayo se reservaba alcanzar ese resultado "con su acción independiente". La acción independiente a que se aludía, era la que acababa de iniciarse con la protesta de la misma fecha, según la cual el Paraguay no consentiría que el Brasil, en cumplimiento del ultimátum del 4 de agosto, ocupara, aunque fuera parcial o temporariamente, el territorio de la República Oriental, pero en la nota de Berges a Sagastume no había alusión alguna a tan importante resolución, la cual, ni el documento que la contenía, fueron puestos siquiera en conocimiento oficial de la legación oriental.

La "nota conmemorativa" —como el mismo Berges habría de calificarla— era la historia escandalosa de las proposiciones, incoherencias y deslealtades del gobierno de Montevideo. Comenzaba el relato con la llegada de Lapido y su propuesta de una alianza ofensiva y defensiva, acceder a la cual, "equivalía a declarar la guerra a la República Argentina, con quien estaba el gobierno paraguayo en perfecta paz y amistosas relaciones" y seguía luego un rosario de recriminaciones: el abandono de ese proyecto cuando, con motivo de la solución del incidente del *Villa del Salto* propuso Lapido que el Paraguay hiciera oír su voz al gobierno argentino, a lo que se le contestó que "el gobierno paraguayo tenía motivos para creer en la estricta neutralidad del gobierno argentino"; la nota que envió el 2 de setiembre de 1863 cuando se complicaron nuevamente los sucesos orientales y el pedido de explicaciones que, con ese motivo, dirigió el Paraguay a la Argentina; la incidencia que produjo el envío de esa nota y de sus anexos; la suspensión del viaje de Lapido, que había determinado bajar a Montevideo, "diciendo que llevaba el proyecto de mandar desde esa ciudad cerca del general Urquiza alguna persona de confianza que trabajase para que el Entre Ríos se pronuncie contra el gobierno argentino"; la "extraña e inesperada resolución" de Lapido de pedir que fueran rescatados los documentos anexos al pedido de explicaciones al gobierno argentino; la propuesta que formuló después, de que la escuadra paraguaya, en combinación con la oriental, se apoderase de Martín García, pensamiento que no fue atendido; el arreglo que el 20 de octubre se celebró en Buenos Aires "sin importarse de dar conocimiento de ese acto al gobierno paraguayo, que había comprometido sus buenas relaciones con el argentino, por sostener los principios de autoridad y el orden interno del Estado Oriental del Uruguay"; la informa-

ción que se hizo de esas negociaciones sólo cuando el arreglo ya
había fracasado; la falta de noticias oportunas de las otras negociaciones seguidas por Thornton y Mármol, a pesar de lo cual el gobierno paraguayo "continuó trabajando a favor de los intereses de
la República Oriental del Uruguay", dirigiendo varias notas al
gobierno argentino; el recabamiento de los buenos oficios del Paraguay para luego excusarlos el 12 de noviembre hasta conocer el
resultado definitivo de un proyecto de arreglo con el gobierno
argentino "sin dar otra noticia sobre la materia": la invitación que
el 13 de enero de 1864 hizo el gobierno oriental para combinar
"medios prácticos de resistencia y represión"; el desagradable incidente del *Paraguari* y la indiferencia con que el gobierno oriental
miró ese acontecimiento, lastimando con su silencio el honor nacional, para luego sostener la actitud de las autoridades del puerto de
Montevideo; la solución del incidente después de la llegada del
nuevo ministro Sagastume; el pedido de mediación en las graves circunstancias en que se hallaban las relaciones entre el Uruguay y el
Brasil; el rechazo de esa mediación, pedida por él mismo, con lo que
"una vez más", el gobierno paraguayo no había sido feliz con el
gobierno oriental. La extensa nota terminaba con las siguientes declaraciones:

De lamentar es que el gabinete de Montevideo y los estadistas orientales
no hayan podido comprender toda la pureza y sanas intenciones con que desde
el principio de la administración de S.E. el Sr. general López, ha sostenido el
gobierno del abajo firmado los intereses orientales.

Es una prueba mortificante de esto, el recato que se ha hecho al gobierno
paraguayo de todas las negociaciones del gobierno oriental desde la que inició
el Sr. Lamas en Buenos Aires, hasta la que se está tratando por el Sr. Barbolani,
ministro de Italia.

Neutralizada de este modo por el gobierno de V.E. la acción del Paraguay
en el arreglo amistoso de las cuestiones orientales con el gobierno argentino y
últimamente con el de S.M. el emperador del Brasil, sus esfuerzos en favor de
los intereses orientales y de la paz del Río de la Plata, no han tenido sino un
resultado negativo tanto más deplorable, cuando que la simple previsión y la
lógica apreciación de los hechos, hubieran podido utilizar en tiempo los buenos
oficios puestos por este gobierno a la disposición de V.E. desde el principio
de sus dificultades.

Estos buenos oficios hubieran evitado quizás los graves peligros que hoy
pesan sobre la patria de los orientales por la actitud asumida por la misión
especial confiada a S.E. el Sr. consejero Saraiva en aquella República.

Pero si tan desgraciado concurso de circunstancias no ha podido sino acrecentar las dificultades y sacrificios del gobierno de V.E. con amenaza de su existencia y de la soberanía del pueblo oriental, no es menos penosa la actitud
que resulta de la situación vacilante de sus relaciones con el gobierno del abajo
firmado.

Esta franca y leal exposición de la situación en que se hallan respectivamente los gobiernos paraguayo y oriental, no puede tener viso alguno de re-

criminación respetando el abajo firmado, el patriotismo y luces del gobierno de V.E., había fracasado; la falta de noticias oportunas de las otras ne-

Siente, sin embargo, la necesidad de revelar las causas que, en la opinión de su gobierno han neutralizado la influencia amistosa del Paraguay en la política que actualmente amenaza comprometer la integridad territorial de la República Oriental del Uruguay que es (condición del) equilibrio del Río de la Plata, y no puede prescindir de hacerlo así, en justificación de la acción ulterior de su gobierno, que mira en ese equilibrio la garantía de existencia, de seguridad y de prosperidad de todos (11).

9. Casi más que la protesta al Brasil, la "nota conmemorativa" publicada inmediatamente en *El Semanario*, causó sensación en los círculos diplomáticos asuncenos por la revelación de las intrigas uruguayas y por la certidumbre que de ella se desprendía, de que, pese a cuanto se decía, las relaciones entre Asunción y Montevideo no eran nada cordiales. Washburn escribió al Departamento de Estado:

La cosa más notable con esta correspondencia, es su publicación por este gobierno; aunque muchas cosas eran manifiestamente secretas y confidenciales, todo se publicó a la faz del mundo, como si el objetivo fuera enredar aún más a los Gobiernos de Buenos Aires y Montevideo. Esta publicación irá lejos en el sentido de justificar una declaración de guerra de Buenos Aires al Uruguay..., (12).

El ministro americano, magüer sus simpatías hacia el gobierno paraguayo, se escandalizó de tal modo por la forma como se explotaban los documentos confidenciales, que propuso a sus colegas una protesta colectiva. El ministro inglés Thornton se disuadió de tal paso, por entender que incumbía al representante del Uruguay formular las quejas correspondientes (13). Pero Sagastume que en un principio se disgustó por la publicación de la nota, finalmente se limitó, al acusar recibo de ella, a confesarse extraño a los antecedentes citados, lamentando por tal circunstancia no estar habilitado para dar explicaciones y expresando su esperanza de que, aclaradas convenientemente las causas de ciertas apreciaciones, "ambos gobiernos ligados como están por sincera amistad e idénticos intereses puedan de consuno combatir los elementos que amenazan el porvenir y la grandeza de ambas nacionalidades" (14).

En su correspondencia con Herrera, el ministro Sagastume dio la máxima importancia a la protesta, con la cual consideraba ampliamente llenado el objeto primordial y más importante de

(11) De Berges a Sagastume, Asunción agosto 30, 1864, *El Semanario*, setiembre 1º, 1864; Báez, t. II, pp. 155-170.
(12) De Washburn a Seward, Asunción, setiembre 5, 1864, HORTON BOX, p. 189.
(13) Thornton a Russell, Asunción, setiembre 5. 1864, HORTON BOX, p. 228.
(14) De Sagastume a Berges, Asunción, setiembre 1º, 1864, Báez, t. II, p. 170.

misión que se le había confiado, y destituyó de toda significación a los cargos de la "nota conmemorativa". Decía, refiriéndose a éstos:

No tienen el carácter de rompimiento ni alejamiento de un acuerdo entre los gobiernos oriental y paraguayo. Importa sólo una queja contra la absoluta ignorancia en que se le conserva sobre el giro de los acontecimientos en que toma notable participación a pedimento del gobierno oriental. Tal es la explicación que se me dio oficialmente, cuando fuí a quejarme de la inesperada publicación de esa nota. El gobierno del Paraguay desea sobre eso una palabra amistosa del oriental y una garantía de cordialidad, para establecer un conveniente acuerdo sobre los medios y manera más eficaz de rechazar y reprimir las atentatorias pretensiones del Imperio [15].

10. ¿Perseguía el gobierno del Paraguay con esta publicación sin precedentes agravar el conflicto entre Buenos Aires y Montevideo, hasta hacer inevitable la guerra, como suponía Washburn, o simplemente buscaba provocar un desagravio de parte del gobierno oriental como a Sagastume le hicieron creer las explicaciones de Berges? El mismo Berges se encargó de esclarecer confidencialmente el verdadero motivo del sorprendente aventamiento de tantas sinuosidades de la diplomacia blanca. Escribió a Brizuela:

Tal vez por mi nota conmemorativa del 30 de agosto, crea V.E. nos hallamos en disidencia con el Estado Oriental. No es así, y es necesario que V.E. trabaje en hacer comprender a los hijos de ese país que sólo estamos en desacuerdo con su actual ministerio, con quien nada hemos podido hacer a pesar de los deseos que tiene nuestro gobierno y el pueblo paraguayo de sostener la autonomía y los derechos de esa República vecina y amiga. Si hay un cambio ministerial, podremos entendernos más fácilmente [16].

Y a Bareiro se le dijo lo mismo, pero el último párrafo era más categórico:

Es probable que dentro de poco haya un cambio ministerial y entonces nos entederemos mejor [17].

Pero al mismo tiempo, López proclamaba *urbi et orbe* que el Paraguay marcharía solo al encuentro de los grandes acontecimientos, le acompañaran o no aliados de quienes confiar, y contemplando únicamente sus propios intereses y su propio honor.

[15]   De Sagastume a Herrera, Asunción, setiembre 6, 1864, AMREU, Legajo *Misión Vázquez Sagastume, 1864.*
[16]   De Berges a Brizuela, Asunción, setiembre 6, 1864, AMREP, I-22, 12, 1, Nº 155.
[17]   De Berges a Bareiro, Asunción, setiembre 6, 1864, AMREP, I-30, 22, 9.

CAPÍTULO XXIV

DISCURSOS DE LOPEZ

1. "Es tiempo de hacer oír la voz del Paraguay". — 2. "El depresivo
y meditado olvido". — 3. "La ocasión de mostrar lo que somos". —
4. Una rendija de luz. — 5. Armas y acorazados demorados. — 6. Los
comentarios de El Semanario. *— 7. Los móviles atribuídos al Brasil. —*
8. La extraña actitud argentina. — 9. La "nueva política" de Elizal-
de. — 10. La independencia amenazada.

1. Las líneas quedaban tendidas. Si nadie podía dudar que
"ninguna consideración" detendría al Brasil en el cumplimiento de
su ultimátum, tampoco nadie debía darse a engaño, ni dentro ni fuera
del Paraguay, sobre lo que se proponía el gobierno de Asunción en
el caso de que su protesta del 30 de agosto fuera desatendida y el
Imperio invadiera territorio uruguayo. Los términos de las notas
de esa fecha y del 3 de setiembre no dejaban lugar a dos interpretaciones, pero López creyó conveniente hacer aún más explícitas
declaraciones, en una oración pública que *El Semanario* se encargó
de propalar. El 12 de setiembre, ante una manifestación que fue a
expresarle la adhesión popular, López pronunció el siguiente discurso:

A nombre de la Patria os doy las gracias, ciudadanos, por la solemne manifestación que hacéis y cuya principal importancia consiste en la sinceridad y
espontaneidad de que venís haciendo justo alarde.

Como magistrado y como paraguayo me felicito de recibir aquí consignada
vuestra elocuente adhesión a la política del gobierno, como la que representa
esta populosa adhesión.

La actitud que la República asume en estos momentos solemnes puede recurrir a vuestro patriotismo para hacer oír la voz del Paraguay: es tiempo ya
de hacerlo.

El Paraguay no debe aceptar ya por más tiempo la prescindencia que se
ha hecho de su concurso, al agitarse en los estados vecinos cuestiones internacionales que han influido más o menos directamente en el menoscabo de sus
más caros derechos.

Al asumir la situación que ha provocado vuestra generosa adhesión y ofrecimiento, no me he hecho ilusiones sobre la gravedad de esa misma situación; pero vuestra unión y patriotismo y el virtuoso ejército de la República han de sostenerme en todas las emergencias para obrar cual corresponde a una nación celosa de sus derechos y llena de un grandioso porvenir.

En el desempeño de mis primeros deberes es que he llamado la atención del emperador del Brasil sobre su política en el Río de la Plata, y todavía quiero esperar que, apreciando la nueva prueba de moderación y amistad que le ofrezco, mi voz no será desoída; pero si, desgraciadamente, no fuese así, y mis esperanzas fueran fallidas, apelaré a vuestro concurso, cierto de que la patriótica decisión de que estáis animados, no ha de faltarme para el triunfo de la causa nacional, por grande que puedan ser los sacrificios que la patria demande a sus hijos.

Entre tanto, permaneced tranquilos en la imponente actitud que habéis asumido, mientras no me veáis en la necesidad de apelar directamente a vosotros (1).

Con este discurso, el presidente del Paraguay rasgaba los velos que ocultaban los verdaderos motivos de la actitud que acababa de asumir frente al Imperio del Brasil. El general López, no hería esta vez al pueblo en su nervio más sensible y que tantas veces y con tanto éxito sus antecesores habían pulsado para ganar el favor popular en vísperas de graves acontecimientos internacionales: la independencia amenazada por sus vecinos. No aludía al "embrión de planes misteriosos", de que venía hablando *El Semanario*, ni a la doctrina del equilibrio tan pregonada. En cambio volvía a insistir en el viejo *leit motiv* que estaba un tanto desvaído: el Paraguay ya no podía aceptar por más tiempo la prescindencia que se hacía de su concurso al agitarse en los estados vecinos cuestiones internacionales que "más o menos" (el grado no interesaba), podían menoscabar sus derechos. Lo importante no estribaba en la mayor o menor gravedad de esas cuestiones internacionales, sino en el derecho de hacer oír la voz del Paraguay con motivo de ellas. La causa para cuya defensa en los campos de batalla conjuraba López a todos los paraguayos estaba íntimamente ligada al concepto que tenía de la dignidad y del honor de la Nación, que quedarían gravemente lesionados si los demás países continuaran empeñados en ventilar las grandes cuestiones sin la intervención del Paraguay. Esas cuestiones podían implicar derechos e intereses nacionales y las soluciones a que se llegara menoscabarlos en mayor o menor grado. Al pueblo no se le decía desde las columnas de *El Semanario* en qué consistían esos derechos e intereses, dándolos por sabidos, pero López le hablaba del humillante apartamiento del Paraguay de los estrados donde ellos eran ventilados, atentado contra el honor de la patria que bien merecía el sacrificio de la sangre para lavar tamaña ofensa.

(1) *El Semanario*, Asunción, setiembre 17, 1864.

2. Esa misma idea obsesionante de la dignidad nacional mortalmente ofendida por el menosprecio que se le tenía al Paraguay y que haría inevitable la guerra si en él persistiera el Imperio del Brasil, también surgió con fuerza en la correspondencia del presidente López con el representante diplomático en Londres y París, Cándido Bareiro. Al instruirle que "el peligro de guerra es inminente" y para que explicara a los gobiernos ante los cuales estaba acreditado, "la forzosa situación en que el Paraguay se ha visto para dar los pasos que ha hecho y que pueden, según las circunstancias, traducirse en hechos de armas", le decía:

> Si con desprecio de la voz del Paraguay, siguiendo el Brasil la política de su ministro en ésta, se da lugar a los casos prevenidos en la Protesta de 30 de agosto, no ha de tardarse en abrirse las hostilidades entre uno y otro país, no debiendo el Paraguay continuar a soportar el depresivo y meditado olvido que de él se hace con menoscabo de sus derechos inalienables, y con grave daño de su crédito exterior [2].

El anhelo de romper estruendosamente el depresivo y meditado silencio que se hacía en torno del Paraguay, bulló también en las instrucciones que, en el mismo día impartió Berges al encargado de negocios en Bruselas, al tiempo que le enteraba de la marcha de los sucesos:

> Muy conveniente sería que V.E. mande hacer algunas publicaciones para que en Europa sea más conocido el noble motivo por el que la República del Paraguay asume su nuevo rol, cambiando su política tradicional [3].

El ministro Sagastume no quedó muy convencido de que aparte de los deseos de publicidad hubieran motivos más fundamentales para la arrojada actitud que estaba asumiendo el Paraguay frente al Brasil. Cuando López pronunció su discurso del 12, Sagastume escribió a Carreras aconsejando que la prensa de Montevideo aplaudiera ese pronunciamiento, y "se muestre amiga del Paraguay", y agregando:

> No olvides que el general López gusta de ver su país y su política aplaudida y que quiere ser informado de lo que se relacione con la política que él sirve haciendo suya la causa oriental [4].

3. Un nuevo esclarecimiento de la raíz de los sentimientos que en esos momentos le animaban, así como de su resolución de llegar a la guerra si su voz era desoída, se encargó López de anunciar en oportunidad de otra manifestación popular el día 16, en que volvió a formular terminantes declaraciones:

[2]   De López a Bareiro, Asunción, setiembre 6, 1864, REBAUDI, pp. 204-206.
[3]   De Berges a Du Graty, Asunción, setiembre 6, 1864, AMREP, I-22, 11, 1, Nº 424.
[4]   De Sagastume a Carreras, Asunción, setiembre 21, 1864, AGNA, Archivo Carreras, p. 4.

Veo con satisfacción pronunciaros por la más santa de las causas; la existencia y la seguridad que debe gozar un pueblo para llamarse feliz y elaborar su progreso; el peligro hasta ahora no es inminente; la protesta que he dirigido es condicional; he hecho con ella un llamamiento amigable al Imperio del Brasil, y aún espero que sean considerados los derechos inherentes a los pueblos del Plata; pero si tal no sucediese, si desconociéndose la justicia de nuestra causa, se atentase contra los principios que necesita sostener el Paraguay para vivir tranquilo y asegurar su porvenir, recurriré a todos los ciudadanos para defender esos principios de que se muestran tan celosos.

Será ciertamente doloroso interrumpir la larga paz con que el Paraguay ha conseguido enriquecerse y progresar; pero cuando esa paz, en lugar de proporcionarnos las ventajas que hasta ahora, se convierte en un silencio culpable, y en una prescindencia degradante, en lugar de ser un bien sería un oprobio para la nación, el silencio de las tumbas en que se sepultaría el porvenir de este bello país.

Los pueblos extranjeros nos comprenden mal, nos llaman apáticos, hasta nos conceptúan un pueblo bárbaro; confunden nuestro carácter pacífico y nuestras costumbres sencillas con las actitudes de un pueblo degradado; tal vez sea ahora la ocasión de mostrarles lo que realmente somos, y el rango en que por nuestra fuerza y progreso debemos ocupar entre las repúblicas sudamericanas (5).

4. El discurso del 16 abrió una rendija de luz en la opresiva obscuridad densa de nubarrones y preñada de tormentas. He aquí que López afirmaba que el peligro de guerra no era inminente y que la protesta dirigida al Imperio no era definitiva sino condicional. Más aún: declaraba López que aún esperaba que los derechos inherentes a los pueblos del Plata serían "considerados", de lo cual, cabía inferirse lógicamente, que si tal condición se cumplía, se detendría la mano vengadora del Paraguay y la paz no sería turbada. El gobernante del Paraguay no ponía en el primer término de sus aspiraciones la precautelación de los principios y derechos "inherentes a los pueblos del Plata". Apenas si hacía una débil y muy diluida alusión a la causa de la "existencia y de la seguridad" del país y ninguna acerca de la independencia. En cambio, ponía mucho énfasis en la necesidad de no seguir admitiendo una "prescindencia degradante", el oprobioso y culpable "silencio de las tumbas", por lo cual correspondía suponer que el derecho cuya "consideración" el Paraguay aún esperaba, y a que estaba condicionada su protesta, no era otro que el de *hacer oír su voz*. En su discurso del 12 lo dijo muy claramente: el Paraguay no podía aceptar por más tiempo "la prescindencia que se hacía de su concurso al agitarse en los estados vecinos cuestiones internacionales que influían más o menos directamente en el menoscabo de sus derechos". Había, pues, llegado el tiempo de reivindicar el derecho de ser protagonista en la alta política del Río de la Plata. Si el go-

(5) *El Semanario*, Asunción, setiembre 17, 1864.

bierno argentino no lo había admitido en las controversias del año 1863, ahora que la actitud del Brasil daba mejores y más fundados motivos para la ingerencia paraguaya, ¿no era la ocasión de arrancar a los pueblos extranjeros, que tan mal comprendían al Paraguay, el reconocimiento del rango a que por su fuerza y progreso tenía derecho entre las repúblicas sudamericanas? Estas eran las palabras de López, en consonancia todas, que traducían mejor que los documentos diplomáticos despersonalizados por la maestría de Berges, la verdadera posición psicológica del presidente del Paraguay, una misma desde que asumió el alto cargo, puesta de relieve con caracteres inconfundibles en su polémica con Mitre y que ahora volvía a cobrar vigorosa significación.

El Paraguay no podía soportar por más tiempo "el depresivo y meditado olvido" que de él se hacía y estaba dispuesto a ganar el lugar que le correspondía entre las repúblicas sudamericanas. ¿Sería solamente por el camino de la fuerza? ¿Unicamente con la voz de los cañones el Paraguay podía hacer sentir su presencia en el mundo? De que a ello estaba resuelto, no cabía la menor duda. Los documentos oficiales eran más que explícitos. ¿Pero era el único camino? ¿Era precisamente la guerra que interrumpiría la larga paz en que el Paraguay consiguió enriquecerse y progresar, el plan inmediato del presidente López al iniciar esta nueva etapa de su política internacional?

5.   Las adquisiciones de armas encargadas a Cándido Bareiro apenas si estaban en comienzos de ejecución. La primera partida de 500 rifles y 100 carabinas debía llegar a Buenos Aires en el vapor *Una* de la línea de Liverpool en los últimos días de agosto y de la construcción del "encorazado" de dos cúpulas giratorias, ordenada el 21 de julio de 1864 [6] aún no se tenía ni siquiera noticias. Los reclutamientos continuaban intensivamente en los más lejanos rincones del país, pero la modernización del armamento y la posesión de un barco acorazado, como el que se ordenó a Inglaterra, eran de esencial importancia para el caso de que el Paraguay tuviera que medir fuerzas con el Brasil y su poderosa escuadra. Además, si en Asunción no se dudaba que Buenos Aires estaba dando la mano al Imperio y que una combinación entre los dos países se estaba gestando en las sombras, enderezadas rectamente a anonadar la independencia del Paraguay, ¿estaba en el interés nacional precipitar los acontecimientos antes de contar con los importantes medios defensivos encargados a Europa?

6.   Hasta el día 13 de agosto de 1864, fecha en que publicó *El Semanario* el primer comentario editorial sobre la crisis inter-

[6]   De Venancio López a J. y A. Blyth, Asunción, julio 21, 1864, AGNP, *Copiador de comunicaciones al exterior del Ministerio de Guerra y Marina*, *ff. 64-65.*

nacional, ésta había pasado casi inadvertida a la gran masa del pueblo que apenas si intuía la existencia de peligros externos por la intensificación de los reclutamientos, pero que desconocía la razón de los preparativos militares. Desde ese día para adelante, ya no dejó el órgano oficial de expresarse sobre los graves acontecimientos que se estaban desarrollando en el Río de la Plata y su significación para el Paraguay, Era, sin duda, la voz de López la que se hacía oír, directamente o por intermedio de los capaces periodistas a su servicio, Natalicio Talavera, Carlos Riveros, Gumersindo Benítez, Bernardo Ortellado, Padre Justo Román, Juan Crisóstomo Centurión, etc. De él tenía que emanar en esta solemne circunstancia la orientación y de su clarividencia dependía que el pueblo llegara a compenetrarse de la gravedad de la situación internacional y de los peligros que se cernían sobre la seguridad y la independencia de la República. En el régimen existente, no se concebía que viniera de otra mente la luz esclarecedora. Sólo al presidente de la República, correspondía tanto tomar las decisiones como justificarlas y explicarlas a sus conciudadanos.

¿Pero bastaban los puntos de honra para galvanizar el sentimiento patriótico y obtener el apoyo popular? ¿No era mejor agitar la vieja cuestión de la independencia a que siempre se había mostrado tan sensible el pueblo paraguayo? Los éxtensos comentarios del vocero oficial en sus ediciones del 5, 12, 19, 26 de setiembre y 1º de octubre tuvieron por objeto llenar los claros de los discursos presidenciales.

7.   En el concepto de *El Semanario,* si el Imperio lograba subyugar a la República Oriental se derrumbaba todo el andamiaje que sostenía la existencia libre del Paraguay. Y no se dudaba que el Brasil buscaba, con la misión Saraiva, resucitar su secular idea de traer los límites al Río de la Plata. Lo que no se decía en el texto de la protesta del 30 de agosto, aunque se lo entreviera entre líneas, lo sugería muy explícitamente el órgano oficial:

El gobierno del Paraguay no ha podido prescindir de esta franca manifestación de la política que debe adoptar en relación a la que muestra su faz en el vecino Estado Oriental, porque atendiendo debidamente a la naturaleza de la gestión suscitada por el señor consejero Saraiva, deja concebir plenamente que en su esencia la misión especial no significa otra cosa que un medio plausible bien traído para desarrollar antiguas ideas de conquista.

¿Si otro fuera el objeto de la misión Saraiva, por qué se la ha revestido de tantos marciales aparatos? ¿Para qué tanto ejército, tantos navíos de guerra y progresivo aumento en el Río de la Plata? ¿Por qué constreñir demasiado al gobierno oriental en momentos supremos?

Por más esfuerzos que se hagan para alejar la idea de un fin fatal para la independencia y soberanía del Estado Oriental, jamás podrá desvanecerse la opinión pública robustecida con nuevos flagrantes hechos.

Estas son las razones que han pesado en el ánimo del gobierno paraguayo para manifestar de la manera más franca su oposición a cualquiera ocupación del territorio oriental por fuerzas brasileras, como consecuencia del ultimátum imperial, por considerar en ese hecho la consumación de la idea de absorción y la caída del primer eslabón del equilibrio de los Estados del Plata.

8. El peligro para la independencia nacional estaba, según *El Semanario,* tanto en la absorción del Estado Oriental como en la significación profunda que tenía la extraña actitud del gobierno argentino ante el desarrollo de los planes del Brasil. Los avances del Imperio, como anteriormente los del Portugal, en el Río de la Plata habían encontrado siempre un antemural recio en Buenos Aires. No a otro motivo obedeció la creación del Virreinato. La Banda Oriental fue la manzana de la discordia durante siglos. Esta era una historia demasiado sabida para ser olvidada, pero he aquí que después de tanto tiempo de rivalidades sangrientas, por primera vez el Imperio del Brasil se disponía a plantar sus tiendas en el Uruguay sin concitar la menor aprensión de parte de Buenos Aires. La Argentina era garante de la independencia oriental. ¿Por qué se cruzaba ahora de brazos ante el Brasil?

El Paraguay no concebía que Buenos Aires prestara tan fácilmente crédito a las seguridades que, según se decía, el Imperio había otorgado de que respetaría la independencia oriental. *El Semanario* recordó la similitud de la situación existente en 1816. Aseguró entonces el Portugal que la ocupación de la Banda Oriental sería temporal y la abonó en exigencias fundadas en los mismos pretextos que en la actualidad. Tales promesas fueron solemnemente formuladas al enviado de Buenos Aires, Manuel R. García, y también solemnemente burladas. Después de cinco años de ocupación, una asamblea, "hija de la violencia y del soborno", sancionó la incorporación de la Provincia Cisplatina al Reino de Portugal. Fue necesaria la guerra con el Imperio que acababa de fundarse. Derrotado, capituló y firmó el tratado de 1828, donde no sólo declaró la independencia del Estado Oriental, sino que se constituyó en su garante. Pero apenas habían transcurrido dos años, cuando el marqués de Santo Amaro se dirigía a Europa para representar la conveniencia de que la Provincia Cisplatina se reincorporase al Brasil, "por ser el único lado vulnerable, el límite natural del Imperio y el medio más eficaz de remover ulteriores motivos de discordias con los Estados del Sud". Y la conclusión que desprendía *El Semanario* de tan expresivo antecedente, era:

> ¿El Brasil, que ha revelado estas disposiciones dos años después de haberse comprometido por un pacto solemne, no solamente a reconocer sino a garantir la independencia de un Estado, no podrá después de treinta y siete años en que creyera más remoto su compromiso, volver sobre sus antiguas pretensiones?

Para el vocero de López la complacencia argentina no reconocía razones confesables. ¿Cuáles eran los factores que contrabalanceaban en el juicio y en la conducta argentina el peso de las acusaciones que se hacían al Brasil, "con su propia historia, contra estos mismos países y en idénticas cuestiones", y que tenían el poder no sólo de desarmar las desconfianzas sino aún le llevaban al gobierno y a la prensa de Buenos Aires a defender una política que antaño tan acerbamente condenaran?

No deja de haber aquí algo de extraordinario, algo de oculto, alguna acción mágica que ha influido fatalmente sobre los cerebros ardientes y ha insinuado las pasiones mezquinas.

Seguía preguntándose *El Semanario* si acaso el Paraguay afectaba con su actual política los verdaderos intereses de la Argentina. ¿La defensa de la independencia oriental podía ser contraria a los intereses de la República Argentina? ¿Cómo explicar la conducta de Buenos Aires que tan acerbamente motejaba la actitud del gobierno paraguayo? ¿El Paraguay qué hacía sino ocupar el tradicional lugar de Buenos Aires en la defensa del Río de la Plata contra las pretensiones del Portugal heredadas por el Brasil? La interrogante final, corolario de todas las anteriores estaba contestada a continuación con otra interrogante que llevaba en sí su respuesta:

¿O hay un sistema nuevo y oculto por el cual desconociendo todo compromiso, olvidando todo derecho y rechazando justas pretensiones, se pretende fundar nuevas bases de equilibrio en el Plata?

El Paraguay no lo consentirá.

Las declaraciones que formuló Elizalde en el Parlamento argentino en la sesión del 17 de agosto no hicieron sino extremar los recelos paraguayos, sobre la existencia de ese oculto y tenebroso plan. El canciller Elizalde anunció una "nueva política" que, iniciada por Mármol en Río de Janeiro, en poco tiempo habría dado ya "magníficos resultados", esperando que más adelante "ha de poder consumar la obra que tiene entre manos". Como de la misión Mármol sólo parecía haber resultado la misión Saraiva, *El Semanario* concluía:

¿No estaremos autorizados a juzgar que estos magníficos resultados sean de hecho un acuerdo secreto entre los dos gabinetes y que esa esperanza de poder consumar la obra que tienen entre manos sea fundada en el planteamiento de propósitos preconcebidos? (7).

9. Más que los ruidosos arrestos del Imperio en el Uruguay, el silencio argentino abría angustiosos interrogantes. Sin duda alguna había un secreto acuerdo entre los dos grandes países. ¿Pero cuál era el premio que llevaba la Argentina por su complacencia? ¿Esa "acción mágica", "extraordinaria", que había puesto súbita sordina a las inveteradas quejas argentinas contra cualquiera irrupción del Brasil en el Uruguay, ¿no consistiría en el ofrecimiento de esta rica

(7) *El Semanario*, Asunción, octubre 1º, 1864.

y siempre apetecida presa que era el Paraguay, la "provincia rebelde" de Rosas? ¿El precio del consentimiento para la absorción del Estado Oriental por el Imperio no sería la absorción del Paraguay por la República Argentina? ¿Los muy secretos acuerdos que se decían establecidos entre Río de Janeiro y Buenos Aires no tendrían por objeto una nueva remodelación territorial del Río de la Plata? ¿Se estaban fundando "nuevas bases de equilibrio en el Plata?" ¿Para contrabalancear la adquisición de la Banda Oriental por el Brasil y evitar que el equilibrio fuera roto, no se consentiría la anexión del Paraguay a la Argentina?

En el Paraguay se sabía de sobra que los gobernantes argentinos mantenían vivo el ideal de la reconstrucción del Virreinato. En los primeros días del gobierno de Mitre, *La Nación Argentina* fundada para servir de vocero de la nueva administración había confesado explícitamente el ideal anexionista (8) y la famosa nota al ministro peruano Seaone del 22 de noviembre de 1862 (9) oficializó internacionalmente el pensamiento. Lo que significaron ambos documentos, uno de ellos indiscutiblemente oficial, no era misterio para nadie. Ahora, dos años después, *El Semanario* se dedicaba a husmear en la prensa porteña el menor indicio de revivencia de la funesta idea. *El Nacional,* órgano importante de la prensa de Buenos Aires, dio en esos días una de las señales. Refiriéndose a la cuestión de límites dijo que aparte de ser un semillero de discordias, tal vez fuera "el pretexto para una guerra entre la República Argentina y *la que se llama* República del Paraguay".

Lo que bien traducido —comentó indignado *El Semanario*— tomando en cuenta el tradicional empeño de los hombres de Buenos Aires en conspirar contra la autonomía de esta Nación, quiere decir que el Paraguay no es República.

Negar la independencia y soberanía del Paraguay es un ridículo que no merece la pena ni de mencionar.

Pero tal vez esa sola expresión venga a presentarnos el hilo por donde encontrar el ovillo de planes de conquista contra el Paraguay.

Si es cierto, sepan que los vástagos de los vencedores de Paraguarí y Tacuarí sostendrán los derechos de la Nación y en los campos de honor, cantando el himno *República o Muerte,* vencerán o morirán (10).

10. Y he aquí cómo al término de las desazones paraguayas, siguiendo el hilo de la reflexión y ya superado el tema de la honra, surgía nuevamente el viejo problema de la independencia nacional, tanto tiempo discutida por Buenos Aires y defendida por el Imperio del Brasil, los dos viejos rivales ahora en sospechosas connivencias que nada bueno presagiaban para el Paraguay. Así, a lo menos, se cavilaba en Asunción, donde López bordaba conjeturas e hipótesis

(8)   *La Nación Argentina*, Buenos Aires, noviembre 10, 1862.
(9)   CARDOZO, p. 86.
(10) *El Semanario*, Asunción, octubre 15, 1864.

sobre el cañamazo de informaciones de segunda mano, vacantes como estaban las legaciones nacionales en Buenos Aires, Montevideo y Río de Janeiro. ¿La tarea de esclarecimientos y de afirmaciones, de que tal vez pendía la paz en el Río de la Plata, sería cumplida por los diplomáticos acreditados ante el gobierno del Paraguay? ¿La gran justa internacional, donde el Paraguay haría escuchar su voz para reclamar, no sólo el lugar que le correspondía entre las naciones, sino también definiciones fundamentales, tendría como escenario la ciudad de Asunción?

CAPÍTULO XXV

LOS DIPLOMATICOS EN ASUNCION

*1. El ministro del Brasil, Vianna de Lima. — 2. Con pie forzado. —
3. La guerra inevitable y deseada. — 4. El ejército "una verdadera
fantasmagoría". — 5. El ministro británico Thornton. — 6. Con "destreza admirable". — 7. Incidentes y enredos. — 8. El ministro americano Washburn. — 9. Disgusto por los planes monárquicos. —
10. Deserción de la diplomacia.*

1. El cuerpo diplomático en Asunción estaba integrado, en el
momento de la protesta, por los representantes del Brasil, Estados
Unidos, Uruguay, Inglaterra y Prusia. El de mayor significación entre ellos era el que el Imperio acababa de enviar y a quien también incumbía la mayor responsabilidad. ¿Sería capaz de enfrentar
los acontecimientos y de lidiar con energía por la paz, si es que su
país realmente no deseaba la guerra? La designación de Vianna de
Lima no fue afortunada. Por Asunción habían desfilado las más
brillantes figuras de la diplomacia brasilera que supieron conjurar
tormentas peores en la época de Carlos Antonio López. Ahora representaba al Imperio una figura opaca, sin relieve, que no estaba a la
altura del momento histórico. Casi toda la carrera diplomática de
Vianna de Lima había transcurrido en Europa y no se había significado por alguna actuación digna de memoria. Su última residencia fue en Turín y su promoción actual le ocasionó sentimientos de
disgustos, considerando el tiempo de su permanencia en el Paraguay "como otros tantos meses o años de destierro", según anotó su
colega y decano del cuerpo diplomático, el ministro de los Estados
Unidos, Charles A. Washburn. Este también registró en su *Historia
del Paraguay*, publicada en 1871, opiniones de Vianna que, aunque
estuvieran alimentadas por su gobierno, según Washburn, "no era
diplomático se manifestasen" y poco éxito auguraban a su misión.
Vianna de Lima habría opinado que:

El Brasil era un grande imperio y sus agentes altamente respetados en las diferentes cortes de Europa. Pero el Paraguay era un pequeño e insignificante estado apenas conocido allá. Hasta su existencia como estado independiente se consideraba un mal que podría ser suprimido en la primera oportunidad. Se le había tolerado, largo tiempo porque hasta entonces no había sido del todo conveniente hacerlo desaparecer (1).

Desde su llegada Vianna de Lima concitó recelos que a poco se convirtieron en animadversión. Su arribo no era esperado y sorprendió que viniera justamente con el ministro de Inglaterra. En la atmósfera recargada de suspicacias, tal circunstancia agregó una inquietud más. Escribió Berges a Lorenzo Torres:

V. sabe que para llegar a la Asunción un ministro brasilero, se anuncia uno o dos años antes, pero aquí llegó el Sr. Vianna de Lima, como caído de la luna, y en ancas del Sr. Thornton, a quién ya esperábamos (2),

2. Vianna de Lima entró en el ambiente asunceno con pie forzado. El día de la entrega de sus credenciales ocurrió un pequeño incidente. El coche oficial que le llevó a la casa de gobierno no tenía lugar para su secretario y éste no asistió a la ceremonia. El episodio insignificante en sí mismo, no lo fue en sus resultados, pues, según Washburn, confirmó a Vianna de Lima "en sus impresiones de que había caído entre semibárbaros" (3). Pronto incurrió en faltas de tacto que abrieron un abismo de malquerencias personales entre él y el presidente López. En un baile se retiró de una cuadrilla en que ya había tomado lugar, cuando vio que entraba Madame Lynch, la amante del general López. Los ministros de otras naciones, entre ellos el de Inglaterra, no tuvieron el mismo prudery (4) y López ni su poderosa compañera jamás olvidaron la afrenta. Vianna se consideró violentamente incompatibilizado, él y su país, con el gobernante del Paraguay al cual suponía en actitud de invencible enemistad hacia el Brasil. Escribió a su gobierno:

Ya tuve ocasión de decir, y ahora lo repito, que con el hombre que hoy gobierna este infeliz país, y del cual dispone a su capricho por el régimen de terror v tiranía que emplea, jamás conseguiremos establecer cordiales relaciones entre los dos países, ya no digo relaciones de franca y leal amistad, sino siquiera de equidad y buena vecindad (5).

3. Pensando de este modo, era natural que Vianna de Lima nada se esforzara en acortar las distancias ni para cubrir el abismo

(1) WASHBURN, t. II, p. 228.
(2) De Berges a Torres, Asunción, setiembre 6, 1864, AMREP, I-22, 12, 1, Nº 157.
(3) WASHBURN, t. II, p. 230.
(4) ALMIRANTE ARTHUR JACEGUAY, Reminiscencias da guerra do Paraguay, Río de Janeiro, p. 286.
(5) De Vianna de Lima a Carneiro, Asunción, octubre 10, 1864, LOBO, II, pp. 72-73.

que rápidamente se estaba cavando entre ambos países. En realidad, el ministro brasilero creía inevitable y necesaria la guerra y deseaba que el Paraguay la provocara cuanto antes, pues cuanto más tiempo transcurriera, mayores serían las dificultades con las cuales tendría que luchar el Imperio. El 19 de setiembre de 1864 escribió a su gobierno:

> Creo no engañarme vaticinando desde ya que tarde o temprano seremos compelidos a una guerra para vengar algún nuevo agravio o para resolver los legítimos intereses del Imperio; esto es apenas cuestión de tiempo, y cuanto más tarde acontezca tanto mayores serán las dificultades con que tendremos que luchar.

Según su opinión, la guerra era también ardientemente deseada por la clase "grada" del país, que veía en semejante solución el único medio de salir de la triste condición en que el tiránico régimen del gobierno tenía reducido al pueblo, donde "el desgraciado que ose hacer el más leve reparo a cualquier acto administrativo va por ese simple hecho a acabar sus días en una mazmorra".

4.   Como para animar a su gobierno a aceptar el camino de la guerra, Vianna de Lima se complació en presentar al tan cacareado ejército paraguayo como una "verdadera fantasmagoría" que ningún temor debía inspirar. Confirmando las informaciones transmitidas anteriormente por el cónsul Santos Barbosa, calibró el poderío militar del Paraguay, del siguiente modo:

> En cuanto a las fuerzas de que dispone este gobierno, limítome a decir a V.E., en tanto no lo pueda hacer en forma más circunstanciada, que la escuadra se compone de 11 vapores, a los cuales no se debe dar el nombre de navíos de guerra, y que el ejército aunque ahora se eleve, con el aumento últimamente hecho, a cerca de 30.000 hombres comprendidos 14.000 reclutas, es una verdadera fantasmagoría, ya por su pésima organización, ya por la absoluta falta de oficiales de alguna capacidad e instrucción, y ya finalmente por la ausencia de brío debido al estado de postración moral en que un régimen de hierro como este tiene reducido a la población (6) .

En vísperas de la más prolongada y porfiada guerra de la América del Sud, el plenipotenciario de Pedro II repitió al almirante Tamandaré, las antecedentes informaciones, con algunas particularidades más y su convicción de que "ya estaban en armas por decirlo así todos los hombres válidos" y que aunque pudiera aumentar el Paraguay su potencial bélico, ello no era cosa de preocupar al Brasil que fácilmente podía derrotar, con pocas tropas, a cualquier ejército paraguayo que le saliera al paso. ¡La guerra al Paraguay no sería sino un paseo triunfal!

_____

(6)   De Vianna de Lima a Dias Vieira, Asunción, setiembre 19, 1864, LOBO, II, pp. 77 y 82.

Confieso a V.E. —le decía al jefe de la escuadra brasilera— que poca confianza me inspira el ejército paraguayo, y mi íntima convicción es que 10.000 hombres de buenas tropas regulares lo derrotarían sin gran esfuerzo y harían desaparecer este fantasma del poder de López, como aconteció a Rosas después de Monte Caseros (7).

Un hombre que así sentía y veía, por cierto nada haría para hurtar a su patria las fáciles glorias guerreras que le hacía entrever su conocimiento del flaco poderío militar del Paraguay. Del ministro del Imperio, César Sauvan Vianna de Lima, nada cabía esperar para frenar a los dos países en el plano inclinado en que rápidamente se deslizaban hacia la guerra, como quizás lo hubieran hecho un Paranhos o el mismo Saraiva.

5. ¿Correspondía aguardar semejante tarea del representante de Su Majestad Británica, Edward Thornton, que tanto entusiasmo y energía había puesto, poco antes, en la pacificación del Estado Oriental? Anteriormente gozaba de las simpatías de los gobernantes paraguayos por su actuación en el satisfactorio arreglo de la enojosa cuestión Canstatt, que motivara su primer viaje a Asunción. Evidentemente esta vez no traía en mente erigirse en mediador de ningún conflicto en que el Paraguay fuera parte. Le habían precedido informes nada favorables para su imparcialidad y neutralidad, que hacían aún más sospechosa su llegada simultánea con el ministro del Brasil. En la primera noticia de su viaje, enviada por Brizuela a fines de julio se le atribuyó el propósito de tranquilizar, en nombre del gobierno argentino, al Paraguay sobre las especies propaladas de intervención armada en el Río de la Plata (8). Y desde Buenos Aires Egusquiza informó a su turno:

Le prevengo que el Sr. Thornton va muy mitrista y así no será extraño trate de conocer las vistas de nuestro gobierno, con relación a esta gente, de quienes no sería extraño lleve algún encargo en ese sentido, como el de manifestar por parte de este gobierno sus buenos y amigables deseos con relación al nuestro y a la República, que es la cantinela vieja de esta gente (9).

Además, la actuación de Thornton en la fracasada mediación tripartita no había merecido un juicio muy halagüeño de Berges, que escribió, al encargado de negocios del Paraguay en Francia e Inglaterra:

Difícil es saber los motivos que determinaron al Caballero Thornton, Ministro de S.M.B. a tomar una parte tan activa en esa cruzada diplomática; pero el resultado no le honra mucho, y de cierto, ha hecho esta vez una pobre figura (10).

(7)   De Vianna de Lima a Tamandaré, Asunción, octubre 10, 1864, ALFREDO VARELA. *Duas grandes intrigas*, Porto, 1919, t. I, p. 650.
(8)   De Brizuela a Berges, Montevideo, julio 28, 1864, AMREP, I-30, 7, 65.
(9)   De Egusquiza a Berges, Buenos Aires, agosto 16, AMREP, I-30, 2, 4.
(10)   De Berges a Bareiro, Asunción, agosto 6, 1864, AMREP, I-22, 1, 11, Nº 393

6.   Con tales antecedentes, era de esperar que se miraran con recelos y sospechas los pasos de Thornton. Desde su llegada se creyó verle trabajar "con destreza admirable en contra del gobierno" según la expresión de Berges, que además le atribuyó la intención de adormecer la desconfianza que inspiraba la actitud del Brasil (11). La verdad es que trató de convencer a Berges que el Imperio sólo buscaba una reparación del Uruguay, sin abrigar designios de conquista, según informó él mismo a Inglaterra:

Manifesté mi convicción de que el Brasil, al menos por ahora no tenía la intención de procurar absorber o atacar la independencia de la República Oriental y que yo consideraba que toda nación tiene el derecho inherente de insistir en que le den satisfacción por daños hechos a sus súbditos, aunque fuese a expensas de la guerra o de la ocupación temporal del territorio perteneciente al agresor (12).

Admitir el buen derecho del Brasil a la ocupación del territorio oriental, en momentos en que el Paraguay sostenía que ese acto constituiría un *casus belli,* no contribuía, por cierto, a aflojar la tensión entre las dos naciones, como que equivalía a abogar abiertamente en favor de uno de ellos. Viniendo esto de quien se decía traer una misión del gobierno argentino antes que del suyo, parecía confirmar las presunciones de Egusquiza y por añadidura la sospecha de la alianza argentino-brasilera. Thornton no estaba actuando como agente de paz, sino como abogado de los eventuales contendores del Paraguay. En ningún momento se le ocurrió hacer valer la poderosa influencia que le confería la representación diplomática de Su Majestad Británica para servir de paragolpes en la colisión que parecía inminente. Tan pródigo siempre en mediaciones para zanjar los conflictos intestinos del sur, esta vez miraba con indiferencia la marcha apresurada de las dos naciones hacia la guerra.

De alguna manera tenía que justificar ante su gobierno esta actitud. Si se negaba a dar trascendencia a las públicas y solemnes declaraciones del Paraguay, de que no consentiría al Brasil la ejecución de su ultimátum, en cambio no podía silenciar en los informes a su gobierno que detrás de las palabras estaba la formidable militarización del país. Las protestas podían ser explicadas como bravatas de un gobierno tropical, pero no así los preparativos bélicos de que daban cuenta la prensa y los pedidos que el Paraguay estaba colocando en Europa, precisamente por intermedio de su encargado de negocios en Londres y de la conocida casa inglesa John & Alfred Blyth v que no podían escapar al gobierno inglés. El 6 de setiembre de 1864 suscribió un extenso despacho dirigido al Conde Russell, jefe del gobierno de S. M. B. en que, pintando con negras

(11)   De Berges a Egusquiza, Asunción, setiembre 5, 1864, REBAUDI, p. 108.
(12)   De Thornton a Russell, Asunción, setiembre 5, 1864, HORTON BOX, p. 227.

tintas el panorama de la tiranía bajo la cual gemía el Paraguay, decía muy de paso que había bajo las armas 40.000 soldados, de los cuales 26.000 eran recientemente reclutados, y explicaba:

> La razón dada para esta medida es la actitud hostil del Brasil hacia la República del Uruguay, pero yo sospecho que el motivo principal es el temor constante que tiene el presidente de que estalle una revolución en su propia patria [13].

7. El protocolo usado en la entrega de credenciales también le había afectado, pues tampoco pudo acompañarle su secretario, y en mayor grado que al ministro brasilero, pues lo consideró un insulto por el cual recabó explicaciones. En el breve tiempo de su permanencia, se enredó en otras cuestiones en protección de algunos de los ingleses residentes en el Paraguay. El caso de Atherton, en que se hallaban implicados intereses personales de López y que tomó muy a pecho, convenció a Thornton de que "el Paraguay no era un país para sus compatriotas ni para ningún extranjero", según su colega Washburn, quien le atribuyó el consejo a los ingleses de abandonar el país antes de que fuera tarde, advirtiéndoles que "si permanecían en él estarían a la merced de un cruel tirano". Y habiendo dado tal consejo a los súbditos de S. M. B. abandonó Asunción con un estado de ánimo así registrado por Washburn:

> Él había recibido una afrenta personal y visto que López era un salvaje, que no tenía ninguna consideración por los derechos de los extranjeros. Sus comunicaciones a su propio gobierno deben haber estado de acuerdo con sus impresiones. El Paraguay estaba representado como la Abisinia y López como el rey Teodoro. Un despotismo implantado de este modo, era un obstáculo en el camino de la civilización. Insignificante en sí mismo, el Paraguay podía impedir el desarrollo y progreso de todos sus vecinos. Su existencia era nociva y su extinción como nacionalidad o la caída de la familia reinante debía ser provechosa para su propio pueblo como también para todo el mundo [14].

Antes de retirarse del Paraguay —donde apenas permaneció dos semanas— manifestó su desagrado por el paso que acababa de darse ante el Brasil y disgustado con López, "porque no habría podido influenciar su espíritu" y con Berges "por haberle podido demostrar palmariamente la mala fe de Mr. Atherton, encubridor de los intereses de los Saguier, bajo contratos ilegales y fingidos", según informó el canciller paraguayo a la legación en Francia e Inglaterra, para que el gobierno inglés tomara conocimiento, aunque fuera indirectamente, de todo esto y además de que:

> Ha dicho (Thornton), merecíamos un severo castigo, no de dinero (aludiendo a las cuestiones pasadas) sino otra clase de castigo, esto es la guerra.

(13) De Thornton a Rusell, Asunción, setiembre 6, 1864, HORTON BOX, p. 314
(14) WASHBURN, t. I, p. 244

¿Pero querrá castigarnos por medio de su gobierno o por la mano del Brasil? Misterios son éstos que sólo el tiempo ha de aclarar (15).

8. ¿La defección de Thornton cabía ser suplida por el ministro de los Estados Unidos de América, Charles Ames Washburn, que aparte de su ya prolongada permanencia en el Paraguay, donde era el decano del cuerpo diplomático, gozaba de influencia y prestigio en el ánimo del presidente López? ¿Tomaría el ministro norteamericano la iniciativa de una mediación diplomática de su país para evitar el choque entre el Paraguay y el Brasil? Hasta entonces su actuación en el Paraguay había sido bastante opaca. ¿No sería esta la oportunidad de alcanzar una victoria que blasonaría su carrera diplomática? Washburn representaba a una nación en esos momentos envuelta en una colosal lucha por la abolición de la esclavitud. Todos sus actos como diplomático venían realizándose en función de esa circunstancia y Washburn no olvidaba un solo instante que el Brasil era un "imperio esclavócrata". Era natural que profesora una cordial antipatía hacia el Brasil. Poco tiempo después de su llegada al Paraguay, en una de sus primeras conversaciones con López, éste se refirió a las dificultades con el Brasil e inquirió datos sobre el *Monitor,* portento naval que tantos éxitos estaba alcanzando en la guerra civil americana. Washburn comprendió su intención y contestó con imprudencia. Informó entonces al Departamento de Estado:

Le aseguré que si deseaba propinar una paliza al Brasil, o a otro cualquiera de sus vecinos, los yanquis le facilitarían los instrumentos para hacerlo con la más grande celeridad, en las condiciones más razonables, dándole al propio tiempo un artículo más eficaz ~~que el que~~ pudiera darle otra nación o pueblo... (16).

En su *Historia del Paraguay,* publicada en 1871, Washburn no recordó semejante ofrecimiento y procuró hacer desaparecer hasta el menor rastro del apoyo que prestó a López en su posición internacional, pero sus cáusticas referencias acerca de la política brasilera mal encubrieron los sentimientos que le animaban siete años antes y que sus violentas cuestiones con López —surgidas muy posteriormente— no habían logrado desvanecer en el momento de escribir su libro. Según Washburn, la misión cumplida por Saraiva fue "una obra que avergonzaría a bandidos" en que el gobierno de Río de Janeiro se dejó imponer por "los turbulentos señores feudales de Río Grande" para convertirse "en aliado de un rebelde contra un débil vecino, con el cual no existía ninguna justa causa de guerra y en una época en que tomar ventaja de su debilidad y disensiones internas era a la vez cobardía y deshonra" (17). Wash-

<hr/>

(15)   De Berges a Bareiro, Asunción, setiembre 6, 1864, AMREP, I-22, 11, 1, Nº 423

(16)   De Washburn a Seward, Asunción, noviembre 2, 1862, HORTON BOX, p. 57

(17)   WASHBURN, t. II, p. 218 y 219

burn reputó que con este proceder el Brasil dio pretexto para la
mediación del Paraguay en los asuntos de la Banda Oriental y se
puso moralmente "en la sin razón a los ojos de las naciones del
mundo".

9.   Había, sin embargo, un motivo que amenguaba bastante
las simpatías de Washburn hacia el Paraguay y era la persuasión de
que López proyectaba convertirse en emperador. Como buen republicano semejante plan le disgustaba tanto como la subsistencia de
la esclavitud en el Brasil, y más aún cuando en cierta ocasión López
le manifestó claramente que el propio emperador del Brasil le había instado para tomar la corona [18]. Pero si el plan monárquico
pudo contar acaso con el apoyo de Don Pedro II no habría ocurrido lo mismo con el propósito de desposar con una de las hijas
casaderas del emperador, en que fincaba López la clave del éxito
de sus ambiciosos proyectos, según Washburn que trazó el siguiente esbozo del momento psicológico de la desilusión de López:

Pero repentinamente todas sus ilusiones se desvanecieron, pues el emperador que jamás había contestado oficialmente a sus insinuaciones, sino que por el
contrario alentara sus preparativos bélicos contra la República Argentina, había
concertado el enlace de sus dos hijas con príncipes europeos.
La noticia le llegó a López al tiempo que el general Netto estaba apre-
miando al gobierno imperial para invadir la Banda Oriental, y fue grande su
desagrado e ira, cuando llegó a convencerse de que el emperador le había estado
alentando con vagas promesas de apoyo a sus proyectos ambiciosos, más bien
como se hace con un cacique indio que con el jefe de una nación independiente [19].

Exacto o no el relato de Washburn, de cuyas sospechas participaban casi todos los diplomáticos del Río de la Plata [20], la verdad era que el ministro norteamericano no dejó de advertir y temer
el peligro que significaba para la causa abolicionista que el Paraguay estrechara sus vínculos con el Imperio del Brasil como hubiera
sucedido si López se ligara a la dinastía de los Braganzas o simplemente se monarquizara. En julio de 1864 aún creía subsistentes los
proyectos monárquicos de López y no a otro motivo atribuyó
Washburn la militarización del país. Escribió a Seward, el Secretario de Estado:

El presidente López está todavía haciendo grandes esfuerzos para acrecentar
sus fuerzas militares. Afecta creer que Buenos Aires y el Brasil meditan algún
daño en contra suya, y tiene un ejército muy superior al que el país podría soportar por largo tiempo. La conclusión más probable es que se propone tener

----

[18]   WASHBURN, t. II, p. 220, conf. Washburn a Seward, Asunción, noviembre 3, 1863, HORTON BOX, p. 210
[19]   WASHBURN, t. II, p. 223
[20]   CARDOZO, pp. 318-320.

a su disposición, al vestir la púrpura imperial, fuerzas suficientes para resistir cualquiera demostración ofensiva de parte de sus vecinos republicanos (21).

Producida la controversia paraguayo-brasilera, era natural que ningún esfuerzo desplegara el ministro americano para evitar una crisis que alejaría definitivamente la viabilidad de los proyectos monarquistas y de estrechamiento de relaciones con el Imperio que atribuía a López. Washburn estaba entonces convencido del poder militar paraguayo y de su capacidad de propinar un grave castigo al Brasil que, sin duda, desalentaría gravemente a la causa de la esclavitud en América. Posiblemente estimuló a López en su designio de plantarse con firmeza ante el Imperio y que fuera uno de sus consejeros en esa emergencia. Su disposición a bonificar la actitud asumida por el Paraguay se transparentó en la respuesta que dio a la circular del Ministerio de Relaciones Exteriores sobre el cambio de correspondencia con Sagastume y con Vianna de Lima. En su acuse de recibo, Washburn declaró, en sugestivo comentario, que su gobierno "no puede ser indiferente a la amenaza de la independencia de ninguna de las naciones americanas" (22). Y poco más tarde, sobrevenida la ruptura con el Brasil, el primero en llevar la noticia del apresamiento del *Marquez de Olinda* a la legación oriental, fue Washburn "abrazando a todo el mundo, sumamente contento por la actitud imponente" que acababa de asumir el gobierno del Paraguay (23).

10. No sería el ministro de los Estados Unidos quien tomara la iniciativa de una gestión diplomática encaminada a detener la guerra al "imperio esclavócrata", con cuya derrota se refocilaba ya el apasionado republicano y recalcitrante abolicionista. Ni mucho menos el ministro residente de la República Oriental, José Vázquez Sagastume, el más empeñado de todos en que, de una vez por todas, estallara el incendio. En cuanto al encargado de negocios de Prusia, Herman Friedrich von Gülich, nada quería saber de complicaciones y sistemáticamente se puso al margen de cuestiones que muy remotamente podían interesar a su gobierno, como no fuera en su calidad de proveedor de muy buenas armas. De esta suerte, los diplomáticos acreditados ante el gobierno del Paraguay, aunque por motivos diferentes, coincidían en no querer tomar o aceptar la iniciativa de una mediación para evitar la catástrofe hacia la cual se marchaba por lógico encadenamiento de los sucesos. Si de ellos dependía, al Paraguay no se le iban a abrir las puertas de la gran conferencia diplomática en que el presidente López quería hacer oír su voz al mundo. Y menos podría hacerlo por intermedio de los

(21)   De Washburn a Seward, Asunción, julio 5, 1864, HORTON BOX, p. 223.
(22)   De Washburn a Berges, Asunción, setiembre 7, 1864, AMREP, I-30, 1, 45.
(23)   De Berges a López, Asunción, noviembre 14, 1864, AMREP, I-30, 24, 36, Nº 5

diplomáticos paraguayos en el Río de la Plata y el Brasil, por una
razón ya completamente achacable a López: porque estaban vacantes todas las legaciones... El "opresivo y meditado olvido", la
"prescindencia que se hacía de su concurso" no serían salvados por
la acción de la diplomacia. Para romper el "silencio culpable", ese
"silencio de las tumbas" que angustiaba hasta la desesperación a
López, éste tendría que recurrir a otros medios que no fueran los
de las cancillerías. No en dorados y confidenciales salones, sobre
mullidas alfombras y en torno de relucientes mesas, como López
anhelaba, el Paraguay debía probar que no era "un pueblo degradado", "apático" y aún "bárbaro". La diplomacia internacional se
cruzaba de brazos, la nacional no existía, y en la ocasión de mostrar a los pueblos extranjeros "lo que realmente somos, y el rango
que por nuestra fuerza y progreso debemos ocupar entre las repúblicas sudamericanas", todo le empujaba al general López a buscar
esa demostración solamente en los campos de batalla. Y a ello también le empujaría un importante cambio político en la República
Oriental: los hombres que tanto habían menospreciado a López acababan de se desalojados del poder y a él llegaba, por fin, Antonio de
las Carreras, con su plan de guerra a muerte al Imperio y a Flores y
de íntima alianza con el Paraguay.

CapÍtulo XXVI

CARRERAS EN EL GOBIERNO

1. Carreras, ministro general. — 2. Apelación a López. — 3. Incitaciones a Urquiza. — 4. De Capitán General a General. — 5. Misión de Diógenes de Urquiza. — 6. Ecos de la protesta en Montevideo. — 7. Flores busca la paz. — 8. Esperanzas en Montevideo. — 9. Otra vez Lamas. — 10. La catástrofe inevitable.

1. En Montevideo nadie dudaba que la invasión brasilera era cuestión de horas. A los vaticinios de Lamas desde Buenos Aires, se agregaban ahora las admoniciones de Flores, recogidas por el cónsul Raffo. Las esperanzas a que ansiosamente se aferrara el presidente Aguirre de obtener un arreglo pacífico que detuviera la irrupción, se desvanecieron con el áspero fracaso de la gestión italiana. Cuando se supo que el *Villa del Salto* había sido cañoneado por segunda vez, atacado entre dos fuegos por el *Jequitinhona* y el *Araguay,* e incendiado por su tripulación por orden del coronel Leandro Gómez [1], se agigantó la exacerbación popular y llegó a su colmo el descrédito del ministerio. Parecía que había llegado la hora del terrible Carreras. El 7 de setiembre de 1864, dimitió el gabinete en pleno. Aguirre, que desesperadamente procuraba no entregarse en brazos de Carreras, a quien odiaba y temía, pidió a Castellanos que formara el nuevo gabinete, pero el amigo de Andrés Lamas no accedió, entendiendo que era tarde para arreglos pacíficos y que la rueda del destino ya había comenzado a girar.

El presidente oriental no tuvo más remedio que llamar a Carreras que ese mismo día fue investido con el ministerio general, a título de ministro de gobierno y de relaciones exteriores y de ministro provisorio de hacienda. Juan José de Herrera, que había manejado la diplomacia oriental desde el principio de los graves acontecimientos, desapareció de la escena, lo mismo que Octavio

[1]   Parte de Pereira Pinto, Lobo, t. II, p. 17-18

Lapido, dimitente ministro de gobierno. Pasó a ocupar el primer
plano el legendario "tigre de Quinteros", el muy famoso doctor
Antonio de las Carreras, personificación de la intransigencia, con
su lema de guerra a muerte y cuya carta era el Paraguay.

2. Por supuesto, el primer paso de Carreras, apenas llegado al
poder, fue escribir a López para decirle que quedaba establecida la
"base de garantía" que le exigiera para tomar "la actitud y posición que los sucesos reclaman del Paraguay en guarda de los grandes intereses que se ven amenazados hoy por la política agresiva
combinada del Brasil y República Argentina". Su relato de los últimos trascendentales acontecimientos comenzó con la revelación de
que el fracaso de la mediación de Barbolani se debió a instancias
directas de Saraiva a Flores para que resistiera todo arreglo, prome-
tiéndole hacer pasar la frontera un auxilio de 1.500 brasileros con
divisa colorada y conservarle libre el paso del río Uruguay mediante
las cañoneras brasileras "para los auxilios que debiera esperar de
Buenos Aires".

La perfidia de esta conducta —agregaba— pone en transparencia ante la
diplomacia extranjera la política brasilera y la irritación que ha producido
es general. Ya está hecha la convicción de que no hay otro camino para llegar
a la paz que el de la guerra. El espíritu publicó altamente excitado con el ataque hecho sobre el *Villa del Salto* en el Uruguay, se ha retemplado más y más
y hoy nacionales y extranjeros convienen en la necesidad de desplegar una política enérgica capaz de contener la pérfida política brasilera y de sofocar la rebelión interna. Este es el propósito del ministerio organizado hoy; ese es el propósito del Presidente de la República que declara no estar dispuesto a oir propuestas de arreglo que no tengan por única base el sometimiento de Flores en
cuanto a la rebelión, y las satisfacciones más cumplidas por parte del Brasil en
cuanto a la cuestión externa. Lo mismo se ha declarado respecto de Buenos
Aires.

Como parecía que Saraiva volvía al Brasil para hacer tomar a
su país una actitud más enérgica, quizás la declaración de guerra,
Carreras sugería en su carta a López que "el Paraguay se muestre
ya interviniendo en la cuestión interna, pero con poderosos elementos de guerra, y disponiéndose a moverse a la vez en la cuestión
externa, dado caso que su agresión (la del Brasil) sea más directa
y descubierta". Según Carreras, la política brasilera era cobarde y
por eso tal vez se contendría con hostilidades indirectas, extermi-
nando a las fuerzas del gobierno, "para tener un éxito más fácil y
seguro a sus planes de absorción". Una cosa u otra autorizarían al
Paraguay, a juicio de Carreras, a tomar parte en los negocios uruguayos, previa solicitud del gobierno legal de Montevideo, para lo
cual la legación oriental en Asunción estaba ya autorizada. Terminaba su implorante oficio:

Reposando por mi parte en las manifestaciones que tuvo V.E. a bien ha-
cerme en las conferencias con que fuí honrado, he asegurado a S.E. el presi-

dente de la República que debemos esperar el concurso del gobierno paraguayo, pero tan pronto y eficaz como las circunstancias exigen.

Encargado de los ministerios de gobierno y relaciones exteriores e interinamente del de hacienda..., puedo asegurar a V.E. que la política que seguirá este gobierno será la que dejo indicada, y eso me parece es una garantía tal cual V.E. la deseaba, para que sea eficaz, provechosa y no quede nunca desairada la cooperación de ese gobierno (²).

3. Pero no solamente en López estribaba Carreras sus esperanzas. También Entre Ríos ocupaba un lugar muy importante en sus especulaciones. Ya en su memorándum a López del 1⁹ de agosto insinuó la posibilidad de un acuerdo con Urquiza, a cuya voz Entre Ríos y Corrientes darían el "grito de independencia" contra Buenos Aires. Y aunque el propio Estrázulas consideró entonces inaceptable proponer la liga con Entre Ríos "porque eso demanda tiempo y exploraciones nuevas, que ignoro si existen" (³), en su viaje de retorno a Montevideo, Carreras había tomado contacto con los principales federales del litoral, José de Caminos, general Virasoro, López Jordán, Berón y otros, y se persuadió de que en Entre Ríos y Corrientes, especialmente en la primera, la opinión estaba resuelta a rebelarse contra Mitre y a apoyar al Paraguay contra Brasil y Buenos Aires. Unicamente encontró una duda: ¿qué actitud asumiría Urquiza? No se le citó un compromiso, ni tampoco una promesa, pero se le afirmó su buena voluntad, su adhesión al movimiento del Paraguay y algunos de sus amigos anunciaron a Carreras su propio pronunciamiento apenas se ofreciera una oportunidad (⁴). Por intermedio de José de Caminos, formuló entonces insinuaciones a Urquiza, y ya en Montevideo, seguro de su próximo acceso al gobierno, había escrito al intermediario:

Entre tanto, dígale al amigo (Urquiza), que dé el paso que le indiqué a usted. Es tiempo ya de ponernos de pie, y sobrarán los elementos a pesar de la atroz tormenta que se descarga. Sé que encontrará el terreno bien dispuesto. Obremos con energía y actividad y el triunfo es nuestro (⁵).

Una vez en el gobierno, Carreras volvió a escribir a José de Caminos, su enlace con Urquiza, informándole del cambio ministerial y de la iniciación de "una política enérgica, de guerra intransigente con la rebelión y la política brasilera". Y habiendo dado los pasos necesarios para realizar el pensamiento que le había comunicado, de que esperaba cumplido éxito, alusión a sus gestiones ante López, le instaba, a su vez, a que cumpliera la parte que le correspondía en el plan general:

(²)   De Carreras a López, Montevideo, setiembre 7, 1864, BAEZ, t. II, p. 151-153
(³)   De Estrázulas a Carreras, Montevideo, agosto 14, 1864, AGNA, Archivo Carreras.
(⁴)   CARCANO, t. I, p. 141, sin mencionar el documento que extracta.
(⁵)   De Carreras a Caminos, Montevideo, agosto 31, 1864, CARCANO, t. I, p. 141.

Si el amigo no ha ido a ver al hombre, que no pierda tiempo; hallará preparado el terreno. Instele para que proceda con actividad, y usted coopere de su parte preparando la opinión por ahí.

La situación de este país está ya definida y marcharemos adelante, o sucumbiremos con honor (6).

Por su parte, Sagastume desde Asunción, oficiando aparentemente de personero de López, también hacía llegar incitaciones a Urquiza, hiriendo sus muy conocidos recelos contra el Brasil al cual presentó en actitud de alcanzar su gran desiderátum político, "es decir, reconstruir ahora la antigua provincia cisplatina para ubicar más tarde su posición topográfica en límites naturales, desde el Paraguay al Amazonas, desde el Plata hasta Bolivia", pero teniendo en frente al Paraguay, decidido a salirle al paso.

El general López —le decía Sagastume a Urquiza— tiene elementos suficientes para contrarrestar, y reprimir las agresiones del gobierno imperial, y la voluntad y la resolución de hacerlo. En tal concepto, es muy posible que el curso de los acontecimientos lleve las operaciones sobre las márgenes del Uruguay.

Para luego solicitarle abiertamente una definición:

V.E. tendrá la bondad de decirme, privada y muy reservadamente cuándo y hasta dónde y de qué manera V.E. podrá auxiliar la noble empresa de reducir al Brasil al respeto de pueblos libres, independientes y soberanos (7).

Mientras tanto, era evidente que la opinión de Entre Ríos se estaba encrespando, una vez más, como resultado de los acontecimientos de la Banda Oriental. La prensa provincial, en consuno con la de Corrientes, exteriorizó su alarma ante la actitud amenazante del Brasil. Cuando ocurrió el incidente del *Villa del Salto,* la vieja animadversión contra el Imperio volvió a brotar con fuerza en todos los espíritus. El cura Ereño, siempre exaltado, escribió a Urquiza:

La indignación es general, todos claman otra vez porque V.E. sea el salvador del Río de la Plata, y a las órdenes de V.E. he de ir con un fusil si es preciso (8).

Al agente paraguayo en Montevideo no engañaron estas manifestaciones. Según sus informes Urquiza al igual que el gobierno argentino, tenía confianza en que el Brasil no atentaría contra la independencia oriental. Comentó Brizuela:

(6) De Carreras a Caminos, Montevideo, setiembre 8, 1864, CARCANO, t. I, p. 143

(7) De Sagastume a Urquiza, Asunción, setiembre 6, 1864, AGNA, *Archivo Urquiza,* leg. 68.

(8) De Ereño a Urquiza, Uruguay, agosto 31, 1864, AGNA, *Archivo Urquiza,* leg. 28.

Respecto del gobierno argentino, ¿qué fe puede tenerse en sus manifestaciones, cuando todo lo condena como connivente con los planes de la política imperial?

Y en cuanto al general Urquiza, ¿dará éste un solo paso que no sea de completo acuerdo con el general Mitre? ¿Puede depositarse más confianza en la política del uno que en la del otro? (⁹).

4. Brizuela no divagaba: nunca habían sido más cordiales las relaciones entre Mitre y Urquiza. Poco tiempo atrás hubo un cambio de correspondencia donde abundaron las expresiones de amistad y lealtad. El 2 de mayo de 1864 el presidente Mitre le comunicó su incorporación a la plana mayor del ejército con el grado de general (¹⁰). Urquiza declinó aceptar esa incorporación, alegando que conservaba su título de Capitán General sólo en gratitud para los que le concedieron y en honor de su patria por la razón que lo fundó, e hizo votos porque Dios continuara protegiendo a Mitre "para dar cima a la obra de la nacionalidad argentina" (¹¹). Insistió el presidente en que Urquiza aceptara su incorporación al escalafón nacional en carácter de general, entonces el más alto desde el punto de vista legal.

Siempre he dicho, y lo repito, que es V.E. uno de los que tienen más derecho a ello, que aún cuando estuviésemos combatiendo en opuestas filas, firmaría con gusto la orden para que así fuera.

Además le explicó Mitre que el título honorario de Capitán General era reconocido por el gobierno, dentro de sus facultades y con arreglo a la ley, tanto en lo que respecta al rango militar, cuanto al sueldo, y que en tal carácter el nombre de Urquiza no podía ni debía faltar en la lista de los generales de la nación.

que lo contó en su número en una época de gloria y de peligro, y que debe contarlo también hoy que hemos alcanzado la paz y la unión a que tanto ha contribuido, en señal de que puede en adelante contar con V.E., para mantenerla y defenderla (¹²).

Estas razones persuadieron, al fin, a Urquiza a consentir su nombramiento, convencido de que ello no significaba renunciar al título de Capitán General que se le había conferido después de Caseros y de ello informó a Mitre, formulando, de paso, una importante declaración de sugestivos alcances políticos:

Entre tanto, halágame la fe de que nunca más contaremos en filas opuestas, porque mis convicciones son profundas por la paz, por la unión y por la libertad de nuestra patria, tesoros de su prosperidad porque V.E. vela (¹³).

(⁹)   De Brizuela a Berges, Montevideo, agosto 31, 1864, Amrep, I-30,3,52.
(¹⁰)   De Mitre a Urquiza, Buenos Aires, mayo 2, 1864, Archivo Mitre, t. II, p. 66-67
(¹¹)   De Urquiza a Mitre, Uruguay, mayo 21, 1864, Archivo Mitre, t. II, pp. 68-69.
(¹²)   De Mitre a Urquiza, Buenos Aires, 1864, Archivo Mitre, t. II, p. 69-71
(¹³)   De Urquiza a Mitre, Uruguay, 1864, Archivo Mitre, t. II, p. 71-73.

¿Lograría los empeños de Carreras y sus emisarios, introducir una cuña en la amistad entre los dos principales hombres de la Confederación? Brizuela no lo creía. Andrés Lamas tampoco estaba entre los que esperaban que con motivo de los sucesos orientales se enfrentaran los antiguos contendores de Cepeda y Pavón. Escribió a Castellanos para aclarar cualquier equívoco y subrayando enérgicamente el *nosotros*:

El General Urquiza está con el general Mitre, es decir, con *nosotros*. (14) .

5. La verdad era que el desarrollo de la política imperial estaba resucitando viejas inquietudes en el espíritu del jefe de Entre Ríos. Urquiza vio la existencia política de la República Oriental amenazada por terribles calamidades y consideró que el modo de salir al paso de las mismas era buscar la reconciliación de la familia oriental. Instado por Aguirre y con el asentimiento de Mitre, resolvió emprender una gestión de paz. El 7 de setiembre se entrevistó con Flores, a quien encontró animado de buenos propósitos, también alarmado por la demasiado enérgica actuación del Brasil, tanto que, consciente de las consecuencias que para su posición política futura significaba la ayuda brasilera, había protestado por la agresión al *Villa del Salto*, obteniendo plenas satisfacciones del capitán Pereira Pintos. Animado por la acogida de Flores, Urquiza envió ante Aguirre a su hijo el doctor Diógenes de Urquiza, senador nacional por Entre Ríos, con una carta donde le manifestaba su deseo de contribuir al restablecimiento de la paz y su confianza en las benévolas disposiciones y en la lealtad de las declaraciones que en favor de la paz y del orden le había expresado el general Flores (15) . La proposición de paz de Urquiza preveía una entrevista entre Aguirre y Flores, o si no la formación de un ministerio con Requena en relaciones exteriores, Caravallo en guerra y el general Flores en gobierno (16) . Esto último, aceptado por Flores, representaba un notable retroceso en la posición intransigente que el jefe revolucionario adoptó días antes con el cónsul Raffo; era fruto de la profunda impresión que en todo el país, y aún en las propias filas coloradas, estaba promoviendo la abierta beligerancia brasilera que culminó con la agresión al *Villa del Salto*.

Cuando el senador Diógenes de Urquiza llegó a Montevideo, Carreras se hallaba ya al frente del gobierno. Fácil le fue a éste imponer al deprimido presidente Aguirre, su criterio de guerra intransigente y sin cuartel, en que se afirmó con la noticia de la protesta paraguaya del 30 de agosto, que acababa de llegar, y las

(14) De Lamas a Castellanos, Buenos Aires, agosto 29, 1864, AGNU, Caja 92, 16.
(15) Carta del 7 de setiembre, cuyo contexto está en la respuesta de Aguirre.
(16) De Castellanos a Lamas, Montevideo, setiembre 26, 1864, AGNU, Caja 92, 16

versiones de que el emperador había desaprobado a Saraiva, y de que otra misión extraordinaria sería enviada a Montevideo [17]. A pesar de haber sido el promotor de la nueva gestión de paz, Aguirre contestó a Urquiza que ya no quedaba otro medio que el de las armas "para restablecer la paz y el orden para contener los avances de la política agresiva del Brasil", y que no le era posible continuar indefinidamente trabajos que, según se había visto, "no dan otro resultado que rebajar al gobierno de la República al nivel de la rebelión" [18]. Comentó Brizuela:

El círculo exaltado que se personifica en el Dr. Carreras, ha creído ver en este triunfo de su subida al poder, una esperanza de salvación, y no quiere saber nada de paz [19].

No disimuló Urquiza la "amarga decepción" que le deparó el rechazo de su mediación y aclaró en una carta a Aguirre que no le animó otro objeto que aproximar a ambos jefes, "para que se entendiesen directa y patrióticamente a efectos de reconstruir la familia oriental, despedazada por la lucha civil y amenazada en su existencia política de terribles calamidades" [20]. Urquiza también comunicó a Flores el fracaso de sus gestiones:

En esta decepción tanto más amarga cuanto más desinteresados eran mis esfuerzos, cábeme el placer, que recordaré siempre con reconocimiento, de la franca y amistosa acogida de V.E. y cúmpleme el deber de rendirle un testimonio que V.E. estimará y que estimarán los propios y los extraños, el de mi aprecio a los deseos de paz que V.E. me ha hecho sentir [21].

Como corolario final, Urquiza encargó a su secretario privado, el coronel Benjamín Victorica, que pusiera en conocimiento de Mitre la correspondencia cambiada con Aguirre y Flores. Al cumplir esa misión Victorica formuló al presidente argentino la siguiente expresiva declaración:

Tengo orden de ofrecer a V.E cuanto conocimiento o explicación necesite dándole todas las pruebas de la lealtad de la conducta de S.E. (Urquiza) y de la sinceridad de su afecto hacia V.E., de que me ha encargado expresarle reiterado testimonio [22].

[17]   De Maillefer a Drouyn de Lhuys, Montevideo, setiembre 14, 1864, cit, p. 388

[18]   De Aguirre a Urquiza, Montevideo, setiembre 14, 1864, ARCHIVO MITRE, t. II, p. 78-80

[19]   De Brizuela a Berges, Montevideo, setiembre 15, 1864, AMREP, I-30, 7, 66.

[20]   De Urquiza a Aguirre, Uruguay, setiembre 17, 1864, ARCHIVO MITRE, t. II, p. 80-81

[21]   De Urquiza a Flores, Uruguay, setiembre 17, 1864, ARCHIVO MITRE, t. II, p. 80-81

[22]   De Victorica a Mitre, Buenos Aires, setiembre 20, 1864, ARCHIVO MITRE, t. II, p. 77-78

El saldo del episodio nŏ podía ser más desalentador para cuantos especularan con la cooperación de Urquiza. Éste no solamente quedaba distanciado de Aguirre sino que había aprovechado la oportunidad para estrechar relaciones con Flores y ratificar su adhesión al presidente Mitre. Bien pudo informar Brizuela a Asunción:

> Supónese, pues, que después del desaire hecho al general Urquiza, cuyos pasos en favor de la paz fueron solicitados como un servicio importante por el señor Aguirre, se muestre también disgustado y aleje la esperanza que se tenía de que en el caso de llevarse a efecto la intervención conjunta, él no se mostraría hostil a este gobierno, permaneciendo en todo caso neutral; pero ahora, con el desaire sufrido, créese que en el caso de llevarse a cabo dicha intervención, él cumplirá las órdenes del gobierno nacional, como autoridad dependiente de él [23].

6. El *Paraguarí* llevó a Montevideo la noticia de la protesta del 30 de agosto. Difundida inmediatamente en ediciones especiales de los diarios, suscitó gran satisfacción en los hombres del gobierno y en su círculos allegados. Tan grande fue el júbilo que la nota "conmemorativa", también publicada, lejos de tomarse con disgusto, según Brizuela, se reputó como un acto "de justicia sin réplica". Hasta la misma ocasión escogida y los términos en que estaba concebido el reproche, fueron recibidos con moderación, reconociéndose, en general, "la fundada razón con que se hace". De ese sentimiento se hizo eco público el diario *El País* en un artículo titulado "Sirva de lección". Por lo demás la óptima impresión moral producida por la protesta desvaneció los resquemores ocasionados por la acriminosa queja. Esa impresión era profunda, y al decir de Brizuela era "el principal motivo de las apreciaciones políticas y sirviendo de tronco a la situación". Los cálculos que inmediatamente se bordaron sobre las consecuencias de la protesta paraguaya fueron variados, según los registró el mismo Brizuela. Unos opinaban que la protesta provocaría una modificación de la "política combinada" entre el Brasil y Mitre ante el temor de que el Uruguay, enmendando sus errores pasados con el Paraguay, estrechara con éste una formal alianza. Pero otros creían que la actitud del Paraguay podía llevar a uno de estos dos resultados: o precipitaba al Brasil a declarar la guerra legal al Estado Oriental, "parando así la acción del Paraguay", o se haría efectiva la intervención conjunta del Brasil y del gobierno argentino.

> De todos modos —concluía Brizuela— y cualquiera que sea el verdadero resultado que arroje ese nuevo e importante documento para la situación, sobre lo cual todo juicio es aún avanzado, la verdad es que la protesta ha producido en ambas orillas del Plata una verdadera impresión; en Montevideo toda de favor y de efecto moral; en Buenos Aires de una inquietud que se traduce en la prensa de un modo notable.
> ¿Qué efecto produciría al Imperio?

[23]   De Brizuela a Berges, Montevideo, setiembre 17, 1864, AMREP, I-30, 7, 66.

He aquí lo que es difícil poder calcular y lo que en mi concepto sería más importante conocer [24].

7. Nuevas sugestiones de paz vinieron en ese momento y del propio jefe revolucionario. A Flores le alarmaban tanto las consecuencias que podía acarrear la protesta paraguaya como las noticias de haber sido desaprobada la gestión de Saraiva. Un cambio ministerial acababa de ocurrir en el Brasil y era general la creencia de que el nuevo gabinete volvía a la idea del arbitraje para solucionar las diferencias con el gobierno oriental y que había impartido órdenes al almirante Tamandaré de suspender las represalias y aun de regresar con sus navíos. También se decía que en Río Grande, donde los republicanos acababan de ganar las elecciones estaduales, la guardia nacional rehusaba reunirse y pasar la frontera oriental, para ponerse "bajo las órdenes de los fautores de la anarquía o de anexión". Aunque fueran inexactas esas versiones y el Brasil pudiera llevar adelante sus amenazas, Flores ahora no se sentía muy cómodo con la idea de ascender al gobierno en la grupa del Imperio y con el auxilio de sus fuerzas militares. El envío de su secretario Cándido Bustamante que anunció a Mitre como si fuera una deferencia [25] obedecía a esos temores. Llevaba una carta credencial para el presidente Aguirre, e instrucciones de concertar un arreglo de paz: aceptaba ahora la cartera que le ofreciera por intermedio de Barbolani, más las condiciones estipuladas en junio. "Se ve —comentó el ministro francés— que los papeles ya estaban invertidos, a consecuencia, sin duda, de las noticias recibidas de Río de Janeiro y de la Asunción".

En la rada, sin desembarcar, Bustamante, por intermedio de la legación de España, solicitó permiso para comunicarse desde un navío neutral, el bergantín de guerra español *Galiano*, con el gobierno de Montevideo. Luego de algunas consultas, el ministro general Carreras respondió el 17 de setiembre a la legación española, que el gobierno, como ya había manifestado al senador Urquiza, no admitiría nuevas negociaciones con Flores, y que como su secretario "sólo traía ciertamente de parte suya nuevos insultos", la entrevista pedida a bordo del *Galiano* era completamente inútil [26]. El cuerpo diplomático, a instancias de Barbolani, alzó, una vez más, su voz en favor de la paz, pero no fue escuchado.

Tampoco tuvieron éxito otras interposiciones encaminadas a alcanzar la paz como único modo de evitar las graves calamidades que se estaban desencadenando. El ministro norteamericano en Bue-

[24] De Egusquiza a Berges, Montevideo, setiembre 15, 1864, AMREP, I-30 7, 66.
[25] De Flores a Mitre, Paysandú, setiembre 10, 1864, ARCHIVO MITRE, t. XXVII, p. 161.
[26] De Maillefer a Drouyn de Lhuys, Montevideo, setiembre 29, 1864, MAILLEFER, p. 392

nos Aires, hasta entonces indiferente a los sucesos, instado por su colega en Río de Janeiro, decidió emprender una tentativa de pacificación. El diputado Ruiz Moreno, de cuyas simpatías por la causa blanca nadie dudaba, se prestó a dar pasos ante el gobierno oriental para preparar la nueva mediación. Fue entretenido con medias palabras por Carreras y regresó a Buenos Aires sin haber podido conversar con el presidente (27). El gobierno. dominado enteramente por la férrea voluntad de Carreras, se mantenía firme, a pesar del anhelo general de paz y de las sobresaltadas inquietudes, en su actitud intransigente. Confiaba que la nueva posición del Paraguay bastaría para hacer retroceder al Imperio. Esperaba que la mudanza ministerial en Río de Janeiro aparejaría un cambio de política y que hasta el mismo Flores, que acababa de abandonar el sitio de Paysandú, terminara por capitular.

Andrés Lamas procuró desvanecer desde Buenos Aires las esperanzas en que se fincaba la tenaz intransigencia. Advirtió a Castellanos que mientras en Montevideo se creía que el Brasil retrocedía, en Buenos Aires se opinaba que avanzaba y que el ejército imperial invadiría de un momento a otro el territorio oriental. Esto lo manifestaba Lamas sin tener noticia alguna directa, "pero convencido como estaba de que la política imperial, sacada de quicio por el temor de que se sublevara Río Grande, era arrastrada por esa provincia". No daba ni podía dar importancia a las mudanzas que ocurrieran en el personal oficial de la política brasilera, por lo que tenía por cierto que si no entraba el ejército, como en Buenos Aires se suponía, el general Flores tendría todo lo que se necesitase para asegurar su triunfo" (28). En cuanto a la posible acción del Paraguay, también Lamas sabía a qué atenerse:

> Pero aún concedido que el Paraguay quiera oponerse de facto a la acción del Brasil en nuestro territorio (sobre lo que hago mis reservas), ¿cómo y por dónde lo hace?
> Tendría que pasar por territorio argentino y puedo asegurar a V. que esto no le será permitido.
> No pudiendo pasar por territorio argentino, su acción será nula, al menos en cuanto a lo que ocurra en nuestro territorio (29).

8.   Ninguna de estas razones convencieron en Montevideo que esperaba su salvación del Paraguay. El 29 de setiembre Brizuela informó a Berges que continuaba la excitación producida por la protesta del 30 de agosto y que al uno como al otro lado del Río de la Plata, el Paraguay y su actitud eran "el principal objeto de la opinión pública". Las noticias recibidas de Asunción, a través

(27)   De Brizuela a Berges, Montevideo, setiembre 29, 1864, AMREP, I-30, 3, 53.
(28)   De Lamas a Castellanos, s/f., PALOMEQUE, p. 136
(29)   De Lamas a Castellanos, Buenos Aires, setiembre 30, 1864, AGNU, Caja 92, 16

de *El Semanario* de grandes manifestaciones populares de apoyo a la política asumida por López, entonaron aún más el ánimo público. Decía Brizuela a Berges:

¿Cómo describir ahora a V. E. las nuevas y más profundas impresiones producidas por las manifestaciones del pueblo paraguayo, así como los interesantes artículos del *Semanario?*

Todo esto constituye la verdadera novedad del día, todo eso constituye un verdadero *respiro* para la situación de este país, una nueva y más robusta esperanza, para reanimar a los defensores del gobierno que no se ocultan los embarazos y peligros del gran conflicto porque está pasando el Estado Oriental (³⁰).

El *Saintoge* que acababa de llegar de Río de Janeiro trajo cartas particulares según las cuales el emperador habría desaprobado la conducta de Saraiva. La frialdad con que la prensa fluminense recibió al comisionado especial parecía acreditar esas noticias, lo mismo que el anuncio de que Saraiva pensaba seguir inmediatamente viaje para Bahía, su provincia natal. Y se preguntaba Brizuela:

¿Será ajena esa noticia a la Protesta Paraguaya? Es de creer que ella ha sido el motivo principal para ese cambio (³¹).

El ministro de Francia recogió análogas impresiones y fue aún más lejos en sus conjeturas. Supuso que la situación se le había tornado tan vidriosa para el Emperador Pedro II, que éste "que va a casar a sus hijas y que debe inquietarse y entristecerse por la situación financiera", sólo aspiraba a salir, en los mejores términos posibles, de las complicaciones "donde le lanzaran culpables intrigas". También aludió Maillefer a las manifestaciones populares que, según *El Semanario*, se efectuaban en el Paraguay en favor de la independencia oriental y por odio a la política brasileña. Y aunque sabía que esas demostraciones eran organizadas por el gobierno y quizás por ello mismo, estimaba Maillefer que, sostenidas como estaban por un ejército calculado en treinta mil hombres y con una escuadra de catorce barcos a vapor, "serán, si en Río de Janeiro y en Buenos Aires obran con cordura, otro argumento más para el restablecimiento de la paz" (³²).

9.   Nunca desanimado, Andrés Lamas desde la otra orilla tercamente insistió, aunque por otras razones y no por el temor a las amenazas paraguayas, en seguir tentando todos los medios para procurar la paz en el Estado Oriental como único modo de detener el alud que veía irrumpir desde las fronteras brasileras. Sin desfallecer, Lamas perseveró en su tarea de convencer al presidente Aguirre, siempre por intermedio de Castellanos, de la necesidad de

----

(³⁰)   De Brizuela a Berges, Montevideo, setiembre 29, 1864, AMREP, I-30, 3, 53.

(³¹)   Idem.

(³²)   De Maillefer a Drouyn de Lhuys, Montevideo, setiembre 29, 1864, MAILLEFER, pp. 394-395.

salvar a su país de "las humillaciones que nos van a imponer las
armas extranjeras". Le dijo estar informado en la mejor fuente,
de que las órdenes enviadas por Saraiva a Río Grande antes de
embarcarse, de iniciar las represalias terrestres, habían sido aprobadas en Río de Janeiro, así como su conducta: carecía, pues, de
fundamento la creencia de que el Brasil recapacitaba ante las amenazas del Paraguay. El gobierno brasilero, según Lamas, no podía
retroceder "sin abdicar toda la importancia del Imperio". Contrariamente, sabía que, llegadas a Río de Janeiro las noticias del
Paraguay, se había resuelto dar mayor vigor a la acción del Brasil,
"para acabar más pronto y definitivamente". Lamas revelaba estar
enterado minuciosamente de las póximas actividades militares brasileras e incluso, para mayor ilustración de Castellanos y como
argumento que hacer valer ante el presidente Aguirre, le dio a conocer detalles de los planes que pronto comenzarían a ser ejecutados.
"Si se mueve el Paraguay le cerrará el paso", aseguraba, refiriéndose
al papel que iba a desempeñar la escuadra brasilera.

> He tomado anoche estas noticias de la mejor fuente. Debo creerlas de una
> exactitud absoluta. Ahí tiene usted la situación. Puede usted hacerla conocer
> del señor Aguirre.

Para evitar la catástrofe que Lamas veía avanzar a pasos acele-
rados, insistió en que el único camino era el de la pacificación.
Había que alcanzarla sin perder minutos. Producidos los hechos, la
negociación equivaldría a una capitulación, "sería desventajosísima
y hasta desdorosa". Cuanto antes el gobierno oriental debía enviar
a Buenos Aires un comisionado que podría ser el propio Castellanos.
Lamas respondía de la buena disposición que el enviado encontraría en el presidente Mitre. Agregó:

> Recurrir a él (a Mitre) lo afirmaría en su buena disposición lisonjeándolo.
> Y él es el único que puede pesar en las resoluciones del general Flores y del
> Brasil. Recurriendo a otros aumentarían las dificultades. Pero —lo repito—
> es preciso no perder un solo día. Diciendo esto, dando estos consejos, satisfago
> mi conciencia. He hecho cuanto he podido para evitar una catástrofe. No es
> culpa mía que el señor Aguirre no nos oiga. Puede usted leerle esta carta, por
> otra parte reservadísima (33).

10.   Siempre dispuesto a secundar a Lamas en sus esfuerzos por
la paz, Castellanos multiplicó con ahinco sus instancias ante Aguirre.
Le dio a conocer la carta de Lamas, pero le encontró "templado
en otras ideas". Desde luego sus noticias no coincidían con las de
Lamas. Además, Aguirre se consideraba "fuerte y con medios bastantes" para conjurar la tempestad. Pero aunque finalmente declaró
que estaba dispuesto para la paz, y que la vería venir "con inefable
felicidad" y, aunque el nombre del Paraguay no fuera ni siquiera

____

(33)   De Lamas a Castellanos, Buenos Aires, octubre 5, 1864, AGNU, Caja
92, 16.

pronunciado, Castellanos creyó que ya nada cabía esperar en el sentido de una rápida negociación para detener la catástrofe (³⁴). Todo se esperaba del Paraguay. El Brasil no se atrevería a violar las fronteras. Y si lo hiciera, allá en el norte las tropas de López, volarían en auxilio del pueblo oriental. Esto opinaba el gobierno y daba fuerza a su intransigente negativa a entrar en nuevas gestiones de paz.

El 12 de octubre de 1864, Lamas perdió todas las esperanzas. Acababa de ser informado de que ya se estaba entrando en el terreno de la acción: las fuerzas brasileras de la frontera iban a cumplir las órdenes terminantes que dejó Saraiva de iniciar las represalias dentro del territorio oriental. Escribió a Castellanos para transmitirle las graves noticias procedentes del "amigo que le informa" y que estaba en excelente situación para saber la verdad de las cosas. Era la guerra.

He recibido esta noticia —le decía— con dolor pero sin sorpresa, porque eso no será más que la ejecución de las órdenes que conocí y en que se fundaban los informes que dí a usted. Ahora ya es positivamente tarde para entrar en el camino que indiqué. Veremos cuál otro nos abran los sucesos (³⁵).

Y mientras el Río de la Plata se sumía en la angustia y en los más trágicos presentimientos, y se oía el tétrico galopar de los gauchos ríograndenses trayendo en la punta de sus lanzas la tea de la guerra, el pueblo paraguayo cantaba y bailaba en las calles de Asunción...

(³⁴) De Castellanos a Lamas, Montevideo, octubre 7, 1864, Agnu, Caja 92, 16.

(³⁵) De Lamas a Castellanos, Buenos Aires, octubre 12, 1864, Palomeque, p. 149.

BAILES EN EL PARAGUAY

1. En el Paraguay los natalicios presidenciales eran motivo habitual de grandes celebraciones, pero aquel año la conmemoración del aniversario del nacimiento del general Francisco Solano López superó todos los precedentes. El 24 de julio de 1864 cumplió el presidente 38 años, y antes y después hubo grandes festejos, sin pausa ni descanso, y con participación de todas las clases sociales. Las fiestas no parecían tener fin. Bailes en el Club Nacional y en las calles y plazas; tedéums y misas; corridas de toros; mascaradas; globos aerostáticos; fuegos artificiales; carreras de sortijas; cucañas, y sobre todo mucha música, mañana, tarde y noche, a cargo de las numerosas bandas militares seguidas en procesión por multitudes que cantaban, vitoreaban y bailaban en las calles y en las plazas, y que no sólo llevaban sus plácemes al presidente, en su residencia o en su despacho, sino también a ministros extranjeros y cónsules. Los festejos se extendieron a toda la República y ellos alcanzaron al enorme campamento de Cerro León, donde "30.000 personas juntas en un solo campo", se entregaron a los más diversos placeres, "reinando con una animación constante el festivo baile de *la galopa*", según la colorida crónica de *El Semanario* (¹).

Hasta el mismo canciller Berges no pudo escapar al entusiasmo general en momentos en que tan negros nubarrones se estaban acumulando sobre el horizonte internacional. Así, el 21 de agosto, al anunciarle a Brizuela el regreso de Carreras muy de paso

(¹) *El Semanario*, Asunción, setiembre 5, 1864.

casi restándole importancia, daba mayor realce a las noticias sobre las celebraciones aún en su apogeo en esa fecha. Le decía:

> Basta decirle que hasta ahora siguen las funciones, y este día empiezan bailes, teatro, corridas de toros, carreras, y quien sabe qué otras cosas más en el campamento de Cerro León, donde mucha gente marcha por tren. No hay gremio de artesanos que no haya dado su contingente en el regocijo general. Bailes populares en las plazas y en el teatro han sido diarios; pero esta descripción verá V. detalladamente en los números del *Semanario* que le envío (²).

2. *El Semanario* no se limitó a la crónica; también comentó la significación de los actos, a su juicio, justa muestra de gratitud, amor y simpatía "al hombre consagrado a los trabajos más graves y penosos, sin otro pensamiento que la prosperidad pública, el ciudadano que marchita su juventud y consume su vida por darse a la nación a que pertenece".

> Los festejos populares se suceden aún —decía el 20 de agosto—; el ánimo público no ha decaído en manifestaciones las más entusiastas hacia el Supremo Jefe de la Nación; en la semana que hemos pasado no han tenido interrupción las más variadas y animadas fiestas, promovidas desde la clase más distinguida de nuestra sociedad hasta la más ínfima: todas han participado de esa satisfacción y de esa especie de frenesí que ha venido a apoderarse de los espíritus; hombres, mujeres y niños, paraguayos y extranjeros, han sido arrastrados por el torrente de un entusiasmo singular, y ninguno ha dejado de ofrecer un tributo a la alegría y el contento (³).

El 28 de agosto hubo un gran baile en el Club Nacional ofrecido por las damas de Asunción, las cuales se presentaron vestidas de blanco, con banda tricolor y corona de flores blancas. En nombre de ellas, le señorita Asunción Velilla ofreció al general López una corona de laureles "en justa conmemoración de tantos hechos heroicos que V.E. ha desplegado en los servicios de la patria, dentro y fuera de ella" (⁴). ¿Fue en la primera cuadrilla que, según la crónica de *El Semanario* contó con la participación de los agentes diplomáticos, cuando se produjo el incidente Vianna-Lynch?

Después de presentada la protesta, cuando ya flotaban en el ambiente las torvas amenazas que muy pronto llevarían al Paraguay al sacrificio, y a ese mismo pueblo, ahora tan jubiloso, a afrontar el sufrimiento y la muerte en los campos de batalla, continuaron los festejos. El 5 de setiembre *El Semanario*, al par de comentar los sensacionales acontecimientos internacionales, seguía ensalzando a la conmemoración del natalicio presidencial cuyo ritmo no parecía declinar:

(²) De Berges a Brizuela, Asunción, agosto 21, 1864, AMREP, I-22, 12, 1, Nº 145.

(³) *El Semanario*, Asunción, agosto 20, 1864.

(⁴) *El Semanario*, Asunción, setiembre 5 de 1864.

Un acceso de entusiasmo, puede decirse, se apoderó en esta ocasión del pueblo paraguayo, que fue creciendo gradualmente hasta el frenesí. Parece increíble, pero nada hay más cierto, que la efervescencia de todos los espíritus no diera tregua por más de cuarenta días a los más continuados festejos, y las más alegres distracciones. El Paraguay no cuenta en sus anales un acontecimiento semejante, que no puede concebirse sino comprendiendo el inmenso prestigio y la especie de idolatría que el pueblo tiene hacia su joven Presidente (5).

3. El reverso de la medalla no era tan brillante, tal como lo veían los agentes diplomáticos. Cuando llegó el ministro inglés Thornton a Asunción, en plena ebullición popular, encontró que las prisiones estaban llenas de presos políticos, muchos de ellos de conocidas familias y escribió un largo informe sobre el asfixiante clima que se respiraba en el país. Comprobó que algunas señoras habían sido deportadas a distantes aldeas, bajo la denuncia de haber formulado observaciones despectivas para el presidente y que no había familia que no sufriera excesos del régimen imperante.

Según Thornton el gobierno, de despótico que era bajo la administración de Carlos Antonio López, se había vuelto tiránico. Se practicaba el mismo sistema inquisitorial en su más amplia extensión. El número de espías era incalculable. La policía llenaba las calles, penetraba en los hogares, e interrogaba por la noche a todo transeúnte. El presidente lo averiguaba y lo dirigía todo. Ningún hombre, ni siquiera los ministros, ni muchacha de clase alguna llegada a la pubertad, "se atrevería a oponerse a los deseos de Su Excelencia, sean ellos los que fuesen". A nadie se permitía casarse siquiera sin permiso presidencial. El sistema de López, le parecía a Thornton, buscaba deprimir y humillar; "si algún hombre demuestra un poco de talento, liberalidad o independencia de carácter, se encuentra inmediatamente algún pretexto mezquino para arrojársele en prisión; si tiene oportunidad para enriquecerse, están siempre a mano los medios para empobrecerle". No había justicia, pues los jueces eran instrumentos serviles del presidente. Los impuestos, enormemente altos, exaccionaban a las clases pobres, lo mismo que el trabajo forzoso, el uso de carretas y animales sin remuneración para el servicio público, y la apropiación sin pago de ganado y otros víveres para el ejército. Aunque creía muy remotas las posibilidades de un cambio político, el ministro inglés atribuyó los grandes reclutamientos y preparativos militares, más que a la situación internacional, al temor constante "que tiene el presidente de que estalle una revolución en su propia patria".

4. Era natural que dentro de este sombrío panorama, el ministro inglés juzgara las efusiones sociales y populares con ocasión del cumpleaños presidencial, de un modo muy distinto al órgano oficial. Decía su informe:

(5) *El Semanario*, Asunción, setiembre 5, 1864.

El cumpleaños del Presidente fue el 24 de julio último. Desde entonces la población de Asunción y de otras muchas villas de la República ha sido forzada a dedicarse a banquetes, bailes y otras fiestas, y se quiere hacer creer al cuerpo diplomático y a extranjeros que ellas son efusiones espontáneas, probatorias del entusiasmo del pueblo en favor del presidente. Hace pocos días se celebró una misa a expensas de las señoras de la ciudad, por la prosperidad y bienestar del presidente, y en la misma noche se dio un baile en honor de Su Excelencia. En la misa el obispo dijo un sermón casi rayano en blasfemia, por la cantidad de elogios y adulaciones amontonados sobre el presidente, y en verdad que la adoración debida a Su Excelencia, constituye el tópico, sino casi el único, de la prédica del clero. En el baile varias de las señoras dirigieron discursos al presidente, siendo indescriptible el halago contenido en ellos. Para sufragar los gastos de estas fiestas, se exigió la contribución de todas las clases, no se olvidó ni siquiera a los presos políticos; y estos seres desgraciados, en la esperanza de que por dicho medio podrían apresurar su liberación, suscribieron sus nombres por grandes sumas. Se les forzó a sufrir la mofa de oír una misa solemne en que oraron por la felicidad del primer magistrado que los había condenado a perpetua miseria. Ninguna señora tuvo el coraje de dejar de concurrir al baile, y había dos cuyo padre había muerto el día anterior, pero esta aflicción no les sirvió de excusa. Se levantó un tablado en una de las plazas públicas, donde se hizo bailar a las clases bajas, y se estacionaron centinelas para impedir que las mujeres se marchasen, aunque estuviesen cansadas. Una infeliz que observó que era duro verse forzada a bailar cuando se padecía hambre, fue llevada a la oficina de policía y castigada con cien golpes (azotes) dados con un palo, y muchas otras fueron desterradas al interior por culpas análogas.

En presencia de esta descripción de la situación política del Paraguay, cabría suponer que "semejante tiranía" como no titubeaba Thornton en calificarla, no podría durar mucho. Pero el ministro inglés no esperaba un cambio inminente. Encontraba a la "gran mayoría del pueblo" suficientemente ignorante como para creer que no había país alguno tan poderoso o tan feliz como el Paraguay, "y que ese pueblo ha recibido la bendición de tener un presidente digno de toda adoración". Los jesuitas, Francia y los López, padre e hijo, le habían inculcado la más profunda veneración a las autoridades. Habría tres o cuatro mil paraguayos que sabían más y para quienes, según Thornton, "la vida bajo tal gobierno es una carga", pero entre ellos la falta de confianza recíproca hacía imposible cualquiera combinación, y si a la larga se produjera una revolución, "sería traída por los paraguayos que ahora se educan en Europa, o sería la obra de una invasión extranjera, o de un Ejército paraguayo en campaña en el exterior" ([6]).

5.   En la misma fecha en que Thornton suscribía este despacho para Lord Russell, y sustrayéndose por un momento a las influencias del ambiente electrizado por tantas festividades, alguien tan altamente situado como el ministro de relaciones exteriores José Berges, daba escape a sentimientos muy íntimos en una carta al cónsul del Paraguay en Paraná José Rufo Caminos, a propósito de

    ([6])   De Thornton a Russell, Asunción, setiembre 6, 1864, HORTON BOX, pp. 311-317.

un folleto que el escritor entrerriano Evaristo Carriego quería que fuera editado por el gobierno del Paraguay. En cierto modo, las palabras de Berges parecían una réplica a las apreciaciones del ministro inglés sobre el estado de abyección que atribuía al pueblo paraguayo. Aunque lo que apuntara se refería a la dictadura de Francia, cobraba muy viva actualidad a la luz de lo que Thornton informaba a su gobierno, y parecía su contrapunto. Decía Berges:

> Con la última (carta) acompañó V. S. el folleto sobre el *Pasado, presente y porvenir del Paraguay*. No puedo todavía formar juicio sobre este trabajo, pero el prólogo me parece un poco cargado de tinta. Nunca seré el abogado de la tiranía del doctor Francia, pero recuerdo a V. S. que a ese mandatario le hicieron varias revoluciones encabezadas por los Yegros, Montieles, Aresteguies, Acosta y partidarios, que las sofocó, es cierto, a fuerza de sangre; la verdad debe aparecer siempre en la historia, y mucho más cuando se escribe la biografía de un gobernante. V. S. sabe que yo soy uno de los más perjudicados por la administración Francia, pero no puedo transigir con algunas de las apreciaciones del doctor Carriego, así es que no extrañe V.S. si el folleto aparece un tanto modificado.
>
> Pienso haber dicho a V. E. anteriormente que el pueblo paraguayo, en obsequio de la verdad, debe aparecer vencido por la tiranía, pero no abyecto y miserable, como varios escritores han querido presentarlo (⁷).

¿Escritas las dos cartas el mismo día, la de Berges era trasunto y eco de alguna discusión con Thornton? ¿Ante la alegación del ministro inglés de la incapacidad del pueblo paraguayo para insurgirse contra los déspotas, Berges habría recordado las revoluciones de los Yegros, Aresteguies, Montieles y Acostas, sofocadas con sangre? De cualquier modo, Berges no creía al pueblo paraguayo abyecto y miserable, aunque sí *vencido por la tiranía*.

6.   Pero esta carta nunca fue despachada. Aunque transcripta en el libro copiador de notas confidenciales del Ministerio, ella quedó entre los papeles de Berges. Ni Caminos, ni López, ni nadie se enteraron de su contenido. No fue sino el desahogo de un alma angustiada y la íntima expresión de anhelos reprimidos e imposibles. El ministro de relaciones exteriores continuó desempeñando su papel en el drama. Si más tarde pensó llevar a efecto ideas contrarias al orden imperante, pagó con su vida la intentona o la sola posibilidad de que en torno de su figura pudieran aglutinarse los descontentos. Pero entre tanto, continuó siendo el funcionario de actividad asombrosa y vastos conocimientos, el expositor claro y medular de las ideas oficiales, personero lleno de autoridad moral y de suficiencia, sin disputa la figura civil más importante del gobierno, respetado por el general López que tenía con él consideraciones que su padre Carlos Antonio López no guardó con ninguno de sus ministros, pero que no le permitiría jamás cumplir al frente de la cancillería ideas distintas a las emanadas de su omnipotente y omnisapiente personalidad.

(⁷)   De Berges a Caminos, Asunción, setiembre 6, 1864, AMREP, I-30, 14, 8.

7. Dado el sistema político vigente, aquellos que osaran romper las "normas de subordinación y obediencia", reiteradamente proclamadas por *El Semanario* como fundamento de la sociedad paraguaya, sabrían la suerte que les depararía la pública expresión de la menor discrepancia, la abstención o siquiera la tibieza en las demostraciones de adhesión a la política y a la persona del primer magistrado. Según el ministro británico Thornton era muy pequeña la porción íntimamente disidente con el estado de cosas y "la gran mayoría del pueblo" se hallaba feliz con su presidente. Era posible que los grandes festejos con que durante varias semanas, sin interrupción, todas las clases sociales rindieron homenaje a López con ocasión de su natalicio, hubiesen tenido por objeto ahogar en la marea del frenesí multitudinario las olas de descontentos. Pero cuando, de un día para otro, esas demostraciones populares, de significación personal y política se convirtieron, después de la protesta del 30 de agosto, en manifestaciones de adhesión a la actitud que acababa de adoptar el gobierno en el orden internacional, ¿continuaba el miedo dictando las adhesiones, como lo suponía el ministro norteamericano? Washburn escribió a su gobierno:

> Desde la llegada del Sr. de Lima (el ministro brasilero) la actitud de este gobierno hacia el Brasil ha sido extremadamente belicosa, y el diario oficial, el *Semanario*, está lleno de mensajes de diferentes partes del país, firmados por toda la gente de alguna fortuna o condición, empeñando sus vidas y haciendas para defender la independencia nacional y prometiendo derramar la última gota de sangre, en caso necesario, para sostener al benévolo gobierno del presidente López. Para la gente de aquí del país que sabe cómo trabaja el gobierno, todo esto aparece muy ridículo, pues se comprende muy bien que cualquiera que rehusase firmar tales mensajes, se hallaría pronto en una prisión, cargado de grillos [8].

8. En verdad, los procedimientos para expresar el apoyo popular a la política internacional, difirieron muy poco de los que hasta días antes se utilizaron para la adhesión a la persona del presidente López, con motivo de su natalicio. Después del 30 de agosto, las manifestaciones que recorrieron las calles de Asunción, para exteriorizar su apoyo a la actitud frente al Brasil, eran precedidas de bandas de músicos y terminaban con bailes populares en las calles o en la plaza principal. Fue ante una "serenata" que López pronunció su famoso discurso del 13 de setiembre, y *El Semanario*, anotó en su crónica:

> La serenata volvió de allí (de la residencia del Presidente) hacia la plaza del 14 de mayo, donde se hallaba preparado un hermoso entoldado para la gente del pueblo, y la concurrencia que la seguía se confundió con la multitud que había ya comenzado sus alegres y amenos bailes [9].

(8) De Washburn a Seward, Asunción, octubre 20, 1864, HORTON BOX, p. 231.

(9) *El Semanario*, Asunción, setiembre 17, 1864.

En el mensaje que se le entregó el 12 al presidente López, los principales vecinos de Asunción le ofrecieron "su más enérgica y decidida cooperación, poniendo sus vidas y fortunas a la disposición de V. E. como Jefe Supremo de la Nación, que deposita su ilimitada confianza en el patriotismo y luces de V.E." (10). Y la misma disposición se encontró en los mensajes que pronto llegaron de ciudades y villas, aún las más alejadas de la República, en consonancia con el paso que acababa de dar el gobierno al lanzar su protesta al Imperio del Brasil. Pero si la alusión personal era inevitable, dado el régimen imperante, ¿cabía afirmar, como lo hacía Washburn, que sólo el temor a la cárcel dictaba las adhesiones a una política que decía tener por suprema finalidad la defensa del bien más preciado de todos los paraguayos: la independencia nacional? ¿Acaso no acababan de conjurarse fantasmas que siempre habían rondado, en asechanza mortal, el sosiego, la paz y la libertad del Paraguay?

9. En ese momento trascendental de la vida paraguaya, la República continuaba sin representantes diplomáticos en Buenos Aires, Montevideo y Río de Janeiro. Aunque fuera cierto que las tradiciones políticas, las tendencias sistemadas y las actitudes públicas del presente, así como el tono de la prensa, tanto brasilera como argentina, daban sólido calce a las más pesimistas cavilaciones, la falta de contactos responsables con la realidad política que se estaba tramando en las cancillerías, hacía que toda la conducta paraguaya estuviera articulándose, en esas jornadas decisivas, sobre la base de los antecedentes históricos y de conjeturas, y partiendo del supuesto de que existía una conjuración brasilero-argentina contra la independencia del Paraguay, cuyo primer paso sería el anonadamiento de la autonomía oriental.

Podía estar acertado López en su interpretación de los acontecimientos, ¿pero lo estaba igualmente en el modo de encararlos? ¿Su protesta del 30 de agosto detendría la fatal rueda? ¿Cómo suponer que el Imperio, con toda su importancia, y en atención a conceptos elementales de dignidad nacional, aceptaría la conminación paraguaya? La forma imperativa en que estaba concebida la protesta, más las declaraciones arrogantes del presidente López que vinieron a continuación, sólo dejaban al Brasil una alternativa: retroceder. ¿Esperaba López que el Imperio, sin desdoro y sin deshonor, diera marcha atrás en la pendiente en que su política y su ejército se estaban despeñando? ¿No sería la *capiti diminutio* final del Imperio del Brasil? ¿El Brasil procedería con menor dignidad que el Paraguay en caso análogo? A López no se le podría escapar que al término de este episodio estaba o estaría con mucha probabilidad, la guerra. Y en su convicción, la guerra sería no con una,

(10) Idem.

sino con dos naciones, el Brasil y la Argentina, ya porque estuvieran unidas por secreta alianza, o porque, aún no estándolo, para cumplir la conminación al Brasil le sería forzoso al Paraguay violar el territorio argentino, obligando de este modo a la República Argentina a hacer causa común con el Imperio. ¿Estaba el Paraguay en condiciones de desafiar a las dos principales naciones de la América del Sur? ¿Se hallaba completa su preparación militar? ¿Podía prescindir de las armas y de los acorazados encargados a Europa? ¿Había intentado algo el Paraguay para procurar alianzas con que contrarrestar la que veía perfilarse en su contra? ¿Si fuera cierta la conjuración brasilero-argentina contra el [Paraguay —y había muchas probabilidades de que lo fuera—, había hecho López lo necesario para poner a su país en condiciones de enfrentar la terrible amenaza?

Existían otra serie de cuestiones que correspondía plantear para dejar bien definida la situación. ¿Eran verdaderos los motivos argüidos? ¿Si tenía el Brasil la intención de absorber al Estado Oriental, la República Argentina iba a consentirlo? ¿Podía el general Mitre firmar una alianza con el Imperio, a espaldas de la opinión de las provincias, y sobre todo de Urquiza, y olvidando toda la política tradicional de la República Argentina, sólo para que el Brasil quedara nuevamente con la Provincia Cisplatina? ¿Aceptaría el Brasil la anexión del Paraguay a la Argentina? ¿Y si el Imperio y Buenos Aires se estaban poniendo de acuerdo para una repartición de los dos Estados, lo consentirían acaso las potencias europeas? ¿Estados Unidos admitiría tal plan de conquista desembozada y brutal? ¿Lo aceptarían las demás repúblicas americanas? ¿Qué probabilidades, en resumen, había de que los dos viejos rivales, Brasil y Argentina, se pusieran de acuerdo para una obra tan nefanda? ¿Y aún cuando fueran exactas todas las hipótesis pesimistas, sólo restaba el camino de las armas para desbaratar la conjura contra la existencia nacional?

10. Si las premisas sobre que se basaban las cavilaciones de López estaban al alcance de todos los paraguayos, y si todos participaban de sus inquietudes y podían formularse las preguntas que ellas suscitaban, darles respuesta correspondía a una sola persona, la única habilitada a develar las incógnitas y a trazar los rumbos del porvenir. Era el presidente López, en cuyo juicio se reposaba enteramente el discernimiento de los factores que se conjugaban para hacer tan grave la situación nacional. Ni debatir opiniones, ni escuchar consejos, ni analizar públicamente las hipótesis sobre que estaba actuando el gobierno, cabían dentro del régimen imperante. El destino del Paraguay pendía enteramente del raciocinio y el temperamento del general Francisco Solano López. Ni parlamento, ni prensa, ni tribuna, ni nada desde donde pudieran alzarse voces de disidencia, o de crítica siquiera parcial, contribuirían a escla-

recer los sombríos horizontes que se cernían sobre el porvenir nacional. Sólo a López le correspondía la responsabilidad de todo. De lo que él discerniera y dispusiera dependía el destino de la República del Paraguay.

En el decisivo manipuleo de las motivaciones que impulsarían las determinaciones de Solano López, podrían ocupar el primer lugar los peligros que amenazaban a la independencia paraguaya y la necesidad de salir al encuentro de ellos antes de que fuera tarde. También podrían gravitar otros no menos acuciantes, como eran los referentes al depresivo y humillante olvido en que se le tenía al Paraguay cuando se debatían en el Río de la Plata problemas que le interesaban fundamentalmente. De todo ello, una vez alquimiado en la mente de López, cabría hacer tópicos de la propaganda oficial, a través de *El Semanario*, discursos, mensajes, y de cuantos medios de divulgación y orientación de la opinión pública estaban a disposición del poder público.

Pero sólo a López correspondía sopesar las premisas en que se basamentaban esas motivaciones. El pueblo no manejaba las fuentes de información ni tenía el derecho de verificarlas o confrontar apreciaciones divergentes para hacerse de opinión propia. Sin un mínimo de libertad de prensa y de expresión, no cabía otra alternativa que acatar la versión oficial, nada difícil de aceptar porque hería dos de los nervios más sensibles del pueblo paraguayo: el amor a la independencia y el orgullo nacional. Y aunque el escrutinio honrado de los factores internacionales llevara a conclusiones tranquilizadoras y las aprensiones paraguayas fueran infundadas había una razón poderosa para que López siguiera tocando a rebato las dos grandes campanas que siempre habían sido, las únicas capaces, por sí solas, de aunar a todo el pueblo paraguayo en torno de su gobernante, como lo había sido en tiempos de Francia y de Don Carlos Antonio. El amor a la independencia y el orgullo nacional, eran los únicos sentimientos capaces de acallar otros del alma popular que estaban aflorando peligrosamente a la superficie y que nada bueno presagiaban al régimen encarnado por el general López.

Evidentemente, el pueblo estaba harto de tanta dictadura, ininterrumpida como régimen político desde los albores de la independencia y mantenida so pretexto de defender esa misma independencia. A los dos años de iniciada la administración de Solano López, los resortes férreos heredados de su padre no se habían aflojado; contrariamente, se habían vuelto intolerables. Podían apreciarse síntomas de descontento profundo que el tiempo no amortiguaba y amenazaban hacer crisis en cualquier momento. Era en el seno de la marina, en contacto casi permanente con los libres pueblos del sur, y en el clero, que mantenía viva la tradición libertaria del catolicismo paraguayo, donde estaba brotando más alarmantemente la si-

miente de la libertad. Y el disgusto prendía también en los más
altos círculos. La familia del propio presidente no estaba inmune
a los anhelos de un mejoramiento de las condiciones políticas. Se
le sabía a Benigno encabezando un ala liberal. Y hasta la máxima
figura del gabinete, el canciller Berges, en sus doloridas confidencias a Caminos dejó traslucir su disconformismo. ¿La "revolución
social" cuya inspiración se atribuyó al sabio Padre Maíz, el "cataclismo social" que entrevió el marino español Navarro, no estarían
al cabo de la sorda efervescencia popular? ¿Y qué mejor remedio
que desviar esas peligrosas corrientes, conjurando los fatídicos fantasmas que siempre habían obligado a los paraguayos a olvidar
sus querellas intestinas y apretar filas en torno de su gobierno?

Fueran o no ciertas las premisas sobre que se basaba la política
internacional del Paraguay, estuvieran o no acertados los caminos
elegidos para sortear los abismos, la verdad era que al general López
no le restaba otro medio, si de verdad no quería modificar el
régimen político, que el de denunciar los graves peligros que apuntaban mortalmente a la independencia y al honor de la nación.
Si ellos no existían, habría que inventarlos o provocarlos; si los
había, magnificarlos, y en cualquier caso embarcar al país en una
aventura exterior que le hiciera olvidar los problemas internos. La
estabilidad del régimen así lo imponía. Sólo así el pueblo paraguayo
olvidaría sus desazones, acallaría sus aspiraciones de libertad, y
apretaría filas en torno de su gobernante.

Y mientras López se ponía a la tarea de inflar al máximo el
globo del peligro bélico, el Imperio decidió tomar en serio la
actitud paraguaya, recoger el guante arrojado con la protesta del 30
de agosto y aceptar la guerra...

CAPÍTULO XXVIII

EN RIO DECISION POR LA GUERRA

1. Saraiva se siente desautorizado. — 2. Necesario replanteamiento. — 3. La prensa belicista. — 4. El gobierno de Furtado se decide por la invasión. — 5. La invasión del Uruguay es la guerra con el Paraguay. — 6. Una cuestión de honra. — 7. Posición del emperador. — 8. La opinión pública movilizada. — 9. Viejos apetitos que despiertan. — 10. Carneiro de Campos a Matto Grosso.

1. Cuando Saraiva llegó a Río de Janeiro el 15 de setiembre de 1864 se encontró con un nuevo gobierno que después de proclamar el programa de "paz con honra", acababa de expedirle instrucciones en total desacuerdo con las órdenes de guerra que él había dejado en el Río de la Plata. Si bien Furtado al despachar aquellas instrucciones ignoraba los nuevos acontecimientos, la situación general sobrecargada de peligros debió impeler al gobierno a prever la conyuntura de una crisis bélica y en vez de hacerlo se había afirmado en una posición que comportaba una tácita desautorización de cuanto se obrara hasta el momento para llevar las cosas al terreno de la violencia. Ahora en presencia de las directivas adoptadas por Saraiva antes de abandonar el Río de la Plata, las divergencias se profundizaron por cuanto aquéllas se apartaban radicalmente tanto de las líneas trazadas por el anterior gabinete, como de las del nuevo. El plan bélico programado por Saraiva tenía ostensiblemente el propósito de coadyuvar, con todo el poderío militar del Imperio, al triunfo del partido colorado, incurriendo en lo que él mismo había condenado como un error en su correspondencia con Dias Vieira, y que tanto el ministerio Zacharías como el presidido por Furtado venían estigmatizando casi en los mismos términos. Dias Vieira le había escrito a Saraiva:

Error gravísimo sería en efecto (la intervención en favor de uno de los partidos políticos), porque fuera preciso no conocer el carácter y la índole de ese pueblo, sus constantes e invencibles prevenciones contra el Imperio; fuera preciso ignorar absolutamente la historia de sus relaciones con nosotros y la experiencia dolorosa que hemos tenido con ambos partidos en el poder, para creer que el favor o auxilio prestado hoy a cualquiera de ellos, nos sirviese mañana de garantía contra sus propias acusaciones, calumnias e injusticias (1).

Por su parte, el nuevo gabinete entendía que una intervención directa debería ser tentada sólo como "extremo recurso", y sujeta a dos condiciones: que se garantizaran previamente por el partido al cual favorecería esa intervención la satisfacción de los reclamos brasileros, y que se contara con el concurso del gobierno argentino, que se consideraba para ese caso "en extremo conveniente". Decía el ministro de relaciones exteriores interino, Carneiro de Campos:

> Proclamada y sustentada hace algunos años por el gobierno imperial la política de abstención y neutralidad en los negocios internos de la República; declarada la continuación de esa política aun en momentos en que, a brazos con una rebelión, exigíamos de su gobierno la satisfacción de nuestras reclamaciones, seríamos incoherentes y desgraciadamente poco cautelosos si nos resolviéramos a intervenir directamente para establecer allí la paz sin que adquiriésemos la certeza previa de que, conseguida ella, serían también atendidos nuestros reclamos (2).

Ninguna de las dos condiciones estaba cumplida para justificar el apoyo militar a la rebelión dispuesto por Saraiva: ni Flores había otorgado seguridad alguna de que atendería los reclamos brasileros, ni se había conseguido el concurso militar del gobierno argentino que a lo único a que se comprometió por el protocolo del 22 de agosto era al concurso moral, de dudosa eficacia para abatir fortalezas y rendir ejércitos. Aún, pues, en el caso de que la política de "paz con honra" programada por el ministerio Furtado fuera impracticable ante las nuevas circunstancias, evidentemente Saraiva al optar por la política de guerra lo había hecho en condiciones que estaban en desacuerdo con las ideas del nuevo gobierno. Sintiéndose desautorizado, y bajo el peso de las severas críticas que su gestión había sufrido en el parlamento y en la prensa, Saraiva no quiso servir al nuevo ministerio, se desligó por completo de la negociación, y dando las espaldas a la situación —la que encontró en Río de Janeiro y la que dejaba, envuelta en llamas, en el Río de la Plata— se embarcó para Bahía, dando por terminada su tarea como diplomático.

2.   Si algún propósito abrigaba el ministerio Furtado de rectificar la política en el Río de la Plata, el cañoneo del *Villa del Salto,* la entrega de los pasaportes a Loureiro y las últimas instrucciones de Saraiva, colocaban al problema en un terreno donde las disposiciones pacíficas tenían difícil cabida. Y como si todo esto no fuera poco, la noticia de la protesta paraguaya del 30 de agosto de

---

(1)   De Dias Vieira a Saraiva, Río de Janeiro, agosto 8, 1864, Lobo, t. I, p. 232.

(2)   De Carneiro a Saraiva, Río de Janeiro, setiembre 6, 1864, Lobo, t. I, p. 258.

1864, que llegó a Río de Janeiro el 20 de setiembre, casi siguiendo los pasos al dimitente emisario especial, obligó a considerar nuevamente la crisis en todos sus aspectos y teniendo en vista las vastas proyecciones que entrañaba la enérgica actitud del gobierno de Asunción.

Ya no se trataba sólo del caso oriental, relegado automáticamente a segundo plano. He aquí que un gobierno extranjero se interponía entre el Imperio y la República Oriental y declaraba enfáticamente, con voz escuchada en todo el mundo, que no consentiría al Imperio, que en cumplimiento de amenaza alguna, ocupara, temporaria o permanentemente, parte o todo del territorio oriental. Desde ese momento el pleito se planteaba como una cuestión de honor para el Imperio. Independientemente de las consideraciones políticas que pudieran mover a insistir o a retroceder en la política de invasión, estaba ahora la dignidad imperial que quedaría mortalmente lesionada si el Brasil se inclinaba ante la conminación paraguaya. ¿Habría un solo brasilero que consentiría tamaña humillación? ¿Permitiría el Imperio, sangrante todavía la herida inferida al amor propio nacional por la conducta de Inglaterra en el sonado asunto Christhie, que el pequeño Paraguay se erigiera en su tutor internacional y le dictara normas? ¿Consentiría, sin declinar toda su importancia en el mundo y sobre todo en el Río de la Plata, que sus actos fueran nuevamente coartados por una nación que estaba lejos de poseer el poderío de Inglaterra?

3. *Diario do Río* expresó la opinión que dominó desde que se conocieron los términos de la protesta del 30 de agosto:

La manera impertinente y quijotesca con que el gobierno paraguayo ha creído deber manifestar su política, en cuanto a las divergencias entre el Imperio y la República Oriental, debe provocar de parte del gobierno del Brasil providencias adecuadas, y de parte de la diplomacia brasilera un lenguaje enérgico y digno de la arrogancia descortés con que los ministros paraguayos juzgan poder dirigirse al gobierno (3).

Providencias adecuadas y un lenguaje enérgico propugnaba el sector de la opinión pública de que era vocero *Diario do Río*. Otro órgano periodístico, que representaba mejor el pensamiento de los hombres del gobierno y de la mayoría del Parlamento, empleó un tono más cauteloso, pero no menos categórico. *Correio Mercantil* trazó el siguiente panorama de la situación, arrancando de la actitud que se observaba por parte del gobierno argentino:

Para los hombres influyentes de Buenos Aires nada valen lo que ellos llaman las bravatas del gobierno del Paraguay. Para el público en general, ellas significaban un hecho de muy elevado alcance: la necesidad de robustecer cada vez más la alianza entre Río de Janeiro y Buenos Aires, entre dos gobiernos sinceramente liberales, que no pueden permitir que la tranquilidad del Río de

(3) *Diario do Río*, setiembre 22, 1864.

la Plata, dependa de las desconfianzas sombrías de un déspota, ni de las tendencias salvajes de los caudillos.

¿Hará el Paraguay efectiva su protesta? ¿Enviará refuerzos a los blancos? Sería preciso para esto atravesar el territorio argentino, y tal vez pueda hacerlo sin obstáculo material, porque los puntos de la frontera, porque pasarían, no se hallan guarnecidos. En cuanto a enviar auxilios por agua, sin duda ha de retroceder ante tal idea, porque debe contar con que el paso le será cerrado en Martín García y con las fuerzas de nuestra escuadra.

Lo que queda, entre tanto, fuera de duda es la urgencia de que el gobierno imperial proceda de un modo resuelto respecto del gobierno de Montevideo. Mientras más breves se ande, menos será el gasto militar y menos graves las complicaciones. Nadie duda en Buenos Aires que falten al gobierno brasilero 2.000 hombres de infantería para apoderarse de Montevideo, mal defendido y peor guarnecido, para restablecer el orden que ha de ser asegurado por el gobierno que el general Flores constituirá en la capital de la República (⁴).

4. Y esta fue la opinión que prevaleció en el gobierno brasilero: el Imperio desconocería la protesta paraguaya y proseguiría adelante con los planes militares en el Uruguay. La nota del 30 de agosto tenía que quedar sin respuesta. A Vianna se envió una aprobación de sus actos tan completa como podía desear (⁵). Fueron confirmadas las instrucciones impartidas por Saraiva antes de abandonar el Río de la Plata y acerca de cuyo cumplimiento el barón de Tamandaré había solicitado órdenes definitivas. El 21 de setiembre de 1864 se escribió al jefe de la escuadra brasilera en el Río de la Plata:

Pasando pues a dar, como lo permite la premura de tiempo, respuesta al primero de los citados oficios de V. E., cábeme significarle que el gobierno de S. M. el emperador, coherente con las razones que lo determinaron a enviar al consejero Saraiva en misión especial a Montevideo, aprueba completamente la resolución que tomó el mismo consejero de que fuesen ocupadas por nuestras fuerzas las ciudades de Paysandú, Salto y Cerro Largo, entendiendo que debe esta operación verificarse sin pérdida de tiempo.

Como V. E. sabe, ninguna intención o pretensión abriga el gobierno imperial contraria a la independencia del Estado vecino, y tampoco da preferencia a éste o aquél de los partidos en que se divide la opinión. Absolutamente neutral, es de propósito deliberado no intervenir en las cuestiones y en las luchas que se traben; el gobierno imperial tan sólo exige de la República, cualquiera que sea la opinión política a que pertenezca, la solución de sus justas reclamaciones y las garantías precisas a la vida, honra y prosperidad de los ciudadanos brasileros que allí residen.

Así que las fuerzas del general Flores vengan a ocupar los departamentos mencionados, desde que ellas, siquiera como gobierno de facto, ofrecieran las deseadas seguridades a la vida, honra y propiedad de los brasileros, cumplirá que las fuerzas brasileras se retraigan, pues, como ya dije, no tiene el gobierno del emperador el intento de favorecer una u otra parcialidad, sino conseguir de cualquiera de ellas que efectivamente ejerza el poder, las garantías debidas y

(⁴) *Correio Mercantil*, Río de Janeiro, setiembre 22, 1864.
(⁵) SCHNEIDER, t. I, p. 98.

que la propia constitución de la República afianza a los que habitan su territorio (⁶).

Por decreto del 22 de setiembre de 1864 el general Joao Propicio Menna Barreto fue designado comandante en jefe del ejército en operaciones en la provincia de Río Grande do Sul. El ministro de guerra, general Henrique de Baurepaire Rohan, le envió copia de la anterior nota, que contenía las últimas deliberaciones del gobierno brasilero, con los siguientes comentarios:

> Y siendo en la actualidad el objetivo de esas represalias la ocupación de las ciudades de Paysandú, Salto y Cerro Largo, tiene el gobierno determinado que nuestro ejército marche con destino a esos puntos y se apodere de ellos, operando en combinación con nuestras fuerzas marítimas estacionadas en el Uruguay. Y habiendo sido V. E., por decreto del 22 del corriente, elevado a la categoría de comandante en jefe del ejército en operaciones en esa provincia, no puedo dejar de felicitar por la prueba de confianza con que le acaba de honrar el Gobierno de Su Majestad el Emperador. Por la lectura de la copia a que aludo, reconocerá V. E. que el gobierno imperial no se considera en estado de guerra con ninguno de los partidos que disputan el poder en la República Oriental; su único fin es obtener garantías en favor de nuestros conciudadanos, poniendo término a esos actos salvajes de que han sido constantemente víctimas. Y, si como se asegura, las fuerzas del general D. Venancio Flores ocupasen ese departamento y ofrecieran las necesarias garantías a los súbditos brasileros, deberá V. S. inmediatamente retirarse para nuestro territorio, comunicando al gobierno imperial todas las ocurrencias que pudieran interesar en relación al objeto de la expedición. En todo caso, conviene mucho a la honra de nuestro ejército que ella no sufra el menor revés, aunque fuera parcial, por lo que deberá V. S. evitar lo más posible la diseminación de nuestras fuerzas de suerte que no puedan ser batidas en detalle (⁷).

Era la guerra. Se hablaba de batallas y de la honra del ejército brasilero. Se hacía una designación de comandante en jefe de un ejército en operaciones. El plan militar elaborado por Saraiva en Buenos Aires estaba aprobado. En consecuencia, las fuerzas terrestres y navales debían cruzar la frontera y apoderarse de tres departamentos de la República Oriental.

5. Cuando esas disposiciones fueron adoptadas, era de sobra conocida la última resolución del gobierno paraguayo dictada a la vista del ultimátum del 4 de agosto que contenía amenazas mucho menos graves: el Paraguay no consentiría que el Brasil ocupara el territorio oriental. La protesta en que se proclamó esa determinación fue publicada por los diarios de Río de Janeiro el 22 de setiembre, así como las manifestaciones formuladas por López, reiterando enfáticamente su decisión de impedir la violación de la soberanía territorial de la República uruguaya. Tampoco se ignoraba las expre-

(⁶) De Carneiro a Tamandaré, Río de Janeiro, setiembre 21, 1864, Tasso Fragosso, t. I, pp. 141-142.

(⁷) De Baurepaire a Menna Barreto, Río de Janeiro, setiembre 26, 1864, Tasso Fragosso, t. I, p. 142.

siones de *El Semanario*. A nadie, pues, escapaba que la invasión de
le República Oriental era la guerra con la República del Paraguay,
vale decir la conflagración general en el Río de la Plata. ¿Podían
considerarse las amenazas de López como meras bravatas según lo
daba a tender la prensa de Buenos Aires? ¿Había de creerse en Río
de Janeiro que el Paraguay, aunque quisiera llevar adelante su
protesta del 30 de agosto, no podía hacerlo, por imposibilidad
material, porque su ejército era una "pura fantasmagoría" y porque su escuadra sólo tenía el nombre de tal, según los informes del
ministro brasilero en Asunción?

El Imperio no carecía de estadistas, y uno de ellos, Angelo Mu-
niz de Silva Ferraz, después barón de Uruguayana y ministro de
guerra durante la contienda, acababa de denunciar, en la memorable sesión del senado del 18 de agosto de 1864, a ese Paraguay
que "sin necesidad ni razón plausible", estaba tomando la actitud
de "una potencia militar muy fuerte", y cuyos progresos militares,
navales y materiales, le ponían en una posición que si ya no lo era,
sería formidable para sus limítrofes, tanto que el Brasil, debía
recelar y estar sobre aviso, no sólo por sí mismo, sino por la amenaza que todo esto entrañaba para la independencia de los demás
países. Sus premonitorias palabras no fueron rectificadas. Ciertamente, en la misma sesión en que el senador Ferraz las pronunció
el canciller Dias Vieira calificó de amistosas las relaciones con el
Paraguay. Pero, aunque adujo como prueba de la buena disposición
de López la oferta de mediación del mes de julio, en Río de Janeiro no se ignoraba que el rechazo de la mediación convirtió
el estado de ánimo favorable en irritación, como lo demostraban las
producciones de *El Semanario*, y lo confirmaban los informes de
Vianna de Lima que daban como inevitable, tarde o temprano, el
conflicto guerrero entre el Imperio y la República. Consideraciones
de elemental prudencia obligaban al gobierno brasilero a no tratar
la amenaza paraguaya como pura fanfarronada y a suponer siempre
la hipótesis más desfavorable, como opinaría Paranhos en su famoso
discurso del 5 de junio de 1865 [8]. La reaccción paraguaya no
iba a tomar de sorpresa a los gobernantes del Imperio.

6. Cuando se resolvió llevar adelante la invasión del territorio
oriental, pese a la protesta del 30 de agosto y a no estar aún
completos los preparativos militares, se sabía que al cabo del camino que se ordenó emprender al general Menna Barreto estaba
la guerra con el Paraguay, pero nadie la temía y todos la anhelaban.
He aquí que se ofrecía, en las mejores condiciones apetecibles, la oportunidad anhelada por los principales estadistas, desde Paulino Soares,
de cortar definitivamente con la espada las dificultades con el pequeño y arrogante país que tan a mal traer tenía al Imperio.

(8) ANNAES, SENADO, 1865, t. I. App. p. 8.

El motivo a alegarse no sería la libre navegación, ya que el Paraguay no había violado hasta el momento los tratados que la consagraron, ni el problema de límites, que no acusaba entonces motivos de fricción, tanto que el Paraguay ni siquiera había protestado por los últimos avances brasileros en la zona litigiosa. Los dos grandes tradicionales causales de discordia tenían que ser puestos de lado por falta de oportunidad, pero providencialmente el Paraguay le ofrecía ahora al Imperio razón y justificación suficientes para ponerse su armadura de hierro, al plantear el problema de las relaciones entre los dos países en el terreno del honor. El Brasil acudiría a la guerra en defensa de su buen nombre, de su prestigio, de su fama y de su honra, que el Paraguay pretendía, una vez más, herir pública y aparatosamente. Ningún país, entre tantos con los cuales el Imperio del Brasil mantenía conflictos de fronteras, le había inferido tantas humillaciones como el Paraguay. El desalojo de Pan de Azúcar, la expulsión de Pereira Leal, la burla a la expedición naval de Ferreira de Oliveira, las arrogancias de Carlos Antonio López con los diplomáticos brasileros, habían quedado sin desagravio, y ahora el Paraguay se alzaba nuevamente con la pretensión de imponer normas a la política imperial, dictando lo que el Brasil podía o no debía hacer en sus relaciones con el gobierno oriental. La honra del Imperio no permitía una nueva claudicación.

7. Y si así no lo pensaran sus estadistas, detrás de ellos estaba actuando una voluntad poderosa, que, aunque irresponsable dentro del régimen constitucional brasilero, tenía modos de hacer valer su opinión en todos los asuntos del Estado, sobre todo en aquellos en que consideraba afectado el honor del Imperio. Era el emperador Don Pedro II para quien en 1864 había llegado la hora de la guerra.

Por razones muy parecidas a las que movían, en esos mismos momentos, al presidente del Paraguay, el emperador del Brasil creía llegada la hora de afirmar ante el mundo el poder del Imperio poniendo en vereda al Paraguay que se atrevía a salirle al paso y pretendía lastimar su pundonor. La honra imperial, ya muy estropeada en el conflicto con Inglaterra y por el fracaso de Saraiva en el Uruguay donde, pese a todos los alardes, no se había logrado arrancar del desfalleciente gobierno las satisfacciones exigidas, quedaría funestamente herida, con mortales riesgos para la suerte de la dinastía, si ahora se consentía que el Paraguay saliera triunfante en su pretensión de imponer otro humillante retroceso al Brasil. Si Saraiva dejó a un lado sus denodados esfuerzos de convertir su misión de guerra en misión de paz, y finalmente abandonó el Río de la Plata, dejando encendida la mecha, fue porque comprendió que el gobierno quería la guerra y porque detrás de todos, el emperador, alentaba con su poderoso influjo la idea del ejemplar

escarmiento al pequeño país que se había atrevido a enfrentar al
Imperio, desatendiendo sus reclamos. Y este escarmiento debía
alcanzar también, y en grado muy especial, al otro país que se erguía
en su paladín y cuyo gobernante pretendía una descalificación internacional del Imperio, conminándole a retractarse y a retirarse de
una posición públicamente proclamada (⁹).

8.　La hora de la guerra había llegado. Con el emperador y
los estadistas, estaba también la opinión pública, rápidamente movilizada por sus órganos de expresión, unísonos en pulsar la cuerda
sensible de la dignidad nacional herida. *Jornal do Commercio* que
siempre decía la última palabra, cuando las decisiones ya habían
sido suficientemente maduradas, salió entonces a proclamar la necesidad de la guerra como supremo remedio para la honra nacional
lastimada por la osadía paraguayo-oriental:

> El Brasil entero debe levantarse como un solo hombre para repeler las
> afrentas que estamos sufriendo en el Estado Oriental y en el Paraguay. Ahora
> ya no se puede retroceder sin desdoro y sin una completa desmoralización en el
> Río de la Plata. Es necesario castigar la audacia del presidente López si él se
> atreve a realizar su amenaza. Preparémonos para hacer una guerra rápida y deci-
> siva. Gastemos de una sola vez cuatro o cinco mil contos y decidamos esa inter-
> minable cuestión paraguaya. Allí nos tratan de esclavos; probemos a ese pueblo
> degenerado y a los aliados que se busca, la perfidia de esa apreciación. Nuestra
> marina que ya en la expedición pasada sufrió la mortificación de no combatir
> por obedecer la disciplina, está exaltada con la idea de poder satisfacer al fin
> su noble misión de regenerar al Paraguay, trayéndolo al gremio de las naciones
> civilizadas por medio de la emancipación de sus hijos. Una orden concisa del
> gobierno imperial y Humaitá desaparecerá en un momento... y luego en la
> misma Asunción vamos a imponer las condiciones de paz!
> La situación está clara y las alianzas definidas; marche el Paraguay no con
> el Estado Oriental sino con el partido blanco: son tiranos y se entienden bien;
> el Brasil tiene a su lado la Confederación Argentina, ofendida por los mismos
> enemigos, y una parte importante del Estado Oriental que representa el prin-
> cipio liberal. El resultado de la lucha no puede ser dudoso: a ella, pues, si es
> necesario y que recoja tempestades quien siembra huracanes (¹⁰).

El momento no podía ser más propicio para la satisfacción
de esa cuestión de honra, así como para la solución por la vía de la
violencia de los problemas que para el Imperio entrañaba el cre-

(⁹)　Es JOAQUIN NABUCO, en *Guerra del Paraguay*, versión parcial de *Um
estadista do Imperio*, quien primero aventuró la opinión de que para el emperador,
como para López, "parecía llegada en 1864 la hora de la guerra". Dice Nabuco
no haber encontrado en las notas autobiográficas o documentos hasta entonces
conocidos, nada que confirmara esa conjetura, pero la deduce "sólo de la actitud
pública de éste (del emperador), y principalmente de la brusca dimisión de Paranhos al llegar a Río de Janeiro la noticia del convenio de 20 de febrero"
(pp. 45-46). Para conocer el estado de espíritu del emperador con respecto del Paraguay y de López léase: HEITOR LYRA, Historia de Don Pedro II, Río de Janeiro,
1938, t. I, pp. 534-544.

(¹⁰)　*Jornal do Commercio*, Río de Janeiro, octubre 5, 1864.

ciente poderío del Paraguay. Gracias a la habilidad de Saraiva la combinación de fuerzas en el Río de la Plata se estaba articulando en torno del Brasil y no contra él. La condición que desde Paranhos para adelante los estadistas brasileros consideraban esencial para un planteamiento enérgico de "la interminable cuestión paraguaya" —el acuerdo o por lo menos la neutralidad de la República Argentina— estaba cumplida. Así como Mitre dejó obrar al Imperio en la República Oriental y le prestó su apoyo moral, así también estaba decidido a marchar de consuno frente al Paraguay. Para la eventualidad de que el Paraguay quisiera cruzar territorio argentino con el objeto de interponerse entre brasileros y orientales, ya estaba prevista la alianza militar. El protocolo respectivo se hallaba listo para ser firmado apenas pisara un soldado paraguayo territorio argentino. Y en cuanto al tercer miembro de la posible alianza, la República Oriental, ¿cómo dudar que con el auxilio directo del Imperio y la ininterrumpida cooperación argentina, pronto Flores sería su gobernante y que también con él podría contarse para la empresa contra el Paraguay?

9. En la fiebre bélica despertaron viejos apetitos. La idea de la Provincia Cisplatina volvió a surgir con deslumbrante atracción. En una circular al cuerpo diplomático el gobierno imperial había rechazado toda idea de conquista en la querella con el Uruguay. Pero el ministro americano en Río de Janeiro acogió con escepticismo esa declaración por razones ya conocidas y por otras, verdaderamente sensacionales, que se apresuró a comunicar a su gobierno:

Tal (designio) es, y ha sido por largo tiempo, el deseo ardiente del Brasil. La Confederación Argentina, sin embargo, nunca dará su consentimiento a ningún arreglo semejante; y lo que es mucho más importante, ni Inglaterra ni Francia favorecerían la medida. Por eso no me sorprendió nada que pocos días después me visitara un caballero vinculado con el gobierno, que vino manifiestamente con el solo propósito de inquirir de mí si qué pensaría el gobierno de los Estados Unidos de la conquista y anexión del Uruguay. Le contesté de inmediato que en ninguna circunstancia los Estados Unidos consentirían en la absorción del territorio de la pequeña República del Uruguay por el Reino del Brasil y en el acrecentamiento por ese medio del área ocupada por la esclavitud humana. Me contestó que esa objeción había sido debidamente considerada; que él mismo era emancipacionista; que si los Estados Unidos, Inglaterra y Francia consintieran en la anexión del Uruguay por el Brasil, éste haría de él una Provincia libre; y como le es adyacente la provincia de Río Grande, y en ella la esclavitud no es productiva, y se ha encontrado en repetidas veces en estado de insurrección, ello aseguraría en último término la abolición de la esclavitud en dicha Provincia, y así se convertiría en una cuña de penetración para la emancipación general en todo el Brasil. Por supuesto que yo no le alenté en ninguna idea relativa a la conquista del Uruguay (11).

(11) De Webb a Seward, Petrópolis, setiembre 19, 1864, HORTON BOX, p. 163-164. En realidad, esta nota es del 19 de octubre, "cinco días después que la primera fuerza brasilera hubo cruzado la línea fronteriza", según HORTON BOX. La invasión fue el 14 de octubre.

En este recrudecimiento de viejas tendencias y en el alineamiento de fuerzas internacionales afines, poco importaba la momentánea debilidad militar del Brasil, tan dolorosamente evidenciada con el resonante fiasco del *ultimátum* de Saraiva. La inmensidad de los recursos del Imperio podrían ser movilizados gradual y firmemente hasta dar a su ejército y demás elementos de fuerza la pujanza necesaria para abatir ese país mediterráneo y audaz que se atrevía a poner en duda la palabra y el poder del Brasil, y para luego cumplir los otros objetivos de la ancestral política imperial. Consciente de la superioridad de sus riquezas y de su posición geográfica, al Imperio sólo le restaba confiar en el tiempo para romper a su favor la balanza del equilibrio. No dudaba que la guerra sería difícil y larga, pero tampoco que la victoria coronaría sus esfuerzos. Ya lo había dicho Tavares Bastos en la sesión del 17 de mayo de 1862 [12].

10. Mientras se completaran los preparativos para la ardua campaña, que tendría que llevarse por el sur y cuya primera etapa debía ser la liquidación de la guerra oriental, la extensa provincia de Matto Grosso quedaría expuesta a la acción inmediata del Paraguay. Allí habían sido acumulados paulatinamente importantes pertrechos, pero sólo con fines defensivos, pues nunca estuvo en los propósitos del Imperio atacar al Paraguay desde el norte, aunque así lo temiera Carlos Antonio López. Ahora correspondía poner a Matto Grosso en condiciones de resistir la previsible embestida paraguaya, siquiera como una diversión, para aferrar al mayor número posible de tropas enemigas, mientras el Imperio se organizaba concienzudamente para traer la guerra decisiva por el único camino aconsejado por la geografía y la experiencia: el Río de la Plata. Para aquel efecto, fue despachado, con el título de presidente y capitán general de la provincia de Matto Grosso, el coronel de ingenieros, Federico Carneiro de Campos, a quien el 22 de octubre de 1864, Dias Vieira, nuevamente en el ministerio de relaciones exteriores, expidió detalladas instrucciones [13]. En éstas se transparentaba la convicción de que la guerra era un hecho, inevitable, como resultado de la ya resuelta negativa brasilera a acceder a la imposición paraguaya de dejar sin efecto el ultimátum a Montevideo. Esa convicción estaba, sin embargo, envuelta en los habituales velos de dudas con que Río de Janeiro acostumbraba hacer más persuasivas las incuestionables realidades:

[12] ANNAES, DIPUTADOS, 1862, p. 36.
[13] Instrucciones del 22 de octubre de 1864, en Biblioteca Nacional de Río de Janeiro.

No es de creer —decía Dias Vieira después de historiar el cambio de notas entre Berges y Vianna— que haga efectiva el gobierno de la República la declaración con que termina su nota, si abriga únicamente en su pensamiento oponerse a las represalias de cualquier manera que ellas se ejerzan en el Estado Oriental.

Sin motivo justificado, se envolvería en una guerra que en nada afecta la existencia política de aquel Estado, y se constituiría agresor gratuito contra el Imperio, no teniendo éste otro arbitrio sino repeler la agresión por todos los medios a su alcance.

El ministerio de relaciones exteriores suponía que sería objetivo primordial del Paraguay, rotas las hostilidades, ocupar los puntos principales del territorio contestado, sobre todo el norte del Yguatemy y Pan de Azúcar, así como ejercer actos de posesión en la parte del río Paraguay extendido entre el Apa y el río Blanco. Carneiro de Campos, como presidente y comandante de armas de la provincia, debía repeler tales innovaciones como contrarias a los tratados y compromisos existentes. Era probable también que las fuerzas paraguayas quisieran extenderse en dirección del Yvinhema, para interceptar contingentes que pudieran proceder de San Pablo y Paraná.

Es por tanto —rezaban al respecto las instrucciones— de rigurosa necesidad de desalojarlos de esos parajes, para que no quede dudoso el derecho incontestable que tenemos a todo el territorio hasta el Yguatemy y la sierra de Maracajú.

Admitía Dias Vieira que en esa zona el Paraguay pudiera estar mejor preparado que el Brasil, y que más rápidamente movilizara sus fuerzas en la hipótesis de una lucha de frontera. Si se diera tal disparidad de fuerzas, y para evitar que la diseminación de las tropas brasileras produjera una rápida victoria paraguaya y la caída sucesiva de los establecimientos existentes, Carneiro de Campos debía ver la conveniencia de concentrarlas en los campamentos y presidios más importantes, que podían ser Miranda o Anhuac, por un lado, y el fuerte de Coimbra sobre el río Paraguay, por el otro. Tenían que utilizarse como elementos auxiliares a los indios guaycurúes y cayuás. De igual modo debían movilizarse la guardia nacional y la fuerza naval al mando del capitán Augusto Leverger, para cuyo efecto los ministerios de guerra y marina, expedían las órdenes correspondientes.

Si Carneiro de Campos se diera cuenta de que su desembarco en Asunción en viaje a la sede de sus funciones, podía ser mal interpretado, debía seguir de largo para su destino, procurando, no obstante, informarse "del movimiento de tropas y disposiciones que nutra el Gobierno del Paraguay, para ir precaviéndose y tomar las providencias que fueran más adecuadas al desempeño de su comisión". Terminaba la nota dándole carta blanca para los gastos:

El gobierno de S.M. el Emperador liga tanta importancia a cuanto le re-
comienda en estas instrucciones, que cualesquiera despensas que no deban por
su naturaleza correr por los ministerios de marina o de guerra, autoriza a
V.E. a llevarlas a la cuenta de este ministerio, competentemente instruídas y
justificadas.

El coronel Carneiro de Campos, a quien acompañaba un
nutrido séquito de oficiales, partió para Montevideo, donde se embarcó en el *Marquez de Olinda*, que hacía habitualmente la carrera
hasta Matto Grosso, con escalas en Buenos Aires y Asunción. Mientras
tanto, Pereira Leal y Elizalde tenían lista la pluma para firmar una
alianza contra el Paraguay.

CAPÍTULO XXIX

ALIANZA LISTA PARA LA FIRMA

*1. Repercusiones de la "nota conmemorativa" en Buenos Aires. —
2. Seguridades a Pereira Leal. — 3. Amenaza de neutralidad. —
4. Proyecto de protocolo de alianza. — 5. Las "grandes cosas" del Río
de la Plata. — 6. El pensamiento íntimo de Elizalde. — 7. La prensa
fustiga y ridiculiza al Paraguay. — 8. La "talabartería" y la "crisálida". — 9. Contrariedad por la tardanza del Brasil. — 10. Doble
azuzamiento.*

1.   El 13 de setiembre de 1864 publicó la prensa de Buenos
Aires el texto íntegro de la protesta paraguaya del 30 de agosto y
los párrafos principales de la extensa "nota conmemorativa". Más
que la primera, excitó los ánimos la segunda. *La Nación Argentina*
la calificó "la pieza más extraordinaria que puede concebirse en
su género", y dijo que con ella abría el gobierno paraguayo una
faz inesperada en la diplomacia, "capaz de quitar a los demás
gobiernos en lo sucesivo todo deseo de arriesgar con él confidencias
diplomáticas". Y agregó que la República Argentina tendría "ple-
nísimo derecho" de declarar la guerra al gobierno oriental, que
había aceptado tácitamente la grave imputación de que desde Montevideo se habría estado intrigando contra el orden público y aun
contra la unidad de la República Argentina (1). Sin embargo, según
informó Elizalde a la legación argentina en París, aunque declaraciones oficiales tan terminantes daban justo motivo para declarar la
guerra, el gobierno, "fiel a su política de moderación en la crítica
situación en que se halla aquel gobierno, se abstendrá aún por ahora
de proceder a medidas violentas en desagravio de las ofensas inferidas". También creyó el canciller argentino que la actitud del
Paraguay frente al Brasil, esbozada en la protesta del 30 de agosto
podía traer una complicación en el Plata, pues parecía indudable

(1)   *La Nación Argentina*, Buenos Aires, setiembre 13, 1864.

que el Brasil "usando del derecho que tiene toda nación independiente para hacer la guerra a otra", había dado órdenes a sus fuerzas en Río Grande para entrar en el territorio oriental. El gobierno argentino, según seguía informando Elizalde a Balcarce, se limitó, como era su deber y conforme a los tratados, a pedir las seguridades de que en todos los casos serían respetadas la independencia y la soberanía de la República Oriental del Uruguay, y las había obtenido del representante del Imperio antes de su partida "tan explícitas y terminantes como ha deseado" (²).

El gobierno argentino, que conocía las terminantes instrucciones que Saraiva impartiera antes de abandonar Buenos Aires a las tropas brasileñas de la frontera, estaba pues, seguro de que la declaración paraguaya del 30 de agosto, de no consentir la ocupación del territorio oriental, traería un conflicto armado entre el Paraguay y el Brasil. En un primer momento, la opinión oficial sobre lo que le convenía a la Confederación fue así expresada por *La Nación Argentina*, vocero del presidente Mitre:

> Cada uno es dueño de hacer de su capa un sayo, como se dice vulgarmente.
> Si el gobierno de Montevideo ha logrado encontrar quien salga garante de sus desafueros y quien mantega que, cualquiera que fuese la gravedad de éstos, ninguna nación puede declararle la guerra, tanto mejor para el gobierno de Montevideo.
> Si el Paraguay quiere hacerle la guerra al Brasil, él sabrá por qué lo hace.
> Entre tanto, nosotros, que no podemos apagar el incendio, no nos lancemos imprudentemente entre las llamas; y limitémonos a tomar las precauciones contra ellas (³).

2. ¿Pero realmente confiaba Mitre que la República Argentina ni siquiera se chamuscaría las alas en el incendio que nadie quería evitar? ¿Podría mantenerse apartada de la conflagración, bastándole su determinación de no lanzarse imprudentemente entre las llamas? Había un hecho innegable. El Paraguay, al asumir la enérgica actitud en defensa de la independencia oriental que creía amenazada por el Brasil, anunció que no consentiría que las tropas imperiales, en ejecución del ultimátum del 4 de agosto, ocuparan, siquiera temporalmente, parte del territorio uruguayo. Para interponerse entre las fuerzas del gobierno de Montevideo y las del imperio del Brasil, ¿no le sería ineludible al ejército paraguayo cruzar territorio argentino? ¿De qué otro modo el Paraguay cumpliría su conminatoria promesa? ¿Y en qué forma la República Argentina salvaría su proclamada neutralidad? ¿Acaso dejando paso libre a las tropas paraguayas?

(²) De Elizalde a Balcarce, Buenos Aires, setiembre 13, 1864, AMREA, "Legación en Francia, 1863-1876", f. 103.
(³) *La Nación Argentina*, Buenos Aires, setiembre 13, 1864.

Había un hecho evidente: ni Mitre, ni ningún gobernante argentino, toleraría que impunemente fuera violada la soberanía territorial de la República. Deberes elementales le impelerían a adoptar las medidas que el honor nacional le impondría. Era una obligación que no requería de acuerdos internacionales para ser cumplida.

El ministro del Brasil, Pereira Leal, apenas divulgada la nota paraguaya, quiso conocer la actitud que el gobierno argentino asumiría en el caso de que el Paraguay, en cumplimiento de las alternativas de su protesta cruzara territorio argentino, único modo de que el ejército paraguayo pudiera impedir la presencia del Brasil en el escenario oriental. La respuesta de Elizalde fue clara y terminante:

> En el caso de ser violado su territorio por fuerzas paraguayas para auxiliar al gobierno del Sr. Aguirre, consideraría (el gobierno argentino) esa violación como un *casus belli;* que mucho lamentaría que las circunstancias de la República no le permitan prepararse para repeler *incontinenti* la violación; más autorízome para asegurar a V.E. que, dada ella, declararía la guerra (4).

La misma pregunta formuló el ministro británico Thornton a Elizalde y las seguridades que recibió coincidieron con las que recogió el representante del Brasil:

> Su Excelencia... me aseguró que si surge algún conflicto entre el Brasil y el Paraguay, a causa de la actitud asumida por este último el gobierno argentino observará la más estricta neutralidad, salvo que se vea forzado a las hostilidades por una provocación que no pudiese tolerar, como, por ejemplo, el pasaje de las fuerzas paraguayas a través del territorio argentino para atacar a los brasileños (5).

Pronto la posición del gobierno del general Mitre ante la posible eventualidad de una violación del territorio argentino no fue un misterio para nadie. *La Tribuna* de Buenos Aires hizo pública revelación de las promesas formuladas al representante del Imperio. Dijo:

> ...el gobierno argentino no consentirá al de la Asunción que pasase un solo soldado por su territorio, sea en apoyo del gobierno blanco, sea para combatir al Imperio.
>
> Esto es seguro.
>
> Lo podemos asegurar.
>
> El presidente Mitre, con la prudencia que todos le conocen no desea comprometer la paz en la República, pero si se le provoca imprudentemente, sabemos que está resuelto a ponerse del lado de los que en la lucha defienden la libertad, la justicia y el derecho (6).

(4)   De Pereira Leal a Dias Vieira, Buenos Aires, setiembre 13, 1864, LOBO, t. II, p. 147.

(5)   De Thornton a Russell, Buenos Aires, setiembre 13, 1864, LOBO, t. II, p. 147.

(6)   *La Tribuna*, Buenos Aires, setiembre 25, 1864.

3. Inesperadamente, *La Nación Argentina,* sin desmentir que
el gobierno no toleraría la violación territorial por el Paraguay,
insinuó una posición de independencia, sin alianzas, para el caso
de que se produjera tal evento. Aunque la Argentina declarase la
guerra al Paraguay conforme a sus promesas al Brasil apenas se
transgrediera sus fronteras, no parecía ser su intención aliarse con
nadie, según lo que se colegía del comentario del órgano oficial.
El análisis de las diversas coyunturas al alcance de la República
Argentina era el siguiente:

En presencia de la cuestión oriental-brasilera y de las complicaciones que
se va buscando el Paraguay, cada uno hace sus planes de política como le
parece.

En esta cuestión hay cinco salidas; no se dirá que no hay donde escoger.
Aliarse con el Brasil.
Aliarse con el gobierno de Montevideo.
Aliarse con el general Flores.
Aliarse con el Paraguay.
No aliarse con nadie.

La alianza de guerra con el Brasil nadie la ha pedido todavía, ni tiene
objeto en la cuestión oriental.

La alianza con el gobierno de Montevideo, la piden los diarios de Montevideo y algunos de Entre Ríos. Pensamos que apenas habrá cincuenta votos
en toda la República en favor de esa alianza.

La alianza bélica con el general Flores tampoco es sostenida de frente
por ningún diario.

La alianza con el Paraguay, en el caso de que se comprometa en una
guerra, no puede contar tampoco con considerables simpatías.

No hacer alianza con nadie, es pues lo que nos queda de las cinco soluciones propuestas.

Nosotros no podemos ni debemos entrar en guerras, a menos de ser provocados a ellas de manera que no puedan esquivarse [7].

Sin embargo, *La Tribuna,* órgano que se decía tan bien informado como el vocero oficial no dio el brazo a torcer: pocos días
después aseguró que si el Paraguay sacaba un solo soldado de su
territorio "esa será la señal de una lucha en que *no se encontrará
solo* con el Brasil" [8]. Intencionadamente, la frase "no se encontrará solo" estaba subrayada. ¿Tenía razón *La Tribuna*? ¿El presidente Mitre estaba resuelto a ponerse del lado de los que en la
lucha "defienden la libertad, la justicia y el derecho", sí se provocaba a la República? ¿Los soldados paraguayos, si salían de su
territorio, no se encontrarían solamente con brasileros a su paso?
¿O era cierto lo que afirmaba *La Nación Argentina* que "no hacer
alianza con nadie", era la política oficial argentina?

En verdad, la alianza de la República Argentina estaba prometida al Brasil desde tiempo atrás. El propio presidente Mitre
solemnemente había declarado a Saraiva en julio de 1864:

[7]   *La Nación Argentina,* Buenos Aires, setiembre 17, 1864.
[8]   *La Tribuna,* Buenos Aires, octubre 1º, 1864.

¿Cuáles serían las intenciones del gobierno oriental procurando la alianza del Paraguay? Naturalmente oponerse al Brasil y a la República Argentina, cuya liga sincera es fundada en intereses recíprocos. Así, agregó, prepáranse acontecimientos graves, en los cuales la República Argentina tomará con el Brasil la posición que los hechos le aconsejan (⁹).

El gobierno oriental no había logrado la alianza paraguaya. Eso era evidente desde la publicación de la "nota conmemorativa". Pero si esa condición prevista por Mitre para concertar la alianza argentino-brasilera, no se cumplió, en cambio ahora las disyuntivas de la protesta paraguaya del 30 de agosto, que hacían casi inevitable la violación del territorio argentino, planteaban el problema en otros términos que cuando la misión Carreras a Asunción motivó aquellas declaraciones a Saraiva. Con o sin alianza entre Asunción y Montevideo, la República Argentina, si su territorio era invadido, no podía eludir adoptar una posición con respecto del Brasil. ¿Si el Paraguay acudía en auxilio de los blancos y hacía la guerra al Brasil, la Argentina, violada su soberanía, y producido el *casus belli*, se limitaría a hacer también la guerra, independientemente, por su cuenta, y sin ningún acuerdo con el Brasil? Sería un absurdo político de marca mayor.

4. Evidentemente, tanto Mitre como Elizalde al insinuar esa posibilidad, por intermedio de su vocero en la prensa, sólo buscaban alarmar al Brasil y obtener ventajas para la Argentina en el ajuste de cuentas que vendría antes o después de la conflagración general. ¿Cuál era el precio que la República Argentina ponía a su alianza con el Brasil? Algo se vislumbró en el proyecto de "protocolo para el caso de que el Paraguay violase el territorio argentino" que, en el curso del mes de octubre de 1864 concertaron Pereira Leal y Elizalde, y que el ministro de relaciones exteriores de la República Argentina prometió firmar apenas hubiera la menor probabilidad de que el Paraguay violase o intentase violar el territorio argentino (¹⁰). En el protocolo se consignó haber dicho el ministro del Brasil que:

en vista de las declaraciones hechas por el gobierno del Paraguay en las notas pasadas a la legación de S.M. el emperador del Brasil y del gobierno de Montevideo en aquella República, con motivo de la actitud que se había visto obligado a asumir el gobierno imperial contra el de Montevideo, su gobierno no podía prescindir de solicitar del gobierno argentino una franca y amistosa manifestación de la política que piensa seguir en el caso aún no probable de que el gobierno del Paraguay intentase, en cumplimiento de sus declaraciones, ejercer actos directos o indirectos de hostilidad contra el Imperio del Brasil, violando el territorio argentino con ese objeto.

(⁹)   De Saraiva a Dias Vieira, Buenos Aires, julio 26, 1864, cit.

(¹⁰)   De Pereira Leal a Carneiro, Buenos Aires, octubre 19, 1864, extr. TASSO FRAGOSSO, t. II, p. 12.

La respuesta del ministro de relaciones exteriores de la Argentina quedó protocolizada en los siguientes términos:

La violación del territorio argentino por tropas del Paraguay no era un acto probable, como lo comprendía el Sr. Leal, pero si desgraciadamente tuviese lugar, sería considerada por el gobierno argentino con todo el carácter que le imprime el derecho internacional, en consecuencia, se prestaría con la mejor voluntad a combinar su acción defensiva u ofensiva con el gobierno de S.M. el emperador y vería en ese acto un motivo para consolidar la unión de los dos países y de los gobiernos que, como el brasilero y el argentino, están llamados a hacer en común grandes cosas para el desenvolvimiento del progreso y bienestar de todos los pueblos del Río de la Plata [11].

5. ¿Cuáles eran las "grandes cosas" para el desenvolvimiento de "todos" los pueblos del Río de la Plata, que el Brasil y la Argentina estaban llamados a hacer "en común", según el canciller Elizalde? Sin duda no se referían a la guerra que nunca había sido un instrumento para "el desenvolvimiento del progreso y bienestar". El proyecto de protocolo no definía esas "grandes cosas", pero al generalizar la futura acción de los potenciales aliados a "todos" los pueblos del Plata, es decir, también al Uruguay y al Paraguay, ¿correspondía suponer que Elizalde estaba reviviendo y trataba de hacerlas aceptar por el Imperio, las ideas que el gobierno del general Mitre había proclamado públicamente en 1862, poco tiempo después de su iniciación, por el órgano de *La Nación Argentina* y en la muy difundida nota al ministro del Perú? ¿El precio del consentimiento para la absorción del Estado Oriental por el Brasil acaso era la absorción del Paraguay por la República Argentina? ¿Las dificultades anteriores para sellar la alianza tan empeñosamente solicitada por el Brasil, habían sido las pretensiones argentinas de aprovechar la gran conflagración inevitable para cumplir ese anhelo de "ensanche de las nacionalidades americanas", que se achacaba inveteradamente al Imperio del Brasil y que ahora también acicateaba a la República Argentina en momentos en que las dos repúblicas menores tan imprudentemente se ponían en disputa con sus dos poderosos vecinos?

Ya fuera porque Pereira Leal no se considerara autorizado a aceptar, siquiera en principio, tan revolucionario plan, o por cualquier otro motivo, la firma del protocolo quedó en suspenso. Pero el proyecto mostró que en octubre de 1864, el gobierno argentino estaba dispuesto a aceptar la alianza con el Brasil para el caso de que el Paraguay, al llevar la guerra al Imperio, cruzara el territorio argentino como parecía inevitable. El ministro brasilero consideraba como "caso aún no probable" que el Paraguay intentase, en cumplimiento de sus declaraciones, ejercer actos de hostilidad contra el Imperio, violando el territorio argentino a ese objeto, y por su

(11)   Proyecto de protocolo de octubre, 1864, Tasso Fragosso, t. II, pp. 11-12.

parte Elizalde, asentía también que tal violación "no era un acto probable". ¿Pero a mérito de qué se dudaba de la probabilidad de que el Paraguay cumpliera sus amenazas? Las declaraciones que traía, número tras número, el órgano oficial del gobierno paraguayo, no dejaban resquicios para dudas. Decía *El Semanario*, el 10 de setiembre:

> Ha dejado de ser problemática la política del gobierno paraguayo en el empeño de salvar la nacionalidad oriental. Es un hecho y hecho que nos coloca en un compromiso de significación, para salvar a un pueblo hermano, amenazado de degradación y muerte por otro vecino que en realidad es más fuerte en sus miras que en su poder (12).

Y el 1º de octubre volvió a decir:

> El Paraguay unido y compacto como un solo hombre luchará con cualquier enemigo, brazo a brazo, sosteniendo sus derechos, y no retrocederá ante ningún peligro.
> Es pues clara y terminante la actitud asumida por el Paraguay. Duda alguna no es posible ya.
> La causa es santa: las dificultades que se presenten en la vía ejecutiva de la nueva política que también va a inaugurar el Paraguay, serán removidas: tenemos fe en nuestras propias fuerzas, y en la justicia de nuestros propósitos. Es por esto que aun cuando llegase el caso de verse solo el Paraguay en el empeño, *Dios le abrirá un camino.*

Y ocho días después de este sugestivo subrayado;

> La justicia y la opinión pública están de nuestra parte; cuando sea necesario para cumplir la declaración de nuestro gobierno, defenderemos nuestros derechos por la conciencia que ellos imprimen en el ánimo de cada ciudadano, y a la vez, llevaremos a una desgraciada República el auxilio que necesita para garantir su autonomía. La misión que el Paraguay tiene que cumplir es alta y sublime; sus hijos sabrán hacerse dignos de la causa que tienen que defender.
> Un momento más de espera con el fusil al hombro.
> El Paraguay está pronto, y sólo espera la voz de su presidente para acudir adonde convenga a sostener esa política que ha iniciado y acaba de sancionar el pueblo (13).

6. Y si el diario oficial paraguayo, con sus reiteradas declaraciones, no permitía suponer que el gobierno de Asunción retrocedería en su resolución de acudir en auxilio de los orientales, el propio ministro Elizalde, a pesar de las dudas que estampaba en el proyecto de protocolo de alianza con el Brasil, en la intimidad de las notas confidenciales a las legaciones argentinas en el exterior, daba por segura la colisión. Escribió a Balcarce, ministro en París:

> Todo hace suponer que después de las declaraciones tan terminantes del gobierno de aquella República (del Paraguay) de impedir todo acto de agresión armada por parte del Imperio contra la República Oriental, y pare-

---

(12)   *El Semanario*, Asunción, setiembre 10, 1864.
(13)   *El Semanario*, Asunción, octubre 8, 1864.

ciendo por otra parte decidido el Brasil a hacer entrar sus tropas estacionadas
en la frontera del territorio oriental, y habiendo ejercido ya las fuerzas navales del Imperio actos de hostilidad contra un vapor de guerra oriental en
el río Uruguay, una coalición puede tener lugar entre ambos Estados compli-
cándose más gravemente de esta manera la cuestión oriental (14).

El subconsciente le traicionó a Elizalde al escribir esta carta.
Allí donde quiso decir "colisión", refiriéndose al inminente encuentro entre el Paraguay y el Brasil, escribió "coalición". Porque para
la "coalición" entre el Imperio y la Argentina era condición previa
la "colisión" entre el Paraguay y el Brasil. En ese momento, la
"coalición" estaba ocupando el primer lugar en el pensamiento de
Elizalde, y para apresurarla era necesario que antes se produjera la
"colisión". Al gobierno argentino no se le ocultaba que los sucesos,
ya de difícil contención, llevarían a la conflagración general en el
Río de la Plata, y se proponía colocar al país en las mejores condiciones para enfrentarla. La coalición con el Brasil aparecía en la
primera línea de las necesidades de la política argentina. La opinión
pública ya nada quería saber de contemporizaciones con el Paraguay,
cuya actitud presagiaba graves convulsiones en el orden establecido
después de Pavón si no se lo frenaba a tiempo. La cooperación con
el Imperio, magüer íntimas repugnancias, podría ser no sólo necesaria sino indispensable para contener a un país que amenazaba
arrasar con todo. Mitre decidió que las cosas siguieran su curso.
Nada hizo para mediar entre los antagonistas o para apaciguarlos
por separado.

Vacantes estaban la legación y el consulado argentinos en el
Paraguay, pero Mitre pudo utilizar los oficios de amigos comunes
con López como Lorenzo Torres o Anacarsis Lanús, que ya se prestaron para análogos objetos, o bien suscitar alguna interposición
diplomática a través de las representaciones de las grandes potencias, siempre deseosas de actuación resonante e inquietas entonces
en sumo grado ante las perspectivas de una guerra general que sacu-
diría profundamente los intereses del comercio internacional. Nada
de ésto se promovió en Buenos Aires, sino todo lo contrario. En vez
de tratar de aplacar a López se buscó el modo de excitarlo, irritarlo
y lanzarlo cuanto antes a la acción contra el Brasil, aunque fuera
por rabia, despecho o desesperación a fin de que en su furia encontrara su propia perdición.

7. Los tres principales órganos de la prensa de Buenos Aires,
La Nación Argentina, La Tribuna y *El Nacional,* apenas conocida
la protesta del 30 de agosto iniciaron casi en coro una violenta campaña contra el gobierno del Paraguay, no sólo vituperando su nueva
actitud sino también denunciando su despotismo, poniendo en

(14)   De Elizalde a Balcarce, Buenos Aires, setiembre 24, 1864, AMREA, Caja 105.

ridículo sus actitudes y amenazando con subversiones internas. Decía
La Nación Argentina:

El Paraguay debe comprender que sus conveniencias están con la paz. Si
se mete a Quijote, lo menos que puede suceder es que la tiranía que lo de-
vora será ruidosamente discutida en toda la América, sin que le valga el oro
con que consigue estampar en algunos diarios que su administración es la
más libre y civilizada del universo. Y esta discusión que repercutirá en el
mismo Paraguay, podrá con el tiempo convertirse en opinión pública y producir consecuencias incalculables (15).

La Tribuna contrastó la inmensidad de los recursos del Brasil
y la superioridad de su escuadra de 41 barcos de guerra con 237
cañones y de su ejército con más de 600.000 soldados, con los exan-
gües medios del Paraguay que sólo podía oponer 14 barcos mercantes y 40.000 soldados, y se preguntaba:

¿Tendrá el Paraguay la pretensión de declarar la guerra al Brasil?
¿Y si la tiene, podría alimentar alguna esperanza de triunfo, contra una
nación tan inmensamente superior a ella en sus medios de acción?
Locura nos parece suponerlo.
A todos los pueblos de América les conviene la paz; pero más que a ninguno a la República del Paraguay, donde una guerra despertaría ambiciones que podrían ser el anuncio sombrío de la caída del **presidente López** (16).

Al dar noticia de la efervescencia popular en Asunción los diarios porteños injertaban en sus relatos, tomados de *El Semanario*,
detalles pintorescos, con comentarios burlescos y satíricos. Así, *La
Nación Argentina*:

La efervescencia popular bajo administraciones como las que rigen los
destinos del pueblo paraguayo, a pocos puede inducir hoy en error (17).

Cuando los diarios de Montevideo recogieron versiones de que
en Río se desaprobó la conducta de Saraiva por los "pasos avanza-
dos" de su inteligencia con el gobierno argentino, y de que se habían
dado órdenes a la escuadra para que no continuara con las represalias y abandonara las aguas del Uruguay, *La Nación Argentina*
las desmintió categóricamente, asegurando que, contrariamente a lo
aseverado, 8.000 hombres ya habían atravesado la frontera oriental.
Y el vocero oficial aprovechó la oportunidad para señalar lo vano
de las esperanzas de quienes creyeron que la actitud del Paraguay
haría desistir al Imperio de sus empeños, anotando que la protesta
del 30 de agosto sólo sirvió para dejar al gobierno paraguayo en
"un ridículo espantoso y para crearle un peligro interno". Y agregó:

Los gobiernos que sólo existen en nombre de la fuerza, cuando se manifiestan débiles, conmueven su único cimiento.

(15)   *La Nación Argentina*, Buenos Aires, setiembre 16, 1864.
(16)   *La Tribuna*, Buenos Aires, setiembre 21, 1864.
(17)   *La Nación Argentina*, Buenos Aires, setiembre 28, 1864.

El ridículo puede ser desafiado por los gobiernos liberales. Un dictador no puede ser nunca ridículo sin grave peligro (18).

8. Y fue el ridículo el arma principal utilizada por la prensa de Buenos Aires para acometer al presidente del Paraguay, a quien de este modo, bien se sabía, se le hería en sus nervios más sensibles. Las producciones de *El Semanario* no fueron tomadas en serio. Las más solemnes amenazas del vocero oficial paraguayo motivaban sólo burlas y chanzas. En su edición del 1º de octubre *El Semanario* había anunciado que el Paraguay estaba decidido a seguir la conducta que se había trazado en su nueva política, y que para tal objeto "los ejércitos de la República se instruyen activamente en la disciplina; se reparten armamentos; se taladran cañones; se funden balas y metrallas; se empeñan los trabajos de la talabartería militar y se hacen por todas partes aprestos bélicos". *La Nación Argentina* satirizó:

Con estos armamentos repartidos, con esos cañones taladrados, con estas fundidas balas, y sobre todo, con esa talabartería militar, es fuera de duda que el Brasil tendrá que obedecer la orden del Paraguay (19).

Y *La Tribuna,* por su parte, agregó más pimienta:

Al anuncio de los trabajos de la talabartería paraguaya, los buques de la escuadra brasilera han tocado zafarrancho, los cañones se han cargado con tres tarros de metralla a la vez que cada uno ha ocupado su puesto de combate (20).

A lo de la talabartería, pronto agregó una razón más para las pullas, una frase recogida al azar de alguno de los artículos del periódico de Asunción. *El Semanario,* pasando revista a la situación internacional, después de aludir a la "política intransigente" del Brasil y al "rol poco recomendable" del gobierno argentino, había señalado, en el panorama sombrío, "al Paraguay mismo en actitud *de dejar la crisálida"* (21). Lo de "dejar la crisálida" fue desde entonces uno de los agudos y persistentes dardos lanzados por la ironía porteña sobre la hipersensible piel del presidente paraguayo. Decía, por ejemplo, *La Tribuna:*

Con los trabajos de talabartería y la dejada de crisálida, no hay quien resista al Paraguay.
¡Pobre Brasil!
¡Pobre República Argentina! (22).

Con la misma sorna fue puesta en solfa por la prensa porteña la doctrina del equilibrio, en cuyo nombre López estaba lanzando

(18) *La Nación Argentina,* Buenos Aires, octubre 1º de 1864.
(19) *La Nación Argentina,* Buenos Aires, octubre 12, 1864.
(20) *La Tribuna,* Buenos Aires, octubre 13, 1864.
(21) *El Semanario,* Asunción, octubre 8, 1864.
(22) *La Tribuna,* Buenos Aires, octubre 18, 1864.

al Paraguay al maremágnum del Plata. *El Mosquito,* famoso por sus cáusticas caricaturas políticas, presentó, una y varias veces, al presidente del Paraguay, vestido de payaso, equilibrando sobre una cuerda de circo. *La Nación Argentina* explicó los motivos de las mofas con que había sido acogida la doctrina paraguaya:

> Muy ridícula pareció aquí la declaración del presidente del Paraguay de que había resuelto, en sus altos juicios, conservar el equlibrio del Río de la Plata.
> Primero, por lo absurdo del plagio hecho a la antigua política del equilibrio europeo.
> Segundo, por lo desacreditado de una teoría condenada por cuanto tratadista de derecho público se ha ocupado de ella.
> Tercero, por la pretensión original del presidente López de hacerse el árbitro de la situación, y cuidar el fiel de la balanza.
> Cuarto, por semejante pretensión no merecía ser refutada de otro modo que por una caricatura del *Mosquito,* en que el Sr. López hiciera esa prueba de equilibrio, según se los permitiesen sus medios gimnásticos.

Y terminaba:

> El gobierno del Paraguay dice ahora y hace mucho menos de lo que podría esperarse de sus altaneras declaraciones. El dice que se prepara, pero hasta ahora no pasa de ahí [23].

Todo daba motivos para presentar al Paraguay en actitud risible. Porque el Paraguay, inmediatamente después del incidente del *Villa del Salto,* no declaró la guerra al Brasil, fue también razón para ridiculizar su prudencia. *La Tribuna* comentó:

> ¿No comprende el presidente López el ridículo inmenso en que le ponen todas esas declaraciones, calculadas para hacer dormir niños en la cuna, no para impresionar hombres serios?
> La época de los molinos de viento ha pasado.
> Hoy vivimos en un siglo positivo, que no admite esas baladronadas.
> Después de las primeras declaraciones del Paraguay, todos esperaban que cuando tuviese conocimiento del suceso del *Villa del Salto,* que cuando viese a la escuadra brasilera dueña de la parte oriental del Río Uruguay, *habría cumplido inmediatamente* su promesa.
> Lejos de hacerlo, hoy nos anuncia, como una cosa de la mayor trascendencia, que su talabartería *está trabajando* [24].

9. Pareciera que, a pesar de sus pullas y befas, a la prensa porteña le contrariara que el Paraguay no embistiera ya al Brasil, tanto como le placía que esa demora cubriera de ridículo al general Francisco Solano López. No sólo la tardanza paraguaya le irritaba. Tampoco disimulaba su impaciencia ante el retardo de la acción brasilera anunciada en el ultimátum del 4 de agosto y su irritación por que el incidente del *Villa del Salto* no hubiera sido considerado por el Paraguay como suficiente *casus belli. La Tribu-*

(23)   *La Nación Argentina,* Buenos Aires, octubre 12, 1864.
(24)   *La Tribuna,* Buenos Aires, octubre 13, 1864.

na señaló que estaban cumplidas todas las condiciones del ultimátum de Saraiva y no se explicaba la pasividad del Brasil. Decía:

En vista de todo esto, del honor nacional ultrajado por los asesinos de Quinteros, de las ofensas hechas por ellos a la dignidad del Imperio, el gabinete de Dom Pedro II ha debido tomar alguna resolución. ¿Lo ha hecho? Nada encontramos en la prensa de Río de Janeiro, que nos dé un rayo de luz a este respecto.

Entre tanto, la verdad es que este estado de cosas ni debe, ni puede prolongarse.

Una de dos.

O el Brasil hace lo que su honor ofendido le impone.

O se retira...

En el primer caso habrá hecho comprender al mundo que sabe cumplir su palabra, y que es celoso del honor y dignidad de su bandera.

En el segundo, es decir, en el que se retire después del ultimátum Saraiva, y de la posición asumida en las aguas del Uruguay por su escuadra, el Brasil se cubrirá de eterno ridículo, dando lugar a que los pueblos del Plata mirasen a su gobierno, como a un gobierno de farsantes (25).

Semanas después y como no llegaban noticias de la acción efectiva del Brasil que tanto se deseaba, volvió a insistir:

¿Qué hace el Brasil?

¿Dónde están sus fuerzas?

¿Cuál es la causa de que ya no se sienta su acción en el Estado Oriental?

Según *La Tribuna* la actitud asumida por el Paraguay era, por sí sola, "una razón de honor, de decoro y de dignidad nacional para el Brasil que le impone la obligación solemne de cumplir sus promesas" (26).

Hasta *La Nación Argentina,* olvidando su habitual cautela respecto del Brasil, salió de la vaina, para endilgarle al Impeio, con motivo de su desalentadora tardanza, dura reprimenda y zahirientes sarcasmos:

El Brasil no puede retroceder; si retrocede caería en un espantoso ridículo ante todas las naciones que le observan y expondría a sus ciudadanos a sufrir los mayores vejámenes de los blancos, cuyo orgullo y crueldad ya no tendría límites (27).

10. La prensa de Buenos Aires, presagiaba un "ridículo inmenso" para el Paraguay si no llevaba adelante sus amenazas y también un "ridículo espantoso" para el Brasil si retrocedía en su empeño. Azuzando al Imperio a cumplir su "ultimátum", y azuzando al Paraguay a hacer efectiva su protesta y, al mismo tiempo, amenazando con el ludibrio a sus gobernantes, sobre todo al del Paraguay, si tuvieran la debilidad de quedar a mitad de camino, ¿estaba cumpliendo una consigna? ¿La intervención del órgano oficial en esa campaña per-

(25)   *La Tribuna*, Buenos Aires, setiembre 30, 1864.
(26)   *La Tribuna*, Buenos Aires, octubre 21, 1864.
(27)   *La Nación Argentina*, Buenos Aires, octubre 23, 1864.

mitía señalar el origen de esas incitaciones a la guerra? Porque no
simplemente la guerra entre el Paraguay y el Brasil estaba en los anhelos de esa prensa, sino también la alianza o por lo menos un completo acuerdo de la República Argentina con el Imperio. Incitando abierta y alternativamente al Brasil y al Paraguay a ejecutar sus recíprocas
amenazas, se sabía que si el primero las cumplía, y el segundo quería
parar la invasión brasilera del territorio oriental, al apremio de esas
incitaciones se produciría la invasión del territorio argentino, y ello
obligaría a la Argentina, una vez violada su soberanía, a alistarse
también en la guerra general. Y la fórmula de la "acción independiente", que *La Nación Argentina* lanzara en los primeros días de
la crisis, ya había sido superada por el proyecto de protocolo que
Elizalde y Pereira Leal firmarían apenas el Paraguay pisara territorio
argentino. El objetivo final de la campaña de los diarios era la obtención del acuerdo argentino con el Brasil contra el Paraguay, con
lo cual llegaría a su culminación la "nueva política" que su canciller
Elizalde proclamara el 17 de agosto de 1864 en la Cámara de Diputados. El importante diario de Río de Janeiro *Correio Mercantil* daba ya como un hecho la alianza:

> Para los hombres influyentes de Buenos Aires —decía— nada valen lo que
> ellos llaman las bravatas del gobierno del Paraguay. Para el público en ge-
> neral, ellas significan un hecho de muy elevado alcance: la necesidad de ro-
> bustecer cada vez más la alianza entre Río de Janeiro y Buenos Aires, entre
> dos gobiernos sinceramente liberales, que no pueden permitir que la tran-
> quilidad del Río de la Plata, dependa de las desconfianzas sombrías de un
> déspota, ni de las tendencias salvajes de los caudillos (28).

La Nación Argentina reprodujo el artículo del diario de Río
de Janeiro y subrayó con énfasis sus conceptos:

> Si no una alianza, al menos un completo acuerdo debe establecerse entre
> los gobiernos que representan en la América el principio de la civilización,
> contra las aspiraciones y sombrías desconfianzas de los verdaderos represen-
> tantes de la barbarie, que buscan sus aliados en la arbitrariedad, en el des-
> orden y en el caudillaje, y que ninguna confianza inspiran aún como veci-
> nos. Si tales vecinos robustecieran su influencia en el exterior y rodearan con
> una red fatal a los pueblos libres que aspiran al progreso, nuestra vida sería
> insoportable: estaríamos en un sobresalto contínuo y obligados a optar entre
> la bajeza que impone a sus amigos la necia vanidad de ciertos sultanes, o la
> guerra, consecuencia infalible del rechazo de sus pretensiones (29).

Y era así como se veía en Buenos Aires la crisis del Río de la
Plata. Se estaba gestando una coalición de las fuerzas del despotismo y del caudillismo, con el designio de anonadar las conquistas del
liberalismo y de crear un nuevo poder bárbaro, encabezado por el
Paraguay. Era necesario anteponerle la unión de los gobiernos que

(28)   *Correio Mercantil*, Río de Janeiro, setiembre 22, 1864.
(29)   *La Nación Argentina*, Buenos Aires, octubre 4, 1864.

representaban la causa de la libertad. Asunción era asiento de la
tiranía más antigua y peligrosa de la América hispánica. Buenos
Aires era la cuna de la democracia en la parte sur del continente y
no debía temer la alianza con el Imperio del Brasil que, pese a su
forma monárquica y a la esclavitud, mantenía instituciones representativas en nada diferentes a las que imperaban en la República
Argentina. Toda conciliación era imposible. No se dudaba que se
estaba en vísperas de una conflagración. Tal era el estado del
espíritu público. La prensa de Buenos Aires no tenía necesidad de
cumplir consignas oficiales. Obraba dentro de la ilimitada libertad
que le concedían las instituciones constitucionales y no hacía sino
traducir las reacciones de la opinión pública ante el desarrollo de los
graves acontecimientos.

Pero en Entre Ríos se avizoraban también trágicas perspectivas
aunque con ánimo muy distinto que en Buenos Aires.

CAPÍTULO XXX

RUMORES DE ENTRE RIOS

*1. The Standard a favor del Paraguay. — 2. Acusación de sobor-
nos. — 3. La prensa provincial paraguayista. — 4. Versiones alarmantes sobre Urquiza. — 5. Desazón en Buenos Aires. — 6. Cortina
de humo. — 7. Mitre inquieto. — 8. Reticencias y sospechas. —
9. Parecer de Salvador María del Carril. — 10. Manejos de Urquiza.*

1.   No era, sin embargo, unánime la prensa argentina en su
prédica antilopizta y brasilerista. *The Standard,* órgano de la
numerosa e influyente colectividad inglesa de la República Argentina, se había constituido en defensor de la política del gobierno
paraguayo en el Río de la Plata. Cuando arreció la campaña de
La Nación Argentina, La Tribuna y *El Nacional,* el diario inglés
les salió al encuentro. Dijo:

El presidente López dice que se propone conservar el equilibrio político
del Río de la Plata. Tal vez sea él el único que al presente puede efectuarlo.

En vista de todos estos hechos, creemos que si nuestros colegas observa-
sen un tono más moderado para con un vecino tan quieto, para con un aliado tan poderoso y un enemigo tan peligroso, sería mejor para todos. Los intereses del Paraguay por lo que toca a la cuestión brasilera son idénticos
con los de la República Argentina.

El presidente López es en toda la acepción de la palabra un hombre
independiente; no tiene ningún *imperium in imperio;* dicta su propia política interior; y cuando le vemos usar su influencia y su poder en una causa
tan justa como la conservación del equilibrio en el Río de la Plata, agrade-
cemos a la Providencia que un Estado tan poderoso haya sido dotado de un
gobernante tan honesto y perspicaz [1].

2.   Fue aún más lejos *The Standard.* Acusó a los diarios que
abogaban en favor de la alianza con el Imperio de estar soborna-

[1]   *The Standard,* Buenos Aires, setiembre 18, 1864.

dos y hasta mencionó las cifras que recibían de la legación brasilera. No obstante esta grave acusación, no descalificó la propaganda que venían efectuando y siguió polemizando, para señalar las
identidades entre la política paraguaya y los intereses de la República Argentina, así como los peligros de desembocar en una guerra
defendiendo una causa extraña a las conveniencias del país. Decía:

> Parece, si debe atenderse a los artículos de fondo de algunos de nuestros
> colegas, que los argentinos están altamente indignados contra la briosa inter-
> posición del Paraguay en la cuestión brasilera. *La Tribuna* toma la cosa con
> tanta acrimonia que se creería que ese diario ha sido publicado en Río de
> Janeiro y no en Buenos Aires; pero esta indignación extrema está en eferves-
> cencia, y es más probable que si las cosas continúan como están, antes de
> muchos meses las tropas argentinas luchen a la par con las del país que tanto
> ridiculizan y desprecian hoy.
>
> No importa que sea tan insuperable la aversión de los argentinos al Pa-
> raguay, o cuán suspicaz se sientan por haberse metido los paraguayos en la
> contienda; los observadores imparciales no pueden dejar de apercibir que hay
> un tinte de honestidad en la conducta del gabinete paraguayo, que sería de
> desear que fuera más imitado aquí.
>
> El Paraguay recela la usurpación brasilera; sus líneas fronterizas siguen
> todavía una cuestión disputada. La influencia brasilera va constantemente
> en aumento. La ocupación de la Banda Oriental apeligraría al Paraguay, tanto
> más cuanto que la frontera oriental se extiende hasta pocas leguas de las del
> Paraguay; y, en verdad, porque los argentinos han adoptado una política de no
> intervención que nadie comprende, ¿el Paraguay debe quedar espectador pa-
> sivo de la aniquilación del territorio oriental? Una doctrina tan monstruosa,
> una política tan inexplicable no puede dejar de producir los resultados más
> imprevistos.
>
> La independencia de la Banda Oriental es un *sine qua non* para la Re-
> pública Argentina. Ningún argentino se atreverá a negar esto por un mo-
> mento.
>
> La invasión brasilera no es solamente una amenaza, sino que ya es lle-
> vada a efecto, y todavía, no obstante la suerte inevitable que espera a la Re-
> pública Oriental, el gobierno argentino no sólo se niega a intervenir, sino
> que también rehusa que otro intervenga. Este es el estado verdadero de la
> cuestión.
>
> El Paraguay ha desplegado una política honesta, independiente, que, aun-
> que censurada en Buenos Aires, será aprobada en Europa. Tiene interés, y
> un gran interés, en detener al Brasil, y las probabilidades son de que los ar-
> gentinos tendrán todavía más motivos para agradecerle que ultrajarle por su
> intrépida política (²).

3.   No solamente el diario inglés de Buenos Aires se pronunció de tal modo. En esos momentos, la prensa de las provincias, en
buena parte, censuraba duramente la política de Mitre frente al
Brasil y al Paraguay. La "nueva política" anunciada por Elizalde
evidentemente no contaba con el unánime voto provinciano y la
actitud del Paraguay que salía briosamente en defensa de la independencia oriental cobraba simpatías generales fuera de Buenos
Aires y de los círculos oficialistas. Donde con mayor virulencia se

(²)   *The Standard*, Buenos Aires, setiembre 25, 1864.

tomó el partido del Paraguay y se apostrofó al Imperio y al gobierno argentino que lo apoyaba, fue en la provincia de Entre Ríos. *El Litoral*, dirigido por Evaristo Carriego, venía desarrollando una intensa campaña en que predicaba el desacato a Buenos Aires si la República se aliara al Imperio, e incitaba al general Urquiza a ponerse al frente del movimiento nacional de rebeldía contra esa política. *El Porvenir* de Gualeguaychú dijo:

Entre Ríos y Corrientes saben bien que el sueño más hermoso del Brasil, sueño que quema su frente como una diadema de fuego, es el dominio continental, a que lo estimulan hondas prevenciones de raza, y que si se ceba sus dientes en la carne de la República Oriental pronto se hará preparar entre nosotros, con la división y la anarquía, un espléndido banquete (³).

Y por su parte *El Independiente* de Corrientes:

La conducta observada por el ilustrado gobierno del Paraguay en la cuestión brasilero-oriental es digna de los mayores elogios por ser verdaderamente republicana y más que todo americana.

Reprueba con justicia la política brasilera y nosotros nos asociamos de corazón a la política del gabinete paraguayo (⁴).

4. Al compás de la campaña de los periódicos entrerrianos comenzaron a circular versiones alarmantes sobre la actitud del general Urquiza. *El Nacional* de Buenos Aires, siempre violento en sus ataques al jefe entrerriano llegó a afirmar que era en realidad Urquiza quien estaba detrás del Paraguay:

El general Urquiza está en relaciones con López; es él quien le mueve. Se nos asegura por persona venida de San José que hay una alianza entre esos dos elementos tan idénticos. Que López pondrá sus veinte mil *papagayos* a su disposición... (⁵).

La Nación Argentina no quiso dar crédito a los rumores que circulaban y de que se hacía eco *El Nacional,* según los cuales Urquiza estaba resuelto a hacer la guerra a Buenos Aires y al Brasil, en alianza con el Paraguay. Dijo:

La guerra no está ni en sus deseos ni en sus conveniencias.
No está tampoco en sus opiniones.
Cualquiera que sea su diferencia con el gobierno actual del Brasil, él se halla ligado al general Flores y a muchos jefes colorados por antiguos vínculos de amistad.
No hay por qué alarmarse, como lo hace uno de nuestros colegas por la pretendida inteligencia del Paraguay con el general Urquiza (⁶).

Pero la alarma continuó. Los rumores fueron *in crescendo.* El vocero oficial se expidió entonces más categórico y amenazante.

(³) *El Porvenir*, Gualeguaychú, setiembre 1º, 1864.

(⁴) *El Independiente*, Corrientes, septiembre 20, 1864.

(⁵) *El Nacional*, Buenos Aires, octubre 23, 1864.

(⁶) *La Nación Argentina*, Buenos Aires, octubre 24, 1864.

Repitió que Urquiza no debía abrigar ni deseos ni conveniencia
de hacer la guerra, y "si los tuviera, no tendría el poder de rebelarse, porque se encontraría en frente con todo el poder de la
República", concluyendo que "la rebelión sería ahogada apenas
asomara la cabeza" (7).

5.   El último día de octubre fue de gran efervescencia en Buenos Aires. Según consignó *La Nación Argentina,* los pasajeros veni-
dos con el *Salto,* informaron que el partido del general López Jordán "que representa lo más exaltado de la federación bárbara",
preparaba en Entre Ríos pronunciamientos contra el Brasil, los
cuales debían tener inicios en Concepción del Uruguay, de un
momento a otro. Se hablaba de comisionados enviados a Montevideo
y al Paraguay. El órgano oficial, al consignar las versiones, opinó
que a Urquiza le sería difícil "meterse a la vez" con el gobierno
nacional y con el Brasil, y agregó:

> Por lo pronto, con un par de buques, el general Urquiza quedaría blo-
> queado y tendría que contentarse con enviar padrenuestros al gobierno de
> Montevideo (8).

La Tribuna también dio por cierta la noticia de que había
inteligencias entre el general Urquiza y el Paraguay y la comentó
con su habitual acritud:

> Se pone (Urquiza) en hostilidad abierta con el Imperio y el gobierno
> nacional.
> Un paso tan audaz no podría ser tolerado sin mengua del crédito, pres-
> tigio y del honor del presidente Mitre (9).

Pocos días después el vocero oficial redujo a sus verdaderas
proporciones los sucesos de Entre Ríos. Sólo se había tratado de
mitines proyectados por los orientales blancos y que no pudieron
ser realizados por haberlos prohibido la autoridad provincial.
Aclaró entonces *La Nación Argentina:*

> No puede menos de confesarse, que hasta ahora el general (Urquiza) no
> ha tratado de estorbar en nada la marcha de las autoridades nacionales, ma-
> nifestándose más bien amigo de la paz, a la cual está vinculado por mil
> motivos (10).

Pero *La Tribuna* insistió en que no debían desecharse tan ligeramente las versiones que circulaban ni concederse mucha fe a las
seguridades que daba Urquiza sobre su actitud legalista:

> Aun cuando el general Urquiza no sea un caballero que deba ni pueda
> infundirnos entera confianza, confesamos que por no creerlo un imbécil, un

(7)   *La Nación Argentina,* Buenos Aires, octubre 26, 1864.
(8)   *La Nación Argentina,* Buenos Aires, noviembre 1º, 1864.
(9)   *La Tribuna,* Buenos Aires, noviembre 1º, 1864.
(10)   *La Nación Argentina,* Buenos Aires, noviembre 3, 1864.

loco, un hombre destituido hasta de las más leves nociones del buen sentido, nos resistimos a creer que sea cierto cuanto se diga a su respecto.

Admitiéndolo, tendremos también que si bien no se pronuncia de frente, la actitud que se le atribuye constituirá, a su vez, una alianza de hecho con los blancos.

En este caso, tendremos al gobierno de Montevideo, al Paraguay y a Urquiza ligados por los vínculos de una alianza, que, subsistente, sería un peligro constante para la paz de esos países.

Realizada esa alianza, la República no puede permanecer con los brazos cruzados.

Sus aliados naturales están a su lado.

Esos aliados serían el Brasil y el General Flores (11).

6. En esas líneas de *La Tribuna* estaba la clave de toda la conjuración de principios institucionales como razón de las alianzas que se estaban gestando. En las altas esferas del gobierno, en el pensamiento de Mitre y de Elizalde, artífices de la "nueva política", habían motivaciones ocultas, que poco tenían que ver con los menudos aunque apasionantes problemas de la actualidad argentina. Se agitaban ideas atrevidas, de alto vuelo, como la de contener los avances del despotismo y llevar la libertad a un pueblo hermano, camino seguro para realizar los conocidos propósitos de "fomentar y consolidar la reconstrucción de las nacionalidades de América que imprudentemente se han dividido y subdividido", y éstas reclamaban, como condición ineludible para su realización, la aquiescencia del Imperio hasta entonces ardientemente hostil aún a la enunciación de semejantes anhelos por parte de la antigua capital del Virreinato. Como no podían tales ideas ventilarse en la plaza pública antes de su completa maduración, y mientras se obtenía la aceptación del Brasil valían para animar a la opinión de Buenos Aires a coadyuvar decididamente en el nuevo plan de alianza, la enunciación pública de otros motivos de más directo y acuciante interés, capaces de galvanizar en torno de Mitre la opinión nada disciplinada de los diversos matices en que se policromaba el partido oficial. La razón de partido pesaba más que la razón nacional. Lo que ahora se enarbolaba, como motivo principal de la alianza propugnada con el Brasil y el general Flores, era la necesidad partidaria de contrarrestar la alianza que, según se decía o todos temían, el general Urquiza había sellado con Montevideo y el Paraguay.

Porque el principal y potencial enemigo interno de Buenos Aires, el obstáculo hasta entonces insuperable para consolidar su posición directora en la organización nacional nacida en Pavón, continuaba siendo el general Urquiza, cuya conducta misteriosa suscitaba tantos recelos, pese a sus constantes protestas de adhesión a Mitre, en las que pocos creían. Alegar como razón de la alianza en trámite una quijotesca guerra de liberación y de conquista de

(11) *La Tribuna*, Buenos Aires, noviembre 3, 1864.

un país extraño, no podía poner el alma en rojo vivo a los porteños como proclamar que aquélla buscaba consolidar definitivamente el poder de Buenos Aires y la anulación de Urquiza. Sólo
así se comprendería y aceptaría una nueva campaña de Caseros.

7. Evidentemente, el mismo Mitre estaba inquieto por las
versiones que venían de Entre Ríos. Con el propósito de arrancarle
aclaraciones que comportaran una definición ante esos rumores,
decidió escribirle a Urquiza, con quien desde julio no había cambiado correspondencia. Comenzó su carta con una sutil recon-
vención:

> Excuso decirle que en nada me han preocupado los rumores vulgares
> que en días anteriores han circulado respecto a usted. Reposo tranquilo en
> su patriotismo y en su buen juicio, de que me tiene dadas tantas pruebas,
> y que siempre me haré un agradable deber reconocer.

El objeto de su carta era, según Mitre, otro: pedirle nuevamente su cooperación para que usando Urquiza la influencia que
le daban su posición y sus antecedentes, contribuyera a salvar los
peligros que para el país encerraba la cuestión oriental, que se
hallaba "en un estado de crisis". Continuaba:

> Si felizmente alcanzamos que la guerra del Estado Oriental se termine
> sin complicarse en ella la República Argentina, habremos conseguido una de
> las más grandes victorias y que nos hará más honor y nos dará más poder
> que una gran batalla ganada.
>
> Pero para conseguir estos resultados es indispensable que todos los bue-
> nos argentinos y todos los hombres de influencia en las provincias del litoral,
> y especialmente en el Entre Ríos, donde su cooperación puede ser más eficaz,
> reunan sus esfuerzos a los del gobierno nacional para el efecto, desplegando
> tanta prudencia para prevenir toda complicación, como energía tranquila para
> mantenernos en la posición que queremos y debemos conservar. Seamos argen-
> tinos ante todo, haciendo una política verdaderamente argentina que no se
> subordine ni a pasiones ni a intereses extraños, ni se deje arrastrar por gritos
> de la calle que no tienen responsabilidad alguna. Así este peligro que nos
> amenaza tendrá el más inmediato término, cesando para nosotros una situa-
> ción tan delicada como difícil, si se prolonga tan violento estado de cosas
> en la República vecina.

Mitre expresó a Urquiza la convicción de que contaba con él,
como lo hacía suponer la intervención que, según sus informes,
tuvo para impedir que las demostraciones preparadas en Concepción del Uruguay degeneraran en pronunciamientos contra el gobierno nacional, y terminaba:

> Así, pues, al escribirle esta carta, tengo más bien por objeto llenar para
> con usted un deber de cordial amistad, que cerciorarme de lo que estoy bien
> seguro [12].

8. Si anteriormente Urquiza había comunicado a Mitre toda
su correspondencia con López, esta vez Mitre no creyó de su deber

_____

[12] De Mitre a Urquiza, Buenos Aires, noviembre 3, 1864, ARCHIVO MITRE,
t. II, pp. 82-84.

interiorizarle del estado de las relaciones con el gobierno brasilero. Nada había en esta carta acerca del convenio del 22 de agosto que estableció la identidad de políticas argentino-brasileras frente a la cuestión oriental, ni menos del proyecto de protocolo Pereira Leal-Elizalde que llevaba esas relaciones al borde de la alianza. Ninguna explicación sobre las tan terminantes declaraciones del órgano oficial, según las cuales la política argentina estaba ya concordada con la política brasilera. ¿La política "verdaderamente argentina que no se subordine ni a pasiones ni a intereses extraños" era aquella que dependía, en última instancia, de lo que hicieran o dejaran de hacer el Brasil y el Paraguay? La falta de una exposición franca y sincera de la verdadera posición del gobierno argentino de por fuerza tenía que desazonar si no a Urquiza, a quiénes se decían sus voceros. Así *Uruguay*, órgano que interpretaba la opinión de Urquiza, después de haberse mantenido ajeno a la efervescencia de sus demás colegas provincianos, comenzó a criticar abiertamente la política de alianza con Flores y Brasil que propugnaba *La Nación Argentina,* y reclamó una definición del gobierno de Buenos Aires. Dijo:

> El gobierno argentino debe conservarse cuando menos neutral, si no se une a los neutrales para obtener por las vías pacíficas la terminación de la desastrosa lucha.

No se mostró *Uruguay* menos airado contra las explicaciones despectivas para Urquiza que daban los diarios porteños de su pasividad ante los acontecimientos y ante la agitación popular en la provincia.

> Si el general Urquiza no se subleva más, no es porque tiene años y fortuna, como torpemente se dice para no reconocer mérito alguno en quien merece la gratitud del país, porque la libertad y la organización de la república fue obra de su abnegación...
> Si el general Urquiza no se subleva es porque tiene fe y respeto en las instituciones del país. Es porque debe tenerla en un gobierno que regla la ley; es porque debe pensar que los redactores del *Nacional* y de la *Tribuna* no disponen del crédito, de la sangre y del porvenir del pueblo argentino [13].

Y la verdad era que solamente por mandato e imperio de Urquiza la provincia de Entre Ríos no se había sublevado en esos días. Uno de los corresponsales de Antonio de las Carreras le escribió en los primeros días del mes:

> Aquí creo que estamos esperando unos ocho o diez días, cosa que las provincias estén preparadas y se levanten para pronunciarnos.
> Teníamos preparado un pronunciamiento, pero la autoridad nos hizo comprender que todavía estaban verdes..., madurarán entre pocos días [14].

(13) Repr. en *La Nación Argentina*, Buenos Aires, noviembre 8, 1864.
(14) De Giorgi a Carreras, Uruguay, noviembre 1º, 1864, AGNA, Archivo Carreras.

9. Mientras tanto, Urquiza recibía de Buenos Aires informaciones fidedignas y autorizadas sobre la verdadera posición del gobierno argentino. Un prominente amigo suyo, que lo era también de Mitre, el doctor Salvador María del Carril, juez de la Suprema Corte de Justicia, en su correspondencia con el general Benjamín Victorica, secretario de Urquiza, se manifestó francamente adverso a la política del gobierno de Mitre en relación con el Brasil y el Uruguay, y dio la siguiente importante información:

El Brasil quiere que lo dejen hacer y ha obtenido el permiso del gobierno argentino; deshonrosa, vergonzosa, infame concesión.

Del Carril dudaba de la eficacia de la intervención paraguaya. La actitud de Asunción estaba, a su juicio, preñada de incógnitas que sólo el porvenir develaría:

¿El Paraguay que voluntaria y espontáneamente se ha declarado él delante del mundo beligerante en la eventualidad que se ha realizado ya, dónde está? ¿Ese gobierno olímpico seguirá su política tradicional y provechosa diseñada en esta frase entremos y vayan?

No esperaba, sin embargo, que Urquiza supliera la pasividad paraguaya. Y no lo creía, no tanto por convicción propia, sino porque juzgaba, buen conocedor de su ilustre amigo, interpretar de este modo el íntimo pensamiento de Urquiza:

¿Qué debe hacer hoy, el general Urquiza? Francamente y me tengo por hombre de buen ojo, y soy además amigo de él y sé lo que le gusta y lo que más le lisonjea, pues bien, digo que en estas circunstancias el general no debe hacer nada, que deba encerrarse en una reserva profunda, impenetrable... (15).

10. Pero el general Urquiza, en vez de no hacer nada y de encerrarse en la reserva profunda e impenetrable que le aconsejaba el doctor del Carril, en esos mismos momentos formulaba a Mitre, en respuesta a su última carta, terminantes desmentidos de "esos rumores absurdos, esas apreciaciones gratuitas" que tendían a presentarle "como un conspirador vulgar e inconsecuente" contra el mismo orden de cosas que había contribuido a crear y que seguiría contribuyendo a sostener incólume... (16). Y al mismo tiempo, José de Caminos, viejo enemigo de Buenos Aires, se entregaba a misteriosos manejos en que el nombre de Urquiza, con o sin su consentimiento, aparecía mezclado con planes políticos de envergadura, enderezados a contrarrestar la presuntiva alianza brasilero-porteña, y que incluían nada menos que la resurrección de la Confederación de las 13 provincias.

(15) De Del Carril a Victorica, Buenos Aires, noviembre 7, 1864, AGNA, Archivo Urquiza, Leg. 19.
(16) De Urquiza a Mitre, Uruguay, noviembre 9, 1864, ARCHIVO MITRE, t. II, pp. 84-85.

CAPÍTULO XXXI

ANDANZAS DE JOSE DE CAMINOS

1. El Paraguay sin aliados. — 2. Chasco de Carreras. — 3. Sagastume siempre esperanzado. — 4. José de Caminos en Asunción. — 5. El plan secesionista. — 6. Vieja idea de Carlos Antonio López. — 7. Las propuestas a Urquiza. — 8. Hermetismo sobre la misión de Caminos. — 9. Determinación inflexible. — 10. Sagastume insiste en reclamar la acción paraguaya.

1. Determinado el gobierno del Paraguay a llevar adelante su protesta del 30 de agosto y pareciendo inevitable el conflicto con el Imperio del Brasil, presuntivamente coaligado con la República Argentina ¿se consideraba el presidente López en condiciones de llevar adelante su briosa política sin amigos ni aliados en el exterior? Por de pronto, era evidente que seguía repugnándole la idea de una alianza con el gobierno de Montevideo, como de cualquiera clase de acuerdo que coartara su libertad de acción. La "nota conmemorativa" estaba diciendo a las leguas los sentimientos que le dominaban. Y el comentario que bordó *El Semanario* respecto de esa nota, no fue menos ilustrativo para quienes supieran desenredar los desaliños de su prosa enrevesada:

Apreciamos debidamente a la joven nacionalidad oriental para pasar adelante en memorar y apreciar actos de su gobierno, harto desfavorables para nosotros: nos limitaremos pues a exponer que por tales motivos, que saltan a la vista, está bien justificada la resolución de nuestro gobierno con respecto a la abstención de entrar por ahora, de consuno, a procurar los medios de salvar en todo caso de toda pretensión atentatoria, los respetos y los derechos de aquel Estado.

Nada más lógico y natural que en tales circunstancias, cuando neutralizada *ipso facto* por el gobierno oriental la acción del Paraguay, cuyos buenos oficios, ejercidos eficaz y constantemente, tal vez hubieran excusado de graves peligros que hoy pesan sobre aquella República, asuma el Paraguay una política en que oiga solamente en el sentido de la conservación y defensa de los principios salvadores del equilibrio de los Estados del Plata, principios en que reposan también la independencia y soberanía nacional paraguaya [1].

(1)   *El Semanario*, Asunción, setiembre 5, 1864.

Ciertamente Berges había asegurado que el desacuerdo no era
con el Estado Oriental, sino con los hombres del gabinete que tan
en mal traer tenían a la diplomacia paraguaya y que si había un
cambio ministerial "podremos entendernos más fácilmente" (²).
Antonio de las Carreras, durante su permanencia en Asunción
recogió la misma impresión y creyó que López exigía para entrar
en acuerdos con Montevideo, una "base de garantía", que sólo podía ser la expulsión del gabinete de los políticos responsables de los
multiplicados desaires de que hacía larga lista la "nota conmemorativa", y su reemplazo por hombres que estuvieran conformes con
las ideas de Asunción. El "tigre de Quinteros" explotó en su provecho personal semejante hipótesis y gracias a ella, el 7 de setiembre ascendió al poder. Su primera determinación había sido comunicar a López el cambio producido y la política de guerra que se
proponía seguir, todo lo cual le parecía constituir la garantía "tal
cual V. E. la deseaba, para que sea eficaz, provechosa y no quede
nunca desairada la cooperación de ese gobierno" (³).

2.   Pero Carreras se llevó un gran chasco. Pronto supo que
López se mantenía firme en su designio de no echarse en brazos del
gobierno oriental ni aún teniéndole al enérgico Antonio de las Carreras a su frente. En forma confidencial Sagastume escribió al
ministro general, que ansioso aguardaba en Montevideo la decisión
paraguaya que sería la amplia justificación de su ascenso al poder:

Tu carta al presidente no gustó mucho; dice que siente haber sido mal
comprendido, que él no ofreció jamás intervenir en la cuestión interna, y que
tal intervención no está en sus principios (⁴).

En la misma fecha López escribió directamente a Carreras una
carta que éste repuso no ocultando su desagradable impresión (⁵),
a lo que López volvió a replicar extensamente:

He recibido la carta que se ha servido V. dirigirme el 19 del pasado en
contestación a la mía del 6 del mismo.

Siento que ella le haya causado desagradable impresión pero no ha estado
en mi poder evitarlo, en consideración a la gravedad de los motivos que me
habían obligado a restablecer los hechos sin entrar como V. en una discusión,
que también mi propia delicadeza me imponía (en) el deber de rectificar
equivocaciones, para mí tan lamentables y que hasta pudieran llegar a ser
dañosas a los intereses de su patria, y de la misma política que V. iniciaba.

Sin hacer alarde de la franqueza y lealtad con que acostumbro tratar los
negocios y de los cuales he dado a V. una prueba, me complazco en reconocer

(²)   De Berges a Brizuela, Asunción, setiembre 6, 1864, cit.
(³)   De Carreras a López, Montevideo, setiembre 7, 1864, cit.
(⁴)   De Sagastume a Carreras, Asunción, octubre 6, 1864, AGNA, Archivo
Carreras.
(⁵)   Las cartas del 6 de octubre de 1864 de López y la respuesta de Carreras del 19 del mismo mes, no figuran en los archivos, pero cabe deducir su contexto de la réplica de López del 6 de noviembre de 1864.

que mis palabras han podido crear en su ánimo la esperanza de uniformar la
política de los dos países, en el sentido de servir los intereses comunes de las
dos nacionalidades, y de reiterarle todavía en esta ocasión iguales sentimientos.

Creo, por otra parte, que la política de mi gobierno para con el del Estado
Oriental, en el largo decurso de su azarosa posición, habla bien alto en el
mismo sentido, pues que no ha esquivado las consecuencias que pudieran
traerme la manifestación franca y enérgica, del decidido interés que he manifestado por los grandes intereses de esa República hasta el caso de encontrarse
mis relaciones con el Imperio del Brasil y la República Argentina en el pie
en que se hallan.

Comprendo que al lado de esos sentimientos las manifestaciones de la
Asunción y las demostraciones particulares que dice haber recibido de lo más
distinguido de la sociedad paraguaya pudieron afirmar sus esperanzas, pero
alcanzo que ni lo uno ni lo otro haya sido posible concluir a los terminantes
conceptos de que V. creyó deberse servir al redactar su estimada carta anterior.

Esta explicación y la declaración de que no ha pretendido dar importancia
de compromiso internacional o diplomático a los conceptos vertidos en aquella
carta, aquietan mi espíritu... (⁶).

3.   Sin embargo, algunas esperanzas derramó López en los
oídos del ministro Sagastume. Le dijo que esperaba la respuesta del
Brasil al ultimátum para combinar con el Uruguay los elementos y
la acción necesaria "al logro de los fines propuestos" y le informó
que los aprestos bélicos continuaban y que ya estaba formado el
ejército expedicionario acampado sobre el Paraná. El gobierno
argentino seguramente iba a negar su consentimiento para que esas
fuerzas cruzaran parte de la provincia de Corrientes, único camino
para llegar al teatro de los sucesos, y el presidente López se preocupaba mucho de esta circunstancia, "porque no quiere aparecer
agresor y preferiría no tener que luchar contra el Brasil y la República Argentina reunidos". Al informar de todas estas declaraciones
recogidas de labios del general López, el ministro oriental llamaba
la atención de su gobierno sobre este último punto, porque tenía
la impresión "de que algunos trabajos se han hecho ya en las provincias de Corrientes y Entre Ríos, y sería de gran provecho poder-
los contar de nuestra parte, tanto para desvanecer dificultades previas a las operaciones cuanto para garantir el éxito de las operaciones mismas" (⁷).

Los trabajos en Entre Ríos aludidos por Sagastume, eran los
que Carreras, en su viaje de regreso del Paraguay, encomendó a
José de Caminos, quien desde entonces, no se había dado punto de
reposo para movilizar ánimos y voluntades en contra del gobierno
de Mitre. Estuvo en San José, pasó a Buenos Aires y luego a Montevideo acompañado del diputado Ruiz Moreno. Atribuyó relativa

(⁶)   De López a Carreras, Cerro León, noviembre 6, 1864, AMREP, I-30, 15, 140.
(⁷)   De Sagastume a Carreras, Asunción, octubre 6, 1864, AMREU, Legajo
Misión Vázquez Sagastume, 1864.

importancia a sus gestiones, pues escribió a una persona de Rosario:

Pobre porfiado saca mendrugos, y hoy más que nunca reciben de mí las esperanzas que ya tenía perdidas [8].

El cónsul paraguayo en Paraná y tío de José de Caminos, no fue informado directamente de los manejos del viajero, pero infirió de la esquela a Rosario, de la cual tuvo conocimiento, que éste llevaba "algún encargo secreto del nunca bien ponderado Capitán General, para el gobierno de Montevideo". Y aunque mucho se hablaba de que Urquiza juntaba armas y tomaba disposiciones, las esperanzas que tales versiones despertaban en José de Caminos y en muchos otros, sólo serían compartidas por él, "cuando este gaucho deje de prometer con esa charla eterna que pone en juego y ejecute" [9], según escribió José Rufo Caminos a Berges.

4. Por fin, José de Caminos, apareció en Asunción. Llegó el 10 de octubre a bordo del *Ygurey*. ¿Qué traía entre manos? ¿Cuáles los resultados de sus andanzas por San José, Buenos Aires, Paraná y Montevideo? Pronto se habría de saberlo. Caminos venía a revivir el proyecto que en junio de 1863 se atribuyó a Urquiza, de que fue mensajero el cónsul José Rufo Caminos y que entonces no había merecido la aprobación de López: el gran pronunciamiento que diera por resultado la separación absoluta de Buenos Aires de las demás provincias, para luego, en alianza con el Paraguay y el Estado Oriental, resolver todas las cuestiones del Río de la Plata [10]. Si la decisión de las 13 provincias no fuera posible, bastaría la de Entre Ríos y Corrientes, dispuestas a formar un Estado independiente, y listas para entrar en combinaciones con Montevideo y Asunción, a fin de enfrentar la alianza de Buenos Aires y de Río de Janeiro, que todos daban por segura. La idea de la segregación argentina, como procedimiento adecuado para neutralizar el acuerdo porteño-brasilero, había sido nuevamente esbozada por Carreras en su memorándum del 1º de agosto, que ni siquiera fue considerado por López. Las circunstancias habían variado en tal forma que lo que en junio de 1863 era inaceptable y en agosto de 1864 no mereció consideración, ahora podía ser el expediente necesario y quizás salvador para el Paraguay, a quien se le allanaría el camino a la Banda Oriental mediante la formación, en su intermedio, de un Estado amigo y aliado como era el que, según opinaba José de Caminos, Urquiza quizás estuviera dispuesto a formar.

5. En 1863 el Paraguay se había opuesto al plan secesionista, porque la desintegración argentina contrariaba viejas y arraigadas ideas del general López. La unidad argentina constituía, a su jui-

[8] Extractado por el Cónsul Caminos en su carta de octubre 1º, 1864.
[9] De Caminos a Berges, Paraná, octubre 1º, 1864, AMREP, I-30, 5, 7.
[10] CARDOZO, cap. VII.

cio, una de las condiciones del equilibrio del Río de la Plata.
Nadie sino el Brasil saldría beneficiado de la ruptura de esa unidad. La balanza del poder se inclinaría definitivamente en su
favor, con mortal peligro para la independencia de los dos estados
menores, el Paraguay y el Uruguay, sólo posible si la igualdad de
fuerzas entre el Imperio y la República Argentina siguiera neutra-
lizando mutuamente sus conocidos designios de absorción. La mejor garantía contra los avances del Imperio era una Argentina
fuerte y unida, como, a su vez, el Brasil lo era con respecto de su
rival. Con esas ideas, el general López había concurrido en 1859
a soldar la segregación argentina y el pacto de Unión Nacional de
San José de Flores se firmó gracias a su mediación personal. Ese
pacto constituía una de sus glorias más caras y uno de los pilares
del equilibrio del Río de la Plata, de que se había erigido en oficioso campeón. López no quiso contribuir, ni directa ni indirectamente, al derrumbe de su obra de 1859 y por eso echó en saco roto
las sugestiones que José Rufo Caminos le trajo en 1863 como provenientes del propio Urquiza.

Pero desde junio de 1863 a octubre de 1864 se habían producido extraordinarios acontecimientos en el Río de la Plata que
obligaban al presidente López a un nuevo planteamiento de su
teoría del equilibrio. Desde que el Brasil se había hecho presente
en el Estado Oriental, sin concitar la oposición argentina y despreciando la mano que le tendiera López, y desde que la prensa
de Buenos Aires negaba abiertamente la autonomía paraguaya sin
tampoco merecer las tradicionales protestas brasileras, López se
consideraba autorizado a suponer que ambos países se estaban poniendo de acuerdo para fundar "nuevas bases de equilibrio en el
Plata". ¿A la clásica concepción de dos potencias, el Brasil y la
Argentina, que se vigilaban recíprocamente con igualdad de poderío para impedir que la independencia del Paraguay y del Uruguay se extinguiera en beneficio del rival, venía a suceder la idea
de los dos países, que, olvidando sus seculares antagonismos se daban las manos para proceder al reparto amigable, en porciones
salomónicas, del motivo de tantas discordias, de tal suerte que el
equilibrio no quedara roto porque el acrecentamiento de poder
sería simultáneo y equivalente: el Uruguay para el Brasil y el Paraguay para la Argentina?

Al influjo de estas cavilaciones cobraba nueva y poderosa
atracción el pensamiento desechado en 1863 y que en vano había
tratado de resucitar Antonio de las Carreras en su memorándum
del 1º de agosto de 1864. ¿Si Río de Janeiro y Buenos Aires se
estaban conjurando para crear nuevas bases del equilibrio en el
Río de la Plata, por qué no habría de salirles al paso con otra
estructuración de ese mismo equilibrio, enderezada a obtener el

mismo resultado que interesaba al Paraguay: la garantía de su independencia? ¿Por qué no alentar ahora la resurrección de la Confederación de las 13 provincias, con Urquiza a la cabeza y definitivamente excluida Buenos Aires, cuya pérdida quedaría compensada con la alianza del Paraguay y la República Oriental, para seguir manteniendo el equilibrio del Río de la Plata y la independencia de los dos pequeños Estados? ¿Y si este programa no fuera, en el momento, practicable por lo mucho que el partido liberal de Mitre había avanzado en las provincias interiores, por qué no resucitar el viejo pensamiento de la formación de un estado independiente con Entre Ríos y Corrientes, donde el dominio de Urquiza continuaba siendo incontrastable, y que unido y apoyado por el Paraguay y el Estado Oriental, representaría una fuerte y poderosa cuña puesta entre Buenos Aires y Río de Janeiro, al mismo tiempo que la solución del problema del tránsito de las fuerzas paraguayas al campo de operaciones para oponerse al avance del Brasil?

6. Era esta una vieja idea del presidente Carlos Antonio López, quien vio en la formación de un estado independiente integrado por las dos provincias, la mejor garantía de la independencia paraguaya y de la libre navegación del río Paraná [11]. También la había acariciado el general Urquiza, poco después de la segregación de Buenos Aires de la Confederación. En 1852 el ministro de relaciones exteriores Luis J. Peña había instruido al ministro argentino en Asunción, Santiago Derqui, para que la propusiera a Carlos Antonio López. Le decía:

> Tan firme es en el señor Director (Urquiza) esta convicción que está decididamente resuelto a no envolver en la guerra a las dos provincias de Entre Ríos y Corrientes, si llega el caso desgraciado de que en las demás de la Confederación se llegue a pronunciar la anarquía. Si tal sucediese, lo que no espera, aislándose completamente de todas, contando con los poderosos elementos de que disponen estas dos provincias litorales, y estrechando la alianza con esa República (del Paraguay), podría llegar el caso de declararse completamente independiente y constituirse en una nación [12].

El gobernador de Corrientes, Juan Pujol, apoyó entonces el pensamiento y elaboró un plan para llevarlo a ejecución, que mereció la aprobación de Urquiza en los siguientes términos:

> Si lo que no es de esperar y desgraciadamente sucediese, la República se anarquizase, estoy enteramente conforme con sus ideas, en que nuestras dos provincias pueden formar por sí solas un estado fuerte, y que marcharía aceleradamente a su prosperidad, desde que en el interés de ambas y de sus gobiernos está armonizar su política, y marchar en conformidad con sus inte-

---

[11]   De C. A. López a Madariaga, Asunción, febrero 27, 1845, *El Paraguayo Independiente*, N° 106.

[12]   De Peña a Derqui, setiembre 24, 1852, RAMÓN J. CARCANO, *Del sitio de Buenos Aires al campo de Cepeda*, Buenos Aires, 1921, p. 135.

reses recíprocos. A todo eso se agregaría la alianza del Paraguay, que para nosotros sería de mucha importancia, porque esa república nos prestaría todo su apoyo, desde que ella es la más interesada en la realización de aquel pensamiento (13).

Si Urquiza no considerara ahora viable su proyecto de junio de 1863, podría intentarse la resurrección de sus ideas de 1852, o en última instancia animarle a un pronunciamiento contra el gobierno de Mitre, todo con el poderoso apoyo del Paraguay. De esta manera se encontraría solución a las dificultades estratégicas que presentaba el propósito paraguayo de concurrir en auxilio de los orientales amagados por el Brasil. Además se desbarataría cualquier plan que estuvieran elaborando Río de Janeiro y Buenos Aires para crear nuevas bases de equilibrio en el Río de la Plata. José de Caminos se vio en la gloria. Supo en Asunción que Urquiza para cualquiera de las tres hipótesis —pronunciamiento, restauración de la Confederación de las 13 provincias o formación del nuevo estado entrerriano-correntino—, podía contar con el apoyo del Paraguay. El gobierno de Asunción estaba dispuesto a entrar inmediatamente en negociaciones con el general Urquiza con vistas a cualquiera de esas importantes eventualidades.

7. Había una dificultad previa y era que entre López y Urquiza las relaciones estaban poco menos que rotas, desde que este reveló su correspondencia a Mitre. El presidente paraguayo no quería tomar la iniciativa de la reconciliación. El ministro Sagastume se ofreció para salvar el inconveniente. Todo se tramitaría bajo su fe y responsabilidad. El intermediario sería José de Caminos quien obraría sólo como enviado del ministro oriental, con lo cual López entendía también ponerse a salvo para el caso de un posible fracaso de la negociación o de una nueva indiscreción de Urquiza.

En un pliego sin firma, del cual quedó una copia en poder de López, se articularon las posibles modalidades del movimiento político planeado en Asunción, tal como Caminos debía plantear a Urquiza.

1º Si el general Urquiza se pronuncia por circunstancias que imposibiliten un acuerdo previo con el gobierno paraguayo, el general Urquiza será apoyado con elementos suficientes por este gobierno.

2º Si el general Urquiza se pronuncia levantando por bandera la separación de Entre Ríos y Corrientes en un solo Estado, el general Urquiza será sostenido por el gobierno paraguayo con los elementos de que dispone y pueda disponer.

3º Si el general Urquiza se pronuncia tomando por bandera la separación de Buenos Aires, y forma un solo Estado con las 13 provincias restantes, como

(13)   De Urquiza a Pujol, octubre 19, 1852, ARCHIVO DE JUAN PUJOL, Buenos Aires, 1911, t. II, pp. 202-204.

en la época de su gobierno, será igualmente sostenido con todos los elementos de que dispone el gobierno paraguayo.

4º Si el general Urquiza acepta cualquiera de las condiciones arriba expresadas, puede acreditar cerca del gobierno paraguayo un comisionado suficientemente autorizado, para el establecimiento de un tratado entre él o su gobierno, el Estado Oriental y la República del Paraguay.

Será preferible a ningún otro que el comisionado fuera S. E. el señor Sagastume, o el general Virasoro, o el general López Jordán (14).

Todo esto José de Caminos debía asegurar al general Urquiza en nombre del gobierno paraguayo, según Sagastume explicó a Carreras al informarle de la trascendental resolución que acababa de adoptar. Decía su nota:

Este gobierno que ha reunido ya y organizado en su mayor parte los elementos necesarios para hacer práctica la protesta del 30 de agosto, juzga indispensable conocer las disposiciones del general Urquiza para tomar en los nuevos sucesos una actitud clara, definida y conveniente. Cree que un pronunciamiento en favor del pensamiento de la liga iniciada por V. E. en su memorándum del 1º de agosto, facilitaría y aseguraría el éxito de nuestros esfuerzos, garantiendo el triunfo de los buenos principios.

Motivos de desacuerdos personales entre el general López y el general Urquiza, han impedido a este gobierno tomar la iniciativa de una reconciliación necesaria entre ambos personajes. He ofrecido mis relaciones amistosas con el general Urquiza, y aceptadas por el general López, he mandado con su asentimiento en misión privada y confidencial al señor Caminos que V. E. conoce y es de la confianza de ambos generales.

El señor Caminos lleva el encargo de asegurar al general Urquiza en nombre de este gobierno que si conviene en una alianza entre las Repúblicas Oriental y del Paraguay y las provincias de Entre Ríos y Corrientes, bien sea para segregar estas provincias del gobierno de Buenos Aires, o bien para reconstruir la antigua Confederación Argentina entre las 13 provincias que la formaban con exclusión de Buenos Aires, puede contar con todo el poder moral y material del Paraguay para luchar contra el Brasil y el general Mitre en las agresiones que hacen a la República Oriental o las que pudieran hacer contra Entre Ríos o Corrientes.

Sin embargo, seguía informando Sagastume, "con el general Urquiza o sin él", el Paraguay, a estar a las seguridades que le había dado el presidente López, entraría en acción tan pronto como las fuerzas del Brasil invadieran el territorio oriental, "aunque sea necesario para ello emprender una guerra de reconquista" (15).

Como credencial para el cumplimiento de su importante misión, José de Caminos llevó una carta del ministro oriental, en la que Sagastume se explayaba con Urquiza en los siguientes términos:

La demora del vapor, me permite el gusto de volver a escribir a V. E. y lo hago confiado en la bondadosa amistad con que me ha favorecido siempre, para recomendar a V. E. muy especialmente el señor Caminos.

(14) Memorándum de octubre 2, 1864, CARCANO, t. I, pp. 144-145.
(15) De Sagastume a Carreras, Asunción, octubre 21, 1864, AMREU, Legajo *Misión Vázquez-Sagastume, 1864.*

El va encargado de comunicar a V. E. asuntos que no pueden confiarse al papel.

Ruego a V. E. le dé crédito y se persuada que hay poderosos elementos que combinar para garantir el porvenir y el engrandecimiento de estos países.

La Providencia ha destinado a V. E. para custodiar y salvar los principios fundamentales de estas Repúblicas, y el curso de los sucesos y la fuerza de las cosas, vuelven a ofrecer a V. E. los laureles del año 50.

Comprendo que antes de combinar los medios que han de producir un gran resultado, es necesario el allanamiento de previas dificultades y la conformidad de pensamiento para unificar la acción.

Es para eso precisamente que el señor Caminos verifica su viaje. Si por fortuna para estos países V. E. acoge favorablemente la idea de una triple alianza, la realización del pensamiento será de fácil ejecución.

Para ese caso, si V. E. prefiriese que fuera yo personalmente a ver a V. E., iría munido de *doble* autorización para explicar y convenir en algo definitivamente, pero si V. E. creyese más conveniente caracterizar aquí una persona que represente las opiniones de V. E., puedo asegurar a V. E. que sería recibida con distinción y aprecio de buenos amigos, interesados en la realización de un gran pensamiento.

El señor Caminos dará a V. E. detalles importantes. A ellos me refiero. Espero la ansiada resolución de V. E. [16].

El emisario de tan importante encargo salió de Asunción el 13 de octubre de 1864. Apenas había permanecido cuatro días en la capital paraguaya.

8. Mucho se cuidó el gobierno paraguayo de ocultar las finalidades del viaje de José de Caminos. Ni el Cónsul en Paraná, José Rufo Caminos, fue avisado de los propósitos que conducían a su sobrino, limitándose Berges a avisarle que "Don Pepe" regresaba "llevando una comunicación del doctor Sagastume, ministro oriental, para el señor general Urquiza" [17]. Pero a su paso por Paraná Don Pepe no le ocultó a su tío el motivo de su viaje y le dio a conocer los planes que llevaba, con gran satisfacción de José Rufo quien veía, al fin triunfante, el pensamiento de la resurrección de la Confederación sin Buenos Aires no hacía mucho tiempo por él esbozado a Berges y que éste no quisiera tomar en consideración [18].

Escribió entonces:

Si se consigue que con bases seguras y serios compromisos por parte de este hombre (Urquiza), entrase en el proyecto demasiado bien concebido, podemos estar seguros del resultado favorable y de que nuestro país afianzará su autonomía, su felicidad y su progreso. La separación de Buenos Aires, como siempre ha sido mi opinión y lo sabe V. E., es lo único cierto que nos ha de traer la paz octaviana, que nos relevará de mantenernos con el fusil al hombro. No así la separación de Corrientes y Entre Ríos, porque entonces quedaría la Ciudad Rey siempre fuerte y con elementos para luchar con ven-

---

[16] De Sagastume a Urquiza, Asunción, octubre 13, 1864, CARCANO, t. I, pp. 142-143.

[17] De Berges a Caminos, Asunción, octubre 11, 1864, AMREP, I-22, 12, 1, Nº 177.

[18] CARDOZO, pp. 320-322.

taja sobre estas dos provincias, las que vencidas se unirán a los vencedores
y marcharían sobre nosotros llevándonos la guerra, que con ella asolarían
nuestro país, aunque salieran vencidos como es posible. Al enemigo, señor
Ministro es necesario anonadarlo una vez para siempre para que jamás se
levante, y hoy y antes de hoy he creído esta operación muy fácil de conseguirse; siendo el secreto tocar a este hombre ofreciéndole y dándole la Presidencia
de las 13 con que sueña, y que sólo la dejó por efecto de un vértigo de que
los hombres no estamos exentos en ciertas horas menguadas que ocurren en
la vida (19).

Nada traslució en *El Semanario* acerca de los planes que llevaba Caminos en su misión a San José, pero dijo lo suficiente para
dar a entender que el Paraguay esperaba alguna reacción favorable dentro de la República Argentina, al compás de las publicaciones periodísticas de Entre Ríos y Corrientes, muchas de las cuales eran transcriptas por el periódico de Asunción. Aún antes de
aparecer Caminos en Asunción, ya había estampado *El Semanario:*

Entre Ríos y Corrientes, fieles a sus tradiciones de libertad y justicia,
miran con interés palpitante los sucesos del Río de la Plata, condenando las
fatales tradiciones del Brasil, y dejan entrever sus recelos de la actitud irreso-
luta del Gabinete argentino.

Ciertamente esa política de indiferentismo en presencia de la gravedad
de la situación, no puede prestarse a conjeturas o deducciones las más favorables para el jefe que dirige los destinos de la Confederación.

...No obstante, es de esperar que el gobierno argentino meditará bien
sobre la actualidad, y obrará conforme a los sentimientos nacionales del gran
pueblo de Mayo, que aunque dividido en partidos políticos, en casos dados
se unirá como en 1810 a levantar muy alto ese gorro frigio que ciñe cabeza
americana en contraposición de coronas sostenidas con brillantes a costa del
sudor de los hijos del continente que nacieron (y serán siempre) libres e
independientes.

Y aunque para el Paraguay por sus circunstancias bonancibles será indiferente obrar solo, o bien acompañado en el sostén de una causa común a los
demás Estados del Plata; aunque no necesita el concurso extraño para una
lucha semejante; y a pesar de la justicia del principio que sostiene, es natural
suponer que precipitándose los sucesos no se encontrará solo en el campo del
honor combatiendo en defensa de derechos de sus propios hermanos (20).

Para Sagastume, la alianza de Urquiza no era factor indispensable para que el Paraguay entrara en la liza. Lo mismo se deducía
de las palabras de *El Semanario*. Aunque confiaba no estar sólo
en la emergencia, al Paraguay por sus "circunstancias bonancibles"
le era indiferente obrar sólo o acompañado, concepto que fue rati-
ficado ya después de haber partido Caminos en su misión a San
José. Dijo el vocero oficial:

La situación es grave. No hay duda pero tenemos fe en la justicia de
nuestra causa y en nuestras propias fuerzas.

(19)   De Caminos a Berges, Paraná, octubre 18, 1864, AMREP, I-30, 3, 56.
(20)   *El Semanario*, Asunción, octubre 1º, 1864.

El Paraguay no va a entrar en la lucha con el Brasil buscando la conquista ni predominio; va a defender la causa más sagrada, contra un invasor injusto, que, con el puñal en la mano, le asesta al corazón.

Así como ha marchado el Paraguay por sus propias inspiraciones en el terreno de su ascendente progreso, así también marchará solo, cuando sea necesario a combatir a todo el que hollare los santos principios del derecho, de la equidad, la razón y la justicia, pretenda hacer perder el equilibrio de los Estados del Plata, porque entre ellos está incrustado el Paraguay, también libre, independiente y soberano [21].

9.   Berges ratificó a todos sus corresponsales en el exterior que la determinación del Paraguay de hacer efectiva su protesta del 30 de agosto si el Brasil ocupaba territorio oriental, era inflexible, y no sujeta a condición alguna. A Lorenzo Torres, su viejo amigo de Buenos Aires, escribió en esta ocasión:

Efectivamente se le acerca al Paraguay una época solemne, porque si es cierto que las fuerzas brasileras ocupan el territorio oriental haremos efectiva nuestra protesta.

Para salir con honor de esta empresa, contamos con la moralidad y disciplina del ejército de la República y con el entusiasmo y la unión de los ciudadanos paraguayos, que hasta de los últimos rincones del país hacen oír su voz, ofreciendo al g. . .o sus personas y sus bienes para contener el desborde de la ambiciosa política del Brasil.

El vecino Imperio cuenta, sin duda, con más elementos que nosotros, pero nunca podrá contar con la voluntad y entusiasmo con que se presenta en masa el pueblo paraguayo para sostener la actitud de su gobierno y la dignidad nacional [22].

Alguna esperanza, sin embargo, tenía Berges de que el Brasil contestara la protesta del 30 de agosto. Pero se sucedían los correos y la respuesta no aparecía. El silencio del Imperio fue hecho notar por Berges como una muestra más de su política hostil. Y con ocasión de ese depresivo silencio salió a relucir el por momentos olvidado concepto de la necesidad de desechar el humilde rol que el Paraguay se le había hecho jugar hasta entonces. Casi en los mismos términos el 21 de octubre se dirigió Berges a Egusquiza, en Buenos Aires; a Brizuela, en Montevideo; a Caminos, en Paraná; y a Bareiro, en París:

Por lo demás, Vd. sabe la actitud que ha tomado nuestro gobierno en la cuestión brasileño-oriental, y puedo asegurarle desde ya, que nunca será tratada de vacilante la política de S. E. el señor Presidente López, si los brasileños ocupan el territorio oriental.

Por otra parte, es tiempo de desechar el humilde rol que hemos jugado en esta parte de América, porque esa prescindencia que siempre han hecho de nosotros para toda clase de cuestiones, con perjuicio tal vez de los intereses generales del Paraguay, está desautorizada con el adelanto y prosperidad de la República, y sobre todo por el entusiasmo y unión de sus habitantes [23].

(21)   *El Semanario*, Asunción, octubre 22, 1864.

(22)   De Berges a Torres, Asunción, octubre 21, 1864, Amrep, I-22, 12, 1, Nº 187.

(23)   De Berges a Egusquiza, Asunción, octubre 21, 1864, Rebaudi, p. 112 y Amrep, I-22, 12, 1, Nº 189-192.

Esta labor de difusión de los motivos de la política paraguaya también llegó hasta los partidarios de Flores, uno de los cuales, Senén Rodríguez, antiguo amigo de Berges, le había escrito para reprocharle amistosamente que el Paraguay, en la cuestión oriental, no se condujera como era de esperar con el partido colorado que había recibido bien a los agentes paraguayos y al mismo Berges cuando éste estuvo en 1851 en Montevideo comisionado para concertar la adhesión de su país a la guerra contra Rosas. Berges aceptó entablar correspondencia con su antiguo amigo y le escribió para rectificar sus apreciaciones y, de paso, señalar que ningún acuerdo existía con el partido blanco.

El gobierno paraguayo no distingue partidos. Son iguales blancos o colorados, y sólo emplea sus esfuerzos por la tranquilidad del pueblo oriental, por la autonomía de ese Estado y por la integridad de sus territorios.

Permítame V. recordarle, que el gobierno del señor Berro era legítimamente constituído, y el del Paraguay, partidario del orden y de la legalidad, no podía mostrar simpatías y menos trabajar en favor de la rebelión encabezada por el general don Venancio Flores.

Si un día vienen constitucionalmente los colorados al poder, el gobierno del Paraguay hará por ellos lo que hoy hace por los blancos.

Rodríguez le había transmitido la noticia de que el Imperio del Brasil se aprestaba a declarar la guerra al Paraguay. Con ese motivo Berges se explayó:

Ya conoce V. la actitud que mi gobierno ha creído deber tomar en esta cuestión. Si el Imperio ocupa el territorio del Uruguay, este gobierno hará efectiva su protesta, y entonces el conflicto es inevitable.

También como amigo, debo manifestar a V. que creemos llegado el tiempo de no aceptar el rol ínfimo que hemos jugado y que en adelante queremos tomar parte en los acontecimientos del Río de la Plata.

Esa prescindencia que se ha hecho siempre de nosotros, la consideramos hoy desautorizada por el adelanto y la prosperidad a que ha llegado la República, por los elementos con que cuenta, y sobre todo por el entusiasmo y la unión de sus hijos, agrupados siempre alrededor de su bandera.

Hubiéramos deseado continuar nuestras buenas relaciones con todo el mundo, porque el Paraguay debe su prosperidad a la paz y al orden de que ha gozado por tantos años; pero la política ambiciosa del Brasil habrá turbado, si no retrocede, nuestra paz de medio siglo, y habrá quebrado nuestra política tradicional.

Ningún esfuerzo me cuesta creer la noticia que V. se sirve transmitirme de que el Brasil va a declarar la guerra al Paraguay, pues siempre hemos pensado que la absorción del Estado Oriental era sólo una escala de descanso para llegar al Paraguay.

Por lo que le escribo, conocerá V. que no estamos descuidados, y que recién hoy pueden explicarse Vds. el motivo del fuerte reclutamiento que se ha hecho en el Paraguay, con el fin de prevenir las miras agresivas del vecino Imperio (24).

(24) De Berges a Rodríguez, Asunción, octubre 21, 1864, AMREP, I-22, 11, 1, Nº 188.

10.   Mientras tanto se hacía cada vez más evidente que el Paraguay, ni aún con el agravamiento de la crisis, quería saber de acuerdos con el gobierno de Montevideo, como no fuera por la vía de una triple alianza en que el general Urquiza al frente de sus provincias fuera el lazo de unión. Pero aunque en Asunción se vivía pendiente de los resultados de la gestión encomendada a Caminos, no se condicionaba la futura acción paraguaya al éxito del comisionado confidencial despachado a San José. La determinación de marchar aun cuando fuera "solo" al encuentro de los acontecimientos, continuamente anunciada por *El Semanario,* descorazonaba a Sagastume, cada día más inquieto por la ninguna importancia que se daba a su gobierno en los planes de López. Decidió entonces pedir nuevamente la ayuda militar y financiera ya sin esperar los resultados de la misión Caminos, y al mismo tiempo sugerir que el Paraguay se adelantara a atacar en sus fronteras al Brasil, sin previa declaración de guerra.

En un extenso memorándum, fechado el 28 de octubre de 1864, con gran alarde de sutilezas diplomáticas y de planteos estratégicos fantasiosos, Sagastume desplegó el panorama que se presentaba al Paraguay, a su juicio, el más promisor para el triunfo de la causa común, si, de una vez por todas, el presidente López se decidía a tomar la iniciativa. Reconocía Sagastume que Urquiza, a pesar de estar llamado por sus antecedentes y conveniencias a cooperar en la empresa, podía fluctuar en esos momentos, por el flanco que abría a Entre Ríos la dominación del Uruguay y del bajo Paraná por los buques brasileños, en combinación con los de Buenos Aires.

Pero cuando el general Urquiza se penetra de la verdad de las cosas, y vea los irresistibles elementos que el Paraguay pone en acción, y se convenza de la impotencia del Brasil y Buenos Aires, para invadir la provincia de Entre Ríos, teniendo sus fuerzas comprometidas en la cuestión oriental, es seguro que, palpando las probabilidades de triunfo para la buena causa, si no se ha pronunciado todavía en su favor, se apresurará a hacerlo, para no perder la importante posición que los sucesos podrían darle.

De todos modos, con o sin Urquiza, todas las ventajas, a juicio de Sagastume, estaban de parte del Paraguay, "como está de su parte el honor y la gloria y estará el aprecio de los pueblos y el aplauso de la historia". Pasaba luego el memorándum de Sagastume a examinar los aspectos técnicos de las operaciones militares. Si la República Oriental conservara en pie los elementos que aún le restaban para su defensa, las operaciones quizás serían de más rápida decisión. Pero sus fuerzas, diseminadas, nada podían y eran incapaces, por sí solas, de resistir el empuje del ejército imperial, y aún el de Flores. Otra sería la situación si recibiera del Paraguay un auxilio inmediato y previo de cuatro mil hombres, que destinados a la custodia de Montevideo, permitiría a las fuerzas del gobierno hacer frente a los enemigos con mayores ventajas. La expedición paraguaya tendría que viajar en los barcos de la escuadra de este país. Podrían pasar por Martín García sin ser advertidos, pero en caso contrario no sería probable que argentinos y brasileros pretendieran desconocer el derecho con que la bandera paraguaya navegaba hacia Montevideo. Si se creyera peligroso el regreso de los barcos paraguayos, podrían quedar en Montevideo, "bien formando parte del auxilio que recibiera el gobierno oriental, bien adquiriendo la dirección de ellos por enajenación, arrendamiento u otro medio legal". A juzgar el Paraguay de mejor política llevar por sus fronteras el escarmiento al Brasil, el gobierno de Montevideo tendría que reducirse a la defensa de esa ciudad. En cualquiera de los casos tropezaría con los embarazos de la situación financiera. Se estaba gestionando un considerable empréstito en Europa, pero hasta tanto se lo hiciera efectivo, un subsidio paraguayo de 80.000 a 100.000 pesos mensuales facilitaría y aumentaría la resistencia oriental. El Brasil, previendo los peligros que pudiera correr con la expedición de auxilio, se apresuraría a desenvolver los sucesos de manera a no dar tiempo a la acción del Paraguay. Si sucumbiera la República Oriental, la misión del Paraguay tendría más dificultades que vencer. El gobierno oriental no omitiría sacrificios para conservar la enseña de la nacionalidad, pero para asegurar el éxito de la empresa era necesario proceder con la misma prontitud con que se desenvolvían los sucesos.

La actualidad es suprema y decisiva tal vez.

La movilización sobre el Brasil de las fuerzas paraguayas en estos momentos, sería un golpe de muerte para el Imperio.

Dentro de un mes, ¡Dios sólo sabe la naturaleza de los inconvenientes que pueden surgir!

Una declaración de guerra al Brasil, previa a las declaraciones, pudiera ocasionar precipitación por su parte para tomar defensiva ventajosa y ganar así posición.

El gobierno del Paraguay estaría en su derecho para invadir al Brasil en silencio. Lo ha anunciado ya en su protesta y en la contestación a la nota de la legación brasilera de esa referencia. Con el primer golpe al Imperio una manifestación al mundo justificaría su derecho. El general López libertaría así a la República Oriental, garantiendo el porvenir de su propia patria, cubriría su sien de gloriosos laureles y la historia de estos países tributaría a su nombre dignos y merecidos aplausos (25).

Sin contestar el memorándum de Sagastume, el presidente López y su estado mayor se trasladaron en la noche del 30 de octubre al gran campamento de Cerro León donde su ejército estaba alistándose para la hora de la acción.

(25) Memorándum de octubre 28, 1864, BAEZ, t. II, pp. 172-177.

LOPEZ EN CERRO LEON

1. Comenzó el mes de noviembre de 1864 con López en el campamento de Cerro León. Allí, al frente de sus ejércitos en febril tren de organización y entrenamiento, se puso a la espera de los acontecimientos. De las noticias que llegaran del sur dependía el destino del Paraguay y el suyo propio. La invasión del territorio oriental por el Imperio sería la guerra: ello estaba decidido. Pero esa noticia no era la única que podían traer los correos del Río de la Plata y que López esperaba, minuto a minuto, con ansiedad poco disimulada. Desde Paraná, el emisario José de Caminos debía despachar un chasque extraordinario apenas Urquiza aceptara cualquiera de los tres planes que fuera a proponerle para hacerse efectiva la tan demorada alianza del Paraguay con el poderoso jefe entrerriano. Ciertamente que López estaba resuelto a seguir adelante, con o sin el apoyo de Urquiza, pero cuán distinto sería el camino que se le abriría a los ejércitos paraguayos si se produjera ese pronunciamiento...

De la nerviosidad de esos días trascendentales quedó minuciosa constancia documental. Berges permaneció en Asunción y desde allí, dos veces al día por lo menos, despachó mensajeros especiales, aprovechando los viajes de la locomotora o mediante chasques terrestres, con misivas donde se registraban las novedades. El presidente López, a su vez, utilizaba los mismos conductos para transmitir por escrito sus instrucciones, impresiones y noticias, no sólo a Berges sino también a los demás ministros, especialmente al de guerra y marina, su hermano el coronel Venancio López. En esos mensajes y sus respuestas, concisos y nerviosos, se historiaron las esperanzas, las inquietudes, las decepciones y las resoluciones del gobernante paraguayo en esas vísperas trascendentales.

2. Dando por cierta la íntima conexión entre Washburn y el nuevo representante brasilero, Berges señaló, en su primer mensaje a López, como una prueba del interés que el traslado del presidente a Cerro León suscitaba en la legación imperial "y su círculo", la visita que le hizo el ministro norteamericano. Washburn le preguntó si López demoraría en Cerro León y Berges le dio una contestación evasiva. "Me parece —comentó Berges en su informe— creen que V. E. va a movilizar tropas sobre la izquierda del Paraná". Se extendió luego el diplomático yanqui a hablar del Brasil que, a su juicio, no era suficientemente fuerte para extender la monarquía al Estado Oriental, como seguramente le sugirió el canciller paraguayo en el curso de la conversación. Le preguntó entonces Berges si tenía noticias del viaje del ministro Lisboa a Europa, comisionado por el gobierno brasilero para continuar la misión de los marqueses de Santo Amaro y de Abrantes, de años atrás, con vistas a monarquizar "esta parte de América". Washburn replicó que había visto esa versión como producción del periodismo de la oposición al Brasil, y evidentemente interesado en agotar investigaciones sobre un punto que debía preocupar mucho a su gobierno, preguntó a Berges si tenía alguna certeza sobre ese importante asunto a fin de informar al Departamento de Estado.

Pero el canciller paraguayo sabía tanto de la misión Lisboa como su interlocutor, pues toda su información emanaba de los diarios de Montevideo. No obstante, satisfizo la curiosidad de Washburn asegurándole que estaba siguiendo los hilos y la tendencia de la misión atribuida a Lisboa y que pondría especial interés en informar al ministro norteamericano sobre los resultados de sus investigaciones. Y le dijo más:

V. cree y conoce los sucesos de Méjico, las tentativas de España sobre el Perú. ¿Por qué no cree las tendencias monárquicas sobre el Estado Oriental del Uruguay, hoy que el gobierno argentino se presta dócil a las miras del Brasil, siendo el general Flores un instrumento ciego del gabinete imperial?

Repuso Washburn que si efectivamente el Brasil tratara de anexar al Estado Oriental tendría la oposición del propio gobierno argentino. Le contestó Berges que "poco contábamos con el modo de pensar del gobierno argentino, pero que teníamos confianza y mucha fe en el sentimiento patriótico del pueblo de Buenos Aires y de todas las provincias de la Confederación Argentina".

Mudó entonces Washburn de tema y abordó lo que era, en realidad, el objeto de su visita a Berges, entablándose un diálogo que Berges transcribió textualmente en su informe a Cerro León:

WASHBURN. — Pero llegado el caso, ¿por dónde conducen Vds. sus tropas al Estado Oriental?

BERGES. — Por tierra o por río. Los ríos son mares y el territorio por donde puede pasar el ejército paraguayo es nuestro, o cuando más, es contestado.

WASHBURN. — No quiero disputar el derecho de Vds. sobre ese territorio, pero este derecho contestado puede servir de un pretexto para que el pueblo de Corrientes, de Entre Ríos y la República Argentina protesten como una violación y les declaren la guerra.

BERGES. — Y si la provincia de Corrientes, de Entre Ríos, y la República Argentina simpatizan con nosotros en los principios de una guerra justa en sostén de una república débil, vecina y con las mismas instituciones que nosotros, en contra de una monarquía esclavócrata, sin duda nos prestarán su auxilio para llevar adelante esta humanitaria empresa, que sea cual fuese su resultado honrará siempre al pueblo paraguayo y a su gobierno.

Creyó Berges que esta última contestación desorientó a Washburn quien terminó diciendo que esperaba que el próximo paquete trajera la noticia de que Flores se había apoderado de Montevideo. Le repuso Berges que ésa sería una noticia desagradable para los paraguayos y también para Washburn, como americano y como representante de "la más demócrata de las Repúblicas", porque no cabía equivocarse: si Flores llegaba al poder con los auxilios del Brasil, no sería sino un teniente del Imperio. Y añadió:

—Lo que deseamos saber es cómo piensa el gobierno de Estados Unidos, puesto que yo le he tenido (informado) de todos los conocimientos del Río de la Plata en que ha tomado parte mi gobierno.

Washburn contestó que había enviado todas las noticias a su gobierno, pero que no tenía una resolución. Así terminó la visita y Berges creyó muy probable que al salir del ministerio Washburn tomase el camino de la legación imperial. Se cuidó mucho Berges que la relación de la conferencia llegase a López con exactitud, para lo cual, apenas salido de su oficina Washburn, tomó los apuntes de la conversación (1).

3. "Usted ha comprendido la cosa en su verdadero valor", escribió López a Berges apenas se enteró de la conversación con Washburn. Y como Berges anunciaba no hallarse con buena salud, López envió hasta él, desde Cerro León, a su ayudante el mayor Alén para informarle que acababa de llegar un chasque extraordinario despachado desde Montevideo con varias sensacionales noticias, la primera de todas, que había comenzado la invasión brasilera, y otra, no menos importante, que Urquiza se había pronunciado contra Mitre. Pero evidentemente no se trataba de noticias oficiales, sino de rumores, pues López comentaba:

Si como se dice, el general Urquiza ha negado obediencia al gobierno nacional, pronto tendremos el chasque que del Paraná aguardamos (2).

(1) De Berges a López, Asunción, noviembre 2, 1864, AMREP, I-30, 13, 46.
(2) De López a Berges, Cerro León, noviembre 2, 1864, AMREP, I-30, 12, 8.

Ese mismo día recibió el ministro Sagastume noticias de Montevideo que consideró de la mayor importancia pero no se referían a la invasión del territorio oriental, ni al pronunciamiento de Urquiza, sino a un serio entredicho entre el comandante de las fuerzas navales del Brasil en el Río de la Plata, barón de Tamandaré, y el cuerpo diplomático que parecía dispuesto a no permitir que el Imperio cumpliera sus amenazas al gobierno oriental. Aunque no fueran esas precisamente las noticias esperadas, Berges envió un chasque extraordinario a Cerro León para transmitir las informaciones, las cuales motivaron calurosas felicitaciones del ministro de guerra y marina, coronel Venancio López, para su hermano y presidente:

> Aun cuando no estoy todavía en conocimiento de toda la noticia que lleva este chasque, si no en lo que el señor Berges me ha comunicado a la ligera, me congratulo en tener que felicitar a V. E. por tan feliz suceso mediante la acertada política de V. E. en favor de aquella desgraciada República, nuestra hermana. Para no distraer más tiempo a V. E. en sus inmensas ocupaciones excuso ser más extenso y repito mis felicitaciones de todo corazón a V. E. que con tal política V. E. va a plantar otro árbol más de laurel de gloria en la historia de la patria (3).

Aunque el chasque de Paraná con la noticia oficial del pronunciamiento de Urquiza, esperado por López, no apareció, dos días después Sagastume informó a Berges que "tenía noticia que el general Urquiza estaba muy animado y decidido a combatir las fuerzas orientales, caso que entren en el Estado Oriental", lo cual motivó otro mensaje de Berges a López (4). Pero las noticias que se acababan de recibir de Brizuela no eran muy alentadoras respecto de la posible actitud de Urquiza. Pensaba que solamente "si el Paraguay se mueve, él a su sombra se pronunciará", si bien nada confiaba en "este hombre" y no depositaba "ninguna fe en su política ni en sus compromisos" (5).

Como transcurrían los días y nada se sabía de los resultados de la misión encomendada a José de Caminos, Berges ideó un procedimiento encaminado a forzar el pronunciamiento de Urquiza, o en todo caso neutralizar su eventual oposición al movimiento contra Buenos Aires, utilizando para el efecto al general Virasoro que guardaba muy buenas relaciones con el gobierno paraguayo. Proyectó una nota con instrucciones al cónsul José Rufo Caminos que envió en consulta al presidente López (6). En el día éste dio aprobación al borrador de la nota a Caminos, y lo devolvió a Berges "con algunos apuntes que servirán para ampliar y precisar los conceptos".

(3)   De V. López a López, Asunción, noviembre 2, 1864, AGNP, Vol. 1022, p. 45.
(4)   De Berges a López, Salinares, noviembre 4, 1864, AMREP, I-30, 13, 46.
(5)   De Brizuela a Berges, Montevideo, octubre 15, 1864, AMREP, I-29, 32.
(6)   De Berges a López, Asunción, noviembre 4, 1864, cit.

4. López creyó llegado el momento de dar a conocer a Sagastume su resolución adversa a las propuestas de su memorándum del 28 de octubre. "Yo no he tenido tiempo de redactar una contestación —instruyó a Berges— pero sírvanle para ello las siguientes observaciones". Y a continuación venía la opinión de López, que Berges debía exponer a Sagastume en conferencia verbal, quedando autorizado a dar copia de esos apuntes, sin forma oficial ni firma:

Definida la posición del Paraguay por su Protesta del 30 de agosto con el gobierno imperial y por su nota de la misma fecha a la legación oriental, nada ha ocurrido todavía de nuevo que le aconseje o permita alterar las convicciones que se impuso para su participación efectiva en la lucha que desola aquella República, amenazando la independencia y soberanía, sin incurrir en la apreciación de precipitación o inconveniencia. Necesita para ello la participación oficial del gobierno oriental de que las fuerzas brasileras han invadido el territorio oriental, a cuyo gobierno no puede faltarle los medios de hacer esa participación, sin demora y por vías independientes de los paquetes nacionales, empleados regularmente en la carrera del Plata.

Aun sobreviniendo las condiciones que el gobierno paraguayo se ha impuesto para su acción efectiva, los medios que se indican en las mencionadas consideraciones, no pueden merecer su aprobación en la parte que le toca:

1º El envío de dos a cuatro mil hombres para la ocupación y defensa de la ciudad de Montevideo y hacer así disponibles todas las fuerzas orientales para combatir la revolución Flores, y la invasión del Brasil, no es conveniente porque no sólo esas fuerzas se consideran insuficientes a este doble objeto, sino que debe también considerarse prácticamente imposible la llegada de cuatro mil hombres por agua a Montevideo. Para esto se necesitaría veinte vapores o transportes regulares que el predominio de las fuerzas navales del Brasil en el Río de la Plata hace imposible, no pudiendo considerarse neutral en este caso la bandera paraguaya.

Por otra parte, no es imaginable que veinte buques con cuatro mil hombres de desembarco a su bordo *tal vez pudieran* como se dice en las consideraciones pasar inapercibidos el estrecho de Martín García.

Aunque en esas mismas consideraciones se admite como incierto el regreso de estos buques, por la preponderancia marítima del Brasil, se apunta el único expediente de encerrar esas fuerzas navales en el puerto de Montevideo, en el caso más favorable, o enajenar o alquilarlos al gobierno oriental, falto de todos los recursos. Esta combinación no puede admitir consideración seria de ninguna clase, como se evidencia por sí misma, y el Paraguay se privaría de su marina de guerra para sus medios de defensa y movimientos fluviales, inhabilitándose para toda acción efectiva contra el Brasil, y dejaría abierto el litoral a los insultos del enemigo.

Tampoco consideró López admisible el auxilio pecuniario. La posición topográfica del Paraguay hacía inevitable una estagnación de todas sus rentas al principiar la guerra "que puede estallar con el Brasil y aún con la Confederación Argentina", y ante tal eventualidad no debía deshacerse de sus recursos. Del mismo modo rechazaba la idea del empréstito exterior, por ser contrario "a las tradiciones del sistema de hacienda paraguayo". Terminaban los "apuntes" del presidente López:

La posición aislada del Paraguay en la cuestión oriental no es la obra de su gobierno, y sus causas se denunciaron francamente al señor Sagastume en la nota del 30 de agosto; no le cabe por consiguiente responsabilidad alguna si la posición de la actualidad de la República Oriental, empeora por la invasión brasilera que se dice debió tener lugar, y de que estaría ya informada la Legación oriental por el chasque paraguayo que acababa de recibirse.

El gobierno paraguayo seguirá en el programa de su política de la Protesta del 30 de agosto, con la lealtad, la energía y firmeza que constituyen el principio de su administración pública. El gobierno oriental tiene que juzgar si le conviene manifestar su explícito asentimiento y acuerdo como soberano territorial por la solicitud de una intervención armada o por otros medios que su sabiduría le aconseje (7).

5. Se mantenía imperturbable el general López en su determinación de no ensartarse en combinaciones con el gobierno de Montevideo. Aunque dejaba una puerta abierta por donde el Uruguay podía, como soberano territorial, dar asentimiento a la intervención armada del Paraguay, ésta se produciría, y ello era una resolución irrevocable, independientemente de cualquiera solicitud oriental, como resultado del eventual cumplimiento de las condiciones de la protesta del 30 de agosto, es decir, tan pronto las fuerzas brasileras invadieran el territorio del Estado Oriental. Y aún así, la actitud paraguaya dependería del cumplimiento de una mera formalidad, como sería la comunicación oficial de haberse ya producido tal acontecimiento. Por lo demás, ni una palabra sobre la participación de Urquiza. ¿López ya la descartaba? En cuanto al modo de manifestarse la intervención efectiva del Paraguay, quedaban eliminadas, por razones que a López le fue muy fácil articular como fácil le había sido a Sagastume formular sus fantasiosas proposiciones, la expedición fluvial y la ayuda pecuniaria. ¿De cuál otro modo podría el Paraguay cumplir su conminación al Brasil? ¿Enviaría una expedición terrestre? ¿Atacaría la frontera brasilera del norte? ¿O escogería otro procedimiento? Nadie lo sabía. Menos que nadie el ministro del Brasil que escribió días antes:

Dentro de pocos días deberá llegar aquí la noticia, que ansiosamente espero, de la entrada de nuestras fuerzas en la Banda Oriental. Sólo entonces podremos saber lo que López se dispone hacer, manteniendo hasta ahora en perfecto secreto el modo como pretende llevar a efecto la amenaza contenida en su protesta (8).

6. Antes de dar a conocer a Sagastume la respuesta de López y de enviar a Caminos las nuevas instrucciones, el 5 de noviembre, Berges visitó a López en el campamento de Cerro León. Le acompañó el ministro de Prusia, Herman Friedrich von Gülich que regresaba a Buenos Aires donde tenía la sede de su representación. Después de conocer el nuevo acantonamiento, Berges quedó entusiasmado y transmitió sus impresiones a Bareiro:

(7) De López a Berges, Cerro León, noviembre 4, 1864, BAEZ, t. II, pp. 225-227.
(8) De Vianna a Carneiro, Asunción, octubre 20, 1864, LOBO, t. II, p. 71.

Ayer estuve en el campo de Cerro León, a visitar a S. E. el Sr. Presidente y le confieso regresé con las más gratas ilusiones al volver a ver esos hermosos lugares (en lontananza las azuladas sierras de Santo Tomás y Paraguarí), de que conservo tan gratos recuerdos. En particular llamó mi atención esa enorme masa de soldados, que componen catorce batallones de infantería de reclutas (700 a 800 plazas) ya muy adelantados, armados y uniformados, dos de veteranos instructores, dos dichos de zapadores, que están formando magníficos estanques, saltos y cascadas artificiales. Doce regimientos de caballería, reclutas, uno de instructores, etc. Total más de veinte mil hombres entre militares, artesanos, comisaría, hospital e ingenieros. Se está haciendo una casa de convalecencia arriba en la Cordillera. En fin, es sin duda el mejor cuartel de Sud América (9).

7.   La primera tarea de Berges, apenas reintegrado a Asunción, fue comunicar al cónsul José Rufo Caminos, las nuevas instrucciones aprobadas por López sobre el trato a proponerse al general Benjamín Virasoro. Caminos debía comunicarse con Virasoro, residente entonces en Rosario, para decirle, de parte del presidente López, que era llegada la ocasión de trasladarse a Corrientes a fin de mover a sus amigos políticos para cambiar los destinos políticos de la provincia.

La ocasión no puede ser más propicia. El general debe levantar su bandera con el honroso motivo de sostener la autonomía del Estado Oriental amenazada por la política de absorción del Imperio vecino, mostrando al mundo que si el gobierno del presidente Mitre es pasivo observador de este atentado, y tal vez en connivencia con el gobierno del Brasil, él como general argentino no puede mirar con indiferencia los azares y el peligro que corre una República hermana y vecina.

Ese pronunciamiento debía efectuarse inmediatamente, apenas se recibiera la noticia de la ocupación o invasión del territorio oriental por fuerzas brasileras. Tal circunstancia le ofrecería un motivo plausible, nacional y honroso, para derribar al gobierno de Corrientes, que le valdría no sólo el concurso de sus partidarios, sino también de muchos que hasta entonces se confesaban sostenedores del gobernador, "criatura de la política antinacional del general Mitre". Caminos tenía que hacerle saber a Virasoro, que apenas se efectuara el pronunciamiento y se le viera a la cabeza de una reunión respetable y popular, el Paraguay lo secundaría y a una invitación formal suya haría pasar una fuerza suficiente para encarar todas las consecuencias que pudieran emanar de ese acto. El movimiento debía producirse sin pérdida de tiempo, cualquiera fuera el resultado de "los negocios de San José", de donde se estaban esperando noticias de Don Pepe Caminos. Y si el general Urquiza quisiera retardar el pronunciamiento, habría que provocarlo, "porque los negocios pueden precipitarse y es necesario estar expedito". En el Paraguay se preveía

(9)   De Berges a Bareiro, Asunción, noviembre 6, 1864, AMREP, I-22,12,1, Nº 198.

incluso la oposición de Urquiza que, en el concepto de Berges, no
sería obstáculo para llevar adelante el plan.

> Si Urquiza no apoya y se opone de hecho al pronunciamiento de Corrien-
> tes, el general Virasoro debe contar con una cooperación tan efectiva que
> inutilizará cualquiera oposición de Entre Ríos.

A haberse ya efectuado el pasaje de los brasileros al Estado Oriental o si una hostilidad abierta hubiera tenido lugar, como hacía suponer la circular del barón de Tamandaré, la acción del general Virasoro debía ser rápida y sin pérdida de momento. El pronunciamiento tenía que aparecer como un movimiento espontáneo de todos
los pueblos de un mismo origen y de iguales instituciones para contener los avances y tendencias de una monarquía. Berges estimaba
conveniente una entrevista personal con Virasoro. En breve el general López se trasladaría a Humaitá, con el mismo objeto que le
llevó a Cerro León, donde "hay más de veinte mil hombres, todos
jóvenes, y según me informan están con ganas de probarse el brazo".
Berges iba a acompañarle y en ese caso haría una visita a Corrientes,
donde esperaba encontrar ya a Virasoro, que "podía colorir su arribo a esa ciudad" con el pretexto de ofrecer ganado para el abasto de
las fuerzas paraguayas.

Tales eran las instrucciones que Berges envió a José Rufo Caminos, recomendándole actividad y patriotismo en el desempeño de
la importante comisión. Nada se le decía de las bases que José de
Caminos estaba encargado de promover en Entre Ríos ni había una
sola palabra acerca de esta misión. Pero con motivo de haberle escrito José Rufo Caminos el 18 de octubre sobre las ideas que su sobrino llevara a San José —que siempre habían contando con la aprobación del cónsul en Paraná si se trataba de revivir la Confederación
de las 13 provincias— Berges se refería a las mismas para darle a
conocer la opinión del gobierno paraguayo, la misma que José de
Caminos debía transmitir a Urquiza. Decía al respecto:

> Me he fijado muy especialmente en lo que dice V. S. sobre la separación
> aislada de Corrientes y Entre Ríos, o sobre la separación de Buenos Aires
> de las trece provincias, cuya presidencia es el desiderátum del general Urquiza.
> Contestando este punto, debo decir a V. E. que si el general Urquiza se pro-
> nuncia contra el gobierno nacional con el motivo tan puro y santo de sostener
> a la débil República Oriental contra la ambiciosa política de una monarquía
> esclavócrata, nosotros le sostendremos con los poderosos elementos con que
> cuenta el Paraguay, sirviendo así las miras que él pueda tener sobre la presi-
> dencia de las treces provincias (10).

8.   En otras comunicaciones al exterior, que debía llevar el *Paraguari* Berges se expidió sobre los principales puntos de la actualidad. A Brizuela le dio su opinión sobre las noticias de la prensa

_____

(10)   De Berges a Caminos, Asunción, noviembre 6, 1864, AMREP, I-22,12.1,
N9 193.

platense, según las cuales el ejército brasilero en Río Grande alcanzaba a ocho mil hombres. Si ese ejército no era remontado, le parecía a Berges escaso para invadir un país donde no encontraría ninguna simpatía, y "cuando se asegura que el general Urquiza está decidido a combatir al ejército brasilero, aunque sólo sea con los recursos de Entre Ríos, si pisa el territorio oriental". También le decía haberse visto con satisfacción el rechazo del cuerpo diplomático de Montevideo de las "pretensiones absurdas y ridículas" del barón de Tamandaré, sobre visita y policía de los buques mercantes, lo que hacía suponer que "la hostilidad del Brasil con el nombre de represalias, no pueden ir adelante". Le informaba que el presidente López se encontraba en Cerro León, organizando tropas, y que en ese campamento había más de veinte mil hombres, "todos jóvenes y ya bastante instruidos y bien disciplinados, y, según me informan, muy deseosos de que llegue el día de la prueba para demostrar su valor y patriotismo". Y agregaba:

No es en vano, pues, que la República Oriental cuenta con el Paraguay como el más robusto apoyo de su actualidad (11).

Al agente en Buenos Aires, Berges informó que López pronto se trasladaría a Humaitá para visitar las fuerzas allí concentradas y que se esperaba la noticia de la invasión del Uruguay por las fuerzas brasileras, con lo cual habría llegado el momento de la intervención paraguaya. Se le prevenía a Egusquiza que en el caso de rompimiento de hostilidades con el Brasil, no era intención del Paraguay embarazar el comercio lícito de las posesiones brasileras del Alto Paraguay, propósito que debía guardarse con sigilo. También se le instruía que para el caso de que no le fuera posible al *Paraguarí* regresar al puerto de Asunción, debía mantener al gobierno paraguayo enterado de los acontecimientos del Río de la Plata, por todos los medios a su alcance (12). Esta última recomendación también fue impartida al Cónsul General en Paraná (13).

A Lorenzo Torres preguntó Berges si era verdad que el gobierno argentino había accedido inmediatamente a la demanda del barón de Tamandaré de visitar y policiar los buques mercantes, "cuya absurda y peregrina pretensión rechazaron en masa y con energía todos los agentes extranjeros residentes en una y otra orilla del Plata".

Si es cierto —agregaba Berges— esta condescendencia, el gobierno argentino ha dado un paso falso, muy inconveniente que le cubrirá del ridículo y le traerá el desprecio de todos los estadistas.

(11) De Berges a Brizuela, Asunción, noviembre 6, 1864, AMREP, I-22,12,1, Nº 125.
(12) De Berges a Egusquiza, Asunción, noviembre 6, 1864, AMREP, I-22,12,1, Nº 189, 190, 191 (tres cartas).
(13) De Berges a Caminos, Asunción, noviembre 6, 1864, AMREP, I-22,12,1, Nº 192.

Berges también aludió a los "insultos, y calumnias" que la prensa de Buenos Aires dirigía al pueblo paraguayo y a su gobierno "por la actitud honrosa y caballeresca que ha tomado en la cuestión brasilera-oriental, parándose frente a un Imperio esclavócrata (que tal vez su poder sea sólo un fantasma), en apoyo de la autonomía de una República de su mismo origen y las mismas instituciones que nosotros". No podía explicarse Berges lo que Torres le decía, "que esa prensa no representa la opinión del país, sino la del gobierno", y agregaba:

> Poco debemos esperar de ese gobierno, puesto que es casi indudable se halla de acuerdo con el Brasil, pero mucho, y lo digo con fe, del ilustrado pueblo de Buenos Aires y de las otras provincias argentinas, que han unido ya su voz a la nuestra, para anatematizar la ambiciosa política brasilera.
>
> Si fuerzas del Imperio invaden el territorio oriental, las nuestras serán movilizadas inmediatamente. Y si Corrientes y Entre Ríos simpatizan con los principios del gobierno paraguayo en una guerra tan justa, se unen a nosotros, no será entonces chica la polvareda, que se levante en Buenos Aires contra la política de abstención del Presidente Mitre.

Era informado Torres, al par que los demás corresponsales de Berges, que "por todas partes se despliega una actividad admirable en equipar, uniformar y movilizar tropas hacia las fronteras, porque creemos que el Brasil no dejará de invadir el Estado Oriental, y en ese caso, habrá llegado el momento solemne para el Paraguay" ([14]).

Para la Legación en París las informaciones fueron del mismo tenor. Además se le decía a Bareiro:

> El conflicto brasilero-oriental que atendiendo a las últimas noticias del Río de la Plata, bien pronto debe tomar un aspecto más serio convirtiéndose en una guerra abierta, nos llevará como V. S. sabe hacer efectiva la Protesta del 30 de agosto.
>
> Se nos prepara, pues, una época solemne, estamos dispuestos a afrontarla, y espero que saldrá ileso el honor y la dignidad nacional.
>
> Desde que estalló la guerra civil en los Estados Unidos, el resto de la América entera ha sido convulsionado por extrañas e inesperadas cuestiones. Tales han sido las que precedieron a la instalación del nuevo Imperio en Méjico, las que actualmente se desarrollan en el Pacífico, y las que han traído el conflicto brasilero-oriental, en que el gobierno de la República se ha visto en el penoso deber de intervenir con el único propósito de conjurar los males que amenaza traer a los demás Estados de esta parte de la América ([15]).

9. Aunque por este mismo correo López despachó la carta para Carreras en que rechazaba una vez más, todo plan de inteligencia con el Estado Oriental, Berges no quiso adelantarle a Sagastume la negativa a sus proposiciones del 28 de octubre. Esperó la salida del paquete para hacerlo, a fin, seguramente, de que la re-

([14])   De Berges a Torres, Asunción, noviembre 6, 1864, AMREP, I-22,12,1, N° 197.

([15])   De Berges a Bareiro, Asunción, noviembre 6, 1864, AMREP, I-22,12,1, N° 450.

solución del gobierno no fuera considerada como definitiva. Por su
parte, el ministro oriental infirió cándidamente conclusiones que le
llenaron de optimismo, de ciertas preguntas que le formulara el canciller. Berges le había inquirido sobre la forma como pensaba el gobierno de Montevideo salvar las dificultades que con seguridad opondría la escuadra imperial al envío de los socorros paraguayos por la
vía fluvial, de donde dedujo Sagastume que si se lograra seguridad
para el tránsito de los 4.000 hombres solicitados para guarnecer la
plaza de Montevideo, éstos serían enviados. Sugirió a Carreras:

> Si el ministro de Italia, o cualquiera otro representante de naciones ex-
> tranjeras que tienen fuerzas navales en el Río de la Plata, acompañase con
> buques de guerra el paso del Guazú y estrecho de Martín García el convoy
> paraguayo, y garantido el regreso de los buques, el señor Berges me ha asegu-
> rado que irían los 4.000 hombres indicados.

Sagastume también informó que nada se sabía, hasta el momento, de la misión encomendada a José de Caminos, pero que habían
trabajado cerca de muchos jefes de Entre Ríos y Corrientes, y que
en opinión del gobierno paraguayo esas provincias no le serían hostiles. Concluía su informe:

> El ejército del Paraguay se pondrá en marcha inmediatamente que su
> gobierno tenga conocimiento oficial de la invasión brasilera al territorio orien-
> tal, y marchará sobre el Imperio cruzando la provincia de Corrientes y pres-
> cindiendo absolutamente de lo que el general Mitre piensa o haga para impe-
> dirlo (16).

Esto informó Sagastume en nota oficial y en carta particular explicó a Carreras que el Paraguay no se movería sino cuando supiera
"oficialmente" que el Brasil invadía la República Oriental. Y como
el Brasil no contestaba aún la protesta del 30 de agosto, si después
de llegado el primer paquete que sería el *Marquez de Olinda,* esperado de un día para otro, la legación brasilera continuaba callada,
sería requerida por el gobierno, "y eso puede apresurar los acontecimientos". Finalmente Sagastume bordaba al oído de Carreras tristes
confidencias:

> Tú no te has podido formar una idea exacta en el tiempo que estuviste
> aquí, de las graves dificultades con que hay que luchar para conseguir cual-
> quier cosa. He tenido con el presidente penosas discusiones. La carta que
> recibiste de él te dará una idea. Por fin, he tenido la fortuna de salvar nues-
> tros derechos sin lastimar la extremada susceptibilidad.
>
> ¿Nos ayudará o no el general Urquiza? De todos modos, el Paraguay va
> y va en la creencia de encontrar concurso en Corrientes y en Entre Ríos. Haré
> sobre eso trabajos activos (17).

(16)   De Sagastume a Carreras, Asunción, noviembre 6, 1864, AMREU, Legajo *Misión Vázquez Sagastume, 1864.*
(17)   De Sagastume a Carreras, Asunción, noviembre 6, 1864, AGNA, Archivo
Carreras.

10. Ya después de despachadas estas cartas por el *Paraguarí*
que zarpó el 6, Sagastume fue recibido por Berges a quien ansiosamente solicitó la respuesta a sus "consideraciones" del 28 de octubre. El canciller paraguayo habló largamente sobre las cuestiones propuestas, para fundamentar el rechazo del plan de expedición fluvial
a Montevideo y de ayuda pecuniaria, conforme a las instrucciones
del presidente López. Finalmente le entregó el memorándum en que
constaban las razones de ese rechazo. "Nada pareció desagradarle y
se retiró alegre como siempre", informó Berges a López ([18]). Sagastume estaba ya a prueba de cualquiera decepción, por amarga que
fuera.

El día 8 de noviembre de 1864 transcurrió en Asunción sin ninguna novedad pero la atmósfera estaba densa de espectativas. El
Ygurey era esperado de un momento a otro y se preveía que con él
llegarían las decisivas noticias sobre la invasión del territorio oriental y el pronunciamiento del general Urquiza. Berges pensaba volver
ese día a Cerro León pero resolvió esperar al *Ygurey* para llevar personalmente a López la correspondencia que trajera del exterior ([19]).

Efectivamente, el día 9 de noviembre atracó el *Ygurey* en los
muelles de Asunción. Tal como se aguardaba, trajo correspondencia
y diarios del Río de la Plata, con la noticia de que se había producido
la invasión del Estado Oriental por las fuerzas militares del Imperio.
Además venía a bordo José de Caminos con los resultados de su misión ante el general Urquiza...

([18])   De Berges a López, Asunción, noviembre 7, 1864, AMREP, I-30,13,46.
([19])   De Berges a López, Asunción, noviembre 8, 1864, AMREP, I-30,13,46.

CAPÍTULO XXXIII

LA INVASION

1.   Desde la partida de Saraiva de Buenos Aires, a principios de setiembre, quedó árbitro de la posición del Imperio en el Río de la Plata el almirante barón de Tamandaré. En momentos en que los problemas se desencadenaban en vertiginosa sucesión, el Brasil se hacía representar por un hombre de armas, para dar a entender inequívocamente que había terminado la etapa de la diplomacia y que correspondía ahora a la espada cortar los nudos. El gabinete Furtado no pensó reemplazar de momento a Saraiva y el almirante Tamandaré recogió la pesada carga de tomar las decisiones, para cuyo efecto contaba con la confianza del emperador Don Pedro II, más plena que la del propio gobierno, aunque éste tampoco la escatimara pero más como consecuencia de ese apoyo que por convicción propia. "Parecía —dice el almirante Jaceguay, que era su subordinado— que Tamandaré tomara para modelos de su importancia política los virreyes portugueses y españoles de las Indias Orientales y de América, o Bonaparte en la campaña de Italia, bajo el Directorio" [1]. Al absorber en sí toda la representación del Imperio la situación internacional estaba nítidamente diseñada y ya no encubría misterios: se sabía que la invasión del territorio oriental era la guerra con el Paraguay. Nada influiría más para decidir esta guerra, en lo que ésta dependía del incidente uruguayo que la actitud de

[1]   ALMIRANTE ARTHUR JACEGUAY. *Reminiscencias da guerra do Paraguay*, Río de Janeiro, p. 236.

Tamandaré, quien creía interpretar el pensamiento del emperador "para el cual como para López, parecía llegada en 1864, la hora de la guerra", según anotó Nabuco ([2]). En el terreno de las conjeturas, el almirante Jaceguay creyó posible que Tamandaré hubiese recibido la *mot d'ordre* directamente del emperador ([3]).

Pero para que la guerra estallara era menester la invasión del Uruguay. Y esa invasión no se producía. Transcurrían los días y no llegaba a Buenos Aires la ansiada noticia de que las fuerzas brasileras cruzaban la línea fronteriza. La prensa porteña, aún la más adicta a la causa del Brasil, censuró sin embozos la inexplicable demora. "O el Brasil hace lo que su honor ofendido le impone, o se retira", clamaba *La Tribuna*. Si ocurría lo segundo, el Imperio se cubriría de "eterno ridículo" y su gobierno aparecería ante los pueblos del Plata "como un gobierno de farsantes" ([4]). A Tamandaré le mortificaban tanto como la demora de las tropas, estas rechiflas de la prensa. Nunca había abrigado simpatías por los pueblos platinos y lejos estaba de querer continuar la política iniciada por Saraiva de estrechamiento de relaciones con el gobierno argentino. Creía ver en las pullas de la prensa porteña indicios de un estado de ánimo general que en cualquier momento podía tomar derivaciones peligrosas para el Brasil. A su juicio, el Brasil debía prepararse a luchar, si fuera necesario, contra todos los Estados del Río de la Plata, e instaba a Río de Janeiro a apresurar las operaciones por tierra, cuya demora le tenía desmoralizado:

> Cada día perdido importa para nosotros un aumento de gastos y de sacrificios para alcanzar el mismo resultado, que podíamos haber obtenido con mayor energía y decisión.
>
> No me cansaré de repetir que en esta intervención como en cualquiera otra en que tengamos que haber con cualquiera de los Estados del Río de la Plata, no debemos mirar la cuestión como si fuera reducida a uno solo de tales Estados, sino que debemos contar con la posibilidad de tenerlos a todos reunidos contra nosotros. La cuestión presente con el Estado Oriental fue una rara excepción, debido al disparatado procedimiento de su gobierno, que parece haber tomado a pecho disgustar sucesivamente a todos los gobiernos y pueblos vecinos ([5]).

Día tras día, el almirante volvió a la carga para que no se perdiera tiempo en demostrar a los descreídos rioplatenses que el Brasil era capaz de cumplir sus amenazas. Las notas de Tamandaré a Río de Janeiro respiraban indignación contra los negligentes políticos responsables de la demora y mal contenidos deseos de propinar tremenda lección a quienes dudaban del poderío del Imperio. Cada

---

([2]) NABUCO, p. 46.
([3]) JACEGUAY, p. 237.
([4]) *La Tribuna*, Buenos Aires, setiembre 30, 1864.
([5]) De Tamandaré a Carneiro, Buenos Aires, octubre 10, 1864. LOBO, t. II, pp. 97-98.

día se sentía más alejado de la línea trazada por Saraiva y más resuelto a hacer que el Brasil campeara solo por sus respetos, contra todos si fuera menester. Pero era indispensable, para el efecto, que terminara con la exasperante lentitud de las fuerzas de la frontera. Escribió el 12 de octubre:

> Esta morosidad en el movimiento de nuestra fuerza, aunque propia de la estación que finaliza, contrasta, con todo, de tal manera con el afán con que nos metimos en esta cuestión, al iniciarse la misión especial del señor Saraiva, que nos ha provocado la censura de aquellos que confiaran en nuestro apoyo, y dado motivo para que seamos escarnecidos por los que !nos hacen una decidida oposición y no pierden la ocasión de desmoralizarnos... Los pueblos de estos países están de tal forma persuadidos de que el Brasil no tiene medios de hacerse respetar por la fuerza en estas regiones, que a esta creencia atribuyo el poco caso que han dado a todas las reclamaciones que les hemos hecho y el casi desprecio con que reciben las amenazas de intervenir con fuerza armada (6).

2.   Hasta el general Flores parecía encabritarse. Resentido porque el Imperio tardaba en reconocer oficialmente su beligerancia y queriendo capitalizar a favor de su causa la marea de descontento que había levantado el doble cañoneo del *Villa del Salto,* pidió explicaciones enérgicas por este hecho al comandante Pintos. Este se prestó a su intento en un largo oficio, donde explicó el ataque y declaró que no tuvo intención de ofender la bandera oriental, ofreciendo, en prueba de sus disposiciones pacíficas, si el general Flores lo juzgase conveniente, saludar a la bandera de la república con 21 cañonazos. El efecto que esta condescendencia produjo en ambas orillas fue deplorable para el prestigio brasilero ya bastante decaído. El almirante Tamandaré desaprobó las satisfacciones ofrecidas por Pintos pero no se atrevió a hacer pública esa desautorización. El ministro francés en Montevideo encontró oportuna la ocasión para una de sus habituales requisitorias:

> ¿Qué pensar de una política que, sin declaración previa, hace la guerra a un gobierno reconocido, luego se disculpa ante un general insurrecto, a quien nadie aún concedió el carácter de beligerante, y ofrece a la revolución la reparación de los insultos hechos a la causa legal? ¿Está Don Pedro seguro de que su propia legitimidad resista mucho tiempo a tales prácticas? ¿Ha olvidado las insurrecciones republicanas de varias provincias de su joven imperio, rodeado de ocho repúblicas? ¿Ignora que en el propio Río Grande, la más revolucionaria de todas esas provincias y que decían tan hostil al gobierno montevideano, al mismo tiempo que se hacían las elecciones antimonárquicas, la guardia nacional rehusaba reunirse y pasar la frontera oriental, bajo las órdenes de los factores de anarquía o de anexión? (7).

(6)   De Tamandaré a Carneiro, Buenos Aires, octubre 12, 1864, LOBO, t. II, pp. 63-64.

(7)   De Maillefer a Drouyn de Lhuys, Montevideo, setiembre 29, 1864. MAI-LLEFER, p. 395.

En momentos en que los enemigos del Imperio —entre los cuales estaba alistado, sin duda alguna, el diplomático francés— veían tan sombrío el porvenir de la propia dinastía, Tamandaré no atinó finalmente con otro camino para salir del trance desairado en que colocaba al Brasil la lentitud increíble de los preparativos militares en la frontera, que el que había dejado trazado Saraiva antes de partir: el apoyo firme y franco a la revolución. Si no hizo pública la desautorización a Pintos fue precisamente para que no se le fuera de las manos la única carta de triunfo que le restaba, aparte de la escuadra, ante la **defección de las fuerzas de la frontera.** Y Flo. tampoco daba señales de estar en condiciones de imprimir vigor decisivo a su movimiento, en tanto que el partido blanco, bajo la enérgica dirección de Antonio de las Carreras estaba sacando fuerzas inesperadas de su flaqueza. Sin la ayuda abierta del Imperio la revolución podría estancarse y aún retroceder. Hasta el momento no había sido capaz de apoderarse de ninguno de los puntos del litoral, donde el gobierno seguía concentrando sus mayores efectivos y recursos a pesar de no contar ya con sus barcos de guerra. Tamandaré resolvió hacer uso de sus ilimitados poderes y dar un paso mucho más avanzado que el reconocimiento de beligerancia: la alianza con Flores para ayudarle a dominar el litoral y a facilitar la invasión del territorio por las fuerzas del Brasil. Para concertar el acuerdo, el jefe revolucionario fue invitado a entrevistarse con Tamandaré en la barra de Santa Lucía, cerca de Montevideo. Pero el gobierno argentino no fue informado de las intenciones del almirante, quien le hizo creer que se trasladaría al campo oriental para ponerse en comunicación con el ejército brasilero que debía invadir el territorio el día 18 de octubre, según informó *La Nación Argentina*, agregando el siguiente irónico comentario.

Suponemos, también, que con este motivo (la anunciada invasión) el Paraguay se decidirá a conservar el equilibrio del Río de la Plata, según sus declaraciones [8].

3. Ya decidido a apoyar el movimiento revolucionario, para facilitar las operaciones de Flores sobre las ciudades del litoral, Tamandaré ideó un original procedimiento. En su carácter de comandante de la escuadra brasilera, expidió una circular al cuerpo diplomático, que dató el 11 de octubre de 1864, anunciando su determinación de impedir que los navíos extranjeros transportaran refuerzos en tropa y municiones hasta los puertos ocupados por el gobierno, sobre todo Salto y Paysandú, so pretexto de no interferir las represalias que el Brasil estaba por ejecutar.

Firme —decía la circular— en su deliberación y excitado por el procedimiento posterior del gobierno de Montevideo, el gobierno imperial determinó

[8] *La Nación Argentina*, Buenos Aires, octubre 13, 1864.

que nuestro ejército se apoderase de las fuerzas que dependiesen de aquel gobierno que ocupan aún los pueblos del norte del Río Negro, y que las conservasen hasta que obtuviésemos las garantías y satisfacciones que en vano hemos reclamado hasta hoy, con manifiesta denegación de justicia.

Para este fin la escuadra de mi mando debe cooperar con el referido ejército y emplear todos sus esfuerzos para que aquellas guarniciones no reciban socorros de Montevideo, ni puedan moverse por la vía fluvial.

En consecuencia el comandante de la escuadra imperial reclamaba de los agentes diplomáticos acreditados ante el gobierno de Montevideo que expidieran órdenes para que los navíos que navegaban los ríos con la bandera de sus respectivas naciones, rehusaran recibir tropas y municiones de guerra para transportar de un punto a otro, "manteniendo así la perfecta neutralidad que les conviene guardar en la coyuntura actual". Y terminaba:

De este modo, me libraré de cumplir el penoso pero indeclinable deber de ejercer sobre ellos (los barcos) una vigilancia constante, y de aprehender aquellos contrabandos de guerra que fueran encontrados a bordo; protestando entre tanto a V. E. que los navíos que se empleen exclusivamente en sus operaciones lícitas, encontrarán siempre todo el apoyo y auxilio de las fuerzas navales brasileras [9] .

Aunque fechada el 11 de octubre, la circular no fue entregada sino el 18, dos días después de haber Tamandaré abandonado Buenos Aires en procura de Flores. Fue unánime y rápida la repulsa que encontró el documento en el cuerpo diplomático. No hubo dificultades en ponerse de acuerdo sobre el rechazo de las pretensiones brasileras. No habiendo declaración de guerra, no cabía reconocer el derecho de visita ni menos el de aprehensión de contrabando. No existían beligerantes y por lo tanto no correspondía hablar de bloqueo ni de neutralidad en la forma invocada por Tamandaré. El primero en expedirse, y el más terminante de todos, fue el ministro británico, W. G. Lettson quién contestó el mismo día en que le fue entregada la circular:

Ni hay beligerantes en la lucha que se está efectuando, ni el jefe militar que juzgó deber levantar el estandarte de la revuelta contra el gobierno de su país, puede por mí ser considerado como teniendo carácter de beligerante. Es simplemente un rebelde. No habiendo pues beligerantes no hay neutrales. Además no sólo falta la declaración de guerra entre el Brasil y la República Oriental del Uruguay, sino también la notificación del bloqueo de sus puertos hecho con las formalidades prescriptas, ni puedo admitir que la expresión por V. E. empleada, de contrabando de guerra, pueda con propiedad ser aplicadas a cualesquiera objetos que los navíos mercantes ingleses conduzcan para los fines de su legítimo comercio; y consiguientemente tampoco puedo reconocer la validez del derecho que ahora reclama el Brasil sobre el vago fundamento de represalias, de detener, visitar, y tal vez aún capturar navíos mercantes ingleses que navegan en las aguas de la República sobre la fe de trata-

(9)   Circular de octubre 11, 1864, RELATORIO, 1865, Anexo I.

dos solemnes, aguas esencialmente libres, aguas sobre las cuales el Imperio del Brasil no tiene el menor dominio [10].

De análogo tenor fueron las respuestas del ministro de Italia, Ulises Barbolani; de Francia, M. Maillefer; de Portugal, Leonardo de Souza Leite Acevedo y de España, Martín de Hernández. Tamandaré pretendió justificar su *gaffe* atribuyéndose luego el propósito de buscar con la circular solamente una definición de parte del cuerpo diplomático. Explicó a Río de Janeiro:

> Estando las cosas en esta situación, que nos era favorable, y siendo preciso demostrar que nuestra amenaza de represalias se traduciría brevemente en realidad, porque la demora de la entrada de nuestro Ejército en el territorio de la República Oriental, hablando con entera franqueza a V. E., me tenía desmoralizado, juzgué oportuno dirigir una circular confidencial al referido cuerpo diplomático, en que le pedía que prohibiese a sus navíos el transporte de tropas y de municiones de guerra. Esta circular iba a sondear las verdaderas intenciones de los agentes extranjeros, cuya respuesta, igualmente confidencial, me serviría de norma. Bien sabía yo que no me podía arrogar el derecho de visita, ni de aprehensión; pero colocados en la posición falsa en que estamos, luchando con todas las desventajas de la guerra, sin poder hacer uso de nuestros derechos que ella crea, quise ver hasta qué punto podía contar con la adhesión de los agentes extranjeros en las medidas coercitivas que íbamos a emplear, y al mismo tiempo intimidar al Gobierno de Montevideo y a sus defensores [11].

Pero si Inglaterra, Francia, España, Portugal, Italia, naciones europeas históricamente interesadas en la libre navegación del río de la Plata y sus afluentes, coincidieron en rechazar la pretensión del Brasil de arrogarse los derechos de la beligerancia sin haber declarado la guerra y si el mismo Tamandaré reconoció su sinrazón, la actitud del gobierno argentino fue distinta. Por órgano de su vocero oficial *La Nación Argentina,* el presidente Mitre significó, en forma inequívoca, el grado de intimidad con que estaban procediendo el Imperio del Brasil y la República Argentina, y cuan resuelta estaba Buenos Aires a acompañar a los brasileros en su tren bélico. Rezó la advertencia argentina:

> Coartar la acción del Brasil sería un error funesto y un atentado que produciría males muy grandes.
> Sería una intervención por parte de las naciones cuyos agentes lo hicieren, y esa intervención sacaría forzosamente al gobierno argentino de la situación neutral que ha asumido. La intervención de cualquiera nación causará a la República males terribles y será el origen de grandes inquietudes y complicaciones, y sería forzoso unir su acción a la del Brasil para conjurar los males y peligros y concluir con el gobierno origen de tantas desgracias y calamidades.
> La neutralidad de la República Argentina obliga a los agentes diplomáticos a ser neutrales. La intervención será la conflagración en todo el Río de la Plata [12].

[10]   De Lettson a Tamandaré, Montevideo, octubre 18, 1864, LOBO, t. II, pp. 56-57.

[11]   De Tamandaré, extr. s/f, LOBO, t. II, p. 58.

[12]   *La Nación Argentina*, Buenos Aires, octubre 31, 1864.

4. La impresión dominante en el cuerpo diplomático era que se estaba, efectivamente, al borde de la conflagración general. Pero solamente al ministro de Francia en Montevideo se le ocurrió pensar en una interposición de las potencias europeas, con vistas a frenar las resoluciones bélicas adoptadas en Río de Janeiro, que parecían abiertamente respaldadas por Buenos Aires y de cuya ejecución, esperada minuto por minuto, pendía a la vez, la actitud del Paraguay, que se anunciaba también beligerante, y el estallido de la guerra general en el Río de la Plata. Maillefer que, por entonces, simpatizaba con la posición del Paraguay, sugirió a su gobierno que colectivamente se presionara sobre el gobierno imperial para aceptar el arbitraje en sus cuestiones con la República Oriental:

> Ya se ha lanzado el guante, la situación es muy tensa y perpleja por todas partes. Sería hacerles un gran servicio el intervenir desde el exterior secundando por amonestaciones más o menos enérgicas y aún si fuera necesario por formales protestas, la actitud tomada por el presidente López en favor de la República Oriental y por el mantenimiento del equilibrio del Plata.
>
> Señor ministro, repetidas veces he solicitado ya la atención de Vuestra Excelencia sobre estas cuestiones tan graves desde el punto de vista de los intereses europeos y sobre lo urgente que sería, de acuerdo con Inglaterra, España e Italia, si se juzgara conveniente, pesar sobre las determinaciones del gabinete de Río. La población extranjera tan numerosa en estos países, sobre todo la nuestra, y nuestro comercio marítimo habitualmente representado por 40 ó 50 navíos en los puertos del Plata, agradecerían infinitamente al Gobierno del Emperador (Napoleón III) si las librara de una perspectiva tan amenazadora como una guerra general, seguida quizás de · incalculables complicaciones.
>
> El Brasil que tan bien se acomodó a un arbitraje europeo en sus recientes altercados con Inglaterra, y que luego cometió la inconsecuencia de rechazar este medio de arreglo cuando le fue propuesto por el débil gobierno de Montevideo, y que ha contraído compromisos morales al asociarse a la declaración del Congreso de París, ¿se atreverá a negarse cumplir esos compromisos si a ello le invitaran una o varias de grandes potencias? (13).

5. No solamente las potencias europeas estaban preocupadas por el rumbo que tomaban los acontecimientos y veían con simpatías la actitud del Paraguay que se erguía como paladín de la independencia oriental y del equilibrio del Río de la Plata amenazados por los bríos del Brasil. El Secretario de Estado de los Estados Unidos, William H. Seward, en medio de los cuidados de la guerra de secesión, se tomó tiempo para ocuparse de los acontecimientos y de la parte que le tocaba al Paraguay. Estaba informado de la oferta de mediación del Paraguay a los gobiernos del Brasil y Uruguay, cursada en julio, e instruyó al ministro norteamericano en Asunción para aplaudir y secundar los esfuerzos del presidente López encaminados al arreglo de las diferencias entre los dos países. En

(13) De Maillefer a Drouyn de Lhuys, Montevideo, octubre 14, 1864, MAILLEFER, pp. 400-401.

Washington causaba vivos recelos la política del Imperio tildado de "esclavócrata" por la prensa uruguaya. Los acontecimientos en la República Oriental, anteriores a la mediación paraguaya, daban lugar a aprehensiones de que "sus poderosos vecinos tuviesen el designio de destruir su nacionalidad", pero Seward abrigaba la esperanza de que la mediación del Paraguay impediría la guerra entre aquel país y el Brasil. Una guerra de tal naturaleza, en que no sólo se encontrarían en peligro los intereses materiales, "sino la propia existencia de una República hasta aquí floreciente", iba a ser grandemente deplorada por el gobierno de los Estados Unidos, por lo cual Washburn fue instruido por el Secretario de Estado para prestar toda clase de buenos oficios secundando los esfuerzos del presidente del Paraguay en promover el arreglo pacífico de las diferencias. El gobierno de Washington adelantó a Washburn que la noticia del fracaso de los esfuerzos de mediación sería recibida por Estados Unidos con pesar, y que una guerra general, hacia la cual toda la América del Sur, del Este de los Andes, parecía estar moviéndose, se miraría "como una grande calamidad para todo el mundo", por lo cual los esfuerzos del presidente del Paraguay "para impedir tan grande catástrofe" debían ser encomiados por cuantos conocían la importancia de la paz [14].

Aunque datada tan importante comunicación el 26 de agosto de 1864, no llegó a poder de Washburn sino dos meses y medio después, cuando ya los acontecimientos se habían precipitado en forma irreparable. ¿Por los azares de la guerra de secesión, entonces en su apogeo, quedó la nota de Seward transpapelada en Washington o ella fue retenida por el ministro norteamericano en Buenos Aires, Roberto C. Kirk, cuya principal preocupación era criticar a su colega en Asunción? [15]. De cualquier modo, tan terminante definición no fue del conocimiento del Paraguay ni del Río de la Plata en los momentos en que Tamandaré, hecho árbitro de la paz y de la guerra, se aprestaba a suplir con el ejército revolucionario, aliado a la escuadra a su mando, la morosidad del ejército terrestre, tan remiso en cumplir la parte que le correspondía en la ejecución del ultimátum del 4 de agosto.

6. La aproximación de Flores para entrevistarse con Tamandaré y los consecuentes movimientos navales brasileros, fueron motivo de grandes alarmas en Montevideo. El 12 de octubre de 1864, aniversario de Sarandí, dos cañoneras brasileras aparecieron frente a la boca del Puerto, y aparentemente prepararon un desembarco en la ciudad, en combinación con el general Flores, que en rápidas marchas, había avanzado hasta cuatro leguas de la capital.

[14]   De Seward a Washburn, Washington, agosto 26, 1864, en el contexto de la de Washburn a Berges, Asunción, noviembre 12, 1864, BENITEZ, t. I, pp. 106-107.
[15]   Conf. HORTON BOX, p. 99.

Antonio de las Carreras, en su carácter de ministro general, denunció indignado al cuerpo diplomático el inminente ataque a la ciudad, señalado para el día 17, y pidió que las representaciones extranjeras, con ayuda de sus respectivas estaciones navales, tomaran medidas para garantizar el orden público y la seguridad exterior "conforme a los principios establecidos por el derecho de gentes para los casos de esa naturaleza" (16).

Se improvisaron trincheras en torno de la ciudad y fueron adoptadas diversas previsiones defensivas. El cuerpo diplomático, según comunicó Carreras a Brizuela, manifestó su resolución de no consentir que las fuerzas brasileras, en combinación con las de Flores, hicieran un desembarco en el puerto de Montevideo (17), y de tomar bajo su protección la seguridad de los establecimientos públicos, sobre todo la Aduana.

El 17 transcurrió sin novedades, pero el 18 por la mañana, en presencia de la guarnición que ocupaba la línea atrincherada y de la población subida a las azoteas, Flores desplegó sus fuerzas sobre la célebre colina del Cerrito y allí, repitiendo la demostración de Oribe del 17 de febrero de 1843, luego de haber enarbolado un gigantesco estandarte nacional, lo saludó con 21 cañonazos. Por la tarde, la artillería de Flores disparó varias andanadas sobre el barrio más populoso de la ciudad, aunque sin producir víctimas. Hecha esta demostración de fuerza, que, según el ministro de Francia, no aumentó en nada la popularidad del jefe colorado y de su causa "en la opinión de las personas responsables" (18), Flores, que no tenía los propósitos que se le atribuían, se retiró en procura del almirante Tamandaré que le esperaba frente a la barra de Santa Lucía a bordo de la corbeta *Recife*.

7. No fue tan fácil el acuerdo entre el marino brasilero y el general revolucionario. Flores no quiso formular promesa alguna de aceptación incondicional de los reclamos presentados por Saraiva sino en cuanto fueran justos y equitativos y no lastimaran la dignidad nacional. Finalmente Tamandaré accedió a estas condiciones porque sólo así contaría con las fuerzas de Flores para sus planes. El 20 de octubre de 1864 se consignó el convenio de alianza en un cambio de notas que se resolvió mantener en secreto. La nota de Flores decía:

Colocado al frente de la revolución oriental, que no se hace solidaria de la responsabilidad que asumió el gobierno de facto de Montevideo y contra el cual el país protestó por medio de esta revolución, que condena los actos

(16) De Maillefer a Drouyn de Lhuys, Montevideo, octubre 14, 1864. Maillefer, pp. 402-403.

(17) De Brizuela a Berges, Montevideo, octubre 15, 1864, Amrep, I-29, 32, 5.

(18) De Maillefer a Drouyn de Lhuys, Montevideo, octubre 30, 1864, Maillefer, pp. 404-405.

ofensivos cometidos contra el Imperio del Brasil y sus ciudadanos, cúmpleme hacer presente al señor Almirante que considero necesario hacer comunes nuestros esfuerzos para llegar a la solución de las dificultades internas de la República y de las suscitadas con el gobierno del Imperio, a lo cual estoy dispuesto, en la inteligencia de que la revolución que presido, en nombre del país, atenderá las reclamaciones del gobierno imperial, formuladas en las notas de la misión especial confiada a S. E. el consejero José Antonio Saraiva, y les dará con digna reparación en todo aquello que sea justo y equitativo, y que esté en armonía con la dignidad nacional y que no sea obtenido como una consecuencia natural y forzosa del triunfo de la revolución.

Al hacer esta manifestación a V. E. juzgo ser el eco de la opinión de mi país en cuyo nombre contraigo este compromiso, que será ejecutado así como fuese obtenido el completo triunfo de la causa que representamos [19].

La respuesta del barón de Tamandaré, después de consignar el compromiso que asumía el general Flores, decía:

Haciendo debida justicia a la nobleza de los sentimientos de V. E. y a la manera honrosa con que se muestra dispuesto a reparar estos males y ofensas, debo declarar a V. E. que tendré la mayor satisfacción en cooperar con V. E. para el importante fin de restablecer la paz de la República, y de restablecer las amigables relaciones de ella con el Imperio, rotas por la imprudencia de aquel gobierno, tan antipático, como injusto en todos sus actos. Para convertir en realidad esta cooperación, la división del ejército imperial que penetra en el Estado Oriental, con el concurso de la escuadra de mi comando, se apoderará de Salto y Paysandú, como represalias; inmediatamente subordinará esas poblaciones a la jurisdicción de V. E., visto el compromiso de reparación que V. E. contrajo, entregándolas a las autoridades legales que V. E. designe para tomar cuenta de ellas, y sólo conservará ahí la fuerza que V. E. requiera para garantizar que no vuelvan a caer de nuevo en poder del gobierno de Montevideo.

Tampoco dudaré en operar con el apoyo de las fuerzas dependientes de V. E., que se hallan en Mercedes y al norte del Río Negro, para, no sólo impedir que el general Servando Gómez pase para el sud de ese río con el ejército que comanda, como para obligarle a largar las armas.

Creo que V. E. apreciará la eficacia del apoyo que le garantizo bajo mi responsabilidad, el cual se traducirá inmediatamente en actos, y que reconocerá en él una prueba más de simpatía del Brasil por la República Oriental, a cuyos males estimaría poner término, concurriendo para constituir el gobierno que la mayoría de la nación desea, y que sólo encuentra oposición en un reducido número de ciudadanos [20].

El brioso marino, convertido en diplomático, en menos de una semana venía a cometer dos desatinos, que socavarían aún más la posición moral del Imperio en el Río de la Plata. Si la pretensión de arrogarse los derechos de visita y de aprehensión sin decretar la guerra o siquiera el bloqueo, contrariaba normas del derecho internacional, la alianza con el jefe de la revolución ponía al Imperio en situación desairada, al contradecir las declaraciones anteriores,

[19]   De Flores a Tamandaré, Santa Lucía, octubre 20, 1864, RELATORIO, 1865, Anexo I, p. 110.

[20]   De Tamandaré a Flores, Santa Lucía, octubre, 20, 1864, RELATORIO, 1865, Anexo I, pp. 110-111.

tanto de la misión Saraiva como del gobierno de Río de Janeiro, según las cuales el Brasil no estaba en guerra con la República Oriental ni con su gobierno, era neutral en la lucha intestina, y sólo buscaba las reparaciones que le eran debidas. Aunque aprobado el acto del almirante por el gabinete Furtado, mereció severas críticas en el senado imperial, por boca de Paranhos que lo estigmatizó con candentes palabras:

> Pendientes estas declaraciones (de neutralidad) oficiales, nosotros en Santa Lucía, tratábamos con el jefe de la revolución, ajustábamos la cooperación de las dos fuerzas, estipulábamos el trueque de servicios; y todo bajo simples promesas de que nuestras reclamaciones serían atendidas en los términos en que el general Flores prometía hacerlo, si quedase vencedor y llegase a ser gobierno reconocido en toda la República Oriental. Confesemos, señores, que tales hechos no son regulares; que la falta de franqueza que en ese momento se notaba de nuestra parte, debía alienarnos las simpatías del cuerpo diplomático residente en Montevideo y tornar sospechosas nuestras intenciones; corresponde reconocer igualmente que a la vista de esos hechos, natural era que el gobierno de Montevideo y su partido se volvieran aún más irritados contra el Brasil [21].

No se publicó el acuerdo, pero pronto transcendió lo que se había tratado y resuelto en Santa Lucía. En Buenos Aires, la opinión partidista aplaudió la ayuda que significaba para Flores la alianza imperial. El presidente Mitre no se dejó ganar por la euforia general. Se sintió molesto por la reserva del convenio que, constituía, en realidad una violación de lo estatuido en el protocolo de 22 de agosto de 1864, por el cual ambos países se comprometían a obrar mancomunadamente en el arreglo de sus cuestiones con el gobierno oriental. Tamandaré había dejado de lado ese compromiso y estaba obrando como si nada le interesara la posición del gobierno argentino. En la "entente" argentino-brasilera el acuerdo de Santa Lucía vino a producir la primera fisura. Cuando Paranhos, dos meses después llegó a Buenos Aires para tratar de formalizar la alianza entre los dos países, encontró que Mitre no había olvidado ese agravio, y oyó de sus labios expresiones duras para el proceder irregular del gobierno imperial [22].

8. En Santa Lucía Tamandaré informó a Flores del plan de invasión elaborado por Saraiva, que el gobierno brasilero había aprobado y cuya ejecución esperaba momento por momento, tanto que en el texto de la nota brasilera se daba ya como penetrando en el Estado Oriental una división del ejército imperial. En realidad, ocho días antes, el 12 de octubre de 1864, las fuerzas brasileras habían cruzado la línea de frontera, pero no fue para cumplir el vasto plan encaminado a apoderarse de Salto y Paysandú, y desalojar a las fuerzas del gobierno de todas sus posiciones al norte del Río

---

[21] ANNAES, SENADO, 1865, t. I, App., p. 5.
[22] ANNAES, SENADO, 1865, t. I, p. 6.

Negro, sino para operación más modesta que no contemplaba tanto el problema uruguayo como la posición paraguaya.

Al asumir el comando en jefe del ejército de operaciones, el general Menna Barreto, reputó insuficientes las fuerzas hasta entonces organizadas (23), para cumplir el plan de Saraiva, aún con la cooperación de la escuadra, de las fuerzas revolucionarias al mando del general Flores y de la tan cacareada colaboración de los gauchos del general Netto (¡que nunca fueron en número mayor de 1.500 de los 40.000 prometidos!). Había que tomar y sitiar dos plazas que se consideraban fuertes, Salto y Paysandú, y "los maestros de arte militar dicen que para atacar una fortificación permanente es necesaria una fuerza que sea cinco o diez veces superior a la guarnición sitiada", y además se carecía de artillería pesada, de ingenieros que pudiesen dirigir la construcción de parapetos y de "¡uno solo de los instrumentos necesarios para romper cercas, abrir puertas y escalar murallas!", según explicó Paranhos en el senado (24). Las instrucciones del ministro de guerra, general Baurepaire, resaltaban la mucha conveniencia a la honra del ejército brasilero de que no se sufriera el menor revés, siquiera parcial, y el general Menna Barreto no creía posible, con sólo las fuerzas a su mando, asegurarse contra todo riesgo de derrota si intentara apoderarse de tres departamentos orientales a la vez como se contemplaba en el plan de represalias concebido por Saraiva y aprobado por Río de Janeiro. Este ambicioso plan tenía que ser puesto de lado, pero no así la orden de cruzar la frontera, cuanto antes y aunque fuera por instantes.

Porque en la situación creada por la protesta paraguaya del 30 de agosto ya no se trataba de cumplir o no cumplir las represalias, sino de cruzar o no cruzar la frontera. La conminación paraguaya rezaba sobre esto último, antes que sobre lo primero, tanto que el doble cañoneo del *Villa del Salto* no fue considerado *casus belli* en Asunción a pesar de los esfuerzos de persuasión del gobierno oriental. Lo que el Paraguay intimaba era a no ocupar territorio oriental, siquiera temporariamente. Y el Imperio había resuelto aceptar el desafío. Sus fuerzas ocuparían el territorio oriental, siquiera una porción y aunque fuera por unas horas. ¡De este modo el Paraguay sabría que el Brasil aceptaba la guerra!

En consecuencia, el 12 de octubre de 1864, un batallón de infantería y dos cuerpos de caballería, con un total de 1.800 hombres, bajo el comando del brigadier José Luis Menna Barreto, cruzaron desde Bagé la frontera y penetraron en el departamento de Cerro Largo. El 14 de octubre los invasores ocuparon la villa de Melo, capital del departamento, cuya guarnición de 500 hombres, comandada por el coronel Angel Moniz, se retiró sin ofrecer resistencia.

(23) TASSO FRAGOSSO, t. I, pp. 135-140.
(24) ANNAES, SENADO, 1865, t. I, p. 9.

Pero luego, temeroso el brigadier Menna Barreto de sufrir algún
revés en manos de las fuerzas del general Servando Gómez a quién
creía en las vecindades y sin cumplir la segunda parte de las instrucciones de Saraiva y de Río de Janeiro al tenor de las cuales debía
esperar que las autoridades designadas por el general Flores dieran
seguridades de proteger a los brasileros residentes, abandonó su
presa y repasó la frontera el 20 de octubre, el mismo día en que en
el otro extremo del territorio oriental, conferenciaban Flores y Tamandaré, completamente ajenos a lo que acababa de ocurrir. De
todos modos la condición de la protesta paraguaya estaba cumplida.
¡*Alea jacta est!*

9. Muchos días transcurrieron sin que, ni en Montevideo ni
en Buenos Aires se supiera de la invasión del territorio oriental y
de la ocupación momentánea de la capital de Cerro Largo. El 27
de octubre *La Tribuna* aludió a los rumores que corrían sobre el
paso de fuerzas brasileras al territorio del Uruguay, pero para des-
mentirlos, porque "la legación Imperial —dijo— no sabe nada oficial
sobre ese hecho" [25].

Por fin, el 29 de octubre los diarios de Buenos Aires dieron, en
forma ya oficial, la ansiada noticia. "Después de tantos anuncios y
preparativos al fin ha pisado el territorio oriental una brigada brasilera al mando del General Menna Barreto", suspiró aliviada *La
Tribuna,* al mismo tiempo que formulaba las siguientes preguntas:

¿Qué hará ahora el Presidente López?
¿Saldría de la crisálida?
Es justamente lo que queremos ver [26].

Después de haber incitado al Brasil a que hiciera lo que acababa
de hacer, la prensa de Buenos Aires, ahora azuzaba al Paraguay,
para que a su turno, cumpliera con sus amenazas. La psicosis bélica
de *La Tribuna* estaba llegando a su culminación. Sus deseos eran
que se alzaran hasta los cielos las gigantescas llamaradas de una guerra general. Dijo el 30 de octubre:

Ojalá haga efectivas sus quijotescas promesas el zar del Paraguay.
Entonces el Brasil arrastrado por los sucesos, será el que contraiga la
noble tarea de arrancar esa nación del abatimiento en que yace, libertándolo
de sus opresores, y dejándola en actitud de constituirse como pueblo libre
y civilizado [27].

Por su parte, *La Nación Argentina,* vocero del presidente Mitre,
creyó llegado el momento de proclamar abiertamente la necesidad
de la triple-alianza, frente a la alianza de los caudillos bárbaros que
se atraían entre sí, en el día de la confusión y peligro, como se

---

(25) *La Tribuna*, Buenos Aires, octubre 27, 1864.
(26) *La Tribuna*, Buenos Aires, octubre, 29, 1864.
(27) *La Tribuna*, Buenos Aires, octubre 30, 1864.

estaban atrayendo la República Argentina, el Imperio del Brasil y el general Flores, representantes de la civilización. Decía:

> La cuestión no es de monarquía o imperio contra república.
> La cuestión es otra.
> La cuestión es de barbarie contra civilización.
> ¿Qué son Sáa, Carreras, Leandro Gómez, Waldino Urquiza, López del Paraguay?
> Pues son evidentemente los caudillos, los que no comprenden que pueda existir el imperio de la ley, los mandones arbitrarios, los gobiernos si se quiere, pero gobiernos irregulares; los gobiernos que prohiben el matrimonio para corromper las costumbres y disolver los vínculos sociales, como hace López; los que dan decretos poniendo a ciudadanos extranjeros fuera de ley, como hace Carreras. Es decir, los representantes de la barbarie, en toda su deforme desnudez.
> Preguntemos ahora, ¿qué son el Brasil, la República Argentina y el general Flores?
> El Brasil y la República Argentina, cualquiera que sea la ´´ferencia de sus principios y gobiernos; el general Flores, representante ¿ει partido liberal en la Banda Oriental, significan indudablemente el orden, la paz, las formas regulares de gobierno, la libertad y las garantías para los nacionales y extranjeros que se ponen bajo su amparo. He aquí pues cómo los elementos de progreso, de orden, de civilización, los pueblos libres y los gobiernos regulares se acercan obedeciendo a una atracción invencible.
> Esta es la ley de las alianzas del Río de la Plata; estas son las causas que sirven para explicarlas y para juzgar acertadamente el movimiento de atracción o repulsión que se nota en sus gobiernos.
> ¿En efecto, en el día de la confusión y peligro, qué han de hacer Sáa, López, Carreras y todos los elementos bárbaros del Río de la Plata, sino contraer alianza?
> ¿Qué han de hacer por su parte los hombres de orden, los pueblos ilustrados, los gobiernos regulares, sino es ponerse de acuerdo, para evitar que las conquistas de la civilización sean destruidas por la barbarie? (28).

En este punto, nunca desesperanzado, Andrés Lamas alzó, una vez más, su voz en favor de la paz. En Montevideo, según le informaba Castellanos, solicitaban premiosamente la mediación de Mitre para buscar solución al pleito interno, raíz de todos los males que se estaban desencadenando sobre su desventurada patria y sobre el Río de la Plata. Escribió entonces a Mitre:

> Le envío con una carta para usted, las que he recibido de Montevideo. Me parece que, ¡al fin! nos aproximamos al término de la paz.
> Si "se lo piden", ¿se negaría usted a asumir el rol que le corresponde, el único glorioso?
> Aceptándolo usted, organizaríamos fácilmente un proyecto que contenga el modo en que lo soliciten a usted, las bases con que lo soliciten y los términos en que usted aceptaría.
> Así podrían salvarse los grandes intereses que aun en el triunfo absoluto pueden quedar comprometidos (29).

(28) *La Nación Argentina*, Buenos Aires, octubre 28, 1864.
(29) De Lamas a Mitre, s/l, octubre 30 (1864), ARCHIVO MITRE, t. XXVII, p. 240.

El mismo Lamas redactó las bases del arreglo y las sometió a consideración de Mitre. Su plan era que la propuesta viniera como procedente del campo blanco, para lo cual seguramente se prestaría el ministro Barbolani. Esencialmente el arreglo, tal como lo veía Lamas, consistía en convertir el gobierno constitucional de Aguirre en gobierno provisorio hasta que quedara definitivamente normalizado el país. Se constituiría un gabinete en que Flores, o una persona por él señalada, ocupara el ministerio de guerra o el de gobierno. Otras carteras serían ejercidas por Joaquín Requena, Tomás Villalba y un cuarto designado a satisfacción de Flores. Este se entrevistaría inmediatamente con Aguirre para entenderse acerca del armisticio y la constitución del gabinete, y ambos procederían de acuerdo en todas las materias importantes de gobierno. El convenio estaría precedido de la siguiente declaración:

> Ante la situación difícil de nuestra patria, la República del Uruguay, en sus relaciones internacionales, todos los orientales se reconocen por hermanos; y relegando al olvido un paso de disidencias internas, que la historia ya juzgó, ellos todos se unen para crear una nueva era de verdadera paz, igualdad y concordia (30).

Con toda evidencia, el arreglo tenía por finalidad articular un frente común ante el Brasil en momentos en que sus tropas comenzaban a invadir el territorio oriental. Mitre, con cuya aprobación se estaban produciendo las hostilidades brasileras, no encontró que fueran buenas o asequibles las bases sugeridas y así se lo hizo saber a Lamas (31). Este, nunca descorazonado y convencido de la necesidad de recurrir a todos los procedimientos para detener la avalancha de horrores que veía desatarse, hizo una suprema apelación a Mitre. Volvió a escribirle:

> Como usted ya lo sabe, es usted el único hombre público de los que están en juego en cuya inteligencia y en cuyas intenciones confío.
> Conoce usted ya el conducto que tengo en el doctor Castellanos, y que sirve para hacerse oír de Aguirre y de los diplomáticos.
> Conoce usted las cartas que últimamente me ha escrito y que debo contestar.
> Bien, pues: contestaré como usted crea que conviene y daré "como mías" las ideas que reciba de usted (32).

Era lo máximo a que podía aspirar Mitre. Se le convertía, de hecho, en el supremo decididor. Pero el presidente argentino no se dejó ablandar. La rueda ya había comenzado a girar y no sería él quien pusiera un dedo para detenerla en su fatal marcha.

(30)   Bases de arreglo, en ARCHIVO MITRE, t. XXVII, pp. 241-242.
(31)   La carta de Mitre, del 31 de octubre de 1864, en que constó su parecer no se ha publicado, pero Lamas alude en su respuesta.
(32)   De Lamas a Mitre, s/l. Noviembre 1º (1864), ARCHIVO MITRE, t. XXVII, pp. 243-244.

10. La actitud de Mitre en consonancia con los movimientos de la escuadra y del ejército del Imperio, estaba creando gran efervescencia en la provincia de Entre Ríos. En los últimos días de octubre la agitación popular aumentó considerablemente. Se esperaba, por momentos, un levantamiento general. Urquiza comenzó a preocuparse más de la cuenta. El artículo de *La Nación Argentina* del 28 de octubre, que le llegara casi al mismo tiempo que una carta de Mitre con las acostumbradas protestas de neutralidad en el conflicto oriental y promesas de hacer política argentina sin sujeción a intereses extraños, venía a remover obscuras aprehensiones. Era demasiado sabido el concepto que Urquiza merecía de parte de ciertos hombres de Buenos Aires. Para éstos, el vencedor de Rosas no era sino su heredero y el más genuino de los caudillos bárbaros sobrevivientes. ¿Esa alianza de los representantes de la civilización contra los de la barbarie, pregonada por el vocero de Mitre, estaría también dirigida contra él? ¿Si se sellaba la tiple alianza entre Buenos Aires, el Brasil y Flores, no quedaría Entre Ríos entre dos fuegos? ¿Los movimientos de la escuadra de Tamandaré a lo largo del río Uruguay estarían solamente dirigidos contra las fuerzas orientales que respondían al gobierno de Montevideo? ¿No era llegada la hora de las precauciones y de buscar el modo de romper el círculo de hierro con que aparentemente se le quería cercar? ¿Porqué no incitar al Paraguay a que lo hiciera?

Urquiza tomó una decisión. Allí, en San José, estaba desde el 22 de octubre, José de Caminos, con proposiciones emanadas al parecer del presidente López, para que Urquiza encabezara, con la ayuda del Paraguay, un pronunciamiento contra Buenos Aires, para contrariar la política de Mitre de entrega al Brasil y sin romper la unidad nacional; para crear un nuevo Estado, con Entre Ríos y Corrientes, o para revivir la Confederación de las 13 provincias, como antes de Pavón. Caminos fue llamado y recibió órdenes de viajar inmediatamente a Asunción, llevando la respuesta de Urquiza. No era propiamente la aceptación de las proposiciones de que fuera mensajero desde Asunción, pero comportaba una adhesión al Paraguay y un plan político para llegar al objetivo anhelado de romper la alianza porteño-brasilera o de contraponer la alianza paraguaya-entrerriana si Mitre persistiera en llevar adelante su designio de amparar al Imperio. Las ideas de Urquiza quedaron enunciadas en un memorándum, sin firma, que le fue entregado a Caminos, y que decía:

El general Urquiza acepta la cooperación ofrecida y se complace en contar con ella, pero declara no ser llegada la oportunidad de hacer ningún movimiento en la República, por las consideraciones que sigue a exponer.

Por punto general, el capitán general Urquiza protestará con todo el poder a sus alcances contra la ocupación brasileña sobre cualquiera fracción de la República Oriental y si el gobierno argentino se declara aliado sostenedor de la política de Pedro II, será entonces llegada la oportunidad de declararlo traidor a la patria y proceder en consecuencia.

Otro medio infalible para arribar a un movimiento justificado entre la República y la opinión del mundo, continúa el señor general, es el siguiente:

El gobierno del Paraguay está en el deber de hacer efectivas sus nobles declaraciones contra el Brasil, si éste ocupa una parte o el todo de la República Oriental. En este caso, hace el gobierno paraguayo que sus tropas crucen u ocupen el todo o parte del territorio a que el argentino cree tener derecho. Viene entonces la complicación o el rompimiento de las relaciones entre estos gobiernos y lo que es muy natural la orden del gobierno argentino al general Urquiza para ponerse con tropas entrerrianas en actitud de impedir el pasaje de las tropas paraguayas. El general Urquiza entra en serias reflexiones con el general Mitre como en la época de Rosas, buscando un rompimiento y acredita en el acto un comisionado cerca del Paraguay, para ajustar en minutos el pacto que hoy todos desean.

Don José de Caminos está plenamente autorizado por el capitán general Urquiza, para darle a su amigo el presidente López todas las seguridades de su sincera adhesión; de que el general Urquiza es su vanguardia en el Entre Ríos y Corrientes; que será su baluarte mientras él influya en el país, y que los porteños no le tocarán de las provincias para expediciones sobre el Paraguay ni un solo hombre, como no lo harán de Entre Ríos y Corrientes.

El general Urquiza prepara actualmente sus trabajos en las provincias, ya para responder a su llamamiento si se pronuncia, ya preparándose para la elección presidencial, que indudablemente será origen de una perturbación general en el país.

El general Urquiza miró con mucha extrañeza que el presidente López no le hubiera dirigido con Caminos una carta amistosa, así como lo hizo en el pasado con don José Rufo (33).

Uno de los informantes de Carreras en Entre Ríos, Bonifacio Golzú, caracterizó bien la posición en que Urquiza se colocaba, según ella se definía en el documento que José de Caminos debía llevar a Asunción:

En la provincia hay de sobra voluntad y decisión para nuestra causa pero nada importará para nosotros si el Paraguay no avanza decididamente; pero si el presidente de aquella República, en consecuencia de sus declaraciones, se lanza a la guerra, tendrá a su lado al Entre Ríos con su general y Corrientes en su mayor parte. Si, por el contrario, no entra de lleno, puede Vd. creerme que de aquí no debemos contar gran cosa.

La coalición será un hecho si el Paraguay queriéndola avanza; pero si se queda en su país, aún con el arma al brazo, éstos no se mueven.

El pensamiento de segregar de Buenos Aires estas provincias se vuelve a acariciar (34).

En todas partes, en Río de Janeiro, en Montevideo, en Entre Ríos, en Buenos Aires, se quería, y por diversos motivos, que el Paraguay, al despreciar el Imperio su protesta del 30 de agosto, hiciera efectivas "sus quijotescas promesas".

(33) Memorándum, CÁRCANO, t. I, pp. 145-147. La fecha que pone Cárcano a este documento, es la de su presentación a Berges: 10 de noviembre de 1864.
(34) De Golzú a Carreras, s. l., noviembre 5, 1864, AGNA, *Archivo Carreras*.

En los primeros días de noviembre de 1864 navegaba el *Ygurey,* rumbo a Asunción, llevando a José de Caminos con el mensaje de Urquiza, y la noticia de que se había cumplido la condición que el mismo Paraguay se había impuesto para desenvainar la espada en defensa de la independencia oriental: ¡el Imperio había cruzado la frontera!

Siguiendo la estela del *Ygurey* también remontaba las aguas del Paraná, rumbo a Matto Grosso, y debiendo recalar en Asunción, el barco brasilero *Marquez de Olinda.*

CAPÍTULO XXXIV

DECISION EN CERRO LEON

1. Nerviosa espera del "Igurey". — 2. Llegan cartas del Río de la Plata. — 3. Caminos trae la respuesta de Urquiza. — 4. Decepción de Berges. — 5. López no busca consejos. — 6. Amargas reflexiones. — 7. ¿Es hora de represalias? — 8. Las despiadadas burlas porteñas. 9. La ocasión de mostrar lo que se es. — 10. Proclama de guerra en "El Semanario"

1. Con enorme ansiedad se esperó en el Paraguay la llegada del *Ygurey* portador de noticias definitivas del Río de la Plata, tanto de la invasión brasilera aguardada momento por momento, como de los resultados de la misión encomendada a José de Caminos. También debía traer de Paraná la confirmación del pronunciamiento de Urquiza que se anunció en el chasque extraordinario de Montevideo llegado el 2 de noviembre a Cerro León. El presidente López destacó desde Cerro León un chasque hasta Villeta, para que desde allí directamente se le enviara la correspondencia del *Ygurey*. Ignorándolo, en Asunción, el ministro de guerra y marina, coronel Venancio López, dispuso que el tren a Pirayú, que habitualmente partía a las 7, retrasara su salida, a la espera del *Ygurey*, una vez que éste anunció telegráficamente a su paso por Villeta, en las primeras horas del miércoles 9 de noviembre de 1864. La correspondencia fue despachada a marchas forzadas desde Villeta a Cerro León, y en el tren que salió a las 8 y 30, momentos después de la llegada del *Ygurey*, partieron para Cerro León, el ministro de relaciones exteriores, José Berges, y el comandante del barco, teniente Alonso (¹). Berges, en la urgencia de la salida del tren, ni siquiera tuvo tiempo de informarse que en el *Ygurey* también venía José de Caminos, el cual quedó en Asunción, sin poder informar a nadie del resultado de su importante cometido.

(¹) De V. López a López, Asunción, noviembre 9, 1864, AGNP, Vol. 1022, p. 54.

2. Cuando Berges llegó a Cerro León, ya estaba en poder de López la correspondencia del Río de la Plata. Efectivamente, se había producido la invasión del territorio oriental por tropas del Brasil. El montón de cartas y diarios del Río de la Plata que trajo el *Ygurey* así lo confirmaban. La más importante de las notas recibidas procedía del agente en Montevideo. Estaba fechada el 29 de octubre, y según ella, las tropas imperiales, en número de 1.600 hombres aproximadamente, tomaron el pueblo de Melo, arrastraron el pabellón oriental, lo quemaron y luego enarbolaron la bandera del Brasil. La guarnición de Cerro Largo, compuesta de 500 hombres, evacuó al pueblo a la aproximación de los imperiales que cometieron muchas "maldades", como echar abajo el escudo del consulado de España y asesinar a dos españoles. Brizuela suponía que estas tropelías serían motivo de discordia entre los partidarios del general Flores y que moralmente la revolución estaba perdida, "desde que se la ha visto no asumir más rol que el de un ciego instrumento del Imperio". Sin embargo, Brizuela asignaba mayor importancia a la enérgica repulsa por el cuerpo diplomático de las pretensiones del barón de Tamandaré. Creía que, de haber habido tiempo de informar a la frontera de las resultas de la circular del vice almirante la invasión no se hubiera producido. La actitud de los agentes extranjeros emanaba, en gran parte, a su juicio, de "la actitud enérgica y resuelta" del gobierno del Paraguay, y venía a ocasionar un completo trastorno en los planes combinados entre Tamandaré, Flores y Mitre, hasta el punto de quedar paralizadas las operaciones y de verse obligado Flores a levantar su campamento cerca de la capital. El cuerpo diplomático había despejado las dudas que existían de si "dejarían hacer" al Imperio. "Ya está probado que no", aseveraba Brizuela, quien también opinó que la actitud de los diplomáticos no le dejaba al Brasil más salida que "declarar la guerra", y establecer un bloqueo con todas las formalidades de estilo. Y agregaba:

Ya ve V. E. cuanto cambia de aspecto la cuestión, y cuanto se dificulta para el Brasil una empresa que hasta hoy se ha creído fácil dudando que el Paraguay hiciese efectiva su Protesta y que el cuerpo diplomático tolerase todo en silencio.

Por de pronto, los agentes extranjeros, a estar a los informes de Brizuela, habían despachado varios buques de guerra al río Uruguay para oponerse a las medidas anunciadas por Tamandaré en la circular rechazada. El bloqueo, aunque lo declarara el Imperio con las formalidades requeridas, no sería consentido. Brizuela notaba significativamente que acababan de aparecer varios buques de guerra ingleses, y entre ellos, un navío de 84 cañones, el *Bombay*, que llegó de Río de Janeiro, con la insignia del contralmirante Elliot. Para el Brasil todas eran dificultades según las noticias de

Brizuela. En Bahía acababa de producirse un serio incidente, secuela
de la guerra de secesión con motivo del apresamiento dentro del
puerto y sin poder impedirlo las fortificaciones costeras, del buque
confederado *Florida* por un barco de guerra de los Estados Unidos.
La multitud arrastró por las calles el escudo del consulado norteamericano, cuyo titular a duras penas pudo escapar embarcándose en
el buque apresador. Todo esto, además de algunos triunfos obtenidos por las fuerzas legales al norte del río Negro y de la retirada
del general Flores desde las barbas mismas de la capital, había venido a juicio de Brizuela, "a robustecer en mucho la acción del gobierno y de su ejército, y dar en general una confianza que está
puede decirse en todos los espíritus". La impresión de Brizuela era
la siguiente:

> Pero el complemento de esa entonación moral, el verdadero punto de
> mira, la esperanza y la expectativa, tanto en el gobierno como en el público,
> el comercio y la sociedad en general, se vuelve toda hacia el Paraguay.
> Hoy más que nunca se abriga una esperanza general de que cuando lle-
> guen a conocimiento de S. E. el señor presidente los hechos ya consumados
> ha de verse en las ulterioridades de su política, o más propiamente en los
> hechos, el cumplimiento de una política tan noble y digna.
> Grandes son las esperanzas a ese respecto, y lo que es más: en este país
> todos creen en general, a excepción de muy pocos que aún dudan de nuestra
> decisión, en un resultado favorable, diré más, la esperan casi aseguradamente.
> La misma actitud indefinida del general Urquiza que empieza ya a inquie-
> tarse, se hace hoy depender aquí de la actitud del Paraguay y de su iniciativa.
> La prensa porteña empieza también a preocuparse del general Urquiza
> como V. E. lo verá en los últimos diarios de Buenos Aires.
> En Río de Janeiro y Buenos Aires, pero muy especialmente en este último
> punto, se quiere despreciar la actitud del Paraguay, se quiere hacer alarde de
> una burla grosera, que bien interpretada y por su carácter insistente, está
> traicionando a los mismos que la llevan adelante, y como revelando lo con-
> trario de lo que se quiere presentar.
> En efecto, en Buenos Aires, la prensa hace burla de la República del
> Paraguay, creen que todo es una comedia como las que ellos no cesan de
> presentar, y sin embargo, V. E. notará que día a día se ocupan del Paraguay,
> que el insulto no cesa, y que las chocarrerías tocan ya el ridículo, pero... se
> ocupan del Paraguay... ¿Por qué?
> En la creencia de estos farsantes otra cosa muy distinta pasa (2).

El informe del agente en Buenos Aires, Félix Egusquiza, confirmó que una columna del ejército brasilero, a las órdenes del general Menna Barreto, fuerte de 1.500 a 1.800 hombres, había ocupado
el departamento de Cerro Largo, "enarbolando el pabellón del Imperio en lugar del oriental en los pueblos que ha tomado", sin
agregar ningún comentario a la escueta noticia. También informó
Egusquiza que el gobierno de Mitre comenzaba a alarmarse por los
rumores de que Urquiza estaba dispuesto a pronunciarse en favor
del gobierno oriental contra el Brasil y en combinación con el Pa-

---

(2)   De Brizuela a Berges, Montevideo, octubre 29, 1864, AMREP, I-29, 32, 5.

raguay. Otra noticia que transmitía era que el ministro Elizalde
tenía conocimiento de que el gobierno paraguayo había comisionado
a José de Caminos cerca de los generales Urquiza y Virasoro para
inducirlos a cooperar con la política iniciada por el gobierno paraguayo en sostén de la independencia del Estado oriental invadido
por el Brasil. En consonancia con este tema, también reportaba
Egusquiza la versión, procedente de Concepción del Uruguay, de
que los generales entrerrianos López Jordán y Ordinami, habían
pasado al Uruguay, ignorándose el objeto que les llevaba, pero no
dejando de alarmar "a los empeñados en hacer triunfar las armas
brasileras y revolucionarias" (3).

Ese mismo correo trajo para Berges una carta de su viejo amigo
Lorenzo Torres, el hombre en quien un año antes Mitre había pensado como enviado confidencial ante el presidente López, y que
ahora formulaba una categórica adhesión a la política paraguaya
en la crisis internacional del Río de la Plata:

> La unión entusiasta en que aparece hoy la Nación Paraguaya vale más,
> mi amigo, que los recursos que puede tener el Imperio Brasilero. Contra la
> voluntad de un pueblo que sostiene con fe la justicia de los principios que
> proclama y la dignidad nacional, muy poco poder tienen aquellos recursos, y
> muy principalmente cuando los paraguayos llevan la convicción de que el
> enemigo nada vale. V. sabe que los paraguayos, como los argentinos, orien-
> tales, etc. sostienen por tradición la creencia de que los brasileros, con abun-
> dancia de recursos, necesitan ser tres contra uno, y que aún así nunca impo-
> nían miedo.
> ...Creo que los acontecimientos tienen ya que seguir su curso, desarro-
> llándose, ya por la altura en que están, y ya porque viene la estación en que
> las operaciones militares se hacen con más facilidad. Así creo que muy pronto
> vamos a ver más claro, y a ver también si el gobierno argentino abandona la
> política prescindente en que hasta ahora aparece (4).

Finalmente, Lorenzo Torres daba una noticia interesante. Anacarsis Lanús, el comerciante amigo de López y Mitre que recientemente estuviera en Asunción por asuntos comerciales, había vuelto
a Buenos Aires muy grato por las atenciones recibidas y convertido
en "un apologista enérgico del Presidente, de su política y de toda
su administración". En sus conversaciones, sobre todo con los hombres del gabinete, Lanús les había hablado la verdad, "manifestán-
doles que es de sentirse que sin conocer al Paraguay y a sus hombres
les juzguen tan ligeramente dejándose llevar de informes apasio-
nados" (5).

Si Anacarsis Lanús se manifestaba amigo del Paraguay y de su

---

(3) De Egusquiza a Berges, Buenos Aires, noviembre 2, 1864, AMREP, I-30,
2, 53.

(4) De Torres a Berges, Buenos Aires, noviembre 2, 1864, AGNP, Colección
Enrique Solano López, Carpeta 7. Nº 22.

(5) De Torres a Berges, cit.

gobernante, en cambio la prensa de Buenos Aires, cuyas últimas ediciones hasta el 3 de noviembre llegaron en las sacas del *Ygurey*, contenía además de las acostumbradas y sangrientas ironías, ataques frontales al gobierno paraguayo y abiertas incitaciones a sellar la alianza con el Brasil y con Flores para "evitar que las conquistas de la civilización sean destruidas por la barbarie", como decía el órgano oficial el 28 de octubre, el mismo día en que se conoció la invasión del territorio oriental. Por su parte *La Tribuna* hacía votos por que hiciera efectivas sus quijotescas promesas el zar del Paraguay a fin de que el Brasil contrajera la tarea de arrancar a esa nación del abatimiento en que yacía, "libertándolo de sus opresores y dejándole en actitud de constituirse como pueblo libre y civilizado" (6).

3.   Pero la más importante de las informaciones que se esperaba del Sur no vino: la del pronunciamiento de Urquiza. En cambio había llegado el comisionado José de Caminos, seguramente con muchas noticias, pero no pudo viajar inmediatamente a Cerro León, ni comunicarse con Berges que el 9 pasó al campamento y que el 10, a primera hora, estaba nuevamente en su despacho del ministerio de relaciones exteriores. Ese día, Caminos le informó de los resultados de su misión. De Urquiza no traía sino una carta para el ministro oriental, cuyo texto no pudo adelantarle a Berges. Para el gobierno paraguayo, la respuesta a las proposiciones de que Caminos fuera emisario, era puramente verbal. Con desgano creciente, Berges fue enterándose de lo que Urquiza le había dicho a Caminos, que estaba lejos de responder a las espectativas, tal como era vista la cooperación de Entre Ríos desde el Paraguay. El capitán general ciertamente aceptaba la cooperación ofrecida; enviaba su adhesión al presidente López, de quién prometía ser su vanguardia de Entre Ríos y Corrientes; protestaría contra la ocupación brasilera del territorio oriental; declararía traidor a Mitre apenas se aliara con el Brasil; firmaría una alianza con el Paraguay si el gobierno de Buenos Aires negaba pasaje a las tropas paraguayas, pero respecto a las proposiciones concretas para pronunciarse inmediatamente contra Buenos Aires y para la formación de un nuevo Estado con Entre Ríos y Corrientes o para el restablecimiento de la antigua confederación de las 13 provincias, sin oponer ninguna negativa o reparo, declaraba no ser llegada la oportunidad de hacer ningún movimiento, sin embargo de que Urquiza consideraba que el Paraguay estaba en el deber de hacer efectivas sus declaraciones contra el Brasil.

Aunque José de Caminos estimaba haber alcanzado un gran éxito, Berges no compartió su parecer. No le pareció gran cosa lo que había obtenido. El emisario quería pasar sin pérdida de tiempo

<hr/>

(6)   *La Tribuna*, Buenos Aires, octubre 30, 1864.

a Cerro León para transmitir en persona sus informaciones a López. Lo que podía decirle al presidente, según adelantó a Sagastume, iba mucho más allá de lo que expresaban los papeles: Urquiza estaba resuelto a desenvainar la espada en defensa de la independencia oriental, y sólo esperaba, para justificar su rompimiento con el general Mitre, la actitud del gobierno argentino ante la invasión brasilera o ante el paso por la provincia de Corrientes del ejército paraguayo según adelantó Caminos a Sagastume (⁷). Pero ni aún así se dejó convencer Berges, y menos cuando Sagastume le dio a conocer el texto de la carta de Urquiza de que fue portador José de Caminos y que decía:

> Mis esfuerzos por la paz del Estado Oriental, si tenían por objeto natural la suerte de tantos amigos de uno y otro bando, comprometidos en una lucha injusta, y salvar a un país que tanto quiero de las calamidades consiguientes, lo era también, y por esto me he empeñado en los últimos momentos, para evitar las complicaciones con el Brasil, cuya parte en la lucha no puedo menos que condenar.
>
> Leal a mis convicciones y a mis deberes, mi conducta será siempre la del amigo leal a aquella República desgraciada, haciendo cuantos esfuerzos me permita mi posición para evitarle desgracias y para obtener que se restablezca la confianza en la paz de las Repúblicas del Plata, incluso la del Paraguay, cuya prosperidad me interesa igualmente.
>
> Aun espero que los que están encargados de velar respectivamente por la suerte de estos países, sean inspirados en los sentimientos generosos que les eviten mayores sufrimientos.
>
> Usted me hará justicia comprendiendo y apreciando mi conducta en la órbita que me prescriben mis deberes personales.
>
> Aproveche Vd. la primera ocasión para manifestarle al presidente López que le conservo la mayor estimación (⁸).

4. Berges encontró decepcionante esta carta que no decía nada en relación con las tres proposiciones concretas transmitidas por Caminos. Y estaba tan predispuesto contra cualquiera actitud de Urquiza, aunque fuera aparentemente cordial, que tomó a mal hasta el hecho de que, en esas circunstancias, le enviara su retrato, como anteriormente a Antonio de las Carreras en respuesta a un angustioso pedido de ayuda. El único indicio favorable era que Urquiza en muchas de sus cartas, disfrazara el viaje de Caminos como un llamamiento suyo para arreglar problemas electorales de Rosario. En todo el resto, no veía cosa alguna que permitiera esperar nada de Urquiza. En consecuencia, Berges se negó a dar pasaporte a Caminos para trasladarse a Cerro León, como quería hacerlo en el tren que salía a las 8 del jueves 10, sugiriéndole que lo hiciera el domingo 13. Anunciándole otra más extensa, a ser enviada por chasque, con el

---

(⁷) De Sgastume a Carreras, Asunción, noviembre 29, 1864, AMREU, Legajo *Misión Vázquez Sagastume, 1864.*

(⁸) De Urquiza a Sagastume, San José, octubre 23, 1864, CÁRCANO, t. I, pp. 143-144.

tren de la primera hora del día 10, escribió Berges a López una nota
que fue interrumpida por una nueva visita de Sagastume, que le
mostró la carta que acababa de recibir de Urquiza.

> He hablado con Don José Caminos quien viene contento de San José, aun-
> que en mi concepto no es gran cosa lo que ha obtenido.
> No conozco la carta que el general Urquiza escribe al Dr. Sagastume, pero
> como él va a ese campo, la mostrará a V. E.
> El general Urquiza ha hecho conmigo lo que con el Dr. Carreras, mandán-
> dome su retrato.
> En este momento ha llegado el Dr. Sagastume, y me ha mostrado la carta
> de San José en contestación a la suya. Absolutamente nada dice en relación al
> motivo de esta correspondencia.
> Este día enviará a V. E. por un propio todas las noticias que pueda obtener
> del viaje a San José [9].

    Antes de despachar el propio a Cerro León, Berges volvió a con-
versar extensamente con Caminos quien, al no obtener permiso para
allegarse al cuartel general, le entregó el memorándum donde constaban las ideas de Urquiza y una carta personal para López en que
le expresaba su satisfacción por haber contribuido a estrechar las
relaciones "de dos hombres que deben vivir siempre unidos para el
bien y engrandecimiento de estos países". Aunque los apuntes que
entregó a Berges nada dijeran sobre la idea de la segregación de
Buenos Aires, Caminos aseguró a López que el doctor Benjamín
Victorica que siempre estaba "perfectamente de acuerdo con las ideas
del general Urquiza", consideraba indispensable la separación de
Buenos Aires, y había cambiado una extensa correspondencia en ese
sentido con su amigo el doctor Juan María Gutiérrez. También informó Caminos que el general Virasoro (en que López pensaba para
suplir una posible defección de Urquiza) se hallaba pronto a venir
al Paraguay a fin de ocupar un puesto en su ejército, acompañado
de "una porción de otros jefes correntinos". Según Caminos la opinión de Entre Ríos y Corrientes estaba preparada. En las otras provincias también se empujaba el movimiento. Los jefes prestigiosos
del antiguo ejército federal, los coroneles Antonio E. Berón, de la
Paz; Manuel Navarro y Evaristo Martínez, de Nogoyá; Francisco
Solari, de Victoria, encabezados todos por el general López Jordán,
la figura militar de mayor influencia después de Urquiza, estaban
resueltos a combatir contra Buenos Aires, al lado de sus amigos del
Paraguay [10].

    Al transmitir el memorádum y la carta de José de Caminos,
nuevamente Berges no ocultó su ningún entusiasmo ante los resultados del viaje a San José. Escribió al presidente López:

  [9]   De Berges a López, Asunción, noviembre 10, 1864, Amrep, I-30, 13, 46.
  [10]   Cárcano, t. I, p. 147, equivocadamente da el extracto de esta carta como
expresiones personales de Caminos a López, formuladas en Cerro León el 10 de noviembre; se verá que Caminos no pudo allegarse al campamento sino cuatro días
después. Véase el texto del memorándum en pp. 466-467.

He hablado largamente con Don Pepe Caminos que está muy creído del buen resultado de su viaje cerca del general Urquiza. Yo siento no poder participar de su convicción porque nada positivo veo en los apuntes que me ha dado, que tengo el honor de adjuntar a V. E. con una carta suya.

El deseaba pasar este mismo día, por el tren, a saludar a V. E., pero yo le he aconsejado detenga su viaje hasta el domingo, y así queda convenido.

Si es cierto lo que dice el señor Caminos, lo único que predispone a favor de la negociación entre el doctor Sagastume y el capitán general Urquiza, es que muchas cartas de este último, muestran el objeto ostensible de la presencia de Caminos en San José como un llamamiento suyo con el fin de arreglar la cuestión de elecciones en el Rosario.

Al doctor Victoria, a quién no podemos menos de creer fervoroso amigo del general Mitre, lo presenta el señor Caminos como un hombre decidido a seguir la suerte del general Urquiza.

No sé si el señor Caminos reserva algo más para comunicarlo a la vez a V. E., pero he notado en él un vivo deseo de pasar al Cerro León, y me tomo la libertad de pedir a V. E. instrucciones sobre este punto, por si es conveniente que vaya mañana a ese campo (11).

Pero Caminos no fue llamado por López ni en ese día ni en los próximos. En Cerro León ya no interesaba conocer la actitud que quisiera asumir Urquiza para adoptar la que correspondía al Paraguay. López había prometido actuar "con o sin Urquiza", apenas las tropas del Brasil cruzaran la frontera y la bandera del Imperio flameara sobre una porción cualquiera del territorio oriental. Y esa condición estaba cumplida. El 14 de octubre el escudo imperial sustituyó al escudo uruguayo en los edificios públicos de la Villa de Melo y el departamento de Cerro Largo estaba ocupado, en toda su extensión, por fuerzas brasileras. Con estos hechos el Imperio del Brasil había respondido a la protesta paraguaya del 30 de agosto. Correspondía ahora al Paraguay decidir su actitud. ¿Llevaría adelante su resolución de "no consentir" la ocupación brasilera del territorio oriental? ¿En qué forma? La hora de las resoluciones definitivas había llegado.

5. ¿Sólo a López le correspondía analizar los hechos, deducir las consecuencias y adoptar las resoluciones? Dentro del sistema constitucional paraguayo la autoridad del presidente de la República era, sin duda, muy grande, pero no podía declarar, por si solo, la guerra exterior que era de incumbencia exclusiva del Congreso conforme al artículo 3º del Título III de la Constitución de 1844, ni podía dejar de convocar y oír al Consejo de Estado "en los negocios graves y medidas generales de administración pública, principalmente cuando ocurra una guerra exterior..." López no creyó que le alcanzaban tales deberes. En la grave emergencia, ni el Congreso ni el Consejo de Estado fueron convocados. Él solo asumió la entera responsabilidad de todos los actos en esa hora trascendental de la vida paraguaya. Ni siquiera fueron citados en Cerro León

(11)   De Berges a López, Asunción, noviembre 10, 1864, AMREP, I-30, 13 46,

los miembros de su gabinete: el ministro de relaciones exteriores, José Berges, apenas estuvo un día, el 9 de noviembre, pero los demás ministros: el de guerra y marina, coronel Venancio López; el de gobierno, Francisco Sánchez y el de hacienda, Mariano González, permanecieron en Asunción. Y tampoco fueron llamados en consulta los más altos jefes del ejército y de la armada, de los cuales sólo el brigadier Wenceslao Robles, en su carácter de jefe del campamento se encontraba en Cerro León; pero se hallaban ausentes, en Asunción el comandante de la guarnición capitalina, coronel Vicente Barrios, el jefe de artillería y del ferrocarril, teniente coronel José María Bruguez, y el jefe de policía, capitán José Díaz; en Villa Concepción, el coronel Francisco Isidoro Resquín, jefe de las fuerzas del norte y en Humaitá, el jefe del estado mayor, coronel Alejandro Hermosa. Y también estaba ausente la figura máxima de la escuadra, su venerable creador, el capitán Pedro Ignacio Meza, así como el teniente Remigio Cabral, comandante del *Tacuarí* y el teniente Andrés Herreros, comandante del *Paraguarí* [12].

Tampoco López estableció contactos con los diplomáticos extranjeros. El único que se allegó a Cerro León el 10 de noviembre fue el ministro oriental, pero era el último a quien López pediría consejos. Para Sagastume, había llegado la hora de la intervención armada del Paraguay en el Estado Oriental, mediante el envío inmediato de fuerzas militares y navales que se interpusieran entre el ejército brasilero invasor y las desfallecientes fuerzas defensoras del gobierno de Montevideo y como único modo de hacer efectiva la protesta paraguaya del 30 de agosto [13]. Pero su arrebatadora elocuencia fue otra vez infructuosa. López continuaba, como siempre, opuesto a toda clase de entendimiento con el gobierno oriental y nada más lejano de su espíritu que obrar con la intención de salvar a los blancos del desastre. Si el Paraguay desenvainara la espada como paladín de la independencia oriental, no sería para auxiliar a un partido sino en defensa de intereses y derechos propios, y sabría cumplir sus solemnes promesas por actos de su exclusiva incumbencia, propios de su soberanía, sin aceptar que desde Monte-

[12]   La ubicación de todos los personajes durante los trascendentales días 9, 10 y 11, consta en series documentales. Son, por lo tanto, infundadas las noticias que sobre supuestas reuniones para tratar la situación internacional, dan JUAN SILVANO GODOI, "Monografías históricas", Buenos Aires, 1893, p. 5, y su comentador J. ARTHUR MONTENEGRO, en la versión portuguesa publicada en Río Grande en 1895, p. 9.

[13]   JUAN CRISÓSTOMO CENTURIÓN, Memorias, Asunción, 1944, t. I, p. 171, atribuye a Sagastume, poderosa influencia para destruir las vacilaciones de López, y mediante arrastradoras palabras, para impartir la orden de captura del *Marquez de Olinda*. Sagastume permaneció en Cerro León sólo el día 10. El 11, fecha de la llegada del barco brasilero, y de la orden de su captura, el ministro oriental estaba en Asunción.

video se le trazaran los rumbos de su acción. Con esta persuasión
Sagastume regresó a Asunción ese mismo día 10, después de prometer, aunque con desgano, que comunicaría oficialmente la iniciación
de la invasión brasilera. Al llegar a Asunción, cayó enfermo, y en
su disgusto olvidó de cumplir su promesa.

6. López tenía a su alcance todos los elementos de juicio necesarios para determinar la actitud definitiva del Paraguay frente a
los acontecimientos. La carga del *Ygurey* no pudo ser más ilustrativa. En Cerro León se sabía que las tropas del Imperio del Brasil habían ocupado una porción del territorio oriental. Estaba cumplida
la condición de la protesta del 30 de agosto. Correspondía ahora
analizar la situación desde el punto de vista del derecho de gentes para deducir las consecuencias que aquel hecho debía tener
para el Paraguay. En aquella protesta el gobierno del Paraguay
había declarado que no podía mirar con indiferencia, "ni menos
consentir", que en ejecución de las alternativas del ultimátum imperial las fuerzas brasileras, ya sean navales o terrestres, ocuparan
parte del territorio de la República Oriental del Uruguay, ni temporaria ni permanentemente. En su respuesta, el ministro del Brasil
declaró que ninguna consideración le haría cesar a su país en el
desempeño de la sagrada misión que le incumbía de proteger la
vida, honra y propiedad de los súbditos del Emperador. El ministro
Berges corroboró el 3 de setiembre la protesta y anunció que el
Paraguay tendría que hacerla efectiva toda vez que los hechos vinieran a confirmar esa seguridad. No se decía qué haría el Paraguay
para hacer efectiva su protesta. La amenaza de "no consentir" no
podía ser interpretada literalmente, dada la imposibilidad material,
por parte del Paraguay, de constituirse en guardián armado de las
fronteras uruguayas. La palabra guerra no estaba escrita en tan ca-
tegóricos documentos. Ciertamente que el presidente López, en sus
discursos del 12 y del 13 de setiembre, mucho más expresivos que
las notas diplomáticas, había insinuado, de un modo más o menos
directo, la apelación a las armas si la protesta fuera desatendida,
amenaza más expresamente formulada en los artículos de *El Semanario*. Pero lo que jurídicamente tenía valor para reglar la posición
del Paraguay frente al Brasil era lo estampado, con la firma del ministro de relaciones exteriores, en las notas del 30 de agosto y del
3 de setiembre donde esa amenaza se concretaba. Pero aún siendo
así, la elección de los procedimientos violentos a que se considera
obligado el Paraguay ante la invasión del territorio oriental, quedaba enteramente a la discreción del gobierno de Asunción, vale
decir del presidente Francisco Solano López.

Sin duda, ya no había lugar a instancias pacíficas. El gobierno
del Brasil no había contestado la protesta del 30 de agosto, siquiera
para rebatir los argumentos en que se basaba la conminación para-

guava o para justificar su propia conducta en el asunto oriental. En
vez de abrir un debate político el Imperio se había plantado en el
terreno de los hechos. Y nadie se había levantado entre los países
ajenos a la controversia para hacer oír su voz en favor de la conciliación y del arreglo amistoso. Ningún país, europeo o americano,
ofreció su mediación o buenos oficios. Nadie se había interpuesto
entre el Brasil y el Paraguay, ya para evitar que el primero se apresurara a cumplir su ultimátum al gobierno oriental sin antes tratar de
persuadir al segundo que ninguna intención abrigaba el Imperio
contra la independencia oriental, o para reunir alguna conferencia
internacional donde todos los países interesados consideraran la grave
situación creada. La iniciativa del ministro francés en Montevideo
aún no había sido aprobada por su gobierno. Tampoco la mediación ordenada por el Departamento de Estado se había concretado
ni siquiera puesta en conocimiento de las cancillerías. Estaban frente
a frente el Paraguay y el Brasil. Entre ellos después de la ocupación
de Cerro Largo, nadie intermedió para evitar que a los hechos de
una parte la otra respondiera también con los hechos.

7.   ¿El Paraguay tendría que responder necesariamente con la
guerra? Sin duda, al ser desatendida su protesta, recobraba su libertad de acción para reivindicar, por sus propias manos, el derecho que
se le negaba. Pero el Derecho Internacional vigente en la época, conforme a tratadistas afamados —Vattel, Mertens, Bello, etc., constituían
entonces la máxima autoridad a falta de toda convención internacional sobre la materia—, señalaba procedimientos de hecho a los cuales
las naciones podrían recurrir, antes de apelar a la guerra, para obtener un desagravio. Emerico de Vattel (1714-1767) era entonces uno
de los más respetados. De su obra principal acababa de publicarse en
París, una versión francesa. completada y puesta al corriente por el
internacionalista francés P. Pradier-Foclère ([14]). Uno de sus ejemplares figuraba en la biblioteca pública de Asunción. "Cuando una
nación no puede obtener justicia —decía Vattel— sea de un agravio
o de una injuria, está en el derecho de hacerla por sí misma. Pero
antes de apelar a las armas, hay diversos medios, practicados entre las
naciones... No siempre es necesario apelar a las armas para castigar
a una nación: el ofendido puede en forma de castigo apoderarse, si
tiene el modo, de las cosas que pertenecen al otro y retenerlas hasta
que dé una justa satisfacción. Las *represalias,* son usadas de nación a
nación, para hacerse justicia a sí misma, cuando no se la puede obtener de otro modo" ([15]). Vattel circunscribió las represalias al apoderamiento de efectos. Su comentarista Pradier-Foclère con la edición

---

[14]   "Le Droit des Gens, ou principes de la loi naturelle appliqués a la con-
duite et aux affaires des nations et des souverains. Completée... et mise au cou-
tant... par M. R. Pradier Foclère", París, 1863, 3vs.
[15]   VATTEL, t. II, pp. 317-318.

de 1863, daba a ese procedimiento coercitivo alcances más amplios según la jurisprudencia europea posterior a la aparición de la obra de Vattel. "Se entiende, en general, por represalias —dice—, toda violencia ejercida fuera de la guerra para obtener la reparación de una injusticia que se ha sufrido. Los publicistas distinguen entre las represalias *negativas* cuando un Estado rehusa cumplir una obligación que ha contraído o permitir a otra nación gozar de un derecho que le corresponde; y *positivas,* que consisten en apoderarse de las personas y bienes pertenecientes a la otra nación, a fin de obtener satisfacción" (16).

Si el Paraguay consideraba que el Brasil le había injuriado al desatender su protesta del 30 de agosto, estaría en su derecho hacerse justicia por sus propias manos, sin necesidad de llegar al recurso extremo de la guerra, recurriendo al procedimiento lícito de las represalias, el mismo que el Brasil estaba aplicando al Uruguay, y que el Imperio sufriera de parte de Inglaterra. Y en manos del Paraguay estaba dar a las represalias un alcance extraordinario por su peculiar situación topográfica que le hacía árbitro de las comunicaciones del extenso Estado de Matto-Grosso con el mundo. El Paraguay había contraído por el tratado López-Paranhos, del 12 de febrero de 1858, la obligación de garantizar la libre navegación del río Paraguay por el cual Matto-Grosso se comunicaba con el mundo, inclusive con Río de Janeiro. Como represalia *negativa* al Paraguay le cabría rehusar cumplir esa obligación o permitir que el Brasil gozara de ese derecho, según las expresiones de Pradier-Foclère. Las represalias *positivas* podrían consistir en el embargo de los barcos con bandera brasilera que, en ejercicio de ese derecho, quisieran con posterioridad navegar por el río. Las consecuencias de estas medidas para el Brasil serían gravísimas.

Taponado el acceso de Matto-Grosso, se le crearían problemas insolubles y correspondía esperar que el Imperio contemplara la posición paraguaya de un modo más deferente en atención a sus propios intereses. Por de pronto, no estaría en su derecho considerar los actos paraguayos como *casus belli* como no los reputó en el caso con Inglaterra. El Brasil acababa de tomarse represalias, mucho más graves, en las aguas y en el territorio de la República Oriental, con la expresa reserva de que no constituían actos de guerra. El Estado que las sufrió tampoco se consideró en estado de beligerancia con el Imperio. Si el Paraguay taponaba la navegación, el Brasil no podía alegar los tratados. También éste estaba obligado a respetar la libre navegación de las aguas uruguayas. No obstante, sin considerarse en estado de beligerancia ni en violación del derecho internacional, había, siempre a título de represalias, decretado el bloqueo de los puertos orientales. La inmovilización del *General Arti-*

(16) VATTEL, t. III, p. 321.

gas, barco del gobierno del Uruguay, en el puerto de Montevideo y la persecución y destrucción del *Salto,* también fueron ejecutados por el Brasil, a título de represalias, sin juzgarse por tal razón, en guerra ni agresor de la República Oriental, ni transgresor de ninguna obligación internacional. En forma mucho más grave tropas brasileras acababan de invadir el territorio oriental, también a título de represalias, y sin que se estimara, ni de parte del Brasil ni de parte del Uruguay, que la agresión constituía un *casus belli.*

Usando los mismos argumentos esgrimidos por el barón de Tamandaré en sus circulares o por Saraiva en su *ultimátum,* el gobierno del Paraguay podría aplicar al Brasil la ley que el Brasil estaba aplicando a la República Oriental. Cuanto el Brasil arguyera en su descargo de antemano habría sido por él mismo rebatido en sus polémicas con el cuerpo diplomático y con el gobierno de Montevideo. El Paraguay combatiría al Brasil con sus propias armas. Su situación, desde el punto de vista del derecho internacional, no podría ser más cómoda y desde el punto de vista político y aún militar, de resultados más positivos. La interdicción de la navegación del río Paraguay, el bloqueo de Matto-Grosso y el embargo de los barcos con bandera brasilera, serían del mismo orden de las medidas aplicadas por el Imperio, a título de represalias, sobre el Estado Oriental. Al mismo tiempo le crearía al Brasil una situación que repercutiría gravemente sobre la seguridad y economía del más extenso de sus Estados.

Aunque el Brasil no quisiera doblegarse, difícilmente se decidiría a reaccionar apelando a la guerra. Sin ponerse en contradicción consigo mismo no podría denunciar las represalias paraguayas como actos de guerra. No lo había hecho con Inglaterra en el caso Christie y en documentos de gran resonancia y demasiado recientes el Imperio despojó de ese carácter a sus represalias contra el Uruguay. La gran lección de derecho internacional que acababan de dar las potencias europeas al Brasil consistía precisamente en sustraer las represalias de la órbita bélica. La consecuente negativa del cuerpo diplomático a aplicar las reglas de la neutralidad por no haber beligerancia en el caso de la circular de Tamandaré, tenía gran trascendencia práctica para el Paraguay en un orden de cosas de vital importancia.

La doctrina de que represalias no eran actos de guerra y de que no habiendo guerra no había neutralidad, significaría para el Paraguay, si sólo apelaba a aquéllos, que la ejecución de los pedidos de armas y la construcción de barcos, que en esos mismos momentos se estaba cumpliendo en Europa, no encontrarían embarazos de orden legal. En cambio, si se declaraba en guerra, en consecuencia de los deberes de neutralidad los gobiernos europeos estarían obligados a no consentirlas. Inglaterra había concedido autorización para

la construcción y armamento de un acorazado en la inteligencia de
que el gobierno del Paraguay no estaba en guerra con ningún otro
Estado, según comunicó Lord Russell a Bareiro el 17 de octubre
de 1864 ([17]). En la primera quincena de noviembre de 1864, cuando
López tenía que decidirse por el camino a seguir frente a la desatención de su protesta del 30 de agosto, esa resolución del gobierno
británico aún no había llegado a su conocimiento, pero no debía
ignorar que tal era la regla del derecho internacional entonces vigente. Al Paraguay le convenía, antes de recurrir a la guerra, adoptar el camino de las represalias siquiera para dar tiempo a que se
cumpliera sus importantes pedidos en Europa.

Además, colocado el problema en ese terreno, que siendo de
violencias aún no era de guerra ni de hechos irreparables, se abriría
un compás de espera que la diplomacia podría utilizar para interponer su influencia apaciguadora. El ministro francés en Montevideo, había insistido el 14 de octubre de 1864, para que su gobierno,
de acuerdo con Inglaterra, España e Italia, intercediera en favor de
la paz. Decía Maillefer:

> La población extranjera tan numerosa en estos países, sobre todo la nues-
> tra, y nuestro comercio marítimo habitualmente representado por 40 ó 50 na-
> víos en los puertos del Plata, agradecerían infinitamente al gobierno del empe-
> rador si las librara de una perspectiva tan amenazadora como una guerra ge-
> neral, seguida quizá de incalculables complicaciones ([18]).

Esperaba Maillefer que el Brasil, que había aceptado un arbitraje europeo en su reciente entredicho con Inglaterra y estaba recién
adherido a la Declaración del Congreso de París que estipuló la
obligación de recurrir a medios pacíficos para la solución de los entredichos internacionales, no podría menos que mostrarse consecuente y cumplir esos compromisos si a ello le invitaran una o varias
grandes potencias.

Y en cuanto al Paraguay, ¿no sería esta la oportunidad que el
presidente López venía esperando desde tanto tiempo? ¿No le daría
la gran ocasión para hacer escuchar su voz, la voz de su patria, en
la sustentación de sus derechos, de entre los cuales, aquel que estaba
alegando en esos momentos —la preservación de la independencia
oriental como interés paraguayo— requería para su validez el con-
senso internacional? La gran conferencia internacional que se preveía con la asistencia de las grandes potencias, y de los cuatro países
americanos implicados en la crisis. ¿no constituiría el gran estadio
donde el Paraguay podría cumplir el gran "rol" que soñaba para
él su presidente? La atmósfera internacional sería extraordinariamente propicia para el Paraguay en las eventuales negociaciones. No
sólo el Brasil despertaba generales recelos, como lo evidenciaron las

---

([17])   HORTON BOX, p. 271.
([18])   De Maillefer a Drouyn de Lhuys, Montevideo, octubre 14, 1864, cit.

respuestas a la circular de Tamandaré, sino que cobraba simpatía
la actitud del Paraguay al salir en defensa de la independencia oriental y del equilibrio del Río de la Plata. Maillefer encaminaba directamente las gestiones diplomáticas que insinuaba como un apoyo a
la posición paraguaya. Esta estaba atrayendo no solamente las simpatías europeas, sino también de los Estados Unidos, cuyo secretario
de Estado acababa de instruir a sus representantes diplomáticos para
apoyar los esfuerzos del presidente López en favor de la paz. Aunque
López ignorara antes del 12 de noviembre que se estaban dando esos
pasos, el tenor de las respuestas a la circular de Tamandaré podía
indicarle cuál sería la tónica de la acción diplomática que, sin duda,
se desplegaría si se llevaban las cosas hasta el borde mismo de la
guerra, pero sin entrar en ella, ni producir hechos irreparables.

8.   Pero en el ánimo del general López pesaban en esos momentos otras consideraciones. Con el *Ygurey* habían llegado no solamente las noticias de la invasión brasilera. También vinieron los
diarios de Buenos Aires, con sus sangrientas burlas y despiadados
ataques, no sólo al gobierno del Paraguay sino también a la persona
de su presidente, ridiculizado en todos los tonos. *El Semanario* no
había bajado al terreno de los agravios, en réplica a la corrosiva
campaña, pero dio a entender claramente que ésta, por sí sola, estaba
creando un nuevo problema. Dijo el vocero oficial:

> Si esos articulistas, o escritores bajan al terreno de las personalidades mos-
> trando decadencia de la civilización, nosotros acreditando un adelanto en ella
> nos levantaremos a la altura de la decencia y sosteniendo los derechos de
> nuestra Patria con la razón y la justicia, les dejaremos que empleen las armas
> contrarias para evidenciar sus negras pasiones o su impotencia, o su felonía a
> la causa de la justicia.
> Con todo, necesario es que tengan en cuenta que el Paraguay de 1864, aun-
> que siempre amigo de la moderación, no puede mirar impasible y eternamente,
> insultos gratuitos que se le dirigen. La sangre que corre por sus venas, y tiene
> en su rostro sin mancha, puede aún crearle otra situación (19).

De nada sirvieron las reconvenciones del vocero paraguayo. La
prensa porteña continuó con sus zumbas y acometidas, tan hirientes
aquéllas como éstas. Ahora venían los tres principales diarios de
Buenos Aires más sarcásticos y agresivos que nunca, sobre todo poniendo en duda la capacidad del Paraguay de cumplir sus amenazas
contra el Brasil, reputadas como extravagantes "quijotadas", dignas
de risa. Comentó nuevamente *El Semanario*:

> Por el paquete *Igurey* hemos recibido periódicos de Buenos Aires y del
> litoral argentino. *La Nación Argentina, El Nacional* y *La Tribuna* continúan
> la fiesta al son de su descompasado triángulo.
> Continúan ejerciendo la libertad de prensa de que son esforzados campeones.
> El órgano de publicidad de las cosas del Paraguay, es también blanco en
> que descargan sus cartuchos vanos.

(19)   *El Semanario*, Asunción, octubre 8, 1864.

Clasifican de quijotadas las cosas del Paraguay, y emplean todos los medios a su alcance para presentar con el ridículo el nombre paraguayo en el
extranjero.

La prensa porteña, cuya libertad es elástica y muy vasta para todo lo que
sea hablar en descrédito de nuestro gobierno, y del pueblo paraguayo, a quien
llama *degradado* y *bárbaro*, y le apostrofa de *papagayo*, no se limita a esos
insultos; dice más, y esto es formal: niega al Paraguay de que es una República.

Los paraguayos que han jurado defender la independencia nacional y
la forma de gobierno que han adoptado, sabrán hacerse respetar. No hay duda.

Son quijotadas, dicen, las protestas del Paraguay contra el Brasil, es decir,
que no creen que los paraguayos tienen que hacer efectivo su pronunciamiento
popular. Tal vez no está distante el tiempo de producirse los hechos [20].

He aquí que en Buenos Aires no se creía posible que el Paraguay fuéra capaz de cumplir la protesta del 30 de agosto. Ya *La
Tribuna* había puesto en duda que López tuviera la pretensión
siquiera de declarar la guerra a una nación tan inmensamente superior en medios de acción como el Brasil. Ahora formulaba votos
porque el "zar del Paraguay" hiciera efectivas sus "quijotescas promesas", sólo para que le cupiera al Brasil la noble tarea de arrancar
al Paraguay del abatimiento en que yacía, liberándole de sus opresores y dejándole en actitud de constituirse como pueblo libre y
civilizado [21]. Al mismo tiempo el órgano oficial *La Nación Argentina* propugnaba abiertamente la alianza con el Brasil y el general
Flores, para "evitar que las conquistas de la civilización sean destruidas por la barbarie" [22], lo cual implicaba un reconocimiento
de la necesidad de alianzas para hacer frente al Paraguay. En el
fondo de toda esta campaña, estaba el menosprecio que se hacía del
Paraguay, de su grado de adelanto y civilización, de su poderío
militar, o de ambos a la vez. Esta subestimación del valer nacional
y los ataques a su persona, tan ridiculizada por la prensa porteña,
exasperaban hasta el rojo vivo a López, que bien pudo interpretar
su estado de ánimo el experimentado cónsul en Paraná, José Rufo
Caminos, en carta a Berges, llegada en esos días, donde le decía:

Muy satisfactorio me ha sido saber por V. E. que nuestro gobierno está
ya resuelto a desechar el humilde rol que la República ha representado hasta
ahora, y como V. E. dice muy acertadamente, con graves perjuicios para los
intereses generales de nuestro país. Tiempo hace ya que debíamos haber salido
de esta especie de apatía en que estas gentes nos consideran sumergidos, inspi-
rados del innoble orgullo que les caracteriza, con el que, y su eterna charla, nos
deprimen y nos vejan hasta el extremo más humillante, provocándonos a que
abandonemos nuestra política de paz y de prescindencia.

(20)   *El Semanario*, Asunción, noviembre 12, 1864. Aunque esta edición apareció datada el día sábado 12, evidentemente fue impresa o compuesta con anterioridad aunque después del 9, día de la llegada del *Ygurey*, probablemente el 10,
pues no contiene ninguna noticia de los importantes acontecimientos ocurridos el
11 y el 12. *El Semanario*, aunque tenía como fecha de aparición los sábados rara
vez salía a la calle ese día. Véase WASHBURN, t. 3, p. 41.

(21)   *La Tribuna*, Buenos Aires, octubre 30, 1864.

(22)   *La Nación Argentina*, Buenos Aires, octubre 28, 1864.

Ahora mismo verá V. E. en *El Nacional* de Buenos Aires, creo que del 22 último, cuánto grosero insulto estampa este diario y los demás de esa ciudad contra nuestro querido presidente. ¿Y cómo es posible sufrir paciente tales desacatos con que ofenden al país entero al atacar tan bruscamente al hombre a quien hemos confiado nuestros derechos?

Así como los paraguayos se han entusiasmado en la cuestión con el Brasil, así mismo y con más razón lo harán cuando salgan a luchar en defensa de la patria, de su gobierno vilipendiado, y del honor de cada uno de ellos que se ven tan vilipendiados. ¿Y por quién? Por un pueblo cobarde y orgulloso hasta la demencia.

Era tanta la indignación del viejo cónsul que hacía votos porque el cuerpo de caballería trasladado, según sus noticias, a Humaitá, se hallase ya treinta leguas abajo, es decir en la ciudad de Corrientes. Y como creía satisfactorios los resultados obtenidos por su sobrino Don Pepe Caminos en su misión ante Urquiza, concluía:

Y si así fuese, daría una parte de mi vida porque no perdiéramos tal oportunidad para castigar tanta infame insolencia con que estos malvados porteños nos están ultrajando siempre y pretendiendo ponernos en ridículo ante el mundo (23).

9. El irritado funcionario ponía el dedo en la llaga. Y aunque López no creyera llegada aún la oportunidad de castigar la insolencia porteña, era ahora el Imperio del Brasil quien hacía público y ostentoso menosprecio de la capacidad paraguaya de cumplir sus amenazas. Era esto, tanto como los ataques a su persona, lo que más mortificaba al presidente López, según había confesado en su alocución del 13 de setiembre:

Los pueblos extranjeros nos comprenden mal, nos llaman apáticos, hasta nos conceptúan un pueblo bárbaro...; tal vez sea ahora la ocasión de mostrarles lo que realmente somos, y el rango que por nuestra fuerza y progreso debemos ocupar entre las repúblicas sudamericanas (24).

La ocasión de mostrar lo que realmente era el Paraguay había llegado, en el concepto del general López. Y no sería con simples represalias que la república se haría sentir en el mundo. No; se necesitaba una guerra: la guerra con el Brasil que se había burlado del Paraguay, desconociendo su protesta del 30 de agosto. La determinación fue tomada. Debía considerarse al Paraguay en estado de guerra con el Imperio, desde que, pese a las claras advertencias paraguayas, había sido invadido el territorio oriental. La guerra con el Brasil era un hecho y no por culpa del Paraguay. La voluntad de considerar *casus belli* la violación de la soberanía territorial del Uruguay, había sido expresamente manifestada en la protesta del 30 de agosto, en su corroboración del 3 de setiembre, y, sobre todo, en los discursos presidenciales del 12 y 16 de setiembre que el órgano ofi-

(23) De Caminos a Berges, Paraná, noviembre 3, 1864, AMREP, I-30, 2, 53.
(24) *El Semanario*, Asunción, setiembre 17, 1864, cit.

cial había divulgado. La condición había sido cumplida. Una declaración formal del estado de guerra era innecesaria. Andrés Bello en su obra sobre derecho internacional publicada ese mismo año, decía inequívocamente:

> Un procedimiento de nuestro adversario, que de antemano hemos declarado se miraría como un acto de hostilidad, hace innecesaria una nueva declaración para dar principio a la guerra (25).

10. La guerra estaba declarada por el Brasil al invadir el territorio oriental. El Paraguay no haría sino aceptarla. No obstante, el presidente López quiso que por la voz de *El Semanario* se proclamara públicamente el estado de beligerancia. Se preparó para la edición del 12 de noviembre un extenso artículo de fondo, en que tras historiar los hechos, se decía que "la declaración de guerra de parte del Imperio está hecha formalmente", y que el Paraguay quedaba libre de obrar conforme a sus intereses y honor comprometido. Seguía así el artículo:

> El Brasil no ha dado oídos al amistoso llamado que le ha hecho el Paraguay, y despreciando sus declaraciones oficiales, constante en su pensamiento de conquista y exterminio de la República Oriental, hollando las más claras y terminantes prescripciones del derecho de gentes, abusando de su fuerza y poder, y provocándonos a una lucha, lanza sus huestes sobre el Estado Oriental, se posesiona de la Villa de Melo, quema la bandera oriental y la sustituye con la auri-verde del Imperio.
>
> Nada hay que esperar.
>
> La absorción del Estado Oriental no es ya un pensamiento manifestado puramente en las regiones de la diplomacia brasilera, es encomendada a su tropa para consumarla, sin economizar sangre ni horrores, sin consideración a la dignidad de un pueblo libre, sin cuidarse de los grandes intereses que va a hollar con sus plantas en una verdadera conquista llevada contra un Estado, sin permitir una conciliación amigable, sin previa declaración de guerra, y por el solo abuso de la fuerza.
>
> Persiste el Brasil en su política falaz, en hacer recrudecer los odios, que sus constantes intrigas, su mala fe, su hipocresía y su interés de deprimir a estas repúblicas, le han traído; quiere a todo trance imponer su voluntad a los pueblos que con costoso sacrificio han conseguido su libertad, y en su temeraria ambición no perdona poner a su servicio los medios más infames, repudiados por la dignidad y por la civilización, con tal de alcanzar el predominio que busca en perjuicio de los intereses más valiosos de estos pueblos y de sus derechos más caros.
>
> Pero de esta vez no puede quedar impune el enorme atentado que el Imperio esclavócrata quiere consumar, hollando los más santos principios de que se enorgullece un pueblo, y alterando el reposo y el bienestar de una nación tranquila y laboriosa.
>
> El Brasil sabe el derecho legítimo que asiste al Paraguay para oponerse a sus miras injustificables; sabe, como lo sabe todo el mundo, que los grandes intereses de este país están vinculados con la existencia libre del pueblo oriental; sabe que violando su integridad, le amenaza; sabe, en fin, después de la

(25) ANDRÉS BELLO, *Principios de Derecho Internacional*, París, 1864, p. 142.

declaración de nuestro gobierno, que la ocupación del territorio oriental no podrá consentir el Paraguay.

Sin embargo, el Brasil avanza sin ninguna consideración, hollando ese derecho, desoyendo todo llamamiento amistoso, despreciando las declaraciones y los títulos que tiene el Paraguay para ocurrir a su seguridad con el sostenimiento de la independencia del estado que quiere aniquilar.

Bajo el nombre de represalias se permite el imperio los abusos que está perpetrando con el débil. No tiene el noble coraje de declarar la guerra, y sin embargo, del ultimátum Saraiva, en que promete que las represalias se ejercerán solamente sobre nuevos actos que se cometan contra súbditos del imperio, sin embargo de que ese documento público, acreditado con la declaración de todo un plenipotenciario, dice que las represalias a que recurra el Brasil no se considerará como actos de guerra, sin embargo de todo esto, y sin más antecedentes, con buques de la marina imperial cañonea a vapores orientales, ayuda y se coaliga con la rebelión para hacer una guerra a muerte al gobierno legal, viola el territorio oriental, y se apodera de sus poblaciones, y lo que es más original, declara que va a apoderarse del ejército a título de represalias.

Todo esto causaría un verdadero asombro si el Brasil no se hiciese ya conocer de antemano por las huellas que ha dejado en su carrera diplomática, olvidando compromisos, rompiendo pactos y quebrantando los más solemnes tratados. El gabinete imperial no hace sino continuar en su empeño tradicional de conseguir su objeto sin reparar en los medios, ni pasarse en las consideraciones que demandan la dignidad y el honor. Cree que su fuerza justificará sus abusos, piensa que hay carta blanca para obrar toda vez que haya algo que conseguir en su provecho.

Siguiendo esta conducta, el Brasil en la mejor inteligencia con el Paraguay, ha hecho ocupar el Pan de Azúcar, territorio paraguayo, de que han sido arrojados sus soldados a viva fuerza; en plena paz una escuadra brasilera ha venido, lastimando el honor y la dignidad nacional, con intención de apoyar las intimaciones de uno de sus plenipotenciarios; siguiendo ese mismo injustificable proceder ha violado el tratado celebrado con el Paraguay el año 1856, y hoy con pleno conocimiento de lo que ha declarado nuestro gobierno, despreciando sus manifestaciones, se lanza sobre la frontera a ocupar el territorio oriental.

El Brasil ha avanzado ya el límite que ha señalado la protesta de nuestro gobierno; ha levantado con ese hecho el estandarte de la guerra; provoca así al Paraguay a que cumpla su protesta.

El gobierno nacional ha usado de demasiado moderación con el Brasil. Por la primera nota que en contestación a la protesta de 30 de agosto dirigió al ministro de S. M. I., y en que ha manifestado que ninguna consideración hará cesar a su gobierno en el ejercicio de sus deliberaciones sobre la República Oriental; después por el atentado contra el vapor de guerra *Villa del Salto*, se veía autorizado a obrar como en *casus belli*. Sin embargo, nuestro gobierno esperó aún que el gabinete imperial reconsiderara sus injustas pretensiones, le prestase alguna atención; pero no, mirándole con desdén, cometiendo cada vez nuevas tropelías, desconociendo los derechos más sagrados, ha llegado hoy a consumar el hecho de la ocupación militar por las fuerzas imperiales, acto con que amenaza nuestra seguridad y porvenir, y justificando así los fundamentos en que se basa la protesta de nuestro gobierno de 30 de agosto, y subsiguientes declaraciones oficiales al representante del Brasil en esta Capital, intima al Paraguay una guerra igual a la que da principio en la República del Uruguay.

Ha sonado la hora de ocurrir por la honra, la dignidad y los derechos de la Nación. Ya vemos el fruto de la moderación de nuestra parte. El Brasil se declara nuestro enemigo.

Ya es tiempo de obrar, y no dudamos un momento que el gobierno de la República, solícito defensor de los derechos del pueblo paraguayo, tomará las medidas que sean más convenientes para hacer efectivo el pronunciamiento popular, impidiendo que se rompa el equilibrio político del Río de la Plata [26].

¿Vaciló el presidente del Paraguay al tomar tan grave determinación? La noticia de la invasión del territorio oriental llegó a su conocimiento en las primeras horas del día 9 de noviembre. Ni ese día, ni el siguiente, ni el 11, cuando supo, pasadas las 8 que un barco con bandera brasilera, el *Marquez de Olinda,* estaba anclado desde la madrugada en el puerto de Asunción, ni transcurrida toda la mañana y llegada la siesta, el general López había llegado a una conclusión. López sabía, por información del Ministerio de Guerra y Marina, que el *Marquez de Olinda* se proponía continuar viaje a las 14. Ninguna orden dio hasta hora oportuna para detenerlo, como correspondía apenas considerara al Paraguay en estado de guerra con el Brasil. Pero a la misma hora en que el barco brasilero debía levar anclas, terminaron las vacilaciones [27]. A las 14 del día 11 de noviembre la decisión estaba tomada. El Paraguay se hallaba en guerra con el Brasil desde el momento que tropas imperiales, desatendiendo la protesta del 30 de agosto, habían invadido el territorio oriental. Por lo tanto, el *Marquez de Olinda* era buena presa y debía ser detenido. En un tren expreso fue despachado el teniente coronel Antonio de la Cruz Estigarribia con instrucciones de disponer el primer acto de guerra por parte del Paraguay: la persecución y captura del *Marquez de Olinda* que ya había salido de Asunción.

Había llegado el momento de obrar.

[26] *El Semanario*, Asunción, noviembre 12, 1864. Aunque la edición lleva esta fecha, fue compuesto con anterioridad, según explicamos en la Nota 20 de este Capítulo.

[27] CENTURIÓN, t. I, p. 171, dice que López vaciló mucho antes de tomar su resolución y atribuye a Sagastume el haberle persuadido, pero hemos visto que el ministro oriental no estuvo en Cerro León sino el día 10. THOMPSON, p. 18, dice que López fluctuó entre la paz y la guerra el día 10 en que afirma haber llegado el *Marquez de Olinda* a Asunción.

Capítulo XXXV

CAPTURA DEL "MARQUEZ DE OLINDA"

1. Permanencia en Asunción. — 2. El Tacuarí sale en su persecución. — 3. Cierre de puertos y espectativa. — 4. Importante nota de Washington. — 5. Captura del Marquez de Olinda. — 6. Pedido de explicaciones. — 7. Nota de ruptura antidatada. — 8. Pedido de pasaportes. — 9. Allanamiento y revisión del barco brasilero. — 10. Washburn en Cerro León. — 11. Risible botín.

1.   En la madrugada del 11 de noviembre fondeó en Asunción el barco mercante con bandera brasilera *Marquez de Olinda* que hacía regularmente la carrera entre Montevideo y Corumbá (Matto Grosso), con escalas en Buenos Aires y en Asunción. Salió de Montevideo el 3 de noviembre, y dejó Buenos Aires el día siguiente. El *Marquez de Olinda,* de 198 toneladas, navegaba al mando del teniente 1º Manuel Luis de Silva Santos y con 43 hombres de tripulación. Traía como pasajeros al coronel Federico Carneiro de Campos, recién designado presidente y capitán de armas de la Provincia de Matto Grosso y a los señores Antonio María Pereira Leite, José Vicente Bueno de Samparo, José Antonio Rodríguez Braga, Juan Pereira Aranca, Angel de Tarta Pinto, Juan Cocho, Antonio Joaquín de Pacha, Tarquino José de Paula de Chagas, Antonio Linarese, Antonio Antunes do Luis, todos brasileros; el nuevo cónsul general de la República Argentina, Adolfo Soler, Antonio Cañete, también argentino y dos colonos italianos, cuyos nombres no registró la lista de pasajeros (¹). Al pasar por Humaitá, hizo el saludo acostumbrado al fuerte, el cual fue devuelto como siempre (²), y al anclar en Asunción no se produjo ningún movimiento especial, limitándose el ministro de guerra y marina, coronel Venancio López a informar al presidente en la forma rutinaria:

(¹)   *El Semanario*, Asunción, diciembre 3, 1864.
(²)   Washburn, t. 2, p. 256.

Esta madrugada ha fondeado en el puerto el vapor brasilero *Marquez de Olinda* que ha dejado Montevideo el día tres y Buenos Aires el cuatro.

No he recibido hasta este momento ninguna carta ni periódico por él, pero tal vez más tarde lo reciba. Trae a bordo para un nuevo Presidente en la Provincia de Matto Grosso, al Coronel del Cuerpo de ingenieros, Federico Carneiro de Campos y quince pasajeros más. Parece que el nuevo Presidente se apresura a pasar pronto porque esta tarde a las dos dice que sigue viaje (³).

Era habitual que los altos funcionarios brasileros, a su paso por Asunción, descendieran para saludar a las autoridades. Carneiro de Campos permaneció a bordo. Desembarcado el pasajero que venía a Asunción, el nuevo cónsul argentino Soler, mientras el barco brasilero se reaprovisionaba de carbón, el comandante bajó a tierra y estuvo en la casa del ministro brasilero, Vianna de Lima, para entregarle una carta, según informó el Inspector de Puertos Francisco Bareiro al presidente López (⁴). Después que el comandante del *Marquez de Olinda* regresó al barco, el ministro brasilero, con un hijo y el secretario, subieron a bordo, a las 11, y permanecieron con el nuevo presidente de Matto Grosso hasta las 14 y 45, hora en que el barco, terminado su reaprovisionamiento de combustible, levó anclas y prosiguió, sin ningún contratiempo, su viaje al norte.

Hasta ese momento se ignoraba en Asunción que López había decidido que el Paraguay estaba ya en estado de guerra con el Imperio del Brasil. Ni el ministro de guerra y marina, ni el inspector general de puertos, ni el jefe de la guarnición de la capital, ni el jefe de la marina, ni el comandante del barco insignia *Tacuarí* sabían la determinación que acababa de adoptar el presidente de la República en su campamento de Cerro León, de considerar el Paraguay en beligerancia con el Brasil, y dejaron salir silenciosamente al *Marquez de Olinda*.

2. Pero apenas un cuarto de hora después de soltadas sus amarras, apareció jadeante la locomotora que traía al teniente coronel Antonio de la Cruz Estigarribia con órdenes escritas del presidente López de impedir la salida del barco brasilero o capturarlo allí donde se le encontrara (⁵). Eran las 15. Inmediatamente se dispuso que el *Tacuarí,* el más veloz de los barcos de la escuadra paraguaya y que estaba con los fuegos apagados, se alistara para salir en persecución del *Marquez de Olinda.* El jefe de la marina capitán Pedro Ignacio Meza pidió que se le dejara comandar el *Tacuarí,* pese a su delicado estado de salud, pero el ministro de guerra y marina, coronel Venancio López, dispuso que lo hiciera el teniente 1⁹ de navío Remigio Cabral, a quien transcribió las instrucciones del presidente

(³) De V. López a López, Asunción, noviembre 11, 1864, Aᴄɴᴘ, vol. 1022, p. 7.

(⁴) De F. Bareiro a López, Asunción, noviembre 12, 1864, Aᴄɴᴘ, vol. 791.

(⁵) No se conserva el texto de estas instrucciones.

López, con el agregado de que "si no lo alcanzara seguirá hasta el límite de nuestro territorio y de allí regresará, porque esto no estaba prevenido en la orden de V. E.", según informó el coronel López a Cerro León (⁶).

Esta previsión pareció prudente al ministro de guerra, porque aparte de necesitar el barco varias horas para aprovisionarse de combustibles y calentar las calderas que también estaban descargadas, sin agua, un accidente ocurrido a las 17, en el momento de ponerse en movimiento el *Tacuarí* retrasó aún más su salida. Estalló uno de los tubos de la caldera de proa. No fue posible componerlo en el acto y el ingeniero Whitehead informó que el otro barco surto en el puerto, el *Ygurey* estaba en peores condiciones, por lo cual se decidió que marchara el *Tacuarí* con una sola de sus calderas, reparándose el tubo averiado en el camino. También ordenó el ministro de guerra y marina que acompañara al *Tacuarí,* el *Río Apa* al mando del Alférez Pereira, "de donde podrán operar los marineros con los rifles y un cañón que tienen a bordo, según me ha dicho el capitán Meza, en caso de que den alcance al *Marquez de Olinda* y haga resistencia". Así informó el coronel Venancio López al presidente López mediante chasque extraordinario despachado apenas salió la pequeña escuadrilla a las 18.30 en persecución del *Marquez de Olinda,* que llevaba tres horas y media de ventaja (⁷).

A las 17, dos horas después de la llegada del teniente coronel Estigarribia y cuando el *Tacuarí* se aprestaba a salir en persecución del *Marquez de Olinda,* se apersonó a las oficinas del Ministerio de Relaciones Exteriores, el ministro americano. Washburn pidió noticias de los sucesos del Río de la Plata. Berges le contestó que "ya estaría impuesto de la entrada de fuerzas brasileras en el territorio oriental y de los excesos que cometieron en Cerro Largo", a lo cual nada repuso el visitante. El motivo de la visita no eran los preparativos del *Tacuarí* como receló el canciller, sino la nota del secretario de Estado, William Seward, fechada el 26 de agosto último y recién llegada a manos de Washburn, en que, con motivo de la mediación ofrecida en julio último por el Paraguay al Brasil y al Estado Oriental, el gobierno de los Estados Unidos aplaudía los esfuerzos del presidente López en favor de la paz y ofrecía secundarlos. La ironía de semejante comunicación en momentos en que el *Tacuarí* se disponía a realizar el primer acto de guerra contra el Brasil, estaba compensada, por la extraordinaria información contenida en la misma nota, de que el secretario de Estado encontraba que los acontecimientos últimos en la República Oriental daban

(⁶) De Venancio López a López, Asunción, noviembre 11, 1864, Agnp, vol. 1022, p. 32.
(⁷) De V. López a López, Asunción, noviembre 11, 1864, Agnp, vol. 1022, p. 50.

lugar "a aprehensiones de que sus poderosos vecinos tuviesen el designio de destruir su nacionalidad". Informó Berges a López, después de escuchar tan importante comunicación:

Me pareció iba a limitarse a darme lectura de la referida nota y le dije que habiendo tenido el cuidado de informársele con formalidad y prontitud de los acontecimientos de esta parte de la América en que ha tomado parte mi gobierno, sería bien que la contestación de Mr. Seward contestase en esta cancillería, aunque no sea más que como un documento contemporáneo. Me contestó que iba a escribirme en ese sentido.

También le informó Washburn a Berges que en ese día o en el siguiente pasaría a Pirayú y a Paraguarí a cazar para regresar el martes o miércoles.

Un momento después le visitaba también a Berges el vicecónsul de Portugal. Antonio Augusto de Vasconsellos, quien después de comentar las últimas noticias de Europa, le pidió pasaportes para pasar a Barrero Grande a servir de padrino en un bautismo. De todo esto Berges dio noticia a López, sin comentario alguno pero implicando necesariamente el detalle de tan menudos asuntos la sensación de la tranquilidad que reinaba en Asunción, donde los aprestos del *Tacuarí* no hacían suponer a nadie la inminencia de sucesos que pronto alterarían una paz propicia a partidas de caza y a bautismos. Terminaba el informe de Berges a López, despachado con el primer tren del día siguiente, anotando un olvido: hasta el momento, Sagastume no había comunicado oficialmente la invasión del territorio oriental.

Hasta esta hora que son las 7 de la mañana, no he recibido todavía ninguna comunicación del Dr. Sagastume. Ayer mandó avisar se hallaba enfermo, y hoy pienso mandar a su casa a uno de los empleados de la oficina a informarme de su salud (8).

3. El sábado 12 de noviembre a primera hora llegó desde Cerro León el mayor Paulino Alén, con órdenes de López para el jefe de Estado Mayor de las tropas acantonadas en Humaitá de detener en ese puerto los buques salidos de Asunción del 11 para adelante, hasta tanto estuviera de regreso el *Paraguarí,* en viaje desde Buenos Aires conduciendo armas, y a fin de que no llevaran noticias al sur. También ordenó López el fogueo de los reclutas en campamento. Estas órdenes fueron inmediatamente reexpedidas por intermedio del vapor *Paraná* que en la misma mañana partió para Humaitá. El ministro de guerra, coronel Venancio López, por su parte, escribió al jefe de Estado Mayor de Humaitá "reencargándole la conservación del ejército en el mejor estado en pie de guerra, lo mismo que las baterías", según informó al presidente López con otras noticias y disposiciones. Entre ellas estaba la prohibición de expender pasa-

(8)   De Berges a López, Asunción, noviembre 12, 1864, Amrep, I-30, 13,46.

jes para el tren hasta Cerro León a ningún extranjero que quisiera
viajar con pretexto de saludar al presidente, porque el coronel López había sabido que el nuevo cónsul argentino, Adolfo Soler, recién
llegado, pretendía pasar al campamento con ese propósito, "y en
las actuales circunstancias no sé si V. E. permite, porque éstos traerán noticias de ésa". También el ministro de guerra despachó un
chasque a Villa Occidental para traer noticias de las horas en que
había pasado por ese puerto el *Marquez de Olinda* y el *Tacuarí*.

> Nuestro cálculo —seguía diciendo Venancio López a su hermano— con lo
> marinos, según la delantera que ha llevado del *Tacuari* el *Marquez*, lo alcanzará
> por la Villa de Concepción, en donde probablemente ha de querer demorar,
> una o dos horas aunque sea, el nuevo Presidente de Matto Grosso, en vista de
> que aquí han pasado sin que se les haga caso, para observar las fuerzas de
> aquella Villa, y si fuese posible hasta sus instrucciones (⁹).

Otra orden trajo el sargento mayor Alén para el inspector de
puertos: el cierre del puerto para que no saliera ningún barco al
exterior. Se hallaban surtos en el puerto quince buques extranjeros,
diez de ellos cargando y tres ya cargados y despachados, listos éstos
para zarpar. También habían arribado dos buques de vela conduciendo artículos de almacén para Cuyabá. Todos quedaron suspendidos (¹⁰), entre ellos las goletas argentinas *Florida Blanca, Nueva
Fortuna, Bella Basquesa, Julia, Africa* y *Flor Correntina,* el patacho
argentino *Nápoles* y el pailebot oriental *Hernani* (¹¹). Otras instrucciones fueron enviadas por López. El *Tacuarí* debía colocarse,
a su regreso, al costado del *Marquez de Olinda,* impidiendo su comunicación con tierra y un lanchón de guerra, convenientemente
dotado, en la popa del barco brasilero. Otro lanchón fue también
montado con una pieza de artillería y en la tarde del 12 de noviembre se practicaron con ella ejercicios de tiro, todo conforme a las
instrucciones que trajo por la mañana el mayor Alén.

El día 12 transcurrió en medio de tensa expectación. ¿Sería
alcanzado el *Marquez de Olinda?* Los hechos no habían podido ser
ocultados al público donde, según opinión de Berges, iba a ser de
muy mal efecto para el prestigio de la marina que el *Tacuarí* volviera sin haber atrapado al barco brasilero (¹²). Si esta incertidumbre desazonaba al ministro de relaciones exteriores, a López le
molestaba que Sagastume, pese a sus promesas, aún no comunicara
oficialmente la invasión del territorio oriental por las fuerzas del
Brasil, en que iba a basar el gobierno del Paraguay la grave reso-

(⁹) De V. López a López, Asunción, noviembre 12, 1864, 8 de la mañana,
Agnp, vol. 1022, p. 34.
(¹⁰) Del Capitán del Puerto, Bareiro a López, Asunción, noviembre 13, 1864,
cit.
(¹¹) Barcos que abandonaron el puerto cuando se lo franqueó el 29 de noviembre, *El Semanario,* Asunción, diciembre 3, 1864.
(¹²) De Berges a López, Asunción, noviembre 13, 1864, Amrep, I-30, 13, 46.

lución que acababa de llevar a efecto. El ministro del Uruguay el mismo día 11 en que se determinó la detención del *Marquez de Olinda,* mandó avisar a Berges que estaba enfermo, y ni ese día, ni los siguientes hizo la prometida comunicación. López tenía listo el proyecto de nota para la Legación del Brasil y la demora de Sagastume le disgustó vivamente. Escribió a Berges:

> Estaba esperando la comunicación del Dr. Sagastume, cuya demora me contraría, y mañana dejaré de esperar y enviaré el proyecto de nota para la legación brasilera, que no debe demorarse más [13].

4. Si Sagastume se mostraba tardo en protocolizar sus informaciones oficiales, no ocurrió lo mismo con el ministro americano, que ese mismo día 12 cumplió su promesa de transmitir la importante opinión de la Secretaría de Estado sobre el momento internacional.

> El honorable William H. Seward —decía la nota de Washburn a Berges— Secretario de Estado de los Estados Unidos, en un despacho que me dirigió el 26 de agosto acusa recibo de una copia de la nota que me habéis hecho el honor de pasarme el 17 del mismo mes en que me participábais la intención del gobierno paraguayo de acceder a la solicitud del Ministro Oriental, el Sr. Sagastume, y la oferta de mediación amistosa del Paraguay entre su Gobierno y el Brasil.
> De los acontecimientos que han tenido lugar en la República Oriental anteriores a aquella fecha, Mr. Seward observa que dan lugar a aprehensiones de que sus poderosos vecinos tuviesen el designio de destruir su nacionalidad, pero expresó la esperanza de que la mediación del Paraguay tendría el éxito de impedir una guerra entre aquel país y el Brasil.
> Una guerra de tal naturaleza en que no sólo se encontrarían en peligro los intereses materiales, sino la propia existencia de una República hasta aquí floreciente, sería grandemente deplorada por el Gobierno de los Estados Unidos, y estoy instruido por Mr. Seward para decir que toda clase de buenos oficios que yo pueda prestar secundando los esfuerzos del Presidente del Paraguay en promover resultado tan deseable como el arreglo pacífico de las diferencias existentes entre aquellos países, serían aprobados por mi Gobierno.
> Casi no tengo precisión de agregar que la noticia del fracaso de todos los esfuerzos de mediación en esta desgraciada contienda será recibida por mi Gobierno con profundo pesar, o que una guerra general, hacia la cual toda la América del Sud, del Este de los Andes, parece estar moviéndose, será mirada como una grande calamidad para todo el mundo. Los esfuerzos del Presidente del Paraguay para impedir tan grande catástrofe deben mirarse muy recomendables por todos los que conocen la importancia de la paz para desarrollar los recursos de estos países y obtener para sus habitantes esa estabilidad y seguridad, que son esenciales a la más alta prosperidad y felicidad de los pueblos [14].

Tarde llegaba tan formidable respaldo de la posición que el Paraguay había asumido cinco meses antes, en las divergencias entre el Imperio y el Uruguay. Pero si la intención del Departamento de

---

[13]   De López a Berges, Cerro León, noviembre 12, 1864, AMREP, I-30, 12, 8.
[14]   De Washburn a Berges, Asunción, noviembre 12, 1864, BENITES, t. I, pp. 106-107.

Estado de secundar la hacía rato frustrada mediación del presidente López, se volvió inoperante por la radical variación que los posteriores acontecimientos produjeron en las respectivas posiciones al fracasar esa mediación y convertirse el Paraguay de posible mediador en antagonista de uno de los dos países, mantenían validez a los ojos de López, las razones en que, tres meses antes, se apoyaba el gobierno de los Estados Unidos para apoyar y aplaudir los esfuerzos del Paraguay. En el concepto del Secretario de Estado, estaban justificadas las aprensiones de que los poderosos vecinos de la República Oriental se proponían destruir su nacionalidad: precisamente en esos temores el Paraguay fundamentaba su política, apoyada ahora públicamente por los Estados Unidos que, aunque en esos momentos enzarzado en la guerra de secesión, tenía medios de dar gran realce mundial a esa definición. Sin embargo, ese día 12 de noviembre, en Asunción y en Cerro León interesaba más que esta actitud del poderoso pero lejano país, la incertidumbre que reinaba, en una atmósfera tensa, acerca del resultado de la misión del *Tacuarí*.

5.   El vapor brasilero fue alcanzado antes del término calculado por los expertos. Las condiciones marineras del *Tacuarí* se pusieron nuevamente en evidencia. A pesar de no navegar sino con una sola hélice, en la mañana del día 12, a las once en punto, dio alcance al *Marquez de Olinda,* en el paraje denominado Curuzú Chicá ([15]) o Potrero Porá ([16]). Allí le pasó el comandante Cabral una intimación escrita para que se detuviera y volviera en el acto a Asunción ([17]). El *Marquez de Olinda* obedeció sin resistencia la intimación y escoltado por el barco paraguayo enfiló nuevamente la proa rumbo a Asunción, donde ambos llegaron a las 22 y 45 del mismo día 12. La noticia fue inmediatamente comunicada por el ministro de guerra y marina al presidente López:

En este momento, diez y tres cuarto de la noche, acaba de llegar en este puerto de regreso el *Tacuarí* con el *Marquez de Olinda,* que le dio alcance a las once en punto de esta mañana en el paraje denominado Curuzú Chicá, y habiendo dado la intimación obedeció sin resistencia alguna y regresaron aguas abajo.

El *Tacuarí* queda fondeado en el mismo costado del *Olinda* conforme V. E. se ha servido ordenarme a observar todo el más mínimo movimiento que hagan a bordo, y la cañonera prisionera en la popa.

Todas las demás órdenes que V. E. se ha servido ordenarme para la vigilancia e incomunicación de este buque con la tierra, serán cumplidas religiosamente.

(15)   Según las comunicaciones de Venancio López. Curuzú Chicá es el actual puerto Antequera.

(16)   Según comunicación de López a Resquín de noviembre 15, 1864.

(17)   No se conservan ni las instrucciones escritas de López ni la intimación de Cabral, pero consta la existencia de ambos documentos por las referencias que de ellos se hacen en los demás atinentes al episodio.

Me apresuro a despachar este chasque, llevando a V. E. el aviso del regreso, y dentro de un rato despacharé al Alférez González para dar detalles de la comisión del *Tacuarí*, conforme me ha prevenido esta mañana el Mayor Alén [18].

Una hora después fue despachado a Cerro León el alférez González a informar personalmente al general López sobre el cumplimiento de la misión del *Tacuarí*, y llevándole también una copia de la intimación al comandante del *Marquez de Olinda* [19]. Antes de conocer la importante nueva, López, contrariado por el considerable retraso con que fuera puesto el *Tacuarí* en persecución del *Marquez de Olinda,* había endilgado a su hermano y ministro de guerra, una retahila de cargos que el coronel Venancio López su "muy obediente hermano y seguro servidor", como firmaba humildemente sus comunicaciones, contestó compungido, explicando minuciosamente los motivos que habían concurrido para el retraso de la expedición, entre los cuales aparecía ahora la falta de combustible, de que casi ya no había "stock", tanto que hubo que sacar carbón de los demás buques para proveer al *Tacuarí*. Explicó el coronel López:

Puedo asegurar a V. E. que se ha empleado toda la actividad que demandaba la circunstancia para el pronto cumplimiento de la orden de V. E. y a las dos horas y media de recibida la orden el *Tacuarí* para la comisión, estaba en momentos de marchar cuando desgraciadamente sucedió el contratiempo en la máquina que ha interrumpido la marcha.

También informó el ministro de guerra y marina que ningún movimiento se notaba a bordo del *Marquez de Olinda,* cuyos fuegos fueron apagados momentos después de su llegada. Por lo demás, en la ciudad se estaba "sin ninguna novedad y en perfecta quietud" [20]. Esta comunicación fue enviada a Cerro León mediante chasque extraordinario porque desde el día anterior la locomotora, que había sufrido un accidente al traer al mayor Alén, estaba en reparaciones a cargo del mayor Bruguez. El chasque salió a primera hora del domingo 13, poco después de las 7, y llevó también otra comunicación del ministro Berges a López:

He tenido el honor de recibir la carta de V. E. de ayer en la que me anuncia el envío del proyecto para la Legación brasilera.

Hasta esta hora que son las 7 de la mañana no ha enviado el Dr. Sagastume la nota que se esperaba [21].

[18]   De V. López a López, Asunción, noviembre 12, 1864, AGNP, vol. 1022, p. 30.

[19]   De V. López, Asunción, noviembre 12, 1864, AGNP, vol. 1022, p. 38.

[20]   De V. López a López, Asunción, noviembre 13, 1864, AGNP, vol. 1022, p. 15.

[21]   Este párrafo aparece tachado en el borrador de Berges, tal como se conserva en AMREP.

Adjunto a V. E. la traducción de la nota que me dirigió ayer el ministro de S.E.R. de América, y espero recibir órdenes de V. E. sobre la publicación de este documento.

Como ha amanecido en este puerto el paquete *Marquez de Olinda*, conducido por el *Tacuarí*, espero de un momento a otro una reclamación de la Legación brasilera la que inmediatamente enviaré una copia a V. E. y no daré contestación hasta recibir instrucciones de V. E.

Me permito llamar la atención de V. E. sobre la ocasión que se presenta, al responder a la Legación brasilera, de salvar el comercio inocente o neutro de todas las naciones por el territorio de la República.

Felicito a V. E. por el buen resultado de la expedición del *Tacuarí*, cuyo viaje no ha podido ocultarse al público, y hubiera sido de muy mal efecto para nuestra marina, si hubiese vuelto sin alcanzar al *Marquez*.

Este día, mandaré otra vez a informarme de la salud del Dr. Sagastume que me dicen continúa enfermo.

Por que hoy no sale el tren no pasa a ese campo Don José Caminos, que mucho desea hablar con V. E., pero irá mañana [22].

En las primeras horas de ese mismo día, apenas el presidente López se informó del regreso del *Tacuarí,* ansioso de conocer las repercusiones de la captura del barco brasilero, escribió a Berges pidiéndole noticias sobre el particular. Además le envió el borrador de la nota que debía pasarse a la legación brasilera, ya sin esperar la comunicación oficial de la invasión tan demorada por el ministro oriental, al mismo tiempo que le trasmitía algunas instrucciones. Le decía:

Por las noticias que   cabo de recibir estoy informado del regreso del *Tacuari,* y del cumplimiento de su cometido. ¿Qué sensación produce esto?

Adjunto hallará Ud. el borrador de nota para la Legación brasilera que es preciso se pase en el acto.

Si alguna comunicación recibiera Ud. me enviará y probablemente no nos apresuraremos a responder. Se entiende de la misma Legación.

Si alguno de los Agentes se presentare deseando noticias, se inspirará Ud. de acuerdo con la notificación a la Legación brasilera, prometiendo que tan pronto como le sea posible pasará Ud. al cuerpo diplomático una circular [23].

El chasque que llevó esta carta sufrió un retardo en el camino, en forma que a las nueve y media Berges se encontraba aún sin las anunciadas instrucciones para comunicar a la legación brasilera la ruptura de las hostilidades. Temeroso de que llegara el inevitable reclamo de la misma legación sin estar lista aquella nota, que debiera precederla lógicamente, Berges optó por retirarse de su despacho y se dirigió pausadamente a su residencia en Salinares.

6.   Desde las primeras horas del día 13, había cundido por toda la ciudad la noticia del forzado regreso del *Marquez de Olinda* y apenas enterado de ella el ministro del Brasil, redactó, a las nueve, una nota a Berges para pedir explicaciones sobre el hecho:

[22]   De Berges a López, Asunción, noviembre 13, 1864, AMREP, I-30, 13, 46.
[23]   De López a Berges, Cerro León, Domingo (13), 1864, AMREP, I-30, 12, 8.

En este momento, nueve horas de la mañana, fuí informado de que el paquete brasilero *Marquez de Olinda,* que saliera de este puerto para Matto Grosso, anteayer a las dos horas de la tarde, llevando a su bordo al Sr. Presidente nombrado para aquella provincia, se halla desde esta madrugada anclado en el puerto de la Asunción y bajo batería del vapor de guerra paraguayo *Tacuarí.*

No habiéndose presentado el Comandante de dicho paquete en esta legación para explicar el motivo de su inesperado regreso, debo suponer fundadas las noticias que aquí circulan de haber sido aquel vapor brasilero perseguido por el *Tacuarí,* que dejó este ancladero pocas horas después del *Marquez de Olinda,* y por él detenido, hallándose actualmente incomunicable con la tierra.

En tales circunstancias me dirijo inmediatamente a V. E. pidiéndole explicaciones sobre el grave hecho que acabo de exponer (²⁴).

Cuando el portador de la nota llegó al Ministerio de Relaciones Exteriores, ya no estaba Berges en su oficina. La recibió el ministro de gobierno, Francisco Sánchez, cuyo despacho era contiguo al de la cancillería, quien dispuso que el oficial 1⁹ Gaspar López, la llevara al domicilio de Berges en Salinares. Así lo hizo, a pie, por no poder proporcionársele pronto un caballo y a fin de evitar demoras. La comunicación estuvo a las 10 y 45 en manos de Berges, quien inmediatamente escribió a López, enviando copia de la misma por medio del chasque que salió a medio día para Cerro León:

Estudiosamente me retiré hoy de la oficina a las nueve y media de la mañana, temiendo que llegará el reclamo de la Legación brasilera sobre el regreso del paquete *Marquez de Olinda.*

Llegó efectivamente en Salinares a los 10 y ¾ de la mañana, y me apresuro en adjuntar a V. E. copia de ella por aprovechar el chasque que debe salir de la Mayoría a las 11 y media de esta mañana.

Si mañana tengo otra reclamación, antes de recibir instrucciones de V. E. me limitaré a acusar recibo a la Legación, ofreciéndole pedir informes sobre este incidente a S. E. el Sr. Ministro de guerra y marina (²⁵).

A su vez, el ministro de gobierno Francisco Sánchez, creyó de su deber informar al presidente López sobre la parte que le había correspondido en el recibo y despacho de la nota de la legación brasilera. Escribió a Cerro León, con el mismo chasque:

Tengo honra en dirigirme a V. E. participándole que al Ministerio de Relaciones Exteriores ha sido dirigida una comunicación de la Legación brasilera en esta Ciudad, y habiendo caminado ya para Salinares el señor Ministro Berges, se la llevó D. Gaspar López a pie por no proporcionarse tan pronto un caballo y evitar demoras. En la persuasión pues de que tenga necesidad de aprovechar el chasque de a medio día para Cerro León, lo pongo en conocimiento de V. E. para si no pudiese tan pronto el señor Berges insinuarse al respecto; sin embargo de que creo que no se descuidará en avisárselo a V. E. o enviarle la comunicación si hubiese de hacerlo (²⁶).

(²⁴)   De Vianna a Berges, Asunción, noviembre 13, 1864, BENITES, t. I, p. 102.

(²⁵)   De Berges a López, Asunción, noviembre 13, 1864, AMREP, I-30, 13, 46.

(²⁶)   De Sánchez a López, Asunción, noviembre 13, 1864, AGNP, vol. 1022, p. 29.

Mientras tanto, el ministro brasilero y su secretario se apersonaban en el Resguardo pidiendo permiso y una lancha para comunicarse con el *Marquez de Olinda*. No estaba el inspector de puertos, Francisco Bareiro, y en su ausencia, el oficial Britos respondió que él no podía permitirles esa franquía, con lo cual se retiraron los diplomáticos brasileros, sin insistir en comunicarse con los pasajeros del barco detenido, "que absolutamente no hacen ningún movimiento sino pasearse en cubierta y mirar con anteojos por la ciudad", según informó el comandante del *Tacuarí* al Ministerio de Guerra y Marina. Por intermedio de la Inspección de Puertos, el ministerio envió una nota al comandante del *Marquez de Olinda* para que manifestara los víveres que necesitaban. Contestaron verbalmente que no precisaban por el momento de nada, que no sabían por qué estaban detenidos, que deseaban comunicarse con su ministro y que el *Tacuarí* no quería recibir lo que le escribían, en respuesta a la intimación del día anterior. De todas estas novedades informó el ministro de guerra y marina al presidente, así como de haber dispuesto para la noche una guardia de un oficial y 18 de tropas en la cubierta del *Marquez de Olinda,* a fin de evitar que con la obscuridad de la noche "pretendan echar algún cargamento de armas o cualquiera otra cosa al río" (27).

Creyendo ya entregada la nota a la legación brasilera, López despachó desde Cerro León, a las 17, otro chasque con nuevas instrucciones. Escribió a Berges en esta ocasión:

> Escribí a Vd. esta mañana y ahora recibo la suya a medio día.
> El caso consultado está ya prevenido por mi anterior y mañana se responderá. Por lo demás no hay prisa por que cuento que a esta hora cinco de la tarde se habrá recibido en la Legación la nota de ayer.
> La de la Legación Americana es satisfactoria y formulará Ud. una contestación adecuada para consultar.
> Si tuviere Ud. ocasión de ver al Ministro, le consultará sino tiene inconveniente en la publicación de aquella comunicación que se dará a la prensa el próximo sábado (28).

7.   Eran las 18.30 de ese día, 13 de noviembre, cuando la nota del Ministerio de Relaciones Exteriores, cuyo borrador fuera enviado desde Cerro León en chasque que sufrió considerable retraso, fue entregada a la legación del Brasil. Ella estaba fechada el día anterior y decía:

> El abajo firmado, Ministro de Estado en el Departamento de Relaciones Exteriores, tiene orden del Exmo. Sr. Presidente de esta República para decir a V. E.:
> Que, apesar de que esa legación en su nota de 1º de setiembre próximo pasado afirmó en su contestación a la nota Protesta de este Ministerio del 30

(27)   De V. López a López, Asunción, noviembre 13, 1864, Agnp, vol. 1022, p. 39.
(28)   De López a Berges, Cerro León, noviembre 13, 1864, Amrep, I-30, 12 8.

de agosto que, de cierto, ninguna consideración haría cesar al Gobierno Imperial en la política que había adoptado para con el Gobierno Oriental, el del abajo firmado esperó, sin embargo, que la moderación del Gobierno Imperial y la consideración de sus verdaderos intereses, así como los sentimientos de justicia que constituyen la garantía de la respetabilidad de todo Gobierno, influirían en su ánimo, para que apreciando lo expuesto en la citada nota del 30 de agosto, adoptase una política más conforme con los intereses generales y el equilibrio del Río de la Plata, como por si mismo aconsejaba tan grave situación.

Pero, es con profunda pena que el Gobierno del abajo firmado vé, que lejos de haber merecido atención al Gobierno Imperial su moderación, las declaraciones oficiales del 30 de agosto, y la confirmación del 3 de setiembre, responde a ellas con actos agresivos y provocatorios, ocupando con fuerzas imperiales la Villa de Melo, cabeza del Departamento Oriental del Cerro Largo, el día 16 del próximo pasado octubre, sin previa declaración de guerra, ni otro acto público de los que prescribe el derecho de gentes.

Este acto violento, y la marcada falta de consideración que esta República merece al Gobierno Imperial, han llamado seriamente la atención del Gobierno del abajo firmado sobre sus ulteriores consecuencias, sobre la lealtad de la política del Gobierno Imperial; y sobre su respeto a la integridad territorial de esta República, tan poco recomendado ya por las contínuas y clandestinas usurpaciones de sus territorios, y ponen al Gobierno Nacional en el imprescindible deber de echar mano de los medios reservados en su Protesta del 30 de Agosto, de la manera que juzgue más conforme alcanzar los objetos que motivaron aquella declaración; usando así el derecho que le asiste para impedir los funestos efectos de la política del Gobierno Imperial, que amenaza no solo dislocar el equilibrio de los Estados del Plata, sino los más grandes intereses y la seguridad de la República del Paraguay.

En consecuencia de una provocación tan directa, debo declarar a V. E. que quedan rotas las relaciones entre este Gobierno y el de S. M. el Emperador, privada la navegación de las aguas de la República para la bandera de guerra y mercante del Imperio del Brasil, bajo cualquier pretexto o denominación que sea, y permitida la navegación del Río Paraguay para el comercio de la Provincia brasilera de Matto Grosso a la bandera mercante de todas las naciones amigas con las reservas autorizadas por el derecho de gentes (29).

Esta ambigua nota, que no contenía ninguna declaración de estado de guerra, y que apenas si era de ruptura de relaciones y de bloqueo de Matto Grosso, debió ser enviada antes del procedimiento contra el *Marquez de Olinda*. La demora del ministro oriental en comunicar la ocupación del territorio oriental, originó su no presentación en tiempo oportuno que López creyó posible salvar antidatando el documento.

Mientras tanto, el presidente esperaba en las primeras horas del día lunes 14 de noviembre la llegada del tren, con noticias de Berges, para enviar el borrador de la respuesta a la nota brasilera del día 13. El tren reanudó su servicio, conduciendo como pasajero a José Caminos que, al fin, podía cumplir su anhelo de visitar a López, pero sin llevar ninguna carta de Berges, aunque sí la información,

(29) De Berges a Vianna, Asunción, noviembre 12, 1864, BENITES, t. I, pp. 100-101.

seguramente transmitida por Caminos, de que la nota de ruptura de relaciones había sido entregada sólo a las 18.30 del domingo, tardanza que suscitó el disgusto del presidente, quien despachó esa mañana un chasque extraordinario a Asunción con el borrador anunciado y una carta para Berges:

> Esperaba la llegada del tren para saber lo que ocurriese por allí antes de despachar el chasque que debe llevar el adjunto borrador de contestación a la nota de ayer, pero acabo de ver que Ud. no ha escrito y extraño el silencio en estos momentos.
>
> No sé a qué hora habrá llegado el chasque despachado ayer por la mañana, pero infiero que habrá tenido retardo en cuanto solo a las seis y media fue entregada en la Legación brasilera la nota, cuya brevedad había tanto recomendado a V. Será bien que con la adjunta no suceda lo mismo (30).

Efectivamente, el ministro Berges no perdió tiempo en pasar en limpio y en hacer llegar a la legación brasilera la nueva nota cuyo borrador le había remitido el presidente, y era respuesta a la primera que Vianna le enviara en relación con la detención del *Marquez de Olinda*. Decía así:

> Acabo de imponerme de la nota que V. E. había hecho entregar en esta oficina, ayer domingo, con la fecha del día, pidiendo explicaciones sobre la detención del paquete brasilero *Marquez de Olinda*, que habiendo salido de este puerto para Matto Grosso en la tarde del 11, se encontraba de regreso desde la madrugada de ayer, anclado bajo las baterías del vapor *Tacuarí*.
>
> Tengo por excusada toda explicación sobre la materia, desde que V. E. debe hallarla en la nota que tuve la honra de dirigir a esa Legación el día 12 del corriente (31).

Si López no recibió correspondencia alguna de Berges con el tren de la primera hora, fue por haberlo perdido el capitán Benítez que debía ser portador de una extensa comunicación en que el canciller acusaba recibo de las dos cartas del presidente del día anterior y le informaba que la nota para la legación brasilera había sido dirigida a las 18.30, con fecha del 12. Berges le prometía cumplir exactamente sus instrucciones en cuanto a lo que se diría a los agentes extranjeros que inquiriesen noticias y adelantó que estaba preparando el proyecto de respuesta a la legación americana, que le enviaría en consulta con el tren del día siguiente. También le anunció que José Caminos pasaba a Cerro León "muy deseoso de visitar a V. E." y que Sagastume, aunque continuaba enfermo, pasaría en la fecha la prometida nota denunciando la ocupación del territorio oriental y pidiendo la intervención armada del gobierno del Paraguay.

> Por el mismo, Caminos —seguía informando Berges— he sabido que el Ministro americano luego que oyó la determinación decisiva de hacer volver al *Marquez de Olinda*, enviando a su alcance al *Tacuarí*, se personó a la Le-

---

(30)   De López a Berges, Cerro León, noviembre 14, 1864, AMREP, I-30,12, 8.
(31)   De Berges a Vianna, Asunción, noviembre 14, 1864, BENITES, t. I, p. 103.

gación oriental dando la noticia, y abrazando a todo el mundo, sumamente contento por la actitud imponente de S. E.

He oído que los extranjeros y muy especialmente los orientales están sumamento satisfechos de la actitud imponente de V. E. y consideran ya ventajosamente vengado el ataque de la marina brasilera sobre su vapor *Villa del Salto*.

En la generalidad de la gente del país ha sido muy satisfactorio el regreso del *Tacuarí*, conduciendo al *Marquez de Olinda* (32).

8.   La carta quedó sin ser despachada a Cerro León, a la espera del chasque de medio día, pero a las 9,15, se recibió en el ministerio una importante nota del ministro del Brasil, en que protestaba por la detención del *Marquez de Olinda* y pedía sus pasaportes. Minutos después se personó el ministro Sagastume para entregar la tan esperada comunicación de la invasión brasilera todo lo cual motivó el apronte de un chasque extraordinario. La nota de Vianna decía:

Ayer a la noche llegó a mis manos la nota de V. E. datada el día anterior, comunicándome que recibiera orden del Excmo. Sr. Presidente de la República para notificarme que en consecuencia de no haber sido atendida por mi Gobierno la protesta contenida en la nota de V. E. de 30 de agosto último, contra la entrada de fuerzas imperiales en el Estado Oriental, quedaban interrumpidas las relaciones entre los dos Gobiernos e impedida la navegación en las aguas de esta República para la bandera de guerra y mercante del Imperio, bajo cualquier pretexto o denominación que sea.

Es, sin duda, debido a esta grave resolución del Gobierno de que V. E. hace parte, el acto de violencia cometido sobre el paquete brasilero *Marquez de Olinda*, que se dirigía a Corumbá llevando a su bordo al Sr. Presidente nuevamente nombrado para la Provincia de Matto Grosso, acto acerca del cual me apresuré ayer mismo a pedir a V. E. explicaciones, que hasta este momento aún no recibí, continuando el Comandante, pasajeros y tripulación del paquete a permanecer detenidos e incomunicables con la tierra.

En presencia de semejante estado de cosas prescindo de discutir las consideraciones de que V. E. acompañó su comunicación, y me limito a protestar del modo más solemne en nombre del Gobierno de S. M. el Emperador, contra el acto de hostilidad practicado en plena paz contra el referido paquete *Marquez de Olinda* en violación de lo que fue convencionado entre los dos países respecto del tránsito fluvial, y desde ya resalvo los derechos de la compañía de navegación del Alto Paraguay por las pérdidas y daños que le pueda ocasionar la interrupción que dicho paquete sufre y viniese a sufrir en sus viajes en consecuencia de la decisión tomada por el Gobierno de la República.

Teniendo, por tanto, de retirarme cuanto antes de esta Capital, pido a V. E. que se sirva mandar los pasaportes para mi, mi familia, el secretario de la Legación y comitiva, a fin de poder seguir viaje en el paquete *Marquez de Olinda* (33).

La nota de Sagastume comunicaba, por orden expresa de su gobierno, que el Imperio del Brasil "ha por fin realizado, clara y manifiestamente el atentado que proyectaba contra la independen-

(32)   De Berges a López, Asunción, noviembre 14, 1864, AMREP, I-30, 13, 46.
(33)   De Vianna a Berges, Asunción, noviembre 14, 1864, BENITES, t. I, pp. 103-104.

cia y la integridad de la República Oriental" y hacía un relato de la ocupación del departamento de Cerro Largo y toma del pueblo de Mclo dondc "cnarbolaron la bandera brasilera a los gritos de viva el emperador, mueran los castellanos, y actos deshonrosos de violencia y desorden, estableciendo autoridades de su dependencia que actualmente usurpan a título de conquista las atribuciones legítimas del gobierno Oriental". Y después de algunas consideraciones sobre la significación de semejante atentado contra la nacionalidad oriental y la estabilidad y porvenir de la República del Paraguay, cuya "digna actitud" alababa, concluía:

En tal concepto, y fuerte en la convicción de no llamar en vano al honor y a la lealtad, el Gobierno Oriental ha ordenado al infrascripto su Ministro Residente, pida al Excmo. Gobierno del Paraguay ,en nombre de los vínculos de tradición de fraternidad y de esperanza que afortunadamente ligan a entreambos pueblos, su intervención armada en la lucha que actualmente sostiene contra el Imperio del Brasil en defensa de su independencia y la integridad de su representación política, para que unidas sus armas contra la conquista esclavócrata, obliguen al Imperio escarmentado al respeto por derechos soberanos, sellando, si necesario fuere, con su generosa sangre, la libertad y la grandeza de las Repúblicas de esta parte de América (34).

Ambas notas, la de Vianna y la de Sagastume, fueron despachadas a Cerro León sin pérdida de tiempo, por un chasque extraordinario, con una carta de Berges a López, que decía:

En este momento, que son las 9 y cuarto de la mañana recibo la nota del Ministro brasilero que en copia tengo el honor de adjuntar a V. E.
Con diferencia de minutos se personó al Ministerio el Dr. Sagastume trayendo la comunicación que original tengo la honra de incluir también a V. E. por no detener el chasque que con este motivo he pedido al Sr. Ministro de la Guerra.
No ocurre otra cosa que comunicar a V. E.

Y en una postdata el ministro Berges se permitía formular el siguiente consejo a López.

Me permito decir a V. E. que me parece conveniente acusarle simplemente recibo, diciéndole voy a elevar el contenido de su nota al conocimiento de V. E. De este modo se gana tiempo y hay más tiempo para meditar la contestación (35).

Aprovechó el chasque extraordinario a Cerro León el ministro de guerra y marina para transmitir algunas informaciones. Según el inspector de puertos, nadie de la legación o del consulado del Brasil volvió a aparecer en el puerto. A bordo del *Marquez de Olinda* continuaba el mismo silencio. El *Tacuarí* había sido retirado a distancia conveniente, pero se mantenía la lancha al costado y una guardia de un oficial y 15 soldados a bordo, con órdencs dc no admitir nin-

---

(34) De Sagastume a Berges, Asunción, noviembre 14, 1864, AMREP, I-29, 33, 26.
(35) De Berges a López, Asunción, noviembre 14, 1864, AMREP, I-30, 13, 46.

guna comunicación con tierra o con otros barcos, de no permitir fuego en las calderas ni ninguna clase de movimiento hostil, procurando observar cuanto hicieran los pasajeros y escuchar sus conversaciones. Y en un orden general, informaba el coronel Venancio López.

Aprovechando esta ocasión me es grato participar a V. E. que por aquí estamos en la misma quietud en que nos ha dejado el tren hoy a las 7 (36).

López no era hombre de admitir sugestiones y menos la de que él se tomara tiempo para meditar contestaciones aunque provinieran de su propio canciller. Apenas llegada a su poder la segunda nota brasilera, redactó el proyecto de repuesta y el mayor Alén fue encargado de llevarlo personalmente, en el día con instrucciones sobre su inmediata presentación y otras órdenes para el Ministerio de Guerra y Marina. En carta destinada a Berges, López no disimuló su fastidio porque el ministro hubiera dejado pasar el primer tren del día sin escribirle:

He recibido su segunda comunicación por chasque con la primera que debió venir por el tren, y que ha quedado sin que me explique el motivo de haber quedado, desde que la hora de partida es fija.
El Mayor Alén entregará a Vd. la contestación para el Ministro brasilero, con las explicaciones del caso.
La de Sagastume será para otro día; la nota ha venido tarde.
No tuve tiempo de darle (preguntarle?) a Caminos lo que V. me dice del Americano, pero me es agradable la noticia (37).

Ese día 14 estuvo López muy ocupado no sólo en preparar borradores de notas, sino también en hacer presenciar los ejercicios y dar a conocer las instalaciones del vasto campamento, al emisario José Caminos que, después de tanto porfiar, al fin podía entrevistarse con el presidente pero sin lograr apearle en ningún momento, de su posición de radical desconfianza con respecto de Urquiza. Lo que López quería eran hechos y no palabras. Caminos regresó con las manos vacías a Asunción, sin siquiera una carta para el capitán general. Al despedirse, López le dijo:

Todo lo que Vd. ha visto es la respuesta a mi compadre el general Urquiza. Ahora le toca a él producir los hechos en vez de las palabras (38).

9. La principal orden que llevó el mayor Alén para el Ministerio de Guerra y Marina era para la formación de una comisión especial que debía proceder al allanamiento y revisación del *Marquez de Olinda*. La comisión entró en tareas en las primeras horas del martes 15 de noviembre, integrada por el coronel ingeniero Francisco Wisner y el ex ministro de relaciones exteriores José Falcón,

(36) De V. López a López, Asunción, noviembre 14, 1864, AGNP, vol. 1022, p. 57.
(37) De López a Berges, Cerro León, noviembre 14, 1864, AMREP, I-30, 12, 8.
(38) Doc. de B. N. de Río de Janeiro, cit. por CARCANO, t. I, p. 149.

experto archivista (³⁹). Lo primero que revisaron fue el equipaje y así se enteraron de que la mayor parte de los que figuraban en las listas como civiles eran oficiales del ejército y la marina, pues fueron encontrados en sus valijas uniformes completos. Informó el ministro de guerra y marina:

El Presidente dice que se ha mostrado con los de la Comisión franco y alegre, proporcionando él mismo todo su equipaje. En lo demás, todos muy atentos (⁴⁰).

De acuerdo con las instrucciones transmitidas personalmente a Berges por intermedio del mayor Alén, los pasaportes tenían que ser entregados al ministro brasilero, juntamente con la nota correspondiente, después de que la comisión de visita estuviera a bordo del *Marquez de Olinda*. Hasta ese momento en el ministerio no había un criterio formado sobre la suerte que le correspondía al barco brasilero y sobre el derecho que podría tener el ministro Vianna de utilizarlo para salir del país. Berges se inclinaba a suponer que según fueran los resultados de la revisión del *Marquez de Olinda,* el ministro del Brasil podría disponer o no de él. En el fondo de su espíritu bullía la idea de que aún no se estaba en guerra y que sólo había una ruptura de relaciones, pero no se atrevía a exponerla abiertamente en su correspondencia con López, por más que la cuidadosa omisión de la palabra "guerra" en las notas cursadas a la legación y que habían sido redactadas por el presidente, le daban asidero a la suposición de que tal fuera también el pensamiento de este último a pesar de cuanto se publicara en *El Semanario*. Mientras esperaba Berges la oportunidad de enviar la nota con los pasaportes al ministro Vianna, escribió a López con el tren de las 7, para comunicarle el "entusiasmo y decisión" con que recibía el pueblo la situación que se iba creando. Le aseguró también que cumpliría las instrucciones de que fue portador el mayor Alén y le explicó el motivo de la demora en el envío de su primera comunicación del día anterior. También le informó que el ministro Sagastume le visitaría para proponerle que se sugiriera el envío de un barco de guerra extranjero a la confluencia de las aguas paraguayas y argentinas, sobre lo cual Berges solicitaba instrucciones (⁴¹).

A las 8.30, calculando que la comisión de visita del *Marquez de Olinda* estuviera ya a bordo, Berges dirigió la nota que acompañaba los pasaportes para la legación brasilera, según el texto redactado por López, y que datada el día anterior decía:

(³⁹) Expediente en AMREP, I-30, 7, 27.
(⁴⁰) De V. López a López, Asunción, noviembre, 15, 1864, AGNP, vol. 1022, p. 112.
(⁴¹) De Berges a López, Asunción, noviembre 15, 1864, AMREP, I-30, 13, 46.

He recibido la nota que en contestación a la de este Ministerio del 12 del corriente, V. E. me hizo la honra de dirigir con fecha de ayer, protestando contra la detención del paquete brasilero *Marquez de Olinda*, sobre cuyo caso había pedido explicaciones, que dice, no haber recibido aún atribuyendo el acto a la enunciada resolución de mi Gobierno, y pidiendo pasaportes para retirarse, cuanto antes, de esta Capital, con el personal de la Legación.

Si al cerrar la nota que contesto, todavía V. E. no había recibido mi respuesta a su nota de demanda de explicaciones del día 13, la habrá recibido inmediatamente después, y por ella se habrá informado V. E. de que no se ha equivocado al atribuir la detención del *Marquez de Olinda*, a mi notificación del 12 del corriente.

Adjunto tengo la honra de acompañar a V. E. el pasaporte que solicita para retirarse cuanto antes de esta Capital, con su familia, Secretario de Legación y comitiva (42).

Exactamente una hora después de enviada esta nota apareció en el Ministerio de Relaciones Exteriores el ministro Washburn, marcadamente agitado, según el relato de su conversación que inmediatamente hizo Berges al presidente López:

Me dijo: "sé que la Legación brasilera tiene sus pasaportes."

Le contesté que a pedimento del Sr. Ministro le había enviado.

Replicó: "pero el Ministro no tiene buque y de consiguiente queda preso en el Paraguay, pues no puede disponer del *Marquez de Olinda*, lo que es muy extraño".

Le contesté que no había tal ministro preso, ni podía esperarse tal incidente en un país civilizado, que tenía sus pasaportes, que el *Marquéz de Olinda* tenía una visita a su bordo, que no se sabía todavía su resultado, y que cuando el buque estuviese en franquía, podría el Ministro disponer de él.

Pareció sorprendido de la visita, y entonces añadí: "hace una hora que le envié sus pasaportes al Sr. ministro y V. que parece tan bien instruido de ese incidente debe conocer la visita que se está pasando al *Marquez de Olinda*.

Me contestó venía de la Legación brasilera y por eso sabía el envío de los pasaportes.

Añadió con tono amistoso que si me hacía esas preguntas era por el interés de esta República y también como ministro para dar cuenta de todo a su gobierno.

Me preguntó cuando volvería V. E. del campamento. Le respondí que no sabía, y entonces indicó los deseos de visitar a V. E. en el Cerro León.

Yo le ofrecí pasaje, encargándole me avise su resolución, lo que ofreció hacer en este día.

Le pregunté si no tenía inconveniente en que se dé publicidad a su nota fecha 12 del corriente. Me respondió: "después de haber visto su contestación hablaremos otra vez sobre ese asunto".

Me preguntó como podría mandarse comunicaciones con el exterior. Le contesté que por circunstancias excepcionales estaba cerrado el puerto, pero que esto no duraría sino muy pocos días.

Me contestó: "eso se hace en todas partes del mundo", y terminó pidiéndome le avise, si posible es un día antes, cuando haya proporción de escribir al exterior.

Le ofrecí hacerlo y se despidió ofreciendo de nuevo avisarme si resolvía o no pasar mañana al Cerro León.

(42) De Berges a Vianna, Asunción, noviembre 14, 1864, BENITES, t. I, p. 105.

Berges explicó a López que había hablado con franqueza, porque Washburn ya debía conocer la detención de los buques mercantes en el puerto y porque temía "y todavía temo", que pidiera permiso para mandar un propio al exterior a objeto de llevar correspondencia. También recelaba el canciller que el personal de la legación brasilera intentara forzar a la capitanía del puerto con los pasaportes en la mano y consideró oportuno advertir al inspector del puerto que si tal cosa sucedía "contestara solamente que cuando el *Olinda* esté en franquía podrá disponer de él el señor ministro", de lo cual también informó al presidente ([43]). A las 16.30 volvió a aparecer el ministro norteamericano en la cancillería para informar que había determinado pasar el día siguiente al campamento de Cerro León y que no tenía inconveniente en la publicación de su nota del 12 ([44]).

Si Berges se mostraba de vacilante opinión acerca de la verdadera situación jurídica que se había creado entre el Paraguay y el Brasil, no le ocurría lo mismo al general López que a esas horas, sin dudar un momento que el país estaba en guerra declarada, ya tenía decidido el rumbo que se proponía imprimir a las operaciones militares. Indicios de ello fueron el aviso que el mismo día 15 de noviembre envió al coronel Resquín, comandante de las fuerzas de Villa de Concepción, en el Alto Paraguay, de que estuviera listo para allegarse a Cerro León, y las instrucciones que le impartió para concentrar caballadas y ganado vacuno de las haciendas del Estado en la guardia de Carrillar, "de manera que en un caso dado todo pueda arrimarse en la guardia de la Confluencia (sobre el Apa) cuyo camino deberá estar practicable". También le informó a Resquín acerca de la captura del *Marquez de Olinda* y de la visita que debía darse principio en el día y que permitiría en seguida ver "lo que haya en él".

No sé cómo este buque —seguía diciendo López— y el tal Presidente hayan salido de Montevideo, después que el Brasil nos ha declarado la guerra, llenando el *casus belli* de la condición de nuestra Protesta de 30 de agosto.

Se anuncia también que el *Amazonas* y otros buques de guerra del Imperio en camino para Matto Grosso, conduciendo armas y soldados.

Al ministro brasilero se ha notificado ya la ruptura de relaciones y a esta hora está con pasaporte para retirarse del país. Si vinieran pues tales embarcaciones de guerra serán impedidas en su tránsito.

Por lo que va dicho estamos en situación de obrar, pues que a las declaraciones deben suceder las operaciones en el menor tiempo posible ([45]).

El mismo espíritu beligerante se trasparentó en la carta que escribió a Berges para acusarle recibo de su primera comunicación

---

([43])   De Berges a López, Asunción, noviembre 15, 1864, AMREP, I-30, 13, 46.
([44])   De Berges a López, Asunción, noviembre 15, 1864, citado.
([45])   De López a Resquín, Cerro León, noviembre 15, 1864, AMREP, I-30, 12, 2.

de la mañana, al tiempo que le instruía limitarse a oír y entretener ideas generales en la visita que le anunciaba el ministro Sagastume. Le decía:

> He leído con gusto su comunicación de esta mañana y muy satisfactorias me han sido sus noticias sobre el entusiasmo y unánime decisión con que recibe el pueblo la situación que se va creando. Los mismos sentimientos debo atribuir a todos los habitantes de la Nación por cuya dignidad ultrajada trabajamos; y con esos sentimientos debemos esperar que el Dios de las Naciones ha de prosperar la causa que abogamos.
>
> La simpatía de los extranjeros es también un contingente apreciable y debemos cuidar de sostener y aumentarla [46].

10. El miércoles 16 de noviembre estuvo el ministro americano en el campamento de Cerro León. El objeto de la visita de Washburn era interesarse en su carácter de decano del cuerpo diplomático, por la suerte de su colega el ministro brasilero que se encontraba sin medios para salir del país. Apenas llegado, compareció ante el general López, con el cual mantuvo varias conferencias [47].

Según el relato de Washburn, primeramente expuso su sorpresa por el procedimiento del gobierno paraguayo al retener al *Marquez de Olinda* sin declaración de guerra y López le replicó que la guerra existía ya, y que por lo tanto se justificaban la captura del barco y la prisión de sus oficiales, la tripulación y los pasajeros que estaban al servicio del gobierno brasilero [48]. Washburn convino, según López, en que "apreciando todos los antecedentes entre los dos gobiernos, el paraguayo estaba en su derecho para declarar buena presa al *Marquez de Olinda* y los objetos de propiedad del gobierno brasilero [49]. El ministro americano tentó salvar al pre-

---

(46)   De López a Berges, Cerro León, noviembre 15, 1864, AMREP, I-30, 12, 8.

(47)   La narración que trae WASHBURN, t. II, pp. 265-271 (t. I, pp. 563-565 de la versión inglesa), se complementa con el memorándum que López preparó en el día para el conocimiento de Berges (AMREP, I-30, 1, 15). Sólo hay algunas discordancias entre ambos documentos que corresponde zanjar dando fe a la versión de López, más inmediata y sin intenciones justificativas. Pero López omitió toda referencia sobre lo que se habló acerca de la situación política, limitándose a decir que el ministro americano "se presentó haciendo observaciones generales sobre la actitud del Paraguay y del Brasil, y después de haberse discutido la materia y la presa del *Marquez de Olinda*, convino en que...", etc. y Washburn, por su parte, omite también diversas expresiones que López relata. Corresponde reconstruir la importante conversación, apelando a uno y otro relato, y reduciendo a sus verdaderas proposiciones la virulencia de ciertas manifestaciones de Washburn, pues no se concibe que el ministro americano comenzara diciendo que la captura del *Marquez de Olinda* no tenía precedentes en los tiempos modernos, que no había justificación de tal procedimiento y que no podía creerle tan "locamente temerario" al gobierno paraguayo para negarse a darle al barco brasilero, cuando se sabe que apenas cuatro días antes, al enterarse de la expedición del *Tacuarí*, había pasado a la Legación Oriental para felicitar a todos por el acto paraguayo.

(48)   WASHBURN, t. II, p. 265.

(49)   Memorándum de López.

sidente de Matto Grosso y su comitiva, así como al capitán y la tripulación, pero reconoció finalmente que aquellos, como empleados del gobierno, "no se hallaban en el caso de los simples pasajeros y que lo mismo debiera considerarse al capitán y la parte de tripulación que perteneciere al servicio militar del Brasil" [50]. Con todo, Washburn insistió en que no se había avisado debidamente al Brasil el comienzo de las hostilidades a lo cual repuso López que lo había insinuado en la protesta del 30 de agosto. Sigue relatando Washburn:

> Pero, dije yo, eso no era una declaración de guerra, ni aún una declaración que hubiera guerra; y la parte más interesada, los brasileros, no comprendieron nunca que una guerra con el Paraguay sería la consecuencia necesaria de esa protesta.
>
> "Ciertamente —dijo él—, el Brasil no podía hacer la interpretación de la protesta como él la había hecho, porque de otra manera no habría mandado el vapor arriba de Humaitá con más candidez que discreción" [51].

Lo que a continuación expresó López fue una franca y sincera exposición de los motivos que le impulsaban a aceptar la guerra con el Brasil y una insospechada revelación de sus grandes planes estratégicos. Según el relato de Washburn, el presidente López le confesó su persuasión de que sólo con una guerra el Paraguay podía llamar la atención y el respeto del mundo, guerra que sería corta y terminaría con una paz honrosa, pues el Imperio no estaba en condiciones de empeñarse en una lucha larga y pronto se convencería de que el Paraguay no era fácilmente conquistable [52].

Washburn afirmó haber combatido estas ideas, procurando persuadirle a López que el Brasil no enviaría una pequeña fuerza al Paraguay; que el gobierno del emperador estaba bien al corriente de las ventajas de la posición paraguaya y de su poder militar; que por el momento no poseía ejército suficiente para atreverse con el Paraguay pero que lo haría cuando tuviera por lo menos el doble o triple en número; que siendo el Brasil un país muy grande y de población sumamente diseminada, necesitaría cuando menos un semestre antes que pudiera levantar, equipar y organizar un ejército suficientemente numeroso para enviar contra el Paraguay; que probablemente las tropas serían enviadas a través del océano y de los ríos; que sin duda la armada brasilera sería reforzada con acorazados y monitores con la brevedad que el dinero permite y que López incurriría en un gran error si pensara que ninguna fuerza podría estar lista para atacar al Paraguay antes de un año [53]. Pero su

---

(50) Memorándum de López. Washburn dice que discordó "enteramente" con estas ideas de López.
(51) WASHBURN, t. II, p. 266.
(52) WASHBURN, t. II, pp. 266-267.
(53) WASHBURN, t. II, p. 267.

razonamiento. "fiel expresión del sentido común", no produjo, según Washburn, ningún efecto, pues López estaba resuelto a la guerra. El ministro americano pasó entonces a discutir el motivo de su visita: la situación del personal de la legación brasilera.

Washburn dijo entonces que, suponiendo la guerra ya empezada ¿qué debía hacerse con el ministro? Sus derechos e inmunidades no estaban afectados por ello, y poseía acción para abandonar el país con la libertad con que había ingresado en él. López le repuso que el ministro tenía ya su pasaporte y que podía dejar el Paraguay cuando tuviera a bien. El ministro americano preguntó si por qué medios podía ausentarse, cuando que a ningún buque le estaba permitido salir del puerto. "Verdad, contestó López que el puerto estaba temporalmente clausurado, pero él no podía ser compelido a abrirlo para la partida del embajador de un enemigo, toda vez que ello podría traer graves pérdidas para el país. Que podía irse por tierra si lo deseaba, o, si así no lo quería, permanecer hasta que el río fuera declarado nuevamente libre". Washburn le replicó que la idea de que el ministro, su esposa, hermana, tres niños, secretario y sirviente, pudieran irse por tierra, era absurda, por la enorme distancia hasta Corrientes y por el estado de los caminos: rehusarles todo otro medio de abandonar el país, excepción hecha de la vía terrestre, equivalía a prohibirles en absoluto la salida del territorio. López contestó que todo ésto era una desgracia, pero no a causa de él. Y como rehusara discutir siquiera la situación de los demás pasajeros, cuya libertad también solicitaba, Washburn decidió entonces mostrarse enérgico.

En atención a lo dicho, agregué, no existía motivo para una discusión pues como decano del cuerpo diplomático yo tenía la obligación de insistir en los derechos de la legación; que entendía que el ministro brasilero tenía derecho incontestable para abandonar el país sin entorpecimiento alguno, y que su detención sería una infracción a las inmunidades inherentes a todo el personal diplomático acreditado; y que si tal violación de las reglas establecidas y reconocidas por todos los gobiernos de las naciones civilizadas, como obligatorias y sagradas, podían tener lugar respecto de un ministro, podían así mismo serlo para con todos; por lo tanto en este caso sería mi deber, si el ministro del Brasil y su comitiva no eran provistos prontamente de los medios necesarios para abandonar el país, protestar, y que yo seguramente protestaría contra ese acto como desconocimiento del derecho, y que entonces, si mi protesta era desestimada, tendría que recabar mi propio pasaporte (54).

Esta amenaza, según Washburn, aseguró más tarde la salida de Vianna y su familia, "pues aun cuando el presidente no tenía razón alguna para importársele de mi persona, aún tenía cuidado de tener un ministro americano en el país, pues el único ministro residente en Paraguay, excepción hecha de mí, era el oriental, Sagastume, cuyo

(54) WASHBURN, t. II, p. 269.

gobierno bamboleaba ya en su caída". Pero Washburn, en su relato, omitió la briosa respuesta que le dio López a su amenaza:

Se le contestó que no debía dudar que el ministerio correspondiente se
apresuraría a darle todas las explicaciones y que si ellas no fuesen bastante
satisfactorias para él, y protestando pidiese sus pasaportes, sería muy sensible
para el gobierno, pero que se le mandaría, consiguiendo perturbar las relaciones entre el Paraguay y los Estados Unidos, cuya conveniencia solo el señor
ministro podía valorar (55).

Esta primera y borrascosa conversación duró dos o tres horas.
Washburn no encontró ningún signo de debilidad en López ni aún
cuando le amenazó con su propio retiro del país que equivalía a la
ruptura de relaciones con los Estados Unidos. Le pareció que ya no
le quedaba otro camino sino protestar por lo que consideraba el
aprisionamiento del representante imperial, pedir sus pasaportes y
abandonar el país, si podía. Así se lo dijo a López, al despedirse por
poco tiempo, pues debía volver a almorzar un poco más tarde.

Después del pantagruélico almuerzo, que contó con la asistencia
del general Wenceslao Robles y del doctor William Stewart, volvieron a discutir el problema. A Washburn le pareció que López había
reconsiderado su anterior resolución, pues adoptó un tono mucho
más moderado, y además se mostró dispuesto a proporcionar una
embarcación nacional para que Vianna pudiera abandonar el país.
El procedimiento a seguirse para acordarse esa facilidad motivó una
nueva discusión, que López relató así:

El ministro americano pretendió; 1º demostrar que le era necesario al brasilero el *Marquez de Olinda* para retirarse del país, y que falta de este recurso
se encontraba como detenido en el Paraguay, con perjuicio de sus inmunidades. Batido en este terreno por razones poderosas, pasó a pedir que el gobierno paraguayo le ofreciera un buque para transportarle, pues que le había
quitado aquél, de que pudiera haber dispuesto, y contestado que siendo esto
un acto puramente dependiente de la voluntad del gobierno y aunque la legación brasilera no se había hecho bastante acreedora a esta deferencia, el gobierno a pesar de todo lo habría empleado, si no temiera un desaire, a lo que
replicó el ministro que lo aceptaría con gusto.
Se le dijo pues que si lo aceptaba que lo pidiese: a lo que respondió que
ya había aconsejado al señor Lima de hacerlo así, y que éste a su vez manifestaba recelo, insistiendo en que se le ofreciera, como era del deber del gobierno paraguayo.
Se le contestó que como deber jamás lo haría, porque no reconocía ningún
principio que tal obligación impusiese, y que si existía ese principio lo apuntase, cierto de que sería acatado. El señor ministro no pudo hacer cita alguna, y se le repitió que tal favor dependía únicamente de la libre voluntad
del gobierno paraguayo, concluyendo por reconocerlo (56).

Ponderando muchas veces su "mala posición", por último prometió Washburn obtener del ministro Vianna la solicitud de la

(55)   Memorándum de noviembre 16, 1864, AMREP, I-30, 1, 15.
(56)   Memorándum, citado.

embarcación. López le dijo que a la vista de esta solicitud se resolvería acceder a ella siempre que no resultase en perjuicio a los intereses nacionales, porque el gobierno "no estaba dispuesto a renunciar a las ventajas que la situación topográfica y las circunstancias creadas por el Brasil, le ofrecían" [57]. Explicó López, ya en un terreno confidencial y amistoso, que era de la mayor importancia que la noticia de lo ocurrido no pasase más allá de la frontera del Paraguay, hasta tanto los buques paraguayos que venían navegando desde Buenos Aires, entre ellos el *Paraguarí*, hubieran pasado Humaitá, o fuesen garantizados, contra una posible agresión de la escuadra brasilera [58]. Semejante dificultad —observó Washburn— sería evitada por el ministro brasilero, quien, sin la menor duda, daría las seguridades necesarias de que el Brasil no sacara ventajas de las noticias que pudieran ser enviadas por el buque que trasportase a su ministro fuera del país y que dicho buque podría regresar al Paraguay sin obstáculo de ningún género. Según la versión de Washburn, López objetó que, después de lo ocurrido, el Brasil no podía considerarse ligado para respetar una promesa empeñada al Paraguay. Para hacer frente a esta dificultad Washburn habría sugerido entonces que aunque el Brasil poco se inclinara a respetar una promesa hecha al Paraguay, sería torpe en violar una formulada a un gobierno mucho más fuerte que él mismo, y que "no dudaba que Vianna de Lima, en nombre de su gobierno se empeñaría en términos tan precisos como el lenguaje pudiera hacerlo, tanto con el Brasil como con los Estados Unidos, para observar la condición de que de ninguna forma o modo se aprovecharía de cualquier noticia que fuera conducida por el vapor que fuera a buscarle" [59].

Al cabo de "interminable palabrerío", según Washburn, o, con las palabras de López, después de "nuevas conversaciones sobre las materias ya marcadas", finalmente se llegó a un acuerdo sobre esta base: Washburn volvería a Asunción y dirigiría una nota oficial al ministro de relaciones exteriores, quien contestaría exponiendo las dificultades y los peligros del camino; y entonces el ministro americano escribiría otra nota enviando la garantía escrita y firmada por el ministro del Brasil, de manera que las condiciones convenidas fueran estrictamente observadas por todas las autoridades brasileras [60]. López informó a Berges acerca del acuerdo en los siguientes términos:

[57] Memorándum de López, cit.

[58] López omite esta declaración en su memorándum así como también que se cuidó de informarle a Washburn que esos barcos traían importantes partidas de armas. El *Paraguarí* llegó el 23.

[59] WASHBURN, t. II, pp. 270-271.

[60] WASHBURN, t. II, p. 271.

Después de nuevas conversaciones sobre las materias ya marcadas, se le dijo que el Paraguay tenía otros intereses en el Río Paraná, además del *Paraguarí* y que aunque estos sufrirían daño por el auxilio y generosa cortesía de su gobierno, en favor del señor Lima, que salvando en ésto pudiera hacerse conducir a dicho señor, y que para esto se ofrecía a la legación americana una bella oportunidad para neutralizar los efectos de la toma de la *Florida* en el puerto de la Bahía, interviniendo de una manera amistosa, pero oficial, en el negocio del señor Lima, facilitando así el arreglo de aquella cuestión con el Imperio del Brasil, y que esto consistía en que recibiendo la denuncia o queja de la legación brasilera sobre su prisión supuesta, se dirigiese al ministerio correspondiente, y que en el cambio de estas notas se arreglará el transporte de la legación brasilera por buques nacionales, toda vez que del viaje de la legación no ha de resultar perjuicio a los intereses nacionales, y que los vapores *Paraguarí*, y el que los ha de conducir, no han de ser hostilizados en sentido alguno por parte de las fuerzas navales del Brasil, lo mismo que las embarcaciones de vela de cualquiera naturaleza que a la fecha de su llegada a Buenos Aires hayan salido del Río de la Plata con intereses de la República del Paraguay.

El ministro americano dijo que apreciaba altamente esta manifestación amistosa, que iba a proceder conforme a ella, que no tenía duda que el señor Vianna Lima daría todas esas seguridades como muy naturales y conformes, y que él empeñaría también su promesa en la buena fe del señor Lima y del gobierno brasilero [61].

11. En el intermedio de la larga y penosa discusión, llegó a Cerro León el chasque que salió de Asunción al mediodía, con el primer informe de la visita al *Marquez de Olinda* iniciada el día anterior. Los resultados no podían ser más decepcionantes. Se creyó que el barco brasilero venía cargado hasta el tope de armas y municiones. Así aseguró a López uno de sus corresponsales en el Río de la Plata. Pero en la revisación dirigida por Falcón y Wisner no se encontró ni pizca de lo denunciado. La carga que llevaba el *Marquez de Olinda* completamente conforme con el manifiesto era casi toda comercial Revisados minuciosamente los 136 bultos de bodega, los que aparentaban algún peso "fueron desclavados y registrados, encontrándose únicamente en ellos mercaderías en efectos y otros diferentes artículos", según informó el ministro de guerra y marina. Para mayor seguridad también se removieron las 20 toneladas de carbón en el depósito "sin ningún resultado". Las únicas armas encontradas fueron las que llevaban los pasajeros: la espada del presidente de Matto Grosso, dos escopetas de caza, una pistola a revólver y otra de bolsillo, 4 espadas, 1 puñal y bastón con estoque, que eran de uso de los oficiales, además de 1.500 cartuchos de bala y 1.000 espoletas. ¡Risible botín! El comandante manifestó 9 contos en onzas de oro y el único cargamento interesante, encontrado a bordo, fueron tres cajones clavados y lacrados, que contenían 400 contos en papel moneda. Tan minuciosa fue la pesquisa que el alférez González de la comisión paraguaya tuvo un altercado con uno

[61]   Memorándum de noviembre 16, 1864, AMREP, I-30, 1, 15.

de los oficiales del barco, "por haberle dicho por ironía" que también revisara la jaula de un pajarito.... (^{62}).

El mismo chasque trajo a Cerro León el informe de Berges sobre una conversación con el ministro Sagastume que parecía realmente haber sufrido mucho en su salud "por que su semblante está muy quebrantado". Escribió el canciller:

A las primeras palabras me dijo: "¿con que estamos amenazados de un bloqueo?"
Le contesté: "¿de dónde saca tan buenas noticias?".
Entonces me refirió que el ministro americano le había dicho que el Sr. Sauvan le aseguró que tan pronto como su gobierno conociese la detención violenta del *Marquez de Olinda*, declararía la guerra al Paraguay, y notificaría el bloqueo, el que después de los 60 días no podrían desconocer las potencias marítimas.
Siguió enseguida discretando sobre la justicia de la detención del *Marquez de Olinda* invocando la doctrina de Wheaton sobre reclamos y protestas. Esta noche veré lo que dice el estadista americano... (^{63}).

¿Pero el ministro Berges aún dudaba que se estuviera en guerra? ¿Y cómo admitió sin réplica la opinión de Sagastume de que al Brasil correspondía ahora declararla? ¿Era acaso tiempo de consultar tratadistas para conocer doctrinas? ¿No se había superado hacía rato la etapa de los reclamos y protestas? Para que, a no ser suficientes los apuntes de su conversación con Washburn donde exponía sus puntos de vista, Berges no dudara más y tampoco nadie en el mundo, de que ya se estaba en guerra. López instruyó que se publicara en *El Semanario* la correspondencia cambiada con el ministro del Brasil, juntamente con el siguiente editorial:

El Imperio arrojó el guante y la República lo ha recogido.
El gobierno paraguayo por su protesta del 30 de agosto y nota de 3 de setiembre hizo saber al Brasil que estaba definitivamente resuelto por la alternativa de la paz o de la guerra, y las demás naciones se han dado cuenta desde entonces virtualmente, cual era el nuevo estado de cosas que debía surgir entre los dos Estados, si el Imperio ocupase el territorio oriental.
El Brasil, antes de hacer declaración de guerra, la llevó a efecto con el pretexto de represalias en el Estado Oriental, injuriando así la causa que sostiene el Paraguay, y éste prevenido ya por estos actos, que coinciden con las declaraciones oficiales del Representante de S. M. el emperador del Brasil en esta Capital, en 1º de setiembre último, ya no puede menos que declararse en guerra abierta con el Brasil.
No le queda otro recurso que apelar a las armas para la reparación de la injuria, y para poder obtener la seguridad de su existencia, y de sus más caros derechos que amenaza el Imperio. Demandamos justicia al Brasil, y él nos opone la fuerza: tenemos pues el derecho de tratarlo como enemigo porque no quiere oir la voz de la justicia, y nos obliga a repulsar su violencia.

(^{62})   De V. López a López, Asunción, noviembre 16, 1864, AGNP, vol. 1022. p. 105.
(^{63})   De Berges a López, Asunción, noviembre 16, 1864, AMREP, I-30, 13, 46.

Mejor definida no puede estar la situación política del Paraguay con respecto del Brasil. Estamos en guerra. El Paraguay y el Brasil son beligerantes [64].

¡Alea jacta est!

Ya no le quedaba, pues, al Paraguay otro recurso que apelar a las armas. ¿Con qué armas contaba el Paraguay?

[64]   *El Semanario*, Asunción, noviembre 19, 1864.

Capítulo XXXVI

EL PODERIO DEL PARAGUAY

1. La fama del Paraguay. — 2. La plana mayor y la oficialidad. —
3. Envío de Sub-oficiales a Europa. — 4. La organización de los ser-
vicios. — 5. Ochenta mil soldados. — 6. El armamento. — 7. Adqui-
siciones en Europa. — 8. Humaitá. — 9. La fundición de Ybycuí y
los arsenales. — 10. La marina. — 11. La construcción de acorazados.

1.   La interpretación de la invasión del territorio oriental y de
su consecuencia, la captura del *Marquez de Olinda,* fue incumbencia
exclusiva de Solano López. Sólo a él correspondió conferir a uno
y otro hecho la condición de actos bélicos que dejaban trabada la
guerra entre el Imperio del Brasil y la República del Paraguay. Pero
le cupo haberles asignado otro sentido. La invasión pudo haber sido
reputada tal cual lo quería el Brasil: como una represalia que no
entrañaba beligerancia. Del mismo modo, la toma del *Marquez de*
Olinda, podía ser presentada por el Paraguay como otra represalia
en vista de no haber sido atendida la protesta del 30 de agosto. No
considerada la invasión *casus belli,* tampoco podría serlo por el Brasil la toma del barco brasilero. Bastaría la rigurosa aplicación de
los mismos principios del Derecho Internacional que en esos momentos estaba alegando el Imperio para despojar del carácter de beligerancia a aquella operación militar y a otros hechos tan parecidos
a la captura del *Marquez de Olinda* y aún más graves, ocurridos en
las aguas del Uruguay, y de que fueran víctimas no barcos mercantes, sino de guerra, como el ataque a cañonazos del *Villa del Salto*
a título de represalias.

El optar por esta interpretación hubiera reportado ventajosas
consecuencias para el Paraguay. En un estado de represalias no cabían ni bloqueos ni embargos, como quedó bien explícito en las
victoriosas refutaciones de Inglaterra, Francia, España, Prusia, etc.,
a la pretensión contraria del almirante Tamandaré. El Paraguay
tendría entonces expedita la vía marítima para sus aprovisionamien-

tos de Europa. Pero calificada la situación paraguayo-brasilera como
de guerra declarada esa ventaja desaparecía y el Paraguay quedaba bloqueado, librado a sus solas fuerzas. En razón de su mediterraneidad y del poder marítimo del Brasil el bloqueo del Paraguay
equivalía a su completa clausura. El Paraguay tendría que bastarse
a sí mismo, no sólo para su subsistencia sino también para la provisión de armas, de municiones y de todos los elementos necesarios
para la marina y el ejército que no fueran de fabricación nacional.
¿Advirtió López las graves consecuencias de su decisión irrevocable
de dar carácter de beligerancia a la captura del *Marquez de Olinda*?

Para el abastecimiento no habría problemas. El país producía
cuanto necesitaba para la alimentación y vestimenta. ¿Pero ocurría
lo mismo tratándose de armamentos? ¿Bastaban aquellos con los
cuales contaba o que podía fabricar el Paraguay para enfrentar y
vencer al Imperio del Brasil? ¿La calidad de sus armas era superior
o igual a las de su contendor? ¿Estaba la escuadra paraguaya en
condiciones de batirse con la escuadra brasilera? Si el designio de
López era ofensivo, ¿las fuerzas navales y terrestres de que disponía
bastarían para llevar la guerra al terreno del enemigo, hasta imponerle las condiciones de la paz? Y si su plan era puramente defensivo, ¿las fortificaciones de Humaitá servirían para detener la invasión por el río? En pocas palabras, ¿el Paraguay estaba preparado
para la guerra?

Sin duda alguna, en 1864 el Paraguay tenía fuera de sus fronteras amplia fama de pujanza militar que muchos veían incontrastable.
Algunos como el ministro francés en Montevideo, lo consideraban
en camino de convertirse en "la primera potencia militar del continente meridional" (1). Estas opiniones no eran compartidas por los
tres diarios políticos de Buenos Aires, que no se cansaban de poner
en solfa las cosas del Paraguay. Pero de las burlas de *La Nación
Argentina, La Tribuna* y *El Nacional* no participaba el sesudo órgano de la colectividad inglesa en la misma ciudad, de opinión
siempre muy escuchada y que previno a sus colegas sobre la necesidad de tomar en serio las actitudes y el poderío del país presidido
por el general López. Decía *The Standard*:

El Paraguay posee el más grande ejército permanente y los mejores cañones rayados de Sud América.

En el Arsenal han estado manufacturando artillería de campaña y bombas
durante los últimos seis meses. Su flota es solo inferior a la del Brasil. Ha estado adelantando aprestos bélicos, algo a modo de Rusia allende los mares.
En Buenos Aires conocen mucho más acerca de Francia e Italia, que del Paraguay, y Humaitá es inexpugnable según la opinión de varios oficiales ingleses y americanos que han inspeccionado las fortificaciones. De todos los gobernantes de Sud América el Presidente del Paraguay es el único que ha hecho

---

(1)   De Maillefer a Drouyn de Lhuys, Montevideo, agosto 29, 1864, MAILLE
FER, t. I, p. 377.

su aprendizaje en Inglaterra, habla elegantemente el inglés, y tiene los mejores mecánicos ingleses a la cabeza de los establecimientos mecánicos del país (²).

2. Esto fue escrito en octubre de 1864. Dos años antes en octubre de 1862, el general López había pintado un cuadro nada halagüeño del poderío militar paraguayo que contrastaba notablemente con el diseñado por *The Standard*. En el lapso transcurrido, ¿habían sido subsanadas las graves fallas que López expuso al conocimiento de los congresales que le elevaron a la Primera Magistratura?

La Memoria de 1862 había denunciado la insuficiencia de la plana mayor y de la oficialidad que numéricamente no correspondían al total del ejército. Pero en toda la primera época de su gobierno el general López no adoptó providencias apropiadas para corregir esas deficiencias cuantitativas, que eran también cualitativas. Ni siquiera cuando la 'urgente necesidad" prevista en su memoria de 1862 se había presentado con la agravación de las relaciones internacionales, el general López quiso poner a la plana mayor y a la oficialidad numéricamente al par de las neccsidades del encuadramiento del cuantioso ejército movilizado. Al iniciarse las hostilidades con el Brasil, continuaban siendo extravagantemente exiguas y completamente desproporcionadas con la gran masa de soldados bajo las armas. Según un "Estado que manifiesta las fuerzas efectivas de los cuerpos que forman los Ejércitos de la República del Paraguay" (³), la plana mayor constaba de un solo general de división, un brigadier, 3 coroneles y 5 capitanes, aparte de los cuales tenían mando de tropa otros 2 coroneles, 2 tenientes coroneles y 10 sargentos mayores. La oficialidad tampoco era numerosa. En todo el ejército no revistaban sino 51 capitanes (incluidos los 5 de la plana mayor y muchos con mando de unidades), 22 tenientes primeros, 53 tenientes segundos, 12 tenientes graduados, 30 alféreces primeros, 191 alféreces segundos y 59 alféreces graduados, cifras que estaban lejos de cumplir los mínimos requisitos de las viejas ordenanzas de Perea para un correcto encuadramiento de las unidades. Ni siquiera se acercaba a las cantidades reglamentarias el número de suboficiales, en cuya eficiencia y entidad parecía basarse toda la estructura del ejército paraguayo: 64 sargentos primeros, 491 sargentos segundos, 187 cabos primeros y 1661 cabos segundos, cifras insuficientes, a todas luces, para una movilización prevista de 80.000 combatientes. ¿La cantidad fue suplida por la calidad?

(²) *The Standard*, Buenos Aires, octubre 1º, 1864.

(³) Documento de Agnp, publicado por Juan E. O.'Leary, *"Nuestro Ejército del 65"*, art. cit., y repr. por J. Natalicio González, en Prólogo de Centurión, t. I, p. 16.

Dos años transcurrieron desde que el general López asumió la presidencia hasta que entró en crisis la situación internacional. En todo ese lapso nada hizo para mejorar la capacidad de los mandos y oficialidad, ya que no su cantidad. Numerosos técnicos fueron contratados en Europa; ninguno de ellos lo fue para la instrucción militar. El proyecto de fundación de academia militar, sobre la base de una misión militar francesa, presentado por un Capitán, Ed. Devrulf (⁴) fue archivado, y ni siquiera creyó necesaria el presidente López la creación de algún instituto especial de aprendizaje del arte de la guerra utilizando los propios elementos nacionales. El Paraguay entró a la guerra sin escuela militar.

¿Pudo, en alguna medida contribuir a la elevación intelectual de la oficialidad paraguaya la tradución de *L'esprit des institutions militaires,* famosa obra del mariscal Augusto Marmont, héroe de las campañas napoleónicas? Aparecida en 1845, y en gran boga cuando visitó Europa, López encomendó su traducción y edición a Gregorio Benites, quien en sus memorias afirma haber mandado imprimir en 1863, en París, 2.000 ejemplares de su versión (⁵), pero de su envío al Paraguay y distribución en el ejército paraguayo no se encuentran constancias de ninguna clase. El mismo Benites era militar, formado en el campamento de Humaitá, pero se le asignaron en Europa funciones meramente diplomáticas. Cuando López le comisionó a Prusia, donde se presentó como oficial del ejército paraguayo, fue para tratar de introducir el uso de la yerba entre las tropas prusianas y no con misión específicamente militar.

3. El único paso efectivo en el sentido de la preparación de la oficialidad conforme a los últimos adelantos del arte militar, consistió en el envío de seis jóvenes a Europa, para su ingreso en la Escuela Militar de Saint Cyr. Anteriormente, ninguno de los jóvenes becados por Don Carlos Antonio a Europa hicieron estudios militares. Y ahora sobre un total de 30 becados sólo a 6 se les dio ese destino. Salieron de Asunción el 22 de mayo de 1863. Llegados a Francia fue necesario su ingreso en un instituto privado de Versailles para el aprendizaje previo del idioma francés y de otras materias elementales, como aritmética, geometría, geografía, dibujo y escritura. Los restantes becarios fueron destinados a estudios de ingeniería civil y mecánica bajo la dirección de los señores Blyth, en Inglaterra. Del cuidado extremo que se puso en evitar posibles desvíos en su mentalidad y opiniones políticas, dan cuenta las recomendaciones impartidas al encargado de negocios en Francia cuando en

(⁴) Agnp, Vol. 334.
(⁵) Benites, t. O, p. 73. En 1850 se imprimió en Asunción la obra de *C. Jaequinot de Presle:* "Curso del arte y de la historia militar", tomada de la edición española de 1833. Su primera edición en francés fue de 1829.

mayo de 1864 fueron recibidos los primeros trabajos de los seis
jóvenes estudiantes:

> La vista de esos primeros trabajos nos presagia la lisongera esperanza que
> a la vuelta de algunos años la Patria contará con hombres útiles, pero hay que
> vigilar mucho sobre la doctrina de ellos, para que no pierdan ese carácter
> humilde, dócil, leal y sentimiento de patriotismo, característico de los para-
> guayos (6).

Cuando en noviembre de 1864 se precipitaron los sucesos en el
Paraguay estos jóvenes estudiantes aún no habían dado un paso en
la verdadera carrera militar y López no pensó, ni antes ni después,
en destacar a oficiales ya graduados y que dominaban el francés y el
inglés, como el capitán Alén y el teniente Herreros, para realizar rá-
pidos cursos de perfeccionamiento, sin necesidad de perder tiempo
en estudios idiomáticos previos y ya con un caudal de conocimientos
militares básicos y con aptitudes naturales de talento abundantemente demostradas. Tampoco, en momento alguno creyó necesario
que los restantes 24 becarios abandonaran sus estudios civiles y em-
prendieran otros de índole militar, como parecía aconsejable dada
la emergencia.

Los seis estudiantes enviados en 1863 no fueron especialmente
seleccionados. Elegidos dentro del ejército entre los suboficiales, del
grado de preparación intelectual que tenían cuando se les envió a
Europa da cuenta el hecho de que ya en Francia no sólo tuvieron
que aprender previamente el francés sino también el propio idioma
español, para cuya enseñanza se les costeó un profesor especial, "en
vista del escaso conocimiento que tienen de este idioma" (7). Sólo
dos de ellos, Francisco Rivas y Eduardo Estigarribia, al cabo de tres
años de estudios preparatorios, obtuvieron la aprobación en los
exámenes de ingreso de la escuela militar de Saint Cyr, y de los dos,
únicamente Rivas terminó los dos años del curso militar ya cuando
la guerra de la Triple Alianza llegaba al final (8).

El resultado de la despreocupación por el mejoramiento del
nivel intelectual de los jefes y oficiales, fue que López, al iniciarse
las hostilidades, careció de colaboradores eficaces. La preparación
profesional era casi nula, descontando, como dice uno de sus biógra-
fos, como factor el valor personal, "que no siempre alcanza a suplir
la ausencia de las demás cualidades de mando". Según el mismo
autor, los generales y coroneles eran "simples cornetas de órdenes" (9). La falta de eficiencia profesional de los comandos fue razón
de más de un malogro de planes estratégicos bien concebidos pero

(6)   De V. López a Bareiro, Asunción, mayo 6, 1864, Agnp, "Lib. f. 56.
(7)   De V. López a Bareiro, Asunción, febrero 1º, 1864, Agnp, "Lib", f. 80.
(8)   Benites, t. II, cap. IX.
(9)   Bray, pág. 219.

mal ejecutados. El teniente coronel Antonio de la Cruz Estigarribia, a quien se le confiaría la flor y nata del ejército en la fracasada operación sobre el Uruguay, era, según el coronel Centurión "un hombre que no tenía ninguna cultura", "incapaz de operar por sus propias inspiraciones y por lo tanto enteramente incompetente para dirigir aquella expedición conforme lo ha demostrado prácticamente" (¹⁰). El propio Centurión es incluido entre los incompetentes por su comentador y a juicio de éste lo eran todos: "En el aspecto militar —dice—la penuria de hombres era aún mayor: conocemos con bastante precisión la capacidad profesional y humanista del general Resquín, del teniente coronel Estigarribia, del general Robles, del coronel Centurión, a través de los escritos que dejaron, y que por cierto sirven para revelarnos un lamentable estado de cultura profesional". Y agrega: "El general Elizardo Aquino, el general José María Bruguez y el coronel Paulino Alén, llegaron a gozar fama de "estudiosos" pero la verdad es que los dos primeros nunca pudieron sobrepasar la eficiencia profesional dentro del marco táctico y que el último jamás pudo ir más allá que de buen escribiente del Mariscal" (¹¹).

4. Ni siquiera para especializarse en la organización administrativa del ejército López quiso destacar a otros jóvenes militares en Europa. La memoria del ministerio de guerra y marina de 1862 manifestaba satisfacción por el estado del mecanismo militar:

> Los cuerpos del Ejército siguen con la misma organización que siempre han tenido y no ha habido razón que aconsejase alteración alguna.

Ni cuando comenzaron los grandes aprestos militares y se hizo inminente el conflicto bélico, López creyó necesario introducir modificaciones en la organización del ejército, que conservó sus características tradicionales, sin Grandes Unidades, Estados Mayores ni Departamentos orgánicos encargados de los servicios especiales: armamento, vestuario, equipo, subsistencia, sanidad, comunicaciones. El ministerio de guerra y marina, a cargo del coronel Venancio López, hermano del presidente era una mera dependencia administrativa, simple ejecutora de las órdenes del general López, de quien emanaban, en primera y última instancia, todas las directivas, aún las más secundarias. En comunicación constante y directa con los comandantes de las guarniciones y de las naves, dotado de extraordinaria capacidad de trabajo, el presidente era el factótum del ejército y de la marina. Su secretaría, el más atareado y ágil de los organismos militares, estaba también recargada con la atención de los asuntos políticos y diplomáticos, hasta alcanzar en momentos

(¹⁰) CENTURIÓN, t. I, p. 301.
(¹¹) Mayor ANTONIO E. GONZÁLEZ, Notas a CENTURIÓN, t. I, p. 296.

determinados una velocidad vertiginosa, como cuenta el coronel Centurión que formó parte de ella ([12]). El ejército era López y, por lo tanto en él tenían que reflejarse las modalidades de sus personalidad de autodidacto que debía obviar con su natural talento y sus vastas lecturas, la falta de todo aprendizaje especializado en la conducción militar pero en cuyas manos no estaba suplir su ninguna experiencia guerrera.

5. Cuando el general López se hizo cargo del poder, las fuerzas del Paraguay totalizaban 73.273 soldados ([13]).

Esta abultada cifra, de casi 80.000 soldados, era la que daba en el exterior al Paraguay fama de país militarizado hasta los tuétanos. Desde luego, cabía descontar de ese total a los 43,846 urbanos, que carecían de verdadera preparación militar y que no eran sino los varones obligados a concurrir dominicalmente a los someros ejercicios gimnásticos con armas simuladas. De mejor preparación militar eran los 16.482 retirados, que eran aquellos que habían pasado por los cuarteles.

Pero de los 12.945 del servicio activo, a que, en realidad, se reducía el ejército paraguayo, no todos se hallaban disciplinados y convenientemente instruidos. El general López reveló en 1862:

La fuerza militar que aparece fraccionada en diversas guarniciones de puntos lejanos, están sujetas a inconvenientes de moralidad y disciplina militar, no pudiendo recibir instrucción por su fraccionamiento, cuyo inconveniente siempre se advierte cuando después de llenado su servicio vuelven a los Regimientos de manera que son relevados en el tiempo más corto posible; sin embargo en un caso necesario no sería prudente contar con el guarismo que manifiestan los estados ([14]).

Hasta entonces el principal campo de entrenamiento y concentración del ejército paraguayo era Humaitá. López eligió como campamento general otro lugar, más cercano a la capital y de mejores condiciones topográficas, en Cerro León, al pie de la cordillera de Azcurra, casi frente al pueblo de Pirayú, hacia donde se dirigían las obras del ferrocarril en su trazado a Villa Rica, y allí se instaló el 1º de abril de 1864 cuando ya estaban reunidos 6.000 reclutas, para cuya instrucción fueron trasladados desde Humaitá y Asunción 1500 soldados veteranos. El ministro americano Washburn que lo visitó en noviembre de 1864 describe así el famoso campamento de Cerro León:

Este estaba situado en un hermoso paraje, al pie de dos altas colinas, que uniendo sus bases con una tercera por detrás, formaban una cascada de una

---

([12])   CENTURIÓN, t. I, p. 142.
([13])   Doc. del Archivo de Río de Janeiro, cit. por J. NATALICIO GONZÁLEZ, Prólogo a CENTURIÓN, t. I, p. 25.
([14])   Memoria de 1862, cit.

extensión suficiente para proporcionar una abundante corriente de agua, la que después de servir a las tropas se juntaba en un estanque artificial que le daba todas comodidades para bañarse. El campamento estaba situado sobre un plano inclinado que era suficientemente grande, tanto para cuartel como para ejercicios de campaña. Como lo he encontrado siempre, antes y después, todas las veces que tenía el honor de visitar a S. E., se observaba un silencio fúnebre que lo dominaba todo, ni juegos groseros, ni bromas ligeras entre los soldados, nada de disonante ni de gritos, risas ni aún sonrisas, sino todo con un aspecto serio, triste, ansioso, como si se tuviera miedo a una horrenda e inmediata calamidad [15].

Sucesivas levas fueron engrosando el primitivo núcleo de 6.000 reclutas, al mismo tiempo que se intensificaba la instrucción militar de los acantonados en Asunción, Humaitá, Villa Concepción y Villa Encarnación. Designado comandante del Campo de Armas de Cerro León el brigadier Wenceslao Robles, el presidente López dirigió personalmente la organización del vasto campamento hasta su regreso a Asunción. El 6 de agosto de 1864 se libró la estación del ferrocarril frente al campamento, con lo cual se aseguró la comunicación directa y rápida con la capital. El general López regresó a Cerro León el 30 de octubre de 1864 y allí permaneció mientras hacía crisis la situación internacional. En todo ese lapso continuaron llegando reclutas de los pueblos del interior y organizándose nuevas unidades, hasta alcanzar, en el momento de romperse las hostilidades y juntamente con las demás guarniciones del país, un total de 38.173 hombres sobre las armas [16], cifra con la cual el Paraguay entró en la guerra.

6. Arrojando los empadronamientos de los ciudadanos en condiciones de alistarse bajo banderas un total de 73.273 almas, aquella cifra ni siquiera representaba el máximo de armas portátiles de fuego disponibles al iniciarse la guerra con el Brasil. La calidad de ese armamento fue una de las deficiencias más enfáticamente reveladas por el general López, como ministro de guerra, al Congreso extraordinario que le designó presidente de la República. La caballería estaba provista, en gran parte, de lanzas, sables y pistolas de chispa, y salvo algunos cuerpos de artillería armados con modernos fusiles fulminantes y algunas compañías de infantería con armamento rayado, el resto del ejército sólo contaba con armas de antiguo modelo, los famosos fusiles de chispa Dupont, largos, pesados, de corto alcance y ninguna precisión, que se cargaban por la boca con baquetas de madera, y que por su sistema de inflamación a cabo, se volvían inútiles en condiciones metereológicas adversas. El Brasil y la Argentina ya habían adoptado los fusiles Spencer y Comblay, que se cargaban por la recámara con cartuchos a

---

[15] WASHBURN, t. II, p. 265.
[16] *Estado* de AGNP, publicado por O'LEARY, art. cit.

espoleta, y tenían el triple del alcance de los fusiles de chispa; además estaban mejorando aún más su armamento moderno con fusiles rayados. En la Memoria de 1862, el general López subrayó la conveniencia de sustituir en su totalidad el anticuado armamento no sólo el portátil, sino también la artillería de sitio y campaña, que se hallaba en el mismo caso y demandaba una reforma, a su juicio, aún más urgente. Informó también que estaba buscando en los principales centros europeos los conocimientos necesarios para adoptar el sistema más conveniente. Ya había recibido algunos informes, pero no los consideró bastantes para tomar una decisión.

Mucho tardó el presidente López para adoptar esa decisión. En realidad, el problema no pareció preocuparle durante largo tiempo. Su correspondencia, y la del ministerio de guerra y marina, con los agentes en el exterior, desde la iniciación de su gobierno hasta muy avanzado el año 1864, más versó sobre remesas de maquinarias, rieles, calderas, locomotoras y la contratación de técnicos, que sobre la modernización del armamento paraguayo, con todo de contar con los servicios de una empresa altamente especializada en ingeniería civil, militar y naval, como era la firma John y Alfred Blyth, de Londres, y de ostentar el título de coronel de artillería el Encargado de Negocios en Bélgica y Prusia, Alfredo Du Graty.

Las únicas adquisiciones anotadas en el período en que el Paraguay comenzó a actuar enérgicamente en el campo internacional fueron una batería de cañones rayados recibidos en setiembre de 1863 procedentes de Inglaterra [17] y otra de 8 cañones contratados en Francia y llegados a Asunción en enero de 1864 [18], pero estas compras no obedecieron a un plan orgánico, pues posteriormente seguía dudándose sobre el tipo de artillería a adoptarse. En todo ese periodo no hubo un solo pedido de adquisición de armas de fuego portátiles y solamente se encargó el envío de muestras, lo cual indicaba que tampoco estaba decidida la elección del tipo más apropiado para el ejército. No consideraba el gobierno de mucha urgencia la adquisición de fusiles modernos, pues en agosto de 1863 se rechazó una oferta de venta de 3.500 fusiles fulminantes [19] y en enero de 1864 otra proposición de 3.000 fusiles a la minié y de 3.000 fusiles fulminantes, ambas trasmitidas por el agente Brizuela, de Montevideo [20].

7. Sólo a raíz de la definitiva ruptura de las negociaciones con la República Argentina, el presidente López decidió encarar seria-

(17) De V. López a Egusquiza, Asunción, octubre 6, 1863, AGNP, *Libro copiador de las comunicaciones al exterior del Ministerio de Guerra y Marina*, f. 31.
(18) De V. López a Egusquiza, Asunción, enero 21, 1864, AGNP, "Lib", f. 45.
(19) De V. López a Brizuela, Asunción, agosto 21, 1863, AGNP, "Lib" f. 35.
(20) De V. López a Brizuela, Asunción, enero 21, 1864, AGNP, "Lib". f. 45 v.

mente el problema de la modernización del armamento. Fue cuando
el 21 de marzo de 1864 despachó a Europa a Cándido Bareiro, designado encargado de negocios en Francia e Inglaterra, con la misión
de dirigir la selección y compras de armas, de acuerdo con la casa
Blyth de Londres y la casa Curie de Francia y con el coronel Alfredo
Du Graty, designado también encargado de negocios en Prusia para
las adquisiciones en este último país. Simultáneamente el agente
del gobierno en Buenos Aires, Félix Egusquiza recibió instrucciones
de situar en Londres, a la orden de la casa Blyth, fondos para hacer
frente a las nuevas erogaciones, pues los que ya había remesado el
gobierno estaban afectados a las compras para el ferrocarril.

Bareiro había estado anteriormente en Europa, pues fue uno de
los becados enviados en 1858, destinado a estudios de derecho y diplomacia, y carecía de conocimientos de las cuestiones técnicas en
que debía proveer para la adquisición de los armamentos. Tenía
la absoluta confianza de López, de quien era pariente. Pero aunque
con plenos poderes para la compra y envío de los armamentos y
buques de guerra, debía mandar previamente muestras de fusiles y
de cañones, para hacerse en Asunción la elección ([21]). Es decir
que en marzo de 1864 en plena crisis internacional aún no estaba
resuelto el problema técnico de la elección del tipo de armamento
moderno que el Paraguay se proponía adoptar.

La primera decisión fue adoptada en mayo de 1864 en que
López, sobre la base de muestras presentadas por la casa Blyth, encargó a Bareiro la compra de 1.500 rifles mosquetes Enfield Paterra,
calibre 577, para 1200 yardas, con espoletas, tapón, etc., de la mejor
calidad, y 1.000 carabinas rifles de caballería Enfield Paterra, calibre
577, para 300 yardas, con espoletas, etc., todos de fabricación inglesa ([22]) .Sorprende la modesta cantidad del material solicitado, exigua
en proporción a las necesidades del ejército, cuyo armamento portátil debía ser renovado en su casi totalidad. Solano López tenía, sin
embargo, plena conciencia de la urgencia de la reforma por la gravedad de la situación internacional. El 21 de mayo de 1864, a pocos
días de expedida la orden, escribió a Egusquiza una carta en que,
después de referirse al carácter poco pacífico de la misión Saraiva
y a la inminencia de la intervención armada del Brasil y la República Argentina en el Estado Oriental, bordaba un comentario con
sabroso colofón:

> Se dice que esa misma liga ha de llegar hasta aquí, requiriendo simultá-
> neamente a las dos nacionalidades la demarcación de sus límites, apoyando las
> pretensiones por la fuerza.
> ¿Hay allí sables, fusiles y carabinas para comprar? ([23]) .

([21])   BENITES, t. I, p. 133.
([22])   De López a Bareiro, Asunción, mayo 6, 1864, BENITES, t. I, p. 134.
([23])   De López a Egusquiza, Asunción, mayo 21, 1864, BRAY, pág. 190.

Egusquiza cumplió el encargo enviando propuestas de armas a embarcarse en Europa, lo que no le satisfizo a López, quien le escribió:

No es de Europa que quiero proposiciones, pues allí podemos comprar con mayor ventaja; hablaba sólo para el caso de que allí hubiera algún depósito de buenas armas, en previsión a que los sucesos puedan precipitarse (24).

Finalmente Brizuela y Egusquiza encontraron dos buenas partidas de armas en el Río de la Plata, cuya compra les fue ordenada el 6 de julio y así en el mes de agosto llegaron a Asunción 5.000 fusiles procedentes de Montevideo y 1.200 fusiles y 408 rifles carabinas de Buenos Aires (25). De estas armas sólo los 408 rifles o carabinas eran rayados, de tipo moderno. Los restantes eran fusiles lisos de percusión (con fulminante) de origen alemán, de muy mala calidad. En muchos casos no reventaba el fulminante al primer golpe de gatillo. Habían sido fabricados en Prusia para la exportación. El gobierno argentino después de comprar una partida (26) desechó el resto que fue adquirido por Egusquiza y Brizuela.

Otras órdenes fueron enviadas a Europa para la compra de coheteras a la Congreve con sus proyectiles, y poco después se encomendó al coronel Du Graty, encargado de negocios en Lieja la adquisición del gobierno prusiano de 36 piezas de artillería de grueso calibre, del sistema Krupp. Se trataba de cañones rayados, considerados entonces la mejor artillería de sitio. Pero López no estaba aún decidido a adoptarlos en una fecha tan avanzada como era el 7 de agosto de 1864, en que escribió a Bareiro para que adquiriera por su lado, una batería de cañones rayados de fabricación francesa para establecer comparaciones (27). "En estas órdenes —anotó Gregorio Benites en sus memorias— López ha incurrido en un grave error. Los momentos no eran ya para hacer comparaciones entre sistemas de armas, sino pedirlas con urgencia" (28).

Bareiro, por su parte, aunque con plenos poderes del presidente no se atrevió a utilizarlos sin consulta previa en cada caso. Se le habían ofrecido 4.000 fusiles depositados en Marsella, y varios amigos del Paraguay en París le instaron para que omitiendo consultas con López comprara de ellos algunos miles y los enviara sin pérdida de tiempo, pero "el agente paraguayo entendió y procedió de otro modo diciendo que no tenía instrucciones" (29). Cuando López se enteró

(24)   De López a Egusquiza, Asunción, junio 17, 1864, BRAY, pág. 193.
(25)   De V. López a Brizuela y Egusquiza, Asunción, agosto 6, 1864, AGNP. "Lib". ff. 65 y 66.
(26)   BRAY, pág. 216-217.
(27)   De López a Bareiro, Asunción, agosto 7, 1864, BENITES, t. I, p. 136.
(28)   BENITES, t. I, p. 136.
(29)   BENITES, t. I, p. 136.

de esa oferta, ordenó a Bareiro que, comprobada la buena calidad
de los fusiles de Marsella, comprara los 4.000 ofrecidos, y que si la
existencia fuere mayor adquiriera hasta un total de 10.000 [30]. Pero la operación no se efectuó, por indolencia de Bareiro [31].

Si López ordenó esta adquisición en masa, sin conocer las
muestras, era porque la situación internacional iba empeorándose
rápidamente y los envíos de las armas fabricadas conforme a modelos aprobados, se estaban efectuando con lentitud desesperante. Las
primeras remesas, se embarcaron en Liverpool el 1º y el 20 de julio
de 1864 en los vapores *Una* y *Galileo,* consistentes en 500 rifles Enfield con bayonetas y 250 carabinas Terry cargadas por la culata,
pero las municiones, 530 cajas de cartuchos y espoletas, más 2 coheteras y 57 cajones de cohetes, no fueron admitidos en los buques
de pasajeros y debieron ser expedidos el 25 de julio en los lentos
veleros *Frances Milly* y *Heycha* [32].

Esta primera partida de armamentos adquiridos en Europa llegaron al Río de la Plata, cuando ya el Paraguay había lanzado su
protesta del 30 de agosto. López temió que pronto el Brasil decretara
el bloqueo del Paraguay y ordenó que se apresurara, en lo posible el
transbordo de las armas, fletando si fuera necesario otros vapores
que no fueran los nacionales. Su correspondencia con Egusquiza
reflejó la nerviosidad del momento y su pena por la exigüidad de
los envíos. Le escribió el 6 de setiembre:

> Siento que el *Paraguari* no haya podido traer las pocas armas traídas por
> el *Una,* de la línea de Liverpool. Puede ser que a esta fecha haya llegado otra
> remesa por la misma línea y en tal caso el teniente Herreros tiene orden de
> hacer lo posible por transbordar, sea allí o en Montevideo. Es preciso ganar
> tiempo, porque puede establecerse un bloqueo, según el curso de los aconteci-
> mientos.
>
> En este caso ha de procurar usted establecer la comunicación que le sea
> posible, ya sea por agua, ya sea por tierra, y tratará de alimentar el comercio
> como sea posible.
>
> Si el *Paraguari* no pudiera traer el armamento, y otro vapor puede hacerlo
> sin riesgo, flételo usted, y por principio general, haga usted todo lo que sea
> conducente al mejor servicio de la Patria [33].

Y algún tiempo después, volvió a exteriorizar su contrariedad
porque las armas llegaban de Europa como por cuenta gotas. Escribió a Egusquiza:

> Yo estoy contrariado por la morosidad con que se despachan las armas
> de Europa, siendo considerable la cantidad que debe venir. Los fabricantes y
> la situación de la Europa crean embarazos, cuando yo no quiero verlos [34].

[30]   De López a Bareiro, Asunción, agosto 7, 1864, BENITES, t. I, p. 136.
[31]   BRAY, pág. 216.
[32]   De Bareiro a V. López, París, julio 24, 1864, AGNP, vol. 303.
[33]   De López a Egusquiza, Asunción, setiembre 6, 1864, BRAY, pág. 204.
[34]   De López a Egusquiza, Asunción, octubre 21, 1864, BRAY, pág. 210.

Los cargamentos del *Una* y del *Galileo,* transbordados en Buenos Aires en el *Ygurey* y el *Paraguarí,* respectivamente, no llegaron a Asunción, sino en setiembre de 1864, y las coheteras y municiones demoraron un mes más. Al igual que el presidente, el ministro de guerra no disimuló su fastidio por la insignificancia de los envíos y su excesiva demora. Escribió a Bareiro:

Sería muy deseable que estos armamentos sean recibidos cuanto antes, como demandan los acontecimientos que se van desarrollando en el Río de la Plata, y la actitud hostil que está asumiendo el Brasil contra la República Oriental del Uruguay, con peligro de los intereses generales de estas Repúblicas [35].

Y en verdad, no mucha prisa ponía Bareiro en el despacho de nuevas partidas de armamentos. El siguiente envío, de 1200 rifles Enfield, llegó el 1⁰ de octubre de 1864 a Buenos Aires a bordo del *Refler* y fueron despachados a Asunción en el *Paraguarí.* Las municiones, embarcadas en el velero *Sirius,* en los primeros días de noviembre aún esperaban trasbordo en Buenos Aires. Una nueva partida de 50 cajones de rifles (1250 rifles) fueron recibidas por el *Ygurey* que arribó a Asunción el 10 de noviembre de 1864. Otra remesa de 56 cajones (1400 rifles), estaban en esa fecha esperando ser cargados en el *Paraguarí* [36] y de las municiones correspondientes, despachadas como de costumbre por veleros, aún no se tenían noticias.

Tal era la situación del parque paraguayo cuando el 12 de noviembre de 1864 el gobierno de la República decidió considerarse en estado de guerra con el Imperio del Brasil. El armamento, que según la memoria ministerial de 1862 era anticuado, apenas si había sido mejorado en una pequeña proporción. Solamente 5000 fusiles modernos, de los adquiridos en Europa conforme a los últimos perfeccionamientos en armas portátiles, se habían incorporado al ejército nacional y no todos con sus dotaciones de municiones. Y de los cañones rayados, de grueso calibre, destinados a Humaitá, encargados en Prusia y en Francia aún no había noticias. Decretado que fuera el bloqueo por el Brasil, si la República Argentina, como se temía, asentía a la interpretación brasilera de los tratados de libre navegación en tiempos de guerra, era probable que ninguno de los pertrechos contratados y en viaje pudieran llegar a destino. Esta eventualidad se adelantó a contemplar el encargado de negocios en París y Londres Cándido Bareiro, al disponer en el mes de octubre, aún antes de la ruptura, la suspensión de toda remesa "hasta que pasen las circunstancias actuales del Río

[35] De V. López a Bareiro, Asunción, setiembre 21, 1864, Agnp, "Lib", f. 71, v.

[36] De V. López a Egusquiza, Asunción, noviembre 29, 1864, Agnp, "Lib", f. 75 v

de la Plata" (37), "trop de zéle" que agravó aún más la ya tan precaria condición del armamento paraguayo.

La orden de suspensión alcanzó también a las piezas de artillería cuya construcción había sido encargada a Prusia y Francia, y del que tan necesitado se hallaba el Paraguay. En su memoria de 1862 López había confesado que tanto la artillería de campaña como la de sitio se hallaban en el mismo caso que el armamento portátil y que una v otra demandaban una reforma, quizás más urgente. La inferioridad paraguaya, en este orden, era también grande, y nada positivo se había hecho en los dos años transcurridos para corregir la grave anomalía, pues la compra en Inglaterra de una batería de cañones rayados recibida en setiembre de 1863 y en Francia de ocho cañones llegados en enero de 1864, no hizo variar sustancialmente el poder de fuego del Paraguay y no eran aptos para perforar el blindaje de los acorazados con que presumiblemente se presentaría el Imperio en las aguas de la República. Como tampoco fue una mejora sensible la adquisición de dos coheteras a la Congreve, que en noviembre de 1864, ya estaban en el parque paraguayo, aunque sin su dotación de municiones, y de muy limitados alcances. Mientras el Brasil y la Argentina ya tenían en uso los cañones rayados de retrocarga, con balas explosivas, los de la artillería paraguaya continuaban siendo, casi todos, de hierro colado, lisos, de avant-carga, con pólvora suelta y proyectiles macizos. Eran de los más diversos tamaños, pesos y calibres imaginables, adquiridos, sin plan, al igual que los fusiles, en todas las ocasiones y lugares, sin consideración a su calidad y antigüedad. Algunos habían sido llevados como lastres por buques de ultramar, no pocos procedían de la época colonial ostentando escudos de la corona de España o Portugal, incluso cuatro "culebrinas" del tiempo de Irala que habían servido de barandas en el edificio del Cabildo y dos piececitas de bronce, tipo "mortero", tomadas a Belgrano en la batalla de Cerro Porteño (1811). El Paraguay contaba con un total de 300 a 400 piezas de artillería, la mayor parte anticuadas. Los pocos cañones adquiridos en Europa con destino a Humaitá ya no satisfacían las necesidades de la guerra moderna, ni aun los recibidos en 1863 y en 1864.

8. El general López tenía conciencia de que, sobre todo la artillería de sitio acumulada, en Humaitá, aun cuando de gran número, sería impotente para contener a los modernos acorazados. Las fortificaciones de Humaitá, famosas en el mundo, y sobre las cuales se habían tejido tantas leyendas, eran inexpugnable sólo para barcos con cascos de madera, como fueron los de la expedición de Ferreira de Oliveira, que motivó su apresurada erección en 1855.

(37) Carta de Bareiro de octubre 24, 1864, referida en su respuesta de V. López, Asunción, diciembre 31, 1864, AGNP, "Lib". f. 75.

Al principio sólo contó con cañones viejos de hierro, de a 24 y 18, cuya mayor parte pertenecía a los que sirvieron en el sitio de Montevideo (1842-1851), sacados, para ser vendidos al Paraguay por agentes inescrupulosos, de las calles de la capital uruguaya donde servían de postes. Posteriormente fueron adquiridos en Inglaterra 6 cañones rayados de 24 sistema inglés; y que tenían en vista el mayor alcance y la precisión, más que la penetrabilidad de sus proyectiles; 18 piezas de a 68, de ánima lisa, para proyectiles esféricos, huecos y sólidos, pero de ellas sólo seis de primera clase y de limitados alcances a las cuales se agregaron otras 4, también inglesas, de a 80, de sistema antiguo, de ánima lisa y también para proyectiles esféricos huecos. Esta era toda la artillería de posición de los sistemas modernos que el Paraguay tenía, según la memoria que preparó el general Mitre en setiembre de 1867 para animar a los brasileros a forzar el paso ([38]). Esa artillería no estaba en condiciones de perforar los blindajes de los modernos acorazados ni podía neutralizar a los veloces "monitores", creación del arte naval de la guerra de secesión, con sus cascos por debajo de la línea de flotación y solamente emergiendo las cúpulas blindadas de su artillería giratoria. Pero las numerosas, escalonadas y vistosas troneras (llamadas "baterías"), con sus 124 bocas de fuego, que aumentaron luego a 195, y que guardaban el estrecho y tortuoso paso del río, con su imponente aspecto y desconocido poderío, dieron, en labios de los navegantes extranjeros que las veían en el tránsito, fama de inexpugnable bastión a la fortaleza de Humaitá.

López, como lo demuestra su Memoria de 1862, no se hacía ilusiones sobre la tan cacareada inexpugnabilidad de Humaitá, pero no fue sino en junio de 1864 que encargó al coronel Du Graty la adquisición de las 36 piezas de artillería Krupp, de grueso calibre, aptas para perforar el blindaje de los modernos acorazados y que verdaderamente hubieran hecho imposible el paso del río por la escuadra brasilera. En noviembre, cuando la situación internacional hizo crisis, tan importante adquisición, a pesar de haber sido pagada, aún no había sido remitida al Paraguay. "Si los cañones mencionados —ánota Gregorio Benítez que intervino en la operación y no pudo impedir que en febrero de 1865 el gobierno prusiano prohibiera su exportación a pedido del Brasil que alegó el estado de guerra con el Paraguay— hubiesen sido colocados en las baterías de Itapirú, Curupaytí, Humaitá, Timbó y Angostura, de seguro que ninguno de los acorazados del Brasil habría sido capaz de resistir a sus proyectiles y por consiguiente no hubieran forzado el paso de ninguna de esas posiciones artilladas" ([39]). La falta de esta

([38])   ARCHIVO MITRE, t. IV, p. 322, *Revista del Instituto Paraguayo*, Nº 45.
([39])   BENITES, t. I, p. 201.

artillería fue una de las más graves deficiencias del poderío militar
del Paraguay.

9. En todo el tiempo transcurrido desde la ascensión del general López a la suprema magistratura hasta la ruptura con el Brasil,
el Paraguay siguió confiando para el mejoramiento de su artillería,
más que en la industria bélica extranjera en su propia capacidad
de producción. La fundición de Ybycuí y los arsenales de Asunción
continuaron proveyendo de la mayor parte de la artillería, tal como
se decía en la memoria de 1862:

> La fundición de fierro de Ybycuí a pesar de las mezquinas proporciones
> de su alto horno, ha producido muy considerable cantidad de metal, y se han efec-
> tuado en aquel establecimiento atendido inmediatamente por hijos del país, im-
> portantes fundiciones. Entre las grandes mesas de torno que posee el arsenal
> para todos los usos necesarios a las máquinas marítimas y terrestres, se encuen-
> tran también otras especialmente dedicadas a la fabricación de cañones de fie-
> rro y bronce, y los resultados obtenidos son satisfactorios. Con estos valiosos
> recursos se ha dado principio a la mejora de una parte de la artillería del ejér-
> cito [40].

La eficiencia de los técnicos ingleses y la habilidad innata de
los paraguayos adiestrados, entre los cuales sobresalieron los comandantes Elizardo Aquino y Julián Ynsfrán, permitieron efectivamente, continuar la fabricación de cañones por simple moldeado, pero
entre los numerosos técnicos ingleses contratados antes y después
de la ascensión de López al poder no hubo nadie especializado en
fabricación de cañones y tampoco pudieron importarse maquinarias
destinadas exclusivamente a ese objeto, guardadas como eran celosamente las patentes Amstrong, Withwoorth, Krupp, etc. por las
potencias europeas. "Todos los cañones, etc., que se fabricaban en
el Paraguay durante la guerra —anotó Thompson— fueron obra de
ingenieros ingleses que nunca se habían ocupado de esta clase de
manufacturas. Tenían que diseñar y construir sus propias máquinas
para taládrar, rayar, etc. y demostraban gran habilidad por la forma
como se empeñaban" [41].

La industria nacional no podía igualar a la tan especializada
industria europea. Aunque los arsenales paraguayos se amañaron
en taladrar y rayar los modelos antiguos, y llegaron a imitar, casi
a la perfección, los cañones rayados adquiridos en 1857 y 1863, ni
éstos ni sus símiles, podían igualar a aquéllos en su capacidad para
perforar la coraza de los nuevos barcos de guerra. Al cabo de dos
años de gobierno del general López, en el momento de arrojarse a
la guerra con el Imperio del Brasil, el Paraguay no tenía potencia
de fuego suficiente para detener a los modernos acorazados y los
veloces monitores de que podía venir, como vino, provista la pode-

[40]   Memoria, 1862, *El Orden*, Asunción, noviembre 9, 1923.
[41]   JORGE THOMPSON. *La guerra del Paraguay*, Buenos Aires, 1910, p. 137.

rosa escuadra fluvial de su contentor. Cuando la escuadra brasilera,
ya muy avanzada la guerra, el 18 de febrero de 1868, después de
muchas vacilaciones y entre mortales aprensiones, forzó el paso de
Humaitá, a la primera tentativa logró franquearlo sin ninguna
dificultad (42). ¡Hasta los barcos de madera pasaron indemnes la
famosa fortaleza que había detenido durante tres años el avance
de la escuadra enemiga sólo con el pavor que inspiraban sus troneras
en el almirante Tamandaré!

10.   El dominio del río Paraguay era de vital importancia estratégica para el país. El río era su vértebra y su pulmón. Sus aguas
le ponían en comunicación con el mundo y al alcance de cualquiera
potencia extranjera. El Brasil contaba con una marina de guerra
construida casi en su totalidad con posterioridad a la expedición de
la escuadra comandada en 1855 por el almirante Ferreira de Oliveira, teniendo en cuenta las experiencias de esta demostración de
fuerza en que tan mal parado había salido el prestigio imperial
por las deficiencias de sus naves casi todas de alto porte: éstas habían
sido modificadas o reemplazadas "con el objetivo del mismo Paraguay" (43). Las nuevas naves brasileras contemplaban tanto la profundidad de las aguas como el poderío de Humaitá. ¿Para detenerlas,
ya que las fortificaciones serían insuficientes, confiaba acaso López
en su propia escuadra?

En la memoria de 1862, el general López no tuvo eufemismos
para calibrar, con ruda crudeza, el verdadero poderío naval del Paraguay. Llegó a negar el calificativo de marina de guerra a la flota
nacional, cuyo cuerpo de oficiales juzgó insuficiente así como escaso
e imperfecto su armamento. El único vapor de la flota que consideraba montado en pie de guerra era el *Tacuarí;* los otros, aunque
militarizados, apenas si quiso clasificarlos como transportes.

La más importante adquisición hecha por el general López
durante su permanencia en Europa fue el barco *Tacuarí,* construido
en Londres y armado en guerra en 1854 por los señores John y
Alfred Blyth, de 448 toneladas y un quebrado, movido por dos

(42)   "Nuestros proyectiles se hacían pedazos en las gruesas corazas y en
las torres blindadas, sin hacerles daño alguno" (JUAN E. O'LEARY, "Humaitá", en
Revista Militar, Nº 69, p. 4046, Asunción 1931). O'Leary transcribe la crónica del
corresponsal de *Diario do Río*, enviada a raíz de la toma de Humaitá: "Humaitá
como fortaleza vale muy poco, sobre todo ahora que hay acorazados. Para buques
de madera, sí; porque la naturaleza es la que hace fuerte su posición; y aún así,
es fácil burlar tal ventaja, variando el curso del río, cortando la península. La
célebre batería Londres es tan mal hecha que los paraguayos no dispararon desde ella un solo tiro, pues los cabos de tiro hubieran perecido bajo sus ruinas.
Humaitá es lo que queda dicho, y si alguien afirma lo contrario, no sabe lo que
dice."

(43)   A. JACEGUAY e VIDAL DE OLIVEIRA. *Quatro seculos de actividad marítima.*
Río de Janeiro, 1930, p. 80.

máquinas con 180 caballos de fuerza que le permitían desarrollar
una velocidad de hasta 16 millas por hora (⁴⁴). Montaba seis piezas
de artillería Whitwoorth, de las cuales 2 de 60, 2 de 32 y 2 de a 8.
Su costo fue de 29.850 libras, suma muy considerable para la época.
Fue el más veloz y mejor artillado barco de guerra del Río de la
Plata, pero en 1864, se había vuelto anticuado, en comparación con
los modernos acorazados y monitores; desde luego impotente ante
los adelantos de la artillería. El *Tacuarí,* aunque de casco metálico
no tenía protección alguna para la tripulación y era vulnerable a
los efectos de la moderna artillería. La situación de las demás unidades de la flota era mucho peor.

La llegada del *Tacuarí* y de los expertos navales contratados,
entre ellos el capitán Morice, había dado gran impulso a la vieja
industria naval paraguaya, famosa en el Río de la Plata desde los
tiempos de la conquista. Modernizados los astilleros y funcionando
complementariamente con los arsenales, fueron sucesivamente bo-
tadas al agua diversas embarcaciones a vapor, todas ellas para la
navegación comercial, de pasajeros y cargas, con casco de madera,
y de escasa eficiencia militar como no fuera para transportes, pero
que pasaron todas a engrosar la marina de guerra. La primera fue
el *Yporá* de 226 toneladas el 2 de julio de 1856. Le siguieron: *Salto
de Guairá, Correo, Río Apa, Jejui* e *Ygurey*, este último de 250
toneladas. Al mismo tiempo la marina mercante fue engrosada con
adquisiciones ocasionales: el *Río Negro,* el *Río Blanco,* el *Paraná,*
el *Olimpo* y el *Paraguarí.* De estos los más importantes fueron el
Río Blanco, ex *Aquitania* con que vinieron de Burdeos los colonos
franceses contratados por el general López, de 590 toneladas, pero
que por su calado sólo podía navegar cuando las aguas del río estaban altas, y el *Paraguarí,* moderno barco especialmente construido
para el transporte de pasajeros, de 500 toneladas, y también, como
los demás, inapto para combates navales .(⁴⁵) .

Aunque los barcos de la flota estaban sometidos al régimen militar y podían ser artillados con cañones, así como ciertos lanchones
que constituyeron una atrevida innovación en el arte naval con
gran sorpresa y quebranto para el Brasil, la verdad era que, a excepción del *Tacuarí,* ninguno de aquellos era de guerra y todos, carentes
de blindaje, estaban en irreparable condición de inferioridad frente
a la probable aparición de acorazados y monitores en las aguas del
Paraguay. El general López tenía razón: la República del Paraguay
no podía hablar propiamente de marina de guerra.

(⁴⁴) Cif. JUAN B. OTAÑO (h) *Datos para la historia del Tacuarí,* Asunción,
1832.

(⁴⁵) JUAN B. OTAÑO, *Origen, desarrollo y fin de la Marina de antes de
1870,* en "Revista del Ejército y la Armada", Asunción, 1937.

En su Memoria de 1862, López explicó las razones del tiento con que se procedía en la modernización de la marina. Decía:

El gobierno no se ha apresurado a dotar la marina nacional con los elementos de guerra que le son necesarios, porque siendo éstos de grande valor, no ha querido ser presuroso en la adquisición de estas innovaciones que han seguido alterando y progresando cada día. El Ministerio está también recibiendo los conocimientos que ha pedido en diferentes partes de Europa para estudiar cuál sea el sistema que mejor puede servir a sus intereses.

La construcción y condiciones de los buques de guerra adoptados por las principales naciones marítimas han sufrido también en este último año una revolución completa, y los cascos de madera que poco ha llenaban todas las necesidades, se han hecho hoy de todo punto insuficientes ante las máquinas de guerra que inutilizan el poder de aquéllos. Las grandes potencias marítimas que contaban con poderosas escuadras han buscado el medio de utilizar el antiguo sistema por la aplicación de poderosas corazas de fierro que las condiciones de la artillería moderna han hecho indispensables [46].

Tenía, pues, el general López la persuasión de que el Paraguay carecía de marina de guerra y de que el mismo *Tacuarí,* muy moderno cuando fue construido, se había vuelto totalmente anticuado, y ya no estaba capacitado para enfrentar a las últimas creaciones del arte naval. Reconociendo la necesidad de proceder con cautela en una materia en que se producían constantes transformaciones y habido en cuenta el alto costo de las modernas construcciones navales, primeramente se encargó, como se informaba en la misma memoria, a los especialistas paraguayos Zavala y Trujillo que, antes de retornar al país, terminado su aprendizaje de ingeniería naval en Inglaterra, estudiaran "los diferentes sistemas adoptados en los buques coraceros", pero no parece que ni sus informes, si es que se produjeron, ni los conocimientos que López decía estar recibiendo de diferentes partes de Europa le determinaron a decidirse sobre el sistema mejor para el Paraguay en los primeros tiempos de su gobierno.

La firma John y Alfred Blyth de Londres, la misma que construyó y artilló el *Tacuarí,* envió en noviembre de 1862 un proyecto de buque con cúpula blindada, pero el ministerio de guerra y marina alegó el estado de salud del ingeniero en jefe Whtehead, para postergar indefinidamente su consideración [47]. El 23 de abril de 1864 la casa inglesa remitió otro proyecto, y el ministerio objetó el espesor del blindado del plano, que le pareció poco consistente para baterías de fuertes calibres situadas sobre las barrancas del río. Agregaba el coronel López:

El Gobierno está más inclinado al que Vds. han propuesto en primer lugar en noviembre del 62, pero la dificultad de navegación para cruzar el Océano

[46]   Memoria, 1862, citada.
[47]   De V. López a Blyth, Asunción, enero 21, 1863, AGNP, "Lib", f. 7.

apuntada por Vds. mismos, le ha detenido hasta aquí, además de otras consideraciones más secundarias (48).

11.   Para entonces, el general López se había decidido, después de tanto tiempo perdido, a encarar la construción de acorazados. Al ser comisionado Cándido Bareiro en marzo de 1864 con la misión de contratar armamentos a Europa, se le autorizó expresamente a "construir en los astilleros de Europa dos monitores acorazados de primera clase, capaces de abrirse paso en los ríos Paraná y Paraguay hasta la Asunción", según los términos textuales del encargo del presidente López (49). La tramitación del encargo fue larga y morosa. Bareiro según queda visto, no era hombre de asumir grandes responsabilidades y aunque tenía carta blanca de López, optó por recabar previamente la aprobación de los planos que a su pedido la casa Blyth envió a Asunción el 23 de mayo de 1864.

La resolución se produjo el 21 de julio de 1864, fecha en que se encomendó a la firma Blyth la construcción, armamento y equipo de un buque acorazado, con algunas modificaciones sobre el proyecto primitivo que tenían por objeto: 1º hacer giratorias las dos cúpulas blindadas; 2º aumentar el blindaje de la cubierta; 3º abrigar mejor los calderos; 4º facilitar las comunicaciones entre las partes vitales; 5º llevar la velocidad a un mínimo de 10 millas por hora; 6º un calado máximo de siete pies y medio. Decía finalmente el ministro de guerra y marina:

> Ahora una de las principales cuestiones que para mí gobierno se cruzan en este negocio es la del tiempo a emplear en la construcción para entregar el buque en el Támesis pronto a hacerse a la mar en los términos propuestos, y en la consideración al largo tiempo que Uds. preveen en la que contesto, es que sin los detalles necesarios le confía a Uds. la ejecución, debiendo Uds. enviar en el más breve tiempo posible la solución de las cuestiones que van indicadas, el plano detallado del buque, su valor fijo y la época en que debe entregarse en el Támesis y en los términos propuestos en la que contesto, sin perjuicio de proceder desde luego a la construcción del buque delineado, entendiéndose con el señor Bareiro (50).

Por su parte, el presidente López encareció a Bareiro la pronta y asídua atención del pedido, comunicándole que se le daba ingerencia directa en el asunto. Le escribió:

> Se han recibido los nuevos planos de acorazados que ha mandado, y anunciado Ud., la casa Blyth; ellos por desgracia no han sido bastante completos y detallados, como hubiera sido a desear. Con todo, por la adjunta copia de la orden del ministerio de guerra y marina, se informará Ud. de la resolución tomada al respecto. En ella se da a Ud, una ingerencia directa en el negocio.
> Mi deseo es que se aproximen en cuanto sea posible a las condiciones y observaciones constantes en aquella comunicación, y que desde luego, una vez

(48)   De V. López a Blyth, Asunción, junio 21, 1864, Agnp, "Lib", f. 61.
(49)   Benites, t. I, p. 131.
(50)   De V. López a Blyth, Asunción, julio 21, 1864, Agnp, "Lib". ff. 64-65.

arreglados los planos y el precio definitivo y el tiempo en construcción, mande Ud. proceder a su más rápida ejecución sin esperar nueva resolución. Así lo demanda la urgente necesidad de tal elemento [51].

A poco empeoró la situación internacional, pero la iniciación de las obras quedó en suspenso mientras se arreglaban los detalles del proyecto para conformarlo a las observaciones del gobierno paraguayo, sobre todo para hacer posible la adopción de las cúpulas giratorias, sistema no muy del agrado de los constructores, según el 23 de setiembre y el 8 de octubre de 1864 la casa Blyth informó al ministerio de guerra y marina [52]. Mientras se trazaban los planos definitivos, el 6 de octubre la legación paraguaya en ᵒndres, a cargo también de Bareiro, solicitó del gobierno inglés ¹ torización oficial para la construcción y equipamiento dᵉˡ ¹ de guerra, la cual fue concedida el 17 del mismo mᵉ, la inteligencia de que el gobierno paraguayo no estaba en guerra con ningún otro estado que se mantuviese en paz con la Gran Bretaña [53].

Pero cuando el 11 de noviembre de 1864 el presidente López consideró al Paraguay en guerra con el Imperio del Brasil y comenzaron las hostilidades, del acorazado que, de tan vital necesidad le sería para la defensa de las aguas de la república, aún no había sido colocada ni tan sólo la quilla. En realidad ni siquiera estaban aprobados los planos definitivos. Jamás llegó a ser construido. El 1º de febrero de 1865 el ministerio de guerra y marina ordenó la suspensión definitiva del proyecto, por haber excedido el presupuesto el costo calculado y por considerar imposible su salida de Inglaterra en el estado de guerra con el Imperio, "pues que los negocios se han precipitado de tal manera que ese poderoso elemento no puede ya servir en las actuales circunstancias" [54].

Y fue así como el Paraguay se enzarzó en guerra con el Imperio del Brasil a cuyos puntos vitales no podía llegar sin entrar también en guerra con la República Argentina, prácticamente desarmado, careciendo de artillería pesada y de acorazados que pudieran defen-

---

[51]   De López a Bareiro, Asunción, julio 21, 1864, BENITES, t. I, pp. 135-136.
[52]   Cartas citadas en la de V. López a Blyth, Asunción, noviembre 29, 1864, AGNP, "Lib", f. 76.
[53]   Lord Russell a Bareiro, Londres, octubre 17, 1864, HORTON BOX, p. 271.
[54]   De V. López a Blyth, Asunción, febrero 1º, 1865, AGNP, "Lib", f. 79. Gregorio Benites menciona un "grande y magnífico monitor" contratado en marzo de 1865 en los astilleros Arman de Burdeos, y por los cuales llegaron a abonarse 334.000 francos (unas 10.000 libras), Rescindido el contrato por imposibilidad de nuevos pagos el Paraguay perdió ese adelanto y el acorazado en construcción fue adquirido por el Brasil, interviniendo luego en el paso de Humaitá. (BENITES, t. I, cap. IV). Pero en el "Libro copiador de notas del ministerio de guerra y marina con el exterior", tantas veces citado, y que alcanza hasta el 3 de mayo de 1865, no hay referencia alguna a esta construcción.

der la vital entrada de sus ríos, provisto su vasto ejército en gran
parte de anacrónicos e inútiles fusiles de chispa y de cañones coloniales o de fabricación casera, sin jefes ni oficiales en número y capacidad suficientes, sin organización adecuada de servicios y en
irreparable inferioridad geográfica, demográfica y económica frente
a su antagonista, el más poblado y rico de los estados sudamericanos (⁵⁵).

¿Al rehusar las alianzas que se le ofrecían y al apresurar los
acontecimientos, creyó el general López que bastaban su personal
energía y el heroísmo del pueblo paraguayo para doblegar al poderoso Imperio del Brasil y a su eventual aliado la República Argentina? ¿Adivinó por un momento que había desencadenado una guerra
a muerte y que el Imperio del Brasil no arrojaría las armas hasta
ver derrotada, sometida, humillada y aniquilada a la República del
Paraguay y extirpado, hasta sus más profundas raíces, su régimen
gobernante que se había atrevido a desafiarlo ante el mundo?

(⁵⁵) Diversos historiadores paraguayos estudiaron, conforme a las constancias de los archivos, el verdadero estado de la organización y el poderío militar
del Paraguay al iniciarse las hostilidades. Merecen mencionarse, en primer lugar, los estudios de Juan Francisco Pérez, publicado en "El Orden" en 1923 y
1924 y recopilados luego en Carlos Antonio López. Obrero Máximo, Buenos Aires,
1948; Juan E. O'Leary, Nuestro Ejército del 65, Revista Militar, Nº 71, pp. 4146-
4156; Asunción, 193; J. Natalicio González y Mayor Antonio E. González,
Prólogo y Notas de las Memorias de Juan Crisóstomo Centurión, Buenos Aires,
1944; Orion (Benjamín Velilla), La organización militar del Paraguay en vísperas de la guerra de 1865, en Revista Militar, Nº 31, pp. 157-159, Asunción, 1927;
Juan B. Otaño (h) Origen, desarrollo y fin de la Marina de antes de 1870, Revista del Ejército y Armada, Nº 4, pp. 443-460, Asunción, 1937; Arturo Bray,
Solano López. Soldado de la gloria y el infortunio, Buenos Aires, 1945, pág. 214-
221; Angel F. Ríos, La defensa del Chaco, Cap. XIV: Paralelo entre los preparativos para la guerra de la Triple Alianza y la del Chaco, Buenos Aires, 1950.
Un testimonio contemporáneo del estado y calidad del armamento paraguayo es
la descripción que de él hizo el coronel León de Palleja, español al servicio del
Uruguay, caído heroicamente en Boquerón. A la vista de las armas tomadas en
Uruguayana escribió el relato que aparece en su Diario de la Campaña de las
fuerzas aliadas contra el Paraguay, Montevideo, 1960, t. I, pp. 150-152.

Capítulo XXXVII

DELENDUS EST PARAGUAYUS...

1. El Brasil, sin prestigio militar. — 2. "Estos no son hombres de conquista". — 3. Opinión de López. — 4. Los valores en juego. — 5. La guerra para llamar la atención. — 6. La concepción del Imperio. — 7. "Acabar con el mico". — 8. La hora de los estadistas. — 9. Guerra larga. — 10. Anhelos cumplidos.

1. Aunque el Imperio del Brasil era el más extenso, poblado y rico de los países de la América del Sur, y su escuadra incomparablemente superior a la de sus vecinos, la fama militar de que gozaba en 1864 no era muy halagüeña. Sobre una superficie de 8.377.218 kilómetros cuadrados que le asignaban los cálculos oficiales, alentaba una población de 7.000.000 de almas, pero su diseminación en tan vasta extensión, su peculiar composición étnica con fuerte porcentaje africano e indígena, la índole suave de su carácter, su organización social, y sobre todo la institución de la esclavitud, conspiraban permanentemente contra los esfuerzos de los gobiernos para convertir al Brasil en una potencia militar.

En la guardia nacional, organizada en todo el país, recibían instucción militar 440.000 hombres (¹), pero ese aprendizaje era muy precario. Sólo a costa de penosos esfuerzos se lograba enganchar soldados para el ejército permanente. Su efectivo, al 31 de marzo de 1864, totalizaba apenas 18.320 hombres, incluidos 1.957 oficiales (²), cifras asaz exiguas, habidas en cuenta la inmensidad del territorio, y la extensión de las costas y fronteras que guarnecer. La autorización de elevar su número de 24.000 soldados dictada por el parlamento a raíz de los sucesos de Inglaterra, no pudo ser cumplida, por la invencible resistencia de gran parte de la población a la vida mili-

---

(¹) Nabuco, *La guerra*, p. 160.
(²) Tasso Fragosso, t. II, p. 36.

tar, como se puso nuevamente de resalto en la organización del cuerpo destinado a las operaciones en la República Oriental.

En realidad, desde los tiempos heroicos de las "bandeiras" y de las guerras contra franceses, holandeses y españoles, mucho parecía haber decaído el espíritu marcial en el Brasil, o por lo menos tal era el concepto dominante en el Río de la Plata. Se olvidaba Caseros y los brillantes hechos de la historia militar colonial para sólo hacer hincapié en la mala fortuna de los imperiales en la guerra de 1826 y presentar a los brasileros "como una raza desprovista de brío y de valor" (3).

No se dejaba de reconocer que el Brasil era el país más rico de la América del Sur, pero en los conceptos de la opinión más generalizada, la abundancia de sus recursos, en que dejaba muy atrás a las repúblicas sudamericanas, no bastaba para compensar la pobreza de bríos militares. Una señal de ese menosprecio imperante en el Río de la Plata, tuvo Berges en la carta que le escribió desde Buenos Aires el típico porteño Lorenzo Torres, el 2 de noviembre de 1864, cuando ya parecía inevitable la colisión entre el Imperio y el Paraguay:

La unión entusiasta —le decía— en que aparece hoy la Nación Paraguaya vale más, mi amigo, que los recursos que puede tener el Imperio Brasilero. Contra la voluntad de un pueblo que sostiene con fe la justicia de los principios que proclama y la dignidad nacional, muy poco poder tienen aquellos recursos, y muy principalmente cuando los paraguayos llevan la convicción de que el Imperio nada vale. Ud. sabe que los paraguayos, como los argentinos, orientales, etc. sostienen por tradición la creencia de que los brasileros, con abundancia de recursos, necesitan ser tres contra uno, y que aún así nunca imponían miedo (4).

La misma superioridad económica parecía haber entrado en grave crisis justamente cuando los acontecimientos se precipitaron en la República Oriental, En el mes de setiembre de 1864 se produjeron en la plaza comercial de Río de Janeiro percances financieros que estuvieron a punto de llevar a la bancarrota general de la economía brasilera. Quebró el banco "Souto y Compañía" y hubo pánico en el público. El gobierno se vio precisado a disponer el curso forzoso de los papeles del Banco do Brasil para detener el desfondo del oro. El comercio quedó paralizado y *Jornal do Commercio* dijo que la crisis era grave y tomaba proporciones inesperadas. El corresponsal de *El Semanario* en Montevideo, comentó, sin disimular su júbilo, estas sombrías noticias, y predijo cambios importantes en la orientación internacional del Imperio bajo la presión de la crisis financiera que sobrevenía paralelamente a la actitud paraguaya. Decía:

(3) Río BRANCO, Nota a Schneider, p. 49.
(4) De Torres a Berges, Buenos Aires, noviembre 2, 1864, AGNP, "Colección Enrique Solano López", carpeta 7, Nº 22.

Es pues en esa crisis en la que yo fundo mi esperanza de ver entrar al Gobierno del Brasil en camino más razonable, y desistir de sus absurdas pretensiones de conquista. Sus finanzas están en grave riesgo, y si a este peligro real y positivo se aumenta la asustadora idea de una guerra con esta república, es casi seguro que el crédito del Brasil se viene al suelo, lo que importa decir que desaparece su poder, porque el único poder del Brasil es su crédito.

Pero aún hay otra razón más poderosa para esperar que el Brasil volverá sobre sus pasos, tratando de desvanecer la alarma que con sobrado motivo ha despertado; y esa razón es la imponente actitud que ha asumido la pacífica y justiciera República del Paraguay, dirigida por el más hábil hombre de estado que encierra la América del Sud. El Paraguay se ha pronunciado y el Brasil se ha de mirar muchísimo antes de obligar a ese valiente y pacífico pueblo a empuñar las armas para defender el equilibrio del Río de la Plata, que es para todos condición de paz y de seguridad.

El joven gigante se ha puesto de pie, y el Brasil se mostrará sobreranamente imprudente si cegado por sus ideas de conquista fuese a ensayar las fuerzas atléticas de la naciente República, que ha salido a la vida de nación independiente como Minerva de la cabeza de Júpiter (5).

2. No fue la bancarrota bancaria el único motivo esgrimido por los informantes de López y los diarios de Montevideo para argumentar contra la potencialidad brasilera y para hacer menosprecio de las virtudes marciales del pueblo del Brasil. La poca fortuna alcanzada por la escuadra imperial en la persecución del *Villa del Salto,* que antes de autodestruirse logró zafarse de sus poderosos contendores y un incidente ocurrido por el mismo tiempo en el puerto de Bahía, donde el barco norteamericano *Wassuchet* capturó a un corsario de los confederados del Sur dentro de las aguas jurisdiccionales brasileras, bajo las barbas de las fortificaciones costeras y de los barcos de guerra imperiales allí fondeados, suscitaron amargos comentarios en la prensa de Río de Janeiro, que los diarios de Montevideo reprodujeron con fruición y lo propio hizo *El Semanario* de Asunción. El corresponsal de *La Reforma Pacífica* en Río transcribió en su crónica del 22 de octubre de 1864 uno de esos comentarios del periodismo brasilero que así decía:

Lo que ha ocurrido en las aguas del Plata con motivo de la tentativa de apresamiento del pequeño vapor oriental *Villa del Salto* y lo que acaba de tener lugar en el puerto de Bahía con motivo del inaudito atentado del vapor americano *Wassuchet,* sea de quien fuese la culpa, son dos hechos que contristan profundamente la opinión pública, que avergüenzan al país ante el extranjero, que arrojan grande desdoro sobre la corporación de la armada que cuenta sin embargo en su seno tantos oficiales distinguidos y celosos cumplidores de sus más arduos deberes.

A lo cual *La Reforma Pacífica* agregó sus propios comentarios en la crónica que, a su vez, *El Semanario* transcribió in extenso en la misma edición en que anunciaba el estado de guerra con el Imperio del Brasil.

(5) *El Semanario*, octubre 15, 1864.

La burla que ha hecho de las fortalezas de Bahía y de la escuadra imperial allí estacionada, el comandante del *Wassuchet,* da la medida de lo que es este imperio de ridículos conquistadores.

¿Quiere Ud. una prueba más clara de miedo?

Ahí tiene Ud. comprobado lo que le he dicho antes de ahora: el Imperio marcha a su disolución, sino cambia inmediatamente de política.

Estos no son hombres de conquista ni aún siquiera de lucha; no tiene oficiales de marina ni de tierra para un día de pelea y no pueden formarlos por más que hagan consejos de guerra, porque el Brasil no produce hombres de aliento: si llegan a la lucha están perdidos [6].

3. ¿Participaba López en este menosprecio del coraje y de las posibilidades bélicas del pueblo brasilero, tan generalizado en el Río de la Plata, y a ello obedeció su ninguna preocupación en todo el primer tiempo de su gobierno para poner al Paraguay en aptitud de hacer la guerra moderna? Positivamente puede afirmarse que no fue así. En las etapas iniciales de su gestión presidencial no estuvo en conflicto con el Imperio sino con la República Argentina y sus primeros aprontes bélicos coincidieron precisamente con la reaparición del Brasil en el Río de la Plata y su convicción de la inevitabilidad de una contienda paraguayo-brasilera. Ni en *El Semanario* ni en su correspondencia se registraron indicios de menosprecio del poderío del Brasil. En algunas oportunidades, sino el mismo López, por lo menos Berges, reconoció la superioridad de los elementos del Imperio como lo hizo éste en su correspondencia con Lorenzo Torres [7]. La premura con que se urgió a Barreiro y a la casa Blyth la ejecución y el envío de los pedidos de material bélico, en coincidencia con la agravación de las relaciones con el Brasil, demostró todo lo contrario de la subestimación del valor combativo de su posible contendor en el campo de batalla. Aunque inmensa su fe en el soldado paraguayo, con el cual se sentía capaz de enfrentar con brasileros, argentinos, orientales, "y hasta con los bolivianos si se meten a zonzos", según dijera a Héctor Varela en París [8], la mayor preocupación de López en víspera de la crisis definitiva consistió en sacar de las manos de ese valiente soldado los anacrónicos fusiles de chispa y cambiarlos por los modernos fusiles fulminantes, para ponerlo a la altura de su bien armado antagonista. Pero cuando el 11 de noviembre de 1864 decidió que la hora de la guerra había sonado, la modernización del equipo paraguayo estaba en sus balbuceos, aún se carecía de flota de guerra, el armamento continuaba anticuado en grandes proporciones, y lejos estaba el Paraguay de concentrar el poder de fuego necesario para doblegar a una

[6] *La Reforma Pacífica,* Montevideo, octubre 22, 1864, transcripto en *El Semanario,* Asunción, noviembre 12, 1864.

[7] De Berges a Torres, Asunción, octubre 21, 1864, AMREP, I-22,12,1, Nº 187.

[8] REBAUDI, p. 29.

nación tan extensa, tan rica, tan poblada, con tan poderosa escuadra de guerra y con tantas posibilidades de reunir un numeroso ejército y aumentar sus medios de ataque, como era el Brasil.

López pudo suplir las graves fallas de su equipo, aumentando sus fuerzas mediante las alianzas extranjeras que estaban a su alcance —la de la República Oriental y quizás la del general Urquiza—, pero no lo hizo. Tampoco optó por el expediente de dar largas al entredicho, en su faz diplomática, que bien cabía prolongar indefinidamente, todo el tiempo necesario para que llegaran desde Europa las armas contratadas. Si nada de esto estuvo en los cálculos de López cuando ordenó la captura del *Marquez de Olinda,* no fue porque considerara el poderío naval y militar del Paraguay bastante para llevar una guerra victoriosa a los centros vitales del Imperio. Bien sabía el presidente paraguayo que la situación tan realistamente esbozada en la memoria de 1862 apenas si había variado y que el Paraguay estaba lejos de ser lo que se suponía en el exterior: la primera potencia sudamericana y la única capaz de poner en vereda al Brasil. La verdadera razón de la conducta de López estribaba en que, en su concepción de la estrategia política, los valores que estaban en juego internacional no eran valores de fuerza sino románticos y sentimentales, y no se medían con el cartabón del mayor o menor poderío material, sino por el mayor o menor prestigio que pudieran ganar las naciones y el mayor o menor calor que pusieran en el cuidado de su honra.

4. Encima del subyacente y bullente complejo de los tensos problemas que ponían en peligro la existencia misma del Paraguay, o por lo menos su integridad territorial, y que no parecían preocupar a López más de la cuenta, rutilaban los motivos del honor y de la dignidad, la necesidad de cuidar y ensalzar el buen nombre de la república, el anhelo de hacerla jugar un gran papel en el gran teatro del mundo civilizado. Si López, en verdad, hubiera creído que estaba en inminente peligro la independencia nacional por efecto de una confabulación de sus vecinos, hubiera postergado el momento de la crisis el mayor tiempo posible, por lo menos hasta que llegaran los armamentos y barcos contratados en Europa o hasta dejar sólidamente anudadas las alianzas en el exterior. Pero los puntos de honra no admitían dilación. El Paraguay había alegado su derecho a ser escuchado en las cuestiones del Río de la Plata. No había sido atendido su reclamo. Le fueron cerradas con fuertes candados las puertas de acceso a la gran política del Sur. Ello era una ofensa grave que afectaba hondamente ya no sólo al prestigio nacional sino también a la razón de ser de la soberanía y la independencia del Paraguay. No cabía espera alguna.

López era el antípoda del dictador Francia en su estimación de los valores ligados a la causa de la independencia nacional. Francia no quiso saber nada del mundo y deshonró muchas veces el nombre paraguayo con actos de grosera incivilidad para las otras naciones, con tal de mantener el tremendo aislamiento en que vio la mejor garantía de la autonomía del país. López quería colocar al Paraguay en el centro de la atención internacional recuperarle su viejo y legítimo título de cuna y madre de la civilización rioplatense y cabeza, siquiera moralmente, de la vasta comunidad. Su sueño era situar al Paraguay en un alto lugar en el mundo, convertirlo en un juez de alzada de las naciones del Plata, guardián de su paz y de su equilibrio Al fracasar en sus intentos, primero con la República Argentina y luego con el Imperio del Brasil, consideró que la dignidad nacional había sido ultrajada y que la independencia de la República estaba en peligro. Sus tentativas de terciar en las diferencias entre los gobiernos de Buenos Aires y Montevideo no tuvieron por objeto esclarecer la conducta argentina frente a la revolución del general Flores, puesta en duda por los blancos orientales, sino arrancar el reconocimiento del derecho del Paraguay de actuar como protagonista de primer orden en las cuestiones del Río de la Plata. Su protesta del 30 de agosto no reconoció otro móvil.

Al presidente paraguayo poco le interesó la suerte que le cupiera a la República Oriental, de cuya independencia se había erigido adalid, pero con la cual nunca quiso ligarse y en cuya ayuda no envió un solo cartucho. La doctrina del equilibrio, con que el Paraguay reivindicó el derecho de actuar en la arena internacional, aunque justa y bien traída, no era sino un pretexto, como lo demostró el mismo López al alentar los planes de disgregación de la Confederación Argentina, que, a consumarse, hubiera roto por cierto, el equilibrio del Río de la Plata en favor del Imperio del Brasil, uno de cuyos más caros anhelos consistía precisamente en la desintegración definitiva y cada vez mayor del antiguo virreinato.

5. La razón verdadera de la "actitud imponente" de López era el deseo de hacer jugar al Paraguay un gran papel, liberarle del olvido en que le creía arrinconado, para ganarle un lugar de honra y de lustre en el concierto americano. En reiteradas ocasiones después de la protesta, el general López definió nítidamente esta orientación de su política, para mostrar que las mismas razones que movieron al Paraguay a interponerse entre Buenos Aires y Montevideo, le impulsaban ahora a interferir los avances del Imperio sobre la República Oriental. En su discurso del 12 de setiembre de 1864 proclamó que el Paraguay ya no debía aceptar por más tiempo "la prescindencia que se ha hecho de su concurso, al agitarse en los estados vecinos cuestiones que han influido más o menos directamente en el menoscabo de sus más caros derechos" [9]. Y en su discurso

[9] *El Semanario*, Asunción, setiembre 17, 1864.

del día siguiente, volvió a manifestar sue sería doloroso turbar la
larga paz, pero que cuando esa paz "se convierte en un silencio culpable y en una prescindencia degradante", en lugar de ser un bien
sería un oprobio, agregando que como los pueblos extranjeros comprendían mal al pueblo paraguayo. "Tal vez sea la ocasión de mos-
trarle lo que realmente somos, y el rango en que por nuestra fuerza
y progreso debemos ocupar entre las Repúblicas sudamericanas" (10).
En su correspondencia con Bareiro apareció el mismo concepto,
de que ya no debía el Paraguay "continuar a soportar el depresivo
y meditado olvido que de él se hace con menoscabo de sus derechos
inalienables y con grave daño de su crédito exterior" (11).

Ese *leit motiv* de la necesidad de no consentir más que el Paraguay fuera relegado a los cuartos de servicio de la alta política
internacional se trasuntó también en la correspondencia de Berges.
Así, el canciller le dijo a Egusquiza que ya era tiempo de desechar
"el humilde rol que hemos jugado en esta parte de América porque esta prescindencia que siempre han hecho de nosotros para toda
clase de cuestiones, con perjuicio tal vez de los intereses generales
del Paraguay, está desautorizada por el adelanto y prosperidad de la
República, y sobre todo por el entusiasmo y unión de sus habitantes' (12). Y aún más enérgicamente en una carta al prominente colorado oriental Senén Rodríguez, Berges le manifestó que "creemos
llegado el tiempo de no aceptar el rol ínfimo que hemos jugado y
que en adelante queremos tomar parte en los acontecimientos del
Río de la Plata ' (13).

La fascinante idea de hacer la guerra para llamar la atención
del mundo y ganarse el respeto de las naciones poderosas, que en
tan poca consideración tenían al Paraguay, se transparentó una
vez más en las importantes confidencias del general López al ministro de los Estados Unidos, Charles A. Washburn, durante la visita
que éste le hizo en el campamento de Cerro León el 16 de noviembre de 1864. Según el relato del diplomático norteamericano, el presidente paraguayo, después de justificar el comienzo de las hostilidades contra el Imperio, prosiguió diciendo que "la situación del Paraguay era tal que solamente con una guerra podía llamar la atención
y el respeto del mundo". Y agregó:

Aislado cual se encontraba y apenas conocido entre los estados sud americanos, así debía permanecer hasta que por sus hechos de armas pudiera com-
peler a las demás naciones a tratarle con mayores consideraciones. El Paraguay
era un pequeño país, en comparación con el Brasil, pero poseía ventajas de

(10)   Idem, idem.
(11)   De López a Bareiro, Asunción, setiembre 6, 1864, REBAUDI, pp. 204-206.
(12)   De Berges a Egusquiza, Asunción, octubre 21, 1864; REBAUDI, p. 112.
(13)   De Berges a Rodríguez, Asunción, octubre 21, 1864, AMREP, I-22, 12, 1,
Nº 188.

posición que le colocaban en igualdad de fuerzas con cualquiera de sus vecinos. Cada soldado que el Brasil pudiera mandar contra el Paraguay debía ser
conducido a través de miles de millas y con grandes gastos, mientras que las
tropas paraguayas estaban en su propio territorio, y sus servicios resultarían
completamente sin costo alguno. Además ellos se encontrarían ya fortificados
y atrincherados antes que los brasileros pudieran presentarse en número considerable, y entonces habiendo exhibido al orbe su poder y demostrado al Brasil
que no era conquistable sino a costa de ruinas y sacrificios, el gobierno imperial se enorgullecería en tratar la paz en términos altamente favorables para el
Paraguay; la antigua cuestión de límites quedaría entonces arreglada, y en lo
sucesivo el Paraguay sería considerado como una nación cuya amistad debía
ser solicitada.

La guerra no podía durar sino algunos meses, por cuanto el Brasil no se
encontraba en condiciones de empeñarse en una lucha larga, y después de verter sangre suficiente para demostrar que el Paraguay poseía fuerza bastante
para protegerse a si mismo, sería muy fácil labrar la paz [14].

De que eran estas ideas conocidas, dio cuenta el registro de las
mismas por el ingeniero inglés Georges Thompson en su conocida
obra sobre la guerra del Paraguay publicada antes que la de Washburn, donde escribió lo siguiente:

Tenía (López) la idea de que el Paraguay sólo podía hacerse conocer por
la guerra, y su ambición personal lo precipitaba en este sendero, pues abrigaba
la convicción de poder reunir inmediatamente toda la población del Paraguay;
formando así un formidable ejército; sabía también que los brasileros emplea-
rían mucho tiempo para reunir fuerzas de consideración y creía que no estarían dispuestos a sostener una guerra tenaz y prolongada. Se decía a si mismo
que si no aprovechaba de aquel momento para emprender la guerra con el
Brasil, éste podía hacérsela en ocasión más desventajosa para él [15].

En las importantes declaraciones a Washburn, ratificadas por
Thompson, estaba la clave de muchos de los actos y omisiones de
Francisco Solano López, así como el esbozo del plan de guerra contra el Brasil. No solamente era una ratificación, si alguna se necesitaba después de tantas públicas manifestaciones, del anhelo de López de atraer hacia el Paraguay la atención y el respeto del mundo, sino también una explicación de su sorprendente desidia en
la modernización del equipo militar: el objetivo de su plan no era
doblegar al Brasil. No se proponía salir al encuentro del poderoso
Imperio, batir sus fuerzas de agua y tierra hasta obligarle a capitular, cosa que bien sabía no estaba dentro de las posibilidades presentes y futuras del Paraguay dada la gran desigualdad de poten-
cialidades económicas y demográficas. Su objetivo era esperarlo
dentro de las fronteras paraguayas, en la propia tierra de la patria,
convertida en una gran fortaleza, para lo cual creyó que bastaban
su especial posición topográfica y la bravura de sus hijos, y poca
falta hacían los costosos armamentos modernos. López suponía que

[14] WASHBURN, t. II, pp. 266-267.
[15] THOMPSON, p. 18.

el Brasil, después de tantos esfuerzos y gastos para enviar un ejército a tan larga distancia, se contentaría con librar algunas batallas para salvar su honor, y convencido de que sólo a costa de ruinas y de sacrificios inmensos podría conquistar a su adversario, sería dichoso en firmar una paz honrosa, sin vencedores ni vencidos, aunque altamente favorable para el Paraguay porque significaría la satisfacción de los grandes objetivos que López perseguía. La cuestión de límites quedaría resuelta, el Imperio aceptaría la alianza paraguaya y quizás se cumplieran los sueños imperiales y matrimoniales que acariciaba el gobernante paraguayo; el Paraguay habría exhibido ante el orbe su poder que ya no sería menospreciado en el futuro, las naciones se disputarían su amistad y ocuparía así la alta posición en el mundo que era el gran ideal que dirigía los pasos del general López en todas sus actuaciones internacionales desde su ascensión al poder. Y así, por la vía del honor y del prestigio, quedaría definitivamente resuelto el problema de la independencia nacional que tenía no en el Brasil sino en la República Argentina su natural antagonista y que de entonces para adelante quedaría al abrigo de cualquiera siniestra conjuración, con el acrecentamiento de fuerzas morales y la alianza con el Brasil, que sería la cosecha recogida por el Paraguay en la riesgosa aventura.

6. Esta concepción casi medieval de la guerra, donde las naciones dirimen sus disputas en los campos de batalla, como los caballerescos duelistas en un campo de honor, a primera sangre, sin tener en vista la destrucción del adversario y dando por descontado el abrazo final de reconciliación, adolecía de una falla fundamental: no era compartida por el Brasil. A los ojos de los estadistas del Imperio, el Paraguay nada tenía de los paladines caballerescos que en las justas medievales salían, lanza en ristre, en defensa de sus damas, y a quienes había que afrontar con las mismas armas y en combate singular, hasta derribarlos o ser derribados pero sin usar el puñal ni tocarle la piel, y para luego escauciar con ellos en torno a una mesa el vino de la reconciliación. El Paraguay del general López no era sino el rufián que se permitía, con atrevimiento inaudito. poner la mano sobre la augusta faz del Imperio con intención de deshonrarlo ante el mundo, y al cual era necesario castigar duramente, con escarmiento ejemplar, hasta dejarlo fuera de combate y en tal condición que nunca más constituyera una amenaza para el honor brasilero, ni de nadie, en el presente y en el porvenir.

Ya no eran solamente las cuestiones de límites y de navegación o los peligros que significaban para la integridad brasilera el creciente poderío de este país, que si ahora estaba casi desarmado, en poco tiempo podía suplir sus deficiencias momentáneas, y que, de cualquier modo, tan fácilmente podía taponar las comunicaciones con el mundo de la extensa y lejana provincia de Matto Grosso. Esas cuestiones estaban siempre presentes en el pensamiento brasilero, pero después del ultimátum del 30 de agosto y de la captura del *Marquez de Olinda,* el problema fundamental era una cuestión de honra que impelía al Imperio a buscar a cualquier costo el memorable escarmiento de su atrevido ofensor. Si después de las humillaciones sufridas frente a Inglaterra en la cuestión Christie, frente a los Estados Unidos en el incidente de Bahía y aún frente al pequeño y anarquizado Estado Oriental, el Brasil consentía este nuevo ultraje que acababa de inferirle el Paraguay, toda su importancia se vendría abajo, perdería para siempre su rango de primera potencia de la América del Sur, y quizás llegara para el Imperio la hora de la disolución, como lo preveían y deseaban los diarios de Montevideo, y era el anhelo íntimo de todos o casi todos los hombres del Río de la Plata, aún de quienes por razones circunstanciales, apoyaban la política brasilera. Hasta por una razón de supervivencia el Imperio debía probar su capacidad de hacer una guerra aplastantemente victoriosa y dejar sentado, ante todos los países sudamericanos, sobre todo ante aquellos que sólo esperaban su ruina para recuperar antiguas fronteras, que nadie podía osar impugnemente ofender la honra del Brasil.

Quien más enérgicamente sostuvo esta posición fue Don Pedro II. Para él, había sonado la hora de la guerra y ella no debía ser rehuida, no sólo por la honra del Brasil sino también y muy especialmente por la honra de la Corona. A los agravios inferidos por el Paraguay al Imperio, que reclamaba satisfacción, se añadía un agravio personal que López le había inferido a él como emperador del Brasil. Por especial apreciación de los hechos, el proyecto de López de desposar con la hija del monarca había sido recibido como terrible ofensa. López, en el concepto de Don Pedro II, tipificaba la barbarie de los caudillos hispanoamericanos que tanto aborrecía el emperador. Su pretensión de introducirse en la familia real implicaba la osadía de rebajarla al nivel de las tribus pampeanas (16). Desde ese momento, lo que era cuestión internacional, de Imperio a República, se convirtió en cuestión de persona a persona. Era esta una contienda que solamente cabía definir por un extremo: la eliminación del hombre que había querido escarnecer el lustre de la púrpura imperial. Había que hacer la guerra y llevarla hasta el final, que no podía ser otro que la destrucción de Francisco Solano López, la extirpación de su poder o su expulsión del Paraguay. Y como había que firmar algún día la paz, Don

(16) WASHBURN, t. II, p. 220.

Pedro II preferiría abdicar antes que hacerlo con López. López tenía que desaparecer de la escena y para siempre (17).

De tal suerte, por una conjunción de circuntancias, coincidieron los antagonistas en situar el pleito, que las armas iban a dirimir, en el terreno del honor. Pero ésto no significaba que periclitaran los móviles tradicionales y circunstanciales en el ánimo de una y otra de las partes. Para el Brasil se trataba de afirmar y avanzar su preponderancia en el Río de la Plata, extirpando, de una vez para siempre, el obstáculo que el Paraguay y su gobernante representaban para la unidad, la seguridad y la grandeza de la nación, y para la dinastía reinante la consolidación de su durabilidad. Para el Paraguay se trataba del viejo problema de la independencia, asegurada antes por el equilibrio entre sus dos grandes vecinos y en peligro ahora por misterioso entendimiento, y para su gobernante la necesidad de afianzar su régimen político mediante una aventura exterior. La novedad en el caso era que esos valores, viejos o nuevos, pasaban a ocupar, por lo menos aparentemente, un segundo plano, sin acusados relieves, para emerger poderosamente, como si fueran los únicos móviles, sólo aquellos que tenían atinencia con el honor de las naciones o de las personas gobernantes y reinantes.

7.   En realidad, la guerra con el Paraguay estaba al cabo de los designios del Brasil mucho antes de la captura del *Marquez de Olinda,* y se hizo patente cuando la protesta del 30 de agosto persuadió al emperador y a los estadistas de Río de Janeiro que no había otro camino para castigar la insolencia paraguaya y dejar bien alta la reputación del Imperio. Senén Rodríguez, el prominente colorado residente en Buenos Aires, había transmitido, algunas semanas antes, al canciller Berges una importante confidencia recogida de personas muy allegadas al almirante Tamandaré, que sabían lo que decían, porque a las funciones políticas que a éste le asignara su gobierno se agregaba la conocida circunstancia de estar en contacto directo con el emperador, de quién recibía instrucciones y orientaciones, no en todos los casos concordantes con las del gabinete. pero siempre prevalecientes (18). Decía el informe a Asunción:

> Por una casualidad he venido a tomar relación con personas muy allegadas con el almirante brasilero barón de Tamandaré y sin que yo intentase saber cuál es la política que el Imperio piensa seguir en el Río de la Plata, el señor a quien hago referencia, de la intimidad de Tamandaré, me hizo la siguiente revelación: "La cuestión con la República Oriental, según orden que ha reci-

(17)   CRISTIAN BENEDICTO OTTONI, *Autobiografía.* Véase Nota 23 del Cap. V. Acerca de la actitud de Don Pedro II durante la guerra, CARDOZO, *El Paraguay Independiente,* Cap. VI.

(18)   Véase Cap. XXXIII.

bido el almirante, va a ser terminada o abandonada desde que Flores que se halla en el dominio de casi todo el país, esté resuelto a dar al Brasil las satisfacciones y garantías que el Imperio pidió a los blancos. Ahora será con el Paraguay al que vamos a declarar la guerra de cualquier manera". Pregúntele entonces que cómo quedaba abandonada la cuestión con la República Oriental y qué clase de apoyo prestarían a Flores para que éste llegara a darles las garantías y satisfacciones que no habían querido darle los blancos, y me contestó: "Puedo asegurar a Ud. que la cuestión oriental se arregla amigablemente por la paz y en caso que no la acepte el Gobierno de Montevideo se le darán a Flores los elementos necesarios para terminar con la situación, y no le quepa a Ud. la menor duda que la paz se hace y para que en caso de que el gobierno de Montevideo no la acepte, que puedo asegurarle que la aceptará sale en una cañonera nuestra un oficial mañana o pasado para donde está Flores". (Efectivamente hablé con el oficial brasilero que me indicó y es verdad que sale para ver a Flores). Le interrumpí en seguida observándole que bien podía llegarse a un arreglo amigable entre la República del Paraguay y el Imperio, y me contestó: "De ninguna manera aceptará el Brasil arreglo alguno con el Paraguay; la guerra es infalible; el gobierno está dispuesto a acabar con *ese mico* (textual) que se levanta en un rincón del mundo amenazando a todos" [19].

En 1864 las circunstancias del Brasil no eran muy propicias para acabar con el "mico" que se levantaba en un rincón del mundo amenazando a todos. Su situación internacional, adversa después de los desplantes de Tamandaré, arrastraba consigo los recelos que ocasionaba en Europa y en Estados Unidos la intervención en el Uruguay, la animadversión de los países limítrofes con sus cuestiones de fronteras irresueltas y las viejas rivalidades raciales. Las finanzas estaban desquiciadas y la economía en grave trance. Había problemas internos inquietantes como la esclavitud y el separatismo republicano latente en Río Grande. La general relajación militar y naval se había puesto dolorosamente de resalto en el fracaso de la organización del ejército expedicionario al Uruguay y en la defección de los fuertes y de la escuadra en Bahía frente al desplante del *Wassuchet*

8. Pero para su bien, y para mal del Paraguay, el Imperio contaba con un estado mayor de avezados estadistas, los más capaces de la América del Sur, adiestrados casi todos en las cuestiones del Río de la Plata, hábiles, diligentes, ingeniosos, amantes de su patria, celosos de su honra y conscientes de la inmensa responsabilidad sobre ellos recaída, que no se darían punto de reposo hasta tornar favorables o neutralizar tantos factores adversos y que después de lograr que la opinión interna y externa hirviera de indignación ante la captura del *Marquez de Olinda*, —presentada como un acto de piratería en plena paz cuando que no era ni menos ni más grave que el cañoneo del *Villa del Salto* o la invasión del territorio oriental sin previa declaración de guerra—, se dedicarían a

[19] De Rodríguez a Berges, Buenos Aires, setiembre, 29, 1864, AGNP, vol. 334.

crear la formidable maquinaria de guerra con que se aplastaría al Paraguay.

Por suerte —dijo uno de esos estadistas—, la fibra moral no estaba muerta; se había relajado pero no corrompido. Había torpor y pereza, pero también sensibilidad, corazón, patriotismo, ideal y gracias a la veneración casi tradicional, que aún se conservaba a ejemplos vivos del antiguo temple, del corte de otra época, como Caxías, Porto-Alegre, Osorio, Tamandaré, Barroso, a la conciencia nacional admirablemente encarnada en el emperador, a los recursos económicos, intactos aún, al orden del centro motor aún no deteriorado por el moho que cubría la superficie de la máquina, nuestro país pudo en tiempo relativamente corto, presentar a las naciones del Plata el mayor aparato militar que hasta hoy se ha visto en la América del Sur, aparato que a causa de la extensión del teatro de la guerra, nunca le fue dado contemplar en conjunto [20].

9. Los estadistas brasileros sabían que era menester un gran aparato militar para afrontar al Paraguay y que la guerra sería muy prolongada, pero no dudaban del resultado final. Tavares Bastos, en el famoso debate parlamentario de dos años antes, había predicho:

No vacilo acerca del resultado de una lucha entre el Brasil y el Paraguay. La naturaleza del terreno, la organización de la República, la vida poco fija de sus habitantes, los recursos del interior, prolongarían por mucho tiempo la guerra que desgraciadamente estallase entre los dos países; pero la facilidad que tenemos para armarnos, los recursos y el crédito de que disponemos, nos darían, al fin, la victoria [21].

Cuando el Imperio desechó la protesta paraguaya del 30 de agosto, bien sabía que el ejército de su futuro contendor continuaba armado, en su casi totalidad, con anticuados fusiles de chispa, que Humaitá seguía artillada con viejos e impotentes cañones y que la tan mentada flota tenía muy poco de guerrera, pero conocía también que en Europa se estaban contratando fusiles, cañones y barcos del más moderno tipo, que podían, si llegaban a tiempo, corregir decisivamente aquellas graves deficiencias. El momento era oportuno para recoger el guante arrojado tan arrogante como imprudentemente por López. La guerra autorizaría el bloqueo: sería completo e inquebrantable aunque la Argentina no ingresara en la contienda y dadas las posiciones geográficas, significaría para el Paraguay el cese de los aprovisionamientos desde el exterior y la imposibilidad absoluta de llevar adelante su plan de modernizar ejército y escuadra. Además, el Paraguay no podría, en modo alguno bloquear al Brasil, que como potencia marítima con extensas costas, estaría en condiciones de traer de Europa todo el armamento que quisiera encargar y pagar, sin que el Paraguay tuviera cómo

(20)   NABUCO, La guerra, p. 98.
(21)   ANNAES, DIPUTADOS, 1862, p. 36.

impedirlo, ni siquiera en el terreno diplomático donde su inopia era aún mayor que en el militar. Ciertamente, la situación militar del Imperio, que estaba lejos de ser brillante al iniciarse las hostilidades, soportaba el tremendo peso moral y material del fiasco de las operaciones sobre el Uruguay, mucho menos armado que el Paraguay. Pero esa inferioridad sería transitoria, hasta que quedara montado "el mayor aparato militar" hasta entonces visto en la América del Sur y con el cual sería cosa de tiempo aplastar al Paraguay que sólo podría prolongar pero no evitar su agonía y destrucción.

Para el Imperio del Brasil era llegada la hora de ese despliegue de fuerza y de poder, no solamente para castigar la insolencia paraguaya, sino también para imponer de una vez su predominio en el Río de la Plata, el viejo ideal de sus estadistas, heredado del Portugal, y que ahora llevaba trazas de realización, gracias a los errores de López, frutos de su temperamento personal y de las modalidades de un régimen, donde no cabían discusiones y todo debía ser acatado por el pueblo, sin darle ocasión de señalar y corregir las fallas de la conducción internacional y las graves deficiencias de la organización militar.

10. *Contra el formidable aparato militar y naval del Brasil, el Paraguay sólo pudo oponer sus pobres barcos de guerra, sus herrumbrados cañones coloniales y sus pesados fusiles de chispa, servidos por soldados que también estarían siempre en aguda inferioridad numérica, dada la gran diferencia demográfica, y por una economía nacional clausurada que, aunque se bastó a sí misma en todos los órdenes, estuvo lejos de parangonarse con la de sus adversarios, ayudados, para más, por generosos empréstitos exteriores. Y contra la maquinaria diplomática del Imperio, tanto o más eficaz que la militar, el Paraguay nada tendría para oponer en el exterior, donde las vastas simpatías que pronto ganó la causa paraguaya nunca salieron del campo de las platónicas protestas y declaraciones y el Brasil ganó, al fin, todas las batallas, gracias a sus expertos diplomáticos. López careció, en la hora suprema, de servicio diplomático, reducido durante los cinco años de guerra a un simple encargado de negocios en Europa, de notoria incapacidad* [22] *y que finalmente también pasó al enemigo, con armas y bagajes!*

La indomable energía del mariscal López y el estupendo heroísmo del pueblo paraguayo, prolongaron la guerra durante cinco largos años, de inauditos sufrimientos y gloriosas proezas. El Paraguay tuvo en frente no sólo al Imperio del Brasil, sino también a la República Argentina y aún a la República Oriental del Uruguay, por cuya independencia había bajado a la lid, casi inerme.

(22) BENITES, passim.

Aunque se dijo que la guerra era sólo contra el sistema de gobierno paraguayo y la persona que lo encarnaba, un tratado secreto unió a los tres aliados en el plan de anonadar al Paraguay hasta reducirlo a un fantasma de nación. Las palabras que profería el senador Miranda, cada vez que entraba en el senado brasilero, fueron tan proféticas como las de Catón: ¡DELENDUS EST PARAGUAYUS! [23].

Y porque el Paraguay careció en la prueba de las armas adecuadas, los estadistas del Imperio vieron cumplido su cruel designio de destrucción, que era de sobras conocido por Solano López, cuya imprevisión fue causa principalísima del desastre militar y del tremendo aniquilamiento material de su patria. Muchos años después, su más ardoroso reivindicador y apologista, no tendió velos sobre la triste realidad de la indefensión paraguaya a la cual atribuyó la pérdida de la guerra. Dijo Juan E. O'Leary: "Nos armamos y militarizamos como pudimos, sin abandonar la obra de progreso en que estábamos empeñados, sin adquirir costosos materiales en el exterior, procurando siempre que nuestros arsenales nos dotaran de los elementos necesarios. Ya tarde, cuando Solano López se convenció de que Mitre y Pedro II gestaban en las sombras una coalición contra nuestro país, pensó en un armamento moderno y dispuso su adquisición en Europa. Y vino la guerra antes que ese material, que nos hubiera hecho invencibles, nos llegara. La invasión nos sorprendió así con fusiles de chispa, de fabricación criolla, y viejos cañones coloniales. Tierra de paz y de trabajo, el Paraguay en 1865 no era por cierto la Prusia sudamericana" [24].

[23] SOARES DE SOUZA, p. 583, cit.
[24] JUAN E. O'LEARY, "Nuestro Ejército del 65", en *Revista Militar*, Nº 71, Asunción, 1931. El coronel León de Palleja, en su *Diario de la campaña contra el Paraguay*, describe de este modo, el armamento y equipo de las tropas paraguayas rendidas en Uruguayana: "La artillería tomada, el obús y las cuatro piezas ,de a cuatro son antiquísimas y tanto que algunas de ellas hasta son históricas. Una es fundida bajo el reinado de Carlos II; otra es de la República Francesa. El obús es original también por ser de fierro, primero que vemos de este metal." "La caballería... va armada con lanza, pistola y sable inglés. La lanza es corta y de hechura de bayoneta; la pistola es de chispa; usan poco de carabina; las que hemos encontrado son en su mayor parte brasileñas, tomadas prisioneras en San Borja y en los combates que han sostenido contra los brasileros." "La infantería... va armada de fusil inglés a chispa, mosaico del armamento de los diferentes Estados sudamericanos que el Paraguay ha ido comprando y acumulando poco a poco." ;Como se sabe, el ejército que capituló, en Uruguayana, al comienzo mismo de la guerra, era seleccionado. Respecto de los soldados el juicio de Palleja es: "Son pampas, son tártaros, son cosacos, son lo peor que puede imaginarse. Este regalo era el que preparaban al E. Oriental algunos hijos despiadados, que no se horrorizaban al considerar la serie de males y de destrucción que llevaban a su país. Estas fieras salidas de sus guaridas en hora menguada, volverán a ser encerradas en ellas, dejando solamente un triste y penoso recuerdo por doquiera que sentaron sus plantas." Las transcripciones están tomadas de la se-

Nada comprueba que sólo en marzo de 1864 —época de las primeras órdenes expedidas a Europa para la compra de armas— Solano López se percatara de la gravedad de las amenazas que apuntaban, desde el alba de su historia como nación, contra la integridad y la independencia del Paraguay. Y aún cuando hubiera padecido tal ceguera, estuvo en sus manos, desde el momento en que se le cayeran las vendas, prolongar la explosión final todo el tiempo necesario para que llegara el equipo moderno apresuradamente contratado. No lo hizo así y lanzó a su pueblo a la infortunada lid armado con anacrónicos fusiles de chispa, herrumbrados cañones de hierro y anticuados buques de madera, frente a adversarios provistos de los más modernos elementos, muchos de ellos contratados y pagados por el propio Paraguay. Y al capturar el Marquez de Olinda, en noviembre de 1864, y al invadir Corrientes en abril de 1865, no advirtió que estaba haciendo justamente lo que los estadistas de Río de Janeiro y de Buenos Aires esperaban de él para ajustar una alianza repugnada y resistida por casi todo el Río de la Plata, y para comenzar la guerra en las mejores condiciones posibles, cuando aún no habían llegado al Paraguay sino mínimas porciones de los armamentos europeos, equipados con los cuales verdaderamente hubieran sido invencibles los soldados paraguayos y jamás se hubieran cumplido los fatídicos planes del Imperio.

El Paraguay lejos estaba de ser, al iniciarse la gran contienda, la Prusia sudamericana y esto lo sabía el Imperio y también López, que confesó en 1862, al asumir la presidencia, la debilidad militar de su patria, pero que nada hizo para corregirla, porque sus planes no eran conquistar glorias en los campos de batalla sino en los de la diplomacia. Pero la República Argentina primero y luego el Imperio del Brasil, no estuvieron dispuestos a admitir la tercería paraguaya en asuntos hasta entonces debatidos con absoluta exclusión del Paraguay, por deliberada y constante política de los anteriores gobernantes de Asunción. Además, conocedores los antagonistas de López de las características de su temperamento personal, sabían que con el rechazo de sus pretensiones de actuación en la alta política del Río de la Plata hincarían una espuela de fuego en su carne hipersensible y le lanzarían a arremeter ciegamente contra todos, sin advertir la mortal trampa en que finalmente se hundió, tal como lo querían los manipuladores de ese diabólico ajedrez internacional

Nada de esto hubiera ocurrido, por lo menos tan fácilmente, si otro sistema de gobierno imperara en el Paraguay. Ni prensa li-

gunda edición del *Diario*, publicada en 1960 por el Ministerio de Instrucción Pública y Previsión Social de la República Oriental del Uruguay (tomo I, pp. 144 a 151).

bre, ni partidos organizados, ni oposición parlamentaria habían que pudieran denunciar, primero las graves fallas de la defensa nacional, y luego las equivocaciones y apresuramientos de la política internacional. Los actos de López no estuvieron sometidos al tamiz de ninguna crítica y las graves decisiones fueron adoptadas sin consultar siquiera al Congreso ni al Consejo de Estado, con todo de tratarse de organismos enteramente sometidos a la voluntad presidencial.

Porque el régimen político del Paraguay impidió que por acción de la opinión pública se corrigieran a tiempo las deficiencias militares y diplomáticas que volvieron inevitable la catástrofe, los estadistas del Imperio vieron satisfechos algunos de sus objetivos. El Paraguay quedó aniquilado. El huracán de fuego y plomo lo destruyó hasta sus raíces. El golpe fue tan fuerte como lo quería Paranhos y el Brasil vio desaparecer para siempre el peligro de una potencia mediterránea clavada como un filoso puñal sobre sus vísceras vitales. Las fronteras avanzaron hasta el río Apa y la libertad de navegación quedó asegurada. Y también, como lo quiso el emperador, no hubo paz negociada y la guerra siguió implacable hasta que el mariscal López pagó con su vida la ofensa a la Corona. La monarquía se sintió afirmada sobre sus tambaleantes cimientos aunque por muy poco tiempo, pues los generales de la guerra proclamaron algunos lustros después la república. Y en cuanto al grande objetivo del enseñoreamiento definitivo del Río de la Plata, el fracaso del Brasil fue completo. Al final la marea iniciada en los esteros paraguayos barrió en el Brasil todo vestigio de la vieja política expansionista heredada del Portugal. Proclamada la República, el pueblo del Brasil repudió los desacreditados planes de predominio y se inició una nueva era de amistad con los países hispanoamericanos, especialmente, con los del Río de la Plata.

La reacción también alcanzó a la República Oriental, la primitiva manzana de la discordia, que ya nunca jamás, duramente escarmentada por la experiencia, solicitó la intervención brasilera. Y ya nunca más soldados brasileros pisaron tierra oriental para dirimir pleitos internos. El Uruguay se desprendió de la órbita brasilera y comenzó a ser de verdad independiente.

En un principio, Buenos Aires obtuvo algunos de los objetivos que perseguía: vio asegurada definitivamente la unidad nacional bajo su hegemonía y alejado el peligro de una resurrección del poder de Urquiza. Pero los sueños, tímidamente esbozados, de reconstrucción virreinal, no alcanzaron el mismo éxito. Tropezaron con la resuelta, decidida oposición del Imperio, erguido, una vez más, como campeón de la independencia paraguaya. Lo fue también la Argentina, bajo la presidencia de Sarmiento, cuando el Brasil quiso convertir, por lo menos al Paraguay, en una dependencia suya. Además de la tremenda lucha entre las cancillerías de Río de Janeiro y Buenos Aires en la liquidación diplomática de la guerra, resultó la salvación para el Paraguay de por lo menos una parte de su patrimonio territorial descuartizado por el tratado secreto de la Triple Alianza, por la vía del arbitraje, noblemente aceptado por la República Argentina, que proclamó, para ejemplo del mundo, que "la victoria no da derechos".

No fue el único ni el principal fruto que la enorme hecatombe rindió para su principal víctima: el pueblo paraguayo, que siguió abnegadamente al mariscal López, persuadido de que defendía la libertad nacional. Con esa convicción padeció infinitos sufrimientos, no sólo bajo el fuego de las modernas y poderosas armas con que se presentó su contendor, sino también en manos del propio López, enloquecido con la derrota y convertido en un tirano "sin paralelo en la historia de los siglos", según lo anatematizaría uno de sus principales lugartenientes, el general Bernardino Caballero [25]. Todo lo soportó el pueblo paraguayo porque creyó que estaba en juego la independencia nacional. Y aunque el mariscal López sucumbió con el grito de "muero con la patria', ésta sobrevivió, empequeñecida materialmente pero moralmente engrandecida e inmortalizada, gracias al épico holocausto colectivo, que asombró al mundo y dio nuevos argumentos al Brasil para salir al paso de cualquier propósito anexionista de la República Argentina [26]. El sacrificio del pueblo paraguayo no fue estéril. El Paraguay ganó para siempre su derecho a la independencia y su pueblo vio cumplidos, mediante la Constitución de 1870, sus antiguos y tanto tiempo reprimidos ideales de democracia y de libertad.

También se cumplieron y holgadamente, los anhelos de López: el nombre del Paraguay y el suyo personal ascendieron a las más altas cumbres de la fama. Bajo su titánico mando, la República mostró lo que valía, rompió el silencio que le oprimía, ganó la admiración de todas las naciones, si bien al precio de dantescos padecimientos, de la ruina de su grandeza, de la mutilación de su territorio y de la muerte del propio López y de un millón de paraguayos, en la guerra más sangrienta y bárbara que jamás se libró en el continente americano.

---

[25] *El General Bernardino Caballero a sus conciudadanos*, Paraguarí, 22 de marzo de 1873. Imprenta de la Enseñanza.

[26] Véase: memorándum de Paranhos de mayo 17, 1869, RELATORIO, 1870, anexo I, doc. 12.

FUENTES MENCIONADAS

a) *Inéditas*

AGNP: Archivo General de la Nación, Asunción, Paraguay.
AGNA: Archivo General de la Nación, Buenos Aires, Argentina.
AGNU: Archivo General de la Nación, Montevideo, Uruguay.
AMREP: Archivo del Ministerio de Relaciones Exteriores del Paraguay (en Biblioteca Nacional de Río de Janeiro, Colección Río Branco).
AMREA: Archivo del Ministerio de Relaciones Exteriores, Buenos Aires, Argentina.
AMREU: Archivo del Ministerio de Relaciones Exteriores, Montevideo, Uruguay.
AHI: Archivo Histórico do Itamarati, Río de Janeiro, Brasil.

b) *Editas*

ANNAES, DIPUTADOS: Annaes do Parlamento Brazileiro, Camara dos Srs. Diputados, Río de Janeiro, 1864.
ANNAES, SENADO: Annaes don Senado do Imperio do Brasil, Río de Janeiro, 1864.
ANNAIS ITAMARATI: Annaes do Itamarati, Río de Janeiro.
ARCHIVO MITRE: Archivo del General Mitre. Documentos y Correspondencias, Buenos Aires, 1911-1914.
AZEVEDO: Walter A. de Azevedo, As Missoes Sagastume e Carreras ao Paraguay, en "La Revista Americana", Nos. 76 a 81, Buenos Aires, 1930.
BAEZ: Cecilio Báez, Historia Diplomática del Paraguay. Asunción, 1931-1932.
BENITES: Gregorio Benites: Anales Diplomático y Militar del Paraguay, Asunción, 1906.
BRAY: Arturo Bray, Solano López, soldado de la gloria y del infortunio, Buenos Aires, 1945.
CAILLET BOIS: Ricardo Caillet Bois. 1864. Un año crítico en la política exterior de la Presidencia de Mitre. Actuación del Dr. Rufino de Elizalde, Buenos Aires, 1946.
CARCANO: Ramón J. Cárcano, Guerra del Paraguay, Acción y reacción de la Triple Alianza, Buenos Aires, 1941.
CARDOZO: Efraím Cardozo: Vísperas de la guerra del Paraguay, Buenos Aires, 1954.
CARTAS POLEMICAS: Bartolomé Mitre y Juan Carlos Gómez, Cartas Polémicas sobre la guerra al Paraguay, Asunción-Buenos Aires, 1946.

CENTURION: Juan 'Crisóstomo Centurión, Memorias o Reminiscencias Históricas sobre la Guerra del Paraguay, Asunción, 1944.

CHAVES: Julio César Chaves, El Presidente López, Vida y obra 'de Don Carlos Antonio, Buenos Aires, 1955.

COLECCION: 'Colección de piezas oficiales concernientes a las cuestiones paraguayo-brasileras en 1855, Asunción, 1855.

CORRESPONDENCIA MITRE-ELIZALDE: Correspondencia Mitre-Elizalde. Prólogo de Luis Elizalde, advertencia de James Scobie 'y Palmira S. Bollo Cabrios. Universidad de Buenos Aires. Departamento Editorial.

CORRESPONDENCIA SARAIVA: Correspondencia e documentos officaes relativos a Missao Especial do conselheiro Jose Antonio Saraiva ao Rio da Plata em 1864, Bahia, 1872.

DOCUMENTOS BARBOLANI: Documentos oficiales, Tentativa de pacificación intentada por interposición de S. E. el Caballero R.U. Barbolani, ministro residente de S.M. el Rey de Italia, Montevideo, 1864.

DOCUMENTOS RUPTURA: Documentos oficiales concernientes a la ruptura de relaciones entre el gobierno de la República del Paraguay y el Imperio del Brasil a consecuencia de la ocupación a mano armada del territorio de la República Oriental por fuerzas brasileras, Asunción, 1864.

DOCUMENTOS SARAIVA: Documentos diplomáticos, Misión Saraiva, Montevideo, 1864.

DIARIO, DIPUTADOS: Diario de sesiones de la Cámara de Diputados, Buenos Aires, 1864.

HERRERA: Luis Alberto de Herrera, La diplomacia oriental en el Paraguay, Correspondencia oficial y privada del Dr. Juan José de Herrera, ministro de relaciones exteriores de los gobiernos de Berro y Aguirre, Montevideo 1908-1926.

HORTON BOX: Pelham Horton Box, Los orígenes de la guerra del Paraguay contra la Triple Alianza, Versión castellana de Pablo M. Ynsfrán, Asunción, 1936.

LAMAS: Andrés Lamas, Tentativas para la pacificación de la República Oriental del Uruguay, Buenos Aires, 1865.

LOBO I: Helio Lobo, Antes da guerra, A Missao Saraiva ou dos Preliminares do conflicto com o Paraguay, Rio de Janeiro, 1914.

LOBO II: Helio Lobo, As Portas da Guerra (Do Ultimatum Saraiva, 10 de agosto de 1864, a convençao da Villa Uniao, 20 de fevreiro de 1865), Río de Janeiro, 1916.

LYRA: Heitor Lyra: Historia de Dom Pedro II, 1825-1891, Sao Paulo, 1938.

MAILLEFER: Contribuciones documentales. Informes diplomáticos de los representantes de Francia en el Uruguay (1864-1865), en "Revista Histórica", año XLVIII, tomo XXII, Montevideo, 1954.

MEMORIA, MREA: Memoria del Ministerio de Relaciones Exteriores presentada al Congreso Nacional, Buenos Aires, 1865.

NABUCO: La guerra: Joaquín Nabuco, La guerra del Paraguay. Versión de Gonzalo de Reparaz, París, 1901.

NABUCO, Um estadista: Joaquim Nabuco, Um estadista do Imperio, Nabuco de Araujo, Sua vida, suas opinioes, sua epoca, Rio de Janeiro, s/a.

OLLEROS: Mariano L. Olleros: Alberdi, a la luz de sus escritos. Asunción, 1905.

PALOMEQUE: Alberto Palomeque, Conferencias históricas, Montevideo, 1909.

PEREIRA PINTO: Antonio Pereira Pinto, Appontamentos para o direito internacional, Río de Janeiro, 1864.

PRELIMINARES: (José Vázquez Sagastume y José Antonio Saraiva), Preliminares da guerra do Paraguay, en "Revista do Instituto Histórico e Geographico do Brasil", t. LIX, parte I, pp. 263-367, Río de Janeiro, 1896.

RAMOS: R. Antonio Ramos, La política del Brasil en el Paraguay bajo la dictadura de Francia, Buenos Aires, 1944.

REBAUDI: Arturo Rebaudi, La declaración de guerra de la República del Paraguay a la República Argentina, Misión Luis Caminos, Misión Cipriano Ayala, Declaración de Isidro Ayala, Buenos Aires, 1924.

RELATORIO: Relatorio da Repartiçao dos Negocios Estrangeiros Apresentado a Asamblea General Legislativa... Rio de Janeiro.

SOARES DE SOUZA: José Antonio Soares de Souza, A vida do Visconde do Uruguay, Sao Paulo 1944.

SCHNEIDER: L. Schneider, A guerra da Triplice Aliança contra o governo da República do Paraguay (1864-1870), Río de Janeiro, 1875.

THOMPSON: Jorge Thompson, La guerra del Paraguay, Buenos Aires, 1910.

TASSO FRAGOSSO: Augusto Tasso Fragosso, Historia da guerra entre a Triplice Aliança e o Paraguai, Río de Janeiro, 1934.

VARGAS PEÑA: Benjamín Vargas Peña, Paraguay-Argentina, Correspondencia diplomática, 1810-1840, Buenos Aires, 1945.

WANDERLEY: Wanderley Pinho. Cotegipe e seu tempo. Primeira phase, 1815-1867, Sao Paulo, 1937.

WASHBURN: Carlos A. Washburn, Historia del Paraguay con notas de observaciones personales y reminiscencias de algunas dificultades diplomáticas, Buenos Aires, 1892.

INDICE

564   I N D I C E

SE TERMINÓ
DE IMPRIMIR EN LOS
TALLERES GRÁFICOS *LUMEN*
NOSEDA Y CÍA.
CALLE TUCUMÁN *2926*
T. E. *87-6646/6647*
BUENOS AIRES
REPÚBLICA ARGENTINA
EN EL MES DE
JULIO
DE MIL NOVECIENTOS
SESENTA Y UNO